LES PAPIERS DE RICHELIEU

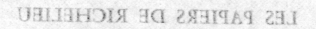

MONUMENTA EUROPAE HISTORICA
COMMISSION INTERNATIONALE
POUR L'ÉDITION DES SOURCES DE L'HISTOIRE EUROPÉENNE

LES PAPIERS DE RICHELIEU

SECTION POLITIQUE INTÉRIEURE
CORRESPONDANCE ET PAPIERS D'ÉTAT

par

Pierre GRILLON
Docteur ès Lettres

Préface par Roland MOUSNIER

TOME I
(1624-1626)

PARIS
EDITIONS A. PEDONE
Librairie de la Cour d'Appel et de l'Ordre des Avocats
13, Rue Soufflot, 13

1975

ISBN 2-233-00007-2

MONUMENTA EUROPAE HISTORICA

COMMISSION INTERNATIONALE POUR L'EDITION DES SOURCES DE L'HISTOIRE EUROPEENNE

INTERNATIONALE KOMMISSION ZUR VEROFFENTLICHUNG VON QUELLEN ZUR EUROPAISCHEN GESCHICHTE

INTERNATIONAL COMMITTEE FOR THE PUBLICATION OF DOCUMENTS ON EUROPEAN HISTORY

Membres de la Commission

Pr. Dr Dieter ALBRECHT, — TRÉSORIER
Professeur à l'Université de Ratisbonne,
Regensburg Universität,
Historisches Institut,
84 RATISBONNE
(Allemagne).

M. Georges DETHAN,
Conservateur de la Bibliothèque
des Affaires Etrangères,
142, rue de Courcelles,
75017 PARIS.
(France).

Pr. A.G. DICKENS,
University of London,
Institute of Historical Research,
Senate House,
LONDRES WCIE 7 HU
(Angleterre).

Pr. Dr Fritz DICKMANN †,

M. Yves DURAND, — TRÉSORIER-ADJOINT
Professeur à l'Université de Nantes,
2, avenue Camus,
44 NANTES.
(France).

Pr. Dr Andréas KRAUS,
Professeur à la Faculté des Lettres
de Ratisbonne,
Historisches Seminar,
84 RATISBONNE
(Allemagne).

Monsieur le Doyen Georges LIVET, — VICE-PRÉSIDENT
Doyen de la Faculté des Lettres
et Sciences humaines de Strasbourg,
3, rue Schiller,
67 STRASBOURG.
(France).

Pr. MARAVALL,
Professeur à l'Université de Madrid,
Ibanez Martin 3,
MADRID 15
(Espagne).

M. Roland MOUSNIER, — PRÉSIDENT
Professeur à la Sorbonne,
142, avenue de Versailles,
75016 PARIS
(France).

M. René PILLORGET, — SECRÉTAIRE-GÉNÉRAL-ADJOINT
Professeur au Centre d'Etudes Supérieures
de la Renaissance (Université de Tours),
95, boulevard Jourdan,
75014 PARIS.
(France).

Pr. Dr Konrad REPGEN,
Professeur à l'Université de Bonn,
5300 BONN - Saalestrasse 6
(Allemagne).

Pr. Dr Stephan SKALWEIT, — VICE-PRÉSIDENT
Professeur à l'Université de Bonn,
5300 BONN - Venusberg,
Haager Weg 31
(Allemagne).

Dr Franco VALSECCHI,
Il Direttore,
Istituto di Studi Storici
Facolta di Science Politiche
Universita di Roma,
ROME
(Italie).

Pr. Dr Hermann WEBER, — SECRÉTAIRE-GÉNÉRAL
Historisches Seminar
der Universität Mainz,
Allgmeine und Neuere Geschichte,
65 MAINZ - Saarstrasse 21
(Allemagne).

PREFACE

— I —

La Commission internationale pour l'édition des sources de l'histoire européenne a pour but de publier les sources historiques d'intérêt européen, selon les normes critiques de l'édition scientifique. Elle est dirigée par un Conseil d'administration élu par l'Assemblée générale de ses membres et qui reflète son caractère international. Le Conseil d'administration statue sur les demandes d'admission présentées. Il élit un président et des vice-présidents parmi ses membres.

La Commission internationale s'est constituée d'abord pour apporter sa contribution au développement de la science de l'histoire, indispensable à la formation de l'homme et du citoyen. Le monde présent, le monde qui se fait et qui devient, ne peuvent se comprendre, une prospective ne peut se constituer, sans une vue d'ensemble de l'évolution de l'humanité ni sans la considération attentive d'une épaisseur de temps considérable avant l'époque actuelle, sans une pesée des influences réciproques des phénomènes humains de longue durée, des générations et des événements, sans un examen de constantes et de types. Intelligence des faits, intelligence des hommes, l'histoire est la discipline fondamentale pour l'édification des sociétés nouvelles.

L'histoire ne saurait sortir de préjugés philosophiques ou politiques. Elle ne saurait être la projection de constructions de l'esprit sur le passé, le présent et l'avenir. L'histoire ne peut se faire qu'à partir des traces laissées par les hommes du passé, monuments, outils, aménagements du sol, objets divers, et surtout à partir des documents écrits, des textes, qui restent les sources essentielles de notre connaissance des sociétés et des hommes. C'est à partir de ces traces, en opérant selon des méthodes critiques sans cesse améliorées, que les historiens peuvent reconstituer les hommes, les événements, les types sociaux, les valeurs morales et sociales, les structures qui y correspondaient.

C'est pourquoi la Commission a jugé nécessaire de publier les sources historiques d'intérêt européen ; d'éditer à nouveau celles qui ne l'ont été que partiellement ou de façon défectueuse ; de publier celles qui sont restées inédites. Le premier objectif de la Commission est scientifique : fournir des textes en bon état d'utilisation aux historiens puisque les textes sont le point de départ du travail historique. Mais la Commission a en outre des visées européennes. Elle a choisi comme titre général pour ses publications la formule : « Monumenta Europae historica ». Elle l'a fait en se souvenant des « Monumenta Germaniae historica ». Le rôle que ces publications savantes ont joué dans la formation de l'unité allemande, la Commission l'ambitionne pour les siennes dans la formation de l'unité européenne. Il est clair à tous les yeux maintenant que la seule chance de salut pour les Européens et pour leur civilisation est l'unité politique européenne, la constitution d'un Etat européen, capable par son unité même d'assurer à lui seul le respect de son indépendance totale, de sa dignité, de sa personnalité. La Commission internationale se déclare en ce sens résolument européenne. Elle appelle à elle tous ceux pour qui le dévouement à la science et à la civilisation est le sens même de leur vie.

— II —

Le programme général provisoire des publications prévues est le suivant :

1. *Les écrits des théoriciens de l'unification européenne,*
2. *La correspondance et les mémoires des grands hommes d'Etat européens, (par ex. Richelieu, Mazarin avant son ministère, Napoléon III, Conrad Adenauer, Alcide de Gasperi, Robert Schuman),*
3. *Les grands traités internationaux d'intérêt européen avec les textes concernant les négociations qui les ont précédés, (par ex. le Traité de Paris de 1856),*
4. *Les contrats de mariage des familles souveraines et princières d'Europe,*
5. *Les papiers des Européens émigrés à travers l'Europe ou hors d'Europe, par ex. les communications faites par des Européens dans des académies ou des sociétés savantes d'autres Etats que le leur d'origine,*
6. *Les textes concernant les fondements économiques et technologiques de la civilisation européenne.*

Cette liste n'est pas limitative.

— III —

La Commission a commencé son travail par l'entreprise d'une édition intégrale des lettres et papiers d'Etat du Cardinal de Richelieu, celle d'Avenel étant partielle et défectueuse. L'édition est en cours selon le plan suivant :

I. *Politique étrangère.*

1. *Instructions aux représentants français à l'étranger ;*
2. *Traités et conventions ;*
3. *Avis et Mémoires ;*
4. *Correspondance :*
   a) *Empereur et Empire ;*
   b) *Etats allemands et Cantons suisses ;*
   c) *Espagne, Pays-Bas espagnols et pays dépendants ;*
   d) *Etats italiens ;*
   e) *Saint Siège ;*
   f) *Grande-Bretagne ;*
   g) *Suède, Danemark et Provinces-Unies ;*
   h) *Pologne, Russie et Empire ottoman ;*
   i) *Divers.*

II. *Politique intérieure.*

1. *Documents du Conseil, avis au Roi et mémoires politiques divers ;*
2. *Règlements, édits et ordonnances d'administration générale ;*
3. *Instructions et commissions données aux agents royaux ;*
4. *Correspondance :*
   a) *Correspondance relative à la Cour ;*
   b) *Correspondance administrative ;*
   c) *Affaires ecclésiastiques ;*
   d) *Questions économiques et financières ;*
   e) *Affaires militaires ;*
   f) *Marine et Colonies ;*
   g) *Divers.*

III. *Documents.*

1. *Mémoires ;*
2. *Lettres diverses ;*
3. *Œuvres littéraires et religieuses ;*
4. *Journaux et nouvelles.*

— IV —

Les règles suivantes ont été adoptées pour toutes les éditions entreprises et dirigées par la Commission, sous réserve d'adaptations à des cas particuliers :

1. Les éditions sont intégrales. Elles commencent donc par une exploration systématique de tous les dépôts d'archives publics et privés, de toutes les bibliothèques, publiques et privées, de toutes les collections d'autographes, de tous les catalogues de ventes d'autographes, qui pourraient renfermer ou signaler des papiers venant de ou concernant le personnage ou l'affaire considérée. Lorsqu'il s'agit d'une publication devant comprendre plusieurs sections comme c'est le cas pour les papiers de Richelieu, et que les auteurs des différents volumes de ces diverses sections vont avoir à tirer leurs documents des mêmes dépôts d'archives, le premier auteur qui explore les dépôts est invité non seulement à relever les documents qui concernent directement le livre dont il est chargé, mais aussi à dresser une fiche de référence pour chaque document qui concerne une partie quelconque de la publication et constituer un fichier afin que les autres auteurs puissent aller directement aux documents qui les intéressent et d'éviter de recommencer sans cesse les mêmes dépouillements.

Tout auteur dressera au fur et à mesure de ses dépouillements un fichier contenant les références de tous les documents susceptibles d'être publiés dans le cadre des éditions en cours des Monumenta Europae Historica.

2. *Chaque auteur fera xérographier ou microfilmer puis xérographier tous les documents qui pourraient être publiés dans le cadre de la tâche qui lui sera assignée.*

Il choisira ensuite les documents à reproduire et ceux à analyser.

3. *Publication intégrale veut dire que, par exemple, si l'on publie les lettres d'un personnage, toute la correspondance active et passive, toutes les lettres qu'il a écrites ou signées et toutes celles qu'il a reçues figureront dans le recueil. Mais, comme les dimensions et le nombre des volumes deviendraient excessifs, ne seront publiées in-extenso que les lettres les plus importantes et les autres feront l'objet d'une analyse. Il en sera de même pour toutes les catégories de documents. La publication sera donc en partie corpus, en partie régeste.*

4. *L'orthographe du temps, qui est un aspect de la civilisation, sera respectée. L'on mettra seulement, suivant notre usage d'aujourd'hui, l'accentuation, la ponctuation et les apostrophes. L'on coupera les mots qui ne sont pas séparés sur les manuscrits. Les différentes graphies des noms propres seront reproduites. Les suscriptions des lettres et les formules de politesses seront publiées in-extensi. Les usages épistolaires, laisser la ligne, laisser un blanc, seront reproduits. Lorsque l'on rencontrera des développements trop longs et trop compacts, on les répartira en alinéas. Des textes particulièrement défectueux pourront être transcrits selon l'orthographe du XXe siècle. Mention sera faite de cette transcription. Ce devra être un cas fort rare. Les passages en chiffre seront décryptés.*

5. *L'on indiquera si le texte publié est :*

— *ou une minute, avec ses corrections et ses additions ;*

— *ou une mise au net, c'est-à-dire un document préparé pour l'expédition, mais non signé et non adopté définitivement ;*

— *ou une pièce originale, c'est-à-dire le document dans sa forme définitive, adopté et signé ;*

— *ou une copie.*

Dans ces quatre formes, l'on s'efforcera de préciser :

— s'il est autographe, c'est-à-dire de la main de son auteur, par ex. Richelieu ;

— s'il vient d'un secrétaire, développant un plan ou canevas, et, si possible, de quel secrétaire ;

— s'il s'agit d'une copie, l'on cherchera à déterminer le copiste. Entre plusieurs copies, l'on choisira la plus proche de l'original.

6. *Chaque lettre, chaque document publié recevra un numéro. Cette numérotation sera dressée par année. Il sera donné à chaque lettre un titre indiquant le destinataire et le sujet traité. La date de rédaction viendra ensuite, réduite à l'année, au mois en chiffres romains, au quantième en chiffres arabes ; par exemple : le 7 juillet 1635, sera exprimé : 1635 VII 7. Lorsque la date d'arrivée est mentionnée sur le manuscrit elle sera reproduite. Lorsqu'elle n'est pas mentionnée, l'éditeur pourra tenter de la restituer approximativement. Dans ce cas, il la placera entre crochets. Eventuellement la mention « fragment » sera introduite. Viendront ensuite la référence précise du document, par exemple : « Affaires étrangères, Mémoires et Documents, France, vol. 779, fs 8 » ; puis l'indication du rédacteur et de la nature du document, original, mise au net, etc. Enfin, s'il a déjà été publié, la référence précise de la publication.*

Viendra ensuite le document lui-même.

7. *Les variantes des manuscrits, et en particulier, les additions et corrections des minutes et des mises au net, seront indiquées dans les notes appelées par des lettres a, b, c, d, etc. au bas des pages. Lorsqu'il existe plusieurs copies du même texte, l'on indiquera les raisons qui ont fait choisir le texte reproduit. L'on reproduira en principe la copie la plus proche de l'original.*

8. *L'annotation explicative sera mise au bas des pages, dans des notes appelées par des chiffres, 1, 2, 3, 4, etc. Chaque document ou lettre fera l'objet d'une notice reconstituant la date, si le manuscrit n'est pas daté, identifiant les personnages, et donnant sur chacun les indications biographiques nécessaires, précisant les circonstances de rédaction et les conséquences de la lettre ou du document (exécution, influence, explication d'autres documents).*

Lorsqu'un personnage reviendra plusieurs fois, une seule notice biographique lui sera consacrée, en note, la première fois qu'il sera cité dans une lettre ou un document. L'index des noms de personnes, placé à la fin du livre, renverra à la page et au numéro de la note biographique. Pour tous les personnages, l'index comportera les dates de naissance et de mort.

Les notices biographiques sur les personnes citées seront complétées par la mention des livres et des articles qui peuvent avoir été écrits sur ces personnes.

9. *Dans les notes explicatives, l'orthographe moderne des noms propres, noms de personnes et noms de lieux, sera rétablie. S'il s'agit*

d'un texte en français, pour l'orthographe des noms qui ne sont pas d'origine française, quand les noms propres ont une forme francisée devenue habituelle, ils seront conservés dans cette dernière. Dans le cas contraire, ils seront reproduits dans leur langue d'origine (allemand, italien, espagnol), s'il s'agit d'un texte en anglais, en allemand, etc. L'on fera de même si les noms propres ont une forme anglicisée, germanisée, etc. devenue habituelle, et dans le cas contraire, comme ci-dessus. L'index comprendra pour chaque nom propre la liste de toutes les formes rencontrées.

10. *Les sigles suivants seront utilisés :*

( )	*Parenthèse dans le texte édité.*
[ ]	*Intercalation par l'Editeur.*
< >	*Lecture non certaine, mais vraisemblable.*
fol. 10	*Folio 10 recto.*
fol. 10'	*Folio 10 verso.*
[...]	*Se trouve dans la marge.*
.....	*Espace libre dans le texte.*
XXXXX	*Texte endommagé (tache d'encre, déchirure, etc.).*
	Blanc dans le texte (omission).

Pour chaque volume, tous les fonds d'archives utilisés seront rassemblés en une liste commune et complète ; ils recevront chacun un sigle, et, dans le courant du volume, ne seront désignés que par le sigle. La Commission internationale arrêtera la liste de ces sigles sur proposition de chaque auteur. La Commission s'efforcera de parvenir à une liste commune à toutes ses éditions.

Pour chaque volume, toute la littérature historique citée dans les notes sera reprise dans une bibliographie générale en fin de volume ; dans le texte des notes, les ouvrages ne seront cités que d'une manière abrégée : nom de l'auteur, éventuellement les deux ou trois mots les plus significatifs du titre.

11. *Chaque volume aura un index triple (personnes, lieux, matières). Si les trois ne sont pas possibles, il existera au moins un index des matières.*

La Commission internationale a le plaisir de présenter aujourd'hui au public le premier volume des Monumenta Europae historica, consacré à la correspondance de Richelieu pour les affaires intérieures (1624-1626). Le volume a été préparé par Monsieur Pierre GRILLON, Docteur ès-Lettres. M. Grillon a appliqué les normes précédentes très exactement aux documents qu'il avait à publier. Il a prospecté la correspondance de Richelieu dans tous les dépôts français y compris les dépôts privés qu'il a su se faire ouvrir, dans maints dépôts d'autres Etats européens et a fait nombre de découvertes. Son édition, où les méthodes les plus récentes de la critique ont été mises en œuvre, réalise un énorme progrès sur tout ce qui avait été fait auparavant. Nous sommes heureux de le féliciter et de souhaiter bonne chance à son édition qui va compter plusieurs volumes.

Le Président
de la Commission Internationale,
Roland Mousnier,
Professeur à l'Université de Paris-Sorbonne,
Directeur du Centre de recherches
sur la civilisation de l'Europe moderne,
Président du Comité Français
des Sciences historiques.

Le présent volume a été revu
par Messieurs Georges Dethan et Conrad Repgen,
commissaires responsables.

REMERCIEMENTS

C'est pour l'auteur du premier volume de cette série un agréable devoir que d'exprimer sa vive gratitude à tous ceux qui lui ont accordé le concours de leur assistance :

— et d'abord à M. le professeur Roland MOUSNIER, de l'Université de Paris-Sorbonne, président de la *Commission Internationale pour la publication des sources de l'histoire européenne*, sans lequel cet ouvrage n'aurait jamais vu le jour, et qui a si généreusement suivi et facilité son élaboration ;

— à M. le professeur Konrad REPGEN, de l'Université de Bonn, et à M. Georges DETHAN, conservateur aux Archives des Affaires étrangères, l'un et l'autre membres de la *Commission Internationale*, qui ont bien voulu assurer la tâche délicate de revoir les manuscrits de ce premier volume et du suivant.

Il remercie également MM. les professeurs Stephan SKALWEIT, de l'Université de Bonn, Georges LIVET, de l'Université de Strasbourg, vice-présidents de la Commission ; Hermann WEBER, de l'Université de Mayence, Secrétaire général ; René PILLORGET, de l'Université de Tours, Secrétaire général adjoint ; Dieter ALBRECHT, de l'Université de Ratisbonne, trésorier ; Yves DURAND, de l'Université de Nantes, trésorier adjoint ; A.-G. DICKENS, de l'Université de Londres ; Andreas KRAUS, de l'Université de Ratisbonne ; Antonio MARAVALL, de l'Université de Madrid ; Franco VALSECCHI, de l'Université de Rome, membres de la Commission, dont les avis et suggestions lui ont été d'un grand profit ; enfin tous les archivistes et bibliothécaires, qui ont si aimablement guidé ses recherches.

Pierre GRILLON.

INTRODUCTION

En 1853, paraissait, sous les auspices de la Société de l'Histoire de France, le premier volume d'une publication appelée à rendre, pendant plusieurs générations, les plus grands services à tous ceux qui eurent à étudier ou à enseigner l'histoire du XVIIe siècle : les *Lettres, Instructions diplomatiques et Papiers d'Etat du Cardinal de Richelieu.* L'éditeur, Louis-Martial Avenel, devait consacrer à ce travail trente années de sa vie. Fils d'un receveur des Aides de la généralité de Caen, il était né le 28 mai 1783, à Orbec, dans l'actuel département du Calvados. Après s'être adonné à la littérature et à la poésie par une collaboration régulière à divers périodiques, comme le *Courrier français* et le *Journal des Savants,* il fut chargé, en 1843, de préparer une édition de la correspondance de Richelieu, sur le rapport de Villemain, alors ministre de l'Instruction publique. Avenel se mit aussitôt au travail. Plusieurs années lui furent nécessaires pour rechercher et réunir les documents dispersés dans plusieurs dépôts publics et privés, puis les événements de 1848 vinrent retarder la mise sous presse du premier volume de la publication. Sept autres devaient suivre, mais leur impression allait s'échelonner sur plus de vingt années, de 1856 à 1877. D'abord bibliothécaire à la Sorbonne, Avenel, devenu depuis quelques années conservateur de la Bibliothèque Saint-Geneviève, venait d'achever la correction des épreuves du huitième et dernier volume de sa publication, quand il mourut, le 19 août 1875, âgé de quatre-vingt douze ans.

Des trois mille huit cent dix-sept pièces que comporte l'ouvrage, la plupart sont intégralement reproduites, les autres seulement analysées ou, plus rarement, mentionnées ; un grand nombre d'entre elles sont accompagnées de notes ou même de commentaires étendus. Le premier volume contient la correspondance du cardinal de 1608 à 1624 ; le dernier comprend un grand nombre d'additions et une table générale des matières ; les six autres renferment les lettres, instructions et mémoires datant du ministère de Richelieu, affaires intérieures et extérieures. La valeur de ce recueil fut d'emblée unanimement reconnue. Faisant, peu après la mort de l'auteur, l'éloge de son œuvre, Arthur de Boislisle, bon juge en la matière, soulignait avec juste raison la somme de labeur et d'érudition que représentent « la recherche des sources, le déchiffrement des pièces, la comparaison des copies aux originaux et des originaux aux minutes, la restitution des dates, l'établissement des textes », travail d'archiviste et de critique, auquel s'ajoute le travail proprement historique des notes, sommaires et appendices, qu'il avait fallu ajouter aux textes, « pour combler certaines lacunes, éclaircir certaines questions politiques ou diplomatiques » ; et le grand érudit déclarait qu'une telle publication suffisait à elle seule à justifier le tribut d'hommages que l'historien devait rendre à son auteur (1). Aujourd'hui, après plus d'un siècle, il ne paraît pas exagéré de dire que, par le nombre et l'importance des documents mis à la disposition des historiens, peu de travaux de cette nature ont autant contribué à renouveler la connaissance de l'histoire de cette période et à jeter une lumière comparable sur les intentions et les actes du grand ministre, qui, dans l'élaboration de l'Europe moderne, occupe la place que l'on sait.

Cependant, si digne d'admiration qu'elle soit, une œuvre de ce genre n'est jamais définitive. Avenel lui-même savait qu'elle devait être tôt ou tard reprise et complétée, puisque, dès le premier volume de sa publication, il avait prévu un *Supplément,* qui devint le tome VII de la série et fut complété plus tard par les *Additions* du dernier volume.

D'autre part, les recherches d'Avenel n'ont pu s'exercer que sur un champ sensiblement plus restreint que celui qui est ouvert de nos jours aux mêmes investigations. Certains grands dépôts d'archives parisiens se sont enrichis, depuis un siècle, d'acquisitions diverses, voire de collections entières. C'est le cas, avant tout, des Archives de France, mais aussi de la Bibliothèque nationale, où, en particulier, le fonds des *Nouvelles Acquisitions françaises* n'a cessé de prendre de l'extension, sans parler des collections de documents provenant de legs ou d'achats. Même le dépôt des Archives du Ministère des Affaires étrangères, déjà si important, comme on le verra, pour les papiers de Richelieu, s'est accru et s'accroît encore de pièces intéressant l'histoire du XVIIe siècle, comme celles qui proviennent de la collection L. Barbet (2).

Enfin, d'autres dépôts d'archives n'étaient pas encore ouverts aux chercheurs ou étaient à peine constitués, il y a un siècle. Telles sont, en particulier, la Bibliothèque de la Ville de Paris, celles du Sénat et de l'Assemblée nationale, et surtout les admirables collections de documents réunies par le duc d'Aumale au château de Chantilly, devenues, depuis 1886, la propriété de l'Institut de France. Avenel n'avait pu davantage explorer les archives départementales, qui, à son époque, n'avaient pas encore été organisées, et dont les inventaires ne commenceront à être dressés et publiés qu'un demi-siècle plus tard. Il en est de même des documents conservés, depuis la Révolution, dans certaines grandes bibliothèques publiques ou dans certains dépôts d'archives municipales, dont les catalogues des fonds manuscrits ne paraîtront que dans la dernière décennie du XIXe siècle.

Quant aux archives privées, Avenel y a eu recours autant qu'il lui a été possible : il suffit de citer la collection de cent vingt lettres du cardinal de Richelieu au maréchal de La Force éditées par ses soins, qui proviennent des archives du château de Saint-Aubin (Sarthe), où elles sont encore aujourd'hui conservées, ou les nombreuses lettres fournies par les archives de la famille de Rasilly. Il n'en est pas moins vrai que de nombreuses collections particulières sont demeurées en dehors de ses investigations. Beaucoup de documents appartenant à

(1) Rev. des Soc. sav., 6e série, t. III, 1876, pp. 158-165.
(2) A.E., Mém. & Doc., France, Vol. 2 164 : cent quatorze lettres de Louis XIII à Richelieu, et neuf mémoires du cardinal à Louis XIII avec réponses du roi (1626-1642).

des archives privées devaient être plus tard publiées dans des revues savantes ou acquis par des bibliothèques publiques ou des musées régionaux. Nous verrons plus loin quels instruments de travail peuvent aujourd'hui faciliter ces sortes de recherches. Rappelons seulement qu'au temps d'Avenel le fonds des archives privées des Archives nationales se réduisait à peu près aux papiers des La Trémoïlle (chartrier de Thouars) ; depuis lors, le fonds a pris un important développement par suite des dépôts d'archives, microfilmées ou non, consentis par les descendants des anciennes grandes familles, qui jouèrent sous la monarchie un rôle politique, administratif, diplomatique ou militaire. Telles sont, parmi d'autres, les archives de la maison de Gramont si précieuses pour l'histoire des XVIIe et XVIIIe siècles.

⁂

Les considérations qui précèdent suffiraient déjà à justifier une nouvelle édition des papiers d'Etat du cardinal de Richelieu. Mais si l'œuvre d'Avenel nous paraît aujourd'hui présenter des lacunes et des insuffisances, c'est aussi parce qu'elle a été conçue dans une perspective historique qui ne correspond plus à la nôtre. Dans la mesure où l'histoire érudite a fait quelque progrès depuis un siècle, c'est autant parce qu'elle a élargi ses conceptions d'ensemble que parce qu'elle a perfectionné ses méthodes d'investigation. Or, à cet égard, il est incontestable que les limites, à l'intérieur desquelles l'érudition d'Avenel s'est jadis exercée, doivent être plus largement étendues. Avenel, en effet, avait été guidé dans son travail par la constante préoccupation de rassembler des documents émanant directement de Richelieu, rédigés soit de sa propre main, soit sous sa dictée ou sur son inspiration immédiate, marqués de l'empreinte de sa personnalité. De là l'importance très particulière que cet érudit a attachée aux pièces d'archives qui se présentent sous forme de *minutes*. On sait qu'une minute est le texte qui résulte d'une première rédaction. Elle comporte d'ordinaire un nombre plus ou moins grand de corrections, dont certaines peuvent être d'un très grand intérêt (3). Nul ne saurait soutenir cependant que ces corrections confèrent à la forme primitive d'un texte une valeur historique plus grande que celle sous laquelle ce texte est parvenu à son destinataire. Or, aux yeux d'Avenel, les minutes ont une sorte de prééminence : « elles sont préférables, écrit-il, non seulement aux copies, quelle que soit leur authenticité, mais aux originaux », pour la raison essentielle qu'elles permettent de « constater d'une manière irrécusable » la participation directe de Richelieu à la rédaction des lettres parvenues jusqu'à nous ; et il précise : « outre qu'elles nous le montrent, pour ainsi dire, la plume à la main, au milieu de ses secrétaires travaillant sous sa direction immédiate, ces minutes nous font quelquefois pénétrer jusqu'au fond

(3) Avenel en a cité un exemple particulièrement significatif, celui d'une lettre de Richelieu à Bouthillier, du 15 août 1630 : sur la minute, un alinéa entièrement biffé nous apprend que « le cardinal avait été menacé d'une disgrâce avant la maladie dont le roi fut atteint à Lyon un peu plus tard. Ce passage, qui a disparu sur l'original, rectifie le récit des historiens à ce sujet » (*Préface*, XVI).

de son âme. C'est alors surtout que les minutes sont bien plus curieuses que les lettres elles-mêmes ; elles nous révèlent bien mieux la pensée de celui qui les a écrites. Dans une rature, il y a parfois un aveu... » (4). Ces lignes permettent de saisir l'idée qu'Avenel se faisait des *papiers d'Etat* qu'il avait entrepris de publier : les seules lettres et instructions rédigées par ses soins ou sous son contrôle direct sinon sous sa dictée. Et effectivement on chercherait en vain, même dans les pièces empruntées à des sources imprimées, un texte qui échappe aux limites de cette définition.

De nos jours, la notion de *papiers d'Etat* doit être assurément comprise dans une extension beaucoup plus large. Les papiers d'Etat de Richelieu, ce sont sans doute, d'abord et avant tout, les lettres et instructions proprement ministérielles, qui ont fait de préférence l'objet de la publication d'Avenel ; mais ce sont aussi les mémoires ou rapports rédigés par quelque spécialiste à la demande du cardinal sur une question déterminée ; ce sont encore certains ordres émanant du cabinet du roi et revêtus de la signature royale, mais qui en fait répondent trop manifestement aux intentions du ministre pour n'avoir pas été sollicités par lui, et qui, même si le texte n'apparaît pas avoir été rédigé d'après quelque canevas, ont pu avoir été suggérés dans leurs dispositions essentielles ; c'est enfin la masse des lettres adressées à Richelieu par les correspondants les plus divers, à commencer par le souverain lui-même : certains détenaient les plus hautes fonctions dans l'Etat, mais plus nombreux étaient ceux qui occupaient une place moins considérable — conseillers ou maîtres des requêtes des cours souveraines, officiers d'administration, de police ou de finances, commissaires temporaires en mission, bref tous les nombreux agents qui, dans leur fonction publique ou en raison de leur situation sociale, servaient, à titre onéreux ou bénévole, la politique du ministre. A ses correspondants s'ajoutent, enfin, tous ceux, grands et petits, qui, pour les motifs les plus divers, sollicitaient l'assistance du cardinal, ou qui encore, pour se rappeler à son souvenir, se bornaient de temps à autre à lui présenter leurs humbles compliments.

L'un des premiers avantages qui doit, semble-t-il, résulter d'une édition de la correspondance de Richelieu établie selon ces perspectives, sera sans doute d'offrir le moyen de parvenir à une meilleure intelligence de la pensée et des actes du cardinal-ministre, à une connaissance plus juste des grands rôles et des rôles mineurs, et, partant, à une meilleure interprétation des événements proprement politiques. Peut-être convient-il d'ajouter qu'une telle publication doit, en outre, rendre tangibles, en les matérialisant en quelque sorte, les deux composantes de la trame complexe de l'histoire : d'une part, les relations qui résultent de l'enchaînement chronologique des faits, et, de l'autre, les rapports d'interaction que peuvent avoir entre eux des événements qui se déroulent simultanément. Mais c'est surtout sur un autre plan qu'apparaît l'intérêt de cette publication. Nul n'ignore, en effet, le développement qu'ont pris, depuis une quarantaine d'années, certaines sciences sociales, comme la sociologie, l'ethnologie, l'étude des mentalités, la psychologie sociale et la psychologie collective, ainsi que plusieurs branches de l'histoire, comme celle

(4) *Préface*, XIV-XV.

des structures sociales et celle des institutions. Or, par la diversité même des correspondants de Richelieu, par la place qu'ils occupent respectivement dans cette société d'ordres, comme par la nature particulière de leurs motivations existentielles, de leurs manières de penser et de sentir, de leurs intérêts, de leurs ambitions, ces lettres, si différentes par leur origine et leur contenu, doivent permettre non seulement à l'historien, mais au sociologue, à l'ethnologue, au psychologue, de mieux pénétrer les motifs et les mobiles qui déterminèrent les comportements des hommes de ce temps, leurs dispositions à réagir aux stimulations extérieures, soit dans l'exercice de leurs fonctions, soit dans leur comportement avec d'autres hommes. « L'histoire, rappelait naguère M. Roland Mousnier, est avant tout intelligence, intelligence des hommes, intelligence des situations » (5), et les recherches qui en sont l'objet « peuvent avoir deux sortes de points de départ : soit les problèmes posés par nos sciences sociales, et il est très bon qu'il en soit ainsi ; soit les problèmes que se posaient les contemporains de la période étudiée, révélée par une première lecture des documents. Ces deux façons d'aborder l'étude du passé sont complémentaires » (6). Aussi est-il légitime de penser qu'une publication de ce genre — si incomplète qu'elle soit en l'absence de tant de documents à jamais disparus — pourra sans doute susciter, dans le domaine si vaste des sciences sociales, de fécondes observations.

Cette forme de l'histoire, « telle que les contemporains l'ont sentie, vécue, au rythme de leur vie, brève comme la nôtre » — pour reprendre les vivantes formules de M. Fernand Braudel — encore toute brûlante « de leurs colères, de leurs rêves et de leurs illusions », s'élabore à la dimension du groupe social autant que de l'individu ; elle demeure « la plus passionnante, la plus riche en humanité » (7), puisque c'est la vie même des hommes qui se tisse sous nos yeux, dans le perpétuel affrontement où s'opposent, à chaque époque, mais plus encore aux époques de crise, les partisans de la tradition et ceux du changement.

***

Tous ces documents — qu'ils proviennent du cabinet de Richelieu ou des correspondants du ministre — sont parvenus jusqu'à nous, les uns conservés aux Archives des Affaires étrangères, les autres disséminés dans les fonds les plus divers, après avoir connu un destin singulièrement traversé, qu'il semble utile de retracer ici rapidement.

Il convient, tout d'abord, de rappeler qu'en France, pendant tout le XVIe siècle et une grande partie du siècle suivant, il était admis qu'un personnage revêtu d'une fonction publique — secrétaire d'Etat, ambassadeur, intendant de finances, etc. — était propriétaire de tous les documents dont ses fonctions l'avaient rendu détenteur. Sauf les cas de prévarication ou de haute trahison, qui entraînaient d'ordinaire,

(5) R. Mousnier, *Notes sur la thèse principale d'histoire*, Rev. hist., t. CCXXXIV (juil.-sept. 1965), p. 126.

(6) R. Mousnier, *Lettres et Mémoires adressés au chancelier Séguier*, 2 vol. in-8°, Paris, 1964, t. I, p. 189.

(7) F. Braudel, *La Méditerranée et le monde méditerranéen à l'époque de Philippe II*, éd. de 1966, I, *Préface*, p. 16.

avec les poursuites judiciaires, la saisie des papiers du prévenu ou du coupable, tout officier — au sens du mot en usage à l'époque — pouvait légitimement en disposer à son gré et, par conséquent, les transmettre à ses héritiers comme tout autre bien meuble, une possession privée. Ainsi avaient fait, avant le règne de Louis XIII, tous ceux qui avaient eu à traiter des affaires de l'Etat. Ainsi continueront de faire ministres et ambassadeurs jusqu'au 1er septembre 1671, date où Colbert, sur un ordre de Louis XIV signé quatre jours auparavant, fit apposer les scellés sur les papiers d'Hugues de Lionne, décédé le matin même.

L'inconvénient qui résultait de cet usage n'avait sans doute pas échappé aux ministres en exercice, mais nul ne semble en avoir eu plus conscience que le cardinal de Richelieu. Un projet de règlement, conservé sous forme de minute aux Archives des Affaires étrangères et publié par Avenel (8), montre que le cardinal avait songé, dès 1628, à y mettre un terme, afin d'éviter que des papiers d'Etat, en « demeurant ès mains de ceux qui les reçoivent, se confondent parmy les papiers des familles particulières » au grand préjudice des intérêts de la couronne. Or, non seulement ce projet ne reçut jamais un commencement d'exécution, mais rien n'indique même que Richelieu se soit préoccupé du sort qui adviendrait, après sa mort, à ses propres archives.

Le testament, qu'il prit soint de dicter, le 23 mai 1642, « par-devant Pierre Falconis, notaire royal en la ville de Narbonne », ne comporte aucun article spécial concernant ses papiers. Le cardinal y déclare léguer sa bibliothèque à son petit-neveu et filleul Armand-Jean de Vignerot du Plessis ; il stipule même que les livres qui la composent ne devront pas quitter l'hôtel de Richelieu « joignant le Palais-Cardinal », où ils sont déposés ; il s'étend longuement sur les dispositions destinées à « conserver ladite bibliothèque, la tenir en bon estat et y donner l'entrée, à certaines heures du jour, aux hommes de lettres et d'érudition » ; mais il ne dit rien de la destination qu'il entendait réserver à ses papiers. En fait, la plupart de ceux-ci se trouvaient déposés dans la demeure habituelle du cardinal, sa maison de Rueil, qu'il avait quittée le 4 novembre, un mois avant de mourir. Peut-être y en avait-il aussi au palais du Petit-Luxembourg, au faubourg Saint-Germain. Le reste se trouvait dans les portefeuilles qui ne quittaient jamais le ministre. Qu'en advint-il quand, vers midi, ce jeudi 4 décembre 1642, Richelieu eut rendu le dernier soupir ?

On peut supposer avec vraisemblance que les papiers politiques qui concernaient les affaires en cours demeurèrent aux mains du cardinal Mazarin, qui, depuis un an, n'avait pas quitté le cabinet du ministre, et qui, dès le 5 décembre, était appelé à siéger au conseil par ordre du roi. D'autres documents, détenus pour différentes raisons par les secrétaires de Richelieu, furent conservés par ceux-ci et se trouvèrent par la suite dispersés de divers côtés. C'est ainsi que Michel Le Masle, prieur des Roches, homme de confiance du cardinal et employé par lui en toutes sortes d'affaires, demeura détenteur d'un manuscrit du *Testament politique*, qui, avec d'autres papiers —

(8) A.E., Mém. & Doc., France, 789, f° 191. — Avenel, *Lettres, Instructions diplomatiques et Papiers d'Etat du cardinal de Richelieu*, III, p. 134.

en particulier des copies de « lettres écrites par le cardinal et autres personnes de son siècle » (9) — devait être donné par lui à la Sorbonne le 16 mars 1648.

Les autres papiers de Richelieu devinrent, par droit d'héritage, au même titre que les deux maisons de Rueil et de Paris et avec les meubles et objets que ces maisons contenaient, la propriété de la nièce du défunt, Marie-Madeleine de Vignerot du Plessis, veuve d'Antoine de Beauvoir du Roure, sieur de Combalet, et duchesse d'Aiguillon depuis 1638. Il est possible de se faire une idée approximative de la nature et du nombre des papiers ainsi légués par les inventaires qui en furent dressés soixante-dix ans plus tard. Ce n'était pas, comme on l'a parfois écrit, uniquement des pièces que le cardinal avait réservées en vue de la rédaction de ses mémoires, puisqu'on y relève de nombreux documents qui n'ont pas été utilisés par les rédacteurs de cet ouvrage, où d'ailleurs bon nombre d'entre eux ne pouvaient guère avoir leur place ; mais ils formaient une masse suffisamment considérable pour occuper plusieurs coffres. Toutefois ils étaient loin de constituer toutes les archives politiques de Richelieu. Le principal collaborateur du ministre depuis 1632, Léon Bouthillier, comte de Chavigny, détenait, en effet, à la mort du cardinal, un très grand nombre de registres in-folio, dans lesquels avaient été rassemblées et classées par ses soins des pièces d'Etat de la plus grande importance, dont la liste — sans doute d'ailleurs incomplète — a pu être dressée par Armand Baschet d'après la *Bibliothèque historique* du Père Lelong (10). Un autre secrétaire d'Etat, François Sublet de Noyers, chargé, depuis février 1636, du département de la Guerre, et l'un des exécuteurs testamentaires de Richelieu, a certainement lui aussi conservé dans ses archives personnelles des papiers dont la provenance n'est pas douteuse, si l'on en juge, du moins, par l'important recueil de lettres de Richelieu provenant de sa bibliothèque, recueil qui est aujourd'hui conservé au Musée Condé de Chantilly (11). Mais nul ne sait ce que fut le sort des papiers politiques laissés à sa mort, en décembre 1640, par Claude de Bullion, cette autre « créature » de Richelieu : dans les dernières années du XVIIe siècle, ils étaient aux mains de sa belle-fille, veuve de Claude de Bullion, marquis de Gallardon, après quoi leur trace se perd. Beaucoup d'autres papiers politiques de la même époque eurent le même destin, et, vers 1711, le marquis de Torcy le déplorait en ces termes : « Je ne sais ce que sont devenus les papiers de MM. de Schomberg, de Marillac, d'Effiat, qui étaient les principaux acteurs dans les commencements du ministère de Richelieu. Hémery a encore esté beaucoup employé » (12). Et que dire des archives réunies par Antoine de Loménie, sieur de La Ville-aux-Clercs ? A la mort de ce secrétaire d'Etat, en 1638, Richelieu s'était

(9) Les papiers de Michel Le Masle sont aujourd'hui à la Bibliothèque nationale, où ils occupent une quinzaine de volumes du Fonds français.

(10) A. Baschet, *Histoire du Dépôt des Archives des Affaires étrangères*, 1875, pp. 237-241.

(11) Manusc. 921 ; les lettres contenues dans ce recueil s'échelonnent entre 1636 et 1642, c'est-à-dire pendant toute la durée du secrétariat de Sublet de Noyers, qui se retira en 1643 et mourut deux ans plus tard.

(12) B.N., Mélanges Clairambault, 668 : « Projet sur l'étude et les ouvrages des papiers du ministère ».

rendu acquéreur des trois cent quarante et quelques volumes in-folio, qui devaient constituer à la Bibliothèque du roi le célèbre « Fonds Brienne » ; mais beaucoup de papiers du défunt passèrent à ses héritiers, puisque, en 1720, peu après le décès d'un Loménie, évêque de Coutances, des marchands anglais devaient s'en partager les vestiges. Quant aux papiers de Chavigny — dont la majeure partie, on l'a vu, provenait du cabinet de Richelieu — une sorte de mystère entoure leur destinée. En 1732, après la mort de l'évêque de Troyes, Denis-François Bouthillier de Chavigny, le marquis de Chauvelin, secrétaire d'Etat aux Affaires étrangères, parvint, par une adroite négociation, à acquérir pour les archives de son département ce que consentit à lui céder l'héritier du prélat. Des papiers de Richelieu ainsi récupérés, aucun inventaire ne subsiste. Or, le Père Lelong, dans sa *Bibliothèque historique de la France,* parue en 1719, mentionne comme appartenant à l'évêque de Troyes un grand nombre de recueils contenant les lettres du cardinal adressées au roi, à la reine mère, à Claude Bouthillier, au baron de Charnacé, au comte de Soissons, l'archevêque de Lyon, Alphonse de Richelieu, à Madame de Combalet, les lettres de Louis XIII à la reine mère et à Gaston d'Orléans, les dépêches des ambassadeurs Brassac, Feuquières, d'Avaux, Sabran, Servien, Fontenay-Mareuil et Saint-Chamont, des maréchaux La Force, Effiat, Estrées, Toiras, Créqui, Brézé, Chastillon... (13) Cinquante ans plus tard, le continuateur du Père Lelong, Charles-Marie Fevret de Fontette, constatait que la trace de toute cette correspondance semblait perdue. En 1843, sur les instructions de Villemain, une enquête fut faite par le préfet de l'Aube pour tenter de découvrir ce qu'étaient devenus ces précieux recueils. Le résultat fut négatif (14).

Quoi qu'il en soit, ces quelques observations suffirent à montrer que Madame d'Aiguillon ne reçut en héritage, en décembre 1642, qu'une partie — qui n'était peut-être pas la plus importante — des papiers d'Etat du cardinal de Richelieu.

⁂

La duchesse avait alors trente-huit ans. Passionnément attachée à défendre la mémoire de son oncle, qui, pendant plusieurs années, allait se trouver en butte aux attaques de tous ceux qui avaient eu à subir la main de fer du cardinal, elle s'employa d'abord à faire publier deux ouvrages de théologie auxquels celui-ci avait travaillé dans les derniers temps de son ministère : le *Traité de la perfection du chrétien,* qui parut en 1647, et le *Traité qui contient la méthode la plus facile et la plus assurée pour convertir ceux qui se sont séparés de l'Eglise,* publié en 1651. Mais nous savons par Tallemant des Réaux, bien informé par la marquise de Rambouillet, que, vers la même

(13) La correspondance de Richelieu avec les maréchaux comprenait, à elle seule, quinze volumes in-folio.

(14) On a peine à croire que tout ait irrémédiablement disparu. En 1877, le comte de Mellet a publié, dans la *Revue des Sociétés savantes* (6ᵉ série, tome V) plusieurs lettres de Richelieu à Claude Bouthillier. Il peut y en avoir d'autres dans des collections particulières.

époque, celle-ci s'était chargée de trouver à la duchesse un écrivain qui acceptât d'écrire la vie du cardinal ou « une « histoire de son temps » (15). Perrot d'Ablancourt fut écarté ; Olivier Patru se déroba ; mais plusieurs autres hommes de lettres se laissèrent tenter par l'entreprise et reçurent en communication des documents, qui permirent à trois d'entre eux de publier des ouvrages que l'on regarda longtemps comme les meilleures sources d'information sur le ministère de Richelieu. Le premier en date est Charles Vialart, qui, d'abord religieux feuillant, fut évêque d'Avranches de 1642 à sa mort, le 15 septembre 1644. L'ouvrage qu'il écrivit fut publié en 1649 sans nom d'auteur et s'intitulait *Histoire du ministère d'Armand-Jean du Plessis, cardinal duc de Richelieu, sous le règne de Louis le Juste, XIII*e *du nom.* Il était accompagné de « réflexions politiques » et de « diverses lettres », dont la publication ne fut pas du goût du parlement, qui, au mois de mai 1650, ordonna la saisie des exemplaires de l'ouvrage comme « contenant plusieurs propositions... préjudiciables à l'Etat ». La duchesse dut même faire amende honorable en déclarant que le livre incriminé n'était pas l'œuvre de son oncle. Elle fut plus heureuse, quelques années plus tard, avec Antoine Aubéry, qui, en 1660, fit paraître deux ouvrages importants : l'*Histoire du cardinal duc de Richelieu* et les *Mémoires pour l'histoire du cardinal duc de Richelieu,* qui formaient chacun deux volumes in-folio. Aubéry avait puisé une grande partie de sa documentation dans les archives détenues par la duchesse, et le second de ces deux ouvrages n'est même qu'un recueil de près de cinq cents lettres de Richelieu, dont beaucoup ne nous sont connues que par cette source. Un autre ouvrage aujourd'hui perdu, mais qui existait encore à l'état de manuscrit vers à la fin du XVIIIe siècle — puisqu'il fut connu de certains écrivains de cette époque et même utilisé par eux (16) — est l'*Histoire du règne de Louis XIII* du Père Le Moyne, de la Compagnie de Jésus, mort en 1671. Les *Lettres* de Gui Patin mentionnent à deux reprises — les 21 février et 2 septembre 1667 — la prochaine publication de l'ouvrage, qui, dit-il, a été écrit « sur les mémoires qui lui ont été fournies par Madame d'Aiguillon » (17). L'impression n'eut pas lieu, les Jésuites ayant jugé prudent d'y renoncer, « parce qu'il y avait des endroits trop délicats » (18).

Tout cela suffirait déjà à montrer que l'héritière des papiers de Richelieu avait largement ouvert les coffres qui contenaient les archives de son oncle. C'était sans doute dans le louable dessein de servir la gloire du cardinal, mais peut-être la divulgation de certains papiers du ministre, vers 1650, ne sont-ils pas sans liaison avec le mouvement de la Fronde, comme il apparaît par d'autres publications datant de la même époque. Charles Vialart, Aubéry et le Père Le Moyne ne furent d'ailleurs pas les seuls à recevoir en communication des pièces

(15) *Historiettes*, édit. Antoine Adam, I, p. 271.

(16) Foncemagne, dans sa *Lettre sur le Testament politique* (1764) et Mme Thiroux d'Arconville, dans sa *Vie de Marie de Médicis* (1774).

(17) Il ajoute : « Je ne sais si le Père Le Moine sera bien payé de son travail, mais cette dame-là qui le met en besogne est étrangement avare ». Ailleurs, il assure que le Père Le Moyne recevait de Madame d'Aiguillon une rente annuelle de quinze cents livres.

(18) *Bibliothèque historique de la France,* n° 22 158.

provenant des archives de Richelieu. On sait, par exemple, qu'en 1651 Mazarin avait chargé Colbert d'obtenir de la duchesse certains documents qu'il désirait faire copier. A ce sujet, un détail montre bien que Madame d'Aiguillon, qui peut-être avait quelques raisons de se méfier, veillait à ce que les pièces communiquées en original lui fussent rendues : Mazarin lui ayant auparavant prêté quelques-uns de ses documents, elle lui fit savoir qu'elle ne les lui rendrait pas avant d'avoir reçu les siens. Un cas plus curieux est celui de l'historien italien Vittorio Siri, dont le premier volume des *Memorie recondite* parut en 1676 : Gabriel Hanotaux (19), puis Jules Lair (20) ont établi que Siri avait utilisé les *Mémoires du cardinal de Richelieu*, qu'il désigne sous le nom d'*Histoire manuscrite de l'évêque de Saint-Malo* (21), ce dernier étant, comme on le sait, Achille de Harlay-Sancy, le « secrétaire des Mémoires » inconnu au temps d'Avenel. Or, le même Vittorio Siri, qui séjourna à Paris en 1649 et 1650, eut entre les mains une copie du *Journal de M. le cardinal de Richelieu fait durant le grand orage de la cour, en l'année 1630 et 1631* (22), dans le même temps qu'on imprimait pour la première fois en Hollande cet extraordinaire document. Il est possible — probable même — que cette publication, par les rapprochements entre le passé et le présent qu'elle ne pouvait manquer de suggérer au lecteur, soit liée, comme l'a pensé Gabriel Hanoteaux, au grand mouvement polémique de la Fronde ; mais rien ne permet d'établir avec certitude que l'héritière des papiers de Richelieu ait voulu servir certains intérêts politiques en fournissant des armes aux polémistes contemporains. En pareille matière, faute de connaître avec une précision suffisante les circonstances dans lesquelles furent faites ces premières divulgations des papiers du cardinal, la prudence s'impose.

⁂

La duchesse d'Aiguillon mourut le 17 avril 1675, laissant tous ses biens à sa nièce, Marie-Madeleine-Thérèse de Vignerot, fille du marquis de Pont-Courlay et de Marie-Françoise de Guémadeuc. En vertu d'une disposition particulière de l'érection, en 1638, de la terre d'Aiguillon en duché-pairie — disposition que Saint-Simon jugeait plus tard « une clause inouie, devant et depuis cette érection » — cette dame reçut, par la volonté de sa tante, non seulement la terre, mais le titre de duchesse d'Aiguillon. Les papiers de Richelieu lui échurent en héritage avec le reste de la succession. Devait-elle se montrer plus vigilante gardienne que ne l'avait été sa tante ? Il ne le semble pas. D'une part, si l'on en croit une note de Daniel Huet, le très érudit évêque d'Avranches, la copie qui servit à la première édition du *Testament politique*, imprimée à Amsterdam en 1688, serait sortie du cabinet de la petite-nièce du cardinal (23). D'autre part, c'est pendant

---

(19) *Revue historique*, 1878, p. 411.
(20) *Rapports et Notices sur l'édition des Mémoires de Richelieu*, I, p. 71-75.
(21) « Historia manoscritta del vescovo di San Malo. »
(22) C'est la copie qui est conservée aux Archives des Affaires étrangères, Mém. & Doc., France, 69.
(23) L. André, *Le Testament politique du cardinal de Richelieu*, 7e édit., 1947, Appendice II, p. 458.

le dernier quart du XVIIe siècle qu'Etienne Baluze, bibliothécaire de Colbert depuis 1667, constitue, pour son compte personnel, une des plus riches collections de documents qui se puisse réunir sur le règne de Louis XIII. Or, selon la classification actuelle de la Bibliothèque nationale, il y a au moins cinq recueils in-folio de cette collection qui renferment un grand nombre de minutes de lettres de Richelieu, dont la provenance ne fait aucun doute (24). Baluze était alors au faîte des honneurs : la renommée méritée de ses travaux lui avait valu d'être pourvu, en 1670, de la chaire de Droit canon au Collège royal, notre Collège de France. Dispensateur des grâces de Colbert aux savants de l'époque, il était fort bien en cour, et davantage peut-être avec d'illustres familles, au premier rang desquelles se rencontre le fameux cardinal de Bouillon, qui se l'était attaché en lui accordant des pensions et des bénéfices, en attendant de causer sa perte. Il n'est pas impossible que Baluze ait usé de tout son prestige et de ses relations pour persuader la duchesse de lui abandonner quelques liasses de ces vieux papiers, dont la plupart n'étaient que des brouillons à peine lisibles. Mais que ce soit de cette façon ou autrement, les faits sont là : plusieurs centaines de minutes ont été à cette époque soustraites des archives du cardinal pour aller enrichir les collections de Baluze.

Rien ne dit d'ailleurs que ce savant érudit n'ait exploité la précieuse veine que pour son seul compte, et l'ont peut se demander si certaines pièces du fonds qui est devenu celui des Cinq-Cents Colbert, réuni à la même époque par les soins de ce même Baluze pour le ministre de Louis XIV, n'ont pas la même provenance. Mais il y a d'autres présomptions. La seconde duchesse d'Aiguillon fut toute sa vie hantée par le goût de la vie religieuse : elle prit le voile et le quitta quatre ou cinq fois au couvent des Filles du Saint-Sacrement de la rue Cassette, nous dit Saint-Simon, sans jamais pouvoir se résoudre à y faire profession. Les préoccupations du monde — et moins encore celles des érudits et des savants — devaient avoir peu d'attraits pour elle. Peut-être aussi pensait-elle que, dans la masse des papiers qu'elle détenait, ceux qui n'étaient pas revêtus de l'illustre signature étaient d'un intérêt négligeable. Elle donna ou laissa prendre. Ainsi s'expliquerait que, dans ce dernier quart du siècle, commencent à se répandre divers fragments des *Mémoires de Richelieu,* dont la première duchesse d'Aiguillon avait toujours prudemment empêché la divulgation, et que disparaissent des coffres légués par le cardinal un grand nombre de pièces, qui, deux siècles plus tard et encore de nos jours, allaient figurer dans les catalogues de ventes d'autographes et dans les inventaires imprimés des grandes collections particulières. Car s'il va de soi que les lettres signées de Richelieu n'ont, pour la plupart, d'autre provenance que les archives des descendants de ceux qui en avaient été les destinataires, il n'en est pas de même de deux catégories de documents, qui, eux, *nécessairement,* ne peuvent provenir que des archives du ministre de Louis XIII : les minutes de ses propres dépêches et les lettres émanant de ses correspondants.

(24) Ce sont les Vol. 321, 323, 334, 335 et 336 du Fonds Baluze.

⁂

La seconde duchesse d'Aiguillon mourut à son tour, âgée de soixante-huit ans, le 18 octobre 1704, dans ce couvent de la rue Cassette qu'elle avait comblé de ses dons. Elle laissait toute sa fortune à son neveu, le marquis de Richelieu, Louis-Armand-Jean de Vignerot. Disgrâcié jadis pour avoir enlevé d'un couvent de Chaillot — c'était, il est vrai, pour l'épouser en justes noces — une petite-nièce de Mazarin, le marquis ne paraissait jamais à la cour. Au reste, en partie ruiné, habitué des tripots, « enterré dans la crapule et la plus vile compagnie », au dire de Saint-Simon — toutes choses qui n'étaient pas pour plaire à Louis XIV — il ne devait guère s'attendre à ce qu'on usât de ménagements à son égard. Le secrétaire d'Etat aux Affaires étrangères était alors Jean-Baptiste Colbert de Torcy, neveu du grand Colbert. Ministre depuis 1696, instruit et cultivé, c'est à lui que revient le mérite d'avoir songé le premier à organiser des archives en réunissant les fonds détenus par ses prédécesseurs et de créer, quelques années plus tard, le Dépôt des Affaires étrangères. Il estima que les papiers provenant de l'héritage du cardinal de Richelieu intéressaient directement le service de l'Etat, et il obtint sans peine du roi l'autorisation de les retirer de la succession de la défunte duchesse. Ce ne fut toutefois que plusieurs mois après le décès de celle-ci, le 2 mars 1705, que le sieur Adam, premier commis des Affaires étrangères, reçut l'ordre de saisir ces papiers, contre « les décharges nécessaires qui seront réputées bonnes et valables »(25). Les coffres où étaient renfermées les archives du cardinal furent vidés, et les liasses et paquets qu'ils contenaient furent acheminés vers une destination qui, pour cette date, ne nous est pas connue, mais qui, à partir de la fin de 1710, devint, selon une note de Le Dran, « le donjon du vieux Louvre, au-dessus de la chapelle » (26), c'est-à-dire plus exactement dans une salle située au troisième étage du Louvre — étage dit de l'attique — qui est, de nos jours, appelée Salle Delort de Gléon. C'est ce même local qui fut assigné, en avril 1712 et jusqu'en janvier 1720, aux séances de l'Académie politique, créée par Torcy et destinée à former douze jeunes gens — six élèves rémunérés et six attachés libres — « pour les rendre capables de servir l'Estat dans les cours estrangères ».

Il restait à classer les papiers ainsi récupérés par l'Etat et à en faire l'inventaire. Or, précisément quelques mois plus tôt, le marquis de Torcy avait attaché à ses services un ecclésiastique très lié avec le généalogiste du roi Pierre de Clairambault, l'abbé Joachim Le Grand. Né à Saint-Lô en 1653, celui-ci était entré à l'Oratoire en 1671, puis avait été chargé de l'éducation du jeune duc d'Estrées et, depuis 1704, des affaires des ducs et pairs. Il était déjà l'auteur de diverses dissertations historiques, parmi lesquelles un mémoire sur la Succession d'Espagne, et, jusqu'en 1720, il collaborera à la publication du

(25) L'ordre du roi — A.E., Mém. & Doc., France, 1138, f° 59 v° — a été publié par A. Baschet, op. cit., p. 144.
(26) Foncemagne, op. cit., p. 7.

Recueil des Historiens de la France et publiera, en 1728 une *Histoire d'Abyssinie.* Il avait l'estime des écrivains de son temps, et Voltaire, dans son *Siècle de Louis XIV*, le considère comme « l'un des hommes les plus profonds dans l'histoire ». Ce fut à lui que fut confié le soin d'inventorier les archives de Richelieu, mais à une date qui, semble-t-il, ne dut pas être antérieure à celle du transfert de ces archives au Louvre. Il devait mourir en 1733, laissant tous ses papiers à son ami Clairambault. Parmi ceux-ci figurent le manuscrit d'une *Histoire de Louis XI* et divers mémoires historiques, mais aussi — chose curieuse — un certain nombre de pièces provenant des portefeuilles de Richelieu, que le savant abbé avait négligé de remettre au fonds qu'il avait été chargé de classer. Une sorte de fatalité semblait ainsi s'attacher à la dispersion des papiers du cardinal. Heureusement, Pierre de Clairambault lèguera à la Bibliothèque du roi toutes ses collections et, avec elles, les papiers de l'abbé Le Grand (27).

C'est sans doute peu avant la mort de Louis XIV que le travail de l'abbé Le Grand fut achevé. Il avait dû se conformer aux instructions qu'il avait reçues de Torcy, qui avait adopté, pour le classement des archives diplomatiques, la répartition géographique qui est demeurée en usage. Mais, comme les papiers de Richelieu se rapportaient aussi bien à l'administration intérieure du royaume qu'aux relations avec les pays étrangers, on classa à part tous ceux qui concernaient les affaires intérieures, et on répartit les autres dans les divers fonds de la série *Correspondance politique.* De ce travail il est resté un *Mémoire sur l'utilité de l'arrangement des papiers du feu cardinal de Richelieu*, et surtout une collection d'inventaires, dont il faut dire quelques mots en raison de l'utilisation qui en a été faite dans la présente édition.

Dressés d'abord en minutes par l'abbé Le Grand lui-même (28), puis recopiés de la main d'un secrétaire attaché au département des Affaires étrangères, ces inventaires s'appliquent à l'ensemble des papiers de Richelieu au moment où ceux-ci furent retirés de la succession de la duchesse d'Aiguillon. Ils forment, pour chaque année, un cahier spécial, à partir de l'année 1611. Les papiers se rapportant à la période 1624-1642 constituent vingt-deux cahiers d'importance variable, dont trois sont en double exemplaire. Ils contiennent, classées par matières et suivant un ordre chronologique à peu près rigoureux, les analyses des différentes pièces inventoriées, avec la mention du destinataire (s'il s'agit d'une lettre du cardinal) ou du signataire, et, dans la marge, l'indication de la date (29). Ces analyses, sauf exception, sont extrême-

(27) Les papiers de l'abbé Le Grand sont aujourd'hui conservés, à la Bibliothèque nationale, dans les vol. 518 à 521 du fonds Clairambault.

(28) Il subsiste un certain nombre de ces minutes dans le manuscrit Clérambault 521 (pp. 175-189, 214 et s.) ; d'autres se rencontrent dans divers volumes de la série *Mém. & Doc.* des Affaires étrangères (Vol. 782, 790, 791 et 796) ainsi que dans deux volumes de la série *Cor. pol.* (Italie 13 et Hollande 14).

(29) A la B.N., deux ms. du fonds Clérambault — 521, p. 143-158, 159-173 ; 551, p. 142 v° et 131-134 — contiennent des rédactions abrégées ou fragmentaires de ces inventaires. Aux Arch. des A.E., les vingt-deux cahiers sont ainsi répartis dans la Série *Mém. & Doc., France* :

1624 : 246, f° 1-30. — 778, f° 163-170.
1625 : 780, f° 314-353.

ment sommaires : elles se réduisent, en bien des cas, à quelques mots, et il suffit de se reporter, quand il est possible, aux documents eux-mêmes pour constater que des éléments de grand intérêt ont souvent été négligés (30). Mais, si imparfaites qu'elles soient, elles n'en sont pas moins très précieuses, car elles nous conservent le résumé de lettres qui, pour des raisons inconnues, ont disparu des archives. En l'absence du document lui-même, on trouvera, dans la présente édition, les résumés dus à l'abbé Le Grand, dont le texte, présenté entre guillemets, est précédé de l'indication abrégée : Inv. [entaire] de la Cor. [respondance], avec la référence au volume d'où l'analyse a été tirée.

⁂

Les papiers d'Etat du cardinal de Richelieu allaient désormais suivre le sort du dépôt d'archives fondé par Torcy. Du troisième étage du vieux Louvre, ce dépôt fut transféré, en 1763, à Versailles, dans un bâtiment aménagé à cet effet. Sous le Directoire, en 1796, il réintégra la capitale, où, au cours du XIXe siècle, il fut changé trois fois de place avant d'être définitivement installé, en 1853, dans les locaux du Ministère des Affaires étrangères, au quai d'Orsay.

Entre temps, en 1821, avait été fondée l'Ecole des Chartes, qui, réorganisée en 1829, allait être cette pépinière d'archivistes, de bibliothécaires érudits et de savants éditeurs de textes, que beaucoup de pays nous envient si justement. Les différents dépôts d'archives publiques furent dès lors placés sous la garde d'administrateurs éclairés, qui allaient s'employer à en dresser les catalogues et les inventaires, indispensables instruments de la recherche. Ce fut probablement sous la Monarchie de Juillet que les pièces constituant les anciennes archives de Richelieu, auxquelles étaient venues se joindre les papiers de Chavigny récupérés par Chauvelin, furent

---

1626 : 781, f° 172-206.
1627 : 246, f° 160-201. — 785, f° 1-39. — 786, f° 2-20.
1628 : 248, f° 213-355.
1629 : 249, f° 135-322.
1630 : 250, f° 185-317.
1631 : 252, f° 139-189.
1632 : 252, f° 336-388.
1633 : 253, f° 149-214.
1634 : 253, f° 283-351 (deux exemplaires).
1635 : 254, f° 175-295 (deux exemplaires).
1636 : 255, f° 116-389 (deux exemplaires).
1637 : 256, f° 136-288.
1638 : 257, f° 154-275.
1639 : 258, f° 58-217.
1640 : 286, f° 89-193.
1641 : 287, f° 7-252.
1642 : 288, f°

(30) Dans l'étude qu'il a consacrée aux *inventaires de papiers de Richelieu* (*Rapports et Notices p. l'édit. des Mém. de Richelieu,* I, pp. 309-321), Léon Lecestre est d'un avis différent, estimant que, « pour certains documents », ces analyses sont de « véritables résumés, analogues à celui que les commis exécutaient dans les bureaux pour les secrétaires d'Etat, pour éviter au ministre de lire entièrement les pièces qui lui passaient sous les yeux » (p. 311). Il est difficile de souscrire à cette appréciation : si elle peut s'appliquer à quelques analyses, l'insuffisance de la plupart ressort de leur comparaison avec les textes originaux.

reliées en volume, puisque Avenel, qui commença ses recherches vers 1843, ne mentionne que des recueils, jamais de cartons ni de liasses. Ces premiers volumes furent, par la suite, jugés trop épais, et la direction des Archives diplomatiques décida de les remplacer par des volumes plus maniables. Les pièces furent alors réparties dans un plus grand nombre de recueils, qui reçurent une numérotation nouvelle, différente de celle qu'avait connue Avenel, ce qui eut pour effet de rendre inutilisable l'indication des sources mentionnées par celui-ci dans son édition de la correspondance de Richelieu. En outre, on profita de ce remaniement pour insérer dans les nouveaux volumes un certain nombre de pièces isolées, qui vinrent ainsi s'ajouter à celles qui avaient été rassemblées au siècle précédent.

Le Cabinet des Manuscrits de la Bibliothèque nationale connut, à une date postérieure, des modifications analogues. C'est ainsi que les documents qui constituaient le fonds Baluze, jusqu'alors conservés dans des portefeuilles et des cartons, reçurent un classement rationnel et furent reliés en volumes. Ceux des fonds Le Tellier-Louvois, Sorbonne, Béthune et Saint-Germain-Harlay, qui tous contiennent de nombreuses pièces provenant des archives du cardinal, cessèrent de constituer des collections particulières, et les volumes qui les composaient prirent place avec une nouvelle cote parmi les volumes du *Fonds français*. Il en fut de même pour la collection Brienne, insérée dans celui des *Nouvelles Acquisitions françaises*. Là encore, les références mentionnées dans l'édition d'Avenel, sauf l'indication des folios, ne correspondent plus à ces classements nouveaux.

Cependant une grande partie des papiers qui avaient constitué, deux siècles et demi plus tôt, les archives politiques de Richelieu, continuait — et continue encore — de demeurer aux mains d'un monde de collectionneurs. Sous l'Ancien régime, les amateurs de documents n'étaient pas rares : Godefroy, les frères Dupuy, Peiresc, au temps de Richelieu, plus tard Baluze, Brienne, Mazarin, Colbert, d'autres encore ont réuni des collections souvent considérables de pièces manuscrites. Mais il faut attendre le XIXe siècle pour voir naître et se développer un véritable commerce des autographes (31). En 1851, l'érudit Ludovic Lalanne a pu dénombrer, pour Paris seulement, quarante-six ventes faites, de 1822 à 1835, aux enchères publiques, portant sur un total d'environ douze mille pièces ; de 1836 à 1850, le nombre des ventes passe à quatre-vingt quinze, et celui des pièces dispersées à cinquante-huit mille. A ce chiffre, il conviendrait d'ajouter, pour la même période, celui que représentent les offres proposées au public par des catalogues imprimés comme le *Bulletin du Bibliophile* (1835-1842), le *Manuel de l'Autographophile* (1836-1838) et, à partir de 1845, les catalogues de la Librairie Ancienne Charavay (32). Plus tard, paraîtra, sans interruption de 1866 à 1936, la *Revue des Autographes*, à laquelle il faut joindre les catalogues publiés par certaines maisons spécialisées — Charavay à Paris, Sotheby à Londres — selon une périodicité qui semble à peine s'être ralentie de

(31) C'est en 1822 que parut le premier catalogue consacré exclusivement à une collection d'autographes, jusque-là confondus, dans les ventes publiques, avec les manuscrits et les livres. Ce catalogue, de 16 pages in-8°, décrit plus de cinq cent cinquante pièces, qui furent dispersées les 24, 25 et 27 mai.

(32) *Pièces sur l'affaire Libri* (1851) : B.N., Cabinet des Manuscrits, 8° 437.

nos jours. En fait, il n'y a guère actuellement de vente publique ou de catalogue où ne figurent des lettres ou d'autres documents ayant jadis fait partie des archives du cardinal de Richelieu. Ainsi se sont constituées d'importantes collections de documents manuscrits. Plusieurs sont aujourd'hui dispersées, dont il subsiste parfois de précieux inventaires ; d'autres ont été acquises en partie par l'Etat ou léguées à certains dépôts d'archives publiques ou privées. On verra plus loin l'intérêt que présentent quelques-unes d'entre elles pour la connaissance des papiers d'Etat de Richelieu.

Les amateurs d'autographes sont souvent des esprits éclairés, des lettrés ou des érudits. Mais leur monde est divers : il a aussi ses forbans et ses pillards. Au début de 1888, Léopold Delisle, alors administrateur de la Bibliothèque nationale, parvenait, après de laborieuses négociations, à faire réintégrer dans les fonds dont il avait la garde mille neuf cent vingt-trois pièces dérobées, quarante ans auparavant, dans différentes bibliothèques de Paris et de province, par un personnage dont le nom est resté tristement célèbre dans les annales de nos archives : le comte Libri (33). Or, parmi les documents ainsi récupérés, se trouvaient plus de cent cinquante pièces, dont la plupart proviennent du cabinet de Richelieu, certaines particulièrement précieuses par les additions et corrections de la main du cardinal. Elles forment, depuis cette époque le volume 5 131 des *Nouvelles Acquisitions françaises* de la Bibliothèque nationale.

Les méfaits de Libri ne semblent pas s'être exercés parmi les Archives des Affaires étrangères. Il serait cependant téméraire d'affirmer que, depuis le jour où ils furent transférés dans le « donjon du Vieux Louvre », les papiers de Richelieu se sont trouvés à l'abri de tout danger de distraction. Le hasard des recherches devait, à cet égard, ménager de curieuses surprises. Des pièces mentionnées dans les inventaires dressés par l'abbé Le Grand, et qui, de ce fait, devraient se trouver dans les recueils de ce dépôt, en sont aujourd'hui absentes : pour les cinq premières années du ministère de Richelieu, leur nombre est de plusieurs dizaines. Certaines d'entre elles ont été retrouvées, l'une dans le catalogue de la collection Alfred Morrisson ; trois autres parmi les documents réunis par l'avant-dernier duc de Richelieu ; d'autres enfin dans les cartons de la série K des Archives nationales, où elles sont parvenues par des voies qui demeureront sans doute toujours mystérieuses.

---

(33) Guglielmo-Bruto Carruci della Somaia, comte Libri (1803-1869), florentin d'origine, mathématicien de formation, mais spécialisé dans l'histoire des sciences, la bibliographie et la paléographie, était arrivé en France vers la fin de 1830. Accueilli avec faveur parce qu'il se disait victime des événements politiques, naturalisé français dès 1833, il devint successivement membre de l'Institut (1833), professeur à la Faculté des Sciences de Paris (1834) et professeur au Collège de France (1843). Nommé secrétaire de la Commission chargée de rédiger un catalogue général de tous les manuscrits en langues anciennes et modernes existant dans les bibliothèques publiques des départements, il en profita pour se faire remettre par des bibliothécaires trop confiants d'énormes paquets de pièces, qu'il n'avait pas le loisir, disait-il d'étudier sur place, et qu'il rendait après s'être approprié ce qui l'intéressait. Le désordre qui régnait alors dans les collections publiques facilita ses déprédations. Il put s'enfuir en Angleterre avant d'être condamné par contumace, en 1850, à dix ans de réclusion. — V. Léopold Delisle, *Catalogue des manuscrits des fonds Libri et Barrois, 1888.*

***

Avant d'aborder le résultat de nos recherches propres, il semble utile de rappeler, dans cette introduction générale, les différents fonds explorés par Avenel et mentionnés dans la *Préface* du premier volume des *Lettres, Instructions diplomatiques et Papiers d'Etat du Cardinal de Richelieu* (p. XXVII et s.) :

— *Bibliothèque nationale :* Fonds Béthune, Baluze, Colbert, Harlay, Dupuy, et, d'une façon générale, « tous les autres fonds qui ont une désignation spéciale, ainsi que ceux que l'on comprend sous le nom de fonds divers ».

— *Archives des Affaires étrangères :* cinquante-et-un volumes de la série *Mémoires et Documents*, « parmi lesquels un petit nombre seulement concernent les affaires extérieures ».

— *Archives nationales :* peu de documents, sauf trois ou quatre volumes marqués aux armes de Colbert (p. XXIX), qui contiennent des pièces intéressantes touchant les campagnes de 1638 et 1639 sur les frontières d'Espagne et le procès du duc de La Valette.

— *Archives de Simancas :* trois lettres du cardinal de peu d'importance et « quelques documents propres à éclaircir certains faits » (p. XXIX).

— *Archives de la Guerre :* « une douzaine de lettres de Richelieu et un petit nombre d'autres pièces où se rencontrent des documents utiles » (p. XXX).

— *Archives de la Marine :* elles ne contiennent presque rien de l'époque de Richelieu, si ce n'est un seul carton, « où l'on ne trouve guère que quelques comptes de dépenses, quelques copies d'ordonnances connues, quelques détails du personnel, et un volume intitulé *Ordres du roy et autres expéditions de la Cie des Isles d'Amérique de 1635 à 1647* » (p. XXX).

— *Bibliothèque de l'Institut :* les portefeuilles de Godefroy ont fourni quelques pièces.

— *Bibliothèque de l'Arsenal :* « un très petit nombre de lettres » (p. XXXI).

— Autres sources : il s'agit surtout des *archives privées*, en particulier des cent vingt lettres adressées par Richelieu au maréchal de La Force. Il s'y joint un certain nombre de lettres imprimées puisées dans des ouvrages, dont Avenel fait l'énumération (p. XXXVIII).

Ces différents fonds ont dû être de nouveau explorés pour la préparation de cette édition. Outre un très grand nombre de lettres adressées à Richelieu, ils ont fourni plusieurs pièces émanant du cabinet du ministre, dont Avenel n'avait sans doute pas eu connaissance ou qu'il n'avait pas cru devoir publier dans son édition. A ces sources s'ajoutent celles qui proviennent des fonds suivants :

— Bibliothèque nationale :

a) *Cabinet des manuscrits :* Nouvelles Acquisitions françaises ; collections des Provinces de France ; Collection Chatre de Cangé.

b) *Réserve :* collection Morel de Thoisy.

— Archives des Affaires étrangères : série *Correspondance politique,* en particulier *Turin, Mantoue, Lorraine, Espagne, Angleterre* et *Hollande* ; série dénommée *Petits fonds* (provinces de France). L'une et l'autre série ont presque uniquement fourni des lettres émanant de correspondants du cardinal.

— Archives nationales : les séries K, AB XIX et 1 AP contiennent quelques documents provenant du cabinet de Richelieu, mais surtout des lettres adressées au ministre.

— Minutier central des Notaires : ce dépôt, ouvert au public depuis 1932, a fourni quelques documents intéressant l'administration intérieure, en particulier certains contrats ou conventions passés au nom du cardinal ou par son ordre.

— Archives de la Guerre : la série A contient vingt-sept lettres de Richelieu, parmi lesquelles plusieurs concernent les affaires intérieures ; la première en date est du 29 décembre 1629.

— Archives de la Marine : la Bibliothèque des Cartes et Plans conserve un « mémoire touchant l'Amirauté de France », daté de 1630.

Enfin la Bibliothèque Sainte-Geneviève, la Bibliothèque Mazarine, les bibliothèques de la Ville de Paris, de l'Arsenal, du Sénat et de la Chambre des Députés ont fourni chacune quelques documents.

La recherche des papiers provenant d'archives privées ou de collections particulières a posé des problèmes, dont il n'est pas inutile de donner une vue rapide.

Tous les dépôts dont il vient d'être question renferment, on le sait, un nombre plus ou moins important de papiers privés, qui y sont entrés, les uns au moment de la Révolution par voie du séquestre des biens d'émigrés, les autres, depuis cette époque, le plus souvent par dons, dépôts ou achats. Il en est de même pour les différents dépôts d'archives départementales et pour les fonds manuscrits que détiennent certaines grandes bibliothèques de province. Mais, à cet égard, en partie faute d'instruments de travail, en partie faute d'enquêtes systématiques, la recherche des papiers de Richelieu qui peuvent se trouver dans ces dépôts est apparue fort difficile.

Aux Archives nationales, les fonds d'archives privés entrés depuis la Révolution sont intégrés dans la série AB XIX pour les papiers isolés ou les dossiers peu fournis, et dans la série AP pour les fonds constitués.

Dans les Archives départementales, ces mêmes fonds peuvent figurer dans les séries E, F, I, J et Z. Un dépouillement de ces séries, dans les inventaires publiés jusqu'à ce jour, nous a permis de dresser un liste des documents qui sont appelés à figurer dans cette édition ou à être utilisés dans les notes (34). Mais il faut savoir que, dans certaines Archives départementales, sont conservés des documents qui n'ont pas encore été cotés ou n'ont reçu qu'une cote provisoire. Ces documents n'ayant pas été mentionnés dans les inventaires imprimés, ce n'est que par des recherches personnelles ou grâce à l'obligeance d'un conservateur qu'on peut en déceler l'existence.

L'inventaire d'un grand nombre de fonds d'archives conservés dans les bibliothèques des villes de province est fourni par le *Catalogue général des manuscrits des bibliothèques publiques de France.* La série départementale comprend trente-neuf volumes, auxquels il convient d'ajouter cinq volumes de suppléments contenant la recension des nouvelles acquisitions. Enfin certains musées de province détiennent parfois aussi des archives privées ou des collections de documents intéressant le plus souvent l'histoire régionale. C'est — pour ne citer qu'un exemple — le cas du Musée National du Château de Pau, pour ce qui concerne le règne de Henri IV, la régence de Marie de Médicis et l'histoire du Béarn. Mais, sauf exception, leurs inventaires n'ont pas été publiés (35).

Pour ce qui concerne les dépôts d'archives ouverts au public, c'est dans ces différentes directions que se sont effectuées nos recherches. Elles ont abouti à des résultats satisfaisants, puisqu'il a été possible de déceler l'existence d'un certain nombre de documents qui ne figurent pas dans les dépôts parisiens. A mesure que se poursuivra la publication des volumes suivants, de nouvelles découvertes pourront être faites, en particulier parmi les fonds manuscrits des bibliothèques publiques, dont les inventaires n'ont pas été imprimés.

---

(34) Les départements suivants ont, d'après les inventaires qui ont été publiés, des archives renfermant des documents intéressant cette publication :

Ain - Aisne - Hautes-Alpes - Ardennes - Aube - Aude - Aveyron - Bouches-du-Rhône - Calvados - Charente-Maritime - Cher - Côte-d'Or - Creuse - Dordogne - Doubs - Drôme - Eure-et-Loir - Gard - Haute-Garonne - Gers - Gironde - Hérault - Ile-et-Vilaine - Indre-et-Loire - Isère - Loir-et-Cher - Loire-Atlantique - Lot-et-Garonne - Marne - Haute-Marne - Meurthe-et-Moselle - Meuse - Nièvre - Nord - Oise - Orne - Puy-de-Dôme - Bas-Rhin - Saône-et-Loire - Deux-Sèvres - Somme - Tarn - Var - Vaucluse - Vendée - Vienne.

(35) Les bibliothèques des villes dont les noms suivent possèdent un fonds de manuscrits ou de pièces d'archives intéressant la correspondance de Richelieu :

Amiens	Chartres	Lyon (c)	Reims (e)
Angers	Grenoble	Louviers	Rouen
Besançon	Dijon	Nancy	Saint-Quentin
Bourges	Pau (d)	Nantes	Soissons
Carpentras (a)	Poitiers	Fontenay-le-Comte (b)	Tours
Châlons-sur-Marne	Lille	La Rochelle	Troyes

(a) La bibliothèque Inguimbertine, on le sait, détient les manuscrits de l'érudit Peiresc, contemporain de Richelieu.
(b) Collection Benjamin Fillon.
(c) Bibliothèque de la ville et Bibliothèque du Palais des Arts.
(d) Musée national du château.
(e) Archives municipales.

Quant aux fonds d'archives demeurés entre les mains de particuliers, les instruments de travail sont encore loin de faciliter les recherches. Il faut d'autant plus le regretter qu'ils peuvent parfois présenter un grand intérêt historique (36). A la fin du siècle dernier, Langlois et Stein avaient publié, dans les *Archives de l'Histoire de France* (Paris, 1891), le résultat d'une enquête effectuée entre 1885 et 1891 sur les fonds d'archives privés français. Ce travail étant depuis longtemps périmé, la Direction des Archives de France a institué, en 1949, un *Service d'Archives privées,* doté d'un fichier d'enquêtes, où ont été répertoriés environ quatre mille fonds, classés dans l'ordre des départements (37). Les quelques renseignements fournis par ce service se sont révélés fructueux ; mais le fichier étant seulement topographique, il est indispensable que le chercheur connaisse et l'existence d'un fonds d'archives et le département où ce fonds est conservé. Faute de connaître ces données, le chercheur se trouve désarmé et il n'a d'autre ressource que de se livrer lui-même à des prospections plus ou moins hasardeuses.

Souvent, d'ailleurs, il s'agit de papiers dispersés depuis longtemps. Aussi a-t-il paru utile de dépouiller, au moins en partie, certains catalogues de collections ou de ventes d'autographes. Les inventaires de quelques collections particulièrement importantes ont été publiés : telles sont les collections d'autographes d'Albert Bovet (38), de Benjamin Fillon (39) et d'Alfred Morrisson (40). Par ailleurs, la *Revue des Autographes* (41) et les catalogues des maisons Charavay, de Paris et Sotheby and C°, de Londres, ont permis de mentionner sous forme d'analyses comportant parfois des extraits, un certain nombre de pièces émanant de Richelieu ou de lettres de ses correspondants, documents qui, pour la plupart, sont demeurés la propriété de collectionneurs inconnus. Enfin on a utilisé un fichier de dépouillement des pièces mises en vente par la maison Charavay, commencé par le Département des Manuscrits de la Bibliothèque nationale (42).

Parmi les fonds d'archives privées enrichis de collections d'autographes, il en est deux qui ont fourni à la présente édition de nombreux et importants documents. Le premier est celui des archives conservées au Musée Condé de Chantilly. On sait que le duc d'Aumale, quatrième fils du roi Louis-Philippe, avait hérité, en 1830, de Louis-Henri-Joseph de Bourbon, neuvième et dernier prince de Condé, dont il était le filleul. Il devint ainsi propriétaire des archives de cette illustre maison, dont il entreprit, vingt-cinq ans plus tard, d'écrire l'histoire (43). Mais ce fut sans doute autant pour satisfaire ses goûts

(36) La plupart des archives des secrétaires d'Etat du XVIIIe siècle sont encore entre les mains de leurs héritiers.

(37) Il est à noter que le public n'a pas accès à ce fichier : le Service répond aux demandes de renseignements qui lui sont adressées. La constitution d'un fichier onomastique est évidemment souhaitable.

(38) Catalogue dressé par Etienne Charavay en 1887.

(39) Inventaire en deux volumes dressé par Et. Charavay en 1882.

(40) *Collection of autograph letters and historical documents... by Alfred Morrison,* 6 vol., 1883-1892.

(41) Cette revue a paru sans interruption, mais à des dates irrégulières, de 1866 à 1936.

(42) Il est désigné sous le nom de « Fichier Charavay » ; il est incomplet, le dépouillement des catalogues ayant été interrompu.

(43) *Histoire des princes de Condé pendant les* XVIe *et* XVIIe *siècles,* 8 vol., Paris, 1863-1896.

de collectionneur que pour disposer des documents nécessaires à son ouvrage, que le prince réunit à Chantilly un nombre considérable de documents historiques, qui vinrent s'ajouter aux papiers qui lui avaient été légués. Ces inestimables collections, devenues par donation la propriété de l'Institut de France, contiennent de nombreuses pièces intéressant le ministère du cardinal de Richelieu, en particulier les séries I (lettres de la famille royale), M (lettres du prince de Condé) et O (lettres diverses). Elles ont fourni plusieurs dizaines de lettres du cardinal, qui sont ici publiées pour la première fois. En outre, le manuscrit 921, qui provient de la bibliothèque de Sublet de Noyers, renferme une importante collection de lettres de Louis XIII à Richelieu, datant des sept dernières années du ministère de celui-ci.

L'autre fonds est celui qui est devenu la propriété de l'Université de Paris en vertu du leg testamentaire fait par le dernier duc de Richelieu, en 1952 (44). Conservé dans une salle de la bibliothèque Victor-Cousin, à la Sorbonne, il comprend, outre un certain nombre de livres rares, cent trente-six volumes ou dossiers. Pour la période 1624-1642, les documents sont contenus dans sept volumes reliés en demi-maroquin rouge numérotés de 14 à 20 : les volumes 14 à 18 renferment des lettres, les volumes 19 à 20 des documents divers (copies de chartes, titres de propriété, lettres patentes, brevets, etc.). L'ensemble des cinq volumes de lettres comprend 415 pièces classées chronologiquement (45), parmi lesquelles soixante-deux lettres de Richelieu (46). Le reste est constitué pour la plus grande partie de lettres adressées au cardinal. Il ne paraît pas douteux qu'un grand nombre de ces documents provient des archives du ministre de Louis XIII, et que, pour des raisons inconnues, ils se sont trouvés soustraits à la saisie de mars 1705. Peut-être ont-ils été confondus avec des papiers de caractère privé, comme ceux qui sont contenus dans le Vol. 6 du même fonds et qui concernent le château de Richelieu. Mais, d'autre part, plusieurs pièces proviennent aussi d'achats effectués par le père du dernier duc — Marie-Odet de Jumilhac (1847-1880) — qui semble s'être attaché, surtout à la fin de sa vie, à enrichir ses archives familiales en se procurant dans des ventes d'autographes des pièces intéressant directement le cardinal. Quant aux deux volumes de documents divers, leur intérêt est sans doute moindre, mais quelques-unes des pièces qu'ils renferment ont naturellement leur place dans la présente édition.

(44) Armand de Chapelle de Jumilhac, duc de Richelieu et de Fronsac, né à Paris le 21 décembre 1875, décédé à NewYork le 30 mai 1952, était l'arrière petit-neveu du ministre de la Restauration, mort en 1822. Son grand-père, Armand-François-Odet de Jumilhac, releva alors le nom et les armes de Richelieu.

(45) Les pièces sont ainsi réparties :
Vol. 14 (1588-1626) : 92 pièces.
— 15 (1627-1632) : 90 pièces.
— 16 (1633-1635) : 74 pièces.
— 17 (1636-1639) : 81 pièces.
— 18 (1640-1642) : 78 pièces.

(46) Trois de ces lettres sont antérieures à 1624 ; les cinquante-neuf autres sont soit des originaux (32), soit des minutes (26) ; une seule est sous forme de fac-similé. Parmi les lettres adressées à Richelieu, les plus remarquables proviennent de Louis XIII, de Marie de Médicis, de Gaston d'Orléans et du garde des sceaux Michel de Marillac.

A défaut de documents d'archives manuscrits, il a parfois été nécessaire d'accueillir un certain nombre de lettres provenant d'ouvrages imprimés. Ceux-ci appartiennent à deux catégories. Les uns sont des revues ou des bulletins de sociétés savantes, comme la *Revue des Documents historiques*, le *Bulletin de la Société des Antiquaires de France*, et diverses publications d'intérêt régional. L'indication des sources, s'y trouve d'ordinaire mentionnée, mais pas toujours avec la précision souhaitable. Les autres sont des ouvrages anciens auxquels les historiens accordent généralement du crédit : tels sont, parmi d'autres, le recueil déjà cité d'Antoine Aubéry, *Mémoires pour servir à l'histoire du cardinal duc de Richelieu* (1660) et l'*Histoire du règne de Louis XIII* du Père Griffet (1768). Parfois la source des documents reproduits dans ces ouvrages a pu être retrouvée, mais assez souvent elle a disparu, en sorte que, même si le document présente toute l'apparence de l'authenticité, celle-ci est matériellement incontrôlable. Avenel a cru pouvoir accueillir dans son édition quelques documents provenant d'ouvrages qui sont loin de présenter les mêmes garanties. Si certains ont été reproduits dans la présente publication avec les réserves convenables, tous ceux dont l'authenticité était manifestement suspecte ont été écartés. C'est le cas, en particulier, d'une lettre qu'il serait superflu de mentionner, si elle n'ouvrait le second volume de l'édition d'Avenel, c'est-à-dire la période ministérielle de la correspondance de Richelieu. Cette lettre aurait été adressée au Père Joseph par le cardinal, au lendemain de son entrée au Conseil, pour l'inviter à venir le rejoindre : si l'on peut admettre, avec Gustave Fagniez (47), qu'une lettre analogue à celle-là a dû être écrite par Richelieu, au mois d'août — et non pas en mai — 1624, il semble établi aujourd'hui que la lettre incriminée est l'œuvre d'un publiciste du début de XVIIIe siècle, l'abbé Richard, qui, pour illustrer une biographie du Père Joseph, composa une lettre de fantaisie en utilisant quelques idées générales, qu'il avait puisées dans un ouvrage manuscrit rédigé cinquante ans auparavant par l'abbé Lepré-Balain (48).

⁂

Dépôts publics parisiens d'archives, dépôts départementaux et municipaux, bibliothèques et musées, archives et collections privées, inventaires et catalogues d'autographes, revues spécialisées et recueils de documents, telles sont les sources où nous avons été amenés à puiser. Le bilan de ces recherches est déjà considérable ; il n'est

(47) G. Fagniez, *Le Père Joseph et Richelieu*, 1889, pp. 36-37.

(48) L'abbé René Richard est l'auteur de trois sortes de publications relatives au Père Joseph : une *Histoire de la vie du R.P. Joseph Le Clerc du Tremblay, capucin...* (2 vol. in-12, Paris, 1702) ; *Le véritable Père Joseph, capucin, nommé au cardinalat...* (un vol. in-12, Saint-Jean-de-Maurienne, 1704) ; et la *Vie du Père Josef Le Clerc du Tremblay... augmentée de la réponse au livre intitulé Le véritable Père Josef* (un vol. in-12, Genève, 1704). Le premier ouvrage est une apologie ; le second dépeint le Père Joseph sous les traits d'un personnage satanique ; le troisième est une réfutation du précédent. — Malgré la caution de Gabriel Hanotaux, qui assure que la lettre en question est d'une « incontestable authenticité » (*Hist. du cardinal de Richelieu*, III, p. 1), on voit mal le crédit que méritent de telles palinodies.

cependant pas définitif. En ces sortes de quêtes, selon le précepte de saint Augustin, il faut savoir chercher comme ceux qui doivent trouver et trouver comme ceux qui doivent chercher encore. Est-ce à dire que le hasard des recherches permettra de découvrir, dans quelques vieux coffres oubliés des documents dont on ignorait jusque-là l'existence ? On peut l'espérer, mais ces sortes d'aubaines sont rares, et sur elles il est sage de ne pas entretenir d'illusions. Mieux vaut compter, semble-t-il, sur le concours de tous ceux qu'animent la curiosité et le goût des choses du passé, archivistes, érudits et collectionneurs. Nous avons déjà une dette de reconnaissance envers ceux des conservateurs de nos archives départementales et municipales, qui ont si courtoisement favorisés nos recherches, et envers les collectionneurs parisiens — notamment M. Jean Dupin et M. le marquis de Flers — qui ont bien voulu nous communiquer des documents originaux de grande valeur historique inédits jusqu'à ce jour. C'est aussi mieux que des encouragements que nous avons reçu de la part de ceux dont les ancêtres jouèrent un rôle actif dans la vie politique, administrative ou militaire du règne de Louis XIII. A cet égard, il nous faut témoigner une gratitude particulière à M. le duc de Lévis-Mirepois, de l'Académie française, qui nous a ouvert les archives du château de Léran et a personnellement guidé nos premières recherches ; — à M. le duc dc Gramont, grâce auquel il a été possible de reproduire dans cette édition un certain nombre de lettres dc ses aïeux, Antoine II, premier duc de Gramont, et Antoine III, maréchal de Gramont ; — enfin à M. le duc de La Force et à M. le duc de Brissac, dont l'obligeance nous a valu d'intéressants éclaircissements sur la correspondance de leurs ancêtres respectifs, le maréchal de La Force et le duc François de Cossé-Brissac.

Sans doute il serait parfaitement vain de prétendre reconstituer les archives du cardinal de Richelieu telles qu'elles étaient il y a plus de trois siècles, même en limitant l'entreprise aux pièces qui ont échappé à tant de vicissitudes et d'irréparables destructions. Mais, quel que soit le soin apporté à la recherche de tous ces documents épars, le risque demeure d'en avoir ignoré certains. C'est pourquoi il est prudent de prévoir — comme le fit Avenel en son temps — un volume destiné à recevoir les pièces que leur découverte tardive n'aura pas permis de faire figurer dans les volumes où elles auraient eu leur place.

⁂

Avenel a, le premier, mis en lumière, dans la *Préface* de son ouvrage, la méthode de travail de Richelieu, et, à propos des lettres écrites sous la dictée du cardinal ou rédigées d'après ses instructions, il a rappelé qu'à cette époque les dépêches et circulaires ministérielles n'étaient pas, comme elles le seront plus tard, élaborées dans des bureaux spécialisés, ayant chacun leurs attributions, par des fonctionnaires expérimentés, puis présentées à la signature du ministre ou, à défaut de celui-ci, à la signature de quelque personnage haut placé dans la hiérarchie administrative. C'est le processus inverse qui était suivi : les secrétaires d'Etat recevaient les instructions du cardinal, souvent sous forme de minute ou de notes sommairement rédigées, et il leur appartenait de les mettre ensuite au net et de les signer eux-mêmes. Richelieu ne signait que les expéditions établies dans son cabinet par ses propres secrétaires (49). Avenel a également très bien montré à quoi se réduisait le rôle de ceux-ci, qui apparaissent en effet n'avoir jamais eu d'autre fonction, dans la rédaction des dépêches du ministre, que celle de transcrire ou d'écrire sous la dictée du maître ou encore de mettre au net un canevas préalablement dicté. Toutefois, depuis les travaux de Gustave Fagniez (50), de Maximin Deloche (51), de Louis Delavaux (52), de Robert Lavollée (53) et, plus près de nous, d'Orest Ranum (54), une mise au point paraît indispensable.

Richelieu a eu plusieurs secrétaires, non pas seulement au cours des dix-huit années de son ministère, mais attachés en même temps à son service. Si, dans son testament de mai 1642, il n'en mentionne que deux — Charpentier et Cherré — cette assertion ne doit pas être prise à la lettre : en réalité, ceux dont il utilisa la plume, à une époque quelconque de son ministère, furent en bien plus grand nombre, même sans tenir compte des ministres en titre, comme Bullion, les Bouthillier, Servien ou Sublet de Noyers, qui tinrent occasionnellement ce rôle. Parmi ceux qui furent exclusivement attachés aux fonctions de secrétaire, les deux plus anciens en date sont Michel Le Masle et Denys Charpentier. Ils sont les seuls dans le cabinet, souligne justement Maximin Deloche, à avoir rang de premiers secrétaires et à porter le titre de « Monsieur » (55).

Michel Le Masle, prieur des Roches, de N.-D. des Champs, de Longpont et de Montdidier, était attaché à la personne de Richelieu depuis très longtemps, si, du moins, on en croit Tallemant des Réaux, qui assure qu'il avait été « autrefois petit valet du cardinal de Richelieu au collège » (56). Déjà fort riche en bénéfices avant 1630,

(49) La contre-épreuve est fournie par cette observation d'Avenel : « On a conservé, au dépôt de la Guerre, dans une série non interrompue de 62 volumes in-folio manuscrits, le travail de divers secrétaires d'Etat à la Guerre (Le Beauclerc, Servien, Sublet de Noyers), pendant toute la durée de la puissance de Richelieu (1624-1642) ; et bien, dans ces 62 volumes, où la moindre minute, le plus petit chiffon écrits par le secrétaire d'Etat ou son premier commis, le sieur Le Roy, et d'autres employés, ont été soigneusement conservés, on ne trouve pas une seule fois la trace d'une minute faite pour être signée par le cardinal. Il est impossible d'imaginer une preuve plus évidente que Richelieu ne mettait pas son nom à ce qu'on appelle les lettres de bureau (*Préface*, p. XIV).

(50) G. Fagniez, *Le Père Joseph et Richelieu*, 1895.

(51) M. Deloche, *La Maison du cardinal de Richelieu*, 1912 ; *Autour de la plume du cardinal de Richelieu*, 1920.

(52) L. Delavaux, *Quelques collaborateurs du cardinal de Richelieu*, dans *Rapports et Notices...*, I, 1915.

(53) R. Lavollée, *Le secrétaire des Mémoires de Richelieu*, ibid.

(54) O. Ranum, *Les créatures de Richelieu*, Paris, 1966 (trad. franç. de *Richelieu and the Councillors of Louis XIII*, Oxford, 1963).

(55) M. Deloche, *La Maison du cardinal de Richelieu*, p. 119. — Encore ce titre de « Monsieur » est-il « écrit en toutes lettres pour Le Masle seulement, en abrégé pour son collègue ; après eux, et jusqu'aux aumôniers, ce ne sera plus que le titre de sieur ».

(56) *Historiettes*, éd. Antoine Adam, t. I, p. 611. — M. Deloche appelle Le Masle « le doyen de la famille du cardinal » (op. cit., p. 103).

c'est aussi surtout avant cette date qu'il fut employé en qualité de secrétaire. En 1632 ou 1633, il fut nommé chanoine et chantre de Notre-Dame de Paris, fonction qui lui conféra la direction des petites écoles de la ville. Dès 1630, le cardinal l'utilisa dans diverses missions parfois très délicates (57). Il mourut en 1662, « socius » de la Sorbonne, à laquelle, comme on l'a vu, il avait fait don, quelques années plus tôt, de tous ses papiers (58).

Denys Charpentier était né en Poitou, non loin de Coussay-les-Bois, où Richelieu avait un prieuré. On le trouve, dès 1608, aux gages de l'évêque de Luçon. « Confident muet et discret des premiers jours », écrit Maximin Deloche, « il connaît tous les secrets du cardinal, qui ne lui cache rien » ; sa personnalité demeurera effacée, celle d'un serviteur « aussi modeste que dévoué : plein d'une admiration naïve pour son maître, sa fidélité et sa discrétion en faisaient pour Richelieu un collaborateur indispensable, qu'il appréciait à sa valeur » (59). Dans la masse des minutes de Richelieu conservées aux Affaires étrangères, le plus grand nombre est de la main de Charpentier, et Avenel a montré comment ce secrétaire savait transformer son écriture normale, qui était large et ronde, en une écriture étroite et pointue, qui en arrive assez souvent à ressembler à l'écriture du cardinal, au point qu'on peut parfois s'y méprendre et qu'on les a longtemps confondues. Aussi fut-il utilisé, en certaines occasions, comme « secrétaire de la main », avant même que Richelieu eût pris la direction des affaires (60). Charpentier avait le titre de conseiller secrétaire du roi, maison et couronne de France ; à partir de 1635, il fut, en outre, commissaire général de la Marine (61).

Il y avait auprès du cardinal un autre « secrétaire de la main », dont l'écriture peut être prise très facilement pour celle de Richelieu. Selon Robert Lavollée, ce secrétaire, dont le nom est demeuré inconnu, aurait été au service du cardinal dès avant 1617 ; sa trace se perd à partir de 1630. Il sera question plus loin du problème que pose la ressemblance de son écriture avec celle de Richelieu.

Le testament du cardinal mentionne en qualité de secrétaire, en 1642, le sieur Cherré. Il s'agit de Pierre Cherré, cousin de Charpentier. Or, il ne semble pas qu'il ait porté le titre de secrétaire avant les

(57) Il fut, en particulier, de ceux que Richelieu envoya, après la Journée des Dupes, auprès de Marie de Médicis, pour tenter une réconciliation. Plus tard, il fut chargé d'une mission analogue auprès d'Anne d'Autriche. En septembre 1635, le cardinal lui confia le soin de régler les funérailles de sa sœur, la marquise de Brezé.

(58) Les papiers de Le Masle sont conservés à la Bibliothèque nationale, Fonds franç., Vol. 23 200 et 23 201.

(59) Dans son testament de 1642, Richelieu lui rendait cet admirable témoignage : « Je n'ay point connu de plus homme de bien ny de plus loyal et de plus sincère serviteur ». On ignore la date de la mort de Charpentier : on sait seulement qu'elle fut antérieure au 28 septembre 1650 (*Journal d'Eusèbe Renaudot*, publié par l'abbé Ch. Trochon, 1877, t. IV, p. 243).

(60) Avenel a publié — t. I, pp. 701-702 — un billet de Richelieu à Charpentier, rédigé de la main de Le Masle, qui date probablement de 1621. Ce billet ne laisse aucun doute sur cette fonction particulière : « ...Je vous envoy aussy une lettre que j'escris à M. le connestable avec un papier que j'ay signé, afin que vous la rescriviez de la main avec laquelle j'ay accoustumé de luy escrire ».

(61) Au titre de secrétaire, il recevait un traitement de 3 200 livres, auquel s'ajouta une somme annuelle de 2 400 livres sur le budget de Marine (M. Deloche).

dernières années ou peut-être même les derniers mois de la vie du cardinal. Il appartenait toutefois à la maison du ministre en qualité de « domestique » au moins à partir de 1630. En 1635, son nom figure dans les comptes de la Marine, mais non dans le *Compte pour l'année 1639 de la despense* de la maison du cardinal, publié par M. Deloche. Vers cette époque, on sait qu'il est spécialement affecté à travailler pour le roi. Enfin, au début de janvier 1642, il est nommé conseiller maître à la Chambre des Comptes (62).

Avenel nomme encore, parmi les secrétaires de Richelieu, un certain Ceberet, sur lequel il reconnaît n'avoir que « bien peu de notions », tandis que Maximin Deloche ne cite ce nom que « pour mémoire ». Il s'agit de Charles Ceberet (1602-1662), fils de Jean Ceberet, maître ordinaire en la Chambre des Comptes de Bretagne. Il ne dut exercer les fonctions de secrétaire auprès du cardinal que peu de temps et probablement tout en étant chargé de la surveillance de la Librairie, car en 1633 il succéda à son père démissionnaire de sa charge (63). Cependant, à partir de 1636, il aurait été attaché à la personne du chancelier Séguier, pour lequel il contresigne différentes pièces (64).

Mieux connu — et presque célèbre — fut Antoine Rossignol. A vrai dire, Richelieu ne l'employa pas proprement comme secrétaire, mais au décryptement des correspondances chiffrées. Né à Albi vers 1600 (ou en 1590 selon certains), Rossignol s'était passionné de bonne heure pour la cryptographie. En 1628, le prince de Condé, alors chargé de diriger les opérations contre les protestants du Midi, eut l'occasion d'apprécier ses talents, que Richelieu utilisa, quelques mois plus tard, devant La Rochelle. Il devait dès lors demeurer au service du cardinal, qui peut-être s'en servit pour intimider les conspirateurs en faisant répandre le bruit qu'il n'était pas de chiffre dont Rossignol ne pût percer le secret. Ce qui est sûr, c'est que sa réputation était fortement établie dès 1635 (65) et qu'il resta au service de Mazarin. Conseiller d'Etat en 1645, puis maître ordinaire en la Chambre des Comptes, il devait mourir en décembre 1682, après avoir organisé, à la demande de Louvois, un Bureau du Chiffre qui passait alors pour hors de pair (66).

---

(62) Son écriture est sujet à controverse. Avenel la mentionne à partir de 1630. Maximin Deloche s'est demandé si les lettres qui lui sont attribuées pendant l'année 1639 sont bien de sa main. Robert Lavollée croit pouvoir affirmer que l'écriture que l'on a cru être la sienne est en réalité celle d'un nommé Balthazar, qui fut secrétaire du surintendant d'Effiat en 1630 et peut-être de Richelieu (op. cit., p. 14).

(63) Lettre de Richelieu à M. le Prince, 27 juin 1633.

(64) Mais s'agit-il de Charles Ceberet ? Celui-ci avait, en effet, deux frères (Cf. *Dictionnaire de Biographie française*, t. 8) : l'un, Jean, fut, vers la même époque, attaché à l'ambassade de France à Venise, puis à Vienne et à Ratisbonne ; l'autre, André, était commissaire général de la Marine, conseiller du roi, et, en 1634, résidait « en l'hostel du cardinal de Richelieu, rue Saint-Honoré » (Minutier Central des Notaires, Etude XLII, liasse 85, pièce 99).

(65) Boisrobert consacre alors à Rossignol une de ses *Epîtres en vers :* V. édit. Maurice Cauchie, 1921, t. I, pp. 200-202. Plus tard, en 1696, Charles Perrault devait lui consacrer une notice dans ses *Hommes illustres qui ont paru en France pendant ce siècle*, t. I, p. 57.

(66) Saint-Simon, *Mémoires*, édit. Boislisle, t. XIII, p. 149-150, écrit : « Aucun chiffre ne lui échappoit ; il y en avoit qu'il lisoit tout de suite. Cela lui donna beaucoup de particuliers avec le roi et en fit un homme important... »

Deux autres personnages ont certainement porté le titre de secrétaire et en ont exercé les fonctions pendant quelque temps : Jacques Godin (ou Gaudin) et Julius de Loynes. Le premier ne dut rester que quelques mois, au cours de l'hiver 1639-1640. Il avait été présenté au cardinal par Michel Le Masle, dont il était l'ami, et fut renvoyé pour s'être montré trop curieux (67). Devenu docteur de Sorbonne et chanoine de Notre-Dame de Paris, il mourut en 1695, âgé de quatre-vingt trois ans (68). Julius de Loynes, seigneur de la Ponterie, avait été d'abord secrétaire de la reine mère avant de passer au service du cardinal, entre 1631 et 1635. Il était, en outre, conseiller du roi en ses conseils, secrétaire du roi et secrétaire général de la Marine (69), fonctions qu'il conserva jusqu'à sa mort, en 1653.

Enfin, on rencontre souvent, dans la correspondance de Richelieu, le nom d'un secrétaire, qui, dès le début du ministère du cardinal, fut spécialement chargé des affaires relatives à la navigation et au commerce maritime avec le titre de « secrétaire pour le fait de la Marine de France » ou de « secrétaire pour la charge de la mer ». Il s'agit d'Isaac Martin, sieur de Mauroy, conseiller du roi en ses conseils d'Etat et privé (70). On ne sait rien d'autre de ce personnage, qui ne doit pas être confondu avec un autre secrétaire, nommé aussi Martin, qui fut renvoyé en raison de ses mœurs dissolues (71).

Quant à celui qu'il faut appeler, après Avenel, « le secrétaire de nuit », il n'y a pas lieu de voir en lui un personnage énigmatique. On sait, en effet, par Antoine Aubéry, que Richelieu travaillait presque chaque nuit pendant plusieurs heures (72) ; mais, comme l'a montré Maximin Deloche, c'est le triste état de santé du cardinal qui nécessitait la présence de quelqu'un dans sa chambre pour lui donner les soins dont il avait besoin, et non pas seulement pour lui faire la lecture et écrire sous sa dictée. Aussi celui qui a pu tenir la plume dans ces occasions ne peut être qu'un des deux valets de chambre-apothicaires, Blouyn et Perdreau, ou encore le médecin Citoys ou le chirurgien Berthereau (73).

---

(67) Tallemant des Réaux — éd. A. Adam, I, p. 275 — a raconté le fait sans connaître le secrétaire ; l'identité de celui-ci est donnée par Vigneul-Marville, *Mémoires*, par Caillières, *La fortune des gens de qualité*, et par le *Dictionnaire* de Moreri (V. Maximin Deloche, *La Maison du cardinal de Richelieu*, p. 120, n. 1, 2 et 3).

(68) C'est, semble-t-il, ce même Godin, qui, sous la régence, fut, jusqu'en 1648, le correspondant parisien d'Abel Servien, envoyé de la France au congrès de Munster, à qui il adressait des nouvelles de la cour.

(69) En 1636, il fut envoyé inspecter la flotte, que commandait l'archevêque de Bordeaux, Henri de Sourdis. Ce fut l'origine d'un différend, dont on trouve la trace dans la *Correspondance de Sourdis :* t. III, p. 111, 231 et 527.

(70) Ces nom, prénom et qualités sont donnés par un contrat en date du 17 août 1627, où ce secrétaire représente Richelieu (Minutier central des Notaires, Et. XIX, liasse 396).

(71) L'existence de ce second Martin nous est seulement révélée par deux documents contemporains : un pamphlet de Mathieu de Morgues, *Très humble, très véritable et très importante Remonstrance au Roy*, 1631 — p. 43 — et la *Response* qu'y fit faire Richelieu, l'année suivante (dans *Recueil de diverses pièces pour servir à l'histoire*) *:* il y avait alors au moins dix ans que ce secrétaire avait cessé ses fonctions.

(72) A. Aubéry, *Histoire du cardinal de Richelieu*, t. I, p. 595. Le passage en question est cité par M. Deloche, op. cit., p. 129.

(73) M. Deloche signale que le chirurgien Berthereau n'était pas, comme l'écrit dédaigneusement Avenel, « un de ces barbiers un peu chirurgiens, comme

Auprès de ces secrétaires qui ont exercé leurs fonctions de façon permanente ou temporaire, beaucoup de collaborateurs du cardinal ou même de simples familiers ont dû occasionnellement être appelés à tenir la plume : le Père Joseph, le chanoine Fancan, l'évêque d'Angers Miron, l'évêque de Mende La Mothe-Houdancourt, l'évêque de Maillezais, Henri de Sourdis, le conseiller d'Etat Hay du Chastelet, les publicistes Jean Sirmond et Jean de Silhon, l'historien Scipion Dupleix, l'abbé de Boisrobert, d'autres encore sans doute.

Parmi ces secrétaires occasionnels, il en est un dont le nom reviendra souvent dans les notices qui accompagnent les lettres de Richelieu et d'autres documents, c'est Achille de Harlay-Sancy, le « secrétaire des Mémoires » anonyme au temps d'Avenel, et aujourd'hui identifié grâce aux travaux de Robert Lavollée (74). Né en 1581, il était le troisième fils de Nicolas de Harlay, surintendant des finances sous Henri III et gouverneur de Chalon-sur-Saône. D'abord destiné à l'Eglise et pourvu de bonne heure de plusieurs bénéfices, la mort de son frère aîné l'avait décidé à embrasser la carrière des armes, puis il avait été désigné, en 1611, comme ambassadeur à Constantinople. De retour en 1618, il avait alors décidé de reprendre l'habit ecclésiastique, et, sous l'influence du Père de Bérulle, dont il était l'ami, il était entré à l'Oratoire. De 1625 à 1627, il avait fait partie de la maison de la reine d'Angleterre, sœur de Louis XIII, dont il fut, pendant quelques mois, le confesseur. Nommé en novembre 1631 évêque de Saint-Malô, il devait dès lors partager son existence entre la cour et son siège épiscopal. Ce fut, semble-t-il, à partir de 1633 qu'il commença à travailler à la préparation des mémoires du cardinal, en collaboration avec Charpentier, auquel il se lia par d'amicales relations. Au cours des huit années suivantes, l'évêque fit, au moins à trois reprises, de longs séjours auprès de Richelieu : en 1633 et 1634, de juillet 1635 à septembre 1636, et de mai 1637 à mai 1640. Il mourut le 20 novembre 1646.

L'importance du rôle tenu par Harlay-Sancy dans la rédaction des *Mémoires de Richelieu* a été amplement démontré. Les nombreux documents qui furent alors utilisés à cet effet portent la trace de sa plume : il suffit d'ouvrir, aux Archives des Affaires étrangères, un volume renfermant des papiers de Richelieu pour s'en convaincre. Rares sont les pièces qui ne portent pas, en tête ou au verso, des indications comme celles-ci : « Employé » — « Pour la feuille 81 » — « Ceci est pour la feuille 37 » — Voir correction, p. 2 M ». Certaines sont de la main de Charpentier, le plus grand nombre de celles de Sancy. Elles datent évidemment de l'époque où furent rédigées les *Mémoires de Richelieu,* et les chiffres qui les accompagnent renvoient à des feuilles numérotées, dont l'ensemble constituait la première rédaction de cet ouvrage.

La comparaison entre le document et le passage des *Mémoires* où ce document a été utilisé, montre que, presque jamais, le texte de

---

il y en avait alors dans la domesticité des grandes maisons » (*Préface*, p. VII), mais en réalité « un homme de haute valeur » professionnelle et sans doute « la plus haute personnalité de marque de l'entourage immédiat de Richelieu » (p. 214) ; il avait travaillé à l'Hôtel-Dieu et était chirurgien de robe longue.

(74) V. en particulier *Rapports et Notices sur l'édition des Mémoires du Cardinal de Richelieu,* t. I (1905), pp. 35-65, et t. II (1907), pp. 327-347.

la source n'a été reproduit sans avoir reçu des modifications préalables. Dans le cas le plus simple, les rédacteurs des *Mémoires* se sont bornés à mettre en style indirect les passages qui étaient primitivement écrits en style direct. Mais souvent aussi, afin d'éviter des longueurs jugées inutiles ou des détails superflus, le texte primitif a été sensiblement allégé : des groupes de mots, des phrases, voire des paragraphes entiers, qui figurent sur la source utilisée, ont ainsi disparu du texte des *Mémoires*. D'ordinaire ces sortes de modifications n'affectent pas directement la pièce d'archives. Il y a cependant des cas où Sancy a cru pouvoir modifier, sur le document-même, le texte qu'il se proposait d'utiliser. D'où la nécessité, pour l'éditeur des papiers d'Etat de Richelieu, de bien connaître l'écriture de Sancy. Chaque fois qu'il a été possible de déceler de telles altérations, c'est naturellement le texte original qui a été reproduit, les corrections de Sancy étant mentionnées dans les notes critiques.

L'écriture du « secrétaire des Mémoires » ne saurait d'ailleurs être confondue avec celle de Richelieu ou celle de Charpentier. L'écriture du cardinal, au contraire, est souvent malaisée à distinguer de celle de certains secrétaires. Elle a posé et pose encore des problèmes d'identification, dont il importe de ne pas méconnaître les difficultés.

***

Richelieu — nous le savons par de nombreux témoignages, et Avenel l'a suffisamment établi — ne se chargeait que dans de rares circonstances du travail qu'il pouvait confier à ses secrétaires. L'un des procédés qu'il utilisa généralement consistait à dicter ses lettres, parfois dans leur forme intégrale, plus souvent sous forme de notes ou de canevas. S'il s'agissait d'un mémoire, le cardinal chargeait l'un de ses collaborateurs de faire les recherches préparatoires, en revisait éventuellement les ébauches par des annotations marginales, corrigeant même le style de certains passages, puis rendait au rédacteur le travail pour une mise au net, à moins qu'il ne le conservât tel quel dans ses archives. Outre un précieux gain de temps, cette méthode offrait l'avantage d'éviter au cardinal des excès de fatigue, que sa santé précaire ne lui aurait pas permis de supporter, et de conserver intactes l'équilibre et la lucidité d'esprit indispensables aux lourdes tâches de sa charge. Dans la masse des documents qui sont parvenus jusqu'à nous, il ne faut donc pas s'attendre à rencontrer la trace de sa plume si ce n'est dans les corrections, les additions marginales des minutes, le post-scriptum de certaines dépêches, et dans la rédaction d'un petit nombre de pièces, comme certaines lettres adressées au roi, à la reine mère, à Gaston d'Orléans ou à Monsieur le Prince.

C'est donc la rareté des documents incontestablement écrits de la main de Richelieu qui explique, pour une part, les difficultés que l'on a rencontrées, quand, pour l'édition de ses *Mémoires*, apparut la nécessité d'établir avec une entière certitude les caractères paléographiques de son écriture. Le problème était d'autant plus délicat que certains secrétaires du cardinal — nous l'avons vu — se sont appliqués à imiter l'écriture du maître et y sont parvenus souvent avec bonheur. Or, non seulement ils ne faisaient en cela qu'obéir aux instructions qu'ils avaient reçues, à n'en pas douter, du cardinal, mais ils se conformaient à un usage pratiqué pendant tout le XVIIe siècle, en France et à l'étranger, chez certains personnages de haut rang, qui entendaient se décharger du soin de leur correspondance sur un secrétaire de confiance, digne d'*avoir la plume.*

« Avoir la plume, écrira plus tard Saint-Simon, c'est être un faussaire public, et faire par charge ce que coûteroit la vie à tout autre. Cet exercice consiste à imiter si exactement l'écriture du roi qu'elle ne se puisse distinguer de celle que la plume contrefait, et d'écrire en cette sorte toutes les lettres que le roi doit ou veut écrire de sa main, et toutefois n'en pas prendre la peine. Il y en a quantité aux souverains et à d'autres étrangers de haut parage ; il y en a aux sujets, comme généraux d'armée ou autres gens principaux, par secret d'affaires ou par marque de bonté ou de distinction » (75). Ce rôle, comme le relate Saint-Simon dans les lignes qui précèdent ce passage, avait été tenu avec talent auprès de Louis XIV par le président Rose à partir de 1657. Trente ans plus tôt, Michel Lucas (76) commençait à exercer les mêmes fonctions auprès de Louis XIII. A la même époque, Richelieu disposait déjà de Charpentier et de ce « secrétaire de la main » dont l'identité n'a pu être percée. Ni l'un ni l'autre sans doute ne sont parvenus à imiter l'écriture du cardinal de façon parfaite, mais avec assez d'adresse pour qu'on ait pu longtemps s'y méprendre. L'*Isographie des hommes célèbres,* publié en 1843, donne comme exemple de l'écriture de Richelieu une lettre entièrement écrite de la main de Charpentier (77). Avenel fut le premier à signaler cette erreur d'attribution ; mais, malgré la pratique qu'il avait des papiers du ministre, il en commit une autre à son tour en publiant, au tome second de son édition, le fac-similé d'une lettre de Richelieu au libraire Cramoisy comme type de l'écriture du cardinal, alors que la lettre — à l'exception de deux mots corrigés et de la signature — est du secrétaire de la main (78).

L'écriture de Richelieu devait d'ailleurs donner lieu à une méprise d'une autre importance. En 1880, Armand Baschet, puis Gabriel Hanotaux crurent reconnaître la main du cardinal dans un mémoire de la collection Clairambault intitulé *Instructions et Maximes que je me suis donné pour me conduire à la cour* (79). Les publications qui utilisèrent cette découverte (80) ne soulevèrent alors, dans le monde

---

(75) *Mémoires,* éd. Boislisle, t. VIII, pp. 24-25.

(76) Michel Lucas n'était pas, comme l'écrit Avenel, « le secrétaire fort inconnu de Louis XIII ». Né en 1562, il était le fils d'un mercier de Loudun ; il dut sans doute travailler plusieurs années dans les bureaux avant d'être nommé, en 1608, premier commis et intendant de la maison de Martin Ruzé de Beaulieu, secrétaire d'Etat. A la mort de celui-ci, en 1613, il devint secrétaire de la reine mère et conserva ses fonctions jusqu'en 1631 ; mais, en août 1626, le secrétaire de la chambre du roi, Louis Tronson, ayant été disgrâcié pour ses écarts de langage, lors de l'affaire de Chalais, Lucas fut appelé à prendre sa place, et, dès lors, il *aura la plume* jusqu'à sa mort, en 1639.

(77) Fonds Baluze, Vol. 321, f° 67, lettre datée de Conflans, le 26 mai 1636 et adressée à Monsieur frère du roi (Avenel, VI, pp. 472-473).

(78) R. Lavollée, *Rapports et Notices...,* t. II, p. 9.

(79) B.N., Fonds Clairambault, Vol. 452, pp. 479-487. Le document est un original, non une copie.

(80) Le mémoire fut publié en 1880 par Armand Baschet, sous le titre : *Mémoire d'Armand du Plessis de Richelieu, évêque de Luçon, écrit de sa main l'année 1607 ou 1610, alors qu'il méditait de paraître à la cour.* La même année, Gabriel Hanotaux utilisait le manuscrit dans son livre *Maximes et Papiers d'Etat du Cardinal de Richelieu* (Col. des Doc. inéd., Mélanges, t. III, in-4°).

savant, aucune critique. Ce ne fut que vingt-cinq ans plus tard, en 1905, que Jules Lair établit d'une façon indiscutable, en étayant sa démonstration de fac-similés, que le mémoire attribué à Richelieu était en réalité l'œuvre d'un historiographe de Henri IV, Pierre Matthieu (81).

Il convient donc, en pareille matière, d'observer la plus grande prudence. En comparant entre eux un certain nombre de textes, les uns de la plume de Richelieu, les autres de ses secrétaires, Robert Lavollée a pu dégager les conclusions suivantes :

A l'égard de l'écriture de Charpentier il ressort de sa comparaison avec celle du cardinal que jamais ce secrétaire « ne termine sa ligne juste au bord du papier, en déformant les lettres, comme Richelieu. Si le cardinal oublie la ponctuation, l'accentuation et les points sur les *i*, Charpentier, sans être d'une absolue régularité, a l'habitude de ponctuer, d'accentuer et de pointer ses *i* » (82).

A l'égard de l'écriture du « secrétaire de la main », Robert Lavollée observe que celui-ci « met des points sur les *i* et sur les *y* », alors que Richelieu n'en met jamais. « Cette première différence, écrit-il, suffirait à distinguer les deux écritures. Mais il y en a d'autres. S'il est vrai que ni Richelieu ni le secrétaire de la main ne coupent les mots lorsque la place manque à l'extrémité des lignes, il faut reconnaître que le premier termine le mot commencé, quitte à le déformer faute de place, le second laissant volontiers un blanc entre le bord du papier et l'extrémité de la ligne. L'accentuation est régulière dans l'écriture du secrétaire de la main ; elle fait défaut dans celle de Richelieu ; et la même différence existe pour la ponctuation » (83).

Ce sont là assurément de très précieuses observations, et il en a été tenu le plus grand compte pour l'établissement des textes publiés dans la présente édition. Cependant il y aurait beaucoup de témérité à prétendre y trouver un moyen infaillible de distinguer l'écriture du cardinal de celles de ses deux secrétaires. Robert Lavollée fonde ses conclusions sur l'examen de ce qu'on appelle les *habitudes graphiques*, c'est-à-dire sur la manière de ponctuer et d'accentuer de celui qui tient la plume, sur sa façon de mettre ou d'omettre les points sur les *i*, de commencer et de finir une ligne d'écriture ; et il estime que c'est « un moyen absolument sûr de distinguer entre elles diverses écritures ». L'examen de l'écriture de Richelieu lui a permis d'observer qu' « il n'y a aucune ponctuation », qu' « aucun des *i* n'est pointé », que « la ligne qui commence un alinéa dépasse de quelques mots les lignes qui précèdent, en empiétant sur la marge », et qu'à la fin d'une ligne, quand la place manque, la tendance habituelle du cardinal « est d'utiliser toute la place disponible et de terminer un mot trop long coûte que coûte » (84). Mais peut-on affirmer qu'*il en est toujours ainsi* ? Car enfin il en est des habitudes graphiques comme des autres : elles ne sont jamais que des dispo-

---

(81) *Rapports et Notices...*, Troisième Rapport de M. Jules Lair, pp. 67-88 (10 janvier 1905). — Pierre Matthieu (1563-1621) fut nommé historiographe du roi en septembre 1603.

(82) R. Lavollée, *La véritable écriture du cardinal de Richelieu et celle de ses principaux secrétaires*, dans *Rapports et Notices.*, t. II, p. 8.

(83) Id., op. cit., p. 5 et 6.

(84) Id., ibid.

sitions acquises et n'ont pas par nature un caractère d'inflexible nécessité. Or il y a effectivement des pages de la main de Richelieu où la ponctuation et l'accentuation ne sont pas absolument négligées, où les *i* sont pointés et où les lignes se terminent avec régularité. Parmi les planches qui accompagnent l'étude de Robert Lavollée, deux reproduisent des lettres autographes de Richelieu en fac-similé (85). La ponctuation n'y est pas totalement absente ; si les points sur les *i* font défaut sur la première, il n'en est pas de même pour la seconde, qui présente même, de l'aveu de l'éditeur, « un semblant d'accentuation » ; enfin, dans l'une et l'autre, on ne remarque pas, en fin des lignes, de mots qu'un manque de place aurait obligé de déformer.

Ces réserves, qui étaient ici nécessaires, justifient la prudente méfiance que l'éditeur des papiers de Richelieu est tenu d'observer. C'est pourquoi, nul n'étant à l'abri d'une erreur d'attribution, il est légitime d'inviter le lecteur, chaque fois qu'il trouvera en tête d'un document les mentions « de la main de Richelieu » ou « original autographe », à entendre ces formules non dans le sens d'une certitude rigoureusement établie, mais seulement dans celui de la plus grande vraisemblance. Au reste — il faut le souligner — l'erreur qui pourrait résulter d'une attribution inexacte ne saurait en aucune façon diminuer la *valeur historique* du document reproduit. Si, en effet, les collaborateurs du cardinal n'ont jamais tenu d'autre rang, dans leur travail de secrétaires, que celui de simples scribes, la fidélité à la pensée du maître dont ils imitaient à s'y méprendre l'écriture, imprime aux pièces qu'ils rédigeaient une incontestable marque d'authenticité (86).

***

Il reste, en terminant, à dire quelques mots d'un aspect particulier de la correspondance de Richelieu, qui a trait aux rapports que le cardinal entretint avec le roi et ses secrétaires d'Etat.

Avenel a attiré l'attention sur certaines lettres rédigées sous la dictée de Richelieu pour le roi et destinées à être signées par celui-ci après avoir été recopiées par le secrétaire de la main, Michel Lucas. Ces lettres ne portent d'ordinaire d'autre suscription que celle-ci : « Le Roy à... » et le nom du destinataire ; on peut aussi rencontrer des formules comme : « Lettre qu'il plaira au Roy faire escrire », « lettre que M. Lucas écrira » ou seulement : « lettre pour M. Lucas ». Avenel ajoute : « Ces lettres que Richelieu faisait pour le roi étaient ensuite contresignées par les secrétaires d'Etat, dans les attributions desquels était l'objet dont elles traitent. Et, par exemple, le cardinal, en envoyant à Bouthillier une de ces dépêches, lui dit : « Vous contresignerez la lettre du Roy et mettrez le dessus » (22 octobre 1630). Il

(85) Planches IV et V.

(86) On sait à quel point Richelieu avait le don d'autorité : « Sur certains hommes, écrit justement L. Delavaud, son prestige était tel qu'il pouvait attendre d'eux un dévouement absolu, de ces dévouements qui ont les apparences de la foi. De même qu'il eut des ennemis passionnés, il eut des amis qui identifiaient en quelque sorte leurs pensées aux siennes, comme si son esprit exerçait sur leur un effet de suggestion » (*Rapports et Notices...*, II, p. 57).

ne faudrait donc pas arguer du contre-seing d'un secrétaire d'Etat pour contester la propriété de Richelieu sur certaines lettres, lorsque d'ailleurs il y a des marques que c'est lui qui les a écrites » (87).

Le processus décrit par Avenel a dû certainement être assez fréquemment utilisé, surtout quand il s'agissait de prendre une décision qui ne souffrait pas de retard. Cependant, pour les cinq premières années du ministère de Richelieu, il n'a été dénombré qu'une quinzaine de lettres de ce genre parmi les pièces conservées au dépôt des Affaires étrangères. Richelieu employa plus souvent un autre procédé : celui du mémoire comportant une large marge destinée à permettre au roi d'y porter ses réponses au regard des différents paragraphes. Richelieu y expose, point par point, au souverain les divers aspects que présente une question ; puis il examine, en pesant avantages et inconvénients, les solutions possibles ; la décision à prendre est laissée au roi ; mais il apparaît souvent que les arguments ont été disposés de telle sorte que la solution logique ressort de l'exposé (88). Sans jamais le formuler explicitement, Avenel semble bien n'avoir pas été éloigné de croire que, dans un cas comme dans l'autre, Richelieu ne faisait qu'imprimer à la volonté du souverain l'impulsion de sa propre volonté, jugeant visiblement Louis XIII aussi peu capable de prendre une décision de lui-même que d'user d'initiative en matière de gouvernement.

Sans doute, Avenel écrivait à une époque où était encore accréditée « la légende romantique du prince faible écrasé par le génie dominateur de son ministre » (V.-L. Tapié) ; mais, chose surprenante de la part d'un homme qui a eu si souvent l'occasion de réfléchir sur les documents qu'il avait sous les yeux, le soin et l'intérêt que Louis XIII ne cessa de témoigner aux affaires de gouvernement semblent lui avoir complètement échappé. C'est ainsi que, dans une de ses notes, il s'étonne de voir Richelieu, en 1640, prier le roi de fixer lui-même le prix du pain que les Gardes devront payer et la quantité qui doit leur être individuellement distribuée, et cela, observe-t-il, à une époque où le ministre était « dans toute la plénitude de sa puissance absolue » (89) : manifestement, une requête qui faisait ainsi « descendre la majesté royale à de tels détails » — ce sont ses propres termes — déconcerte Avenel. Si cet excellent érudit avait pu avoir connaissance des lettres de Louis XIII à Richelieu, dont nous nous proposons de donner ici le texte intégral (90), son étonnement

(87) *Préface,* p. XIV.

(88) On trouvera dans la présente édition plus d'un mémoire de ce genre, dont une quinzaine, inconnus d'Avenel, avaient été réunis, en original, à la fin du siècle dernier, par un Anglais amateur d'autographes, Alfred Morrison, dont le nom a été mentionné dans les pages qui précèdent.

(89) Avenel, VI, p. 723. — Il s'agit d'un mémoire daté d'Amiens, le 7 septembre 1640, au dos duquel on lit : « Mémoire envoyé au Roy par S. Em. et respondu de la main du Roy ».

(90) Certaines de ces lettres ont été publiées dans les ouvrages suivants : Marius Topin, *Louis XIII et Richelieu,* 1875 ; G. La Caille, *Lettres inédites de Louis XIII,* 1901 ; comte de Beauchamp, *Louis XIII d'après sa correspondance avec Richelieu,* 1902 ; Eugène Griselle, *Louis XIII et Richelieu,* 1911 et *Lettres de la main de Louis XIII,* 1914 ; Louis Vaunois, *Vie de Louis XIII,* 1943. Il reste, cependant aux Archives des Affaires étrangères et au Musée Condé de Chantilly, sans parler d'autres pièces isolées, un grand nombre de lettres de Louis XIII inédites, qui doivent prendre place dans cette édition.

eût été encore plus grand. Nous sommes, il est vrai, depuis un demi-siècle, mieux informés qu'on ne l'était de son temps sur les rapports du roi et de son ministre. Nul n'ignore plus que Louis XIII avait une haute conscience des obligations que lui faisait sa fonction souveraine ; qu'il consacrait, chaque jour, plusieurs heures à l'étude des affaires en cours, avec un ou deux secrétaires d'Etat ou les secrétaires de sa chambre ; qu'il entendait être tenu au courant des mesures prises et des ordres donnés, et qu'il ne cachait pas son irritation devant certaines négligences ; qu'il prenait connaissance, parfois avant ses ministres, des dépêches qui leur étaient adressées ; qu'il revoyait avec le plus grand soin la rédaction des ordonnances et des lettres royales préparées par ses secrétaires ; et qu'en matière militaire surtout, mais aussi dans les affaires d'administration intérieure, les décisions qu'il motivait apparaissent toujours empreintes d'intelligence et de bon sens. Un tel souverain n'était pas assurément un maître qu'on manœuvre aisément.

D'autre part, ce serait commettre une erreur certaine que de prétendre tirer des lettres de Louis XIII à Richelieu ou des apostilles que le roi portait dans les marges des mémoires de son ministre, une idée exacte de la véritable place tenue par le souverain dans l'élaboration de la politique gouvernementale. Sauf pour un petit nombre d'exceptions, ces lettres et ces mémoires ne traitent que de questions intéressant les affaires courantes, celles qu'il importait de résoudre rapidement. Toutes les décisions relevant de la politique générale étaient prises au Conseil du roi, qui, comme l'a magistralement montré M. Roland Mousnier, constituait, dès cette époque, l'instrument essentiel du pouvoir central (91). C'est là que Louis XIII recevait toutes les informations relatives aux affaires intérieures et extérieures, et il était très rare qu'il y manquât.

Les relations du roi et de son ministre s'éclairent d'ailleurs si l'on prend garde de ne pas les séparer de certaines conditions particulières à la société de ce temps (92). Dans un livre très neuf par sa conception, *Richelieu and the Councillors of Louis XIII* (93), un historien américain, Orest A. Ranum, a fort bien mis en lumière le rôle respectif des différents secrétaires d'Etat, qui, à partir de 1633 (94), constituèrent autour du cardinal « une équipe d'administrateurs » destinée à détenir, jusqu'à la fin du règne, les postes-clés du gouvernement. Or, cet historien a eu le mérite de souligner l'un des traits caractéristiques de la société française de l'époque : l'importance des liens de lignage et de fidélité. Dans le langage du temps, se dire la

(91) R. Mousnier, *Le Conseil du roi de la mort d'Henri IV au gouvernement personnel de Louis XIV*, dans *Etudes d'histoire moderne et contemporaine*, 1947.

(92) Lire, avec l'ouvrage cité à la note suivante, la remarquable synthèse de M. V.-L. Tapié, *La France de Louis XIII et de Richelieu*, Paris, 1952, 2ᵉ édit., 1967, et, en particulier, le livre III, *Raison d'Etat*.

(93) Oxford, 1963. Une traduction française par Madame S. Guénée, avec *Préface* de M. R. Mousnier, a paru, en 1966, sous le titre *Les Créatures de Richelieu*, dans la « Bibliothèque de la Revue d'Histoire diplomatique » (Editions Pedone).

(94) L'année 1633 a été choisie à dessein par l'auteur pour le début de son étude : la disgrâce du garde des sceaux Châteauneuf, suivant de peu de mois l'éloignement de la reine mère, laissa désormais « à Richelieu et à ceux qui lui étaient dévoués les mains libres pour dominer l'administration centrale » (p. 25).

« créature » de quelqu'un, c'était revendiquer le bénéfice de sa protection, s'avouer son fidèle. Richelieu est la « créature » du roi ; les hommes de confiance, qu'il a placés à la tête des grands services de l'Etat, Claude Bouthillier, Chavigny, Bullion, Sublet de Noyers, sont ses « créatures » ; ceux-ci, à leur tour, ont les leurs. Dès lors, écrit M. Roland Mousnier, dans la *Préface* qu'il a donnée à la traduction française de l'ouvrage, « une chaîne de liens personnels d'homme à homme, de liens de dépendance, fondés sur la fidélité, qui implique la confiance et l'affection mutuelle non moins que le patronage et l'obéissance, une chaîne de protections et de dévouements, unit les hommes depuis le Roi jusqu'au paysan, depuis le Louvre jusqu'aux frontières, et permet l'exécution de la volonté du Roi, loi du royaume ». Sans doute, un pareil concours de fidélités et de dévouements n'est réalisable que dans un système de gouvernement où l'unité, la cohérence et la continuité peuvent seules assurer une action ordonnée et efficace. Aussi serait-il assez vain de se demander ce que Richelieu ferait, de nos jours, en telle ou telle conjoncture. Un Richelieu n'est possible que dans le cadre de la monarchie française du XVIIe siècle. Le génie politique du grand ministre n'en saurait être nullement amoindri : selon l'expression dont se servit un jour Louis XIII, il demeure « le plus grand serviteur que la France ait jamais connu ».

Et cela suffit à sa gloire.

Pierre GRILLON.

PRESENTATION CRITIQUE

PRINCIPES ET METHODE

OBSERVATION PRELIMINAIRE :

Comme le titre général l'indique, les volumes de cette section sont exclusivement consacrés aux *affaires intérieures* de la France, la correspondance diplomatique et les questions proprement religieuses devant faire l'objet de volumes distincts. Cependant il est des cas où cette distinction apparaît plus théorique que réelle, en particulier au cours des cinq premières années du ministère de Richelieu, où le problème de la pacification intérieure du royaume s'est trouvé étroitement lié aux affaires religieuses (rébellion protestante) et aux relations avec plusieurs pays étrangers (Angleterre, Espagne, Provinces-Unies, Savoie). Ces différents aspects de la politique générale s'imbriquent si bien alors les uns dans les autres qu'il n'est pas rare de les voir apparaître dans un même document. Dans ce cas, s'il s'agit d'un document particulièrement étendu, une coupure a été faite dans le texte, et le passage supprimé a été analysé sommairement. Ce procédé a été suivi chaque fois qu'il a été possible de le faire sans inconvénient. Dans tout autre cas, le texte intégral a été reproduit, et plus particulièrement quand le passage traitant d'affaires extérieures est en rapport avec la politique intérieure du royaume.

TEXTES INTEGRAUX ET ANALYSES :

L'idéal eût sans doute été de n'éditer les documents que sous leur forme intégrale. Pour des raisons faciles à comprendre — et dont la principale est l'ampleur excessive que cette publication aurait prise — il n'a pas été possible de procéder ainsi. Du moins s'est-on efforcé de recourir le moins possible à des analyses, dont l'inévitable sécheresse défigure le texte et souvent lui ôte son principal intérêt.

En principe, toutes les lettres émanant de Richelieu ainsi que les mémoires rédigés sur les instructions du cardinal ont été reproduits intégralement. Il en a été de même pour les lettres adressées à Richelieu par Louis XIII, Marie de Médicis, Anne d'Autriche, Gaston d'Orléans, le prince de Condé, le comte de Soissons et, d'une façon générale, pour celles dont les auteurs ont pris une part importante dans la politique intérieure, le commandement des armées et l'administration du royaume. Telles sont les dépêches des gardes des sceaux (1), des surintendants des finances et des secrétaires d'Etat (2), auxquelles il faut joindre celles des conseillers d'Etat ou maîtres des requêtes en mission. Textes intégraux encore pour la plupart des lettres émanant des plus hauts personnages du royaume, cardinaux et archevêques (3), ducs et pairs (4), maréchaux de France (5), gouverneurs et lieutenants-généraux des provinces, premiers présidents des parlements, et pour un grand nombre de lettres de hauts magistrats, de gouverneurs de villes, d'officiers de police et justice, comme le lieutenant civil de Paris, le prévôt des marchands et le chevalier du guet. Le texte intégral a souvent aussi été préféré, malgré la prolixité qu'elles présentent souvent, pour les requêtes et les représentations adressées par les collectivités, cours souveraines, assemblées d'Etats ou communautés municipales. Enfin, il a paru utile de reproduire intégralement le texte de certaines lettres, qui offrent un intérêt propre, soit en raison de la personnalité de leur auteur, soit pour la nature du sujet traité, soit simplement pour la qualité particulière de la forme (langue et vocabulaire).

ORIGINAUX, MINUTES, COPIES :

Un document manuscrit peut se présenter sous trois formes : original, minute, copie. L'indication de la forme est toujours indiquée, dans la présente édition, avec la source du document, s'il s'agit d'une lettre. Pour les mémoires rédigés par ordre du cardinal ou à lui adressés, il n'a pas toujours été possible de discerner avec certitude entre l'original et la copie qui a pu en être faite, quand subsiste un seul exemplaire de cette pièce.

a) Par *pièce originale* il faut entendre ici la forme définitive sous laquelle un texte a été rédigé par les soins ou sous le contrôle de son auteur. Une lettre originale est d'ordinaire signée, mais elle peut aussi ne pas l'être, soit que cette omission résulte d'une négligence, soit qu'elle ait été faite à dessein. Cette sorte de lettre originale doit être distinguée de la *mise au net*, qui marque l'état d'un document préparé pour l'expédition, donc destiné à recevoir une signature, mais qui cependant n'a pas été signé. Le plus souvent ces mises au net sont devenues minutes par suite de corrections et d'additions qui ont nécessité une nouvelle rédaction.

C'est sous leur forme originale, de préférence à toute autre, que les lettres de Richelieu ont été présentées dans cette édition, chaque fois qu'il a été possible. Parmi ces lettres originales, les unes sont de la main de Richelieu : elles sont donc *autographes* ; les autres sont de la main d'un secrétaire. Il faut reprendre ici — et de façon plus

(1) Marillac, Châteauneuf et Séguier.
(2) Bouthillier, Bullion, Chavigny, Effiat, La Ville-aux-Clercs, Phélippeaux d'Herbault, Potier d'Ocquerre, Servien, Sublet de Noyers.
(3) La Valette, Sourdis, Bérulle...
(4) Les ducs d'Angoulême, de Bellegarde, de Bouillon, de Brissac, de Chaulnes, d'Elbeuf, d'Epernon, de Guise, de La Rochefoucauld, de Lesdiguières, de Montbazon, de Montmorency, de Nevers, de Rohan, de Sully et de Vendôme.
(5) Bassompierre, Brézé, Châtillon, Créqui, Estrées, La Force, Marillac, Schomberg, Thémines, Toiras et Vitry.

explicite, s'il se peut — ce qui a été dit dans l'*Introduction* — v. *supra*, p. 48 : tous ceux qui ont étudié la question avec soin — Avenel, le premier, Robert Lavollée, Jules Lair, entre autres — ont souligné la difficulté qu'il y avait à distinguer l'écriture du cardinal de celles de certains de ses secrétaires, Charpentier et le « secrétaire de la main » utilisé par Richelieu jusque vers 1630. Il a été dit, dans l'*Introduction* que beaucoup s'y sont trompés et que cette constatation était de nature à nous inciter à la plus grande prudence. C'est pourquoi, le plus souvent, faute de pouvoir nous prononcer avec une absolue certitude, il a paru préférable d'indiquer que la lettre publiée était *originale* sans nous hasarder à affirmer qu'elle était *autographe*. Il y a cependant certains cas où, le doute ne paraissant pas possible, le caractère autographe a été mentionné.

De même, pour ce qui concerne les corrections ou additions apportées par Richelieu lui-même à un texte préalablement établi, la formule « *de la main de Richelieu* » a été indiquée en note, chaque fois que la chose a été constatée avec une apparence suffisante de probabilité. Précisons à ce sujet que le texte primitif — celui auquel la correction de Richelieu a été substituée — a été reproduit en note, dans la mesure, du moins, où la lecture de ce texte a été possible, ce qui n'est pas toujours le cas.

Quant aux lettres des correspondants de Richelieu, elles proviennent, pour la plus grande part, de documents originaux (6). Là encore, la mention « autographe » a été portée avec l'indication de la source, quand des indices certains ont permis de l'affirmer. Mais, d'une façon générale, tous les correspondants de Richelieu ont tenu eux-mêmes la plume : seules font exception certaines lettres de Louis XIII, de Marie de Médicis et de quelques personnages très haut placés, comme le connétable de Lesdiguières ou, mais beaucoup plus rarement, le prince de Condé, qui ont eu parfois recours au service d'un secrétaire.

b) Il a été dit, dans l'*Introduction*, les raisons pour lesquelles Avenel avait déclaré préférer les *minutes* « non seulement aux copies, quelle que soit leur authenticité, mais aux originaux ». Nous ne pouvons partager son sentiment. S'il est évident, en effet, que l'éditeur d'un texte doit tenir le plus grand compte des corrections apportées à la première rédaction de ce texte, il semble difficile de contester qu'en présence d'un document, dont les sources sont constituées *à la fois* par une minute et par un original, la minute ne saurait être utilisée que pour mentionner les variantes et, éventuellement, les passages de quelque importance qui auraient été supprimés ou ajoutés sur la rédaction définitive (7).

---

(6) Le reste est constitué de quelques rares copies, des résumés empruntés aux *Inventaires* de l'abbé Le Grand (V. *supra*, p. 29) et d'un certain nombre de pièces provenant de sources imprimées, dont les originaux sont aujourd'hui perdus ou ne nous ont pu être communiqués.

(7) La conception qu'Avenel expose dans sa *Préface* a d'ailleurs conduit cet excellent érudit à de curieuses anomalies dans l'établissement de certains textes. Un exemple suffira à le montrer : en éditant — t. II, pp. 315-334 — les *Propositions qui doivent estre faites de la part du Roy à l'Assemblée des Notables* de décembre 1626, Avenel disposait de cinq copies, dont l'une, provenant du manuscrit A des *Mémoires de Richelieu*, lui est apparue comme très probablement la copie définitive. Il a cependant préféré à cette pièce sensiblement plus complète, une copie, que de nombreuses corrections et additions permettent de

c) A défaut de pièces originales ou de minutes, il a fallu avoir recours aux *copies*. En présence de plusieurs copies de provenances diverses, ont été utilisées de préférence celles dont la rédaction a paru la plus voisine de la date à laquelle l'original a été rédigé. Le soin qu'il convient d'apporter à ce choix est particulièrement nécessaire quand il s'agit de documents de grande importance historique. Sans doute, il n'est pas toujours facile de distinguer avec une précision satisfaisante la date de certaines copies, mais la plupart de celles qui ont été utilisées proviennent des papiers de Le Masle, Dupuy, Godefroy et Peiresc, tous contemporains de Richelieu. Beaucoup de copies provenant du Fonds Baluze datent également de la même époque. Cependant, l'ancienneté d'une copie n'étant pas toujours une garantie de sa valeur, c'est en bien des cas par la comparaison des copies entre elles qu'il a été possible de déterminer quelle est la meilleure.

PROBLEMES DE DATATION :

Cette édition des *Papiers d'Etat* du cardinal de Richelieu devait tendre, dans toute la mesure du possible, à apporter la plus grande précision à la chronologie des documents reproduits. Tout historien sait, en effet, que l'intelligence d'une lettre, son interprétation correcte, dépend souvent de la date où elle a été écrite. Or, il en est des papiers de Richelieu comme de beaucoup d'autres documents de cette époque : certains ne sont pas datés, d'autres le sont insuffisamment. L'observation ne vaut pas seulement pour les minutes et copies, mais pour des pièces originales. Il peut encore arriver que la date portée par un secrétaire soit inexacte. Le cas se présente, en particulier, quand la date indiquée a été inscrite plus tard par une main différente de celle qui a écrit ou recopié le texte. C'est ce qui s'est parfois produit lors du travail de classement des papiers de Richelieu entrepris par l'abbé Le Grand au début du XVIIIe siècle. Il a donc paru nécessaire de distinguer des dates incontestables celles qui ont été établies d'après nos déductions et qui figurent entre crochets en tête du texte. Dans ce dernier cas, on a pris soin d'indiquer dans la notice qui accompagne le document les raisons qui ont paru justifier la datation. Quant aux pièces dont le millésime est seul connu, si aucun élément ne permet d'autres précisions, elles ont été reportées à la fin de l'année correspondante.

IDENTIFICATION DES CORRESPONDANTS :

Pour ce qui regarde les lettres émanant du cabinet de Richelieu, les pièces originales portent d'ordinaire une suscription. Mais, dans l'état où certaines lettres nous sont parvenues. cette suscription a parfois disparu. A défaut de suscription, le nom du destinataire est

considérer comme l'archétype, parce que celle-ci lui a semblé être plus proprement « l'œuvre personnelle de Richelieu ». C'est elle qu'il a reproduite *en la complétant en note par des emprunts faits au texte définitif*. La bonne méthode eût été de procéder de façon inverse.

écrit soit en tête, soit au bas de la feuille. Le nom peut être aussi porté au dos de la main d'un secrétaire du cardinal, cas fréquent pour les minutes. Quand cette indication manque, le texte lui-même peut parfois permettre d'identifier le destinataire. Les lettres de Richelieu sont, il est vrai, rarement dépourvues de cette indication.

Les lettres des correspondants du cardinal peuvent poser des problèmes analogues. Souvent, le nom de l'expéditeur a été inscrit au dos de la lettre par un secrétaire. Comme presque toujours il s'agit de pièces originales signées, on parvient, l'habitude aidant, à reconnaître la signature et l'écriture de l'auteur, quand celui-ci est un des correspondants familiers. Certaines écritures sont même assez caractéristiques pour permettre l'identification cherchée : le cas s'est présenté parfois, quand, dans un recueil, la page d'une lettre s'est trouvée séparée du reste par suite d'un classement défectueux.

Par ailleurs, la disposition suivante a été adoptée : des indications biographiques ont été portées en note, en bas de page, quand le nom d'un correspondant apparaît pour la première fois, si, du moins, celui-ci n'est pas un inconnu ; on y a joint éventuellement la mention d'ouvrages qui concernent le personnage. Un index, qui figure en fin de chaque volume, facilitera les recherches.

ORTHOGRAPHE :

L'orthographe de Richelieu n'appelle pas d'observations particulières. Elle ne se distingue pas, en effet, de celle des personnages lettrés de cette époque. On sait d'ailleurs que le cardinal se piquait de connaîtrc la languc française et ses règles. Aussi ne remarque-t-on pas sous sa plume les mêmes fantaisies orthographiques qu'on observe dans la plupart des lettres qui lui sont adressées, et où il n'est pas rare de rencontrer, sur la même page, à quelques lignes d'intervalle, le même mot écrit de deux façons différentes. Ce peu de respect des règles s'explique sans doute par le fait que celles-ci étaient encore incertaines. C'est l'époque, en effet, où le monde des lettres se trouve partagé entre deux influences : celle des érudits, qui demeuraient dans la tradition de la « bele escripture » du siècle précédent, et celle des réformateurs, comme Perrot d'Ablancourt, qui s'efforçaient de répandre l'usage d'une orthographe purement phonétique.

Parmi la phalange des secrétaires du cardinal comme parmi ses correspondants, chacun devait naturellement écrire suivant son âge, la formation qu'il avait reçue, ses habitudes ou sa fantaisie, en sorte qu'on serait tenté de penser qu'il y a peu d'intérêt philologique à reproduire ces formes diverses. Ce ne pouvait être le sentiment de la *Commission internationale pour l'édition des sources de l'histoire européenne.* Dans le dessein de reproduire sous une forme aussi proche que possible des textes manuscrits, elle a tenu à ce que soient respectées les graphies originales, à la seule réserve d'adopter — outre la distinction entre *u* et *v*, *i* et *j* — l'usage moderne utilisé dans l'emploi des majuscules, de la ponctuation, des accents et des apostrophes dans les élisions (8). C'est donc d'après ces principes que les textes présentés dans cette édition ont été établis. On trouvera dans les notes critiques les éclaircissements qui ont paru indispensables.

La graphie des noms propres — noms de personnes et noms de lieux — telle qu'elle apparaît dans ces textes, a posé un problème particulier. On rencontre parfois, pour le même nom de personne, quatre ou cinq façons différentes de l'écrire (9). La signature fait sans doute autorité, mais non pas toujours (10), car un usage général a pu finir par prévaloir (11). Quant aux noms de lieu, certaines graphies étaient si généralement répandues à l'époque qu'il a paru nécessaire de les reproduire, afin de conserver au texte sa physionomie propre. Une note rétablit, le cas échéant, l'orthographe moderne.

Dans les notes explicatives, la règle suivante a été adoptée pour l'orthographe des noms qui ne sont pas d'origine française : les noms propres, pour lesquels une forme francisée est devenue habituelle, ont été conservés dans cette dernière ; les noms propres pour lesquels il n'existe pas de forme francisée ont été reproduits dans leur langue d'origine (allemand, italien, espagnol...), et, dans les cas douteux, la forme d'origine a été suivie.

USAGES ET FORMULES EPISTOLAIRES :

Reproduire une lettre intégralement, c'est aussi s'efforcer de rendre aussi fidèlement que possible certaines dispositions dans la présentation du texte, qui sont particulières aux usages épistolaires de l'époque. Quelques précisions ne seront pas inutiles à cet égard (12).

Rappelons tout d'abord que d'ordinaire, après avoir été pliée et fermée d'un ou de plusieurs cachet de cire aux armes de l'expéditeur, la lettre reçoit, sur le revers, une *suscription,* qui est à peu près invariablement libellée ainsi :

A Monsieur
Monsieur... etc.
ou A Monseigneur
Monseigneur... etc.

mot qui est suivi du nom du destinataire, parfois avec la fonction qu'il exerce et l'indication de sa résidence. Ce nom n'est à peu près

(8) Certains correspondants de Richelieu emploient assez souvent le *c* et l'*s* l'un pour l'autre. Il peut en résulter une réelle confusion — non seulement pour le lecteur étranger, mais pour le lecteur français — quand il s'agit de démonstratifs et de possessifs : *ce* et *se*, *ces* et *ses*, *c'est* et *s'est*... Aussi a-t-il paru préférable de rétablir, sur ce point seulement, l'orthographe régulière.

(9) Par exemple : Halluin, Hallewin, Halevin, Halvyn, Alvin...

(10) Le marquis de Valençay signe toujours : Vallencay ; le marquis de Vardes signe : Vuardes.

(11) Le maréchal de Schomberg signe Schonberg (sans tréma sur l'o).

(12) Ce qui suit ne concerne, bien entendu, que les lettres originales, non les minutes et copies.

jamais accompagné d'un titre de noblesse (duc, marquis, comte, etc.) (13). La suscription a souvent été mentionnée en note, du moins quand le feuillet sur lequel elle a été portée n'a pas disparu.

La lettre proprement dite commence obligatoirement par le mot « Monsieur », « Monseigneur » ou « Madame » ; mais la place de ce premier mot, par rapport au corps de la lettre, varie selon la condition du signataire et celle de son correspondant. Trois cas peuvent se présenter, selon que, dans la hiérarchie sociale, celui qui écrit occupe un rang inférieur, supérieur ou égal à celui où se trouve placé le destinataire de la lettre. Dans le premier cas, on serait presque tenté d'écrire que plus grande est la distance qui sépare l'inférieur du supérieur, et plus l'espace ménagé entre le mot « Monsieur » (ou Monseigneur) et le corps de la lettre doit être étendu. En tout cas, un large espace est toujours une marque d'insigne déférence (14). Si la lettre est destinée à un inférieur, le mot « Monsieur » est écrit sur la même ligne que le commencement du texte, dont il est seulement séparé par une virgule. Quand, enfin, les deux correspondants occupent un rang social comparable ou que leur *qualité* est semblable, les nuances sont parfois plus subtiles à saisir, comme on va le voir.

Richelieu, dans ses lettres, n'emploie le mot « Monseigneur » qu'à l'égard du frère du roi et des cardinaux. S'il s'agit d'un duc et pair ou d'un évêque, le mot « Monsieur » est placé sur la ligne qui précède immédiatement le texte de la lettre ; il est sur la même ligne dans les autres cas.

A l'exception du roi et des membres de la famille royale, qui écrivent : « Mon cousin », les correspondants du cardinal emploient presquent toujours le mot « Monseigneur », en laissant un espace plus ou moins large entre ce mot et le corps de la lettre. Seuls, d'ordinaire, les ducs et pairs écrivent « Monsieur », *ce mot étant placé sur la ligne qui précède le texte.* C'est ce qu'on appelle « donner » ou « laisser la ligne ». Guillaume Girard, qui fut secrétaire du duc d'Epernon avant d'être son biographe, raconte que celui-ci, envoyant au cardinal un compliment pour le féliciter de son entrée au Conseil, négligea de lui *laisser la ligne entière* et ne se qualifia, à la souscription, que de « bien humble serviteur », ce qui, ajoute le biographe, ne dut pas être agréable au cardinal de Richelieu (15). On ne connaît guère, en effet, que le prince de Condé, premier prince du sang, qui, dans ses lettres à Richelieu, ne laisse pas la ligne entière : il écrit « Monsieur » au début de la ligne et, à l'autre extrémité, les deux ou trois premiers mots de sa lettre. Contrairement à l'usage général, certains ducs et pairs, en témoignage de déférence, écrivent « Monseigneur » et non simplement « Monsieur » ; mais, au début du ministère de Richelieu, il n'y a que les ducs de Bellegarde et de Cossé-Brissac, qui usent de cette qualification.

Il n'est pas rare que les correspondants du cardinal — même quand ils appartiennent à la très haute noblesse — fassent suivre le mot

---

(13) Font exception à cet usage, les lettres adressées aux membres de la famille royale et aux princes du sang : « Au roi », « à la reine », « à Monsieur frère du roi », « à Monsieur le Prince »...

(14) Il n'a malheureusement pas été possible de reproduire cette disposition des lettres manuscrites.

(15) G. Girard, *Histoire de la vie du duc d'Epernon*, éd. de 1663, t. III, p. 30.

« Monsieur » (ou « Monseigneur ») d'un S fermé, signe qui, dans les conventions épistolaires de l'époque, exprime la fidélité et la constance. Ce signe est parfois répété en d'autres endroits de la lettre et sur la suscription. De très hauts personnages, Charles de Valois-Angoulême, le grand écuyer Roger de Bellegarde, le duc de Chaulnes y manquent rarement.

La formule finale d'une lettre présente une grande importance, car elle est une des manières de s'exprimer propres à la société de l'époque. Quand un correspondant de Richelieu utilise les services d'un secrétaire, il prend soin presque toujours d'écrire cette formule de sa propre main. Elle doit donc être scrupuleusement reproduite. Les contemporains disposaient d'une gamme de formules de politesse, dont aucune n'est absolument l'équivalent d'une autre et ne pourrait lui être substituée sans inconvénient. Au duc de Guise, qui, en 1627, commande l'armée navale, le cardinal de Richelieu écrit toujours : « Vostre très humble serviteur ». Une fois, cependant, un secrétaire écrit par inadvertance sur une minute : « V. très affectionné serviteur » ; or l'original ne porte plus cette formule, mais comme les autres lettres, « Vostre très humble serviteur ». Cet exemple semble bien indiquer que les deux formules n'étaient pas interchangeables et qu'il ne convenait pas d'employer indifféremment l'une ou l'autre.

NOTES CRITIQUES ET NOTES HISTORIQUES :

Chaque fois qu'il a paru nécessaire, les documents reproduits dans cette édition sont accompagnés, d'une notice, plus ou moins développée selon les cas, dont l'objet est d'éclairer le caractère particulier du document, de préciser les circonstances dans lesquelles il a été rédigé ou encore de renseigner sur la personnalité de l'auteur ou du destinataire. Quant aux annotations proprement dites, il y a lieu de distinguer, d'une part, les *observations d'ordre critique*, qui concernent les accidents de caractère proprement diplomatique ou paléographique que peut présenter le texte, ainsi que les particularités de la langue, et, d'autre part, les *annotations explicatives* (historiques, géographiques, philosophiques) destinées à élucider quelque point de détail. Ces deux sortes de notes ont été différenciées par un système de renvois typographiques particuliers : alphabétique pour les premières, numérique pour les secondes.

P. G.

SIGLES ET ABREVIATIONS

A.E.	— Archives du Ministère des Affaires étrangères.
A.G.	— Archives du Ministère de la Guerre.
A.N.	— Archives nationales.
B.A.	— Bibliothèque de l'Arsenal.
B.S.G.	— Bibliothèque Saint-Geneviève.
B.V.P.	— Bibliothèque historique de la Ville de Paris.
Bull. S.H.F.	— Bulletin de la Société de l'Histoire de France.
chap.	— Chapitre.
col., collect.	— Collection.
Cor. pol.	— Correspondance politique.
éd., édit.	— édition, édité.
fasc.	— Fascicule.
Fonds fr.	— Fonds français.
f°	— Folio.
Journ. des Sav.	— Journal des Savants.
Journ. de Trév.	— Journal de Trévoux.
Mém. & Doc.	— Mémoires et Documents.
ms., mss.	— Manuscrit, manuscrits.
op. cit.	— Ouvrage cité.
p., pp.	— Page, pages.
publ.	— Publié.
Rev. Doc hist.	— Revue des Documents historiques.
Rev. Géog.	— Revue de Géographie.
Rev. hist.	— Revue historique.
R.H.D.	— Revue d'Histoire diplomatique.
R.H.M.	— Revue d'Histoire moderne.
R.Q.G.	— Revue des Questions historiques.
S.H.F.	— Société de l'Histoire de France.
trad.	— Traduction, traduit.
V.	— Voir.
Vol.	— Volume.

ANNÉE 1624

1. — Instructions pour le sieur Tronson. 30 avril 1624.

A.E., Mém. & Doc., France, Vol. 779, f° 8. — Mise au net de la main de Charpentier.
Impr. : Avenel, VII, pp. 536-539.

Que pour soulager ceux de son conseil dans la rencontre présente de tant d'affaires, et attendu l'absence de M. le Cardinal de La Rochefoucauld, à cause de son indisposition (1), S.M. s'est résolue de se servir de M. le Cardinal de Richelieu, qu'elle a recongneu capable et très affectionné à son service.

Dira comme la chose s'est passée, et comme S.M. n'en a donné part à personne, que lorsqu'elle a amené le d[it] sieur cardinal en

Pièce 1. — *Faute d'indication d'attribution et de date, ces instructions ont longtemps posé un problème. Une lettre de Louis XIII au prince de Condé, dont l'original est conservé aux archives du Musée Condé de Chantilly — Série M, t. I, p.* 128 — *permet d'en donner la solution :*

« Mon cousin, écrit le roi, je n'ai rien à vous escrire, vous envoyant une personne de qui vous savez que je me fie. C'est Tronson, que j'ay commandé vous aller trouver, jugeant que vous aurés autant ou plus de croyance en luy qu'en nul autre que je vous aurois peu envoyer. Vous conoitrés par son voiage comme je désire que vous demeuriés asuré de ma bonne volonté vers vous, que je prie Dieu, mon cousin, avoir en sa garde. Escrit à Merlou ce 30 *avril* 1624. »

Les instructions reproduites ici apparaissent donc comme étant destinées à servir de canevas à la mission que le roi confiait à l'un des secrétaires de son cabinet, Louis Tronson, sieur de Coudray, en l'envoyant vers M. le Prince, afin de le mettre au courant des récentes modifications apportées à la composition de son Conseil.

Quelques semaines plus tôt, La Vieuville, chef du Conseil et surintendant des finances, avait offert au cardinal de siéger au conseil des Dépêches, qu'on envisageait de créer, mais qui, selon les Mémoires de Richelieu, *ne devait être composé que de « personnes qui n'entrassent point dans le Conseil et n'approchassent point de la personne du Roi »* (*). *Peu disposé à s'accommoder de cette situation subalterne, le cardinal déclina la proposition, alléguant, outre sa mauvaise santé, l'impossibilité de maintenir une séparation complète entre le Conseil d'en haut et le Conseil des Dépêches* (**). *C'est alors que, cédant aux instances de la reine mère, Louis XIII résolut, le* 29 *avril* 1624, *d'appeler le cardinal de Richelieu à siéger au Conseil.*

(1) François de La Rochefoucauld (1558-1645) était le fils cadet de Charles de La Rochefoucauld, comte de Randan, et de Fulvie Pic de la Mirandole. Evêque de Clermont en 1585, cardinal en 1607, évêque de Senlis en 1613, il était entré au conseil avec le titre de ministre d'Etat en 1622, après la mort du cardinal de Retz. Il était, en outre, grand aumônier de France depuis 1618. Après 1624, il s'effaça volontairement des affaires : nommé abbé de Sainte-Geneviève, il devait employer les dernières années de sa vie à la réforme de ce monastère et à des œuvres pieuses. — V. Jean Desbois, *Biographie du cardinal de la Rochefoucauld,* pub. par le comte Gabriel de La Rochefoucauld, Paris, in-16, s. d. (1924) ; et Gabriel de La Rochefoucauld, *Le Cardinal François de La Rochefoucauld,* Paris, 1926.

(*) *Mémoires du Cardinal de Richelieu,* éd. de la S.H.F., t. IV, p. 23.
(**) G. Hanotaux et le duc de La Force, *Hist. du cardinal de Richelieu,* Paris, 1893-1947, 6 vol., t. IV, p. 547.

son conseil. Et d'autant que par cette action ses ennemis pourroient faire effort de le (2) mettre en soubçon, comme desjà S.M. a sceu qu'on avoit tasché de le faire cy-devant, du peu de bonne volonté de la reyne mère en son endroit, qu'elle pourroit plus puissamment luy rendre de mauvais offices, S[a] d[ite] M[ajesté] luy a donné charge expresse de l'asseurer bien particulièrement qu'il n'a recogneu la reyne sa mère que très bien intentionnée pour luy, et que, comme S.M. prend entière croyance en son affection à son service, elle veut et désire qu'il face estat de ses bonnes grâces et de sa bonne volonté, qu'elle luy tesmoignera volontiers, aux occasions qui s'en présenteront et où elle jugera le devoir employer.

Luy dira après les nouvelles en gros :

Que les ambassadeurs d'Hollande nous demandent un grand secours d'homme et d'argent.

Que le comte de Carlisle vient, dans dix ou douze jours (3), donner part à S.M. de ce qui s'est passé en Angleterre, de leur rupture avec l'Espagne, et qu'on apprend qu'il doit proposer le mariage de Madame ; comme aussy d'entrer en ligue, pour la Valteline, à condition réciproque pour le Palatinat.

Dira le traicté de M. le commandeur pour les passages de la Valteline (4), et la résolution que le roy a prise de dépescher M. de Béthune pour cet effect vers Sa Sainteté, pour demeurer précisément aux termes du traicté de Madrid (5).

Et de tout ce que dessus, que le roy sera bien aise d'en recevoir son bon advis.

Cependant que S.M. s'est avancée à Compiègne pour asseurer et pourvoir à sa frontière de Picardie et Champagne, et en estendra les particularités comme il faut ; et finalement luy tesmoignera derechef que le roy est content de sa conduite ; maintenant qu'il continue et qu'il s'asseure qu'en occasion de l'employer S.M. ne l'oubliera pas, et cependant de très bonnes paroles.

---

(2) « Le mettre en soubçon », et, plus bas, « en son endroit » : il s'agit du prince de Condé, tenu à l'écart de la cour depuis 1622.

(3) James Hay, vicomte de Duncaster et de Carlisle, avait reçu ses instructions le 17 mai pour aller rejoindre à la cour de France son collègue, le comte de Holland, qui s'y trouvait depuis le mois de février, afin de négocier le mariage du prince de Galles avec Madame Henriette, fille d'Henri IV. Il arriva à Compiègne le 5 juin. Une lettre de Phélypeaux d'Herbault à Béthune, ambassadeur à Rome, indique que les ambassadeurs eurent leur première audience ce jour-là, laquelle se passa seulement en compliments (Bibl. nat., Fonds franç., Vol. 3666, f° 51 v°, lettre datée du 6 juin 1624).

(4) Le commandeur de Sillery, alors ambassadeur ordinaire à Rome, de 1622 à 1624. Il avait été convenu que tous les forts de la Valteline et des Grisons tenus par les Espagnols ou par l'archiduc Léopold seraient démolis.

(5) Il s'agit de l'accord, ou plus précisément de l'acte unilatéral signé à Madrid par Philippe IV le 14 février 1623, par lequel le roi d'Espagne remettait les forts de la Valteline au souverain Pontife. Les troupes pontificales devaient en prendre possession dans les premiers jours de juin 1624.

2. — Le duc de Chaulnes au cardinal de Richelieu. [Amiens], 9 mai 1624.

Bibl. munic. de Poitiers, Vol. 454, pièce 11. — Original.

Monsieur (a),

Si la venue d'un intandant des finances, que le roy envoye en set province ne m'eust obligé de l'attandre en set vile, pour pourvoir avec luy à quelques nécessités d'icelle, j'eusse heu l'honneur de vous aler tesmonier de bouche combien ont esté agréablement ressues dans toute set méson les nouvelles du choix que Sa Majesté a heu de vostre personne pour s'en servir dans ses plus secrètres et plus importantes affères, à quoy, Monsieur, je prands particulièrement part, tant pour l'intérest du service de Sa dite Majesté, que par la créance que j'ay que vous me ferez la vaveur de m'honorer de vostre bienvuliance. Aussi vous suplieray-je de prandre une assurance antière de mon service très humble, et avoue que puisque je suis si malheureux de ne vous en pouvoir doner des tesmoniages, qu'au moins je prieray Dieu qu'il aille toujours augmanter vos prospérités et qu'il me fasse la grâce de vous tesmonier combien je suis,

Monsieur,

Vostre très humble et obéissant serviteur,

Chaulnes.

Pièce 2. — *La lettre a été datée en tête par une main étrangère : « 9 may 1624 ». Elle a pour auteur le frère cadet du connétable de Luynes, Henri d'Albert, troisième fils d'Honoré d'Albert, seigneur de Luynes, et d'Anne de Rodulf. Né en 1580 ou 1581, il porta d'abord le titre de seigneur de Cadenet, puis à partir de 1621 celui du duc de Chaulnes, par suite de son mariage avec Charlotte-Eugénie de Picquigny, fille unique de Vidame d'Amiens, Philibert-Emmanuel d'Ailly-Picquigny, et de Louise d'Ognies, comtesse de Chaulnes. Il était alors lieutenant-général au gouvernement de Picardie, et, bien que l'endroit d'où la lettre a été écrite ne soit pas mentionné, la ville dont il est question est très probablement Amiens. En 1633, le duc de Chaulnes sera d'ailleurs nommé gouverneur de la province. Il restera toujours en faveur auprès de Richelieu, qui, au dire de certains, n'aurait pas été insensible aux charmes de la duchesse.*

3. — Le duc de Montmorency au cardinal de Richelieu. Béziers, 10 mai 1624.

Arch. du Musée Condé, Chantilly, Série O, tome IV, pièce n° 12. — Original.

Monsieur,

Je ne me *contente pas de vous faire sçavoir la part que je prens à la joie commune* de tous ceus qui ont de la *passion au service du*

(a) Le mot est suivi d'une sorte d'S fermé, signe qui, dans les conventions épistolaires de l'époque, exprime la fidélité et la constance.

roy et au bien de l'Estat de vous voir avec tant de mérite dans la direction de ses affaires. La profession expresse que je fais d'estre vostre serviteur demande le témoignage d'un sentiment plus particulier, lequel est à ce point qu'aucunes *parolles ne vous le peuvent représenter. J'ay de l'impassience de m'aller rejouir* avec vous de ce digne chois que Sa M. a fait avec tant de raison *pour son aventage et de satisfaction pour moy,* quy ay pour son service l'amour esgal à mon devoir, et aussy de vous continuer mes obéissances avec tant de soin et de fidélité que vous serez obligé de m'aimer, ce que j'ay jusques-icy obtenu de vostre seule courtoisie, et de me croire,

Monsieur,

V[e] très humble et obéissent serviteur,

Montmorency.

A Béziers, le 10e may 1624.

Pièce 3. — *Henri II, dernier duc de Montmorency, né à Chantilly le* 15 *avril* 1595, *était né du second mariage du connétable avec Louise de Budos. Il était frère de Madame la princesse et frère consanguin de la duchesse d'Angoulême et de la duchesse de Lévis-Ventadour. Depuis la mort de son père, en avril* 1614, *il était le chef de la maison de Montmorency. Louis XIII l'avait nommé amiral de France en* 1612 *et lui avait accordé le gouvernement du Languedoc. Il avait épousé Marie-Félice des Ursins, petite nièce du pape Sixte-Quint. On sait qu'elle fut sa fin tragique en* 1632. *V. Simon Ducros,* Histoire de la vie de Henry, dernier duc de Montmorency, *Paris,* 1643, *et les travaux de Désormeaux,* Histoire de la famille de Montmorency, 1764, les Montmorency, 1828.

4. — A Monsieur le Prince. Compiègne, 11 mai 1624.

Musée Britannique, Miscell. pap., etc. — Original (?).
Impr. : Avenel, II, p. 5.

Monsieur,

Le Roy m'ayant fait l'honneur de me mettre dans son conseil, je suplie Dieu de tout mon cœur de me rendre digne de le servir comme je le désire et m'y sens obligé par toutes sortes de considérations. Je ne sçaurois assez vous rendre grâce du contentement qu'il vous a pleu me tesmoigner en avoir. Aussy aimeroy-je beaucoup mieux le faire par effet en vous servant, que par paroles inutiles. Je n'y sçaurois manquer sans manquer à suivre l'intention du Roy. J'ay fait voir à la Reyne l'assurance que vous luy donnez par vostre lettre de vostre affection, dont elle a tout le ressentiment que vous sçauriez désirer. Elle s'en promet d'autant plus volontiers la continuation qu'elle sera bien ayse de vous y convier par tous les bons offices qu'elle aura moyen de vous rendre auprès de Sa Majesté : en mon particulier, Monsieur, je tiendray tousjours à faveur singulière de vous faire voir que je suis véritablement,

Monsieur,

Vostre très humble et très affectionné serviteur,

Le Cardinal de Richelieu.

De Compiègne, le 11e may 1624.

Pièce 4. — *Cette lettre est la première d'une série qui ne prendra de l'importance qu'à partir de 1626; elle témoigne cependant déjà de l'intention du ministre d'entretenir les meilleurs rapports avec le premier prince du sang. D'après les termes de cette lettre il apparaît, d'autre part, que le prince de Condé avait déjà adressé au cardinal une lettre qui ne nous est pas parvenue.*

Depuis qu'au mois d'octobre 1619, M. le Prince avait quitté le donjon de Vincennes, où il avait été détenu trois ans, il était peu à peu rentré en grâce auprès du roi. Non seulement il avait pris une part active à la campagne de 1622 contre les protestants, mais il avait commandé en personne l'armée royale qui investit Montpellier au mois d'août de la même année. La haine qu'il nourrissait contre le parti huguenot lui faisait souhaiter son extermination. Or, Louis XIII justement inquiet des menaces extérieures, crut plus sage de mettre un terme à la lutte en accordant à ses sujets rebelles la paix de Montpellier (18 octobre), qui confirmait l'édit de Nantes et rétablissait les chefs de la rébellion dans tous leurs honneurs, charges et dignités. De dépit, M. le Prince avait demandé la permission de partir pour l'Italie, afin d'accomplir, disait-il, un vœu qu'il avait fait pendant sa captivité. Puis il était rentré en France, mais s'était tenu à l'écart de la cour; il n'en avait pas moins continué de se comporter en bon et loyal sujet du roi.

5. — M. de Valençay au cardinal de Richelieu. Montpellier, 14 mai 1624.

Bibl. de l'Institut, Col. Godefroy, Vol. 269, f° 188. — Original.

Monseigneur,

Je me suis resjouy d'avoir apris que le Roy vous avoit estably en son Conseil pour estre un de ses ministres. Vostre mérite et grande suffisance sont sy congneue que chacun a aprouvé la résolution de sa Ma[té] en ce bon choix duquel les gens de bien espèrent pour le général de la France et pour leur particulier de l'advantage. Il se présente une occ[on] en laquelle vous supplie très humblement de vouloir faire valoir en ma faveur un asses bon service que je crois avoir rendu au Roy, qui est que les commissaires establis pour donner les pris faitz des ouvrages de la citadelle de cette ville, recherchans avec plus de soing de faire leur proffict que de servir Sa Ma[té], empeschoient l'advancement d'un ouvrage très néces-

Pièce 5. — *Il existe au dépôt des affaires étrangères un certain nombre de lettres du marquis de Valençay au cardinal de Richelieu. On les trouvera reproduites à leur date. Celle-ci paraît être la première de cette correspondance. Jacques II d'Estampes, marquis de Valençay était né le 28 novembre 1579. Il était l'aîné des enfants de Jacques I d'estampes et de Sara d'Applaincourt. Il avait épousé Louise Blondel de Joigny de Bellebrune. Chevalier des Ordres du Roi en 1619 et grand-maréchal des Logis de S.M., il était maréchal de camp depuis 1622 et gouverneur des ville et citadelle de Montpellier. Il sera plus tard, comme on le verra, gouverneur de Calais. Il mourra à Boulogne le 21 novembre 1639. Il était frère du commandeur de Valençay, dont il sera également question dans cette correspondance.*

saire, et d'abord faisoient un gain de cent mil escus par le retardement de l'ouvrage, engageoient le Roy à la continuation de l'entretien de cette grande garnison, et mettoient le Roy en estat que cette citadelle ne s'avançant point et Sa Maté estans contraincte de retirer ses régimens avant qu'elle fust en deffence, il perdroit tout l'advantage qu'il s'estoit acquis à une longue et fascheuse guerre, parce que j'estime que Montpellier est le véritable prix des armes de Sa Maté. La Cour des Aydes a informé du procéder de ces Messieurs les commissaires, et Messieurs les gens du Roy d'icelle envoyent l'informaon à Monsieur le garde des sceaux. Encores qu'en cette action ils ayent apporté un extrême soing pour servir sa Maté, je veux croire que le mien n'a pas esté inutille. Sy vous trouvez, Monseigneur, que j'aye rendu en cela quelque service au Roy, je vous supplie très humblement de le faire cognoistre à Sa Maté, et en cette ocasion de me vouloir obliger par vre faveur et bonne justice à demeurer toute ma vye,

Monseigneur,

Vostre très humble et très obéissant serviteur,

Vallencay.

De Montp [elli] er, ce XIIIme may 1624.

6. — Les consuls de Montpellier au cardinal de Richelieu. Montpellier, 14 mai 1624.

A.E., Mém. & Doc., France, Vol. 1627 (Languedoc), f° 197. — Original.

Monseigneur,

Comme ceste ville parmy touttes celles du royaulme a ressanty de plus grands effects de la misère des mouvemants derniers, qui a mis tous les habitans en de très grandes incommodités, aussy a-elle receu les plus grands effects de la justice, bonté et clémance ordinaire du Roy mesme, en ce que Sa Majté, pour contenir en debvoir le peuple de ceste ville et de la province, y a faict luire la justice de ses armes victorieuses, deppuis qu'elle y fist son entrée, il y a desjà dix-huict mois ; car les régimants quy y sont en garnison quy composent une armée, [n'] y ont vescu que de victuailles et logement jusques à présent que Mr de Valencay (1), commandant lesds régimants, soubz prétexte du réglement général faict par Sa Majesté au mois d'aoust dernier, nous faict demander des surtaux de vivres, qu'y viennent à plus de cinquante livres par jour. Nous avons creu que l'intention de Sa Majté n'a jamais esté de nous charger de ceste despance, à laquelle aussy nous n'aurions de quoy satisfère, et que, parce que ledt réglemant a demeuré sans exécution et les gens de guerre jusques à présant sans en fere demande, il n'y a rien qui le puisse à présant fera prétandre, veu mesme que les vivres n'ont pas enchéry et qu'ils sont à beaucoup meilleur marché

(1) Voir la notice de la lettre précédente.

que l'année passée par le soin que nous prenons à fere tenir la police en bon estat. Que, quand il y auroit lieu et que le Roy en auroit déclaré sa volonté, ce seroit aux Estats génếraulx de ceste province à y pourvoir, puis que lesd[s] régimants sont non seulement pour la garde de la ville, mais aussy pour le repos et tranquilité de tout le pays. Ce que leur ayant faict entendre par nos depputtés, ils n'y auroient vouleu avoir aulcuns esguards.

C'est la cause, Monseigneur, que nous avons jugé à propos de depputer devers Sa Maj[té] les sieurs juges Grasset et Tandon pour implorer sa bonté et justice, et la supplier très humblement en nous continuant ses grâces nous descharger de ceste demande, et nous accorder le rambourssement des victuailles et autres despances que nous avons supportées par son commandement sur le corps général du pays Nous espérons ceste grâce de Sa Maj[té], et vous supplions très humblement, Monseigneur, nous y despartir vostre faveur et assistance, à laquelle nous avons recours, puis que vous avez l'honneur d'estre chef aulx Conseils de Sa Maj[té], de quoy nous rendons ung million de grâces au Tout-Puissant, et le prions de vous y continuer toutes sortes de bénédictions, comme estant véritablement,

Monseigneur,

Vos très humbles, très obéissants et plus affectionnés serviteurs,

Les consuls de la ville de Montpellier,

Grasset, premier consul et viguier,
Tandon,
Chabaud,
Santerel,
(et deux signatures illisibles).

De Montpellier, le XIIIIe may 1624.

7. — Le parlement de Dauphiné au cardinal de Richelieu. Grenoble, 15 mai 1624.

Bibl. de l'Institut, Col. Godefroy, Vol. 269, f° 189. — Original.

Monseigneur,

Ayant apris que le Roy vous a donné le rang en ses plus importantes affaires, que les lettres et les souhaitz des gens de bien vous ont dû faire espérer dès long temps, nous nous en sommes grandement resjouis tant pour le bien du service de Sa Majesté que pour voir les charges et dignitez s'adresser à ceux qui en sont dignes. Celles-cy vous sont communes avec plusieurs autres, mais vostre mérité et capacité ne l'est qu'avec fort peu. Nous avons d'autant

Pièce 7. — *Cette pièce porte en suscription : « A Monseigneur, Monseigneur le Cardinal de Richelieu ». Le parlement de Grenoble, issu de l'ancien conseil delphinal, avait été constitué en cour souveraine en 1453. Il était l'un des plus anciens de France, venant en date après Paris et Toulouse. Il était en même temps cour des Aides, et sa juridiction s'étendait au Dauphiné de Viennois et au pays d'Orange.*

plus de part à ceste publicque resjouissance que plus nous y sommes obligez soit par l'honneur que nous recevons tous les jours de ceste autre partie de vous mesme de Monsieur le R.P. de Richelieu v^{re} frère (1), soit pour la souvenance que nous gardons du favorable accueil qu'il vous pleust faire aux présidens et conseillers qui furent par nous députez pour aller saluer les Reines à Lyon en l'an mil six cent vingt deux. Ils eurent aussy le bien de vous visiter suivant leur charge et vous offrir de nostre part ce que nous sçavons estre deu à vos rares qualitez. L'asseurance qu'il vous a pleu leur donner, Monseigneur, de vostre bonne volonté en nostre endroit, et le désir que nous avons de vous honorer et servir, nous faict croire que, comme vostre bonté ne peut desfaillir ny nostre affection s'amoindrir, vous nous ferez la faveur aux occasions qui se présenteront d'avoir les intérests et authorité de nostre Compagnie en particulière recommendation. Nous vous en supplions très humblement, et prions Dieu de tout nostre cœur qu'en rendant vostre bonheur esgal à vos mérites,

Monseigneur,

il accroisse vostre prospérité et vous y conserve en santé et très longue et heureuse vie. De Grenoble, ce 15e may 1624,

Voz très humbles et obéissants serviteurs,
les gens tenant la Cour de parlement de Dauphiné,
Laudet.

8. — M. Brenugat au cardinal de Richelieu. Dijon, 15 mai 1624.

Bibl. de l'Institut, Col. Godefroy, Vol. 269, f° 191. — Original

Analyse :

Il présente au cardinal ses compliments pour le témoignage de confiance que vient de lui donner le roi, et l'assure du soin et de la diligence qu'il apporte personnellement dans une affaire dont il est sans doute rapporteur devant le parlement de Dijon.

Pièce 8. — *L'auteur était conseiller à la cour de Dijon.*

9. — L'évêque de Bazas au cardinal de Richelieu. Bazas, 15 mai 1624.

B.N. Fonds Franç., Vol. 17.362, f° 67. — Original.

Analyse :

Il a appris à Bordeaux le choix que le roi a fait de la personne du cardinal pour siéger en son conseil. Il en a éprouvé d'autant plus de joie qu'il a depuis longtemps fait profession d'être son serviteur.

Pièce 9. — *L'évêque de Bazas était, depuis le mois d'août* 1611, *Jean Joubert de Barault ; il devait mourir le* 30 *juillet* 1630.

(1) Alphonse-Louis du Plessis de Richelieu (1582-1653). V. *infra* la notice de la pièce 22.

10. — L'évêque de Saintes au cardinal de Richelieu. Saintes, 15 mai 1624.

B.N., Fonds Franç., Vol. 17.362, f° 344. — Original.

Analyse :

Le choix que le roi a fait du cardinal pour conduire les plus importantes affaires de l'Etat l'a rempli de joie, car « Sa Majesté ne pouvoit rien faire de plus avantageux pour le bien de son Estat », mais aussi parce qu'il faut voir dans ce choix « un effect de la bonté de Dieu pour faire réussir la conduitte des affaires à sa gloire ».

Pièce 10. — *L'évêque de Saintes était alors Michel Raoul ; il avait été intronisé sur ce siège le* 18 *mars* 1618 ; *il mourra en* 1631.

11. — Le maire de Poitiers au cardinal de Richelieu. Poitiers, 15 mai 1624.

A.E., Mém. & Doc., France, Vol. 1696 (Poitou), f° 40. — Original.

Monseigneur,

Le rang que vous tenez près Sa Majesté m'a fait estimer estre de mon devoir de vous escrire et vous donner advis de la mauvaise volonté d'aucuns envieux de l'honneur que nous avons d'estre recognus fidèles serviteurs de Sa Majesté, qui nous veulent publier factieux et ennemis du repos publicq par les rapports qui lui ont esté faicts qu'il se passoit en ceste ville des brigues et monopoles contre le bien de son service au subject de l'eslection d'un nouveau mayre, qui a obligé le Roy d'en escrire à nostre corps de ville, et que nous eussions à envoyer vers luy des députés de nostre corps pour nous faire entendre sa volonté sur le subject, à quoy nous avons incontient satisfaict par le nomination que nous avons faict des sieurs l'Aguillier, Mayaud, Chabat et Luge, pairs, eschevins et bourgeois du mesme corps. Et d'autant que ces advis ne peuvent procéder que d'esprits mal affectés, et qui ne tendent qu'à renverser nos privilèges et troubler le repos et la tranquilité de ceste ville, qui ne fust jamais, grâces à Dieu, plus grande qu'ell est maintenant, nous vous supplions très humblement, Monseigneur, de certiffier Sa Majesté, et interposer vostre authorité pour empescher l'effect de ceste calomnie. Toute ceste ville vous en aura une éternelle obligation, et prierons Dieu qu'il lui plaise vous combler de ses grâces et bénédictions avec autant de zèle et d'affection que je suis en mon particulier,

Monseigneur,

Vostre très humble et très obéissant serviteur,
Tussineault, mayre de Poictiers.
Par mondit sieur le maire,
Chomas, secrétaire de la ville.

A Poictiers, ce XVe may 1624.

12. — Le Père de Bérulle au cardinal de Richelieu. Paris, 18 mai 1624.

Musée National du château de Pau. — Original.
Fac-similé de l'original : *Collection of Autograph letters and historical documents... by Alfred Morrison*, 6 vol., 1883-1892, t. I, p. 76-77, pl. 12.
E. Griselle, *Louis XIII et Richelieu*, 1911, p. 30-31. *Correspondance du cardinal de Bérulle*, éd. par Jean Dagens, 3 vol. Paris et Louvain, 1936-1939, t. II, p. 461-462, n° 473, en français moderne.

Monseigneur,

J'ay creu que vous estes si assuré de la part que je prends en ce qui vous concerne, qu'il estoit superflu de vous en rendre un si foible témoignage, comme celuy de quelques lignes mal tracées sur le papier, et que vous désirez pluz de moy et de ma solitude quelques prières que ce compliment superflu, qui me rendroit pluz d'honneur en le vous adressant que de service à vous, Monseigneur, en le recevant. Aussi, je l'ay omiz par recognoissance et de ma petitesse, et *de ma condition, et de vostre bonté ordinaire envers moy. Mais j'ay apprins* ce matin une nouvelle du déceds inopiné de Mr Barbin (1) *qui m'a fait penser aussi tost que je devois vous escrire et* vous mander qu'il ne vous *seroit pas peut estre inutile d'en faire arrester preudemment et promptement tous ses papiers,* où sans doute il y a plusieurs choses qui concernent la Reyne Mère, et encores *vos intérestz particuliers*. Je tiens pour assuré que, mesme depuis *peu de temps plusieurs choses luy ont esté communiquées, qui vous* regardent, et qu'il est bon peut estre que vous sachiez, et qu'elles soyent ignorées. J'ay creu ne pouvoir fallir à vous mander ma pensée. Car vous en sçauriez bien juger, et que peut estre je ferois faute à ne la vous exposer. Je prie Dieu qu'il vous (a) conforte

Pièce 12. — *On sait que le Père de Bérulle* (1575-1629) *avait fondé, en* 1611, *la congrégation de l'Oratoire inspirée de l'œuvre réalisée en Italie par saint Philippe Neri. Jouissant de la confiance de la régente, il avait été chargé de plusieurs missions auprès du Saint-Siège, de septembre* 1624 *à janvier* 1625 ; *il sera de nouveau à Rome au cours de l'année* 1627. *Ces diverses négociations donnèrent lieu à un échange de lettres entre Richelieu et Bérulle, lettres qui doivent prendre place dans les volumes consacrés aux relations extérieures ou aux questions religieuses. Seront seulement mentionnées dans la présente édition les lettres de Bérulle qui se rapportent aux affaires intérieures de la France. La correspondance du cardinal de Bérulle publiée par Jean Dagens, dont il est fait mention, est malheureusement en français moderne. Le texte reproduit ici est celui du fac-similé de l'original. — Sur Bérulle : J.-F. Nourrisson,* Le Cardinal de Bérulle, 1856 ; *abbé Michel Houssaye,* Le Père de Bérulle et l'Oratoire de Jésus, 1974 ; Le Cardinal de Bérulle est le Cardinal de Richelieu, 1875 ; *A. Mollien,* Le Cardinal de Bérulle, 1947 : *Jean Dagens,* Bérulle et les origines de la restauration catholique, 1952.

(a) « Vous conforte », et non « nous conforte » ainsi qu'il a été écrit par erreur dans l'édition Dagens.

(1) Claude Barbin, d'abord procureur du roi à Melun, puis surintendant de la maison de Marie de Médicis, enfin, en 1616, contrôleur général des finances. A la chute du maréchal d'Ancre, auquel il devait sa fortune, il fut mis à la Bastille pendant quelque temps. Il ne devait plus jouer aucun rôle jusqu'à sa mort.

de sa Grace et conduitte dans ce nouvel exercice qu'il luy a pleu de vous donner. Ce m'est bien un accroissement d'obligation, mais non certes un accroissement de volonté à vous servir. Ce que je vous suys dès long temps me semble en un tel point que cette nouvelle dignité n'y peut rien adjouster. Commandez moy avec puissance, et conservez l'honneur de vostre bienveillance à celuy qui est,

Monseigneur,

Vostre très humble, très obéissant et très obligé serviteur,

P. de Bérulle, prestre de l'Orat[oire] de Jésu[s] (b).

De Paris, le 18 may.

13. — M. Le Mazuyer au cardinal de Richelieu. Toulouse, 18 mai 1624.

Bibl. de l'Institut, Col. Godefroy, Vol. 269, f° 193. — Original.

Analyse :

Il présente au cardinal ses compliments pour son entrée au conseil du roi, et lui expose les moyens qui, selon lui, doivent réduire à l'obéissance les huguenots demeurés insoumis.

Pièce 13. — *Gilles Le Mazuyer était premier président du parlement de Toulouse depuis* 1616. *L'on trouvera dans cette édition plusieurs lettres de lui à Richelieu : elles témoignent souvent d'une violente hostilité à l'égard des protestants. Il mourra de la peste en* 1631.

14. — M. de Vaudémont au cardinal de Richelieu. Nancy, 18 mai 1624.

Bibl. de l'Institut, Col. Godefroy, Vol. 269, f° 195. — Original.

Analyse :

Il a appris avec une grande satisfaction l'entrée au conseil du cardinal, et lui en fait ses compliments.

Pièce 14. — *François II de Lorraine, comte de Vaudémont* (1572-1632) *était le frère du duc de Lorraine Henri le Bon, mort en cette année* 1624, *et le père du duc Charles IV, dont il sera question dans cette correspondance — V. Dom A. Calmet,* Histoire ecclésiastique et civile de Lorraine (1745-1757) *et R. Parisot,* Histoire de Lorraine (1919-1924).

(b) Les dernières lettres des deux mots « Oratoire » et « Jésus » ne sont plus lisibles sur le fac-similé.

15. — M. Xaintonge au cardinal de Richelieu. Dijon, 20 mai 1624.

Bibl. de l'Institut, Col. Godefroy, Vol. 269, f° 197. — Original.

Analyse :

Avocat général au parlement de Bourgogne, et depuis dix ans en fonctions, après avoir été vingt ans avocat, il n'a que mille livres d'appointements. Aussi demande-t-il la continuation de la pension de 1.600 livres qui lui a été accordée en considération de ses services.

16. — M. de Schomberg au cardinal de Richelieu. Limoges, 21 mai 1624.

Col. Victor Cousin, Sorbonne, Manusc. n° 1. — Original.

Monseigneur,

Je me resjouis comme estant de longue main v^re^ très humble serviteur de ce qu'il a pleu au Roy vous apeller en son Conseil estroit. Les rares qualités qui se rencontrent en v^re^ personne, jointes à la cognoissance que vous avés des affaires du dehors et du dedans de l'Estat donnent assurance à toute la France que Sa Ma^té^ sera très utillement servie de vos bons conseils. Je vous désire en cest employ aultant de contantement que vous en mérités, et vous supplie très humblement de me conserver l'honneur de vos bonnes graces aussy longtemps que je feray la qualité,

Monseigneur, de

v^re^ très humble et plus obéissant serviteur,

Schomberg.

De Limoges, ce XXe may 1624.

Pièce 16. — *Les lettres adressées par le maréchal de Schomberg à Richelieu sont parmi les plus nombreuses de la correspondance du cardinal. Celle-ci peut être considérée comme la première en date de la série. Henri de Schomberg, comte de Nanteuil et de Duretal, marquis d'Espinay, avait alors près de cinquante ans. D'abord général des troupes allemandes au service de la France, il avait été employé comme ambassadeur en Angleterre, puis en Allemagne ; un moment surintendant des finances, en* 1619, *il était conseiller du roi depuis* 1621. *Vers cette époque, il avait paru se lier avec les ennemis du cardinal, mais s'était bientôt rangé définitivement à ses côtés, et sa fidélité ne devait jamais se démentir jusqu'à sa mort survenue le* 17 *novembre* 1632. *Autant que la droiture de son caractère, Richelieu appréciait la solidité de son jugement. Peu de jours avant l'arrestation de La Vieuville, il le proposera au roi pour la surintendance des finances ; soit qu'il l'estimât peu propre à ces fonctions, soit qu'il éprouvât pour lui quelque défiance en raison de ses relations d'amitié avec Monsieur le Prince, le souverain refusera, mais il ne devait pas s'opposer à ce que le maréchal entrât au Conseil.*

17. — M. de Marcheville au cardinal de Richelieu. S. l., 21 mai 1624.

A.E., Mém. & Doc., France, Vol. 778, f° 180. — Original.

Analyse :

N'ayant pu trouver le cardinal pour lui présenter ses devoirs avant de quitter Paris, selon l'ordre qu'il en a reçu, il proteste de la sincérité de ses intentions et affirme qu'il a été victime de calomnies ; il supplie le cardinal d'entendre le gentilhomme qui lui remettra sa lettre.

Pièce 17. — *L'auteur de la lettre est sans doute Henri de Gournay, comte de Marcheville, bailli et surintendant de l'évêché de Metz ; il était fils de Regnault de Gournay, sieur de Villé et de Quincourt et de Louise d'Aspremont. Il avait été au service du duc de Lorraine en qualité de gouverneur du jeune duc Charles IV, avant d'être chambellan du Monsieur frère de Louis XIII. La disgrâce dont il est question devait être de courte durée. Marcheville sera nommé, en* 1631, *ambassadeur auprès de La Porte ; il rentrera en France trois ans plus tard, après un séjour rempli d'incidents.*

18. — M. de la Berchère au cardinal de Richelieu. Dijon, 22 mai 1624.

Bibl. de l'Institut, Col. Godefroy, Vol. 269, f° 201. — Original.

Analyse :

Il présente ses compliments au cardinal pour son entrée au conseil, et l'informe du gain d'un procès que celui-ci avait devant sa compagnie.

Pièce 18. — *Jean-Baptiste Le Goux de la Berchère était, depuis* 1604 *second président au parlement de Dijon. Il deviendra premier président en* 1627.

19. — M. de Guron au cardinal de Richelieu. Château de Guron, 22 mai 1624.

Bibl. de l'Institut, Col. Godefroy, Vol. 269, f° 203. — Original.

Analyse :

Il a appris avec la plus vive satisfaction la nouvelle de l'entrée du cardinal au conseil. Il en augure le plus grand bien, car de tous côtés les huguenots se remuent, tiennent leurs synodes, protestent contre les forts de La Rochelle et la citadelle de Montpellier, et contre les temples que l'on leur a ôtés à Tours et à Bourgueil. Son sentiment est que le roi doit être armé sur mer.

Pièce 19. — *De l'auteur — Jean de Rechignevoisin de Guron, conseiller d'Etat depuis* 1621 — *il sera souvent question à partir de* 1626. *Il était fort apprécié du cardinal. Sur sa carrière, voir* infra *la notice de la lettre du* 29 *juillet* 1626, *pièce* 149.

20. — MM. du Parlement de Pau au cardinal de Richelieu. Pau, 25 mai 1624.

A.N., Série K — 711, pièce n° 4. — Original.

Très honnoré seigneur,

Ce n'est pas peu de contentement que ceste compagnie a receu à la nouvelle de l'honneur et de la place que le Roy vous a donné dans son Conseil. Dès lors elle a redoublé l'espérance qu'elle a tousjours eue que Sa Majesté luy fairoit justice de deux commissions qui ont esté envoyées par surprinse contre l'honneur de ceste cour et parlement sur trois jussions qui lui ont esté adressées pour vériffier trois offices de nouvelle création.

A la première, il en fut vériffié l'un, affin que le nombre des juges catholiques surpassast celui de la religion p.r. suivant la volonté du roy. Pour les autres deux, la vériffication en fut surcize jusques à ce que l'édit d'union de la Soule (1) à ce parlement faict par Sa Ma^té^ fut exécuté. Néantmoins le pouvoir des intéressés en ceste affaire,, qu'ils ont prétexté du service de Dieu et du Roy, a esté si grand qu'on a envoyé deux commissions, l'une aux officiers de la Chancellerie de Navarre, composée de si[x] juges seulement, pour vériffier l'édit, examiner et renvoier les pourvois, et l'autre au sieur de Poyanne, lieutenant-général pour le Roy en ceste province, pour les installer. En quoy ceste compagnie a esté d'autant plus offensée qu'elles ne sont pas seulement extraordinaires mais sans exemple. C'est ce qui l'obligea d'envoyer, le 10e de ce moys, en diligence vers Sa Ma^té^ pour la supplier très humblement d'en vouloir surseoir l'exécution jusqu'à ce qu'il luy eust pleu, conformément à ses ordonnances, ouyr nos très humbles remonstrances et que nous luy eussions faict voir la vérité de ceste affaire et la justice de nostre procédé, qui ne regarde que le bien de son service.

Nous espérons que, pendant ce temps, le sieur de Poyanne en sursoieroit l'exécution et déffèreroit à des privées réservations que la Cour luy a faictes, lesquelles ayant esté reffusées nous aurions eu recours aux voyes les plus douces pour éviter les grands désordres et inconvéniens, dont les oppositions redoublées de tous les Estats de ce païs entre les mains du sieur de Poyanne, et les... (a) du peuple, nous semblent menacés ; et n'en ayant pas treuvé de plus asseurée qu'il surçoie l'entrée du palays — ou plustot d'une maison

Pièce 20. — *Le parlement de Pau, après avoir exprimé au roi ses remontrances pour la création de trois nouveaux offices au sein de sa compagnies s'adresse ici directement à Richelieu. Il n'est pas sans intérêt de rappeler que ces protestations émanent d'une cour souveraine qui, quatre ans plus tôt, n'existait pas encore, puisque ce fut seulement au mois d'octobre* 1620 *que Louis XIII avait décidé la réunion de la cour de Saint-Palais et de celle de Pau pour former le neuvième parlement du royaume sous le nom de parlement de Navarre et lui assigna pour siège la ville de Pau en souvenir de la naissance de son père Henri IV.*

(a) Un mot illisible. Il semble qu'on puisse lire : « services ».
(1) La vicomté de Soule, dont la capitale était Mauléon, était en pays basque.

part[ère] ou nous exerçons la justice, puis les festes de Pasques, à cause de la ruyne de nostre palays causée par l'esbranlement d'un nouveau bastiment sans que nous ayons peu avoir responce de la volonté de Sa Ma[té] sur ce que nous luy avons demandé par deux dépesches, pour tenir les audiences qui cessent depuis ce temps-là et jusqu'à la surséance par nous demandée à Sa Ma[té], pour luy pouvoir faire nos très humbles remonstrances. Mais cela n'a pas empesché le sieur de Poyanne de passer outre, ainsi que vous pouvez voir par le récit de tout ce qui s'est passé, que le parlement envoye au Roy, attendant qu'il plaise à Sa Ma[té] nous ouyr de vive voix. C'est à quoy, très honnoré seigneur, ceste compagnie vous prie de tenir la main puisque Dieu et sa justice veut (*sic*) qu'on ne condamne personne sans l'ouyr et ce faisant nous recevrons les effects des espérances que nous avons conceu[es] d'une personne de v[re] qualité, de v[re] mérite et de v[re] réputation, et nous obligeroit à estre,

Très honnoré seigneur,

Vos très humbles serviteurs,

Les gens tenant pour le Roy la Cour de parlement de Pau,

Pedemont, greffier.

A Pau, ce 25e may 1624.

Par commandement de la Cour.

21. — L'évêque d'Aire au cardinal de Richelieu. Aire-sur-l'Adour, 26 mai 1624.

Bibl. de l'Institut, Col. Godefroy, Vol. 269, f° 205. — Original.

Analyse :

Il félicite le cardinal de son entrée au conseil du roi, et lui exprime son désir d'écrire sa vie. Il se dit fort satisfait des excellentes dispositions, dont témoigne M. de Poyanne, gouverneur de Navarreins.

Pièce 21. — *L'évêque d'Aire-sur-l'Adour était alors Sébastien Bouthillier, troisième fils de Denys Bouthillier, conseiller d'Etat, mort en 1622, et de Claudine de Macheco. Il était, par conséquent, frère cadet de Claude Bouthillier de Chavigny, dont il sera si souvent question dans cette correspondance. Etroitement lié à Richelieu, comme les autres membres de sa famille, il avait été envoyé à Rome par la reine mère, en 1622, afin de hâter l'élévation à la pourpre de l'évêque de Luçon. C'est en 1623 qu'il avait été nommé à l'évêché d'Aire. Il mourra le 17 janvier 1625.*

22. — Alphonse de Richelieu au cardinal de Richelieu. Monastère de la Chartreuse, 27 mai 1624.

Univ. de Paris, Bibl. Victor-Cousin, Fonds Richelieu. Vol. 14, f° 80. — Original.

Monseigneur,

Je suis en possession de vous tesmoigner tousjours des derniers le contentement que je reçoy de ceus qui vous peuvent arriver, encor que j'ose dire que je sois des plus adligentz à ce faire et peut-estre celuy de tous qui les rescents le plus. Mais je suis si tard adverti de ce qui se passe que mes lettres paroissent de vieille datte, voire hors de saison, lors qu'elle vous peuvent estre rendues. J'espère toutefois que vous ne laisserez de les agréer et que, excusant ce manquement duquel je ne me puis advouer coulpable, vous me ferez la faveur de croyre qu'il a asseurément esté causé ou par la raison que j'ay alléguée ou par la difficulté où je me serois trouvé de juger si je debvois plustost foeliciter à l'honneur qu'il a pleu au Roy de vous faire qu'apréhender que la peine et le travail qui y sont joinctz et attachez n'apportassent quelque diminution à v^re^ santé, la conservation de laquelle je souhaicte avec la mesme passion que je vous suis,

Monseigneur,

très humble et très obéissant serviteur,

† Alphonse, chart. ind.

A Chartreuse, ce 27 may 1624.

Pièce 22. — *Second fils de François du Plessis de Richelieu, grand prévôt de France, et de Suzanne de la Porte, Alphonse de Richelieu était né à Paris en* 1582 ; *il était donc de trois ans l'aîné du cardinal. D'abord destiné à l'Ordre de Malte, il entra dans le clergé séculier et devint doyen de Saint-Martin de Tours, quand il fut appelé à l'évêché de Luçon. Il prit alors la décision de se faire moine à la Grande Chartreuse, où il fit profession en* 1606. *Il devait y rester jusqu'en* 1626. *On le retrouvera archevêque d'Aix, puis de Lyon, cardinal et grand aumônier de France ; il mourra le* 23 *mars* 1653. *V. Maximin Deloche,* Les Richelieu : le cardinal Alphonse de Richelieu, *Paris* 1936.

23. — M. de Soubise au cardinal de Richelieu. Castres, 28 mai 1624.

B.N., Nouv. acq. franç., Vol. 5131, f° 56. — Original.

Monsieur,

Monsieur mon frère envoyant le sieur de La Miletière (1) trouver le Roy, je n'ay voulu manquer de vous tesmoigner par ces lignes la

(1) Théophile Brachet, sieur de La Miletière, né en 1596, était fils d'un maître des Requêtes de l'Hôtel. D'abord avocat au parlement de Paris, il s'était lancé, à partir de 1621, dans l'agitation protestante, mais son rôle allait être surtout actif dans le Midi au cours des années suivantes. Plus tard, il reviendra à d'autres sentiments et se convertira finalement au catholicisme en avril 1645.

joye que j'ay d'avoir appris l'eslection que Sa Majesté a faict de vous, Monsieur, pour vous mettre dans ses conseils plus particuliers. Elle est si bonne que chacun s'en doibt resjouyr, mais principallement ceux qui vous honorent comme moy, qui suis autant par obligation que par inclination,

Monsieur,

Vostre très humble et très affectionné serviteur,

Soubize.

De Castres, ce 28e de may 1624.

Pièce 23. — *Benjamin de Rohan, sieur de Soubise, était né à La Rochelle en* 1583. *Fils cadet de René II, vicomte de Rohan, et de Catherine de Parthenay-Lusignan, dame de Soubise, il s'était distingué, au cours de l'insurrection de* 1621, *comme l'un des chefs les plus actifs du parti protestant avec son frère Henri de Rohan. Le* 23 *juin* 1621, *il avait été contraint de rendre la ville de Saint-Jean-d'Angély après s'être engagé avec la garnison à ne jamais porter les armes contre le roi, engagement qu'il n'avait pas cru devoir tenir, puisque, peu après, il s'emparait de Royan, d'Oléron, des Sables-d'Olonne et de Ré d'où il fut chassé par les trouples royales au mois d'avril* 1622. *Il avait depuis rejoint son frère aîné à Castres, qui était devenu le principal centre de l'agitation protestante dans le Midi.*

24. — Henriette de Rohan au cardinal de Richelieu. Paris, 29 mai 1624.

Univ. de Paris, Bibl. Victor-Cousin, Fonds Richelieu, Vol. 14, f° 82. — Original.

Monsieur,

La faveur qu'il vous a plus me fère de m'asseurer que la l[ett]re dont vous m'avés honorée, que vous n'oriés point désagréable que je m'adressasse à vous pour nos affères, me fet despecher ce gentilhomme à la court vers vous pour une qui me touche plus que sy c'étoit pour moy. Comme il vous fera entendre, dans peu de temps, Monsieur, je vous importuneray pour moy mesme. En attendant, je vous suplie très humblement de m'onorer de vos bonnes graces et de me croire tousjours,

Monsieur,

Vre très humble et très aff[ection]née servante,

Henriette de Rohan.

Ce 29 de may 1624, à Paris.

Pièce 24. — *L'auteur de cette lettre est Henriette de Rohan, fille aînée des six enfants nés du mariage de René II, vicomte de Rohan, et de Catherine de Parthenay. Elle était née en* 1577. *C'est elle que Tallemant des Reaux appelle « Mlle de Rohan la bossue ». Elle avait de l'esprit, des lettres, et, comme sa sœur Anne, faisait parfois des vers. Elle mourut sans alliance en juillet* 1629.

25. — M. des Yveteaux au cardinal de Richelieu. [Mai 1624.]

B.N., Fonds franç., Vol. 23.200, f° 358-359. — Copie.

Monseigneur,

C'est aux affaires de France que j'entends faire le compliment plustost qu'a vostre seigneurie illustrissime, car encor que j'en ignorasse la composition et la santé, qui ne pouvoit estre mauvaise soubz un si grand prince, [elle] leur a pourtant donné beaucoup meilleur visage, et aussi me semble bien plus authorizé la gloire de son service de les mettre accouvert soubz la splendeur de vostre dignité, qui cependant est la chose que j'aime et que j'admire le moins en v^re^ personne ; car si le mérite confessé a desjà sa récompense, et qu'aux monarchies ce soit l'occasion qui donne les honneurs et la vertu qui les face mériter, il y a longtemps qu'en toutes sortes ils sont attachez à vostre personne comme ils sont exemplaires à vostre maison ; mais, entre les hommes excellans, les uns ont tousjours estimé les richesses et les délices de vostre esprit, départy en des cognoissances si profondes et des lumières si vive, les autres ont révéré la pieuse magnanimité de vostre courage, la vertueuse magnificence de vos mœurs et la généreuse délicatesse de vos désirs et de vos pensées, qui sont autant de feux du ciel et comme des formes angéliques abstraites de toutes choses basses et matérielles.

Je parle de vous comme cela dans mon jardin (1) avec les hon-

Pièce 25. — *En dépit de son absence d'intérêt politique il n'a pas paru inutile de reproduire ici cette lettre, à laquelle d'ailleurs Richelieu a fait l'honneur d'une réponse. — V. pièce suivante — parce qu'elle est caractéristique des façons d'écrire et de s'exprimer d'une certaine société. Nicolas Vauquelin des Yveteaux était né probablement en* 1567 *à la Fresnaye-au-Sauvage près Falaise. Il était le fils d'un poète érudit, qui connut une certaine célébrité à la fin du siècle précédent, Jean Vauquelin de la Fresnaye et de Sacy, président au siège présidial de Caen, et de Barbe de Boislichausse, dame de Latrurie-Durand* (*). *Après avoir exercé la charge de lieutenant-général du bailliage de Caen, de* 1595 *à* 1601, *il avait été choisi, grâce à la faveur de Gabrielle d'Estrées, comme précepteur de César de Vendôme puis du dauphin, le futur Louis XIII, de* 1609 *à juillet* 1611, *date à laquelle le parti dévot obtint sa destitution « sur la réputation qu'il avoit d'estre libre en ses mœurs et indifférent en sa croyance »* (Mémoires de Richelieu). *Il avait alors vécu à l'écart de la cour, mais tout en conservant de nombreux amis dans le monde des lettres et dans celui de la noblesse. Il devait mourir le* 9 *mars* 1649. *Les dernières années de sa vie furent traversées de procès et de scandales fâcheux, mais à l'époque où cette lettre fut écrite Vauquelin des Yveteaux menait une existence paisible dans sa maison de la rue des Marais, qu'il avait agrémentée d'un aimable jardin.*

(1) Le jardin de la maison de Vauquelin des Yveteaux était justement célèbre. La maison était située rue des Marais, mais, en arrière, le jardin s'étendait de l'autre côté de la rue des Petits-Augustins, jusqu'à la rue du Colombier et la rue des Saint-Pères. Le terrain avait été acquis en 1610, et Vauquelin avait relié la maison et le jardin par un passage souterrain qui passait sous la rue des Petits-Augustins.

(*) Georges Mogrédien, *Etude sur la vie et l'œuvre de Nicolas Vauquelin, seigneur des Yveteaux,* Paris, 1921.

nestes gens, de sorte que si cet entretien a de la complaisance courtisane, elle n'est que pour la satisfaction de moy-mesme, qui n'ay plus d'autre prétention que de me contenter aux choses que j'honore et que je tiens dignes de louange, ayant mesme souvant fuy l'honneur de vostre présence et craint les charmes de vostre conversation, pour ce que j'ay creu qu'il n'y avoit presque plus de lieu où je deusse courre fortune de désamparer et de perdre ma liberté que chez vous. Pour cette-heure, il me suffira de vous offrir mon affection en particulier sous une très humble, très obéissante et très fidelle servitude, et de me promettre en général toutes sortes de succès fructueux et d'effets glorieux de vostre assomption, en quelques termes qu'elle soit, que véritablement chacun doit croire impossible selon les degrez de v[re] suffisance, mais qui incertaine selon les règles de la cour — qui ressemble, à ce qu'on dit, en beaucoup de choses à la navigation, mais bien souvent est dissemblable en ce que quelquefois les plus mauvais pilottes font leurs voiages plus prospères et arrivent plus heureusement ; car tout le monde peut respondre de sa conduite et du régime de sa vie, mais les mieux composez ne sçauroient s'affranchir des impressions d'un air inconstant et corompu comme a tousjours esté celuy de la cour des plus grands princes. Vous avez pourtant, ce me semble, de bonne heure pourveu à cela aussy seurement et aussy glorieusement que nul autre de l'Europe plus par vostre vertu que par votre fortune, dont je prie Dieu,

Monseigneur,

qu'il vous conserve la jouissance en une santé convenable à la force de vos actions et à la gloire de cet Estat,

Vostre très humble et très obéissant serviteur,

Des Yveteaux.

26. — A. M. des Yveteaux. [Mai 1624.]

B.N. Fonds franç., Vol. 23.200 v°. — Copie.

B.N., Nouv. acqu. fr., Vol. 5131, f° 54. — Copie.

Impr. : Antoine Aubéry, *Mémoires pour l'histoire du cardinal duc.* Avenel, II, pp. 12-14.

Monsieur,

Vostre mérite particulier est tel que je ne puis que je ne face un estat très particulier de vostre affection en mon endroit et de l'estime que vous me tesmoignez faire de ma personne. Si Dieu m'avoit donné les qualitez que vous pensez qui soient en moy, je me réjouirois aultant de l'honneur qu'il a pleu au Roy me faire,

Pièce 26. — *Comme la lettre précédente, à laquelle celle-ci répond, cette pièce est sans date. L'une et l'autre ne pouvant être postérieures de beaucoup à l'entrée de Richelieu au conseil, il semble légitime de les dater du mois de mai* 1624.

comme je ne le reçois avec humilité et meffiance de moy mesmes. Ce n'est pas que je ne recognoisse avoir quelque force d'esprit et de courage propre pour servir Sa Majesté ès occasions qui se présentent et se peuvent rencontrer ; mais le concours de tant de circonstances est sy nécessaire que je ne puis que je n'appréhende qu'il ne m'en manque quelqu'une dont le deffault rende mes services beaucoup moindres que mes désirs. Vous estes sy expérimenté aux navigations de ce monde (1) que j'ay receu ce que vous me mandez comme d'une personne qui peut certainement juger de l'avenir par le passé. Quoy qui arrive, je feray mon debvoir en servant, comme je l'ay fait en obéissant, et j'espère que Dieu bénira le zelle avec lequel je rechercheray les occasions de rendre au Roy, à l'advantage de son Estat, ce qu'il peut attendre d'un vray subject, et à l'augmentation de la gloire de sa personne, ce que luy doibt une créature très obligée. Sy en ce dessein j'ay lieu de vous servir, comme je le désire, je penseray beaucoup gagner en faisant veoir par ce moyen que parmy plusieurs qualités médiocres qui sont en moy, au moins ay-je en éminance celle d'estimer les personnes de vostre mérite, ce que vous cognoistrez par mes actions, qui vous tesmoigneront plus que mes parolles que je suis, Monsieur, etc.

27. — Pour la préséance des cardinaux sur les connestable et chancelier. Mai 1624.

B.N., Fonds Dupuy, Vol. 478, f° 29. — Copie.

Cinq-Cents Colbert. Vol. 172, f° 160-163. — Copie.

Bibl. de l'Arsenal, Vol. 2027, f° 30. — Copie.

Impr. : Antoine Aubéry, *Mémoires pour l'histoire du cardinal duc de Richelieu*, éd. de 1647, I, p. 565-569. Avenel, II, pp. 6-12.

On ne met point en avant la façon avec laquelle les cardinaux sont traictez en tous autres Estats, où les roys les font précéder toutes sortes de personnes ; mais la France ayant des lois particulières auxquelles il est raisonnable de s'arrester, ils ne prétendent aucune chose qu'ils n'ayent eu par le passé ; et on louera, je m'asseure, leur modestie, si l'on considère qu'ils supportent volontiers quelque diminution au premier rang qu'ils ont eu, pour le respect qu'ils portent au sang de leur majesté.

L'an 1467, aux Estats de Tours, le cardinal Ballue fut assis au costé droit du roy, et le roy René de Sicile, prince du sang, à la gauche.

(1) Allusion évidente à la phrase de la lettre de Vauquelin : « ... la cour, qui ressemble, à ce qu'on dit, en beaucoup de chosses à la navigation, mais qui, bien souvent, est dissemblable en ce que quelquefois les plus mauvais pilotes font leurs voiages plus prospères et arrivent plus heureusement ».

En 1493, Du Tillet (1) rapporte que, le roy séant en son parlement, le cardinal de Lyon estoit assis immédiatement après messieurs les ducs d'Orléans et de Bourbon, frères du roy, et après luy, les comtes d'Angoulesme et de Montpensier, princes du sang.

La possession de ce rang a été si claire que Du Tillet dit, en termes exprès, que la qualité de cardinal est telle qu'il précède tous les princes du sang, après la seconde personne.

La première contestation arrivée entre les princes du sang et cardinaux fut sous Charles neufvième, non entre un prince du sang lay mais entre le cardinal de Bourbon et le cardinal de Lorraine (2). Le cardinal de Lorraine estoit plus ancien et avoit sa séance au conseil au dessus de l'autre, sans contestation ; ils devinrent ennemis, et l'on appréhenda que le pouvoir de la maison de Lorraine fust trop grand dans l'Estat. Ce qui fist que, pour le tempérer, et humilier cette maison, le cardinal de Bourbon précéda, après qu'il eut déclaré ne prétendre le rang que dans le conseil, à cause de l'intérest que ceux du sang ont à l'Estat par dessus tous autres.

Depuis, il y a eu quelquefois des disputes entre les princes du sang et les cardinaux dans le conseil ; mais, sans contredit, les cardinaux ont tousjours précédé toutes autres sortes de personnes.

Et c'est sans aucune apparence de fondement qu'un connestable ou chancelier prétendroit d'entrer en dispute de rang avec un car-

Pièce 27. — *La date de ce mémoire appelle certaines réserves. C'est celle qui a été adoptée par Avenel et à laquelle s'est rallié Robert Lavollée dans son édition du tome IV des* Mémoires de Richelieu. *Cependant, il convient d'observer qu'Antoine Aubéry, dans son recueil, lui attribue la date de* 1622. *C'est également cette date qu'indique approximativement la copie de la collection Colbert* (« *Cet escript a esté faict environ l'an* 1622 »). *L'exemplaire de la Bibliothèque de l'Arsenal porte la date de* 1623. *Ce qui est, d'autre part, établi, c'est que la question de la préséance des cardinaux siégeant au Conseil du roi fut soulevée à l'occasion de l'entrée au Conseil du cardinal de La Rochefoucauld, dans les derniers mois de* 1622. *Elle fut tranchée au profit de ce prélat, à qui la première place fut attribué, après le prince de Condé. Le mémoire a pu être rédigé par Richelieu dans cette circonstance, et l'hypothèse est d'autant moins à écarter quand on sait qu'il venait lui-même d'obtenir le chapeau et que la reine mère, qui songeait à le faire entrer au Conseil, soutint vivement les prétentions du cardinal de La Rochefoucauld* (*). *Quoi qu'il en soit, la question de la préséance fut à nouveau soulevée au début de mai* 1624 *par le connétable de Lesdiguières, auquel le roi commanda de céder la place à laquelle il prétendait,* « *à condition, dit le procès-verbal, que cela ne seroit point tiré à conséquence à l'encontre de luy ny de ses successeurs connestables* » (**).

(1) Jean du Tillet, évêque de Meaux, auteur d'un *Recueil des rois de France,* dont la première édition est de 1580. Cet ouvrage eut deux autres éditions, en 1602 et 1607.

(2) Charles, cardinal de Bourbon (1523-1590), archevêque de Rouen ; c'est le « roi » de la Ligue. — Louis II de Guise, cardinal de Lorraine (1555-1588). — Sur l'un et l'autre : Lucien Romier, *Le royaume de Catherine de Médicis,* 1922.

(*) Voir : Pierre Rouvier, *De vita et rebus gestis Francisci de La Rochefoucauld libri tres,* Paris, 1645, in-8°, p. 140-141.

(**) A. Aubéry, *Mémoires...,* éd. de 1660, t. I, p. 569. Le procès-verbal signé : de Loménie et Potier, est du 9 mai 1624.

dinal, puisqu'ilz ont tousjours esté précédé par personnes qui ne contestent avec les cardinaux.

Du Tillet rapporte, en la page 439, en une séance du parlement, le connestable assis après les ducs de Guise, d'Aumalle et de Vaudémont ;

En une autre séance, sous Henry II, après le duc de Guise ;

En une autre séance, sous le mesme Henry, après les ducs de Guise et d'Aumalle ;

Et en une autre encore, après les ducs de Guise et du Nivernois.

Aussy dit-il ailleurs, en termes exprès, que les prélats sont après les connestables ou chanceliers, s'ils ne sont princes ou cardinaux.

Sous Henry II, le connestable Anne de Montmorency estoit favory, il n'aimoit pas le cardinal de Lorraine, et néanmoins il ne pensa jamais à luy disputer son rang.

Depuis, le cardinal de Lenoncourt (3) a tousjours eu sa séance dans le conseil du Roy au dessus du garde des sceaux, tenant la place du chancelier.

A la déclaration de la régence de la Reyne au parlement tenu dans les Augustins, le connestable de Montmorency s'assit après messieurs les cardinaux de Joyeuse (4), de Sourdis (5) et du Perron (6), et jamais connestable ny chancelier n'ont eu ceste pensée, fors M. de Sillery, qui, faisant part de son ambition à monsieur le connestable, le suscita à la prétendre.

Et n'y a personne des anciens du conseil qui ne die avoir veu monsieur de Guise assis au dessus de monsieur le chancelier de Sillery et de son mesme costé.

La Reyne a mémoire d'y avoir veu M. le cardinal de Joyeuse, et autrefois M. le cardinal de Sourdis.

Elle se souvient aussy de la plainte qu'il luy fist de ce qu'une fois M. le chancelier voulut faire lever le conseil pour empiéter ceste place.

L'expédient que proposoit le dit sieur chancelier estoit qu'il y eust un costé des dignitez, duquel seroient messieurs les enfants de France, princes du sang et autres princes et ducs et pairs consécutivement ; et un autre costé des officiers, duquel seroient les connestable, chancelier, mareschaux de France, et autres officiers.

Et prévoyant que l'on trouveroit absurde que par ce moyen il seroit quelquefois au dessus des enfants de France, princes du sang ou cardinaux, il proposoit de faire une déclaration, laquelle, establissant les deux costez de dignitez et d'offices, porteroit que la dernière place du costé des dignitez seroit plus noble que la première du costé des offices.

---

(3) Robert, cardinal de Lenoncourt, d'abord évêque de Metz, puis archevêque d'Embrun, enfin archevêque d'Arles, cardinal en 1538 ; mort en 1561.

(4) François, cardinal de Joyeuse (1562-1615), successivement archevêque de Narbonne (1582), de Toulouse (1583) et de Rouen (1603) ; cardinal en 1583. C'est lui qui négocia la réconciliation d'Henri IV avec le Saint-Siège, couronna Marie de Médicis, sacra Louis XIII et présida aux Etats généraux de 1614.

(5) François d'Escoubleau, cardinal de Sourdis (1553-1628), archevêque de Bordeaux (1599), cardinal en 1598.

(6) Jacques Davy, cardinal du Perron (1556-1618), évêque d'Evreux (1591) puis archevêque de Sens (1506), cardinal en 1604, membre du conseil de régence. V. P. Féret, *Le Cardinal Duperron*, 1877.

Cette proposition se destruit clairement d'elle-mesme, d'autant que non seulement les roys, mais Dieu mesme ne peut faire que la vallée d'une montagne en soit le sommet, ny que les pieds de l'homme soyent plus hauts que la teste. De sorte que, en effect, quelque subtiilité que l'on mist en avant, monsieur le chancelier vouloit précéder ceux qui, avec raison, l'ont tousjours précédé ; d'autant que le second du costé droict seroit sans doute en lieu moins noble que le premier de gauche.

Ce dessein alloit ouvertement à establir pour le chancelier une présidence perpétuelle au conseil du roy, comme celle du premier président du parlement, qui, estant en tiltre d'office (a), à sa séance certaine et asseurée, qu'il ne quitte pas mesme aux princes du sang ; ce qui, au conseil, seroit de mauvaise conséquence, pour plusieurs raisons aisées à penser. Personne ne pourra doubter de la fin de ceste prétention, si l'on considère que la jalousie de garder ceste place réglée a faict que, aux conseils où Sa Majesté n'assiste pas, le chancelier a souvent mieux aymé donner aux personnes qualifiées la propre place du roy, ce qui ne fut jamais faict auparavant, que de leur quitter la sienne.

Aussy le roy, avec grande cognoissance, a condamné ceste prétention, comme très préjudiciable, et donné la première place de son conseil, où monsieur le prince se met quand il y est, à monsieur le cardinal de La Rochefoucauld ; et fut dit que Monsieur le Prince venant, monsieur le cardinal de la Rochefoucauld passeroit de l'autre costé, comme estant la seconde place : ainsi monsieur le chancelier fut absolument débouté de l'ouverture qu'il faisoit, qui est la mesme que l'on continue maintenant, contre le jugement qu'il pleust au roy de donner alors.

Si maintenant on change quelque chose à ceste prétention, elle se trouvera aussy injuste, quelque retranchement que l'on y fasse, comme elle estoit en son entier ; puisque c'est chose claire par les exemples passez que messieurs les cardinaux n'ont jamais cédé qu'aux princes du sang, pour les raisons susdites, qui ne peuvent avoir lieu qu'en eux seulement, et, par conséquent, qu'après eux ils doivent posséder les premières places, et partant, en leur absence, celles où ils seroient s'ils estoient présens.

Que les plus nobles places ayent toujours esté estimées celles qui sont les premières de deux costez, à l'opposite l'une de l'autre, et ainsy successivement, du Tillet le faict cognoistre parlant en ces mots : « La difficulté est quand les prélats sont meslés et ne sont à part, sçavoir est, ou à la droicte, ou à la gauche, le premier rang à eux deu doibt estre entendu après la reyne, messieurs les enfants et mesdames de France ».

C'est chose constante que tous ceux qui sont du conseil du roy y gardent leur rang selon la dignité en laquelle ils possèdent ceste employ. Puis donc que les cardinaux précèdent en tous lieux ceux qui leur contestent maintenant la préséance au conseil, c'est sans difficulté que la pensée en est injuste.

Messieurs les cardinaux ont de tout temps eu entrée au conseil du roy avec le rang deu à leur dignité ; et ceux qui sçavent l'histoire

(a) Les mots « qui, estant en tiltre d'office » ne figurent pas dans le texte des pièces imprimées.

ne peuvent ignorer qu'il n'est pas de mesme des chanceliers, qui ne l'y ont eu que depuis un certain temps.

Tous les chanceliers jusques à monsieur de Sillery n'ont jamais esté du conseil des affaires secrètes, ny de la direction des finances et les anciens du conseil sçavent et peuvent tesmoigner que messieurs de Chiverny et de Bellièvre (8) n'estoyent point dudit conseil des affaires ny des finances ; si non que quand, pour quelques occasions extraordinaires, le feu roy les y faisoit appeler.

A quel propos faire une innovation en un royaume très chrestien, sous un roy très juste et très pieux, contre ce qu'il a desjà jugé ? Innovation au préjudice de l'Eglise, dont il est filz aisné, et ce pour satisfaire à la passion de quelque particulier.

S'il estoit question de disputer d'une chose où les deux parties qui se trouvent en cause n'eussent point de droict, les cardinaux seroient préférables ; comment donc leur peut-on disputer ce dont ils sont en possession, et leur oster ce qui leur appartient, pour le donner à ceux qui n'y ont tiltre que leur prétention ?

Si ceste ouverture est receue, on pourroit doresnavant prétendre tout pour en obtenir une partie, et ce seroit chose de périlleuse conséquence, qu'on ne pust désormais se tenir asseuré de ce qui seroit légitimement à soy.

28. — M. d'Effiat au cardinal de Richelieu. [Mai 1624.]

A.E., Mém. & Doc., France, Vol. 778, f° 231-232. — Copie.

Monseigneur,

Je croys qu'une des raisons qui vous a aultant empesché d'entrer aux affaires, estoit le peu d'apparence de rencontrer de l'honneur, n'y ayant personne qui ne veit la France en plus misérable estat qu'il se puisse estre. La malice du temps avoit fait perdre l'opinion vénérable qu'on doibt avoir du souverain, qui n'est plus en l'estime qu'elle doibt estre, comme les continuelles révoltes qui ont esté

Pièce 28. — *Au dos de cette pièce, qui n'est ni signée ni datée, on lit : « Lettre de M. Deffiat à Monseigneur touchant les affaires ». Il semble que cette lettre ait été écrite peu de temps après l'entrée de Richelieu au conseil, vraisemblablement dans le courant de mai* 1624.

Antoine Coeffier (ou Coiffier) dit Ruzé — car il avait pris le nom et les armes de son grand oncle maternel — marquis d'Effiat et de Chilly, avait été envoyé au début de cette année en ambassade extraordinaire en Angleterre. Né en 1581, *Premier Ecuyer de la Grande Ecurie en* 1616, *il avait conduit une mission en Flandre en octobre* 1619. *Richelieu, qui appréciait ses qualités d'administrateur, devait lui faire confier la surintendance des finances deux ans plus tard, en juin* 1626 ; *il sera maréchal de France en janvier* 1631. *Il est, comme on le sait, le père du marquis de Cinq-Mars, mais ne connut ni la rapide élévation ni la terrible disgrâce de ce malheureux fils, car il devait mourir le 27 juillet* 1632.

(8) Ph. Hurault de Cheverny et Pomponne de Bellièvre furent respectivement chancelliers de 1583 à 1599 et de 1599 à 1607. Nicolas Brûlart de Sillery succéda au second en 1607.

jusques à aujourd'huy le monstre [nt], qui n'ont peu estre appaisées à tant de reprises qu'à force d'argent, ce qui a mis prix aux mauvaises actions, n'y ayant personne dans l'Estat qui peust donner aux armes du Roy le mouvement qu'elles doivent avoir, estouffant le feu des mauvaises ambitions qui les ont eslevées toutes les principales places de la magistrature se trouvant remplyes de personnes qui s'estoient poussées d'eulx-mesmes d'une manière qui faisoit qu'ilz ne trouvoient leurs sauvetez que dedans les confuzions qui les avoient introduittes. Ce qui a rendu les personnes pures et solides si suspectes, qu'il ne se trouvoit lieu ny jour de remettre les choses au point désirable, les bonnes intentions n'ayant nul moyen d'agir, les finances estant tellement épuisées que le revenu ordinaire estoit consommé prest de deux années devant que d'estre escheu, et les moyens nouveaulx si espluchez qu'il n'y a lieu d'en espérer secours, le peuple estant sy mangé que l'on ne sçauroit dire si l'on doibt plus tost courre à ce qui apporte de l'argent qu'à soullager les pauvres accrasez soubz le faiz des gens de guerre et impositions extraordinaires, ayant à respondre à toutes les sortes de personnes qui ont achepté les droictz que le Roy lève sur eulx, ce qui fait escoutter ceulx qui ont parlé de changement, et recueillant l'ambition des factions et liaisons secrettes, dont les grands et les petitz font mesme profession. Le grand mouvement des compagnies souveraines n'en estant pas exempt de mal, ne se contentent de faire l'office de tribuns, faisant passer par leur estamine les loix, car ilz les arrestent s'imaginant qu'ils ont l'usage de la souveraineté, et en veulent faire toutes les fonctions en ceste saison qu'ilz croyent que le Roy et l'Estat ont besoin de tuteurs. Et s'eslevant ainsy au-dessus de ce qu'ils doibvent, ilz abaissent beaucoup la dignité royalle, chacun se meslant lors de vouloir juger à sa mode, sensure les choses publiques au lieu de les respecter comme il est deub.

Et tous ces maux internes nous on faict tomber en un extraordinaire mespris parmi les estrangers, des affaires desquels nous n'avons nulle cognoissance. Aussy ne pouvons-[nous] prendre aulcun party avec eulx ny adavantage dans les conjonctions présentes, faulte d'estre parfaictement instruictz des choses qui leur sont prétieuses, par la cognoissance desquelles nous aurions les moyens de leurs divisions, dont ilz sont aussy capables que nous, estant hommes aultant attachez à leurs intérestz que nulz autres.

Qui pourra espérer et trouver remeddes à tant de maulx, s'asseurant de conduire le navire à bon port au milieu de tant de tempestes ? Où est le médecin politique qui respondra de restablir la santé, quand la maladye a surmonté les puissances naturelles ?

Un vieil Estat, qui a souffert tous les excès d'un jeune reigne, et qui se trouve remply de tant de familles eslevées, qui ont des establissementz si puissantz, qui tiennent plus de la liberté qu'elles n'ont de marque de vasselage, ne considérant la royaulté que pour en empiéter le pouvoir, estant ennemis des réglemantz, ne voulant nulle barrière à leur chemin. Et si l'humeur licentieuse, qui est à tous naturelles, les porte à la désobéissance, qui les pourra faire obéir ? Seront-ce ceulx qui demeureront en leur devoir, puisqu'ils tendent tout à mesme but et que la cause leur est commune ? Leur mettra-t-on les armes entre les mains ? Et si l'on en donne le commandement à ceulx qui sont ung degré au-dessoubz, n'est-ce pas offencer tous les grands et les lier à quelque chose de mauvais ?

Qui considérera tout cela ne verra que des précipices, trouvant l'auctorité du Roy sans estime, le Clergé sans reigle, mal concentré avec Rome, prétendans des privillèges dont le tiltre est l'usage, qui rand les questions d'une nature qui ne souffre nul accommodement, puisque ceulx qui ceddent une fois signent leur condamnation pour tousjours.

Et l'Estat bigarré de relligion, et la Noblesse n'ayant plus la fidellité en object, s'estant jettée dans les factions, les grandz l'ayant toute partializée, et la Justice toute vénalle, ceux qui l'exercent n'y estans entrez que par argent, et les marchandz y ont mis tout le leur, ont quitté tout le commerce et laissé périr toutes les correspondances estrangères, nous mettant à ce point qu'il nous fault achetter un escu ce qui ne vault que dix solz, et leur donner ce qu'ils tirent de nous pour dix solz ce qui vault un escu, et mettre par ce moyen le labeur des pauvres genz à tel prix qu'il n'en a plus. Et si fault qu'il[s] paye[nt] plus que de coustume, encores qu'il[s] vendent moings, ce qui ne pouvant estre est cause que les finances du Roy sont toutes épuisées, cette source estant entièrement tarye, et la despense passant du double les bornes de la recepte. Et si on la veult retrancher, on offensera tous les grands, qui se sont proposez que leurs excessives pensions estoient un revenu ordinaire. Et si on continue la despence, ce sera mettre le peuple au désespoir.

Qui verra donc le misérable estat où nous sommes cognoistra quelle longueur de chemin il y a à faire pour parvenir au point qui restablira l'auctorité du Roy en honneur, les magistratures en estime, le Clergé en seureté de faire ses exercices pieux, et que la Noblesse s'employe aux choses glorieuses, et les Justiciers interprètent innocemment les loix, et les bourgeois et marchandz usent d'une fidelle société tant parmy eulx qu'avecques les estrangers, et générallement tous les peuples jouissent de leurs mesnages paisiblement, bénissant le Roy, luy payant avec amour ses tributz dont les despenses utiles iront au thrésor publicq. Ainsy nous serons restably parmy les estrangers et voysins en la bonne oppinion et craincte de nos ennemis. Et pour parvenir à cest effect, il fault que les choses commancées ayent leur cours, et que Dieu, qui vous a si amplement distribué sa lumière, faisant cognoistre à vous seul le sentier qu'il fault suivre vous donne la force et la santé, et d'en supporter le labeur, faisant réussir vos bonnes et sainctes intentions, estant par là que nostre guérison totalle doibt arriver, ou nostre mort est asseurée sans remedde.

29. — M. de Pompadour au cardinal de Richelieu. [Mai] 1624.

Bibl. de l'Institut, Col. Godefroy, Vol. 269, fº 225. — Original.

Analyse :

Il présente au cardinal ses compliments pour le choix que le roi a fait de lui comme ministre.

Pièce 29. — *Léonard-Philibert, vicomte de Pompadour, l'auteur de cette lettre, était chevalier des ordres du roi, capitaine de cent hommes d'armes, conseiller du roi en ses conseils d'Etat et privé et lieutenant général en Limousin. Il avait épousé Marie Fabri, qui était la belle-sœur de Pierre Séguier, le futur chancelier.*

30. — M. de Saint-Chamond au cardinal de Richelieu. [Mai] 1624.

Bibl. de l'Institut, Col. Godefroy, Vol. 269, f° 225. — Original.

Analyse :

A l'occasion de l'entrée au conseil du cardinal, il lui présente ses compliments et lui rappelle l'affaire, dont M. Le Bouthillier s'était chargé de l'entretenir de sa part.

Pièce 30. — *Il sera assez souvent question plus tard de l'auteur de cette lettre, qui mérita la confiance de Richelieu : Melchior Mitte de Miolans, marquis de Saint-Chamond (écrit parfois Saint-Chaumont). Né en 1586, il était maréchal de camp depuis 1621, et sera chargé de plusieurs missions diplomatiques en différents pays. Il avait épousé Isabeau de Tournon. Il devait mourir en 1649.*

31. — M.M. les Echevins de la Ville d'Angers au cardinal de Richelieu. Anvers, 1er juin 1624.

A.E., Mém. & Doc., France, Vol. 246, Inv. de la correspondance, 1624, f° 28.

Analyse :

« MM. de la Ville d'Angers, p[r] la réfection des ponts de Sée : le nommé Bourricault avoit obtenu un arrest des Trésoriers de France pour lever pendant quelques années un droit sur tout ce qui passeroit sur ce pont. Ils en demandent la cassation, et représentent que ce seroit la ruine de l'Anjou et de toute la province. »

32. — A M. de Nicolaï. S. l., 8 juin 1624.

B.N., Fichier Charavay.

Analyse :

Lettre de condoléances à l'occasion de la mort de son frère.

Pièce 32. — *Le destinataire de cette lettre est probablement Antoine de Nicolaï (ou Nicolay), dont la famille avait donné, depuis le début du* XVIe *siècle, plusieurs premiers présidents à la Cour des Comptes. D'abord conseiller au parlement de Bretagne, puis à celui de Paris, il avait obtenu, en 1623, la survivance de la charge de son frère, Jean II de Nicolaï. Celui-ci mourut le 31 mai 1624. Antoine de Nicolaï, entré en fonctions dès le 5 juin suivant, devait demeurer premier président de la Chambre des Comptes jusqu'à sa mort, le 1*[er] *mars 1656. Devenu marquis de Goussainville en 1645, il était le beau-frère de Mathieu Molé, procureur général au parlement de Paris et plus tard, garde des sceaux.*

33. — Le maire, les pairs, échevins et bourgeois de la ville de Poitiers au cardinal de Richelieu. Poitiers, 8 juin 1624.

A.E., Mém. & Doc., France. Vol. 1696 (Poitou), f° 41. — Original.

Monseigneur,

Nos deputez nous ayant raporté que la volonté du Roy n'estoit pas qu'il fust permis au sieur du Temple, l'un de nous, de demander, ceste année, d'estre pourveu en la charge de maire de ceste ville, nous avons tous estimé que cest exclusion estoit l'entier anéantissement de nos privilèges, oultre que ledit sieur du Temple est très homme de bien et serviteur très fidelle de Sa Majesté, de la fidélité duquel nous respondrons au péril de noz vies, ce qui nous a occasionné de députer de rechef envers Sa Majesté pour la supplier très humblement de vouloir conserver nos privilèges sans aulcune altération, ce que nous espérons d'obtenir par l'interposition de V^re^ juste faveur, laquelle nous implorons en un rencontre duquel nous estimons dépendre nostre bien et repos, et vous supplions très humblement, Monseigneur, nous la vouloir départir comme à ceux qui ne cesseront jamais prier Dieu p^r^ v^re^ prospérité et grandeur, et d'estre,

Monseigneur,

Vos très humbles et très obéissants serviteurs, les maire, pairs, eschevins et bourgeois de la ville de Poictiers,

Tussineault, mayre de Poictiers.

De Poictiers, ce VIIIe juing 1624.

Par ordonnance du corps de ville,

Chomas, secrétaire.

34. — La duchesse de Bouillon au cardinal de Richelieu. S. l., 10 juin 1624.

Bibl. de l'Institut, Col. Godefroy, Vol. 269, f° 208. — Original.

Analyse :

Elle félicite le cardinal de son entrée au Conseil et le remercie des bontés qu'il a eues pour son fils, qui s'efforcera de toujours mériter ses bonnes grâces.

Pièce 34. — *Elisabeth de Nassau, fille de Guillaume de Nassau, prince d'Orange, et de Charlotte de Bourbon-Montpensier, était veuve d'Henri de la Tour, premier duc de Bouillon, mort en* 1623. *Elle était la mère de Frédéric-Maurice de la Tour, second duc de Bouillon, et d'Henri de la Tour, vicomte de Turenne et futur maréchal de France. Elle devait mourir en* 1642.

35. — Les habitants catholiques de Luçon au cardinal de Richelieu. Luçon, 12 juin 1624.

A.E., Mém. & Doc., France, Vol. 1696 (Poitou), f° 43. — Original.

Monseigneur,

Depuis l'an mil six cens vingt et deux que par vostre commandement les officiers de ce lieu firent deffences aux religionnaires d'y restablir leur presche, l'allégresse de tous vos bons serviteurs, les habitans catholiques, avoit esté très grande tant à cause du bien qu'il leur estoit présent que soubz l'espérance que vous leur aviez donnée, et laquelle ils ont tousjours eüe que cet exercice ne se restabliroit jamais icy. C'est ceste espérance, Monseigneur, qui nous faict si librement recourir à vous à présent que ces religionnaires s'efforcent de se restablir et que, pour cet effect, s'estans pourveus au Conseil du Roy, ilz ont par surprinse obtenu un renvoy de la cause en la Chambre de l'Edict, en laquelle en suite de ce ilz nous ont faict apeller. C'est pourquoy nous supplions très humblement Vostre Grandeur, qui s'est tousjours rendue recommendable par sa singulière piété et affection paternelle envers ses subjectz, de prendre la protection d'une cause si juste et si saincte. Et nous, de nostre part, adjoustans l'obligation que nous vous en aurons aux autres qui sont sans nombre, lesquelles vous avez acquises sur nous, nous eslançons nos vœux dedans le ciel pour l'accroissement de vostre santé, qui est très prétieuse à toute la France, et consacrerons nos vies et nos désirs à l'exécution de vos commandemens, comme estans,

Monseigneur,

Vos très humbles, très fidèles et très obéissans serviteurs, les habitans catholiques de Luçon,

De Luçon, ce 12 juin 1624.

B. Citoys, Tonin,
(quatre noms illisibles)
Lavalleau, (un nom illisible)
Imbert, Gusson.

36. — A M. de Bellièvre. Compiègne, 19 juin 1624.

B.N., Fonds franç., Vol. 18.415, f° 461. — Original.

Monsieur,

Deppuis vostre deppart de ce lieu, je n'ay point ouy parler de vostre affaire. La parole du Roy est si inviolable que vous n'avez point lieu de craindre qu'il arrive changement en ce qu'il a pleu à Sa Ma[té] de vous dire. Pour mon particulier, je seray tousjours très aise d'avoir l'occasion de vous tesmoigner que je suis véritablement,

Monsieur,

Vostre très affectionné à vous rendre service,
Le Card. de Richelieu.

De Compiègne, ce 19e juing 1624.

Pièce 36. — *La lettre porte en suscription : « A Monsieur, Monsieur de Bellièvre, con*er *du Roy en son Conseil d'Estat, Président en sa Cour de Parlement, à Paris ». Elle paraît être entièrement de la main de Richelieu. Le destinataire était Nicolas de Bellièvre, seigneur de Grignon. Né le* 21 *août* 1583, *il était le fils de Pomponne de Bellièvre, qui, après avoir été président au parlement de Paris, avait été chancelier de France de* 1599 *à* 1605. *Il avait épousé, en* 1605, *Claude Brûlart, fille de Nicolas Brûlart de Sillery, qui avait succédé à son père dans la charge de chancelier. D'abord conseiller au Parlement de Paris, puis procureur général en* 1612, *il était président à mortier depuis* 1614, *et conseiller d'État. Il devait mourir le* 8 *juillet* 1650.

37. — L'évêque de Carpentras au cardinal de Richelieu. S. l., 24 juin 1624.

B.N., Fonds franç., Vol. 17.362, f° 97. — Original.

Analyse :

Il a appris la décision du roi d'appeler le cardinal à siéger en son conseil privé (*consiglio segreto*) ; il exprime toute la satisfaction que cette nouvelle lui a donnée.

Pièce 37. — *L'évêque de Carpentras était alors Cosme de Bardis, qui était originaire de Florence (la lettre est en italien). Il était évêque depuis* 1616 *et mourra en* 1630.

38. — L'évêque de Sisteron au cardinal de Richelieu, S. l., 10 juillet 1624.

A.E., Mém. & Doc., France, Vol. 1700 (Provence), f° 283-284. — Original.

Analyse :

Il se rappelle au bon souvenir du cardinal, auquel il exprime ses compliments pour une élévation qui n'est due qu'à son seul mérite. Comme il le sait « infatigable en la cause de Dieu », il lui demande de s'intéresser au monastère de Saint-Sauveur de Marseille, dans lequel il a plusieurs parentes, en particulier une nièce. Ce monastère est tombé dans un grand désordre, et il s'est personnellement employé avec l'aide de l'abbesse, à y rétablir la discipline régulière.

Pièce 38. — *L'évêque de Sisteron était alors Toussaint de Glandèves de Cuyes ; évêque depuis* 1606, *il devait mourir le* 17 *janvier* 1648.

39. — A M. le cardinal de La Valette. S. l., 18 juillet 1624.

A.E., Mém. & Doc., France, Vol. 246, Invent. de la cor., 1624, f° 1.

Analyse :

« Il a fait connoistre au Roy l'estime où il est à Rome. Le Roy arme. M. le connestable est avec 14.000 hommes et 2.000 chevaux en Bresse. M. de Guise aura 8.000 hommes en Picardie, sans compter ce qui sera auprès du Roy. M. d'Angoulesme aura une armée au pays messin.

« L'aff^re^ d'Angl^erre^ est en bons termes. On attend le retour de milord Rich (1) dans trois jours. Il luy envoye la lettre sur l'aff^re^ d'Urbino, qui avoit esté oubliée. Il le prie de la donner au Pape. »

Pièce 39. — *Louis de Nogaret, cardinal de La Valette, était le troisième fils du duc d'Epernon. Cadet de la famille, il n'était entré dans les ordres qu'avec répugnance. Né en 1593, il était archevêque de Toulouse depuis 1613 et cardinal depus 1621. Il se trouvait alors à Rome, et les lettres que lui adressait Richelieu à cette époque concernent presque exclusivement la politique extérieure et les affaires ecclésiastiques. Le résumé de celle-ci contient cependant un paragraphe intéressant des dispositions d'ordre intérieur.*

40. — M.M. de la Chambre des Comptes de Montpellier au cardinal de Richelieu. Montpellier, 20 juillet 1624.

A.E., Mém. & Doc., France. Vol. 1627 (Languedoc), f° 201. — Original.

Analyse :

Cette lettre a pour objet d'introduire auprès du cardinal une délégation de la compagnie, composée du premier président de l'avocat général et d'un maître des comptes, qui a été envoyée au roi. Le cardinal est prié de leur « accorder favorable audience et de protéger leurs poursuites », qui tendent à prouver qu'ils ont rendu plusieurs arrêts « avec connoissance de cause ».

(1) Henri Rich, d'abord Lors Kensington, puis comte de Holland, avait été envoyé par le roi d'Angleterre Jacques Ier, dès le printemps précédent, pour hâter l'affaire du mariage du prince de Galles avec Henriette de France, sœur de Louis XIII.

41. — Advis contre M. de La Vieuville. [Juillet ou début d'août] 1624.

A.E., Mém. & Doc., France, Vol. 780, f° 241-242. Copie de la main de Charpentier.

Feydeau (1) ayant descouvert qu'il y avoit trois part[iculi]ers qui vouloient luy enchérir sa ferme des Aydes, il a accordé avec l'un pour s'en départir trente mil livres par chacun an pendant sa ferme ; à l'autre, vingt-cinq ; et pour le troisiesme, qui estoit moins hardy, ledit Feydeau, sous le nom d'un nommé Daubourdin, fait surenchérir à son profit, comme ledit Daubourdin l'a depuis déclaré.

Et néanmoins, comme ledit Feydeau eust esté dépossédé, l'on luy feit accorder, pour le bon service qu'il avoit fait au Roy et pour ses avances que l'on suppose, la somme de 500 m[il] l[ivres].

Il s'est trouvé personnes qui ont offert et qui l'offriront encore, de rendre au proffit du Roy lesdites 500 m[il] l[ivres], et de prendre la ferme dudit Feydeau aux mesmes conditions accordées audit Feydeau sous le nom dudit Daubourdin.

L'on a adjugé la ferme des Traittes d'Anjou, qui est de 230 m[il] l[ivres], à personnes incogneues, mesmes leurs cautions, et l'a-on ostée à d'autres qui estoient fort solvables, et a-on adjugé 14 m.l. à un des alliez sous prétexte de droit d'advis, de faire enchérir ladite ferme ; l'arrest s'en peut trouver. Et sur les plaintes faites par les officiers et receveurs desdites Traittes que l'on ne cognoissoit point lesdits fermiers et qu'ils ne sçauroient à qui s'adresser — dont ils ont demandé acte au Conseil à ce qu'il ne leur fust rien imputté — ledit acte leur a esté délivré ; la preuve s'en fera par le bail à ferme et le bail de caution comme ce sont personnes que l'on cognoist, et ainsy le péril est évident.

Brillays, homme sans famille et recogneu pour insolvable, tient pour 1700 m[il] l[ivres] de fermes, sçavoir du devoir de 9 l[ivres] pour pipe de vin entrant en Picardie, et de 19 l[ivres] pour la sortie. Il n'a fourny caution que de personnes insolvables.

Il a plusieurs fois dit qu'il avoit donné cent mil livres pour avoir lesdites fermes.

Il avoit levé en Picardie 27 l[ivres] 10 s[ols] au lieu de 19 l[ivres]. Après longues poursuites au Conseil des Maréchaux de Picardie, il a esté seulement dit que deffenses luy estoient faites à l'advenir. Et pour la restitution de ce qu'il avoit exigé, cela a esté estouffé.

Pièce 41. — *Le surintendant La Vieuville devait être arrêté le* 13 *août* 1624. *Son arrestation fut précédée d'une campagne de libelles, qui prirent plus particulièrement à partie l'administration financière du surintendant, et où se distingua le polémiste François Fancan, dont la plume était au service de Richelieu. C'est alors que se répandit* la Voix publique au Roy (*Voir Cimber et Danjou,* 39 ; Recueil de Luynes, 1627), *où Gabriel Hanotaux a voulu reconnaître la main du cardinal* (Histoire du Cardinal de Richelieu, *II, p.* 554).

(1) Antoine Faydeau, seigneur de Bois-le-Vicomte, était alors l'un des plus riches financiers. Conseiller d'Etat, il avait été intendant de la maison de la reine mère, de 1617 à 1620 ; en mars 1622, il avait acquis le bail général des gabelles de France ; il sera trésorier de l'Epargne en 1625. Il devait mourir en 1627.

Charlot fut prévenu l'année passée d'avoir fait transporter plus de deux millions d'argent hors le royaume par la Flandre. Ceste accusation, qui estoit très importante à l'Estat et au public, a esté estouffée.

L'on a adjugé 40 m[il] l[ivres] de rabais pour les ports et havres de Bretagne, quoy que ladite ferme ne fust que de 54 m[il] l[ivres]. Et le mesme jour, sur mesmes informations et sur mesmes advis de Trésoriers de France en Bretagne, on a reffusé le fermier des imposts et billots du rabais par luy demandé, dont la ferme montoit [à] 300 m[il] l[ivres]. Cela s'est fait à cause que l'un des fermiers desdits ports et havres estoit agent de celuy qui a l'authorité (a). Et moyennant aussy ce qui a peu estre baillé par main.

Pour faire croire au Roy qu'on luy mesnage force deniers, l'on vend les deniers de la (b) au dernier 7, encore que, par les fermes de la vente, on les prétexte du denier 8, lesquels deniers doivent paser par deux receptes qui abordent le fonds, en sorte qu'il se trouvera que le Roy vend son revenu certain au denier 5 ou 6, qui est la ruine de l'Estat et du pauvre peuple.

42. — Advis contre la V[ieu] v[ille]. [Juillet ou début d'août 1624.]

A.E., Mém. & Doc., France, Vol. 780, f° 243. — De la main de Charpentier.

Pour favoriser Charlot, sous le nom duquel il (1) a fait plusieurs acquisitions de terres et autres domaines, il a receu ledit Charlot à compter comme de clerc à maistre de deux années de la ferme de Brouage (2). Et pour cent mille livres qu'il a mis dans les Menus du Roy, a fait perdre à Sa Ma[té] plus de six cens mil livres nonobstant les offres qui luy avoient esté faites par personnes solvables de prendre la ferme aux mesmes conditions que Charlot la tenoit, et de payer mesme les deux années dont ledit Charlot a compté sans demander ny prendre aucune diminution sous prétexte de guerre ou autrement.

Le profit qu'il en a tiré à servy à payer partie de la terre de St-Martin d'Ablays.

Pièce 42. — *Cette pièce ne semble pas avoir été utilisée par les rédacteurs des* Mémoires de Richelieu. *Le Charlot, dont il est ici question, était, semble-t-il, plutôt un homme d'affaires qu'un financier. On retrouvera son nom ailleurs. Qualifié de « noble homme »* (*Cabinet des titres de la B.N., Pièces originales, n°* 681), *Claude Charlot détenait les charges de conseiller secrétaire et de notaire du roi.*

(a) *En marge :* « procureur sindic des Estats de Bretagne ».
(b) Un mot illisible.

(1) Le surintendant La Vieuville, contre lequel est rédigé l'« advis ».
(2) Brouage était un important centre producteur et exportateur de sel.

A forcé un nommé Abelly de luy vendre une promesse qu'il avoit de luy d'une ferme notable sous condition de faire porter la debte par le Roy. Et de cela il y a preuve par escrit et par tesmoings.

A fait une pareille extorsion au Sr Payen, et l'a contraint à luy vendre une promesse qu'il avoit du Sr de Beaum[archais] (3) pour sa charge de trésorier, et avant que de luy vouloir faire sursis du traitté qu'il avoit fait pour l'augmentation des gages des courts souveraines sur le sel.

A fait couper une grande quantité de bois dans la forest de S.-Disier sur une simple lettre de cachet, contre les ordonnances, pour bastir un chasteau en la terre d'Argilières, et mesme avoit fait par[it]ion (4) avec son charpentier pour faire apporter une partie dudit bois à Paris pour faire quelque autre bastiment.

Il s'est intéressé en l'affaire des Esleus de Guyenne (5), et pour favoriser Fiobet (6), qui avoit traitté, a refusé des conditions qui estoient beaucoup plus avantageuses pour le Roy que celles qu'il a receues.

43. — Note sur La Vieuville. [Juillet-août 1624.]

A.E., Mém. & Doc., France, Vol. 797, f° 99. — Original de la main de Charpentier.

On a retranché par les commissions des tailles les droits des Droits des Commissaires des tailles, greffiers des eslections, clercs desdits greffiers, et généralement de tous offices nouvellement crées excepté les quatre deniers des greffiers des Affirmations et les six deniers des commissaires des Vivres, lesquels on a ordonné par arrest estre levez, nonobstant qu'ils ne soyent employés pour les commissions des tailles.

La Vieuville a intérest aux Affirmations d'Auvergne ; Beaumarchais aux Vivres, ayant assignation de toutes les avances là-dessus et les ayant fait adjuger à qui bon luy a semblé (a).

La fille du baron du Tour (1) est payée de 4 mil escus pour avoir esté fille de la Reyne mère du Roy, et de 4 autres mil pour

Pièce 43. — *Cette pièce, qui n'a d'autre titre que « La Vieuville », a été classée par erreur avec des documents de* 1630 *parce qu'une main étrangère a mis cette date au haut de la feuille. Elle ne peut être évidemment que de* 1624.

(3) Vincent Bouhier, sieur de Beaumarchais, était trésorier de l'Epargne. La Vieuville avait épousé sa seconde fille.

(4) Faire partition = partager.

(5) On sait que les élus étaient des magistrats chargés de juger les affaires relatives à la taille, aux aides, etc. En dépit de leur nom, c'étaient des officiers royaux, qui achetaient leur charge. Ils étaient inconnus dans les pays d'Etats, où Richelieu devait s'efforcer de les introduire.

(6) Il s'agit sans doute de Gaspard Fieubet, seigneur de Castanet et de Cendrey, qui fut maître de la chambre aux deniers et trésorier de l'Epargne.

(a) Cet alinéa a été ajouté en marge par Charpentier.

(1) Anne Cauchon de Maupas, fille d'honneur de la reine mère, puis d'Anne d'Autriche ; elle mourut avant 1650.

avoir esté à la Reyne régnante, et ce parce qu'elle est femme de Joyeuse, qui est nepveu de La Vieuville (3).

Le baron du Tour (4) a eu autrefois une prétention au gouvernement de Reims, qui appartient à La Vieuville. La prétention estoit à valleau (a), La Vieuville estant en charge, et soudain fait payer Joyeuse de 50 mil livres p[r] ses prétentions.

Pendant qu'on retranche les pensions, on dit que Joyeuse en a une de 8 mil francs.

44. — MM. du Parlement de Pau au cardinal de Richelieu. Pau, 1er août 1624.

A.N., Série K, 711, pièce n° 5. — Original.

Très honnoré seigneur,

Monsieur de la Vie, premier président, et le sieur de Caplain, conseiller, s'en vont faire nos très humbles remonstrances à Sa Majesté, suivant l'arrest donné en son Conseil, et luy faire entendre nos justes plaintes sur deux commissions qui ont ésté expédiées contre l'honneur et l'authorité de ceste compagnie, et l'exécution injurieuse qui s'en est suivie, et pour deux offices de conseiller de nouvelle création, le tout au préjudice du service du Roy et du bien public L'asseurance que nous avons de v[re] vertu et de v[re] justice, et que vous avez commandé de nous tesmoigner en la surséance accordée par Sa Majesté, et encore promise par celle qu'il vous a pleu nous escrire, nous fait espérer que vous protégerez les intérests d'une compagnie souveraine, puisque c'est maintenir l'authorité du Roy pour laquelle vous veillez si soigneusement, et nous prirons Dieu,

Très honnoré seigneur,

Vos très humbles serviteurs,

Les gens tenant p[r] le Roy la Cour de Parlement de Pau,

Pedemont, greffier.

A Pau, ce 1er d'aoust 1624.

Par commandement de la Cour.

Pièce 44. — *Sur l'objet de cette lettre et de la démarche qu'elle annonce, voir supra, la pièce* n° 20, *du* 25 *avril* 1624.

(a) Lire : « à val l'eau », ou, selon l'orthographe moderne, « à vau-l'eau » : la prétention ne pouvait réussir.

(3) Robert de Joyeuse, baron de Saint-Lambert, fils aîné d'Antoine de Joyeuse et d'Henriette de La Vieuville, sœur consanguine du surintendant ; il était né vers 1600 et mourut en 1653.

(4) Charles Cauchon, seigneur de Maupas, de Cosson et de Saint-Image, baron du Tour. Il était le fils de Charles Cauchon, grand fauconnier d'Henri IV, gentilhomme ordinaire de la chambre, et de Françoise de Rancy. Il fut gouverneur de Charles II, duc de Lorraine, et surintendant de sa maison. Il avait épousé Anne de Gondi, fille de Hierosme de Gondi, chevalier d'honneur de Marie de Médicis et introducteur des ambassadeurs.

45. — Les officiers du Roi au Présidial de Poitiers au cardinal de Richelieu. Poitiers, 6 août 1624.

A.E., Mém. & Doc., France, Vol. 1696 (Poitou), f° 45. — Original.

Analyse :

A la suite de la décision prise par le roi de créer deux nouveaux offices au présidial de Poitiers, ils supplient le cardinal de « vouloir considérer que le grand nombre d'officiers en la justice la rend plus mesprisée qu'honorée », et d'accorder sa protection à tous les membres de leur compagnie « contre tous ceux qui voudroient troubler leur repos et par ceste voye accroistre leur nombre ».

46. — M. de Joly au cardinal de Richelieu. Montauban, 12 août 1624.

A.E., Mém. & Doc., France, Vol. 1743 (Quercy).

Analyse :

Il a assisté jusqu'à la fin à la session du synode de Montauban qui a repoussé sa requête tendant à révoquer la décision prise contre lui par le synode de Millau. « Les menées ordinaires de M. de Rohan, écrit-il, la considération du lieu où ledit synode se tenoit, et la faction de mauvaise conscience des jugeans, avec la lasche tromperie du sieur d'Escorbiac, l'un des commissaires, ont rendu « inutile son appel comme d'abus. Il a décidé de se déclarer « appellant au synode national ». Il supplie le cardinal de jeter les yeux sur le mémoire qu'il lui envoie à ce sujet (1).

Pièce 46. — *Cette lettre émane d'un pasteur protestant de l'église de Millau en Rouergue. A la suite d'une ordonnance rendue contre lui par le synode de cette ville à l'instigation d'un sieur Luc, qui en était le premier consul, il avait fait appel comme d'abus devant le synode de Montauban : il assurait qu'on voulait lui ôter sa charge de pasteur par haine de la fidélité qu'il entendait témoigner pour le service du roi.*

(1) Le Mémoire figure aux folios 16 et 17 du même volume.

47. — A M. d'Effiat. 12 août 1624.

A.E., Mém. & Doc., France, Vol. 246, Invent. de la cor., 1624, f° 1.

Analyse :

« Il se plaint de ce qu'il ne luy mande rien de la très grande liaison qu'a le Père de Raconis (1) avec l'amb[assadeur] d'Espagne (2) jusqu'à prendre ses lettres p^r^ les faire tenir à celuy qui est à Paris. Il se plaint encore de ce qu'on die que c'est luy qui a mené Effiat à le mener avec lui (3). On luy donne avis que La Vieuville a débité tout cela et que le Roy ne se sert plus de M. de la Vieuville » (4).

48. — Lettre du roi aux gouverneurs de province. Saint-Germain-en-Laye, 13 août 1624.

B.N., Fonds Dupuy, t. 92, f° 251. — Copie.

B.N., Fonds Saint-Germain, 1835, f° 105 v°. — Copie.

B.N., Fonds Fontette, Portefeuille X, n° 120. — Copie.

Impr.: *Mercure françois,* t. X, p. 672. Avenel, II, pp. 25-26.

DE PAR LE ROY

Nos amés et féaux,

Bien que nons n'ayons jamais rien tant souhaité que l'establissement d'un bon conseil, par le moyen duquel toutes choses soient maintenues dans leur ordre, à la gloire de cette couronne et au bien et au soulagement de nos subjects, ny rien tant à contre-cœur que le changement en ce qui regarde particulièrement les personnes des ministres et principaux officiers de nostre Etat, néantmoins, pour certaines considérations très importantes à nostre service, et dont les inconvénients estoient de telle conséquence que si le cours en eust duré plus longtemps, il nous eust esté très difficile de garantir ce royaume d'une entière ruine, nous avons esté contraint de démettre le marquis de La Vieuville de la charge de surintendant

(1) Charles-François Abra de Raconis (1580-1646) professeur de philosophie, auteur d'un ouvrage intitulé *Totius Philosophiae tractatio* (1617) ; il était alors prédicateur et aumônier du roi. Il sera nommé évêque de Lavaur en 1638. Il devait se montrer, par la suite, aussi dévoué à Richelieu qu'hostile au jansénisme.

(2) Le marquis d'Effiat avait été envoyé en Angleterre pour y négocier le mariage d'Henriette de France avec le prince de Galles. Il s'agit donc de l'ambassadeur d'Espagne à Londres. « Celuy qui est à Paris » se nommait Antoine de Tolède et d'Avila, marquis de Mirabel.

(3) Cette phrase a été rédigée par le secrétaire avec quelque négligence ; il faut entendre : « c'est luy (Raconis) qui a *décidé* Effiat à le mener avec luy ».

(4) Avenel a publié — t. II, p. 20-24 — une lettre du roi au marquis d'Effiat. Elle est datée du 13 août 1624 ; la première partie est consacrée à l'annonce du changement apporté à la composition du Conseil par suite de la destitution de La Vieuville.

de nos finances, et, en outre, de nous asseurer de sa personne, attendant que nous ayons pourveu aux choses les plus importantes qui concernent le bien et la réputation de nos affaires, auxquelles nous voulons travailler sans intermission. Ce nous a esté un extresme regret de n'avoir peu trouver autre voie que celle que nous avons esté réduit à ceste nécessité par la continuation de la mauvaise conduite dudit de La Vieuville, qui a esté jusqu'à ce point de changer, sans nostre su, les résolutions prises en nostre présence ; de traiter avec les ambassadeurs résidens près de nostre personne contre notre ordre ; nous supposer divers advis à dessein de nous donner ombrage de ceux en qui nous pouvions seurement avoir confiance, et rejetter sur nous la haine qu'il s'est attirée en exerçant des passions contre les particuliers. Nous avons bien voulu pour un temps ne luy pas tesmoigner ouvertement le ressentiment que nous avions de ses déportemens, luy faisant cependant assez cognoistre que nous ne les approuvions pas, pour luy donner lieu de s'en corriger, par l'appréhension d'encourir nostre disgrâce. Ceste patience nous ayant esté inutile, nous ne doutons point que Dieu ne fasse réussir le remède auquel nous avons eu recours, et nous donne la grâce d'apporter un sy bon réglement en nostre conseil et en tout nostre estat, qu'un chacun cognoistra que nous ne pourrons plus retomber en pareils inconvéniens. Nous avons jugé à propos vous donner advis de ce que dessus, à ce que, selon nos bonnes intentions, vous contribuiez de vostre part à tout ce qui sera nécessaire pour le bien de nostre service et le repos de nostre estat.

LOUIS
De Loménie.

Donné à Saint-Germain-en-Laye, le 13e jour d'aoust 1624.

Pièce 48. — *La destitution du surintendant des finances Charles de La Vieuville, son arrestation, puis son incarcération au château d'Amboise, le* 13 *août* 1624, *marquèrent une transformation décisive dans la conduite des affaires. Pour l'historien, la chute de La Vieuville fait de Richelieu « le principal ministre, le chef du conseil »* (*V.L. Tapié*). *Les contemporains ne s'y trompèrent pas : l'événement leur apparut dans toute son importance. Louis XIII en jugea de même, puisqu'il estima nécessaire d'en informer le jour même les gouverneurs de provinces, les parlements et les ambassadeurs accrédités dans les cours étrangères. La déclaration ci-dessus, qui est sans doute l'œuvre de Richelieu, nous est parvenue sous forme de copie ; mais les archives du Musée Condé, à Chantilly, conservent en original la lettre que le roi adressa au prince de Condé* (*Série M, t. I, pièce* 136). *Elle est en tous points semblable à celle-ci, à la seule différence que le roi, s'adressant à son « cousin » y parle à la première personne du singulier.*

49. — Depportements de la Vieuville. [Milieu d'août] 1624.

A.E., Mém. & Doc., France, Vol. 779, f° 17. — Copie.

Il y a longtemps que le Roy cognoissait son ambition à vouloir seul gouverner, la légéreté en ses advis, sa témérité à changer les choses résolues au Conseil, sa malice en ses négociations avec les ambassadeurs, sa vengeance par les faux advis contre ses serviteurs. Il a pensé ruiner les affaires de la Valteline, d'Allemagne, le traité de Holande, le mariage d'Angleterre, pour vouloir faire tout sans le sceu du Roy et contre l'ordre du Conseil. Il a asseuré l'Espagnol que les armées du Roy n'auroient aucun effet procuré que d'abord fust la paix avec l'empereur.

Il y a huit jours que le Roy lui a pardonné, ensuite de quoy il a suscité la Cour des Aydes et la Chambre des Comptes pour que Sa Maté le justifiast.

Il s'attaque à sa propre personne, rejettant sur Sa Maté la hayne que le public luy porte et se voulant fortifier contre elle.

Il (1) l'a arresté pour l'empescher de découvrir ses secrets. Il (2) n'a pas espargné la Royne sa mère.

A tasché de donner au Roy jalousie de Monsieur, et de se rendre maistre de sa Maison.

Traittoit avec M. le Prince, dont il mesdisoit, haïssoit M. de Guyse à cause de l'admiraulté, tenoit M. d'Elbeuf pour ennemy, M. le Grand Prieur pour brouillon.

A voulu mettre à la Bastille M. de Vendosme, chasser M. de Blinville.

Hayt mortellement le cardinal de Richelieu.

A voulu donner de l'argent à dcux privez du Roy pour luy en (3) dire du mal.

Il a dit que le Cardal empeschoit la démolition de Saumur, quoy qu'il la pressast.

Pièce 49. — *Cette pièce, qui a le caractère d'une simple note, est rédigée en des termes qui permettent de conjecturer avec vraisemblance qu'elle est contemporaine de la disgrâce de La Vieuville ; elle semble même avoir été rédigée très peu de temps après son arrestation. On peut donc la dater du milieu d'août* 1624. *Elle porte, de la main de Sancy, la mention « Employé » ; elle a, en effet, été utilisée pour la réduction des Mémoires de Richelieu : v. édit. de la S.H.F., t. IV, p.* 90 *et s.*

Le Vol. 778, *f°* 195-196, *des Arch. des A.E. contient une note anonyme, qui relate les circonstances de la disgrâce de La Vieuville. En voici le début : « Le lundy, après disné,* 12*me de ce mois, le Roy estant allé visiter la Royne sa mère à Rueil, le marquis de La Vieuville fut conseillé par ses amis de demander congé au Roy de se retirer, ce qu'il fit. Et en suitte de cela il demanda à Sa Maté si elle auroit agréable qu'il s'en retournast à Paris. La responce fut qu'il s'en allast à St-Germain, où Sa Maté luy commanderoit le lieu où il voudroit qu'il allast. Le lendemain donc, qui fut le mardy, à sept heures du matin, le Roy commanda à Monsr de Tresmes, capne des gardes du corps, qui est en quartier, de prendre le Sr La Vieuville et le faire conduire à Amboise, dans un des carrosses de Sa Maté, qui estoit tout prest, où il fut mis tout astheure avec un enseigne des gardes et quatre archers des gardes du corps du Roy. Le Sr de Montoret, capne des mousquetons de Sa Maté, avec sa compagnie, le conduit aud. Amboise. Le Sr de Beaumarchais, beaupère dud. marquis, eut commandement, le meme jour, de se retirer au Plessis, près Provins. Et en mesme temps l'on a scellé à Paris chez La Vieuville ».*

(1) Le roi.
(2) La Vieuville.
(3) Il faut entendre : dire du mal du cardinal.

A voulu gaigner Chastelet (4) pour dire que M. de Bassompierre estoit pensionnaire d'Espagne.

En vouloit au garde des sceaux, secrétaires d'Estat, Thoiras, Bautru, et à tous ceux que le Roy affectionne.

50. — Ce que le Roy dist au Conseil après la disgrâce de La Vieuville. Milieu d'août 1624.

A.E., Mém. & Doc., France, Vol. 779, f° 18.

Je verray mes affaires doresnavant, et ce avec plaisir puisque ce sera avec ordre.

On a creu jusques icy que je ne m'y plaisois pas. Savez-vous pourquoy ? J'ay esté jusques à présent si malheureux que d'avoir des gens intéressez et si passionnez, qu'autant qu'ils me demandoient pour me parler de mes affaires ils me parloient de leurs intérests et me pressoient de choses injustes, en considération de quoy je les fuyois.

Maintenant je ne suis pas de mesme.

On verra ce que je feray pour la réformation de mon Estat.

Par le passé, on a voulu dire que j'estois de mon naturel rigoureux, et ce parce que le connestable, Puysieulx et la Vieuville me portoient à l'estre, et se deschargeroient sur moy de leur mauvaise humeur, faisant par ce moyen croire à mes despens qu'on leur avoit beaucoup d'obligation.

On a encore voulu donner l'impression que je n'aimois pas à donner. Perpétuellement ils me disoient en particulier que les nécessitez de mon Estat ne permettoient pas que je donnasse. Et par ce moyen ils vouloient s'excuser envers tout le monde des choses mesmes qu'ils me déconseilloient de donner.

Ces M[rs] disoient qu'il y avoit beaucoup de peine d'obtenir quelque chose de moy, afin qu'on leur en eust beaucoup d'obligation.

La Vieuville se plaignoit que je me mesfiois de luy, qu'ainsy il n'estoit pas possible de me servir. Je m'en mesfiois parce que je n'estimois pas sa teste, que je voyois qu'il ne buttoit qu'à ses intérests et ses passions, ce que je recogneus dès le commencement. Mais s'il n'eust point esté tel, je m'y feusse fié.

On a dit que je n'aimois pas les Grands, et le connestable. Puysieulx et La Vieuville me destournoient de prendre grande familiarité avec eux, de peur qu'ils ne prissent crédit avec moy à leur préjudice. On verra maintenant si je les aime.

Sa Majesté parlera souvent, s'il luy plaist, avec ses princes et mareschaux de France, leur tesmoignant qu'il veut bien fortiffier ses frontières, policer ses gens de guerre, trouver invention de soulager son peuple, faire du bien aux gens de mérite, et de se faire obéir vertement (a).

(a) Cet alinéa et les deux suivants ne correspondent plus au titre de la note. C'est sans doute une sorte de memento à l'usage du cardinal.

(4) Sans doute Paul Hay du Châtelet (1592-1636), maître des Requêtes puis conseiller d'Etat. Familier de Richelieu, qui l'appelait son « lévrier » et qui utilisa souvent sa plume, il sera l'un des premiers membres de l'Académie française

Tels discours donneront à Sa Maté la réputation qu'elle mérite et tiendront les Grands contents.

Le plus de familiarité que le Roy peut avoir avec la Reyne sa femme est le meilleur, car outre que Dieu bénit ceux qui vivent bien comme Sa Majesté fait en mariage, un Dauphin est nécessaire à la France.

On lit ensuite, sans lien apparent avec ce qui précède :

Le Cardal gardera cet ordre en toutes les demandes qu'on voudra faire au Roy ; qu'il en advertira Sa Majesté, et se chargera en sa personne du reffus de celles que Sa Majesté ne pourra accorder. Et pour celles qu'elles voudra donner, il fera semblant de n'en vouloir parler ; cependant il conseillera les parties de faire leurs demandes eux-mesmes au Roy, afin que la grâce viennent purement de luy et qu'ils en ayent obligation à luy seul.

Pièce 50. — *Cette pièce, placée dans le volume immédiatement après la note qu'on vient de lire, avait été pliée, avant la reliure, de la même façon que celle-ci. L'une et l'autre ont vraisemblablement été rédigées en même temps, peu après l'arrestation de La Vieuville. Elles ont été utilisées également par les rédacteurs des* Mémoires *: voir, en particulier : édit. de la S.H.F., t. IV, p.* 125 *et* 126.

51. — Le maire, les échevins et bourgeois de La Rochelle au cardinal de Richelieu. La Rochelle, 18 août 1624.

A.E., Mém. & Doc., France, Vol. 1475 (Angoumois), f° 22. — Original.

Monseigneur,

Nous avons receu beaucoup de contentement ayant appris que le Roy vous avoit appelé à la conduitte de ses grandes et importantes affaires. Ce choix est digne de vos mérites, intégrité, suffisance et affection comme héréditaire envers l'Estat. Et nous [nous] promettons que, dans vostre entreprise, la dignité du royaume sera maintenue en sa splendeur, l'authorité du Roy affermie, et les droits des particuliers, en la dispensation de la justice qui vous est commise, conservée. Dedans cette assurance, nous nous sommes promis que n'aurez point désagréable d'entendre par la bouche des sieurs de Laudrière (1) et Girault, nos députez, diverses plaintes qui les ont porté à la suitte de la Cour, dont l'une regarde l'entreprise du fermier de la traite domaniale (2), qui désire nous y asservir.

(1) René de Talensac, seigneur de Loudrières, grand sénéchal d'Aunis depuis 1607. Il avait été député aux Etats généraux de 1614 et prit une part active aux troubles de 1616 et de 1621. Il devait encore se distinguer au siège de La Rochelle, et son opposition au pouvoir royal devait lui valoir la destitution de toutes ses charges Il avait épousé Françoise de Coligny. Il mourra en mai 1628.

(2) La *traite domaniale*, appelée aussi *imposition foraine*, était un des droits des cinq grosses fermes. Elle consistait en une taxe de 12 deniers par livre soit à l'entrée, soit à la sortie des marchandises.

L'exemption et franchise soubz laquelle nous avons vescu, et les préjugés du Conseil en nostre faveur nous font trouver ce changement d'autant plus rude, estant une altération de nos privilèges, qui nous sont très chers comme estans le prix du sang de nos pères et un tesmoignage publicq du courage qu'ont apporté les habitans de ceste ville pour se submettre à l'Estat et, à leur exemple, tirer les provinces voisines à l'obéissance et se rendre dignes sujects de nos Roys, sous des concessions favorables qui nous ont esté continuées pour marquer leur bienveillance. Comme nous la recherchons encore en nostre souverain et la recevrons pour gage de la plus grande félicité qui nous puisse arriver, nous espérons de vostre bonté et justice que vous ne permettrez pas que ces prérogatives — lesquelles jusques à présent nous sont demeurées entières — soyent entamées. Nous avons pareillement chargé nos ditz députéz de réitérer à Sa Ma[té] et à vous, Monseigneur, nos très humbles suplications pour la démolition du fort proche de ceste ville (3). Les incommodités que nous en recevons sont incroyables, et notamment que, dedans le repos commun de l'Estat, la subsistance de ce fort blesse nostre réputation et est comme une marque de doubte de nostre affection, et comme autant d'attentes d'estranges desseings contre nous (4), lesquels laissent couver aux autres subjects du royaume de mauvaises espérances et de dangereuses pratiques à l'affoiblissement de la tranquilité publique, et à nous des défiances et des ombrages indicibles. Nous avons tousjours esté très fidelles envers l'Estat, et laisserons cette qualité à ceux qui viendront après nous, et ne cedderons à aucun des subjects de Sa Ma[té] ny en affection ny fidélité, et luy consacrerons nos vies et nos personnes. Mais nous le supplions trouver bon que nous marchions d'un pas égal avec les autres de ses subjects à l'esgard desquels toutes marques des mouvements passez ont esté ensevelis dedans l'oubliance commune. Ce nous sera un redoublement d'affection qui nous donnera d'autant plus de moyen de servir Sa Ma[té] et l'Estat, et vous rendre en particulier les très humbles devoirs et services qui vous sont deubz, à quoy nous nous vouons fidellement comme estans,

Monseigneur,

Vos très humbles et très obéissants serviteurs,
Les Maire, Eschevins, Conseillers,
pairs, bourgeois et habitans de
la ville de la Rochelle.

A la Rochelle, ce XVIII aoust 1624.

---

(3) Il s'agit du Fort-Louis. Il avait été commencé au cours du siège de 1622. Après le retrait de l'armée royale, l'ingénieur militaire Pierre Arnauld, récemment converti au catholicisme, resta devant La Rochelle avec son régiment et entreprit d'achever le fort. Arnauld d'Andilly, neveu de Pierre Arnauld, a donné dans ses *Mémoires* d'intéressants renseignements sur les projets de son oncle. Il était lui-même intendant d'armée avant de se retirer à Port-Royal. A l'époque où cette lettre fut écrite, Pierre Arnauld — qu'on appelait Arnauld du Fort pour le distinguer de ses frères — était mestre de camp du régiment de Champagne et gouverneur du Fort-Louis qu'il avait édifié ; il allait mourir le 14 septembre 1624.

(4) Il est certain que la proximité du Fort-Louis faisait peser sur La Rochelle une lourde menace, et le connétable de Lesdiguière disait « qu'il falloit que La Rochelle prist le Fort-Louis ou que le Fort-Louis prist La Rochelle ».

52. — Le roi au colonel d'Ornano. Saint-Germain-en-Laye, 18 août 1624.

A.E., Mém. & Doc., France, Vol. 778, f° 191. — Minute de la main de Charpentier.

Id., même Vol., f° 190. — Copie.

Monsr le colonel d'Ornano, me contentant de la demeure que vous avez faicte au chasteau de Caen depuis quelque temps, pour peine du délay que vous apportastes à obéir au commandement que je vous fis de vous retirer au Pont-St-Esprit, je vous fais ceste lettre pour vous dire que j'ay commandé au S^r^ marquis de Mauny de vous remettre en pleine liberté. Vous pourrez me venir trouver, et vous feray cognoistre que, me rendant l'obéissance qui m'est due, vous devez attendre de moy les tesmoignages de bonne volonté que peut espérer un subject d'un bon maistre, priant sur ce Dieu qu'il vous ayt, Monsr le colomnel Dornano, en sa s^te^ garde,

Escript à St-Germain-en-Laye, ce 18e aoust 1624.

Pièce 52. — *Il a fallu reproduire ici le texte de la copie, car celui de la minute, particulièrement raturé et surchargé, n'a pu être établi de façon satisfaisante.*

La disgrâce de La Vieuville devait naturellement être bien accueillie de ceux qui avaient eu à se plaindre de son ministère, au premier rang desquels se trouvaient Monsieur frère du roi, M. le Prince, le maréchal de Bassompierre, le duc de Bellegarde et bien d'autres. Le colonel d'Ornano figurent parmi ceux qui eurent à se féliciter de l'événement. Né en 1581, *à Sisteron, Jean-Baptiste d'Ornano était le fils aîné d'Alfonse Corse dit d'Ornano, commandant de la garde corse, et de Marguerite-Louise Grasse de Pontevès de Flessan. Après avoir succédé à son père dans son commandement, il avait été successivement conseiller d'Etat* (1610), *maréchal de camp* (1614) *et lieutenant général au gouvernement de Normandie* (1618). *Il avait été nommé, en* 1619, *gouverneur de Monsieur, sur l'esprit duquel il ne tarda pas à exercer une grande influence. Son ambition avait porté ombrage à La Vieuville, qui avait obtenu du roi, au début de juin* 1624, *l'ordre d'inviter le colonel à se retirer à Pont-Saint-Esprit. Au lieu d'obéir, celui-ci avait répondu par une lettre où il déclarait mieux aimer être mis en prison. Il fut pris au mot : enfermé d'abord à la Bastille, il fut peu après conduit à la citadelle de Caen, que commandait le marquis de Mauny. On verra par la suite dans quelles circonstances le colonel d'Ornano sera élevé à la dignité de maréchal de France, puis peu après arrêté et incarcéré à Vincennes, où il devait mourir, le* 2 *septembre* 1626.

53. — Le roi à M. de Mauny. Saint-Germain-en-Laye, 18 août 1624.

A.E., Mém. & Doc., France, Vol. 778, f° 191.

Minute de la main de Charpentier ; f° 189, copie.

Monsr le marquis de Mosny, je vous ay ces jours passez escript pour que vous donnassiez au colomnel Dornane, que je vous ai baillé (a) en garde, plus de liberté que par le passé (1), en sorte qu'il se peut promener par le chasteau. Maintenant, je vous fais la présente pour vous dire qu'incontinent que vous l'aurez receue, vous le délivriez pour me venir trouver. Ce que me promettant de vous, je ne la feray plus longue que pour prier Dieu qu'il vous ayt, Monsr le marquis de Mauny, en sa s^te^ garde.

Escript (b) à St-Germain-en-Laye, ce 18e aoust 1624.

Pièce 53. — *Au dos de la minute, on lit « Minute de l'ordre du Roy à M^r^ le marquis de Mauny — Colomnel d'Ornane —* 1624 ».

Le gouverneur du château de Caen appartenait à une maison illustre il se nommait Louis de la Marck, marquis de Mauny. Fils de Charles-Robert de la Mark, comte de Maulèvrier et de Braisne, et de sa seconde épouse, Antoinette de la Tour, il se trouvait ainsi doublement apparenté à la famille de Bouillon et était le cousin-germain du duc Frédéric-Maurice, de la duchesse de la Trémoïlle et du futur maréchal de Turenne. Capitaine des gardes du corps de Louis XIII, chevalier de l'Ordre du Saint-Esprit depuis 1619, *il avait épousé Isabelle Jouvenel des Ursins. Il devait mourir en* 1626.

54. — Extraict des papiers de M. de la Vieuville. Fin août 1624.

A.E., Mém. & Doc., Vol. 780, f° 245. — Mise au net de la main de Charpentier.

Mr de Retz promet à Mr et Madame de Vendosme de donner en mariage sa fille aisnée à Mr de Mercœur, lui laissant du susdit contrat la jouissance des biens de la succession de sa mère quites de toutes debtes, pour l'acquit desquelles il luy vend le marquisat

Pièce 54. — *Le* 13 *août* 1624, *Charles de la Vieuville, surintendant des Flandres et chef du Conseil, avait été arrêté par ordre du roi et conduit au château d'Amboise. Le même jour, Louis XIII avait chargé le cardinal de Richelieu de présider son Conseil et de diriger ses affaires. Ce fut très probablement au cours des deux semaines suivantes que les papiers saisis chez le ministre déchu furent inventoriés, et que le cardinal put faire dresser l'« extraict » suivant*

(a) A la place de « baillé », la minute porte « donné ».

(b) La formule « qu'il nous ayt... en sa sainte garde », ainsi que le mot « Escript », ne se trouvent que sur la copie.

(1) Cette lettre a été publiée par A. de Boislile dans l'*Annuaire-Bulletin* de la Soc. de l'Hist. de France, t. X (1873), p. 240 : « Mons. le marquis de Mauny, l'ordre que vous donnez à mes volontés est si exact que je ne puis louer votre soin. Je désire néanmoins qu'en le continuant vous laissiez quelque liberté plus grande au sieur d'Ornano, que vous m'avez fait ci-devant. Vous le pourrez régler en sorte que, donnant plus d'air à sa chambre et lui permettant de se promener parfois au château, vous serez toujours assuré de sa personne. Je serai bien aise qu'il ait sujet de se louer de ma bonté, laquelle vous lui pourrez témoigner en cette occasion et sans qu'autre que lui sache ce que je vous écris. S'il n'a les personnes qu'il connaît pour la nécessité de son service, vous verrez à lui en bailler, avec les autres considérations requises de la prévoyance que vous y saurez apporter, à laquelle me remettant, je prie Dieu, etc. ». Cette lettre est datée du 10 août 1624.

de Belleisle 1200 m[ille] l([ivres]. Cette promesse faite à Nantes le 5e febvrier 1624, signée Henry de Gondy de Retz (1).

Par un mémoire de Mr de Cussé, il dit que Mr de Vendosme n'a fait ce mariage que pour avoir Belleisle, qui est de telle importance qu'elle tient en subjection toutes les rivières depuis Bayonne jusques à Brest (2) ; qu'il veut eschanger Clisson avec le comte de Vertus (3), Châteaubriant avec Mr de Montmorency (4), achepter Vitré de Mr de la Trimouille (5), et du Sr de Malnos (?), son amy, Fougères, afin qu'il soit maître de toutes les places frontières sur la terre, et des villes maritimes qui regardent la Rochelle et l'Espagne, comme Nantes, Guerandes, Vannes et Quimper, et ce par le moyen des amis et intelligences qu'il y a.

Que la Rochegiffard (?), huguenot, son inthime amy, veut achepter la Rochebernard, forte plassiette sur la rivière de Redon et de Rennes, qui les tient en bride pour estre le passage du pays nantois, Anjou, Aulnis et Châteaubriand en Basse Bretagne, Josselin, Malestroit et Renes, ny qu'il en sorte rien aussy, laquelle place se peut rendre aussy forte que Quillebœuf en peu de temps (6).

Qu'il a uny Mr de la Trimouille et les huguenots de Bretagne avec ledit Sr de Vendosme, voulu pratiquer ledit Sr de Cussé, qui sera contraint de quitter la province si le Roy n'y apporte remède en eschangeant le gouvernement avec quelque autre ou quelque charge à la Cour.

Par un autre mémoire dudit Sr de Cussé du 7è apvril 1624, il dit que Mr de Retz luy a promis et juré de ne servir jamais que le Roy, et, de plus, qu'il ne bailleroit Belleisle ny ses filles à personne que par le commandement de Sa Majesté, et que, s'il luy plaist avoir Belleisle, il y a des moyens pour faire qu'il luy en couste peu.

Que Mr de la Trimouille a aussy donné sa parole audit Sr de Cussé de servir le Roy contre qui que ce soit, mesmes les Rochelois, l'employant en une charge honorable ; mais que Sa Majesté ne se doit fier nullement en leurs promesses qu'il n'en voye les effets, principalement Mr de la Trimouille, qui promettra tout pour avoir Taillebourg, lequel on ne luy doit point rendre qu'il ne soit catholique.

---

(1) Henry de Gondy, duc de Retz (1590-1659), avait épousé en 1610, Jeanne de Scepeaux, fille de Guy de Scepeaux, duc de Beaupréau. De cette union était, née, le 28 décembre 1612, Catherine de Gondy, qui était donc âgée d'un peu plus de onze ans quand cet accord fut signé.

(2) Ce fut précisément pour éviter que le marquisat de Belle-Ile, qui se trouvait dans la maison de Gondy depuis le règne d'Henri III, ne tombât aux mains des Vendôme, dont il avait quelques raisons de se méfier, que Louis XIII refusa de donner son consentement à ce projet de mariage. Catherine de Gondy épousera, en 1633, son cousin, Pierre de Gondy, duc de Retz et frère aîné du célèbre coadjuteur ; Louis de Mercœur épousera Laure-Victoire Mancini et sera cardinal.

(3) Claude de Bretagne, comte de Vertus. Sa famille remontait à François, bâtard de Bretagne, fils naturel de François, dernier duc de Bretagne, mort en 1488. Les comtes de Vertus étaient, en outre, comtes de Goello, barons d'Avaugour, et seigneurs de Clisson.

(4) Henri II, dernier duc de Montmorency, gouverneur du Languedoc, amiral et maréchal de France (1595-1632).

(5) Henri duc de la Trémoïlle, mestre de camp de la cavalerie légère pair de France (1599-1674).

(6) La Roche-Bernard se dresse au sommet d'une colline d'une trentaine de mêtres, sur la rive gauche de l'embouchure de la Vilaine.

Que ledit Sr de la Trimouille a donné son droit depuis peu à la Rochegiffard pour avoir la Rochebernard en despit de Mr Dolu.

Que M. de Vendosme a prié Chavelin, cons^r au parlement, son inthime amy, de luy gaigner le séneschal de Rennes, les deux soubs lieutenans et l'advocat du Roy, ses parens et amis, par le moyen desquels il sera maistre de Rennes.

Qu'il a offert mil escus de pension et promis le gouvernement de Belleisle à Mr du Pan pour le servir contre tous les autres.

Que si le Roy ne tesmoigne du desplaisir audit Sr de Vendosme de l'outrage qu'il a fait faire au frère de Mr de Rennes, qui estoit aller trouver Sa Majesté par son commandement, tous ses serviteurs seront contraints d'abandonner son service.

Qu'il a fait menacer les principaux à cause que le parlement a fait décretter contre le procureur des Estats, qui est tout à luy, pour les voleries par luy commises au rasement de Pontorson.

Mr d'Espernon tient à Bordeaux le château Trompette en son nom, le chasteau du Ha sous celuy de Mr de Roquelaure, son inthime amy, la ville et citadelle de Bergerac, la ville et chasteau de Nérac, la ville et chasteau de Lectoure, commandés par Mr de Roquelaure (7).

Maintenant, il fait achepter le chasteau de Castelnau de Médoc par Madame de Fronsac (8), pour le retirer d'elle après par puissance de fief, à cause du chasteau de Lesparre à luy appartenant (proche dudit Castelnau) dont il relève. Ledit chasteau de Castelnau est de telle importance, à cause du port de la rivière de Gironde ou Garonne, qu'avec un peu de despense ce sera une des meilleures places de Guyenne, et plus recommandable que Blaye (9).

Outre toutes les places cy-dessus, ledit S^r d'Espernon en a plusieurs autres en propre en Guyenne, qui montre que, s'y accroissant davantage, sa puissance est à craindre.

Par (a) le double de la lettre escrite par le Sr de Langerac (10), ambassadeur en France de MM. les Estats, il est porté ces mots : « Et quant à ceux qui m'ont donné ces advis et conseils, je dois dire librement avoir eu grande assistance d'eux par le moyen de laquelle tout est réussy au service de Vos Seig^rs, et pour ce je leur ay donné la justiff[icati]on convenable à ceste obligation, et leur ay payé ladite somme depuis que je feus payé des 600 m[ille] l[ivres] ». Ladite lettre escrite de Poissy le 20e d'aoust 1623.

(a) Un large espace a été laissé en blanc, sur la feuille, entre ce qui précède et le paragraphe final.

(7) C'est le maréchal de Roquelaure, Antoine de Roquelaure ; il devait mourir l'année suivante.

(8) Anne de Caumont, fille et héritière de Geoffroy de Caumont et de Marguerite de Lustrac, morte le 2 juin 1642 âgée de quarante-huit ans. Elle avait épousé, en premières noces, Henri d'Escars, prince de Carency, et, en secondes, François d'Orléans-Longueville, comte de Saint-Paul, fils cadet de Léonor d'Orléans-Longueville et de Marie de Bourbon-Vendôme. Elle avait hérité du duché de Fronsac, dont l'érection en duché paierie datait de 1608 et que Richelieu devait acquérir plus tard.

(9) Castelnau-du-Médoc est situé à 28 km au nord-ouest de Bordeaux. Du château dont il est parlé ici il ne reste rien ; par contre, de celui de Lesparre — à 35 km au nord de Castelnau — subsiste un superbe donjon carré, qui date du XIVe siècle.

(10) Gédéon de Boetslaer, baron de Langerak, ambassadeur ordinaire des Etats Généraux de Hollande à Paris de 1614 à 1634.

55. — La princesse de Piémont au cardinal de Richelieu. S. l., 1er septembre 1624.

Univ. de Paris, Bibl. Victor Cousin, Fonds Richelieu, Vol. 14, f° 87. — Original.

Monsieur mon cousin, je vous rendray tesmoignage de l'estime que je fais de vre amitié par toutes les occasions qui m'en donne[nt] le moyen, parce que je croys par les preuve[s] de la mienne vous convier à me la conserver. Le Sr de Custojous, qui vous remestra celle-ci vous en priera de ma part et vous dira que je suis,

Monsieur mon cousin,

Vre bien affectionnée cousine,
Chrestienne.

Ce premier septem. 1624.

Pièce 55. — *Seconde fille du roi Henri IV et de Marie, de Médicis, Chrétienne de France était née en 1606 et avait épousé, en février 1619, Victor-Amédée de Piémont, fils héritier de Charles-Emmanuel Ier, duc de Savoie, auquel il succédera en 1630. Après la mort de son mari, survenue en 1637, elle exercera la régence pendant la minorité de son fils aîné et montrera une rare énergie dans la direction des affaires; elle mourra en 1663.*

On trouvera, dans les différents volumes de cette édition, plusieurs lettres de cette princesse au cardinal de Richelieu. Celle-ci paraît être la première en date depuis l'arrivée au pouvoir du ministre.

56. — Les officiers du Roi au Présidial de Poitiers au cardinal de Richelieu, 4 septembre 1624.

A.E., Mém. & Doc., France, Vol. 246, Invent. de la correspondance, f° 28, v°.

Analyse :

« ... pour la suppression de deux offices de conseillers nouvellement créés, dont le Sr Richard dit avoir commandement de M. le Card. de Richelieu d'en lever un. »

57. — MM. Le Maire, les pairs, échevins et bourgeois de Poitiers au cardinal de Richelieu. Poitiers, 4 septembre 1624.

A.E., Mém. & Doc., France, Vol. 1696 (Poitou), f° 47. — Original.

Analyse :

Le corps de ville joint « sa très humble supplication » à celle que les officiers du présidial de Poitiers adressent au cardinal pour s'opposer à la création de deux nouveaux offices au siège présidial;

ils observent que « le nombre des conseillers de ce siège est de vingt-neuf, lequel nombre n'est point si grand en aucun autre siège de France, et lequel nombre s'est aussy accreu par diverses occasions sur lesquelles on promettoit la suppression d'aucune, laquelle n'a pourtant pas esté faitte ».

58. — MM. les Echevins de la ville d'Angers au cardinal de Richelieu. Angers, 14 septembre 1624.

A.E., Mém. & Doc., France, Vol. 246, Invent. de la correspondance, 1624, f° 28, v°.

Analyse :

« MM. d'Angers demandent que l'arrest du Conseil qui leur a esté accordé pour le bastiment du pont de Cé soit exécuté, et que l'adjudication en soit faite au sieur Gohier. »

59. — MM. du parlement de Bordeaux au cardinal de Richelieu. 19 septembre 1624.

A.E., Mém. & Doc., France, Vol. 246, Invent. de la corresp., 1624, f° 28 v°.

Analyse :

« MM. du Parlement de Bordeaux députent M. de Laubardemont (1) sur l'accommodement entre le Parlement de Bordeaux et M. d'Epernon (2). Ils demandent que le réglement soit exécuté, et que le dernier maire élu à Libourne ne soit pas rétably. »

60. — MM. le Maire, les Echevins et bourgeois de La Rochelle au cardinal de Richelieu. La Rochelle, 20 septembre 1624.

A.E., Mém. & Doc., France, Vol. 1745 (Angoumois), f° 24. — Original.

Analyse :

Connaissant la place éminente que le cardinal occupe dans les conseils du roi, et de quel poids sont ses avis, ils le prient de leur

---

(1) Jean Martin, baron de Laubardemont (1590-1653), qui devait acquérir la célébrité que l'on sait par l'instruction du procès d'Urbain Grandier et des possédées de Loudun (1634), était alors président des Enquêtes au parlement de Bordeaux ; il sera, en 1630, garde des sceaux auprès de la Cour des Aides d'Agen, puis premier président de la Cour des Aides de Guyenne, avant d'être intendant de la généralité de Tours (1632).

(2) Jean Louis Nogaret de La Valette, duc d'Epernon (1554-1642), gouverneur de Guyenne.

accorder son appui et sa protection pour la délégation de quatre députés — les sieurs de Beaupréau, échevin, de Loudrières, pair, Brisson et Gérault, bourgeois — qui sont envoyés à Sa Majesté pour obtenir la démolition du fort Louis, qui, écrivent-ils, « a esté à nos portes comme une flestrissure de nostre fidellité, lequel fort traîne après soy la ruyne de tout le commerce qui se faict en ceste ville ». Ils prétendent que cette démolition est impliquée dans la déclaration d'octobre 1622. Ils ont la ferme espérance que le cardinal comprendra l'incompatibilité qu'il y a « entre une ville de commerce et une garnison, entre des soldats et des marchands, desquels ceste ville est principalement peuplée ». Ils le supplient donc d'appuyer leurs instances auprès du roi.

61. — A M. le cardinal de La Valette. Septembre 1624.

B.N., Nouv. acq. Franç., Vol. 5131, f° 59. — Minute de la main de Charpentier.

Monseigneur,

Vous saurez les changemens qui sont arrivez de deçà. Je ne vous en mande point les causes et les raisons, parce que vous les aurez sçeues d'ailleurs. Le Roy est résolu plus que jamais de conduire ses affaires avec autant de force que de bonté. *Sa Majesté a rappelé Mr de Schomberg en son Conseil,* ayant donné la surintendance de ses finances à trois personnes. J'espère que, de vostre côté, vous ne contribuerez pas peu à porter Sa Sainteté à ce que le Roy désire justement pour la Valteline. Si ceste affaire se termine à l'amiable, toute la chrestienté en recevra de l'avantage, et Sa Sté verra que le Roy s'employera utilement pour l'Eglise. Si aussy elle passe autrement, on cognoistra que nous ne sommes pas si propres à faire des rodomontades espagnoles, mais que nous vallons ce que l'on peut valloir aux effets. Je ne vous parle point du mariage d'Angleterre, parce que Mr de Bérule vous en porte toutes les nouvelles. Seulement vous diray-je qu'on verra que les conditions que l'on a projetées ne sont pas telles qu'on en a fait courre le bruit, et que le Roy a autant de soing en effet que les autres en ont en apparence de ce qui concerne la Religion.

62. — L'ordre et le fruit provenu des chambres royalles depuis 1580 jusques à aujourd'huy 1624. Septembre 1624.

A.E., Mém. & Doc., France, Vol. 779, f° 122-123. — Copie.

Chambre royalle establie en mars 1584.

Henry III, en l'an 1584, par l'édict du mois de mars, establit une chambre pour la recherche tant des malversations commises en ses finances par aucuns de ses officiers que des fraudes et circonventions faittes aux beaux et partis du Domaine, Aydes et Gabelles, Traittes foraines et Grosse ferme, qu'aux rabbais et diminutions pour raison des pertes prétendues souffertes auxdits partis, laquelle recherche ne produisit aucun fruit et fut délaissée par les commissaires.

— restablie en juillet 1584 :

L'opinion toutesfois que le Roy avait de toucher de grands deniers de cette recherche fut cause qu'en la mesme année 1584, en juillet, par nouvel édict, il restablit les juges ordonnés et voulut qu'il fut passé outre à cette recherche, dont il ne retira, tous fraiz faits, qu'environ deux cent mil livres :

— révoquée en may 1585 :

qui fut cause de son édict de révocation de lad[te] chambre et abollition générale faitte en may 1585 fondé sur le peu de profit qu'elle aportoit.

— proposée de 1588 sans effet :

En l'an 1588, aux Estats de Blois, l'on voulut de rechef mettre cette recherche en l'esprit du roy Henri III, à quoy mons[r] de Guise travailla grandement de [le] rendre odieux aux financiers et luy oster par ce moyen les moyens de recouvrer argent en ses nécessités, de quoy le Roy ayant esté adverty et reconnu l'artifice, envoya quérir nuittament deux ou trois principaux de ses officiers de finances, leur dict le conseil qu'on luy donnoit contre eux, mais qu'il leur seroit tousjours bon prince, qu'il continuassent à le bien servir et assister en ses nécessités, leur commanda de faire porter leurs remontrances aux Estats, ce qu'ils firent, et la chambre ne fut exécutée.

Pièce 62. — *Ce fut au mois d'octobre* 1624 *que le roi prit la décision de réunir une chambre de justice « pour la recherche et la punition des abus et malversations commises au faict de ses finances ». Les lettres patentes royales furent aussitôt vérifiées au parlement de Paris, à la Chambre des Comptes et à la Cour des Aides. En même temps, des lettres de commission « portans l'establissement des juges ordonnés pour tenir la Chambre de justice » étaient envoyées aux magistrats appelés à siéger à cette chambre et vérifiées dès la première séance; le* 28 *du même mois, était désigné un « receveur des amendes en la Chambres de justice ». Le cardinal de Richelieu avait pris nettement position en faveur de la création de ce tribunal spécial, et il avait tenu à faire rechercher les précédents historiques qui pouvaient justifier cette mesure. Le volume* 779 *des Archives des Affaires étrangères contient ainsi plusieurs mémoires* (*), *parmi lesquels celui-ci est un des plus complets.*

(*) En voici quelques-uns :
— f° 118 : Arrest donné contre messire Jacques de Beausne, sr de Samblançay ; — Extraits de quelques ordonnances contre les financiers ;
— f° 120 : Mémoire tranchant la recherche qui a esté faite des financiers en France depuis l'année 1525.
— f° 124 : Coppie de commissions pour informer des malversations des financiers, en attendant l'establissement d'une chambre.

— establie en may 1597 :

Henri IV, au mois de may 1597, establit une chambre royalle pour le mesme sujet que celle de 1584. La recepte de laquelle ne monta qu'à trois cens trente six mil livres, d'une part, et quarante-deux mil livres, d'autre part, pour subvenir aux non-voleurs et aux frais de la commission.

— révoquée en juin 1597 :

qui fut cause qu'en la mesme année, au mois de juin par édict vérifié, il la révoqua et donna abolition à la réserve de l'erreur de calcul du double employ, omission de receptes et faussetés commises, qu'il vouloit estre poursuivies, mais par les voies et devant les juges ordinaires.

— establie, aoust 1601 :

Pour la chambre royale que le Roy Henri IV establit en 1601 pour la recherche des financiers des gabelles et des cas réservés par la révoquation de celle de l'année 1597, elle ne raporta en tout qu'environ douze cens mil livres, qui furent employées aux fraiz, et le Roy n'en eust de bon qu'environ dix-sept mil livres, comme il se peut vérifier.

— révoquée en octobre 1604 :

qui fut cause qu'en 1604 elle fut révoquée à cause du peu de proffit qu'elle aportoit au bien des affaires du Roy, et toutesfois continua pour ceux qui ne vouloient payer la taxe, aymant mieux se soubsmettre à la recherche.

— establie en janvier 1607 :

Quant à la chambre royalle de 1607, il en revint un million mis à l'Espargne, et vingt-sept mil pistolles mises ès mains du Roy. De ce million il en fut accordé aux dénonciateurs et partisans de ladite chambre deux cens mil livres ; — aux commissaires, dix-neuf mil livres ; plus, il fut fait diminution de six vingt mil livres en considération de ce que l'on fit taxe à part des trésoriers de France, tant pour esteindre ladite recherche que pour le restablissement de leurs bureaux. De sorte qu'il n'y eut de recepte actuelle à l'Espargne, au proffit du Roy, que six cens soix^te^ et huict mil livres, comme il paroist par le compte du Sr Marteau, qui en fist la recepte.

— révoquée en sept^bre^ 1607 :

Sa Ma^té^ receuvra, s'il luy plaist, en bonne part ces mémoires de son très humble et très obéissant sujet et serviteur, qui ne respire que son très humble service, et qui n'est porté d'aucun intérest que celuy de Sad^te^ Ma^té^, laquelle considérera comme les rois ses prédécesseurs ont esté trompés et volés dans les justes recherches qui se sont faittes depuis quarante ans contre les financiers de ce royaume, qui se sont montées par composition à deux millions neuf cens soix[te] et tant de mil livres, dont il n'est revenu à Leurs Ma[és], pour quatre recherches, de net mis à l'Espargne, que douze cent vingt et un mil livres, les dix-sept cens quantes et tant de mil livres s'en estant allés en dépense et friponneries.

C'est pourquoi Sa Ma[té] est suppliée par l'un de ses antiens et très humbles serviteurs de prendre garde, dans la recherche que l'on faict aujourd'huy, d'estre mieux et plus fidellement servy que ses prédécesseurs roys n'ont esté.

63. — Advis sur la recherche des financiers. [Septembre] 1624.

A.E., Mém. & Doc., France, Vol. 779, f° 9-14. — Minute.
Impr. : *Mémoires du Cardinal de Richelieu,* éd. de la Soc. de l'Hist. de France, t. IV, Appendice XIII.

Il y a trois choses principales à examiner en ceste affaire :

— s'il faut faire la recherche des financiers ;

— les diverses issues qu'elle peut avoir ;

— et les moyens de la conduire à bonne fin.

Je n'estime pas qu'il y ait à douter d'entreprendre la recherche. Plusieurs raisons obligent à le faire, et celles qui semblent en pouvoir détourner n'ont point de proportion avec les autres.

D'un costé, on peut considérer que le temps et l'occasion font d'ordinaire les affaires, qu'il n'est pas bon d'en entreprendre trop à la fois, et, par conséquent, qu'il est à craindre, maintenant, qu'on à plusieurs affaires estrangères sur les bras, que cette recherche ne soit pas de saison, veu principalement qu'on a besoin d'argent, et que les financiers possèdent tout celuy de la France.

D'autre part, il faut considérer que les peuples, chargés à l'extrémité, estiment estre soulagés par la saignée de telles gens ; qu'il n'y a que la réputation qui soustienne les actions du prince et son gouvernement que maintenant on attend beaucoup de la conduite qu'on a commencé à prendre : si on voit d'abord qu'on se démente, l'on ne fera plus d'estat du conseil du Roy, on estimera qu'il ait diverty Sa Ma[té] par diverses considérations toutes calomnieuses ; chacun croira qu'il n'y aura plus qu'à faire résistance aux résolutions qu'on prendra pour en divertir l'effet ; les financiers voleront plus

Pièce 63. — *Le titre de ce mémoire est indiqué au verso du f°* 14, *où on lit également la mention «* Employé-1624 *» ; le mot «* Employé *» figure aussi en haut du premier feuillet. Cette pièce, a, en effet, été utilisée presque textuellement par les rédacteurs des* Mémoires *du cardinal mais aussi avec d'importantes suppressions* (*éd. de la S.H.F., t. IV, p.* 134 *et suiv.*).

La décision de réunir une chambre de justice destinée à poursuivre les auteurs des malversations commises dans le maniement des fonds de l'Etat est de la seconde quinzaine d'octobre 1624. *On peut donc avec une grande vraisemblance dater ce mémoire du mois de septembre précédent.*

hardiment que jamais, et leur exemple faisant croire que les punitions ne sont pas à craindre, beaucoup entreprendront, mesme en choses convenantes à l'Estat, ce que bon leur semblera sous espérance d'impunité.

Au contraire, si les voleurs sont punis, les peuples et les communautés seront contentes de demeurer dans les règles de son devoir de peur de chastiment.

Au reste, on assuré de l'argent pour le courant des affaires présentes, et cett'affaire sera si tost faite par les moyens qu'on y prendra, que telles gens n'auront lieu d'arrester le cours des affaires et tesmoigner par effets leur mauvaise volonté.

Partant, j'estime que non seulement faut-il entreprendre la recherche, mais que toutes ces raisons y contraignent. Et en effet, en tous effets et en tout temps, telles gens ont esté quelquesfois pressez comme des esponges, d'autresfois punis non seulement par la privation de leurs estats, mais de leur vie.

La recherche des financiers aboutira indubitablement à de quatre fins l'une :

— ou ils en sortiront comme innocens sans punition quelconque n'y marque de leur crime ;

— ou ils se rédimcront par une taxe générale portée par tous ceux qui ont des offices de finances en ce royaume (a) ;

— ou les coulpables, pressés par leur conscience, appréhendans la punition méritée par eux, connaissans bien la bonté trop grande du Roy pour souffrir la taxe des innocens, consentiront d'estre taxés par son conseil pour éviter la perte de l'honneur et celle de leur vie ;

— ou ils seront condamnés rigoureusement et justement à perdre la vie et le bien tout ensemble.

Il faut éviter les deux premières issues de cett'affaire.

La première perdroit tout à fait la réputation du gouvernement, et les voleurs s'estans sauvés sans estre punis, prendroient licence de faire encore pis à l'avenir.

La seconde crieroit vengeance devant Dieu en tant que les innocens paieroient pour les coulpables.

Il reste donc de sortir de cette entreprise par l'une des deux dernières voies ; savoir est :

— ou par taxe particulière sur les seuls coulpables ;

— ou par punition corporelle et confiscation de leurs biens.

Bien que les peuples tirassent grande satisfaction de la punition exemplaire et corporelle de ceux qui succent leur substance, j'ay grande répugnance à voir terminer (b) cett'affaire par ceste voie, si ce n'est à toute extrémité. Partant, il faut tascher de la conduire en

(a) Cet alinéa avait été probablement ainsi rédigé : « ...une taxe générale qui, estant autant portée par les innocens que les coulpables, seroit toute injuste ».

(b) On avait d'abord écrit : « Je ne seray jamais d'advis qu'on termine cett'affaire... ».

sorte que les coulpables se portent à se taxer d'eux-mesmes, mais si notablement que les communautés et les peuples aient sujet de coire qu'on n'auroit pas tiré davantage d'eux par quelque rigueur que l'on eust peu exercer en leur endroit.

Par ce moyen (c), on éviteroit les grands frais d'une chambre réglée, les longueurs incroiables à quoy les formes adstreignent, et, de l'autre, la justice ; les financiers ne se pourroient plaindre ; les communautés seroient satisfaites ; le Roy, secouru, et le peuple déchargé, veu qu'il faudroit qu'il subvint aux nécessités de l'Estat par d'autres moiens.

Si l'on pratique cet expédient sans donner une définitive absolution aux voleurs — et que quelques-uns de ceux qui seront les plus coulpables soyent depposedez de leurs charges pour marque de leurs fautes — il sera parfait de tout point. Et en effet, il se trouvera tel pourveu que la taxe des financiers soit faite sur la déclaration qu'ils donneront de leurs biens signée de leurs mains. A condition que, s'il se trouve qu'il y en ait d'autres que ceux qu'ils auront déclarés, ils seront confisqués au Roy et pourront de nouveau estre poursuivis. Et si, en outre, on prend les offices des plus coulpables sur le pied de la finance qu'ils en auront mise aux coffres du Roy pour le prix de leurs taxes, Il est certain qu'on trouvera tousjours à redire en ceste recherche si quelque-uns des plus coulpables ne sont punis pour servir d'exemple aux autres, ou si, au moins, ils ne sont privez des charges desquelles ils auront tant abusé au préjudice du Roy, de l'Estat et du peuple (d).

L'establissement d'une chambre de justice est nécessaire pour faire condamner les coulpables. L'appréhension de cette chambre l'est pareillement pour faire qu'ils se taxent eux-mesmes ou se soumettent à la taxe du conseil. Partant, sans délay j'estime qu'il faut publier l'establissement de la chambre et faire travailler plus que jamais les commissaires à informer, saisir papiers, etc. Et ce en vertu d'une nouvelle commission qui portera qu'en attendant l'establissement de la chambre, Sa Ma[té] est contrainte de faire user de telle procédure sur la conoissance qu'elle a que les financiers, leurs commis et entremetteurs détournent tous leurs papiers et les preuves qu'ils prévoient estre à l'encontre d'eux. Telle poursuite donnera une si grande alarme à ceux qui se sentiront coulpables en leur conscience, qu'ils viendront aux pieds de Sa Ma[té] rédimer leur vie par leur bourse.

S'ils sont aveuglés de ne parler pas comme il faut dans les huit jours, il faut actuellement establir la chambre, en prendre les juges dans les parlemens, les choisir du tout incorruptibles et de telle réputation que les noms seuls leur donnent de l'estonnement.

De plus, il faut faire courre le bruit que l'intention du Roy est de loger tous les conseillers de ladite chambre dans le bois de Vincennes, où ils orront et examineront les charges et informations sans qu'il leur soit permis de sortir dudit chasteau tant que ladite

---

(c) Première rédaction : « Par cet expédient ».
(d) Ce dernier alinéa est en marge, sur la minute.

recherche duera, ny que personne leur parle fors ceux qui en auront la permission du Conseil.

D'autant qu'aucuns des accusés, pour estre secrétaires du Roy, pourroient, en vertu de leurs privilèges, demander leur renvoy au parlement, ce qu'ils ne peuvent estendre en une cause générale où ils ont le Roy pour partie, et M. le chancelier et les Maîtres des Requêtes pour juges primitifs, lors qu'ils viendront prendre conoissance de leurs différends, comme il a esté jugé en l'affaire du Comte et de Chesnard secrétaires. Pour obvier à cette contestation, il faut que la commission des commissaires porte que là où en l'exécution d'icelle il se trouveroit aucune poursuite de l'estat de secrétaire du Roy chargé de malversation aux finances, Sa Mat^é veut et entend que, sans s'arrester à leurs privilèges, il responde par-devant lesdits commissaires comme n'aiant Sa Mat^é jamais donné aucun privilège contre moy, n'entendant néanmoins déroger aux privilèges desdits secrétaires en toutes autres causes que celles qui regarderont la recherche desdites finances (e).

Au mesme temps, pour leur donner encor un coup d'esperon et les porter à éviter leur perte, il faut faire une injonction à tous les financiers de n'abandonner leurs domiciles à peine de perte de leurs estats, commandements à ceux qui l'auroient fait de revenir dans la huitaine et rapporter tous les papiers qu'ils ont détournés sur les mesmes peines. C'est une chose certaine que la plus part, au lieu de tesmoigner leur innocence par leur demeure, prouveront leur crime par leur fuitte, ce qui sera avantageux pour l'affaire (f).

Par une autre déclaration, il sera enjoint à tous les notaires de Paris, de la vicomté et prévosté d'icelle, de rechercher dans leurs minutes tous les contrats d'acquisition qu'ils ont passés sous le nom ct au proffit de tous les financiers depuis vingt ans.

François Ier, aux ordonnances de l'an 1532, art 4, veut que, lorsque par l'instruction des procès et information aucuns financiers s'estant trouvés coulpables ou véhémentement soupçonnés de malversation, on les mette prisonniers et fasse-t-on saisir leurs biens jusqu'à ce qu'ils soient jugés, sauf à ordonner quelques provisions à leurs femmes et enfans.

La mesme déclaration portera que tous ceux qui ont presté leurs noms soit pour promesses simples ou contrats d'acquisition, ou recelé des biens desdits financiers, en auront la sixiesme partie en les venant déclarer aux commissaires. Et où ils manqueront et que le recelé soit découvert à l'encontre d'eux, ils perdront leurs biens propres qui demeureront confisqués au Roy.

Charles IX, à Gaillon, l'an 1566, défend de receler ny cacher aucuns deniers, immeubles ou debtes appartenant aux financiers qui sont déférés ; mais ceux qui les garderont viendront avec promptitude [en faire la] révélation devant les commissaires sous peine du quadruple de la valeur des choses, qui sera paié sans déport, et de punition corporelle s'il y échet.

(e) Tout ce paragraphe est en marge, sur la minute.
(f) Ce dernier alinéa est en marge, sur la minute.

Il faudra, en outre, faire publier cette déclaration à son de trompe et en public, en tous les sièges roiaux, à ce que nul n'en prétende cause d'ignorance.

On pourra aussy faire publier monitoire aux prosnes des paroisses de Paris et lieux où ils ont du bien, à ce que ceux qui en auroient connoissance aient à le révéler, remettant la mesme portion des biens qui seront découverts à ceux qui en donneront advis.

En mesme temps, on commettra en l'exercice de leurs charges autres personnes, n'estant pas raisonnable qu'ils les exercent, car par ce moien ils tiendroient en sujétion et crainte tous ceux qui ont eu cy-devant affaire avec eux et [qui] peuvent déposer des péculats et exactions par eux commises, craignant que, demeurans en leurs charges, ils les traitassent plus rudement qu'auparavant. Et pendant que l'on travaillera à leur procès, ils seront paiés de leurs gages, fors et excepté quelque modéré appointement pour les commis qui exerceront, outre les droits et taxations appartenans pour l'exercice des offices.

Il ne faut pas craindre que les affaires demeurent, car Charlot prendra volontiers l'espargne pour tant et si peu de temps qu'on voudra. Feydeau sera bien aise d'en faire autant, telles gens pensans par là se mettre à couvert. Et plusieurs bourgeois de Paris ne refuseront pas de servir (g). Cet expédient fut prattiqué par le chancelier de l'Hospital ès années 1561 et 1562. L'exercice de telle commission dura dix-huit mois, pendant lesquels on ne voulut jamais *se résoudre de les remettre.* Ceux qui se trouveront grandement coulpables ne doivent pas estre restablis en leurs charges. Il y a, à ce propos, un fort beau passage de saint Cyprien, qui, après avoir absous des évesques donatistes, ne veut pas qu'ils soient remis dans leurs charges, disant qu'il n'est pas raisonnable que l'Eglise les restablisse ès charges par lesquelles ils se sont rebellés contre elle (h).

De plus, il faudra accorder abolition à quelques-uns de ceux qui auront fait des compositions pour lesdits financiers, à la charge qu'ils déclarent ce qu'ils savent.

Telle chose a tousjours esté prattiquée, et les loix le permettent, veu qu'autrement difficilement pourroit-on avoir la cognoissance de certains crimes, qui, soubçonnez de beaucoup, ne sont cogneus que par ceux qui y ont trampé. On ne présume jamais qu'une personne veuille faussement se mettre une marque de perpétuelle flétrissure sur le front pour ruiner un autre, joint que telles accusations ont tousjours des suittes et des circonstances qui s'ajoutent à la conviction des accusés (i).

Sa Maté fera aussy, s'il luy plaist, entendre dans sa cour, qu'elle tiendra à crime qu'aucun, de quelque qualité qu'il puisse estre, la vienne supplier ny luy parler en faveur de ceux qui se trouveront accusés de malversation.

Par telles voies, ils viendront indubitablement à subir une taxe et promptement selon un désir ils en font ouverture (j). Et au cas

(g) Depuis le début de l'alinéa, en marge sur la minute.
(h) Depuis : « L'exercice de telle commission » jusqu'à la fin de l'alinéa, le texte a été ajouté en marge sur la minute.
(i) Tout ce paragraphe est placé en marge sur la minute.
(j) La phrase est mal construite ; il faut entendre : d'autant plus promptement qu'ils en auront le désir.

qu'ils ne le fassent pas, il faut haster la chambre et la faire travailler incessamment par certaines maximes particulières justes et raisonnables qu'on establira, par exemple, par l'examen de leurs biens et la proportion de ceux qu'ils ont avec ceux de leur naissance, ce qui a tousjours esté prattiqué dans les ordonnances de François 1er de l'an 1532, art. 6, il est porté que ceux qui auront pris des bénéfices des finances les rendront et le quadruple, ce qu'on sçaura par la faculté de leurs biens. Enguerrand de Marigny fut condamné sur l'immensité de son bien. Paul-Emile suppose qu'un de ses principaux interrogats fut *unde tam immanes* et *tam repentinæ divitæ* (k). La chambre mesme establira les maximes qu'elle jugera nécessaires pour ne demeurer pas dans les formes des autres affaires, qui passeroient en des longueurs que le bien public dont il s'agit ne peut souffrir.

Les loix qui ne veulent pas qu'on soit obligé de rendre raison d'où vient le bien qu'on possède, s'entendent de ceux qui n'ont pas manié les finances publiques, car ceux-là doivent déclarer d'où sont venus leurs biens, quelles sont les donations qui leur ont esté faites, les successions qui leur sont échues, et combien se montoient les partages de leurs biens paternels et maternels. Au reste, le moien le plus certain de les convaincre de s'estre enrichis aux despens du Roy est de voir que les gages et émolumens légitimes de leurs offices et la multiplication des profits qu'ils en peuvent faire ne sauroient de bien loin monter au prix de leurs richesses.

Si les financiers veulent subir la ricgueur de la chambre, c'est chose certaine que plusieurs se feront pendre, et la moindre punition que puissent recevoir les plus innocens sera de perdre leurs offices, eux-mesmes confessans que nul ne s'en peut exempter si on les juge par la rigueur des ordonnances, ce dont ils reconnoissent ne se pouvoir plaindre. Moran (1) me l'a dit ainsy, offrant de demander son pardon et dépendre de la grâce du Roy (l).

Par ce moien on gaigneroit pour plus de douze millions de charges et un grand réglement pour l'avenir, réduisant tous ces offices en commissions.

Après tout ce que dessus, rien n'est tant nécessaire pour conduire ceste recherche à bonne fin que la fermeté et la persévérance de Sa Maté la résolution qu'elle prendra, estant certain que, nonobstant les deffences qu'elle aura faites d'intercéder vers elle pour les financiers, elle aura à combattre les sollicitations de plusieurs personnes intéressées ou par parenté ou par utilité secrète ou touchées de compassion...

Il faut aussy estre à l'épreuve de certains mauvais succez qui peuvent arriver en la poursuite de quelque particulier au procès duquel quelque juge se rendra peut-estre favorable, ou un tesmoing sera corrompu, ou une preuve altérée, ou on prolongera le temps pour empescher la condamnation : estant certain qu'ès grandes affaires et particulièrement de ceste nature, il se trouve de grandes difficultez et qu'il est presque impossible de faire contre l'intérest de plusieurs particuliers l'establissement d'un bien notable pour le

(k) Depuis « les ordonnances de François Ier » jusqu'à la citation latine, en marge.
(1) Thomas Moran, ou Morand ou Morand, trésorier de l'Epargne.
(l) Cette phrase a été ajoutée en marge.

public sauf une peine indicible qui enfin rend le succez de ce qu'on a entrepris plus glorieux.

Toutes les affaires de France n'aiant rien de chaud que les commencemens, si celle qu'on entreprend n'est poursuivye avec mesme vigueur, et que les financiers apperçoivent qu'on se ralantisse, ils diront qu'on ne trouve point de sujet de leur faire du mal ou qu'on n'a pas le courage, ce qui les fera passer pour estre aussy innocens qu'ils sont coulpables, les rendre plus insolans et fère que la composition qu'on leur pourroit demander à la fin ne sera pas si avantageuse pour le Roy.

Il faut prévoir et pourvoir au dessein que les financiers, pour se sauver dans la confusion et troubles du roiaume, pourroient estre portés par le désespoir à donner sous-main une somme notable à ceux qui peuvent brouiller l'Estat et qui sont mescontens. Ainsy, du temps de Henry 3e, Videville, poursuivy vivement, se retira en Lorraine, d'où il disposa ses compagnons à donner de l'argent à M. de Guise pour commencer à acheminer les desseins de la Ligue. Il est donc à craindre que beaucoup de méchans esprits et inventifs, comme d'ordinaire ceux des hommes de finance et tant de seigneurs qui leur sont alliés ou qu'ils peuvent intéresser, ne se jettent dans quelque résolution semblable, et encore que le temps n'y semble pas estre beaucoup disposé si est-ce qu'il faut appréhender de l'esprit avaricieux de M. le Prince et de la plus part des officiers de la couronne et seigneurs, qui sont privés des pensions qu'ils avoient accoustumé d'avoir.

De toutes ces raisons on peut tirer cette résolution que, puisqu'il est périllieux de porter la recherche des finances jusques aux extrémités, qu'il est honteux de la quitter, que des affaires présentes requièrent qu'on la face, et qu'il est expédient pour l'avenir qu'elle soit, il la faut faire jusqu'à une grande saignée de leur bourse, et donner ordre que doresnavant elle ne se remplisse point tant. Mais il faut sur toutes choses suivre en cela l'inclination et les mouvemens du Roy, afin de n'estre point chargé du blasme de trop grande lascheté ou de trop grande violence. Il n'y a financier qui ne soit associé avec des partisans pour prester de l'argent au Roy, et cependant les ordonnances sont formellement contraires. Charles 9, l'an 1560, aux Estats à Orléans, art. 139, leur défend de s'associer avec marchands ou banquiers à peine de privation de leur estats.

64. — M. de Montmort au cardinal de Richelieu. 10 octobre 1624.

B.N., Fonds franç., Vol. 25.556, f° 59. — Original.

Analyse :

Présumant que le cardinal a de nombreux amis au parlement de Rennes, il fait appel à sa bienveillance pour qu'il recommande aux magistrats le porteur de la lettre, dont la famille est des mieux alliées de cette ville.

65. — L'abbesse de Fontevrault, au cardinal de Richelieu. Fontevrault, 17 octobre 1624.

Archives du Musée Condé de Chantilly, Série J, t. II, pièce 214. — Original.

Monseigneur,

J'ay esté long temps en suspens si je présumerois de présenter ma requeste à Vostre Illustrissime Seigneurie, craignant, d'une part, de me rendre importune, et, de l'autre, recongnoissant que je ne mérite point d'estre ouie ; mais en fin (Monseigneur), je me suis hasardée de vous représenter qu'ayant l'honneur d'estre vostre première fille (quoi qu'indigne), je m'oze promettre quelque faveur, et celle qui maintenant m'est le plus nécessaire est qu'il vous plaise emploier l'authorité de Vostre Illustrissime grandeur à ce que je soye payée de la pention royalle, car je n'ay aucun moien de payer les debtes de cette maison et fournir aux fraiz qu'il convient faire pour les réparations. Je vous en supplie donc très humblement (Monseigneur), et de crere que toute ceste compagnie augmentera ses prières pour vostre heureuse prospérité, et que très particulièrement comme la plus obligée je me porteré à ce debvoir, comme estant,

Monseigneur,

Vostre très humble et très obéissante fille et servante en Nostre Seigneur,

Sœur Louise de Bourbon,
Abbesse de Fontevrault.

A Fontevrault, ce 17 8bre 1624.

Pièce 65. — *Louise de Bourbon-Lavedan, née le* 21 *octobre* 1548, *était fille de Jean de Bourbon, vicomte de Lavedan, et de Françoise de Silly. Elle était entrée de bonne heure à l'abbaye de Fontevrault, où elle avait fait sa profession au mois de mars* 1558. *Prieure le* 5 *avril* 1610, *elle avait succédé, le* 1er *juin* 1611, *comme abbesse de la communauté à Antoinette d'Orléans, mais son intronisation solennelle n'eut lieu que le* 29 *juillet* 1612, *sous la présidence de l'évêque de Luçon, futur cardinal de Richelieu. Elle s'employa à achever les réformes monastiques entreprises par les abbesses de Bourbon qui l'avaient précédées à la tête de la célèbre maison, qui lui dut, en particulier, l'introduction de la pratique journalière de l'oraison mentale et celle de l'office romain. Elle devait mourir le* 11 *janvier* 1637.

66. — La duchesse de Lesdiguières au cardinal de Richelieu. Chaumont, 22 octobre 1624.

Univ. de Paris, Bibl. Victor-Cousin, Fonds Richelieu, Vol. 14, f° 91-92. — Original.

Monsieur,

La vostre m'a aporté autant de contentement que j'ay eu de

déplaisir à ce voyage que Monsieur le connestable a fait à Seuse (1), ou il s'est assemblé avecq S.A. (2) pour la conférence où je ne suis voullue aller, ayant esté avertie à Briançon que S.A. et Messieurs les princes avoient eu l'opinion que j'avois quelque intelligence avecq l'Espagnol, à cause d'un secrettaire que Monsieur le connestable a congédié soubs mesme prétexte, sans qu'on l'aye peu convaincre d'aucune chose que seullement de l'imagination de ce prince, ne faisant aucun doute que mes ennemis m'en ayent voullu mettre autant dans l'esprit de Leurs Majestés ; mais j'espère que le soin que Monsieur le connestable et moy aporterons pour découvrir les auteurs de telle[s] meschanchetés en cète ocasion, tant envers S.A. que Messieurs les princes et ambassadeurs, nous fera découvrir quels sont ceux qui m'ont presté cette charité, n'en ayant peu encores rien découvrir, sinon que par le secrétaire de Monsieur l'ambassadeur de France, qui dit l'avoir apris d'un Piémontois qu'on n'a seu treuver, à ce qu'il dit, ce qui fait bien voir que c'est une invention la plus maudite qu'on aye encores ouïdire. S.A. et Messieurs les ambassadeurs m'en envoyé faire leurs excuses, dont Monsieur le connestable et moy ne nous voullons point contenter, sachant combien cela nous importe. J'espère que nous en treuverons les auteurs, ou, pour le moins, qu'à la confusion de ces inventeurs mon inocence sera cogneue partout, dont je vous donneray avis, affin que par voste faveur les mauvaises impressions soyent éfacées de l'esprit de Leurs Majestés. Je regrette bien fort de vous entretenir d'un si fascheux discours, mais je ne puis que m'adresser à vous, Monsieur, comme l'un de mes meilleurs amys, que j'onore et qui me faites la faveur de m'aymer, pour vous suplier de m'assister en ma justiffication, et, en contreschange, je vous supplie de croire que, de toutes les personnes du monde, il n'y en a pas une qui, avec plus d'affection, recherche les moyens de vous servir et de vous faire paroistre que je suis véritablement et de tout mon cœur.

Monsieur,

Vostre très humble et très obéissante servante,

De Treffort (3).

A Chaumon (4), ce XXIIe octobre 1624.

Pièce 66. — *La lettre porte en suscription, au verso : « A Monsieur Monsieur le cardinal de Richelieu ». La signataire est la seconde épouse du connétable de Lesdiguières. Elle était née Marie Vignon. Veuve d'un marchand de soie de Grenoble, nommé Ennemond Matel, elle épousa le connétable le* 16 *juillet* 1617 *et mourut le* 22 *février* 1657. *Il sera plus tard question de cette seconde duchesse de Lesdiguières, dont les démêlés avec le maréchal de Créqui défrayèrent la chronique en* 1628. *La lettre reproduite ici montre les relations qu'entretenait le cardinal avec la duchesse, qui, à différentes reprises, accompagna son mari dans ses voyages en* Piémont (*V. Louis Videl,* Vie du maréchal de Lesdiguières, 1638, *p.* 580 *et s.*).

(1) Suse.
(2) Le duc de Savoie, Charles-Emmanuel Ier (1562-1630).
(3) Après la mort de sa première femme, née Claudine Béranger du Gua, le connétable fit venir à Grenoble Marie Vignon et la fit dame de Moirans et marquise de Treffort. C'est de ce dernier nom que la lettre est signée.
(4) Chaumont, dans l'actuel département de la Haute-Savoie (arr. de Saint-Julien-en-Genevois).

67. — L'abbé de la Trinité de Poitiers au cardinal de Richelieu. Poitiers, 28 octobre 1624.

A.E., Mém. & Doc., France, Vol. 1696 (Poitou), f° 49. — Original.

Analyse :

Il sollicite le maintien de la pension de mille cinq cents livres que le roi a eu la bonté d'accorder à son abbaye.

68. — MM. les Echevins de la ville d'Alençon au cardinal de Richelieu. Octobre 1624.

A.E., Mém. & Doc., France, Vol. 246, Invent. de la cor., 1624, f° 29.

Analyse :

« MM. de la ville d'Alençon le supplient de les recommander à M. de la Fautrière sur le règlement des tailles, et qu'on ne les hausse point. »

69. — Les consuls de la ville de Marseille au cardinal de Richelieu. Marseille, octobre 1624.

A.E., Mém. & Doc., France, Vol. 1700 (Provence), f° 288. — Original.

Monseigneur,

Nous avons envoyé par della le sieur Vyas pour une affaire qui regarde l'observation de la réforme d'un monastère de religieuses de ceste ville (1). En encores que pour estre une œuvre toute saincte et à la gloire de Dieu vous l'embrasseriez, néantmoings ces pauvres filles sont si tracassées en fraiz et despens, n'ayant bonnement de quoy vivre, que nous vous suplions humblement la juger deffinitivement ou renvoyer à ce parlement suivant la requeste que vous en fera led. Sr Vyas, duquel vous entendrez la justice de la cause plaine de piété demeurans sur ce,

Monseigneur,

Vos très humbles et obéissans serviteurs,
Les consuls de la Ville de Marseille,
[trois signatures illisibles.]

(1) Il s'agit du monastère de Saint-Sauveur, d'après l'Inventaire de la correspondance de 1624. — Vol. 246, f° 29 — qui donne, en outre, la date d'octobre 1624 à cette pièce.

70. — M. de Valençay au cardinal de Richelieu. Montpellier, 6 novembre 1624.

A.E., Mém. & Doc., France, Vol. 1627 (Languedoc), f° 215. — Original.

Monseigneur,

Il y a plus d'un an que j'avoys projetté une affaire pour le service du Roy, de laquelle ayant conféré avec M^r le Président de Fresatz, il me manda de la cour, dès le commencement qu'il y fût arrivé, en ce dernier voiage qu'il a faict, qu'il vous en avoit parlé, et que vous luy aviez ordonné de me mander qu'il estoit nécessaire que j'y travaillasse, ce que j'ay faict autant qu'il m'a esté possible. Led.sr. président est venu icy depuis, qui m'a dit la forme en laquelle vous trouviés bon qu'elle fut exécutée. J'y ay disposé toutes choses, et vous l'ay fait sçavoir par celuy qui poursuit mes affaires à la cour, nommé Sablé ; et pour ce que l'affaire presse, et que si elle ne s'exécute pas entre icy et le premier jour de l'an, elle est faillie pour ce coup, je vous supplie, Monseigneur, de vouloir promptement pourvoir aux choses nécessaires qui sont un commandement pour moy, car jusques icy, hors ce que m'en a dit ou escrit M^r le Président de Fresatz, je n'en ay eu aucun ordre. Et puis, ayant gaigné moiennant deux mil escus l'homme qui peult donner le plus grand coup à cette affaire, qu'il vous plaise faire pourvoir tant pour son paiement qu'aux autres pour satisfaire aux intérestz particuliers de ceux qu'il fault emploier en cette occasion. A cause que je n'ay point de chiffre avec vous, je n'oze vous mander le particulier de cette affaire, que j'ay chargé Sablé de vous faire sçavoir pour après avoir receu vos commandemens sur icelles y obéir comme je doibz et pour le service du Roy et pour ce que je suis,

Monseigneur,

Vostre très humble et très obéissant serviteur,

Valencay.

De Monp^{er}, ce 6 nov. 1624.

71. — M. de Schomberg au cardinal de Richelieu. Saint-Germain-en-Laye, 6 novembre 1624.

A.E., Mém. & Doc., France, Vol. 778, f° 218. — Original.

Monseigneur,

Nous vous atandons icy vandredy à une heure après midy, qui est environ le temps que le Roy nous a donné pour tenir conseil. Sy vous venés, comme je veulx espérer que v^{re} santé le vous permettra, il y aura de grandes résolutions à prandre. Sinon vous serés atandu. Il n'y a icy aucune nouvelle depuis v^{re} partement. Vous aurés veu la déspesche d'Angleterre, laquelle, ce me semble, est de son stile ordinaire. Le mien sera de vous honorer tousjours plus que personne au monde, et de me dire avec le plus de passion.

Monseigneur,

Vostre très humble et plus obéissant serviteur,

Schonberg.

St-Germain, ce 6e 9bre 1624.

72. — M. d'Huxelles au cardinal de Richelieu. Chalon-sur-Saône, 27 novembre 1624.

A.E., Mém. & Doc., France, Vol. 1490 (Bourgogne), f° 223. — Original.

Monseigneur,

Vous sçavez qu'il y a longtemps que de vostre grâce vous avez commencé de m'obliger sans vous avoir jamais rendu aucun service. C'est vostre générosité ordinaire qui se plaist d'acquérir tous les jours de nouvelles obligations sur ceux de nostre profession. C'est ce qui vous a convyé de m'assister de vostre appuy et recommandation auprès du Roy pour l'occasion de l'employ en la charge de mareschal de camp, dont il a pleu à Sa Majesté m'honorer en son armée de Bresse. Je recognois avoir aussy peu mérité ceste charge comme la faveur que vous m'avez despartye pour l'optenir ; mais j'emploieray toutes les forces de mon esprit pour faire que ma fidélité, ma vigilance et mes services respondent à la grâce de Sa Majesté, et que ma perpétuelle recognoissance satisface à mon obligation envers vous, Monseigneur, attendans que les occasions s'offre[nt] de m'acquitter de l'ung et de l'autre avec mon sang et ma vye, que je tiendrois heureusement et glorieusement employée en vous rendant preuve combien je suis,

Monseigneur,

Vostre très humble et très obéissant serviteur,
Huxelles.

A Chalon, ce 27e 9bre 1624.

Pièce 72. — *Ce n'est ici qu'une lettre de remerciement, mais les termes employés en font un modèle du genre. L'auteur — dont il sera surtout question dans les années suivantes — est Jacques du Blé, marquis d'Huxelles, gouverneur de Chalon-sur-Saône et du Chalonnais depuis* 1611. *Il commandait, depuis* 1613, *une compagnie d'ordonnance et avait été nommé peu après mestre de camp d'un régiment d'infanterie. Conseiller d'Etat en* 1615, *chevalier des Ordres en* 1621, *il était destiné à servir dans l'armée, dont le roi venait de donner le commandement au connétable de Lesdiguières pour opérer en Italie. Il sera plus tard chargé de commander le corps d'armée appelé à secourir le duc de Mantoue. Il sera mortellement blessé au siège de Privas en mai* 1629. *Il avait épousé, en* 1617, *Claude Phélypeaux d'Herbault, fille du secrétaire d'Etat.*

73. — M. de Fresal au cardinal de Richelieu. Toulouse, 30 novembre

Catal. Charavay, Col. Adolphe Pécard, vente du 1er juillet 1873, p. 53.

Analyse :

Il mande au cardinal la mauvaise influence du duc de Rohan. Il raconte le voyage qu'il vient de faire dans le Rouergue et les négociations officieuses qu'il a engagées avec les gentilshommes et habitants de Millau. Il rapporte les conditions présentées par ses interlocuteurs et demande au cardinal s'il convient de poursuivre ses négociations.

74. — Instructions pour M. de Saint-Géry. Paris, 2 décembre 1624.
1624.

A.E., Cor. pol. Turin, Vol. IV, f° 243 et s. — Copie.

Impr. : Dom Cl. Devic et Dom J. Vaissète, *Histoire générale du Languedoc,* Toulouse, 1875 et s., t. XII, col. 1722-1727.

. . . .

Ledit sieur de Saint-Géry ayant exécuté auprès de Monsieur le connestable les ordres ci-dessus, et accomply aussi en Piedmont ce qui luy a esté cy-devant prescrit, il retournera en Dauphiné, et, de là, entrera dans le Vivaretz, pour suivre au bas et hault Languedoc et faire la reveue de toutes ces provinces, en intention de fondre à Montauban pour y achever sa négociation.

En toutes ces provinces, il verra les principaux de ceux de ladicte religion prétendue réformée, pénétrera leurs sentiments, recognoistra s'ilz sont recherchez de quelques endroicts pour se réunir et sous-lever ; quelle disposition tant en eux que les villes et les peuples y ont ; leur remonstrera le danger dans lequel ledict duc de Rohan les veult précipiter, à dessein de faire ses affaires à leurs despens ; qu'ils attireront l'indignation et toutes les forces de Sa Majesté sur leurs bras, en sorte qu'estans réduicts maintenant à ung petit nombre de retraictes, ils peuvent juger que Sa Majesté les rangera aisément dans leur debvoir. Qu'ils ne doibvent pas estimer Sa Majesté si avant engaigée aux affaires du dehors son royaume qu'elle n'aye

Pièce 74. — *Cette pièce porte en titre : « Instruction que le Roy a commandé estre baillée au sieur de Saint-Géry, gentilhomme ordinaire de sa chambre, l'envoyant en divers et plusieurs endroits tant dedans que dehors son royaume, pour affaires importantes à son service ». La première partie de ces instructions concerne la mission du destinataire en Piémont et, en particulier, auprès du connétable de Lesdiguières, qui commandait alors le corps d'armée destiné à opérer en Valteline. On trouvera seulement ici ce qui a trait à la mission de Saint-Géry dans le Dauphiné et la vallée du Rhône.*

Indépendamment de leur contenu propre, ces instructions sont intéressantes en ce qu'elles expliquent la correspondance qui s'échangea, au cours des années suivantes, entre le cardinal de Richelieu et le baron de Saint-Géry. Clément de Laroque-Bouillac, baron de Saint-Géry, était un gentilhomme de l'Albigeois, qui avait épousé, en juin 1620, Anne de Buade, fille d'Antoine de Buade, baron de Palluau, conseiller d'Etat, gouverneur des châteaux de Saint-Germain-en-Laye et premier maître d'hôtel du roi. Il se trouvait être ainsi le beau-frère de l'abbé d'Aubazine, aumônier du roi de 1621 à 1624, qui devait être également employé par Richelieu. Le baron de Saint-Géry, dont le château se dresse encore sur la rive droite du Tarn à quelques lieues en aval de Gaillac, devait être un des agents les plus actifs du cardinal dans le Languedoc, pendant toute la période où cette province fut agitée par les menées du duc de Rohan (*).

(*) Il ne doit pas être confondu avec son contemporain du même nom, Joseph de Saint-Géry, baron de Magnas, qui était le fils de Jean de Saint-Géry tué en 1622 devant Montpellier, et appartenait à la maison du duc d'Epernon.

la liberté toute entière de venir à eux, tous ses desseings n'estans fondez que sur la tranquilité présente de l'Estat, laquelle venant à se troubler, Sa Majesté est toute résolue de rassembler toutes ses armées pour elle mesme accourir au plus pressé, estant manifeste que cest accident ne peult arriver sans que ceux de la religion prétendue réformée en général ne souffrent une extrême ruyne et destruction en son royaume, et que ceux qui en font profession au dehors comme en Hollande et en Allemaigne, n'en ressentent un grand affoiblissement.

Ledict sieur de Saint-Géry usera de ces raisons et considérations générales pour conforter les esprits dans l'obéissance de Sa Majesté et la félicité de la paix et du repos dont ils jouissent ; mais comme Sa Majesté entend qu'il voye les principaux instruments d'entre ceux de ladicte religion prétendue réformée qui pourroient remuer, comme Blacons (1), Brison (2), Beaufort (3), Montbrun (4), Montauban (5), le marquis de Malauze (6), et autre de telle qualité ; elle veut aussy après les avoir induict par les raisons susdictes à demeurer en leur debvoir et exhorté de faire paroistre leur courage, valleur et expérince sur les occasions honnorables qui se présentent au dehors, qu'il les escoute sur leurs intérêts particuliers, et leur face bien espérer de la grâce et de la libéralité de Sa Majesté et mesmes de l'employ, sans toutesfois s'engager, en sorte que lesdicts particuliers eussent occasion de se plaindre de ce que ses promesses n'eussent esté accomplies.

Quant audict duc de Rohan, il le pourra veoir, non de la part du Roy, mais comme de luy mesme, et essayera de pénétrer quels projects et entreprises il a sur aucunes des places du royaume, et si son desseing tend à la faction et révolte entière, ou seulement à faire bruict pour se faire rechercher et contenter ; en tout cas il luy remonstrera le reproche qu'il attirera sur luy et sur sa maison de troubler par ses menées les généreux desseings pris par Sa Majesté pour abaisser ceste grande puissance d'Espaigne qui se rend redoutable à tous les princes et potentats, et principalement à ceux qui font profession de sa religion ; qu'il sera cause en ce faisant que Sa Majesté solicitée des affaires de son royaume, sera contraincte d'habandonner le soing de celles du dehors, et possible de s'accommoder avec l'Espaigne comme il luy sera toujours aisé et facile, en estant recherchée de plusieurs endroicts ; chose qui ne pourroit arrriver sans que Sa Majesté ne retirast le secours et assistance qu'elle a promis aux Estats et aux princes d'Allemaigne mesme, affin de convertir et faire bander toutes les forces de son royaume, pour

(1) Hector de Forets, seigneur de Blacons ; il s'était distingué en 1622 par la défense de la place du Pouzin.

(2) Joachim de Beaumont, baron de Brison, fils aîné de Rostaing de Beaumont et de Jeanne de Caires de la Bastide d'Entragues ; il ne tardera pas à faire parler de lui en s'emparant de Pouzin.

(3) Un des capitaines du duc de Rohan ; il sera décapité en 1628.

(4) Charles-René du Puy de Tournon, qui avait été marié pendant quelques années, à Françoise de Bonne, fille légitimée du connétable de Lesdiguières, devenue, en 1623, l'épouse de Charles de Créquy.

(5) Charles de Rohan, fils aîné du prince de Guéméné.

(6) Louis de Bourbon-Malauze, vicomte de Lavedan (1608-1667), issu d'une branche remontant à Charles bâtard de Bourbon, fils de Jean II de Bourbon, connétable sous Charles VIII.

en ung coup esteindre ce qui reste de la faction dans le party de ceux de ladicte religion prétendue réformée, et retrancher ce membre corrompu qui empesche la convalescence et l'ancienne splendeur du corps de cest Estat.

Luy remonstrera qu'il seroit plus scéant à sa qualité et à sa naissance de rechercher quelque honnorable employ dans les armées de Sa Majesté pour acquérir, en servant la couronne, de la réputation. Mais par ce qu'il pourroit incontinent respondre qu'il a esté si fort meprisé que l'on n'a daigné luy en offrir, et que mesmes il n'a peu tirer aucune satisfaction des choses qui luy ont esté promises, quelque poursuitte qui en aye esté faicte par sa femme (7), ledict sieur de Saint-Géry luy répliquera que son absence en est la cause, Sa Majesté ayant creu qu'il alloit de son authorité de ne le pas rechercher, estant, comme il est, contre son gré à Castres pour y recueillir et fomenter toutes les mauvaises humeurs de ceux de ladicte religion prétendue réformée ; qu'il croit que s'il se résolvoit à venir trouver Sa Majesté, qu'il le pourroit en toute asseurance et qu'il recevroit contentement en ses intérestz pour ce subject. Il luy offrira à son retour de luy rendre tous les offices qu'il désirera de luy, pourveu qu'il luy donne sa foy et sa parolle de ne rien attenter contre le service de Sa Majesté.

En suitte ledict sieur de Saint-Géry essayera de veoir et entretenir ceux qui ont plus de créance près dudict duc, soient domestiques ou autres, et s'il recognoist qu'il y aye lieu d'en tirer par leur moyen une bonne lumière et advis, et de les acquérir au service du Roy, il leur fera pour ce subject toutes les promesses de récompense qu'il verra convenable, et establira avec eux bonnes et secrettes intéligences et correspondances pour ceste fin.

Ledict sieur de Saint-Géry passera aussi par les principales villes tenues par ceux de ladicte religion prétendue réformée, comme Castres, Milhaut, Montauban et autres, esquels lieux il remarquera avec industrie les mouvemens des habitans sur les occasions présentes, sçaura quelles liaisons elles ont avec ledit duc de Rohan, leur remonstera par les raisons susdictes le tort et le préjudice qu'elles se feroient de s'embarquer en ses passions, et mesmes de conserver aucune intelligence avec luy, qui ne pourroit qu'estre grandement suspecte à Sa Majesté en la juste desfiance que les déportemens dudict duc et du sieur de Soubize (8) luy donnent ; partant, il les exhortera chascun en particulier de se détacher de toutes factions, pratiques et menées, et de vouloir jouir du bénéfice de la paix et de la grâce que Sa Majesté leur a accordée, les asseurant que, comme leur fidélité et obéissance les affermira dans la confiance et bonne volonté de Sa Majesté, qu'aussi s'ils pensoient sur les affaires présentes s'esmouvoir avec ledict duc de Rohan pour

(7) Henri de Rohan (1579-1638) avait épousé en 1605 Marguerite de Béthune-Sully, fille aînée de Maximilien I de Béthune, duc de Sully, et d'Anne de Courtenay. — V. Schybergson, *Le duc de Rohan*, Paris, 1880. G. Serr, *Henri de Rohan*, 1946.

(8) Benjamin de Rohan (1583-1642), sieur de Soubize, était le frère cadet d'Henri de Rohan. En dépit de l'engagement qu'il avait pris en rendant Saint-Jean d'Angély au roi, en 1621. Il s'était de nouveau dressé contre l'autorité royale, l'année suivante, s'en emparant de Royan, des Sables-d'Olonne et de Ré, et il avait fallu envoyer des troupes contre lui pour l'en chasser.

suivre sa passion, qu'ils verront aussi tost fondre le Roy et les forces du royaume sur eux, et renouveler les mesmes ruynes et misères que semblables conseils pernicieux leur ont faict souffrir par le passé ; joinct qu'ils n'auroient plus de prétexte pour couvrir la plus noire desloyauté et perfidie contre l'Estat qui aye jamais esté, veu qu'ils n'ont aucun subjet de plaincte. Outre ce ledict sieur de Saint-Géry considérera l'estat des fortiffications desdictes places, les munitions de guerre qui y sont, et, selon les habitudes qu'il y a desjà contractées, il pratiquera les principaux pour les désunir de la faction dudict duc de Rohan et les asseurer au service de Sa Majesté, ce qu'il fera avec les meilleures parolles qu'il pourra, y meslant aussi des promesses de recompense aux ungs et aux autres, selon que leurs actions et déportemens mériteront.

En toute ceste négociation ledict sieur de Saint-Géry se conduira suivant la présente instruction et les advis du sieur connestable et du sieur de Bulion (9), comme aussi Sa Majesté luy donne charge de visiter, allant par ces provinces, Monsieur de Montmorency (10), s'il est en son gouvernement, les sieurs de Valencey, président le Mazuyer, Faure et de Caminade, pour s'informer d'eux de l'estat de la province de Languedoc, et pour les exhorter de veiller chacun de leur costé à toutes les occurences, tesmoignant aux ungs et aux autres le contentement que Sa Majesté a de leurs services ; ce qu'il accomplira pareillement avec le comte de Carmain (11), duquel il pourra préssentir s'il ne voudroit point aller ambassadeur en Espaigne, luy remonstrant que cest employ, dans lequel il seroit désiré de Sa Majesté, est très important en la conjoncture présente des affaires, et qu'il luy ouvriroit le pas pour entrer en d'autres plus grands et convenables à sa qualité et à la bonne opinion que Sa Majesté a de luy.

Ledict sieur de Saint-Géry traictera tous lesdicts affaires avec secret et industrie, et ne s'ouvrira point à Monsieur de Savoye des practiques desdicts de la religion prétendue réformée ; au contraire, si Son Altesse le met sur ce propos, il luy pourra dire que les affaires du royaume sont si bien affermies qu'il n'y peut arriver aucune altération qui puisse desmouvoir ny destourner Sa Majesté du desseing projetté par elle.

---

(9) Claude de Bullion, marquis de Gallardon et seigneur de Bonnelles (v. 1570-1640), fils d'un maître des Requêtes ; sa mère était une Lamoignon. Conseiller au Parlement de Paris en 1599, puis conseiller d'Etat ordinaire, il était alors intendant de l'armée d'Italie et avait su gagner la confiance du connétable de Lesdiguières.

(10) Henri II, duc de Montmorency (1595-1632), gouverneur du Languedoc depuis 1614, amiral de France.

(11) Adrien de Montluc (1571-1646), gouverneur et lieutenant-général pour le roi en pays de Foix, était le petit-fils du célèbre Blaise de Montluc et appartenait à une branche de la maison de Montesquiou, l'une des quatre baronnies du comté d'Armagnac. Il avait épousé, en 1592, Jeanne de Foix, fille et héritière d'Odet, comte de Carmain (ou comme on l'écrivait alors par déformation du mot : de *Cramail*). Outre ce titre, Adrien de Montluc portait ceux de prince de Chabanois et de baron de Montesquiou. Ses liaisons avec Madame du Fargis devaient lui valoir l'exil, et son attitude à l'armée de Lorraine, la Bastille, en 1635 ; il ne retrouvera la liberté qu'après la mort de Richelieu.

En dernier lieu, ledict sieur de Saint-Géry informera soigneusement Sa Majesté de toutes les occurences qu'il verra dignes de sa cognoissance, asseuré que les services qu'il rendra en ceste commission luy seront très agréables.

LOUIS

Phélipeaux

Faict à Paris, le 11e jour de décembre mil six cens vingt quatre.

75. — MM. de la Chambre des Comptes en Dauphiné au cardinal de Richelieu. Grenoble, 5 décembre 1624.

A.E., Mém. & Doc., France, Vol. 1546 (Dauphiné), f° 94. — Original.

Monseigneur,

Nous sçavons que Messieurs du parlement de ce pays qui députent en court sur le subject de nos différents, se promettent que vous appuyerez de vostre puissante faveur la foiblesse de leur cause, ayant pour cet effect mandié des lettres de recommandation. Mais sy espérons nous tant de vre justice et de vre affection au service de Sa Maté et au bien public, dont il s'agit plus en ceste instance que de nre intérest particulier, que vous ne vous serez pas contraire, ains que vous protégeres nostre bon droict, ainsy que nous vous en supplions très humblemt avec asseurance que nous graverons dans nos cœurs le souvenir de ce bon office pour en tesmoigner le ressentiment en toutes les occasions quy s'en offriront, et cependant prierons Dieu qu'il conserve longuement à l'Eglise et à l'Estat ung sy ferme et solide soutient qu'est le vostre, et qu'il vous remplisse d'aultant de félicitez et de contentement que vous en peuvent souhaitter,

Monseigneur,

Vos très humbles et très affectionnés serviteurs,

Les gens tenans la Chambre des Comptes en Dauphiné,

[trois signatures illisibles].

A Grenoble, le 5e décembre 1624.

76. — La princesse de Piémont au cardinal de Richelieu. Turin, 8 décembre 1624.

Bibl. de Rouen, Col. Leber, Vol. 5767 (3242), portef. G., pièce 28. — Original.

Monsieur mon cousin, ce porteur, le P. Jacinte, m'estant recommandable à cause des bons services que feue sa mère, la comtesse de Morette, m'a rendus en la charge de ma première dame d'honneur, cela me convie de vous faire une prière en sa faveur, qui est de l'assister auprès de la Royne Madame ma mère et partout ailleurs, affin qu'il puisse obtenir d'elle l'effect de la promesse, que Sa Majesté luy fist à Sion, qu'elle luy feroit avoir quelque abbaye en France, vous asseurant que je recepvray l'assistance que vous luy ferez pour un tesmoignage que mes prières vous sont chères et que vous estimez mon amitié aussy véritablement comme je fais la vostre, puisque je suis entièrement,

Monsieur mon cousin,

V^re^ très affectionnée cousine,

Chrétienne.

Je vous prie d'avoir
saite afaire en recommandation (a).

A Thurin, ce 8 décembre 1624.

Pièce 76. — *La lettre porte sur le repli la suscription : « A Monsieur le cardinal de Richelieu, mon cousin ». A la différence de la lettre précédente datée du 1er septembre* — supra *pièce* 55 — *celle-ci n'est pas de la main de la princesse, à l'exception de la formule de politesse et du post-scriptum.*

77. — MM. les Trésoriers de Bourges au cardinal de Richelieu. S.l., 9 décembre 1624.

A.E., Mém. & Doc., France, Vol. 246, Invent. de la cor., 1624, f° 29.

Analyse :

« ... pour soulager les habitans de Chastillon, qui ont beaucoup souffert, et les exempter de la taille pendant deux années. »

78. — A Monsieur le Prince. 10 décembre 1624.

B.N., Fonds Baluze, Vol. 334, f° 238. — Mise au net de la main de Charpentier.

Impr. : Avenel, II, p. 54.

Monsieur,

Nonobstant les oppositions que les habitants d'Issoudun ont faites à ce que vous désirez, le Roy, de son propre mouvement, vous a accordé les lettres d'Estat que vous avez demandées. Cela a esté cause qu'il n'y a pas eu lieu de vous servir, ceste affaire s'estant

(a) Ces mots ont été ajoutés par la princesse de Piémont à côté de sa signature.

trouvée sans difficulté dans l'esprit de Sa Majesté. Cependant, je vous supplie de croire (a) que je m'estimeray très heureux de vous rendre, en toute autre occurence, des tesmoignages qui vous facent cognoistre que je suis,

Vostre très humble serviteur,

Pièce 78. — *Depuis qu'il était rentré de ce voyage d'Italie qui avait si fort déplu au roi — parce que celui-ci y avait vu non sans raison une façon de manifester sa désapprobation de la paix de Montpellier — le prince de Condé était demeuré dans ses gouvernements du Berry et du Bourbonnais, donnant tous ses soins au rétablissement de sa fortune et à la défense de ses intérêts. Il s'était fait attribuer la charge de Grand bailli de Bourges, qui plaçait pratiquement sous son contrôle la magistrature de cette ville, et celle de lieutenant général qui lui donnait la haute main sur tous les gens de guerre. Ses entreprises n'allaient pas sans rencontrer quelques résistances ni sans soulever quelques procès. De là les « Lettres d'État » auxquelles il est fait allusion.*

79. — M. du Maurier au cardinal de Richelieu. 13 décembre 1624.

A.E., Mém. & Doc., France, Vol. 778, f° 228. — Original.

Analyse :

Invité, depuis le retour de son ambassade, à verser au trésor royal la somme de douze mille livres, il demande qu'il lui soit remis décharge de la totalité des sommes qu'il a antérieurement perçues et utilisées pour le service du roi.

Pièce 79. — *L'auteur de cette lettre, Benjamin Auberry, seigneur de Maurier, ancien secrétaire de Sully, avait été pendant plusieurs années ambassadeur en Hollande, à partir de* 1613.

80. — L'évêque d'Orange au cardinal de Richelieu. Orange, 15 décembre 1624.

A.E., Mém. & Doc., France, Vol. 1546 (Dauphiné), f° 98. — Original.

Monseigneur,

Il n'y a que fort peu de jours que les huguenots de Languedoc et Dauphiné ont tenu une assemblée dans le lieu de Pumeras proche du Comtat, en laquelle fust conclud de faire la guerre et prandre les armes contre le Roy ; et pour fortifier leur dessein percicieux, ils députèrent vers Monsr le gouverneur d'Orange pour le prier de s'unir à eulx et prandre la direction de leur entreprise. Mais il

(a) Le début de cette phrase est de la main de Richelieu.

ne les vouleut point escouter, s'estant déclairé pour le service de Sa Majesté. Et m'ayant esté donné cet advis en toute asseurance, j'ay creu devoir vous en doner compte aussy tost, Monseigneur, en continuation du vœu que j'ay fait de ne laisser perdre aucune occasion pour le service du Roy non plus que les moyens de vous tesmoigner par effet que je suys,

Monseigneur,

Vostre très humble serviteur,

L'éves. d'Orange.

A Orange, ce XV déc. 1624.

Pièce 80. — *Cette lettre est peut-être celle par laquelle commencèrent entre le cardinal et l'évêque d'Orange des relations qui allaient se poursuivre au cours des années suivantes. L'évêque se nommait Jean VI de Tulles ; il occupait son siège épiscopal depuis* 1608, *date à laquelle il avait succédé à son oncle, Jean V de Tulles, dont il avait été le coadjuteur. Il devait mourir le* 3 *octobre* 1640.

La principauté d'Orange était passée par héritage, à l'extinction de la maison de Chalon-Arlay, en 1530, *dans la famille de Nassau. Le fils aîné de Guillaume le Taciturne, Maurice de Nassau, semble avoir pris un soin particulier de sa petite principauté, puisqu'au cours des années* 1621 *et* 1622, *il avait fait de la ville — en utilisant d'ailleurs les matériaux que fournissaient en abondance les vestiges de nombreux édifices romains — l'une des places les plus fortes d'Europe. Or, il avait envoyé, dès* 1620, *comme gouverneur un gentilhomme, dont il est précisément question dans cette lettre : Jean de Hertoge d'Osmale, seigneur de Walkenbourg, avec lequel l'évêque ne tarda pas à entretenir les meilleures relations. Maurice de Nassau étant mort en* 1625, *son frère Frédéric-Henri lui avait succédé comme stathouder des Provinces-Unies, et, quelques années plus tard, en* 1628, *Walkenbourg abjurait le protestantisme entre les mains de l'évêque d'Orange et... offrait de céder la principauté au roi de France par un traité en bonne et due forme, signé le* 30 *novembre* 1627 *et ratifié le* 18 *décembre suivant par Louis XIII. Les circonstances politiques devaient empêcher l'exécution du traité, la France s'étant alliée à la Hollande, et Walkenbourg sera assassiné par les émissaires de Frédéric-Henri de Nassau — Voir : A. Waddington,* Une intrigue secrète sous Louis XIII..., in *Rev. hist.*, 1895, *LVIII.*

81. — Le connétable de Lesdiguières au cardinal de Richelieu. S.l., 18 décembre 1624.

A.E., Mém. & Doc., France, Vol. 1546 (Dauphiné), f° 96. — Original.

Monsieur,

Depuis que je n'ay eu l'honneur de voir le Roy, je faisois une forte instance envers S.M. à ce qu'il luy pleust pourvoir aux nécessitez de la garnison françoise du fort de Barraulx (1) ; mais,

(1) Le fort de Barraux est situé dans l'actuel département de l'Isère, canton du Touvet (Graisivaudan). Chose curieuse, c'est là que la seconde épouse du connétable, née Marie Vignon, devait être enfermée, en 1628, par les soins de son gendre, le maréchal de Créqui, devenu gouverneur du Dauphiné, sous l'inculpation d'intelligence avec le duc de Savoie.

comme les grandes affaires qui se traictoient alors empeschoient le cours des petites, cette-cy fut intermise, et la condition n'en fut pas rendue meilleure pourtant. C'est pourquoy le S[r] d'Arces, lieutenant au gouvernement dudit fort et gentilhomme d'ailleurs de beaucoup de mérite, s'en va supplyer très humblement S.M. d'avoir pitié et de la garnison et de luy, qui s'est engagé jusqu'au bout pour en faire les avances. Je vous supplye, Monsieur, d'y contribuer vostre puissant crédit, et vous obligerez en particulier celuy qui est de toute son affection,

Monsieur,

Vostre plus obéissant et très affectionné serviteur (a),

Lesdiguières.

Pièce 81. — *La date a été portée au dos de la lettre.*
L'auteur, François de Bonne de Lesdiguières (1543-1626), *était fils de Jean de Bonne, seigneur des Disguières, et de Françoise de Castellane. Il avait révélé de bonne heure ses talents militaires à la tête des protestants du Dauphiné, dont Henri IV l'avait nommé gouverneur en* 1591. *Maréchal de France en* 1608, *élevé à la dignité de duc en* 1611, *puis, après sa conversion au catholicisme, à celle de connétable, il exerçait sur sa province l'autorité d'un véritable vice-roi.*

82. — A Louis de Marillac. S.l., 19 décembre 1624.

A.E., Mém. & Doc., France, Vol. 246, Invent. de la cor., 1624, f° 2 v°.

Analyse :

« A M. de Marillac — que la maladie de son frère est venue bien mal à propos ; qu'on presse les surintendants de luy envoyer de l'argent ; que le Roy est content de la manière dont il conduit les troupes. »

Pièce 82. — *Il sera souvent question, dans cette correspondance, du destinataire de cette lettre, dont le résumé seul nous a été conservé. Louis de Marillac, comte de Beaumont* (1553-1632), *était issu du second mariage de Guillaume de Marillac, seigneur de Ferrières, avec Geneviève de Boislévesques ; il était donc frère consanguin de Michel de Marillac, qui, depuis la disgrâce de La Vieuville, était l'un des deux surintendants des finances et sera, en juin* 1625, *nommé garde des sceaux. Louis de Marillac avait alors le gouvernement des ville et citadelle de Verdun ; il sera maréchal de France en* 1629 *et périra sur l'échafaud le* 10 *mai* 1632. *Il avait épousé une parente éloignée de la reine mère, Catherine de Médicis, fille de Cosme de Médicis et de Diane de Bardi.*

(a) Cette formule finale est seule de la main de Lesdiguières.

83. — M. de Poyanne au cardinal de Richelieu. Navarrenx, 23 décembre 1624.

A.N., Série K — 113, pièce n° 14. — Original.

Monseigneur,

Je m'estois tousjours attandu que les justes plaintes que je fis l'année passée du mauvais traictement que j'ay receu pour l'entretien de ceste place, depuis que le Roy m'a fait l'honneur de me la mettre en main, porté jusques à tel point par deffaut de payement que si, je me feusse trouvé sans quelque créance pour fournir à l'entretien de la garnison, elle se fut perdue et moy avecque elle au grand désavantage du service du Roy ; et espérois que tout cela eust porté Messieurs de son Conseil de remédier à prst à une chose de telle conséquance. Mais, quoy que je souffre les mesmes incommodités et que le péril soit semblable, mesmes plus grand en ce temps par la défiance que nous prenons des Espaignols, je me trouve sans ressource ny consolation d'aulcun remède, qui me contraint d'envoyer exprès le Sr de Portau, conteroleur pour le Roy en la province et enceste ville, exprès en poste, pour faire entendre au Roy et à

Pièce 83. — *L'auteur de cette lettre joua, à l'époque et dans les années qui suivirent, un rôle très important dans l'histoire du Béarn. Fils de Bartrand de Baylenx, seigneur et baron de Poyanne, Gamarde, Nousse, Lannistan, Rondebœuf et autres lieux, gouverneur pour Charles IX des villes de Dax et Saint-Sever, et de Louise de Cassaguet de Tilladet, Bernard de Poyanne était né en* 1579. *Gouverneur de Dax en survivance de son père, dès* 1606, *nommé gouverneur de Navarrenx en* 1620, *lieutenant général en Béarn pendant la période de crise qui suivit le rattachement de cette province à la France, il s'était en outre distingué dans la lutte contre les protestants soulevés par le marquis de Castelnau, et leur avait enlevé Mont-de-Marsan ; il sera plus tard, en* 1624, *nommé sénéchal des Lannes* (*c'est-à-dire des Landes*), *chevalier du Saint-Esprit en* 1633, *avant de mourir à Dax en* 1646. *Quant à Navarrenx, dont il est surtout question dans cette lettre, c'était alors une place de guerre de la plus grande importance, non seulement en raison de sa situation à l'endroit où s'élargit la vallée du gave d'Oloron, mais par les dépôts d'armes qui s'y trouvaient rassemblés. « Qui tenait Navarrenx, tenait le Béarn », écrit le duc de La Force. Le* 17 *octobre* 1620, *Louis XIII, en personne, s'était fait remettre les clefs de la ville, et avait jugé bon de remplacer le gouverneur protestant, M. de Salles, âgé alors de quatre-vingts ans, par un catholique de fidélité éprouvée : il en confia le commandement à Bernard de Poyanne. Mais quand l'armée royale eut quitté la Gascogne, un des neveux de Salles, le sieur de Bensin, tenta de s'emparer par surprise de la ville* (*déc.* 1620). *L'entreprise échoua. Trois mois plus tard, Bensin se jetait avec des troupes dans Mongiscard, « une motte haute et droite comme un clocher »* (Mémoires du maréchal de La Force). *Pour l'en déloger, un siège en règle fut nécessaire. C'est alors que le maréchal de La Force, gouverneur de Béarn, qui avait jusque-là paru s'accommoder du nouveau gouverneur de Navarrenx, prit le parti des révoltés et leva des troupes. Ce fut l'origine de l'intervention du duc d'Epernon, qui, sur l'ordre du roi, marcha sur Pau, et de la destitution du maréchal de La Force, en lutte ouverte contre son souverain. Depuis cette date, Bernard de Poyanne avait fait de Navarrenx la première place forte du Béarn. — V. Duc de La Force,* Le maréchal de La Force, 1558-1652, 2 vol., 1950-1952.

Nosseigneurs de son Conseil le piteux estat de cette garnison, composée de trois cent cinq[te] hommes seulem[t], quoy que les habitans et le voysinage soient de la religion, et qu'elle soit située à douze lieues de trois grandes et fortes garnisons espagnolles, assavoir Jaque (1), Fontarabie (2) et Pampalonne (3), voisine de deux lieues des villes d'Oléron et Mauléon, où l'abord des Espagnols est très grand non seulement les jours de marché, mais presque ordinairem[t], qui peut soubs prétexte de commerce rendre les desseins et entreprises grandement aysés et faciles. A ce qu'il plaise à Sa Ma[té] et à Nosseigneurs de son Conseil rendre la garnison plus forte, et, pour le moings, y restablir les cinq[te] hommes que Monsieur le marquis de la Vieuville en retrancha l'année passée contre l'establissem[t] des quatres cens hommes fait par Sa Ma[té] pour la seureté de la place. Représenter aussy qu'il est impossible de pouvoir entretenir les soldats que par les voyes de prests et advances que je fais toutes les sepmaines, estans tous estrangers de la ville, et les habitans si pauvres qu'ils n'ont pas moyen de leur prester ung sol, et partant est du tout nécessaire qu'il plaise à Sa Ma[té] leur faire faire le payement par advance, et, pour cest effet, assigner la garnison sur le quartier de janvier, qui les mène encore jusques à la fin de may. Car de les assigner sur les autres quartiers que toute l'année passe sans aulcun payement que sur la fin d'icelle, j'ay esté en telle peine par le passé pour pourvoir aux advances et si engagé pour les sommes qui me sont deues, qu'il m'est impossible d'en f[air]e davantage. Sur quoy et sur plusieurs autres choses nécessaires pour la conservation de ceste place, où toutes les choses nécessaires sont presque défaillantes, je vous suplie très humblement d'ouyr favorablement led. sieur de Portau, lequel vous endira la vérité comme très bien instruict et très bon serviteur du Roy, ayant en garde ses munitions et magasins, et pourvoir tellement au passé, ordonnant le payement des sommes qui me sont deues, et à l'advenir pour la seureté de lad. place, que je n'aye ce desplaisir de voir, outre le désavantage de ma maison hyppotéquée par mes advances, le desservice de Sa Ma[té], s'il n'est dignement et promptement pourveu aux choses nécessaires pour l'entretien de la garnison et la conservation de la place, où je continueray tousjours d'estendre la fidélité que je dois et à vous l'obeyssance que vous a vouée,

Monseigneur,

Vostre très humble et très obéissant serviteur,

Poyanne.

De Navarreins, ce 23 décembre 1624.

---

(1) Jaca, province d'Huesca.

(2) Fontarabie (Fuenterrabia), sur l'estuaire de la Bidassoa, province de Guipuzcoa. Cette place devait résister victorieusement en 1638 à l'armée du prince de Condé.

(3) Pampelune (Pamplona), ancienne capitale du royaume de Navarre.

84. — MM. les Maire et Echevins de la Ville de Bayonne au cardinal de Richelieu. Bayonne, 26 décembre 1624.

A.E., Mém. & Doc., France, Vol. 246, Invent. de la correspondance, 1624, f° 29.

Analyse :

« Les Maire et Echevins de Bayonne demandent qu'on les conservent (*sic*) contre les prétentions des trésoriers, qui veulent leur disputer la moitié de la coutume de leur ville, sous prétexte que le Roy l'a haussée depuis un an. Il représentent la situation de leur ville, leur voisinage avec l'Espagne, leur jalousie, la nécessité où ils sont de se bien garder, ce qui les consume en frais. »

85. — La princesse de Piémont au cardinal de Richelieu. Turin, décembre 1624.

Univ. de Paris, Bibl. Victor-Cousin, Fonds Richelieu, Vol. 14, f° 100. — Original.

Analyse :

Recommandation en faveur du Sr de Fleury se rendant à la cour.

86. — Madame de la Vieuville au cardinal de Richelieu. 1624.

A.E., Mém. & Doc., France, Vol. 778, f° 233. — Original.

Analyse :

Elle a appris que son mari était tombé malade, et prie le cardinal d'intervenir auprès du roi pour que la permission d'aller le voir lui soit accordée.

Pièce 86. — *Arrêté le* 13 *août, La Vieuville avait été interné au château d'Amboise. Sa femme — née Marie Bouhyer de Beaumarchais — ne semble pas avoir été inquiétée.*

87. — Le prince Thomas au cardinal de Richelieu. 1624.

A.E., Mém. & Doc., France, Vol. 778, f° 235. — Original.

Analyse :

Il s'excuse sur son état de santé de n'avoir pu faire au cardinal sa visite d'adieu avant son départ.

Pièce 87. — *L'auteur de cette lettre, qui signe « le prince Thomas », et qui était d'ailleurs connu sous cette appellation, était Thomas-François-de Savoie-Carignan* (1596-1656), *fils de Charles-Emmanuel I*[er], *duc de Savoie, et de Catherine d'Autriche. Il devait épouser, en* 1625, *Marie de Bourbon-Soissons, fille de Charles de Bourbon-Soissons et d'Anne de Montafié.*

88. — Liste des financiers compromis en 1624.

A.E., Mém. & Doc., France, Vol. 779, f° 130.

Impr.: *Mémoires de Richelieu,* édit. de la Société de l'Histoire de France, t. IV, Appendice XIV.

Financiers contre lesquels il y a décret de prise de corps :
Le sieur de Beaumarchais, trésorier de l'Epargne ;
Le sieur Bardin, son commis ;
Le sieur Almeras, trésorier de ligues de Suisses ;
Le sieur de Lyonne, aussy trésorier de ligues ;
Le sieur de Ligny, trésorier des parties casuelles ;
Le sieur de Bragelongne, trésorier de l'extraordinaire des guerres ;
Le sieur Donon, trésorier de l'artillerie ;
Le sieur de la Barre, aussy trésorier de l'artillerie ;
Le sieur Aubert, qui a exercé la mesme charge par commission ;
Le sieur Hobier, trésorier de la marine de Levant ;
Le sieur Sirou, aussy trésorier de ladite marine ;
Le sieur de Serres, aussy trésorier de ladite marine ;
Le sieur Félix, contrôleur de ladite marine ;
Le sieur Nalot, trésorier-payeur de la gendarmerie ;

Proxénètes (1) desdits financiers contre lesquels il y a aussy décret de prise de corps ;
Le Doyen, trésorier des aumosnes et conterolleur général des rentes en Touraine,
Les nommés Mons, père et fils ;
Les nommés Raucourt, père et fils ;
Molaville ;
Douynel ;
Pinçon ;
Fagottin ;
Malespert ;

Autres financiers contre lesquels il y a charge suffisante pour décreter :

Le sieur de Villoutreys, pour autres faits que ceux dont il s'est différé ;

Sevin, son commis, pour faults rosles et faults acquits ;

Scaron et Coquille, tant pour compositions que pour les faits contenus dans la dénonciation du sieur de Villoutrays ;

Les nommés Courtin, Belot, Cartier, Guillemot et Portalais, pour les mesmes faits ;

Gasselin, commis du sieur de Beaumarchais, pour compositions illicites bien justifiées ;

Ardier, premier commis du sieur d'Herbault, pour divers faits ;
Habert Montmor, idem ;
Lancy, idem ;
Barentin, trésorier des parties casuelles ;
Boullin, Saveau et Gemarye, ses commis, idem ;
Bardeau et Maugis, trésoriers de l'Ecurie ;
Jossier et Particelli, trésorier et conterolleur de l'argenterie ;

---

(1) Le mot a ici son sens étymologique : courtiers.

Le sieur Morant est un peu moins chargé, et toutesfois il y a subjet de décréter ;

Autres complices desdits financiers dont les décrets sont inévitables :

Monsigot, maistre des comptes ;
Perochel, aussy maistre des comptes ;
Choisy, de Caen ;
Yvonnet, son commis ;
Et Camus.

89. — Pour remédier aux désordres plus pressans. 1624.

A.E., Mém. & Doc., France, Vol. 779, f° 80-81. — Copie.

Les deux plus certains augures par lesquels on conjecture la décadence de cest Estat est de voir l'autorité royale négligée, foible et comme abatue, ce qui cause que la pluspart des sujets, mesprisans les commandemens du Prince, se jettent dans toutes sortes de caballes au grand préjudice du service du Roy et du repos du royaume.

L'autre est l'exez du luxe, soit par les habitz, soit p^r^ la table, soit p^r^ les ameublemens, qui est monté aujourd'huy à un tel degré que l'on ne peut plus discerner par les habitz le prince d'avec le gentilhomme, le noble d'avec le roturier, ny le m[aistr]e d'avec le serviteur, la façon de vivre des uns et des autres allant de pair avec celle des princes, de sorte que, ne pouvans fournir à l'excez de leur despence, la plupsart d'entre eux se ruinent ou s'engagent à commettre des injustices, violences et autres choses contre les bonnes mœurs, voire mesme contre la fidélité qu'ils doivent au Roy.

Dc ces deux points susdits sont provenus tous les désordres qui ont accablé ou qui accablent encore la France. Pour à quoy remédier, attendant un plus ample réglement, et surtout pour contenir les Grands soubzs l'autorité royale, qui est le seul pivot sur lequel tourne l'Estat, il faut, le plus tost que faire se pourra, trouver un fonds pour l'entretenement de la milice, affin de tenir tousjours le royaume armé de forces sufisantes pour deffendre le dehors et contenir les sujets en devoir au-dedans, estant impossible que Sa Ma^té^ se puisse faire redouter à ses voisins ny qu'elle soit bien obeye ny que ses ministres puissent bien faire servir sinon en entretenant un armement puissans par le moyen duquel chacun soit retenu dans le devoir par l'apréhension d'un prompt chastiment, estant plus à propos de faire cette despence de bonne heure pour remédier aux inconvéniens, que d'attendre à armer, comme on a tousjours fait, quand le mal a pris naissance, ce qui couste alors cent fois davantage au Roy et au peuple, d'autant que, travaillant de cette sorte, on ne remédie jamais à un mal que l'on n'en face un autre plus grand, ce qui n'arrive point quand les armes du prince sont sur pied par prévoiance.

P^r^ le regard du luxe, Sa Ma^té^, par un édit solennel, peut régler la superfluité excessive des habits suivant le mémoire y raporté.

Ces deux points bien réglez, le Roy se trouvera plus absolu pour grandes despences dans lesquelles les vanités du temps les a jettez, d'où s'ensuit la ruine de plus[rs] familles, et particulièrement de la noblesse, laquelle à cause de ses nécessités est contrainte d'importuner continuell[t] Sa Ma[té] pour obtenir des gratiffications. Ainsy, le Roy estant armé et soulagé des demandes de ses sujets, la facilité sera beaucoup plus grande pour prévenir le mal et remédier à loisir aux désordres dont il convient purger l'Estat.

Une des principales maximes que le Roy doit pratiquer est de tenir toujours sa cour la plus petite qu'il pourra, affin que Sa Ma[té] soit moins importunée, et ses ministres plus libres de travailler aux choses qui concernent son service. Et d'autant que toutes les cabales prennent leur origine et se forment ordinairement dans la cour, le Roy doit, soubz quelque spécieux prétexte, commander à tous les princes et gouverneurs de se rendre dans les provinces et places de leurs gouvernemens au plus tard dans quinze jours, — renvoyer aussy dans leurs diocèses tous les évesques, et que nul ne puisse suivre la cour ny y venir qu'avec la permission du Roy, et tous les gouverneurs des places tout de mesme.

Que nuls religieux, moynes et hermites ne pouront fréquenter ny séjourner dans la cour qu'il n'aye(nt) permission du Grand Aumosnier, auquel le Roy enjoindra de tenir la main pour empescher le plus qu'il luy sera possible les fréquentes allées, venues et séjours desdits religieux comme chose indécente et qui retourne au grand scandale de l'Eglise. Que sy lesdits religieux ont quelques poursuittes à faire au Conseil, led[t] Grand Aumosnier pourvoiera que cela se face par quelque séculier.

Ordonner que le Grand Prévost de l'Hostel ait l'œil pour faire retirer de la cour tous vagabonds et autres gens sans adveu ; et que, pour cet effet, enjoindre aux mar[aux] des logis de s'enquester quelles gens logent ès maisons qu'ils ont marquées, outre ceux auxquels les logemens sont affectez, pour en faire toutes les semaines leur rapport au Grand Prévost des noms, qualitez et demeure de ceux qu'ils auront trouvez volontaires, lequel par après, sur le billet qui luy sera baillé, ira s'informer de leurs mœurs et déportemens pour les chastier ou enjoindre de se retirer.

Pièce 89. — *Les deux idées principales ébauchées dans ce court mémoire se retrouvent dans le* Testament politique : *voir, en particulier, dans l'édition L. André, les pages sur l'état du royaume en* 1624, *les cabales de cour* (*p.* 95), *la répression du luxe* (220), *l'obligation pour les évêques de résider dans leur diocèse* (155), *la nécessité de disposer d'une armée permanente* (380-381).

ANNÉE 1625

1. — L'évêque d'Albi au cardinal de Richelieu. Villeseau, 9 janvier 1625.

Arch. de la ville de Reims, Col. Tarbé, cart. XIII, pièce 63. — Original.

Monsegneur,

Suivant le commendement que vous me fistes à Compiègne de vous faire voir le plan des meilleures villes que tiennent ceux de la religion prétendue en nos cartiers, j'ay fait apporter ceux que j'ay jugé plus dignes de vostre curiosité, lesquels je vous envoye ; l'un est de Castres et les deux autres de Millau en la façon qu'il estoit auparavant la desmolition, et comme il est asterre (1). Les autres lieux m'ont semblé n'en valoir pas la peine. J'ay fait conscience de vous les présenter. Si, en quelque autre occasion, Monsegneur, je suis si heureux de pouvoir mériter l'honneur de vos commandemens, je vous supplie très humblement m'en vouloir honorer, et cependant me permettre de me dire avec toute sorte de respect et de submission,

Monsegneur,

Vostre très humble et très obéissant serviteur,

D'Elbène, évesque d'Alby.

De Villeseau (2), ce 9 janvier 1625.

Pièce 1. — *Consacré évêque en* 1607, *Alphonse d'Elbène* (*v.* 1580-1651) *avait succédé à son oncle sur le siège épiscopal d'Albi en* 1608. *D'une famille originaire de Florence établie en France dès le règne de Louis XII, il était le troisième fils de Julien d'Elbène, qui avait servi la diplomatie de Catherine de Médicis, et de Catherine Tornaboni. Très lié à Gaston d'Orléans par ses deux neveux, Guy d'Elbène, capitaine des gardes du prince, et Barthélemy, son aumônier, devenu plus tard, évêque d'Agen, il devait être, en* 1632, *le principal instigateur de la révolte de Montmorency. Après le combat de Castelnaudary, qui mettait fin à l'expédition militaire de Monsieur, il jugera prudent de passer en Italie. Déposé par l'assemblée générale du Clergé de France, en* 1645, *il finira ses jours à Paris, le* 9 *janvier* 1651.

2. — L'archevêque de Bordeaux au cardinal de Richelieu. Bordeaux, 9 janvier 1625.

Univ. de Paris, Bibl. Victor Cousin, Fonds Richelieu, Vol. 14, f° 101-102. — Original.

Monseigneur,

Je viens tout présentement de recevoir advis que ceux de la prétendue religion sont résolus de surprendre les isles d'Oléron et de

(1) Lire : « à cette heure » ou, selon l'usage de l'époque, « *astheure* ».

(2) Le domaine de Villeseau appartenait au frère de l'évêque, Pierre d'Elbène, colonel d'infanterie.

Ré, et les fortifier, et qu'ils sont assistés de deniers par les financiers. Asseurément le sieur de Jarnac (1) en a reçu et en a donné pour lever les troupes. Je ne doubte point qu'en mesme temps ils ne se saisissent de quelque place. Sainte-Foy (2) est très mal, la citadelle estant petite et mal garnie et les fortiffications de la ville très mal desmolies. Tenés ce premier advis vray. V[re] grande prudence sçaura bien donner des conseils au Roy pour prévenir ou remédier à ces maux, plus facile au commancement qu'au progrès. Je prie Dieu,

Monseigneur,

qu'il vous conserve toujours en sa saincte grâce. A Bordeaus, ce 9e janvier 1625,

V[re] très h[ble] serviteur,

+ Card[al] de Sourdis.

Pièce 2. — *La suscription est au verso du second feuillet : « A Monseigneur le Cardinal de Richelieu ». La lettre est d'un secrétaire, à l'exception des derniers mots « V[re] très h[ble] serviteur », qui sont de la main du signataire.*

François d'Escoubleau de Sourdis (1575-1628) *était le fils aîné des huit enfants issus du mariage de François d'Escoubleau de Sourdis, marquis d'Alluye, et d'Isabeau de la Bourdaisière, tante de Gabrielle d'Estrées. D'abord évêque de Maillezais, il avait été élevé à la pourpre le* 3 *mars* 1598, *puis nommé à l'archevêché de Bordeaux le* 21 *décembre* 1599. *Comme son frère, l'évêque de Maillezais, qui lui avait succédé sur ce siège et lui succédera sur celui de Bordeaux, il était dans les meilleurs rapports avec Richelieu. Il devait mourir le* 8 *février* 1628.

3. — Le duc de Vendôme au cardinal de Richelieu. Nantes, 15 janvier 1625.

A.E., Mém. & Doc., France, Vol. 1503 (Bretagne), f° 235. — Original.

Monseigneur,

J'ay appris de mon frère (1) les bons offices que vous m'avez rendus auprès du Roy, et combien vigoureusement il vous a pleu employer vostre autorité pour faire voir la faulceté et nullité des soupçons qu'on vouloit donner à Sa Majesté de moy. J'ay creu vous

(1) Guy Chabot, baron de Jarnac, fils aîné de Léonor Chabot, seigneur de Saint-Gelais et de Saint-Aulaye, et de Marguerite de Durfort. Il avait présidé, en 1616, l'assemblée de La Rochelle. Il devait mourir peu après 1640 après avoir abjuré le protestantisme.

(2) Sainte-Foy-la-Grande, arr. de Libourne, Gironde.

(1) Alexandre de Vendôme, deuxième fils d'Henri IV et de Gabrielle d'Estrées ; né en 1598, il était grand prieur de l'Ordre de Malte et général des galères de cet ordre. Impliqué dans la conspiration de Chalais, il sera arrêté avec son frère le 13 juin 1626 et conduit au château de Vincennes, où il mourra le 8 février 1629.

devoir rendre le très humble remerciement par cette lettre, à quoy vostre courtoisie m'a obligé, avecq asseurance que, tant que je vivray, mes actions vous feront paroistre le sentiment que j'en ay dans le cœur, estant plus que toutes les personnes du monde,

Monsieur,

Vostre très humble serviteur,

Vendosme.

De Nantes, ce 15e janvier 1625.

Pièce 3. — *Fils d'Henri IV et de Gabrielle d'Estrées, César de Vendôme était né le* 7 *juin* 1594. *Légitimé en* 1595 *et titré duc en* 1598, *il avait épousé en* 1609 *Françoise de Lorraine-Mercœur, dont le père était gouverneur de Bretagne. A la mort de celui-ci, en* 1602, *le duc de Vendôme lui avait succédé dans sa charge, et, comme tant d'autres, il avait profité des troubles de la minorité de Louis XIII pour se comporter en vice-roi dans son gouvernement. Entraîné par son frère dans les intrigues qui entourèrent, en* 1626, *le mariage de Monsieur, il sera arrêté et enfermé au donjon de Vincennes, d'où il ne sortira que le* 30 *décembre* 1630. *Privé de son gouvernement, il voyagera à l'étranger et ne rentrera en France qu'après la mort de Louis XIII. Il devait mourir en* 1665.

4. — Le duc de Vendôme au cardinal de Richelieu. Saint-Malô, 22 janvier 1625.

A.E., Mém. & Doc., France, Vol. 780, f° 1. — Original.

Monsieur,

Ce gentilhomme, le Sr de la Cour, vous dira, sy vous luy faites la faveur de luy donner audience, la peyne que j'ay eue pour faire équiper des navires icy pour renforcer l'armée navalle de Sa Majesté suivant son commandement, et comme c'eust esté inutillement sy je n'y eusse mis mon bien, faisant cet avancement à mes despens seuls sans ayde ny contribution de qui que ce soit au monde. La crainte que j'ay de vous importuner me fait remettre le surplus au porteur vous suppliant me faire cette faveur et justice tout ensemble d'empescher les discours calomnieux de quelques coquins, lesquels ne méritant pas d'estre honnorés du tiltre d'ennemis, ne ternissent pas mes services. Je ne doubte point que ces personnes-là puissent faire nulle impression en voste esprit contre la vérité et la passion que j'ay d'estre tant que je vivray creu de vous pour,

Monsieur,

Vostre très humble serviteur,

Vendosme.

De St-Malo en l'Isle, ce 22e janvier 1625.

5. — L'évêque d'Orange au cardinal de Richelieu. Orange, 23 janvier 1625.

A.E., Mém. & Doc., France, Vol. 1700 (Provence), f° 290. — Original.

Monseigneur,

M. le gouverneur d'Orange se contiendra dans le service du Roy tant que Sa Majesté assistera les Estats d'Hollande. Je l'ay veu jusques asteure en ceste posture, et m'a prié de le cautionner près de Sa Majesté de ceste sienne résolution. Il la tesmoigne assés en effet par la response qu'il a fait à ces boutefeus, ayant desjà préjugé de leurs menées qu'elles ne seront qu'un feu de paille ou plustot estincelles que le Roy estoufera en leur naissance. Mais la considération encores puissante qu'il a fait sur ces remuements a esté le péril dans lequel le prince d'Orange son maistre se treuve de la maladie de laquelle il est saisi, et, arrivant le cas de mort, il auret besoin du Roy (1). Je ne la désire point pour ne doner ce contantement à l'Espagnol, mais par prévoyance j'oseray vous suplier, Monseigneur, de profiter l'occasion pour tirer d'appréhansion les provinces voysines, que les fortifications d'Orange ont menacé de ruyne, ainsi que je m'offre de vous aler dire de vive-voix lorsque vous m'en donnerez le commandement, puysque je suys de longue main,

Monseigneur,

Vostre très humble serviteur,

L'éves. d'Orange.

Orange, ce XXIII janv. 1625.

Pièce 5. — *Sur l'évêque d'Orange, Jean de Tulle, et ses relations avec le gouverneur de cette ville, voir* supra *la lettre* n° 80 *du* 15 *décembre* 1624.

6. — M. Faucon de Ris au cardinal de Richelieu. Rouen, 31 janvier 1625.

Univ. de Paris, Bibl. Victor-Cousin, Fonds Richelieu, Vol. 14, f° 103-104. — Original.

Monseigneur,

Je me serois donné l'honneur de vous escrire ce qui s'est fait ici de l'exécution des commandemens du Roy pour le préparatif des vaisseaux dont Sa Majesté se veut servir, si je n'avois cognoissance que Monsieur d'Esplan, envoyé sur ce sujet, et qui, à présent, est passé au Havre, et le mayeur de Calais, en ont rendu conte en particulier par leurs dépesches. Il reste peu de vaisseaux (de ceus qui ont esté choisis comme propres à l'effet auquel on les destine)

(1) Maurice de Nassau devait mourir à La Haye, le 23 avril 1625.

à partir, et n'ay point veu que ledit mayeur de Calais ayt mancqué de diligence ; mais il a fallu nécessairement du temps pour le choix de ce qu'on devoit prendre et le deschargement, ce qui, je vous puis asseurer, est, Monseigneur, qu'il n'a rien défailli de ce qui pouvoit estre requis de la part de tous les officiers par le soin que j'en ay pris.

J'ay averti, dès le XXIXe de ce moys, Sa Majesté par Monsieur d'Ocquerre de l'arrest donné en ce parlement contre le curé d'Etran et son serviteur, le XXVIIe, et ne peus escrire plustost, désirant mander quelque chose de certain, que j'apprendrois par les questions et exécution (1). A présent, j'envoye l'arrest audit S^r^ d'Ocquerre avec un mémoire, dont la coppie est en ce pacquet. En somme, nous trouvons que l'advertissement donné par ce curé sur la déclaration d'un pénitent qui s'estoit adressé à luy le XVe novembre dernier, est une fourbe controuvée par ce misérable pour parvenir à quelque dessein. Mais tous les juges généralement qui ont assisté au jugement et à la question avec moy, sont tous en mesme opinion qu'il n'a voulu découvrir le fons du dessein ; et la mienne est qu'il y a une extrême complicité en plusieurs Pères Jésuites, avec lesquels il a communiqué de ses révélations prétendues (qu'il nous a avoué avoir esté impostures) par un long temps et du fait de sa conscience ou un extrême artifice à les tromper (2). Nous n'omcttrons rien pour mettre la vérité au jour, et Sa Majesté sera avertie de temps en temps de tout pour nous faire entendre sa volonté, et, en particulier, je tiendrai à grande faveur de la recevoir par vous, et vos commandemens en cela et en toute autre chose qui pourra donner occasion de témoigner ma dévotion à demeurer, après avoir prié Dieu vous maintenir en prospérité très heureuse,

Monseigneur,

Vostre très humble et très affectionné serviteur,

De Faucon.

De Rouen, ce 31 janvier 1625.

Pièce 6. — *Au verso du* f° 104, *suscription : « A Monseigneur, Monseigneur le Cardinal de Richelieu ». L'auteur, Alexandre Faucon, sieur de Ris, était premier président du parlement de Rouen depuis* 1608 *; il devait mourir au début de* 1628.

(1) Il s'agit de François Martel, curé d'Etran près Dieppe, et de son valet, Nicolas Galeran, qui avaient été convaincus de complot contre le roi. Ils furent condamnés, le premier à être rompu vif, le second à être pendu.

(2) Selon le Père Garasse — *Histoire des Jésuites de Paris*, 1664 — le premier président du parlement de Rouen aurait eu des raisons très personnelles de détester les Jésuites : ils lui auraient fait préférer Etienne d'Aligre comme garde des Sceaux, en janvier 1624. Ce qui est sûr, c'est qu'il fit arrester, à l'occasion du procès du curé d'Etran, trois membres de cette compagnie ; les Pères Chapuis, Benoît et Ambroise. Les deux premiers ne furent retenus que peu de temps ; mais le Père Ambroise fut impliqué gravement. Les jésuites multiplièrent les démarches auprès de certains membres du parlement afin de se les rendre favorables. Ils tentèrent même de montrer que le premier président avait sollicité des témoins pour les faire déposer contre le prévenu. L'affaire fut évoquée au Grand Conseil, et l'arrêt aurait sans doute été accablant contre le Père Ambroise, si le roi, cédant aux sollicitations de l'Ordre, n'avait suspendu sa justice. Le Père Ambroise fut remis aux mains du Père Cotton, qui l'envoya aussitôt en résidence à Pontoise.

7. — M. de Parabère au cardinal de Richelieu. Cognac, 3 février 1625.
Monseigneur,

A.E., Mém. & Doc., France, Vol. 1475 (Angoumois et Saintonge), f° 26. — Original.

J'ay receu une despesche du Roy du XXIIIme du mois passé, par laquelle Sa Majesté me tesmoigne désirer faire cognoistre à ses fidelles subjects de la religion prétendue réformée quy se contiendront en leur devoir, que son intention est qu'ils soyent maintenus et continués dans les graces quy leur sont concédées par ses édicts. C'est ce que j'ay fait entendre aux principaux de ladite religion de cette province, dont il y en a quelques-uns que je veux croire qui demeureront dans les termes de l'obéissance ; mais pour la plus grande partie, j'estime qu'ils n'attendent que l'exemple de ceux de la Rochelle, ou bien que ceux quy sont dans la rébellion ayent quelque favorable succès, pour se jetter aussy dans la désobéissance. Et sy cela est, Monseigneur, je ne manqueray ni de soings ni de courage pour m'opposer aux desseins qu'ils auroient d'entreprendre contre l'authorité du Roy, n'ayant rien tant à cœur que de pouvoir tesmoigner à Sa Majesté la pationée fidélité que j'ay à son service. En outre, Monseigneur, je vous diray comme j'ay trouvé la place de Coignac très mal assurée, à cause que la garde ne se fait que des habitans catholiques, quy sont en trop petit nombre pour s'en bien acquitter, y ayant plus de six vingt familles huguenotes quy ne sont point admises à la garde, et sont tous quasi gens de main et bien armés. Cela et les advis quy ont esté donnés icy avant que j'y arrivasse, et des advis que j'y pris que nos voysins, quy sont en bon nombre et fort suspects au service du Roy, avoient du dessein d'entreprendre sur cette place, m'a obligé de mettre dans le chasteau cinquante hommes pour l'assurer. Je vous suplieray très humblement, Monseigneur, que le Roy ayt esgard à cela, et que, pour la sûreté de la ville, Sa Majesté ordonne à quelques compaignies des régiments quy se lèvent de deçà d'y venir en garnison. Et on s'en pourra tousjours servir dans la province aux occasions quy s'y présenteront. Et cependant Monseigneur, je vous suplieray avec toute sorte de respect de m'honorer tousjours de l'honneur de v^{re} bienveillance, dont je tascheray de me randre digne par mes très humbles services et soubmission et obéissances, estant,

Monseigneur,

Vostre très humble et très obéissant serviteur,

De Parabère.

A Coignac, ce 3me feb^{er} 1625.

Pièce 7. — *L'auteur de cette lettre est Henri de Baudéan, comte de Parabère. Il venait de prendre possession du gouvernement de Cognac ; il sera plus tard gouverneur du Poitou et mourra en* 1653.

8. — Le duc de Cossé-Brissac au cardinal de Richelieu. Port-Louis, 4 février 1625.

A.E., Mém. & Doc., France, Vol. 1503 (Bretagne), f° 236. — Original.

Monsieur,

Monsr le baron de Chaban (1) s'en retournant trouver le Roy vous dira l'estat où il a laissé M. de Soubize (2) et celuy de cette place. Je l'ay prié, sur l'advis que j'ay eu qu'il s'advançoit des trouppes pour la Bretagne commandées par M. de Bassompierre, de représenter au Roy et à vous le préjudice que je recevrois en ma charge, souffrant qu'un autre vînt commander aprez le gouverneur. C'est pourquoy attendant toute protection de vous là-dessus, je vous supplie très humblement avoir agréable de faire en sorte que je sois conservé en la condition où le Roy m'a mis en cette

Pièce 8. — *On trouvera dans cette édition un certain nombre de lettres adressées au cardinal de Richelieu par François de Cossé, deuxième duc de Brissac. Une tradition faisait descendre les Cossé d'une maison napolitaine, celle des Cossa, et un généalogiste avait même prétendu les rattacher à l'empereur Cocceius Nerva. Ce qui est sûr, c'est que la maison de Brissac comptait déjà trois maréchaux de France. François de Cossé était le fils aîné de Charles II de Cossé, créé duc de Brissac en* 1612, *tué en* 1621 *au siège de St-Jean d'Angély, et de Judith d'Acigné, Né en* 1585 — *et non en* 1590 *ou* 1591 *comme il est souvent écrit — il avait d'abord épousé, en* 1618, *Jeanne de Schomberg, mais cette union ayant été annulée l'année suivante « pour cause d'impuissance », il s'était remarié, le* 16 *février* 1621, *à Anne Guyonne de Ruellan du Rocher-Portail, dont il devait avoir neuf enfants. Pair de France et grand pannetier à la mort de son père, il était gouverneur de Port-Louis, Hennebont et Quimperlé ; il sera chevalier des Ordres en* 1633 *et lieutenant général au gouvernement de Bretagne en* 1638. *Il devait mourir le* 3 *décembre* 1651. — *Voir : Duc de Brissac,* Les Brissac (*Paris,* 1952) *et* Les Brissac et l'Histoire (*Paris,* 1973).

(1) Louis du Maine, baron de Chaban (ou Chabans), fils de Louis du Maine et de Claude de Puyfauches. Auteur de deux recueils de poésies, il se distingua davantage dans l'art des fortifications, et c'est à ce titre qu'il avait été envoyé dans la région de Port-Louis. Il devait périr assassiné en 1632.

(2) En dépit de l'engagement qu'il avait pris en 1621, Benjamin de Soubise s'était de nouveau jeté dans la révolte. Avec quelques navires de faible tonnage et un équipage recruté en Poitou, il venait, le 18 janvier précédent, de s'emparer de six galions ancrés dans le port de Port-Louis, qui appartenait au duc de Nevers et étaient destinés à la croisade que ce prince préparait avec le Père Joseph. Le duc de Vendôme, gouverneur de Bretagne, ne reçut la nouvelle à Nantes que le 27. Des vents contraires empêchèrent Soubise de lever l'ancre. Ce retard devait permettre de fermer en partie le port avec de gros arbres. Le 6 février, à la faveur de la nuit, Soubise parvint à forcer le barrage, mais non sans perdre plusieurs navires. Le sien alla même s'échouer du côté de Larmor.

province, où j'estime qu'il vault mieux m'oster la vie que de souffrir une telle injure. Cependant je demeure,

Monsieur,

Vostre très humble et très obéissant serviteur,

Cossé.

Au Port-Louis (3), ce 4e febv[er] 1625.

9. — M. de Valençay au cardinal de Richelieu. Montpellier, 4 février 1625.

A.E., Mém. & Doc., France, Vol. 1627 (Languedoc), f° 220-221. — Original.

Monseigneur,

J'estime vous debvoir advertir d'une chose de conséquence, que je n'oze pas porter directement devant le Roy, et par conséquent j'ay faict difficulté d'en escrire à M. Tronson (1), mais de vous suplier en vous l'escrivant de la mesnager avec vostre prudence ordinaire.

Il y a longtemps que je trouve tous les ministres qui ont voulu traitter avec moy en cette humeur de me demander que M. d'Herbault (2) n'eust point connoissance de ce qu'ils traiteroient, et que l'on sçavoit tout ce qui se passoit en son cabinet, ce qui les ruinoit en leur party. J'en advertys M. d'Herbault, qui me pria de caver (3) d'où cela pourroit venir. Je n'en pus jamays descouvrir le menu. Enfin, il me manda que si je n'en avoys plus grande connoissance que je ne luy en parlasse plus, et que je luy donnoys peine de l'entretenir en mesffiance des siens. Depuis j'ay tousjours travaillé à caver cette affaire, et j'aprens que du Candal (4), qui reçoit l'argent des subventions, a espouzé une parente de M. d'Herbault, et que par les habitudes qu'il prend en sa maison, il descouvre généralement tout ce qui se passe, et mesme que M. d'Herbault luy demande advis des choses principalles qu'il a à faire avec ceux de la religion en quoy il luy donne de très pernicieux advis, car le dit du Candal tire un grand argent tous les ans du maniement de ceste subvention, et, de plus, c'est qu'il trompe M. d'Herbault, faisant emploier sur

(3) A l'embouchure du Blavet, Port-Louis était souvent, à l'époque, appelé Blavet. Sa citadelle, qui commande la rade devenue depuis celle de Lorient, avait été construite en 1616 ; les remparts de la ville que l'on voit encore aujourd'hui datent du règne de Louis XIV.

(1) Louis Tronson (ou Tronçon), sieur du Coudray, un des secrétaires du roi.

(2) Raymond Phélypeaux d'Herbault (1560-1629). Il avait été successivement secrétaire de la chambre du roi (1590), trésorier des parties casuelles (1591) et trésorier de l'Epargne (1599). Depuis le 5 novembre 1621, il avait succédé à son frère, Paul Phélipeaux de Pontchartrain, dans la charge de secrétaire d'Etat. Il avait épousé, en 1594, Claude Gobelin.

(3) *Caver* est pris ici au sens de « prendre garde », et plus précisément de « chercher à savoir » (d'où vient un péril).

(4) Il s'agit sans doute d'Isaac du Candal, sieur de Fontenailles, qui avait épousé Catherine de Launay.

ce petit estat des gens qui ne furent jamais pour profiter des bienfaitz que le Roy croit donner à des gens dans des provinces pour servir Sa Maté. Et à ceux à qui l'on en baille, ledit du Candal compose avec eux qu'ils se contenteront de cinq cens escus, s'il les fait emploier pour mille sur l'estat. Ledit du Candal, qui voit le grand profit qui luy vient de ce maniement, ne voudroit pas que les affaires des huguenots se terminassent, car ce seroit ruiner ses affaires propres. Dès le commencement que je fus icy, l'on me fit voir que la subvention que le Roy donnoit aux ministres estoit mal départie, et que le Roy sans préjudicier à ses éditz la pouvoit plus utilement emploier pour son service. M. d'Herbault rejeta les propositions que je luy fis sur ce subjet. Fort loin depuis, ayant pris intelligence avec les ministres, et le Roy se trouvant bien servy des advis que je luy donnoys, me fit ordonner mil escus pour donner aux ministres. Mes advis contentans Sa Maté, il commanda qu'il me fust donné quinze cens escus. M. d'Herbault me demanda le compte de cet argent. Je luy envoiay, et tout cela fut en l'année 1623. Depuis il me manda que je ne me meslasse plus d'affaires. L'on ne m'a plus continué le moien d'entretenir ces gens-là, et ils ont esté tous descouverts de l'intelligence qu'ils ont eue avec moy. Je juge donc que cela ne peult venir que de du Candal, auquel on tient que M. d'Herbault se confie du tout, et qui ruine dans le party tous ceux qui servent fidellement, et qui en nomme d'autres à M. d'Herbault qui ne servent qu'à sa mode. Il se trouve que le Roy peult mesnager dans cette subvention que le bien qu'il fait aux ministres, duquel ils ne sçavent gré qu'à leurs sinodes qu'ilz le peuvent sçavoir de Sa Maté seule. Et pour ce que la preuve de cela consiste en un long discours qui ne se peult pas aysément exprimer par lettre, après en avoir conféré avec plusieurs ministres, j'en ay un en main très entendu qui, s'il vous plaist, vous en ira dire tout le menu et vous fera voir comme, bien mesnageant cette subvention, en moins d'un an l'on peult ruiner autant toutte la faction huguenotte qu'avec une armée.

Après avoir fait ou failly l'affaire que le Roy m'a commise par M. Tronson, je seroys bien ayse d'avoir congé d'aller à la cour pour vous entretenir sur ce subject, sinon le Roy me trouve tousjours utile icy pour son service, trouvez bon que ce ministre vous ailler trouver pour vous expliquer tout le menu de ma proposition. Il n'est pas riche et ne voudrait pas quitter sa famille qu'il ne luy eust laissé quelque commodité pour vivre, et qu'il n'eust de quoi faire bon voiage. J'estime que, s'il vous plaist de l'ouir, que vous en tirerés quelque fruit car il vous portera la parolle de plusieurs ministres bien intentionnés au service du Roy, et les moiens de leur contentement sans préjudicier aux advis d'emploier cette subvention à leur ruine propre.

Il y a aussy une autre chose qui gaste fort les affaires du Roy, c'est qu'il sort des arrestz du Conseil donnés à la recommandation du tiers et du quart sans considération de la conséquence, et par lesquels sans y penser l'on ruine de bonnes affaires. M. le chancelier (5) en cela ne croit pas mal faire. Je ne luy ozeroys mander,

(5) C'était, depuis le mois d'octobre 1624, Etienne d'Aligre (1560-1635). D'abord président au présidial de Chartres, il avait été conseiller au Grand Conseil avant d'être fait garde des sceaux le 6 janvier 1624. Il sera disgrâcié le 1er juin 1626.

mais j'estime que l'on y devroit prendre garde. Je vous en manderay le menu par le retour de mon secrétaire, et travaillant tousjours à l'affaire qui m'a esté commise, il y a des moiens de venir à bout de (6), reprenant les premières propositions que j'en ay faites à M. d'Herbault, que l'on a ruinées par l'artifice de ceux qui ont mieux aimé que le service du Roy fust ruiné qu'avancé par mon entremise, afin de parvenir à l'effect de ce à quoy les porte leur ambition.

J'estime devoir vous donner advis que M. de Rohan fait toutes sortes d'assemblées à Castres soubz prétexte d'accommoder les communaultés de ce qu'elles doibvent à des particuliers pour avoir emprunté d'eux pour fournir à l'entretenement des gens de guerre qui sont servy à la faction. Et pour y remédier j'estime que le Roy devroit évoquer au conseil de quelque court où l'on traitte pour, en les jugeant, relaxer les communautés de telles demandes. Et ainsy il en arriveroit divers biens : le premier qu'à l'advenir il ne se trouveroit personne qui voulust prester aux communautés de crainte de perdre ce qu'ils y auroient advancé ; le second que les communautés se sentiroient grandement obligées à Sa Ma[té] d'obtenir de sa clémence une si favorable descharge, qui leur feroit à l'advenir reconnoistre de ne se despartir jamais de la fidélité qu'ils luy doivent. Et par ce moien M. de Rohan, soubz lequel ces ordres se pratiquent, se rendra si fort odieux que personne à l'advenir ne s'y voudra arrester, puisque son impuissance sera si avant reconneue que ce qui aura esté fait de son mandement et de son ordre sera réprouvé et sans effet à ceux qui y auront déféré.

Pour conclusion, Monseigneur, je tiens asseurément que, puisque Dieu vous a heureusement appelé dans les affaires du Roy, que vous prendrez à soin particulier la destruction de la faction huguenotte, et qu'establissant cet ordre fait au sceau ou à la plume des secrétaires d'Estat, il ne soit rien passé par eux que par délibération bien prise, que les choses n'y soient point arrachées par la recommandation du tiers ou du quart, enquoiy l'on ruine les affaires du Roy sans y penser ; au lieu que, sans faire la guerre, l'on peult porter cette faction par terre, laquelle est véritablement si foible que, le service du Roy bien mesnagé en cela, l'on en peult fort aysément venir à bout. Je me tiendray bien heureux par vos ordres de servir le Roy en une si louable action, en laquelle je vous obéiray comme en tout ce que vous me commanders avec pareilles fidélité que je doibs, estans,

Monseigneur,

Vostre très humble et très obéissant serviteur,

Vallancay.

De Mon[t]p[elli]er, ce 4 feb. 1625.

---

(6) Le nom du personnage est demeuré chiffré. Il pourra s'agir du duc Henri de Rohan.

10. — Le lieutenant en la Mairie, les Echevins et le Conseil de la ville de Bayonne au cardinal de Richelieu. Bayonne, 4 février 1625.

A.N., Série K — 113, pièce n° 16. — Original.

Analyse :

Ils s'élèvent contre les mesures qui semblent menacer les privilèges de leur ville, qui, depuis plus de deux cents ans, jouit de l'exemption des droits sur l'entrée et la sortie des « drogueries et épiceries », dont on prétend maintenant frapper son port. Ils rappellent que Bayonne, « ceste pucelle que nos roys ont honnoré du tiltre d'impolue », n'est voisine que de quatre petites lieues de l'Espagne, dont elle a toujours su se défendre. Ils espèrent que le roi comprendra leur inquiétude, car, écrivent-ils, « sy la guespe par pitié ne pique poinct ceux qui sont blessez de l'cscorpion, nous sommes asseurés que la bonté et la justice du Roy ne sçauroit nous nuire, à l'appétit de deux ou trois chétifs fermiers qui cherchent l'utilité particulière, pendant que l'Espagne nous tire, puis six mois en çà, quatre ou cinq cens mil livres de nos marchandises qui ont abordé leurs ports, prenant prétexte contre toute vérité que nous prestons le nom et la main aux Hollandois... ». Ils envoient à la cour des députés, et supplient le cardinal de prendre leur cause en main.

11. — M. de Ragny au cardinal de Richelieu. Lyon, 5 février 1625.

A.E., Mém. & Doc., France, Vol. 780, f° 3. — Original.

Analyse :

Il a reçu l'ordre du roi de gagner le Bas-Languedoc à la tête des régiments de Normandie et de Tallart, et de quelques compagnies de cavalerie. Conformément aux ordres reçus, il a attendu les instructions du connétable de Lesdiguières alors en Dauphiné, lequel avait déjà donné ordre aux deux régiments mentionné de le rejoindre. Il a jugé nécessaire d'en avertir aussitôt le cardinal, ajoutant : « J'ai bien du desplaisir que Sa Majesté soit si mal obéie : fort ou foible, je marcheray au retour de ce porteur comme il me sera commandé ».

Pièce 11. — *L'auteur de cette lettre est François de la Magdelaine, marquis de Ragny en 1597, gouverneur et lieutenant général pour le roi en la province du Nivernais depuis 1617 ; il avait épousé Hippolyte de Gondy, fille du maréchal Albert de Gondy et sœur de Jean-François de Gondy, premier archevêque de Paris. Il devait mourir en 1628.*

12. — M. de Querrolin au cardinal de Richelieu. Fort-Louis, 5 février 1625.

A.E., Mém. & Doc., France, Vol. 780, f° 4. — Original.

Analyse :

M. de Chaban quittant le Fort-Louis pour se rendre à la cour, il saisit cette occasion pour se rappeler au souvenir du cardinal et l'assurer de sa fidélité.

13. — M. de Saint-Luc au cardinal de Richelieu. S.l., 7 février 1625.

A.E., Mém. & Doc., France, Vol. 780, f° 9. — Original.

Analyse :

Il se permet de rappeler au souvenir du cardinal les demandes que M. de Guron (1) s'était chargé de lui présenter de vive-voix, ainsi que les mémoires qu'il a fait parvenir à MM. d'Herbault et de Beauclerc pour ce qui concerne le service du roi. Il l'assure de son très vif désir de le servir.

Pièce 13. — *Il sera question, dans d'autres lettres plus importantes de Timoléon d'Espinay, marquis de Saint-Luc, qui était alors gouverneur de Brouage.*

14. — M. de Valençay au cardinal de Richelieu. Montpellier, 8 février 1625.

A.E., Mém. & Doc., France, Vol. 1627 (Languedoc), f° 228. — Original.

Monseigneur,

Ayant, il y a quelque temps, eu advis de M. le mareschal de Témines (1) comme l'on vouloit entreprendre sur Montp[er], et depuis en ayant eu un autre plus particulier de M. le Président de Toulouze (2), que l'entreprise estoit sur la citadelle ; et, depuis encore peu, des personnes qui me l'on mandé des Sévennes, et que le dessein estoit sur la mesme citadelle, et que (3) mesme me l'a escrit comme un advis que l'on tenoit pour certain, tout cela joint

(1) Sur ce personnage, dont le nom se retrouvera souvent à partir de l'année suivante, v. *infra,* la notice de la lettre n° 149, du 29 juillet 1626.
(1) Pons de Lauzières, marquis de Thémines (v. 1552-1627), maréchal de France. Il avait été envoyé pour maintenir l'ordre dans le Languedoc à la tête d'une armée, l'année précédente. Il en sera rappelé en novembre 1625.
(2) Le président Le Mazuyer.
(3) Le nom du correspondant de M. de Valençay est resté en chiffres.

ensemble et la conjoncture du temps et de cette province, dont les factieux seroient peut estre bien ayzés de commencer à s'esmouvoir en ces quartiers par la surprise d'une place si importante, veu l'estat aussy duquel elle se trouve, qui est qu'elle est beaucoup plus fortifiée du costé de la ville, malgré tout ce que j'en ay pu faire dire à l'ingénieur, que les autres costés, et que quelqu'un venant à s'en saysir il seroit très difficile de l'en chasser, — j'ay creu qu'il estoit très à propos pour le service du Roy d'y faire entrer, tous les jours, en garde, une compagnie du régiment de Picardie, et la faire relever, tous les jours aussy, d'une autre, comme on fait des av.gardes, jusqu'à ce que tout mouvement soit passé et que le Roy y ayt pourveu selon sa volonté, croyant que je serois responsable devant Dieu et devant les hommes, si à faulte de prévoyance, il en mésarivoit, et aussy que l'on ne sçauroit trouver rien à dire, ce me semble, à mon procédé, puisque la garde s'y fait par un des vieux régimens qui ne dépend que du pur commandement de Sa Majesté, et qui ne regarde, comme moy, que son service, pour lequel j'auray tousjours plus de soin que pour toute autre chose de plus près qu'elle ne puisse toucher, puisque je désire et ne recherche rien tant au monde que d'acquérir la réputation de serviteur fidelle, comme je vous supplie aussy très humblement de me croire,

Monseigneur,

Vostre très humble et très obéissant serviteur,

Vallancay.

De Montp^{er}, ce 8 feb. 1625.

15. — M. de Valencay au cardinal de Richelieu. Montpellier, 8 février 1625.

A.E., Mém. & Doc., France, Vol. 1627 (Languedoc), f° 230. — Original.

Monseigneur,

Outre les raysons que je vous ay mandées par celle qui accompaigne celle-cy, je vous diray qu'il y en a encore de plus fortes que je n'ay pas voulu mettre dans ma lettre, mais à part par celle-cy, qui sont qu'ayant apris (comme vous en pourrés sçavoir le menu par la lettre de M. Tronson) que M. de Montmorency estoit uny avec les huguenotz. Le grand dessein qu'il a sur cette place, comme on m'asseure qu'il vient nonobstant que M. d'Herbault m'ayt mandé le contraire (a) ; comme il mande à ses serviteurs soubz mains qu'ilz luy arrent (*sic*) des gens pour armer, et à ses amys qu'ilz se tiennent tous prestz pour son arrivée ; que luy et M. (b) sont en grande

(a) La proposition semble attendre un verbe principal. Il faut le chercher beaucoup plus loin : « j'ay creu estre de mon debvoir... ».

(b) Le lettre majuscule M est suivie de deux autres lettres de lecture incertaine : c'est probablement une abréviation du mot « Monsieur ». On sait que Montmorency se rangera, quelques années plus tard, aux côtés de Gaston d'Orléans révolté.

correspondance par la promesse qu'il luy a faicte de luy faire donner le gouvernement de cette place ; ayant donc tousjours négligé tous les advis que l'on me donnoit de l'entreprise des huguenotz sur la citadelle comme chose dont j'ay cru qu'ils ne pouvoient venir à bout sans l'assistance du gouverneur de la province, et voyant maintenant tout ce que je vous ay représenté cy-dessus, et que luy seul de son chef se pourroit entreprendre et en venir à bout ; comme je sçay que luy et les siens y ont tousjours de très grands desseins, — pour touttes ces raysons, j'ay creu estre de mon debvoir et du service du Roy de la faire garder et y mettre les gens de guerre devant son arrivée, qui doibt estre dans fort peu de jours, à ce qu'il a mandé à tous ses amys et serviteurs, de peur qu'il ne le trouvast mauvais et ne se plaignist que je le fisse sans son adveu, ou en le luy demandant qu'il l'empeschast et s'en saizist. Je vous suplie très humblement, Monseigneur, de vouloir représenter à Sa Maté comme je ne fays rien en cela pour que son service, puis que ce sont ses créatures qui conservent cette place pour en disposer tousjours comme il luy plaira, et que je ne l'asseure que comme un très fidèle serviteur, je suys et seray toutte ma vie,

Monseigneur,

Vostre très humble et très obéissant serviteur,
Vallancay.

De Montpellier, ce 8 feb. 1625.

Je n'escrys les principales et plus fortes raysons de cette affaire qu'à M. Tronson et à vous, et, pour Mrs le chancelier, Schomberg, et d'Herbault, je ne leur escrys qu'une lettre semblable à la vostre première, où je ne parle en façon du monde de M. de Montmorency, mais seulement de ceux de la religion, de quoy vous vous souviendres, s'il vous plaist.

16. — M. de Gramont au cardinal de Richelieu. Pau, 8 février 1625.

A.N., Série K — 113, pièce n° 163. — Original.

Monseigneur,

Ces deux depputés de la ville de Bayonne s'en vont à la cour pour des affaires qui sont grandement importantes à leur bien général qu'ils auront, s'il vous plaist, l'honneur de vous faire entendre, et moy, Monseigneur, je vous fais ma très humble supplication de leur voulloir estre favorable ; et comme ils ont tousjours esté mis en grande considération pour la passion et la fidellité qu'ils

Pièce 16. — *Antoine II, comte de Gramont, de Guiche et de Louvigny, prince souverain de Bidache et vicomte d'Aster — qui sera créé duc en 1643 — était le fils de Philibert de Gramont, tué au siège de la Fère, en 1580, et de Diane de Louvigny « la belle Corisande ». Il était maire héréditaire de Bayonne, et c'est à ce titre qu'il écrivit cette lettre. Voir : R. Ritter,* La Maison de Gramont, *Lourdes,* 1968, *t. II* (1529-1967).

ont de tout temps rendu au service du Roy, ils osent se promettre de vostre bonne justice, Monseigneur, les mesmes faveurs qu'ils ont accoustumées desquelles en mon particulier comme grandement intéressé à leur bien, et pour mes intérests particuliers qui sont aussy les leurs, je vous demeureray éternellement obligé. Faictes moy doncq cest honneur, je vous [en] supplye très humblement, Monseigneur, de leur voulloir estre favorable en leurs justes supplications, et me faire l'honneur de crère que personne au monde n'aura jamais tant de passion que moy d'estre éternellement,

Monseigneur,

Vostre très humble et très affectionné serviteur,

Gramont.

A Pau, ce VIII feb^er^ 1625.

17. — M. le Masuyer au cardinal de Richelieu. Toulouse, 9 févrer 1625.

Monseigneur,

A.E., Mém. & Doc., France, Vol. 780, f° 11. — Original.

Les dispositions des habitants de cette ville sont si difficiles à rendre gardiennes courageuses pour leurs biens, principalement quand ils sont divisés entre eux, que l'on n'oze pas porter les affaires à l'ouvert et je tiens fort difficile de parvenir à ce que vous avez projetté pour le service de Sa Ma^té^ si, par delà, il n'y a quelques abbouchemens secrets et commandement précis à celuy à qui on croie que l'affaire se doibt connoistre. Et pour dire la vérité, ceux de la profession de celuy qui vous escrit ne sont propres pour pouvoir disposer toutes choses au point souhaité.

Les nouvelles de deçà sont que, premièrement, on a descrié les attentats de Monsieur de Soubise, par après qu'on les a ignorés, qu'on n'y a point trempé, que rien par cela n'innovera au repos de ce ressort et néantmoins, depuis qu'on a veu le succès de Blavet, on l'a publié avec joye, et on a commancé à vouloir retirer la lettre donnée à Monsieur de Saint-Géry, de submission, de se conformer aux commandemens de Sa Majesté. Sur quoy j'ay escrit par deux fois audit sieur qu'il ne la doibt rendre, estant advantageux à Sa Majesté de pourvoir faire paroistre qu'au préjudice des parolles et escrits on négocie au contraire. Car deçà plusieurs me sont venus trouver pour me donner advis d'employ qu'on désiroit faire de leurs personnes pour surprises de place, et à présent nous avons une convocation qui s'est faict, au jour d'hier à Castres, de toute la noblesse faisant profession de la religion prétendue réformée,

Pièce 17. — *M. le Masuyer était premier président du parlement de Toulouse. Le second alinéa de cette lettre a été publié dans l'*Histoire du Languedoc, *t. XII, col.* 1728.

qu'il tient ses affidés de l'Albigeois, Oragois (1), Castrois et de la Montagne (2). Il vous plaira d'en voir une copie, car j'en ay eu quatre de diverses personnes, elles sont conformes. On croit que ce seront de sa part propositions extrésolutions pour prandre les armes. J'ay icy le secrétaire de Monsieur de Vallancay qui vient d'arriver ; il ne retournera point devers son maistre qu'il n'aye veu, sceu et conféré avec ceulx qui feront une partie du chemin. Je veois du courage de paroles, mais je redoucte que les effets n'en soient aussy solides. J'escris à Sa Majesté des nécessités de ceste province ; je recepvray ce qu'il luy plaira et à vous de me prescrire.

Monseigneur,

Vostre très humble et très affné serviteur,

Le Masuyer.

De Tholose, ce 9 février 1625.

18. — Réglement pour Mrs les Secrétaires d'Estat. Paris, 11 février 1625.

A.E., Mém. & Doc., France, Vol. 780, f° 13 (Minute) et f° 14-15 (Copie).

Impr. : R. Mousnier, *Les Règlements du Conseil du Roi sous Louis XIII*, in Annuaire-Bulletin de la Société de l'Histoire de France, 1946-1947, p. 166-167, n° XVIII.

Le Roy considérant le grand nombre de personnes qui sont ordinairement en sa cour pour raison de leurs prétentions et intérests, en la poursuite desquels ils consomment un long temps, allans incessament visitter et solliciter inutilement ses ministres, lesquels ne sçachant pas à point nommé la volonté de Sa Majesté et ce qui regarde les particuliers, ne leur peuvent donner la satisfaction qu'ils recherchent (a), Sa Majesté, désirant pourvoir à cet inconvénient (b) et establir un bon ordre, par le moyen duquel ceux qui ont des prétentions raisonnables et des demandes justes à faire en soient promptement expédiés, et les autres, qui prétendent choses qui ne

Pièce 18. — *Ce règlement prend place entre le règlement du 29 avril* 1619 *et celui du* 11 *mars* 1626, *qui ont été publiés tous les deux par Orest Ranum en appendice à son ouvrage* Les Créatures de Richelieu, *trad. fr.*, 1966, *pp.* 232-235.

(1) Le Lauragais

(2) Probablement la Montagne Noire, au sud de Castres.

(a) *La minute poste ensuite :* « de sorte que les dites visites et sollicitations continuelles ne leur apportant aucun fruict et cependant cause[nt] grand et notable préjudice au service du Roy, estant impossible que ceux de qui il plaist à S.M. se servir dans son conseil ayent moyen de vacquer au soing de ses affaires selon que l'importance et le poids d'icelles le requiert, si ils sont contraints de donner audience à tous ceux qui les viendront solliciter pour leurs intérests particuliers... ».

(b) *La minute ajoute :* « et au mal qu'il pourroit arriver ».

se peuvent accorder, soient aussy tost esconduitz, afin qu'ilz ne perdent plus leur temps et leurs peines à les poursuivre, veult que doresnavant tous les particuliers de quelque qualité qu'ils soient, qui auront à désirer quelque chose de Sa Majesté, s'adressent à ses secrétaires d'Estat, selon la nature de leur affaire et les diverses provinces d'où ilz seront, lesquels secrétaires d'Estat entendront lesdits particuliers et prendront leur mémoriaux contenant succinctement leurs prétentions et demandes, chacun d'eux en ce qui est de leurs charges, afin que rien ne soit oublié, qu'il n'y ayt point de confusion, et que leurs affaires estant séparées entre eux elles puissent estre plus facilement expédiées.

Pour ce qui est de la maison du Roy et de la Guerre, on s'addressera à ceux des secrétaires d'Estat qui en ont la charge ; pour le regard des affaires estrangères et des provinces, à ceux qui en ont les départements, et sera gardé l'ordre observé de tout temps pour les expéditions des dons et gratifications que lesdits secrétaires d'Estat font chacun en leur mois.

Toutes les semaines, Sa Majesté veut tenir à certain jour un conseil particulièrement pour entendre les prétentions contenues dans les mémoriaux qui auront esté mis entre les mains des secrétaires d'Estat sur le rapport qu'ils en feront en sa présence et de ses ministres, afin que chacun puisse avoir responce d'une semaine à l'austre sans attendre davantage ; mais aussy, après que les dits secrétaires d'Estat lcur auront donné les responces par escript, ils ne pourront en façon quelconque s'adresser au Roy pour raison des mesmes prétentions et demandes ny aussy aux secrétaires d'Estat, qui ne recevront leurs mémoriaux pour la seconde fois si ce n'est qu'ils soient conviés à ce faire par quelques nouvelles circonstances, auquel cas ils pourront derechef parler de l'affaire audit conseil et y proposer ce qui ne leur aura pas esté la première fois représenté.

Veut Sa Majesté que ses ministres, lorsqu'on s'addressera à eux pour affaires qui doivent estre proposées par les secrétaires d'Estat, le leur renvoyent, afin que les choses se fassent avec l'ordre cy-dessus arresté.

Les affaires étant résolues par le Roy en son conseil, lesdites expéditions en seront aussy tost faites, et en celles qui requerront ordonnances, elles seront incontinent délivrées, et sera pourveu au fonds de ce qui sera porté par icelles sans difficulté.

Fait à Paris, ce XIe février 1625. — Signé Louis, et plus bas De Loménie.

19. — Le duc de Cossé-Brissac au cardinal de Richelieu. Pouancé, 11 février 1625.

A.E., Mém. & Doc., France, Vol. 1503 (Bretagne), f° 237. — Original.

Monsieur,

Sur les commandements que le Roy m'a fait l'honneur de m'envoyer j'ay veillé au Port-Louis, de sorte que l'on y a arresté ung cap[ne] rochelloys et un ingénieur, qui n'y aloyent à mon advis pas sans dessein, encore qu'ils ayent voulu feindre y avoir esté jettés par le mauvais temps ; de quoy le lieut[t] de la garnison m'ayant donné advis, j'ay pensé que je le debvoys aussy tost envoyer au Roy, affin que Sa Ma[té] en ordonne ce qu'il luy plaira. Je pense, Monsieur, que c'est une bonne prise, et que ces gens, examinés de près, pourront descouvrir des desseins. C'est pourquoy j'estime qu'il est à propos de ne négliger pas cette affaire, et nous donne juste fondem[t] d'en estre importuné. J'oseray aussy, sur cette importante rencontre, vous représenter, Monsieur, qu'il n'y a dans la place ny canon ny munitions, dont il peut arriver grand inconvénient. J'y ay jetté des hommes à suffire pour la garder de surprise. Ceux qui les commandent sont gens fidelles et entendus. Il n'est besoin que d'ung petit fons prompt et présent pour payer le surcroist de lad. garnison et achepter les d. munitions. Je vous supplie très humblement, Monsieur, avoir agréable et me faire cette grâce qu'il y soit pourveu ; la chose parle et presse assez d'elle mesme sans que ie m'estende bien fort à la persuader mais ayant agréable de faire que l'on y donne ordre, outre le service du Roy et le repos public qui en seront assurés, je ne vous en auray moins d'obligation que s'il y alloit de ma vie.

Pour du canon, l'expédient le plus présent et seur seroit de prendre de celuy qui est dans (a).

Monsieur, j'escris de tout cecy au Roy. Je vous suplie très humblement me faire cet honneur qu'il en soit promptement délibéré. Sa Ma[té] sçait, et vous, et tout le monde, les despences que j'ay faittes à ceste place. Il n'est pas possible que je puisse tout porter, et, venant une saison périlleuse comme paroist celle-cy, c'est faire pour elle entièrement que d'en prendre grand soin. Je la suplie encor très humblem[t] par ma dépesche de m'accorder la confiscation du vaisseau arresté et de ce qui est dedans, qui n'est rien, à ce que j'ay apris, que quelques pièces de fonte verte. J'ose me promettre, Monsieur, qu'il vous plaise y tenir la main et me continuer l'honneur de vostre bonne grâce comme à la personne du monde sur qui vous avez le plus absolu pouvoir, estant,

Monsieur,

Vostre très humble et très obéissant serviteur,

François de Cossé.

A Pouencé (1), ce 11e febv[er] 1625.

Pièce 19. — *Il faut se souvenir en lisant cette lettre que François de Cossé-Brissac était gouverneur de Port-Louis, Hennebont et Quimperlé.*

(a) Un mot illisible, peut-être « Quimperois ».

(1) Pouancé, à une quinzaine de kilomètres à l'est de Châteaubriant dans l'actuel département de Maine-et-Loire.

20. — Le duc de Cossé-Brissac au cardinal de Richelieu. Port-Louis, 15 février 1625.

A.E., Mém. & Doc., France, Vol. 1503 (Bretagne), f° 239. — Original.

Monsieur,

J'envoye ce gentilhomme trouver le Roy sur ce que j'ay fait conduire le canon de Qimper en cette place, où nous sommes menassez d'une descente d'Espagnolz et du retour des religionnaires. Je vous supplie très humblement, Monsieur, que Sa Maté approuve mon action puisqu'elle n'est que pour le bien de son service, et d'avoir agréable que ce gentilhomme vous fasse mes plaintes sur ce que tout le monde est receu à blasmer mes actions, qui sont plus dignes de récompense que de calomnie. Il est vray, Monsieur, que j'aurois tousjours creu que le Roy et vous me donneriez des louanges d'estre blasmé de Mrs de Vendosme et de Retz, qui, jusques à cette heure, ont esté tellement soubçonnets en cette province qu'il se peut dire que sans moy on leur auroit refusé l'entrée des villes, et principalement celle de Hennebond. Quand il vous plaira vous enquérir de la vérité, vous trouverez que toute la noblesse du pays m'assistoit à charger les ennemys, et que ceux qui en eurent nouvelles les firent retirer de la ville de Port-Louis pour se jetter dans leurs vaisseaux, ce que je ne trouve point estranger, parce que les ayant fait venir il estoit bien raisonnable qu'ilz leur en donnassent le moyen de se retirer sains et sauves. Je puis dire avec vérité que les ennemys ont esté seulement mal traittez par ceux de cette place, car nous leur avons coulé à fondz huict navires, contraint le vaisseau appelé le *St-François* de se rendre à discrétion, pris cent ou six vingtz prisonniers des leurs, tué trois cens hommes de leur armée, et rendu les plus grands vaisseaux en tel estat que le moindre a plus de deux cens coups de canon. Voilà, Monsieur, les effectz d'un serviteur du Roy, qui doibt estre blasmé, et qui n'a les susd. nommez pour ennemys que pour s'opposer à leurs mauvais dessins, où je me vois Dieu merci fort peu maintenant, quoy que je sois en estat de servir le Roy tout aussy qu'il peut désirer. Si j'espère un meilleur traittement à l'advenir, Monsieur, je l'attand de ve protection seule, que j'ose me promettre puisque je suis,

Monsieur,

Vostre très humble et très obéissant serviteur,
François de Cossé.

Au Port-Louis, ce XVe fébvrier 1625.

21. — M. de Valençay au cardinal de Richelieu. Montpellier, 17 février 1625.

A.E., Mém. & Doc., Vol. 1627 (Languedoc), f° 231. — Original.

Monseigneur,

Dimanche dernier, 9me de ce moys, M. le conte de Ronvigliasco pasa icy, qui me rendit une lettre du seigneur Claudio Marini (1), ambassadeur pour le Roy près de Son Altesse de Savoye, par laquelle il me mandoit que ledit sieur conte venoit par le commandement de Son Altesse pour le service de Sa Ma[té] par deçà, et que je l'assistasse de tout ce qui seroit en mon pouvoir, comme j'ay faict. A son retour de Castres, où il a esté, et dont il partit jeudy dernier, il m'a dit y avoir apris choses importantes au service du Roy, desquelles il est nécessaire que Sa Ma[té] soit promptement advertye par vous, et ma prié d'envoier exprès à la cour porter la despesche qu'il m'a baillée, que je vous envoie. Et pour ce qu'il m'a dit une partie du contenu en icelle, je suis obligé d'y adjouster qu'en ceste ville il a esté tenu un conseil par les catoliques qui sont de l'intelligence de (2). Il y a *des moiens de faire un raliement de ceux des deux religions,* tenir touttes choses prestes pour, *à l'arrivée de forcer la garde que j'ay mise à la citadelle et se saysir.* Et au mesme temps M. de Mus est party pour aller trouver *M. de Montmorency,* que l'on dit il y a plus de huit jours *devoir arriver d'heure à autre à Beaucaire.* Et je voy beaucoup de rumeurs de ceux qui despendent de luy qui me donnent de différens soupçons. Je n'ay ozé caver dans le fonds de ce conseil tenu pour *l'assurance de la citadelle,* craignant de faillir contre l'intention du Roy, qui ne voudroit peut-estre pas que M. de Montmorency sçeust que Sa Ma[té] eust veu jusques au fonds de son dessein. Je vous suplie de faire donner les commandemens comme j'y doibz procéder. De tous costez, les *secrétaires et autres gens de M. de Montmorency* vont réveiller les confidens de se tenir prestz. Il est très grand besoin de pourvoir à tout cela. Au reste, M. de Restincleire (3) a de bonnes intentions, duquel je n'ay pas à douter, mais il se prend mal à conduire les affaires. Il a envoyé à Nismes leur dire qu'ils n'eussent point à s'alarmer si l'on mettoit des garnisons à Aymargues, Massillargues et Saint-Geniés, et y employe des ministres, comme si c'estoit une affaire à consulter. Le procédé qu'il tient en cela alarme la ville de Nismes, car sans en dire un mot le Roy y peult loger telles garnisons qu'il luy plaira. Lors qu'il me laissa icy avec sept régimens, hors ceux qui estoient à Montpellier, j'en logeois tousjours en ces lieux-là, et Nismes ne s'en alarma point. Et si le Roy le trouve bon, il faut le faire sans ces cérémonies.

J'ay à vous dire aussy comme les habitans catoliques d'Aletz me sont venus trouver pour sçavoir si le Roy trouveroit bon qu'ils se saisissent du chasteau, apréhendans que les huguenots s'en saisissant comme ils firent à ces derniers mouvemens, qu'ils ne les fassent partir comme ils ont fait. Je leur ay dit qu'il ne falloit rien esmouvoir tant que le Roy l'eust commandé, et les ay empeschés de s'en saisir. Leur grande alarme vient de ce que celuy qui le garde pour M. d'Angoulesme est huguenot.

---

(1) Claude Marini, marquis de Borgofranco, gentilhomme d'origine gênoise au service de la France ; ambassadeur de France à Turin de 1617 à 1629.

(2) Un mot chiffré : probablement « M. de Montmorency ».

(3) Jacques du Caylar de Saint-Bonnet, seigneur de Restinclières (1575-1647), gouverneur de Lunel depuis 1622, sénéchal de Montpellier en 1623 ; il était le frère aîné du marquis de Toiras, qui se distinguera en 1627 à la défense de l'île de Ré.

Il y a longtemps que j'ay mandé à M. d'Herbault que le Roy devoit récompenser M. d'Angoulesme ailleurs et s'aquérir la conté d'Aletz, car tenant ledit Aletz, Sesanne, qui despend dudit conté de Nismes, ne peult plus avoir de communication avec les Sévennes, et par ainsy Aletz peult loger cinq cens chevaux et fournir des foins, et de la montagne on peult tirer aysément les avoines. Cette cavallerie osteroit toutte communication de Nismes à Uzès, et de l'une et l'autre ville aux Sévennes, quelque mine que facent les huguenotz s'ils en avoient le moien, ilz brouilleroient. A Nismes, ils font raccommoder toutes leurs poudres et autres munitions de guerre, font garde extraordinaire, et ont racommodé quelque chose à leur contrescarpe. Mais s'ilz ne sont assistés de catholiques en ce païs, ils ne peuvent rien faire.

Si cecy s'appaise et qu'il playse au Roy que j'aille à la cour ou que je voye quelque personne à qui je puisse confidemment parler, je m'asseure de vous donner des moiens pour les ruiner en un an dans le Languedoc sans donner un coup d'espée, ce que j'ay proposé par plusieurs despesches que j'ay faites à M. d'Herbault, que l'on a mesprizées. Et aussy que *M. de Montmorency et M. de Thoiras* ont tousjours travaillé à ruiner tout ce que j'ay entrepris pour le service du Roy, de quoy je vous feray entendre les particularités lors qu'il vous plaira me le commander. J'ay un bon amy à Carcassonne, qui est le président et juge mage du lieu, très fidelle serviteur du Roy et très soigneux. Il m'a escrit une lettre de laquelle je vous envoye la coppie et de celle que je luy ay escrite. Vous verrez qu'il demande la permission de faire prendre l'homme inconnu qui fait les voiages dedans et dehors le royaume. En recevant par vous les commandemens du Roy sur ce subjet, je luy feray sçavoir. Je vous asseure que le dit juge est très honneste homme et très fidelle au service du Roy.

J'aprens que *M. de Portes* (4) doibt venir en ce païs pour servir *à la conduite des troupes que le Roy y envoie.* Si Montmorency se porte à quelque chose d'extraordinaire, *c'est par M. de Portes* ou *par M. de Faurré,* que l'on m'a dit qui revient aussy icy. Je vous donne advis qu'il est homme qui suit tout à fait le temps et fort attaché à *M. de Montmorency.*

Pour l'affaire qui m'a esté commise, j'en escris à M. Tronson pour faire sçavoir au Roy ce qui se passe. Je vous supplie qu'il soit faict à l'endroit du marquis de Malause (5) et pour la cavallerie ce que j'ay mandé par mes précédentes. Et moyennant cela j'espère que l'on en viendra à bout. Il importe promptement de me faire sçavoir les commandemens du Roy pour le fait du marquis de Montbrun (6). Après avoir son abolition, si le Roy le faict aller à la cour,

(4) Le marquis de Portes était l'oncle maternel du duc de Montmorency. C'est lui qui avait assuré l'éducation de son neveu, qui n'avait que dix-neuf ans à la mort de son père le connétable. Il devait mourir en 1629 au siège de Privas.

(5) Henri de Bourbon-Malauze, marquis de Malauze et vicomte de Lavedan (1567-1647), fils aîné de Henri de Bourbon-Malauze et de Françoise de Saint-Exupéry, était en 1621-1622 l'un des chefs du parti protestant. Il devait se brouiller avec Rohan et, en 1628, refuser de se joindre à la rébellion. Du chef de sa femme, Madeleine de Châlons, dame de La Caze, il était seigneur de Viane. Il abjurera le protestantisme en 1647.

(6) Voir *supra*, p. 129 note 4.

il pourra sçavoir toute la caballe. J'ay eu avant-hier des nouvelles dudit marquis, qui est tousjours à Anduze. Il ofre, si le Roy l'employe, de mener bon nombre de huguenots dans le comté de Roussillon. Mais je ne voudrois pas donner advis de le faire, car cognoissant le mauvais jeu des huguenotz, je craindrois que ce qui auroit esté levé pour le service de Sa Maté ne fust employé à quelque mauvais effect. J'ay envoyé visiter tous les plus turbulens des Sévennes : tous me sont venus voir hormis Beaufort (7), qui m'a faict la responce de laquelle je vous envoye la coppie.

Pour ce qui se passe pour la garde de la citadelle, M. du Val, porteur de cette dépesche, vous en informera particulièrement, qui est un des capitaines du régiment de Picardie et nepveu de M. Herouard (8). C'est pourquoy je l'ay prié d'aller à la cour, m'asseurant que l'on aura plus de créance en ce qu'il dira qu'en un autre. Mais vous sçavez que toutes mes intentions sont de fidellement servir le Roy, et, pour la ruine des huguenotz, qu'en servant Sa Maté je m'y employe de façon que vous puissiés avoir la gloire d'une si bonne et si sainte œuvre. Je suis,

Monseigneur,

Vostre très humble et très obéissant serviteur,

Vallançay.

De Montpellier, ce VIII feb. 1625.

22. — Au duc de Nevers. Paris, 18 février 1625.

B.N., Fonds franç., Vol. 4720, f° 113. — Original.

Monsieur,

Puisque Sa Sainteté n'aporte point de difficulté en l'affaire dont il vous a pleu m'escrire (1), ainsy trouve un expédient pour la faciliter, je n'ay rien à vous dire sur ce subject, sinon que j'y contribueray volontiers pour vostre contentement, ce que vous sçauriez désirer d'une personne qui vous honnore et est véritablement comme je suis,

Monsieur, Votre humble et très affectionné serviteur,

Le Card. de Richelieu.

De Paris, ce 18me feber 1625.

Pièce 22. — *Le destinataire de cette lettre était Charles de Gonzague-Clèves* (1580-1637). *Il était le fils de Louis de Gonzague, duc de Nevers, et de Henriette de Clèves. Après l'extinction de la branche directe des ducs de Mantoue, en* 1627, *Charles de Nevers devait revendiquer ce duché comme petit-fils de Frédéric II de Gonzague, duc de Mantoue. — V. Emile Baudson,* Charles de Gonzague, 1580-1637, Paris 1947.

(7) Probablement Claude de Gabriac, seigneur de Beaufort, mestre de camp dans l'armée de Rohan, en 1621, et, en 1627, son lieutenant dans les Cévennes. Condamné à mort en 1628 par le parlement de Toulouse, il sera décapité au mois de mars de la même année.

(8) Jean Héroard, médecin de Louis XIII, mort au début de 1628 au siège de La Rochelle.

(1) La lettre n'a pas été retrouvée.

23. — MM. le Maire, les Echevins, pairs et bourgeois de la ville de La Rochelle au cardinal de Richelieu. La Rochelle, 19 février 1625.

A.E., Mém. & Doc., France, Vol. 1475 (Angoumois et Saintonge), f° 28.

Analyse :

Ils supplient le cardinal de croire à leurs sentiments de fidélité et d'obéissance, mais n'en désirent pas moins protester contre les mesures qui sont prises à leur égard, en particulier contre les actes d'hostilité dont ils sont victimes et contre la construction d'un nouveau fort, ce qui étouffe en eux les bonnes espérances qu'ils avaient conçues de la démolition du premier. C'est pourquoy ils ont pris le parti d'envoyer au roi une nouvelle députation chargée de le supplier d'accorder cette démolition « n'estimant pas que le mouvement survenu soit un prétexte assez spécieux » pour leur refuser ce qu'ils demandent. Ils espèrent que le cardinal accueillera avec bienveillance leurs sollicitations.

24. — A M. le cardinal de La Valette. S.l., Vers le 20 ou 25 février 1625.

Monseigneur,

B.N., Nouv. acq. franç., Vol. 5131, f° 67. — Minute (f° 66) et mise au net (f° 67) de la main de Charpentier.

J'ay receu la lettre qu'il vous a pleu m'escrire du 12e febvrier. Je ne puis assez vous remercier des tesmoignages que vous daignez me rendre de vre amitié, que je tascheray de mériter par toutes les voyes que je pourray rencontrer. Le Sr du Plantis vous a fait valoir mon affection à votre service plus qu'elle ne le méritoit pour estre sans effet ; mais elle est si entière que je ne cèderay pas à vous-mesme.

Quant à ce que vous m'escrivez de Monsieur le Cardal de la Rochefoucauld (1), je croy qu'il ne manque pas de bonne volonté en vre endroit, mais de son naturel, il est, comme vous sçavez, indifférent en toutes choses, mesmes de celles qui le concernent.

J'ay ouy parlé depuis deux jours de ce que vous me mandez touchant l'affaire de Mr d'Angers (2). Je me suis enquis soigneusement si quelqu'un avoit escrit à Rome, mais je n'ay peu apprendre autre chose que Mr le Nonce y a escrit, et que Mr d'Angers s'est plaint à Mr de Lyon (3) de ce qu'un sien grand vicaire avoit passé les bornes de sa charge, donnant l'absolution d'une excommunication contre l'ordre de l'Eglise. Or, tant s'en faut que le

(1) François de La Rochefoucauld (1558-1645). On sait qu'il avait été chef du Conseil en 1622.
(2) Charles Miron, évêque d'Angers depuis le 23 avril 1622.
(3) Denis Simon de Marquemont (1572-1626) ; il était alors ambassadeur à Rome.

Clergé ayt prié ledit Sr Nonce de cela, que je sçay l'avoir quelquefois diverty d'en parler, luy tesmoignant que le Roy avoit trop de disposition à conserver les ecclésiastiques pour qu'il y adjoustat ses prières. Voilà ce que je sçay de ceste affaire en laquelle je ne croy pas qu'il se soit passé autre chose. Sa Ma[té] par sa piété et justice l'a fait vuider, comme vous verrez, par l'arrest, outre lequel elle a commandé à l'archidiacre d'aller se sousmettre à son évesques pour avoir absolution, ce qu'il a fait. Je n'ay pas mérite pour ce sujet la louange que vous me donnez, mais j'ay fait comme je feray tousjours ce que je devray à ma conscience pour le service de l'Eglise et celuy du Roy.

Je vous envoye le livre que Sa Sainteté me fait l'honneur de désirer accompagné d'un autre, que j'estime luy appartenir particulièrement pour l'avoir fait sur son territoire (4). Je ne les luy envoye ny l'un ny l'autre pour estre dignes de sa veue, mais puisqu'il vous plaist me vouloir faire la faveur de les luy présenter, il sera mieux receu en considération du présentateur que de l'autheur mesme.

Je vous rends très humbles grâces de l'offre que vous daignez me faire de vouloir me donner part des nouvelles du lieu où vous estes. Rien ne m'empêche de l'accepter que la peine que vous en auriez.

Pour les tableaux et statues dont vous m'escrivez, je n'ay rien à vous dire sinon qu'il y a plus d'inventions en France d'employer de l'argent que non pas d'en recouvrer. C'est ce qui fait que la Reyne se contente en cela de l'advis que je luy en ay donné de vostre part, et m'a commandé de vous en remercier de la sienne comme je fais.

Je vous remercie du soing qu'il vous a pleu prendre de l'affaire de Mr de Mande, que je vous conjure luy vouloir continuer, affin qu'il puisse recevoir quelque effet de la faveur que vous luy faites en cela, et à moy aussy. La Reyne en ayant escrit à Sa Sainteté l'estime particulière qu'elle fait de sa personne, fait que, pour le respect que je doy à tous deux, je seray extrêmement ayse que Sa Ma[té] voye par effet l'estat qu'il fait de sa recommandation.

25. — Madame de Rohan au cardinal de Richelieu. Château du Parc, 21 février 1625.

— *Lettres autographes composant la collection de M. Alfred Bovet décrites par Et. Charavay,* 1887, p. 756, n° 1989.
— *Original.*

Analyse :

Elle adresse au cardinal une vive protestation contre les agissements du duc de Vendôme, qui a mis garnison dans une maison qu'elle possède en Bretagne et prétend lui faire payer les frais de

(4) A cette date, il ne peut s'agir, pour le premier livre, que des *Ordonnances synodales,* rédigées en 1613, et, pour le second, de la *Défense des principaux points de la foy catholique,* que Richelieu composa, en effet, pendant son séjour à Avignon, et qui fut publiée en 1618.

cette occupation. Elle demande instamment la suppression de cette contribution, « veu que le Roy n'entend point que ceux qui, comme moy, ne se meslent que de prier Dieu pour la prospérité de Sa Majesté, soyent molestez en leurs biens non plus qu'en leurs personnes... »

Pièce 25. — *Catherine de Parthenay, vicomtesse de Rohan, était née au château du Parc, en Poitou, d'où cette lettre est envoyée, le* 22 *mars* 1554. *Elle était fille unique et héritière de Jean de Parthenay-l'Archevêque, seigneur de Soubise. Elle avait épousé, en* 1568, *Charles de Quelenec, baron du Pont, puis, en* 1575, *René II, vicomte de Rohan, qui mourut en* 1586 *et dont elle eut six enfants, parmi lesquels Henri, premier duc de Rohan, et Benjamin, sieur de Soubise, créé duc en* 1626. *Elle devait mourir le* 26 *octobre* 1631. *Jusqu'à la capitulation de La Rochelle, elle ne cessera de prendre une part active à la résistance protestante. — V. Comte de Chabot,* Une cour huguenote en Bas-Poitou : Catherine de Parthenay, duchesse de Rohan, 1904.

26. — Le duc de Chaulnes au cardinal de Richelieu. Paris, 21 février 1625.

Univ. de Paris, Bibl. Victor-Cousin, Fonds Richelieu, Vol. 14, f° 107. — Original.

Analyse :

Quelque diligence qu'il ait faite, il n'a pu avoir l'honneur de joindre le cardinal avant son départ. M. de Tours, témoin de sa mauvaise fortune, lui dira de ne point entrer en doute de son affection.

27. — M. de Villars au cardinal de Richelieu. Calais, 24 février 1625.

A.E., Mém. & Doc., France, Vol. 1675 (Picardie), f° 122. — Original.

Analyse :

Le comte de Mansfeld (1) lui a fait parvenir pour le cardinal une lettre qu'il joint à la sienne. Toute la cavalerie est maintenant réunie aux abords de la ville. Elle est en état de marcher. Mais il est inquiet du retard des vaisseaux de Rouen, qui devraient être arrivés depuis huit jours et dont on est sans nouvelles. Le duc de Brunswick (2) et les commissaires d'Angleterre et de Hollande, qui

---

(1) Esnest de Mansfeld (1580-1626), un des plus grands chefs militaires de la guerre de Trente ans. Après une brève retraite, il avait repris du service à la demande de la France depuis 1624. Il devait être battu par Wallenstein à Dessau, le 25 avril 1626.

(2) Christian de Brunswick-Lüneburg (1599-1626), évêque luthérien d'Alberstadt, il avait pris le parti de l'Electeur palatin, Frédéric V et, après la défaite de celui-ci, il était passé au service des Hollandais.

les attendent pour s'embarquer, ne cachent pas leur mécontentement. Ils en prennent sujet pour mettre en doute les intentions du roi. Il s'emploie à les rassurer en expliquant ce retard par la négligence et la nonchalance de ceux qui ont mission de conduire ces vaisseaux. Cependant il estime que ce retard risque de porter un grave préjudice aux affaires et à la réputation du roi. Il écrit : « Et l'importance est telle que si on ne mesnage ce vent favorable pour les passages, nous pourrions tomber dans une longueur qui pourroit causer la dissipation de ceste armée et nous mettre en mauvais mesnage », avec instance que le roi l'assiste de quarante mille écus, en plus des quatre-vingt mille qu'il en a déjà reçus.

Pièce 27. — *Georges de Brancas, sieur de Villars, était le fils d'Ennemond de Villars et de Catherine de Joyeuse. Son frère aîné, Jean-Baptiste, qui avait tenu tête à Henri IV au temps de la Ligue, était mort en* 1595 *amiral et gouverneur du Havre. Georges avait hérité ce gouvernement, dont il sera question dans la correspondance du cardinal de Richelieu. Il avait épousé, le* 7 *janvier* 1597, *Julienne-Hippolyte d'Estrées, une sœur de la célèbre Gabrielle. Bien vu à la cour, il avait, en décembre* 1624, *reçu une double mission : celle de se rendre à Calais pour y servir d'intermédiaire secret entre Mansfeld et Richelieu* (*), *et celle toute officielle de diriger les opérations d'embarquement des troupes françaises envoyées en Hollande pour y renforcer précisément l'armée de ce même Mansfeld, alors concentrée au camp de Sprang, entre Geertruydenberg et Bois-le-Duc. On verra par la correspondance du cardinal les circonstances dans lesquelles Georges de Brancas sera fait duc et lieutenant général au gouvernement de Normandie.*

28. — Le duc de Guise au cardinal de Richelieu. Marseille, 24 février 1625.

A.E., Mém. & Doc., France, Vol. 1700 (Provence), f° 292. — Original.

Monsieur,

Je ne saurés assés vous remertier très humblement de la bonne volonté qu'il vous a plu me tesmoigner touchant l'emploi du Languedoc, dont, depuis votre lettre, je né pas ouy parler. Je croy aussy que le voiage de M. de Monmoranci à Languedoc aura fait changer d'opinion. Je ne lesse pas de vous en avoir l'obligation toute antière, ne me povant ariver nul advantage oprès du Roy si vous nan estes l'otheur. Je n'auré jamais une meilleure occasion de vous tesmoi-

(*) Voir dans Avenel, t. II, p. 58, l'instruction remise à M. de Villars à son départ (vers le 20 décembre 1624).

gner o péril de ma vie combien, je suis acquis à tous vos intérés ou plus tost à toutes vos voslontés, dont je vous angage ma foy et mon honeur que je veus dépandre absolumant l'estre,

Monsieur,

Vostre très humble et très afectionné serviteur,

Guyse.

De Marseille, le 24 feb. 1625.

Pièce 28. — *Charles de Lorraine, duc de Guise et de Joyeuse, prince de Joinville et comte d'Eu était le fils aîné d'Henri de Guise le Balafré assassiné à Blois, et de Catherine de Clèves, qui vivait encore à l'époque. Né le 20 août 1571, il était depuis la mort de son père le chef de la maison de Guise (*). Il avait compris — ou on lui avait fait comprendre — qu'il n'était pas de son intérêt de s'obstiner dans une opposition stérile, et sa soummission à Henri IV fut récompensée par des faveurs et des pensions. C'est ainsi qu'il avait reçu, en octobre 1594, le gouvernement de la Provence, que détenait le duc d'Epernon. Celui-ci opposa une telle résistance qu'il fallut deux ans au nouveau gouverneur pour prendre effectivement possession de sa province.*

Le duc de Guise avait servi la régente et Louis XIII sinon avec éclat, du moins avec honneur. Nommé amiral des mers du Levant en 1618, et commandant de l'armée navale chargée de combattre les pirates, il s'était acquitté de sa tâche à la satisfaction du roi. Au cours de la révolte protestante, il s'était même distingué au combat naval de La Rochelle, le 27 octobre 1622. Il ne commencera à s'agiter qu'à partir de 1631. Contraint de se réfugier à l'étranger, il mourra en exil, à Cuna, près de Sienne, le 30 septembre 1640.

Rappelons enfin que Charles de Guise avait épousé, le 5 janvier 1611, Henriette-Catherine de Joyeuse, veuve d'Henri de Bourbon, duc de Montpensier. Celle-ci, de son premier mariage avait eu un fille, Marie, qui devait épouser, au mois d'août 1626, Gaston d'Orléans, frère du roi.

V. René de Bouillé, Histoire des ducs de Guise, *t. III et IV*, 1849.

29. — Le duc de La Rochefoucauld au cardinal de Richelieu. S.l., 26 février 1625.

A.E., Mém. & Doc., France, Vol. 1475 (Angoumois et Saintonge), f° 30. — Original.

Analyse :

Simple lettre d'introduction pour M. de Boisnorbert, gentilhomme poitevin qui se rend auprès du cardinal pour une affaire personnelle.

Pièce 29. — *L'auteur — dont il sera plus amplement question — est François V de La Rochefoucauld. Né en 1588, il avait épousé Gabrielle du Plessis Liancourt. De ce mariage dix enfants naquirent, dont l'aîné devait être l'auteur des* Maximes. *François de La Rochefoucauld était duc depuis 1622, et gouverneur du Poitou.*

(*) Le duc de Guise avait deux frères vivants : le cardinal de Guise, archevêque de Reims (Louis de Lorraine), et le duc de Chevreuse (Claude de Lorraine), l'époux de la célèbre Marie de Rohan. Sa sœur Louise avait épousé le prince de Conti.

30. — Projet pour l'établissement du Conseil. Février 1625.

A.E., Mém. & Doc., France, Vol. 780, f° 112-114. — Mise au net ou copie.

Entre les choses du Royaume qui semblent requérir quelque réformation, la forme de l'establissement des conseils du Roy en est une des plus grandes non seulement pour le mauvais choix qui se fait de la capacité des esprits que l'on y admet, mais encore pour le nombre confus de ceux que l'on y introduisit journellement. Outre une infinité de gens qui ont des brevets de conseiller d'Estat et qui en tirent les apointemens, bien qu'ils ne soient recommandables ny par leur extraction ny par leurs mérites, et qui ne servent qu'à apporter de la confusion et à surcharger les finances de Sa Majesté (1).

Pièce 30. — *Ce mémoire ne porte d'autre date que celle de* 1625. *Il est cependant fort probable qu'il est contemporain du* Réglement pour MM. les Secrétaires d'Estat, *qui est daté du* 11 *février* 1625 (*V.* supra, *pièce* 16). *Il exprime les mêmes préoccupations, celles d'organiser rationnellement les conseils du roi.*

Ce « projet » est l'œuvre de Fancan, auquel Richelieu l'avait sans doute demandé. François Langlois, sieur de Fancan, était originaire d'Amiens. Attaché d'abord à la maison de Souvré, puis à celle de Longueville, avant d'être utilisé par Richelieu, probablement à partir de 1617 *ou* 1618, *il était abbé de Beaulieu et chanoine de Saint-Germain l'Auxerrois de Paris. Bien qu'il ait été chargé par le cardinal de quelques missions à l'étranger, son rôle diplomatique, selon la remarque de Gustave Fagniez* (*), *fut de peu d'importance, et ce sont « ses vues politiques, avec ses écrits polémiques », qui demeurent « son meilleur titre contre l'oubli ». Fancan devait être arrêté, le* 4 *juin* 1627, *pour des motifs politiques demeurés obscurs : enfermé à la Bastille, il y mourut au mois d'octobre suivant.*

On sait que la variété et l'abondance des affaires avaient abouti, dès le règne de Charles IX, à la formation des trois conseils distincts mais non séparés, Richelieu s'était montré partisan, en 1620, *d'une division du conseil du roi en quatre sections. Un projet d'ordonnance avait même été rédigé en ce sens ; il n'aboutit pas* (**), *et ce fut seulement plus tard que l'important règlement du* 18 *janvier* 1630 *servit de base à des transformations décisives. Toutefois, en* 1632, *Cardin le Bret* (De la Souveraineté du Roy, *II*, 1-2) *ne note encore que deux conseils : le conseil privé et le conseil étroit, celui-ci étant « le conseil où l'ont traite les plus grandes affaires du roïaume ».*

---

(1) Fancan s'élève ici contre un abus qui devait durer aussi longtemps que l'ancien régime. Auprès des membres du Conseil, qui seuls auraient dû avoir droit au titre de « conseiller du roi », puisqu'il correspondait à des fonctions effectives, ce titre était attribué, moyennant le versement d'un droit, à un grand nombre des personnes, comme une sorte de distinction purement honorifique. Aussi le rencontre-t-on non seulement parmi les officiers des cours souveraines, mais accolé à des professions très diverses ; notaires, financiers, médecins du roi, commissaires au Châtelet, etc.

(*) *Fancan et Richelieu* (1911). En appendice à cet ouvrage, G. Fagniez a publié quelques écrits attribués à Fancan, parmi lesquels ce « Projet » ; mais cette publication n'ayant été que fragmentaire, il paru utile de reproduire ici le texte intégralement.

(**) Sur cette ordonnance et les motifs qui semblent en avoir empêché la publication, voir : Jean Mariéjol, *in Histoire de France de Lavisse,* t. VI, 2e partie (1905), pp. 358-359.

Chacun sait que le Conseil du Prince est l'asme de l'Estat et les bons conseillers les lumières du Royaume. C'est pourquoy il n'y a chose où le souverain doive estre sy circonspect qu'en l'establissement d'un bon ordre dans ses conseils, et surtout de n'en donner le tiltre qu'aux personnes ou d'éminente naissance ou d'éminente capacité, y allant de l'honneur du Prince qu'autres ceux de cette condition en portent la qualité.

Pour remédier aux désordres qui se remarquent dans la France sur ce sujet, il seroit à propos que le Roy révoquât généralement tons les brevets de conseillers d'Estat que Sa Majesté ou ses prédecesseurs pourroient avoir accordez à qui que ce soit, excepté aux Princes, aux Officiers de sa Couronne, gouverneurs des provinces et premiers présidents des Cours souveraines, et en octoyât des nouveaux à ceux dont Sa Majesté fera choix pour former ses conseils avec deffense très rigoureuse à tous autres de prendre cette qualité à l'advenir à peine de punition.

La liste estant faite de ceux que Sa Majesté aura voulu honorer de ce tiltre, il faut encore regarder à quoi chacun d'eux sera le plus propre pour servir le Roy, estant certain que tel est bon en une chose, qui sera néanmoins très impertinent dans une autre. Ainsy Sa Majesté les doit destiner aux choses où ils seront jugez les plus propres sans les occuper ailleurs, affin de les rendre par ce moyen plus experts en leurs fonctions, qui sera un grand bien pour eux et pour les affaires du Roy.

La feue Reine Mère Catherine de Médicis, après le décès du Roy Charles 9ème, pour éviter la confusion qui estoit alors comme elle peut estre à présent, fit diviser le Conseil du Roy en trois compagnies une pour les affaires de l'Estat, où présidoit M. le Card. de Bourbon, l'autre pour la Justice, et la 3ème pour les finances (2). A cet exemple, le Roy pourroit aussy establir trois conseils séparés, chacun composé de huit personnes avec un président. A celuy des Despesches, Mgr le Card. de Richelieu ou le second ministre en son absence, y pourroit présider, assisté des secrétaires d'Estat quand il s'agira de leurs départemens, et de tels autres personnages ecclésiastiques, de noblesse et de robbe longue qu'il plaira à Sa Majesté d'y apeller.

Et d'autant que les hommes de judicature se rencontrent très rarement capables du maniement des hautes affaires de l'Estat, et qu'anciennement pour cette raison les chanceliers ne se mesloient que du sceau simplement, le Roy, pour de très grandes considérations concernant le bien public, pourroit descharger M. le Chancelier ou le Garde des Sceaux des conseils de Cabinet, et ordonner qu'à l'avenir ils ne vaqueroient qu'aux Conseil de Justice avec autres conseillers dudit conseil qui auroient demeuré dans les cours souveraines tant ecclésiastiques que nobles, qui seront aussy pour cest effet choisis de Sa Majesté, par devant lesquels les Maîtres des Requestes raporteront les instances d'entre les partyes, ce qui pro-

(2) Cette division tripartite avait été déjà préconisée, dès 1519, par Claude de Seyssel, dans sa *Grant monarchie de France*. Le *Conseil étroit*, qui, sous Charles IX, avait pris le titre de *Conseil des affaires du matin*, s'était sensiblement accru par suite des troubles qui marquèrent ce règne. Ce même souverain avait créé, le 23 octobre 1563, le *Conseil des Finances*. A ces deux conseils, s'ajoutait le *Conseil privé* ou *des parties*, qui devait peu à peu borner ses attributions d'abord très vastes, aux questions administratives et judiciaires.

duira une grande facilité aux expéditions et beaucoup de soulagement à ceux qui ont des procès à la suite dudit Conseil, en ce que le chef n'estant point diverty la justice se rendra beaucoup plus promptement à tous les sujets de Sa Majesté.

Au conseil des Finances, où se traitte de l'Economie et du revenu du Roy, Mr le surintendant présidera, assisté du con[trol]leur général, des intendans et de quatre autres personnes plus usitées que faire se pourra aux affaires de finances, ce nombre estant plus que suffisant attendu qu'il importe que peu de gens connoissent le fond et l'estat au vray des finances du Prince.

Tous les jeudis de la semaine, M. le Garde des Sceaux et M. le surintendant pourront tenir un conseil, composé de celui de Justice et de celui des finances conjointement, pour y bailler les fermes publiquement, decretter les offices redevables au Roy, respondre les Cahiers des Provinces, auquel conseil les Maistres des Requestes y assisteront pareillement et y feront leurs raports des instances concernant les droits de Sa Majesté. Et n'y seront retenues ny jugées sinon celles qui concernent les estats des finances arrestées au Conseil, et l'exécution des baux à fermes au cas que l'événement en tomba sur le Roy et non autrement. Tous autres différens seront renvoiez aux Cours des Aydes qui auront vérifié les édits et baux à ferme.

Ceux qui auront présidé auxdits conseils signeront les arrests avec les raporteurs, et, en l'absence des chefs, celui qui sera le plus ancien et qui tiendra la première place.

Et pour éviter confusion chacun demeurera au Conseil où il sera nommé par Sa Majesté, sans que ceux d'un conseil puissent prétendre entrer en l'autre conseil, ainsy qu'il s'observe en Espagne. Et à cette fin le Roy leur ordonnera une forme d'habit, assavoir ceux du Conseil privé par-dessus les manteaux longs jusques à la cheville du pied, ceux du Conseil de Justice la robbe longue, et ceux du Conseil des finances des manteaux à manches comme à la Chambre des Comptes.

Surtout Sa Majesté se doit garder d'augmenter le nombre desdits conseillers pour éviter aux conséquences et importunitez et n'y promouvoir personne que par vaccance de mort ou par souffrance en cas que quelqu'un fut envoyé en ambassade.

Le Conseil estroit demeurera tousjours entre le Roy, la Reyne sa mère et messieurs les ministres de l'Estat.

31. — A Monsieur le Duc de Nevers. Paris, 1er mars 1625.

B.N., Fonds de Béthune, 9543, f° 3. — Original.
Impr. : Avenel, II, pp. 68-69.

Monsieur,

Ce gentilhomme retournant vous trouver, je ne l'ay pas voulu laisser partir sans vous tesmoigner le soin et la diligence qu'il a

Pièce 31. — *Sur le destinataire, Charles de Gonzague, duc de Nevers, v.* supra *pièce* 22 (18 *février* 1625).

apportée aux affaires pour lesquelles vous l'aviez envoié icy. En mon particulier, Monsieur, je m'estimeray heureux de rencontrer les occasions de vous servir, en vous faisant avouer, par les preuves que je vous rendray de cette vérité, que je suis,

Monsieur,

Vostre très humble serviteur,

Le Card. de Richelieu.

De Paris, ce 1er mars 1625.

32. — Le duc de Guise au cardinal de Richelieu. Marseille, 2 mars 1625.

A.E., Mém. & Doc., France, Vol. 1700 (Provence), f° 269.

Monsieur,

Cette lettre vous sera rendue par les depputez de Toullon, qui s'en vont trouver le Roy sur le subject de la closture de l'embouchure de leur port, dont le Sr Bonnefons, ingénieur pour S.M. en cette province, a dressé les plans et les devis (1), qu'ils luy portent, affin qu'elle en ordonne sa volonté et pourvoye à ce qu'elle désirera y estre faict pour son service. N'ayant aultre chose à vous dire là-dessus, sinon que vous entendrez les ditz depputez, qui tesmoignent qu'ilz n'ont aultre vouloir que de se rendre conformes à ce qui sera des commandemens de S.M., et moy je vous asseureray que le mien est d'estre,

Monsieur,

Vostre très affectionné à vous fere service,

Guyse.

A Marseille, le 2e mars 1625.

Monsieur, je treuve étrange que vous ne m'aiés point écrit touchant les proclamations qu'il fallait fère. Se pendant tout cela se fesoit sans mon seu, et ce n'est pas l'ordre, car je dois resevoir les commandemens du Roy sur toutes choses et les fere esseuter se lont les formes.

---

(1) Au folio 94 du même volume est conservé un certificat, accompagné d'un rapport, tous deux relatifs à l'aménagement de l'embouchure du port de Toulon, par le Sieur de Bonnefons, ingénieur du roi. Le rapport est daté du 1er mars 1625.

33. — M. Bouthillier de Rancé au cardinal de Richelieu. Dijon, 7 mars 1625.

A.E., Mém. & Doc., France, Vol. 1490 (Bourgogne), f° 227. — Original.

Monseigneur,

Estant recogneu en ces cartiers pour estre d'une maison en laquelle nous avons l'honneur et l'avantage d'estre nais (a) vos serviteurs, j'ay esté receu en ma charge de président en la Chambre des Comptes de ceste province avec tant de faveurs et de tesmoignages de contentement de tous ceux de la compagnie que je me sens obligé de vous le tesmoigner par ces lignes. Je vous ay, Monseigneur, tant de sortes d'obligations et recognois estre si estroictement lié à vostre service qu'il n'y a personne au monde sur qui vous puissiez prétendre une puissance plus absolue que vous l'avez sur moy, et vous supplie très humblement de croire qu'en quelque estat et quelque lieu que je sois, mon principal but sera tousjours d'obéir à vos commandemens avec tout le soing et la fidélité que je vous doibs, estant,

Monseigneur,

Vostre très humble, très obéissant et très obligé serviteur,

De Rancé.

A Dijon, ce 7e mars 1625.

Pièce 33. — *La lettre est écrite sur feuille double ; au dos, est portée la suscription : « A Monseigneur Monseigneur le Cardinal de Richelieu ». — L'auteur est Denis Bouthillier, seigneur de Rancé, de la Houssaye et de la Grennes, l'un des quatre fils de Denis Bouthillier et de Claudine de Machecot, et, par conséquent, frère de Claude Bouthillier de Chavigny. Il était, depuis* 1619, *conseiller de la reine mère, dont il sera, après son frère Claude, secrétaire des commandements, de* 1629 *à* 1631, *Conseiller d'Etat en* 1630, *il sera plus tard lieutenant général de la Navigation et Commerce en Picardie, Boulonnois et pays reconquis. Il mourra en* 1652. *Il fut le père du célèbre abbé de la Trappe.*

34. — M. de Palaiseau au cardinal de Richelieu. Calais, 7 mars 1625.

A.E., Mém. & Doc., France, Vol. 1675 (Picardie), f° 124. — Original.

Monseigneur,

J'ay l'honneur de mander au Roy comme la cavallerie françoise, conduicte par Monsr le duc de Brunswick, est partie ce jourd'huy, à

Pièce 34. — *L'auteur de cette lettre était gouverneur de la citadelle de Calais.*

(a) Lire : nés.

une heure après midy, après avoir demeuré huict jours embarquez, mais le vent leur ayant esté contraire depuis quelques jours n'ont sçeu partir plustôst. Sy les vaisseaux fussent venus au temps qu'ils debvoient venir, il y a long temps qu'ils fussent en Hollande (1), ayant eu cy-devant le vent bon, qui a causé une grande ruyne au peuple et perte de grands vaisseaux à cause du séjour.

On a amené en ceste citadelle *deux piesses* de canon de fonte vert ; on en doibt encore amener deux autres. Je supplie Sa Majesté de nous les laisser, y estant nécessaire pour son service et y ayant peu et la plasse estant de grande garde.

Je supplie aussy que on nous envoye *sept monstres* qui nous sont deubs sçavoir : III de 1622, II de 1624 et une de ceste année. Les soldats sont en une telle nécessité que ne se peut dire davantage, tant à cause de la peste qui est grandement icy que à cause qu'ils ne gaigne[nt] rien avecq les marchans. Les trésoriers sont icy, qui paye[nt] les régimens et ne donne[nt] rien aux mortepaye[s], qui a porté un grand mescontentement, car ilz sont tous au Roy.

Nous avons dix maisons en ceste citadelle gardées de la peste, et ayant fait sortir quarante personnes que j'ay fait mettre dans des huttes, dont en est mort seize. Je supplie très humblement Sa Majesté d'*user de ses charitez envers ces pauvres gens-là.* Je les ay assistez depuis six septmaines, mais je n'y puis subvenir, Sa Majesté ne m'ayant donné ung sol depuis cinq ans de mes pensions depuis. Je vous suplie d'estre intercesseur pour ces pauvres gens-là.

Il y a en citadelle *ung curé et ung vicaire* qui avoi[en]t pour leur entretien des prez aux communes. La court de parlement a ordonné que tout seroit réduict aux communes, tellement qu'ilz n'ont plus chose du monde ; sy Sa Majesté *ne les faict mettre sur l'estat des garnisons on n'administrera plus les St Sacremens céans,* qui seroit un grand malheur, y ayant céans sept à huict cens communians. Je vous suplie que tout ce peuple icy vous ayt ceste obligation, que par vostre moien qu'ilz puisse avoit de quoy leur entretenir et que vous me faciez l'honneur de me croire,

Monseigneur,

Vostre très humble serviteur,

Palaiseau.

De Callais, ce 7e mars 1625.

35. — A M. du Plessis de Juigné. S.l., 13 mars 1625.

B.N., Nouv. acq. franç., Vol. 5131, fo 70. — Minute de la main de Charpentier.

Monsieur,

Vous m'aviez bien promis de faire parler de vous et de vostre régiment, mais je croyois que ce fust en bien servant, et non pas

(1) Voir, à ce sujet, la lettre de M. de Villars à Richelieu, du 24 février 1625, pièce 27.

pour recevoir, comme nous faisons tous les jours, mille plaintes de vos depportemens et de ceux qui sont sous vostre charge, ce qui fait que je voudrois n'avoir jamais pensé à vous proposer au Roy pour mettre des troupes sur pied, voyant des effets si contraires à vos promesses et à mon attente. Jusques icy j'ay tasché à les palier le mieux qu'il m'a esté possible. C'est à vous maintenant à faire en sorte à l'advenir que vous ne donniez plus aucun subjet de plainte, ce que promettant je ne vous y convieray pas davantage par ceste lettre, me contentant de vous dire... etc... etc. (a).

36. — Le duc d'Angoulême au cardinal de Richelieu. Machault, 7 avril 1625.

A.E., Mém. & Doc., France, Vol. 780, f° 20. — Original.

Monsieur,

Je commence de croire que je suis à l'armée, puisque j'ay joint Monsieur de Marillac, *duquel les soins ont esté tels et l'ordre des troupes si bien que je n'auray qu'à suivre ce qu'il a fait.* A mon arrivée, il m'a fait sçavoir le voiage de ce gentilhomme duquel aiant ouy le progrès j'ay jugé utille au service du Roy, Monsieur, que par sa bouche vous l'apprissiés, et qu'après il en fist le rapport à Sa Majesté. *Il est gentilhomme de Monsieur* (1), *et duquel les intelligences peuvent estre nécessaires.* Si vous jugez ainsi, je vous suplie de luy en tesmoigner quelque chose, et que par vostre protection il soit favorisé auprès de Sa Majesté. Pour moy, je ne vous

Pièce 36. — *Les lettres du duc d'Angoulême occupent une place importante, à cette époque, dans la correspondance de Richelieu, et celle-ci n'est sans doute pas la première.*

Charles de Valois était le fils naturel de Charles IX et de Marie Touchet. Né le 26 avril 1573, il avait d'abord porté le titre de comte d'Auvergne jusqu'en 1619. Il avait combattu aux côtés d'Henri IV à Arques, à Ivry, à Fontaine-Française, mais impliqué dans les intrigues de sa demi-sœur Henriette d'Entragues et de la famile de celle-ci, il avait été emprisonné, jugé et condamné à mort en 1605, peine commuée par le roi en prison perpétuelle. Louis XIII l'avait gracié à son avénement, et, depuis lors, il avait toujours fait preuve de loyauté à l'égard du pouvoir royal. Il avait épousé Charlotte de Montmorency, fille de Henri I de Montmorency-Danville et de sa première épouse, Antoinette de La Marck. Il venait alors d'être chargé du commandement de l'armée dont les éléments étaient dispersés entre les Trois Evêchés et Reims.

(a) A la place de cet alinéa, Charpentier avait d'abord écrit des lignes que Richelieu dut sans doute, à la réflexion, trouver trop dures : « ... estimant qu'à l'advenir vous corrigerez les deffaults du passé, mais si vous continuiez davantage, vous me forceriez à estre le premier à me porter contre vous. C'est pourquoy, s'il vous reste quelque sentiment d'honneur, je veux croire que, pour n'achever de vous perdre, vous changerez désormais de procéder, en apportant l'ordre requis aux désordres que tout chacun publie estre parmy vos gens. Sur cela je demeure vostre affectionné à vous servir ».

(1) Monsieur, frère du roi, qui portait alors le titre de duc d'Anjou.

puis rien encore dire de nouveau, mais bien que personne au monde ne sçauroit estre plus que je suis et que je seray toujours,

Monsieur,

V^re très obligé et très affectionné serviteur,
Charles de Valois.

De Machault (2), ce 7 avril 1625.

37. — A M. d'Angoulême. S.l., 11 avril 1625.

B.N., Nouv. Acq. fr., Vol. 5131, f° 73. — Minute de la main de Charpentier, avec deux passages de la main de Richelieu.

J'ay esté très aise de cognoistre par la lettre qu'il vous a pleu m'escrire vostre arrivée à l'armée, et que vous y ayez trouvé toutes choses selon que vous le puissiez désirer (a).

On a dit au Roy, depuis quatre jours, que l'armée de Champagne, qui doit estre de 14 et tant de mil hommes, n'est pas la moitié. Que je luy en donne advis afin qu'il luy plaise faire remplir les compagnies et, quand on fera montre, la faire faire en la banque. Que je l'asseure que le Roy est disposé d'user de rigueur avec les cap^nes qui, pour voler, ne tiendront pas le nombre complet. Partant, qu'il ne tiendra qu'à luy d'avoir l'honneur et la gloire d'estre celuy qui aura commencé à establir un ordre en France, qui a toujours esté désiré, mais jamais exécuté. Je ne vous en diray pas davantage sur ce subjet me contentant de vous suplier de me croire véritablement... (b).

Pièce 37. — *Le nom du destinataire et la date figurent au dos de la pièce. La partie de la minute écrite par Charpentier ne constitue que de simples notes en vue d'une rédaction ultérieure.*

38. — A. Louis de Marillac. S.l., 11 avril 1625.

B.N., Nouv. acq. fr., Vol. 5131, f° 73. — Minute de la main de Charpentier.

Que tous les jours je crie pour l'affaire de Malatour (1). Tout le desplaisir que j'ay dans les affaires provient de la peine qu'il y a à faire exécuter les choses qu'il est aysé de résoudre pour les cognoistre du tout nécessaires au service du Roy.

---

(2) Machault (Ardennes), à une trentaine de kilomètres au nord-est de Reims.
(a) Ce premier alinéa est de la main du Cardinal.
(b) La phrase finale est de la main du Cardinal.
(1) On ne sait de quelle affaire il s'agit.

J'envoye encore particul[ièreme]nt chez M.M. les surintendants pour les en faire souvenir. Cependant, quoyque vous cognoissiez les longueurs de France, je vous prie de ne pas laisser périr ceste affaire, laquelle s'exécutera infailliblement.

Je vous envoye un chiffre p^{r} me mander ce qu'il luy (a) plaira. Cependant je luy puis dire que tous ceux qui me veulent rendre de mauvais offices ne sçauroient rien dire de véritable contre moy, pour ce que je fais tout ce que je puis et dois p^{r} le service et la gloire du Roy et le bien de l'Estat, et n'en (b) sinon de ruiner une mauvais santé.

Pièce 38. — *Cette minute et celle de la lettre adressée au duc d'Angoulême sont écrites sur la même feuille. Le nom du destinataire et la date sont indiqués au dos. Il n'est cependant pas précisé s'il s'agit de Michel ou de Louis de Marillac. Ce dernier se trouvant alors placé sous les ordres du duc d'Angoulême en qualité de maréchal de camp, le voisinage des deux lettres sur la même feuille incite à penser qu'il s'agit de Louis de Marillac. D'autre part, Richelieu fait savoir à son correspondant qu'il « envoye... chez MM. les surintendants » pour leur remettre en mémoire l'affaire en question, ce qu'il n'écrirait pas à Michel de Marillac, puisque celui-ci était précisément l'un des deux surintendants des finances.*

39. — M. de Sanzay au cardinal de Richelieu. Château de l'Aubraie, 17 avril 1625.

A.E., Mém. & Doc., France, Vol. 780, f° 22. — Original.

Analyse :

Il vient d'arriver dans la région et n'a pas encore eu le temps de voir beaucoup de monde. La seule chose qu'il a pu apprendre, c'est que les huguenots « croient fermement, et les Rochelois aussy, que le Roy les vient visiter. Ils munissent la Rochelle le plus qu'ils peuvent de blés, de vins de bestiaux. Néanmoins force huguenots sont résolus à les abandonner » et à quitter la ville.

Pièce 39. — *L'auteur de cette lettre, vraisemblablement en mission en Vendée et dans le marais poitevin, est Charles de Sanzay, baron de Tupigny, vicomte héréditaire de Poitou. Il avait épousé une sœur de Gabriielle d'Estrées, Françoise. Il devait mourir en* 1669. *La lettre est datée de «Laubrais»: il s'agit du château de l'Aubraie, commune de Féole, dans l'actuel département de la Vendée.*

(a) Le changement de personne montre que la note a été dictée ; Charpentier, en la mettant au net, apportera les rectifications convenables.

(b) Un mot illisible ; le sens est : « et n'en retire rien d'autre... ».

40. — Le duc d'Angoulême au cardinal de Richelieu. Verdun, 22 (?) avril 1625.

Arch. de la ville de Reims, Col. Tarbé, Cart. XIII, pièce 66. — Original.

Monsieur,

Vous verrés par les lettres que j'escripts à Messieurs les secrétaires d'Estat comme j'ay trouvé les trouppes de ceste armée en très bon estat, et que, par le soin et savoir-faire de Monsieur de Marillac, elles se sont maintenues en estat d'entreprendre et conserver tout ce qu'il leur sera ordonné. Je ne me plains si ce n'est qu'il ne m'a rien laissé à faire, mais je suis très content de quoy il a si dignement servi et sans complésence ; croiés que l'on luy en doibt savoir gré. J'espère que je continueray de sorte que vous ne changerés point la bonne opinion que vous avés de moy, qui vous demande avec passion la continuation de vos bonnes grâces, et que vous me teniés pour,

Monsieur,

V^re^ très affectionné serviteur,

Charles de Valois.

Verdun ce 22 (a) avril.

Pièce 40. — *Cette lettre porte en suscription sur une feuille maintenant séparée de la première : « A Monsieur Monsieur le Cardinal de Richelieu ». A côté, dans le sens transversal, on lit cette annotation de la main d'un secrétaire : « M*r *d'Angoulesme, du* XXIIIe (sic) *Apvril* 1625 ». *La suscription est accompagnée de deux cachets aux armes de Charles de Valois.*

41. — Mémoire pour le Roi. [Début de mai] 1625.

A.E., France, Vol. 246, f° 40-44. — Paraît être entièrement de la main du cardinal.
Impr. : Avenel, II, p. 77-84.

Pour bien juger quelle résolution le Roy doit prendre, il faut voir et considérer meurement quelle est la face des affaires présentes en toute la chrestienté.

Il semble que toutes choses conspirent maintenant à rabbattre l'orgueil de l'Espagne.

Il n'y a personne qui ne sache l'estat des armes du Roy en Italie, qui est tel qu'en un mot, il est maistre de la Valteline, et que difficilement Gennes peut-il éviter d'estre pris.

Celuy des Païs-Bas est aussy connu d'un chacun, le siège de Breda, dont l'événement à la vérité est incertain, au moins porte-t-il

(a) Le premier chiffre est mal formé, mais le second parfaitement lisible, en sorte qu'on pourrait lire 12, mais non pas 23, comme l'a fait le secrétaire.

ce préjudice aux Espagnols que, quand mesme ils l'auroient pris, leur armée sera tellement ruinée qu'il luy sera impossible de faire aucun effet notable dre tout l'esté, veu principalement que les Estats ont, outre leur armée ordinaire, celle du Mansfeld, capable d'empescher pour cett'année que l'armée de Spinola, soit en leur païs ou ailleurs, ne fasse autre progrès que celuy de Breda, quand mesme ils ne pourroient secourir la place, à cause que de longtemps les assiégeans s'y sont retranchés et fortifiés.

En Allemagne, les rois de Danemark et Suède, et le marquis de Brandebourg mettent une armée très puissante sur pied pour restablir les princes dépouillés par la maison d'Autriche et ses adhérans ; déjà ils ont ensemble plus de vingt-cinq mil hommes de pied et quatre mil chevaux. On a nouvelle que Gabor (1) est aussy armé et veut entrer en la Hongrie. Mansfeld ayant fait ce qu'il prétend faire en Holande, entrera aussy en Allemagne du costé (b) et tous les princes de deça Wirtemberg et autres, se joindront à luy avec leurs forces.

Aux Indes, un chacun sçait les pertes qu'y ont faites les Espagnols, tant à la baie de los Santos qu'à la dernière flotte qui a esté deffaite par celle de l'Ermite, et que les Holandois seuls sont capables d'occuper tous les armements de mer qu'ilz sauroient faire.

Il se prépare un grand armement de cent voiles en Angleterre, tel que de deux cens ans on n'en a veu un pareil, qui n'a autre fin que l'abaissement d'Espagne, dont le roi d'Angleterre se tient offensé en ce qui s'est passé au projet fait de son mariage.

Les Espagnols n'ont point d'argent ny en Espagne ny en Flandre ny en Italie. Tous leurs peuples sont extrêmement mécontens de leur gouvernement, harassés et ruinés des gens de guerre, qui n'aians point esté paiés ont vescu à discrétion et à la foule du païs, particulièrement en Flandres et en Italie.

Pièce 41. — *Ce mémoire, sans titre ni date dans le manuscrit, a été utilisé par les rédacteurs des Mémoires du cardinal de Richelieu (éd. de la Société de l'Hist. de France, t. V, pp. 19-30). C'est sans doute d'abord un tableau de la situation de la France en Europe, mais les préoccupations d'orde intérieur apparaissent au premier plan, en particulier par l'exposé du problème posé par la puissance en France du parti huguenot. La date de ce mémoire est établie par deux passages : l'un qui se rapporte au mariage d'Henriette de France, représenté comme très prochain, et qui fut effectivement célébré le* 11 *mai* 1625 ; *l'autre, qui concerne le siège de Breda par les Espagnols, et qui fait allusion à l'approche d'une armée de secours commandée par Mansfeld, lequel renonça à poursuivre son entreprise dès le* 3 *mai par suite d'une épidémie qui s'abattit sur ses troupes ; on estime que Richelieu ne put être informé de l'événement avant le* 8 *ou* 9 *mai. La ville capitula à la fin de mai.*

---

(1) Bethlen Gabor (1580-1629), prince de Transylvanie ; il avait adopté le calvinisme par haine des Habsbourgs, contre lesquels il avait lutté de 1618 à 1622. Il venait de reprendre les armes, qu'il ne mettra bas qu'à la paix de Presbourg (1626).

(b) En blanc dans le texte.

Quelques effort qu'ilz puissent faire pour deffendre l'Italie, il est difficile qu'ilz la puissent garantir, veu principalement que l'Italie a tousjours tiré son secours de Gennes quant à l'argent, et d'Allèmagne pour les hommes ; ce qu'elle ne sçauroit faire, supposé la prise de Gennes et les troubles qu'on void naistre en Allemagne.

Le Roy a force argent devant luy, et, sans hyperbole, peut faire estat de douze millions de livres pour le fonds de la guerre.

Ses armes sont victorieuses en la Valteline ; et du costé de Gennes sa réputation est très grande. Il a sur les frontières de Champagne et Picardie des armées considérables et considérées de ses ennemis, qui les regardent avec crainte.

Le Roy d'Angleterre, avec qui il contracte une nouvelle alliance, en la naissance desquelles on en tire tousjours quelque proffit, désire la guerre avec l'Espagne, et ne peut aisément s'y réconcilier à cause de ses intérests.

Le duc de Savoie, qui a un cœur de roy, ne l'estant pas de sa naissance, n'a autre but que la guerre comme le seul moien par lequel il le peut devenir, aux despens d'Espagne ou de ses alliés.

Venise, qui hait et craint la puissance d'Espagne, estimant le temps propre à la diminuer, désire passionnément qu'on le fasse, et craint que, si on perd cette occasion, Espagne attende son temps pour en prendre revanche à leurs despens, puisqu'elle le peut faire plus aisément sur eux que sur aucuns autres ; tous les princes d'Italie qui sont attachés à l'Espagne, l'estans plus par crainte que par amour, n'attendent autre chose qu'à voir qui sera le plus fort pour s'y joindre. Et c'est sans doute qu'ilz suivront la fortune du victorieux, de peur qu'en voulant s'y opposer ilz en fussent la proie.

Le pape mesme voudroit que les Espagnols fussent hors de l'Italie, et ne prendroit nul intérest en cett'affaire sans celuy qu'il y prétend avoir en ce que ses gens ont esté délogés de la Valteline.

Tous les protestans d'Allemagne sont obligés de jouer de leur reste en cette occasion et s'y préparent.

Le duc de Bavière mesme ne s'intéresseroit pas en la diminution de la maison d'Autriche, pourveu qu'il fust asseuré qu'on ne le voulust point priver de la qualité d'électeur ny de quelques autres avantages, dont il est aisé de s'accorder avec luy.

Le Roy de la Grande-Bretagne veut se servir de cett'occasion pour le restablissement de son beau-frère, en considération duquel il prépare l'armement de mer mentionné cy-dessus.

Par toutes ces considérations, il semble que jamais il n'y eut une si belle occasion au Roy d'augmenter sa puissance et roigner les aisles à ses ennemis.

Mais il faut tourner le feuillet et voir quelles autres considérations peuvent contrepeser celles qui sont cy-dessus déduites.

Je ne mettray point en avant qu'il semble qu'il est difficile de prendre tous les avantages qu'on peut ès occasions présentes sans diminution de la religion en quelque chose, d'autant que bien que cela fust en apparence au commencement, le zèle et la piété du Roy feroit qu'à la fin elle y trouveroit son avantage.

Je ne diray point que nous avons tousjours esté assez heureux à conquérir en Italie, mais si malheureux à conserver que les lauriers qu'on a cueillis ont promptement esté changés en cyprès ; d'autant qu'estans devenus sages à nos despens, le vray secret des affaires d'Italie est de dépouiller le Roy d'Espagne de ce qu'il y tient, pour en revestir les princes et potentats d'Italie, qui par l'intérest de leur propre conservation seront tous unis ensemble pour conserver ce qui leur aura esté donné ; et bien que nous n'aions pas esté assés prudens et assés forts pour maintenir ce que nous avions conquis, nostre force et leur prudence seront plus que suffisantes pour produire infailliblement cet effet. Et le seul partage que doit désirer la France en toute cette conqueste ne doit estre que la diminution de l'Espagne, qui prétend égalité avec elle, et qui la veut affoiblir, et l'a fait depuis quelque temps.

Je ne mettray point encore en avant qu'on peut craindre que l'Espagne, pressée à l'extrémité par nous, peut entrer à force ouverte en France, soit du costé d'Espagne ou de la Flandre ; tant parce qu'il est aisé de s'en garantir du costé d'Espagne, avec de médiocres forces, à cause de la situation du pays, que parce que le Roy a une armée fresche et puissante sur la frontière de Picardie et Champagne, laquelle sans nouvelle despense, il fortifiera tousjours de six mil hommes et de mil chevaux en y portant sa personne, que parce enfin que le Roy contribuant aux frais de Mansfeld, il peut faire en sorte qu'au cas que Spinola tournast teste vers la France, cette armée le suivroit en queue.

Mais il faut considérer que les rébellions sont si ordinaires en France, qu'il est à craindre que, tandis que nous penserons à humilier autruy, nous ne recevions plus de mal de nous-mesmes que nous n'en sçaurions faire à nos propres ennemis.

Ces rébellions ne peuvent venir que des grands du royaume mécontens, ou des huguenots.

Des grands, il n'y a rien à craindre maintenant, tant à cause de leur impuissance que par ce aussy véritablement que, bien qu'il y en ait beaucoup qui désireroient qu'il arrivast quelque remuement, pour ce pendant faire mieux leurs affaires, il n'y en a aucun qui voulust en estre autheur, pour la connoissance que tous ont que ce n'est plus le temps d'en tirer avantage.

Quant aux huguenots, ilz sont si accoustumés à faire leurs affaires aux despens de l'Estat, et d'en prendre le temps lorsqu'ilz nous voient occupés contre ceux qui en sont ennemis déclarés, ainsy qu'ils firent pendant le siège d'Amiens, que nous devons appréhender qu'ilz ne fissent de mesme en cette occasion. La prise des armes et les insolentes demandes qu'ilz font ostent tout lieu d'en douter.

Partant, il faut voir si leur puissance est assés considérable pour arrester le Roy de poursuivre le dessein qu'il a de faire la guerre au dehors.

Il est certain que d'eux-memes ilz ne sont pas puissans ; mais ilz le peuvent estre par accident, tant parce que l'Espagne les peut favoriser d'argent et de vaisseaux, comme nous en avons desjà quelque conoissance.

Que si par hazard, ils avoient quelque bon succès (ce qui peut arriver par la trahison de quelque gouverneur, qui par quelque surprise volontaire leur vendroit sa place), tel maintenant qui ne les favorise que de volonté se déclareroit pour eux en effet, et pourroit mettre les affaires en compromis.

Il faut considérer davantage que les affaires sont comme les corps humains, qui ont leur croissance, leur perfection et leur déclin. Que toute la prudence politique ne consiste qu'à prendre l'occasion la plus avantageuse qu'il se peut faire ce qu'on veut.

Maintenant tout tremble sous la terreur des armes de la France. Jusques icy tout a succèdé à souhait. On ne s'est point aperçeu des divisions qui se mettent d'ordinaire dans les armées de ligues, bien que nous ne puissions ignorer que la semence en est desjà germée en celle de Pedmont.

Quoyque le Roy ait de l'argent, comme nous avons dit cy-dessus, et qu'il n'ayt point encore manqué aux armées, les dépenses sont si excessives en France qu'il n'y a personne qui puisse respondre qu'on puisse tousjours fournir à si grands frais, veu principalement qu'en matière de guerres en sçait bien comment et quand elles commencent, mais nul ne peut prévoir le temps et la qualité de leur fin ; d'autant que l'appétit vient quelquefois en mangeant, et que les armes sont journalières.

Partant, je croy qu'il n'y a personne qui n'estime qu'il faut par nécessité se donner la paix à soy-mesme en l'asseurant au dedans de l'Estat, ou de la donner à ses ennemis estrangers, estant certain que tout homme qui aura du jugement avoiera que c'est trop d'avoir deux affaires à la fois, dont l'une seule est capable d'occuper.

Les médecins tiennent pour aphorisme asseuré qu'un mal interne, quoique petit en soy-mesme, est plus à craindre qu'un externe beaucoup plus grand et douloureux. Cela nous fait connoistre qu'il faut abandonner le dehors pour pouvoir au dedans. S'il se peut par remèdes simples et purgations légères qui n'émeuvent ny n'altèrent point le corps, il se faut bien donner garde d'avoir recours à d'autres. Mais si la maladie est si grande que tel remède ne fasse qu'aigrir le mal au lieu de le guérir, il faut se servir de ceux qui sont capables d'en couper les racines, pourvoiant non seulement au présent, mais à l'advenir qu'il faut prévoir.

Tant que les huguenots auront le pied en France, le Roy ne sera jamais le maistre au dedans, ny ne pourra entreprendre aucune action glorieuse au dehors (2).

La difficulté est de faire la paix avec l'Espagne en sorte qu'elle soit seure, honorable, et que tous nos alliés y puissent avoir l'avantage que raisonablement ilz peuvent désirer, veu qu'autrement, pour spécieuse qu'elle fust, elle seroit très dommageable.

Il est certain que, quand une fois nous aurons posé les armes, si l'establissement de la paix n'estoit sœur, nous aurions de la peine à porter nos collégués (b) à les reprendre de nouveau et à nous y résoudre nous-mesmes ; estant des estats comme des hommes, qui ont un certain feu hors lequel on ne peut attendre d'eux ce que, pendant iceluy, on n'eust sceu empescher.

---

(2) La phrase est souvent citée. Elle montre, dès 1625, la ferme volonté de Richelieu de briser le parti huguenot. Mais le moment n'était pas encore venu d'agir. Le cardinal, comme l'écrit l'un de ses plus récents historiens, « possédait à merveille la faculté de savoir attendre : maturité des hommes, maturité du temps, maturité des circonstances, il n'engageait jamais rien tant que l'affaire n'était pas mûre » (Carl J. Burckhardt, Richelieu, I, p. 200).

(b) « Collégués » = co-ligués, c'est-à-dire alliés.

C'est chose aussy très asseurée que s'il y avoit quelque condition foible dans le traitté qu'on fera, toute la gloire et la réputation qu'on a eue jusques icy se convertiroit en honte.

Au reste, si nous manquions à procurer l'avantage de nos alliés, nous n'en pourrions plus faire estat à l'advenir, ce qui feroit que nous aurions beaucoup plus perdu encette affaire que gaigné.

La question est donc de faire la paix de la Valteline, de Gennes et, s'il se peut, du Palatinat, en sorte que chacun ait raisonablement son conte et que nous demeurions plus liés que jamais.

Il faut voir promptement la fin des négociations qu'on propose sur ce sujet, affin que si elles ne peuvent réussir, Sa Majesté contente les huguenots, et se dispose de toutes parts fortement à la guerre contre les Espagnols, estant certain que les Espagnols ne la peuvent soustenir longtemps, si en mesme instant on les attaque puissamment de diverses parts, au lieu que si l'effort qu'on fera est foible, ilz la supporteront aisément, ce qui nous mettra en une guerre de durée en laquelle ilz auront autant d'avantage, par habitude qu'ilz ont à pâtir, comme nous en avons aux entreprises dont le bon succès dépendra de la furie françoise.

42. — Mémoire qui a esté baillé au Sieur de Bellujon, envoyé à La Rochelle. S.l., 25 mai 1625.

A.E., Mém. & Doc., France, Vol. 780, f° 356-357. — Copie.
Impr. : Avenel, II, pp. 87-89.

M. de Bellujon despeschera promptement à M. de Soubise et à ceux de la Rochelle pour les rendre certains que les asseurances qu'il a données icy de leurs bonnes intentions et dispositions à la paix ont esté bien escoutées, et qu'il a recogneu que celles du Roy y sont fort portées aussy.

Qu'il a fait voir à M[essieur]rs du conseil les réponses du 14me may qui luy on esté envoyées à Maran, auxquelles l'on a trouvé beaucoup de choses différentes à ce qui avoit esté accordé icy par les articles du 7me may dont on ne prétend point se départir. Et néanmoins ledit Sieur de Bellujon ayant dit que les nouvelles deman-

Pièce 42. — *Ce document a été utilisé par les rédacteurs des* Mémoires de Richelieu : *V. édit. de la S.H.F., t. V, p.* 40 *et s.*

Le destinataire de ces instructions, Daniel de Bellujon, issu d'une famille originaire d'Orange, était attaché depuis plusieurs années, en qualité de secrétaire, au connétable de Lesdiguières. Celui-ci l'avait déjà employé à diverses reprises dans le délicates négociations avec les huguenots. En outre, dans les premiers mois de 1625, *il avait été envoyé en Hollande, avec l'accord du roi, pour traiter avec les Etats-Généraux l'achat de vingt navires, qui, destinés tout d'abord à l'armée d'Italie, devaient par la suite être employés contre les protestants rebelles. Daniel de Bellujon, devenu baron de Coppet en récompense de ses services, mourut en* 1629. *La négociation dont il s'agit ici consistait à faire accepter à Soubise et aux Rochelais les conditions que le gouvernement royal offrait aux réformés. Sur cette négociation, voir les* Mémoires de Richelieu, *édit. de la S.H.F., t. IV, p.* 175 *et suiv.*

des ne se faisoient pas par capitulation, mais estoient seulement prétendues de grâce, il croit qu'envoyant au plus tost leurs depputez bien intentionnez et authorisez, ils pourront bientost résoudre ce qui est à polir et esclaircir pour ajuster entièrement leurs responses avec lesdits articles.

Que pour leur faciliter le moyen de l'envoi de leurs dits depputez, et faire voir comme mesme le Roy les convie derechef à la paix seure et perpétuelle qu'il veut donner à tous ses subjets, ledit sieur de Bellujon a obtenu de Sa Majesté tous les passe-ports nécessaires qui leur sont envoyez.

Que si M. de Soubise n'a desjà despesché à M. de Rohan avec le passe-port de M. de Praslin, pour le faire convenir à mesme intention que luy, et faire cesser tous actes d'hostilité de sa part, il luy sera envoyé passe-port du Roy pour un des siens, afin qu'il le dépesche en diligence vers ledit sieur de Rohan, et face que son député bien authorisé se trouve à la cour au mesme temps que les autres.

M. de la Faye Saint-Orse procurera aussy que les depputez de Montauban, Castres, Nismes, Usez et Meillaud (1) viennent en mesme temps faire leurs protestations au Roy, suivant ce qui est porté par les dits articles du 7 may.

Il sera ce pendant mandé à MM. Praslin et de la Rochefoucauld de contenir les trouppes du Roy sans rien altérer, afin que par mésintelligence cet affaire, qui est en très bon estat, ne se gaste, pourveu aussy que les vaisseaux de M. de Soubize et des Rochelois ne facent aucun préjudice durant ce temps-là aux subjets de Sa Majesté.

L'on mesnagera au plus tost l'admiral Hottin (2) pour le disposer à l'eschange des cinq vaisseaux, pour convenir de la qualité d'iceux, de démesler avec luy s'il n'est trouvé plus à propos de le mander de venir en cour en diligence, puisqu'il est aux costes de France, de peur que l'on ne se trouve avoir compté sans son hoste au fait du change des dits vaisseaux.

Et finalement, puisque le sieur de la Faye Saint-Orse est bien intentionné et informé de ce qui est à faire, selon la volonté du Roy pour cet accommodement, Sa Majesté trouve bon qu'il retourne diligemment vers M. de Rohan, avec les lettres dudit sieur de Bellujon et des députez généraux, pour l'informer des responces rapportées de la Rochelle par ledit sieur de Bellujon et de ce que le conseil du Roy dit sur icelles.

Ledit sieur de Saint-Orse procurera aussy de faire retirer de la campagne les gens de guerre que M. de Rohan y a mis, afin que les troupes du Roy ne soient point obligées à agir contre eux, dont il arriveroit des effets tout contraires à l'accommodement que Sa Majesté désire voir en ces affaires, par le moyen duquel elle aura le contentement de voir ses subjets délibérés des appréhensions et malheurs que les guerres civiles apportent.

---

(1) Millau.
(2) L'amiral hollandais Haultain van Zoete.

43. — Le roi au cardinal de Richelieu. Paris, 26 mai 1625.

Impr. : E. Griselle, *Lettres de la main de Louis XIII*, t. II, p. 394, n° CDII.

Mon cousin,

Le marquis de Portes s'en allant en ma province de Languedoc, j'ai désiré qu'il vous ait vu et fait entendre comme certaines cérémonies se sont passées au mariage de ma sœur d'Angleterre. Je vous prie avoir créance au récit qu'il vous en fera. Il vous dira aussi l'état des affaires qui sont du temps présent, que je ne m'arrêterai point à vous déduire en particulier, me remettant à l'ordre que je lui ai donné. Je prie Dieu...

A Paris, ce 26 mai 1625.

LOUIS.

44. — A la reine mère. Fontainebleau, 15 juin 1625.

Univ. de Paris, Bibl. Victor-Cousin, Fonds Richelieu, Vol. 14, f° 85-86. — Original probablement autographe.

Madame,

Hier au soir, le Roy ayant eu nouvelle de la mort de Mr le mareschal de Roquelaure (1), m'envoya quérir pour me dire qu'il désiroit donner sa charge à Mr le comte de Schomberg, mais qu'il ne vouloit pas le faire sans en advertir auparavant Vostre Majesté, et que pour cet effet, je vous dépeschasse Marsillac (2). *Et d'autant qu'il s'est souvenu de l'instance que Monseigneur luy a faite plusieurs fois par Mr le colomnel* (3), *il m'a commandé de vous escrire que vous pouviez donner parole de sa part à mondit seigneur qu'en sa considération il le pourvoiera de la première vaccante. Il s'asseure que Monseigneur et ledit Sr Colomnel* recognoistront ce souvenir de Sa Majesté comme la grâce le mérite, veu que le fruit ne peut tarder d'estre receu. Je croy vous devoir donner advis, Madame, que Sa Maté m'a tesmoigné appréhender que ledit Sr colomnel ne vist sur ceste rencontre, et qu'il ne le désiroit pas à cause de l'impor-

Pièce 44. — *La suscription « A la Reyne » est au verso du deuxième folio. Il semble que la lettre soit toute entière de la main du cardinal.*

(1) Antoine de Roquelaure était né en 1544. Issu d'une famille dont la noblesse remontait au XIIIe siècle, il était fils de Géraud seigneur de Roquelaure, et de Catherine de Bezolles. Il avait d'abord servi Jeanne d'Albret avant de se rallier à Henri IV. Maréchal de France en 1615, il mourut à Lectoure le 9 juin 1625. De ses deux mariages, il avait eu seize enfants, dont l'aîné, Gaston-Jean-Baptiste sera duc et pair en 1652.

(2) Sylvestre de Crugy de Marsillac, abbé de N.-D. de la Chastres, qui sera, en 1628, évêque de Mende, il était alors maître de Chambre de Richelieu.

(3) Le colonel d'Ornano (1581-1626), il sera nommé maréchal de France, le 7 avril 1626, peu de temps, d'ailleurs, avant son arrestation.

tunité qu'il en recevroit sans le pouvoir contenter, estant très résolu d'exécuter le dessein qu'il a pour Mr de Schomberg ; et je puis respondre à Vostre Maté que, selon ma cognoissance, il ne différeroit pas d'un moment, ce que je prends la hardiesse de vous mander, afin que plus certainement vous en destouniez Mr le colomnel, qui sans doute aura promptement son compte, s'il se gouverne en ceste occasion comme Sa Maté le peut espérer et le désire.

Je n'oublieray pas de dire à Vostre Maté que je n'ay pas manqué de représenter au Roy tout ce que j'ay estimé nécessaire de la part de Vostre Maté, dont il a autant d'asseurance que de soy mesme. Il tesmoigne un très grand plaisir de son retour et très grande tendresse de cœur pour elle, ce que je ne doute point qu'elle ne croye, puis qu'elle le sçait mieux que personne. Jamais le Roy ne se porta mieux. Jc suplie Dieu qu'il en soit aussy de Vostre Majesté et qu'il luy plaise me donner les occasions de luy faire cognoistre jusques à quel point je suis,

Madame,

De Vostre Majesté,

le très humble, très obéissant, très fidelle subjet et serviteur,

Le Card. de Richelieu.

A Fontainebleau, ce 15e juing 1625.

45. — A la reine mère. Fontainebleau, 17 juin 1625.

B.N. Nouv. Acq. franç., Vol. 5131, f° 74. — Minute de la main de Charpentier.

Madame,

Le Roy dépeschant à Vostre Majesté pr l'affaire de Monsr le comte de Schomberg, j'ay creu qu'elle n'aura pas désagréable que je luy envoye Marsillac sur ce subjet, et pour l'asseurer que, grâces à Dieu, la santé de Sa Majesté ne fust jamais meilleure. Elle est maintenant très aise que Vostre Majesté ne passe point outre en son voyage, qui n'eust peu qu'augmenter son indisposition, de laquelle il m'a tesmoigné avoir tel ressentiment qu'il m'a peu retenir ses larmes, estant venu jusqu'à ce point de me dire que, s'il apprend qu'elle continue, il y va incontinent en poste trouver Vostre Majesté. En cela comme elle cognoistra quel est son bon naturel envers elle, aussy oseray-je la suplier de croire qu'elle a une telle place en son cœur, qu'il est impossible d'y rien désirer. C'est

Pièce 45. — *Le nom de la destinataire et la date figurent au dos de la pièce. On lit, en haut, cette indication portée par une main étrangère : « Lettre du Cardal de Richelieu à la Reine par laquelle il l'asseure de la santé et affection du Roy ».*

sans doute, Madame, ce qui donnera un extrême contentement à Vostre Ma[té], et je prendray la hardiesse de lui dire que le plus grand que je puisse recevoir est de luy faire voir par toutes mes actions que nul n'est plus que moy,

Madame,

De Vostre Majesté, le très humble, très obéissant, très fidelle et très obligé subjet et serviteur,

De Fontainebleau, le 17e juing 1625.

46. — M. de Saint-Chamond au cardinal de Richelieu. Saint-Chamond, 25 juin 1625.

Univ. de Paris, Bibl. Victor-Cousin, Fonds Richelieu. Vol. 14, f° 110. — Original.

Monseigneur,

Bien que mon malheur m'aye esloigné d'auprès de vous et rendu inutile à v[re] service, je n'ay pas pour cela moins d'affection de vous en rendre et prens part à tout ce qui vous arrive avec les ressentimens d'ung vray et fidelle serviteur. C'est pourquoy je n'ay peu demeurer davantage sans vous rendre ce tesmoignage de l'extrême déplaisir que j'ay de v[re] maladie et des prières que je fais f[ai]re à Dieu tous les jours par des plus gens de bien que moy pour le recouvrem[en]t de v[re] santé si nécess[ai]re au Roy, au bien de l'Estat et à moy en particulier, qui demeureray toute ma vie ferme dans le recoignoissance des obliga[ti]ons que je vous ay, Monseigneur, et dans la résolution que je vous ay protesté et proteste encores de nouveau d'estre sans aucune réserve,

Monseigneur,

V[re] très humble et très obéissant serv[iteu]r,

St Chamond.

S[t]-Chamond, ce 25[e] juin 1625.

Pièce 46. — *Sur l'auteur de cette lettre, v.* supra *pièce* 30 (*mai* 1624). *Il jouera un rôle important dans les négociations engagées avec la Savoie sur la question de la succession de Mantoue.*

47. — Advis sur la rébellion du Sieur de Soubise. S.l., [juin] 1625.

A.E., Mém. & Doc., France, Vol. 780, f° 117-118.
Impr. : Avenel, II, pp. 97-99.

Bien que l'audace et le crime de M. de Soubize soient telz qu'ilz méritent un chastiment exemplaire et non aucun pardon, Sa Majesté considérera, s'il luy plaist, que le secret du gouvernement des Etats consiste à prendre les occasions les plus propres aux actions qu'on veut faire, et que les grands et divers affaires qu'elle a maintenant sur les bras requièrent que Sa Majesté ne regarde pas présentement à l'excès de ceste faute, ains la couvre de sa prudence et se contente de recevoir pour le présent des satisfactions qui suffisent au public et n'arrestent pas le cours de ses desseins. Après lequel Sa Majesté pourvoiera aisément et asseurément à ces désordres.

Les demandes des sieurs de Rohan et Soubize sont diverses : les unes regardent leur particulier, et les autres le général de leurs églises prétendues.

L'aisné désire estre employé par terre avec six mille hommes et cinq cent chevaux en Italie, et estre paié de cent cinquante mi lescus qui luy furent promis par le traitté fait à Montpellier.

Le second demande d'estre emploié en Italie par mer, avec les vaisseaux qu'il a pris, ceux qu'il a, et ceux qu'il pourra amener de la Rochelle.

Pour l'intérest général des huguenots, ils demandent tous deux le razement du fort de la Rochelle.

Le Roy peut donner emploi à M. de Rohan en Italie et sans aucun intérest, pourveu qu'on ne luy donne point plus grand nombre de trouppes qu'un régiment et une compagnie de gendarmes. Cela peut le contenter et ne peut luy donner le moyen de desservir le Roy. Mais le nombre des trouppes qu'il demande luy donneroit un corps dans lequel il s'authorizeroit, et avec lequel il pourroit revenir en France, au préjudice de la tranquilité publique et du service de Sa Majesté.

Quant à l'argent, Sa Majesté luy peut accorder, sans faire brèche à sa réputation, puisqu'il luy est deu, et que s'il n'a esté paié ce n'est que par la faute de ceux qui avoient l'administration de ses finances.

Le sieur de Soubize doit rendre à Sa Majesté les vaisseaux de M. de Nevers qu'il a pris. Et lors Sa Majesté, après avoir mis sur lesdits vaisseaux les mesmes capitaines et soldats qu'elle avoit destinés devant qu'ilz fussent pris, peut bien les prester à son altesse de Savoie et approuver qu'ilz soient joints à une esquadre que le sieur de Soubize commandera. Mais on ne peut permettre qu'il les emmène autrement, et il ne le doit pas désirer, veu que

Pièce 47. — *Ce mémoire porte seulement pour date, au verso, le millésime* 1625. *Avenel, dans son édition, lui a affecté la date de juin* 1625, *en observant que « ce fut en effet le* 11 *dudit mois que Soubise entra dans la rivière de Bordeaux avec soixante et quatorze voiles et prit Castillon en Médoc ». Cependant, tout en conservant cette date, des réserves paraissent devoir s'imposer. C'est au mois de janvier que Soubise, par un audacieux coup de main, s'empara de cinq vaisseaux mouillés à Port-Louis, qui appartenaient au duc de Nevers, Charles de Gonzague, et étaient destinés à la croisade à laquelle rêvait le Père Joseph. — V.* supra, 1625, *pièce* 8. *L'« Advis sur la rébellion du Sieur de Soubise » pourrait donc être sensiblement antérieur au mois de juin.*

ce seroit luy donner lieu de faire voir au païs estrangers les marques de la honte de la France, et les trophées d'une victoire qu'il n'a acquise que par surprise et trahison.

Sur les prétentions de la Rochelle, il faut considérer qu'il n'y a personne qui ne voie que Sa Majesté ne peut maintenant ny raser le fort, ny le permettre, ou en donner espérance, pour sa réputation ; tant à cause qu'il sembleroit qu'on extorqueroit par force cet avantage, qui doit estre reconu de la pure bonté du Roy, que parce aussy que ceux qui en recevroient le fruit en sauroient le gré aux sieurs de Soubize et Rohan, qui par ce moyen feroient réussir les prétensions qu'ilz ont tousjours eues de se rendre chefs de party.

Mais Sa Majesté peut bien permettre au connestable de dire aux Rochellois qu'il a tousjours conu la volonté du Roy estre de satisfaire à ce qui a esté cy-devant promis en son nom ; ce dont il a esté diverty jusqu'à présent par diverses rencontres. Qu'il s'en présente une maintenant plus considérable qu'aucune autre passée. Ce qui fait qu'il n'y a point de lieu maintenant de demander l'exécution qu'ilz souhaittent.

Qu'il faut laisser passer ces occasions présentes, qui justement doivent arrester le cours de la bonne volonté du Roy. Mais qu'estant passées, il leur promet de s'en venir en cour, et se fait fort d'obtenir ce qu'ils désirent, pourveu que, pour donner sujet au Roy de l'accorder, s'il reste quelque chose à exécuter de ce qui a esté promis de leur part, ilz le fassent premièrement.

Cet advis est sans péril pour deux raisons : la première, que l'exécution préalable désirée de la part des Rochelois peut tirer de longue des années entières ;

La seconde est que le grand âge de M. le connestable donne lieu de prévoir plustost sa fin (1) que celle de cett'affaire, dont l'exécution ne se peut faire en peu de temps.

En tout cas, il n'est question que de laisser perdre aux mutins de la Rochelle cett'occasion de témoigner leur mauvaise volonté estant certain que, quand par après ilz continueroient leurs desseins, ilz ne pourroient entreprendre de les exécuter qu'avec leur ruine totale.

Mais on ne peut en façon quelconque faire intervenir M. de Savoie, tant parce qu'estant prince estranger, cela luy donneroit liaison et authorité avec un corps formé dans le royaume. Ce qui, en certains temps et certaines occasions, luy pourroit donner lieu d'entrer en divers desseins, veu principalement les prétentions qu'il a eues sur la France, et la condition de son esprit, qui, à quelque prix que ce soit, veut s'agrandir aux despens de ses voisins, et mesmes des deux principaux, bien qu'ilz soient plus puissans que luy.

(1) Le connétable de Lesdiguières devait mourir le 28 septembre 1626.

48. — Mémoire de ce que l'on a peu descouvrir des desseins et entreprises de Monsieur de Soubise depuis son retour de Blavet. S.l., [première quinzaine de] juillet 1625.

Premièrement, incontinent après son arrivée à Chef de Bois (1), il envoya advertir tous ses amis, et leur fit dire le succès de son voyage, et les conjuroit de le venir trouver, et leur représentoit l'extresme nécessité des affaires et le besoing qu'il avoit de personnes affectionnées au parti ; et depuis sa descente en Oléron, il a recue les trouppes de cinq à neuf cens hommes, tant de ceux qui estoient à la Rochelle à l'attendre depuis longtemps, que de ceux des pays circonvoisins qui ont esté au mandement qui leur estoit faict ; et se voyant un peu fortifié des susd[s] il a résolu d'envoyer quelques vaisseaux en la rivière de Bordeaux et d'aultres en mer, ce qu'il n'avoit peu faire plus tost ne voulant séparer son armée, mais avoir un corps affin de combattre tout ce qui se pourra présenter, et pour cet effect a envoyé et envoye de temps des vaisseaux en mer pour prendre langue des forces contraires avec dessein de les deffaire devant qu'elles puissent estre ralliées.

Il a résolu de faire son magazin en l'isle d'Oléron, ayant choisi ce lieu pour sa retraitte, et trouvant ladite isle d'Oléron plus mal munie qu'il n'avoit espéré ; apprès avoir mis sur mer l'ordre ci-dessus dit, il a mandé deux jours à tous ses amis, qui n'estoient point parti[s] et dont il s'estoit asseuré, et principalement à ceux qui se mettent dans la cavallerie — et particulièrement ceux de Poittou, Xaintonge et Angoumois — auxquels il a faict sçavoir la résolution qu'il avoit prise de faire une descente en l'isle d'Allevert (2), qui est terre ferme, et leur a donné le rendez-vous audit lieu d'Allevert, et y désire faire son ralimant ; et pour cet effect quantité de cavallerie se prépare pour l'aller trouver audict lieu d'Allevert, mais il ne leur a point encore fait sçavoir le jour, pour ce qu'il n'a assez de soldats pour laisser dans ses vaisseaux et faire descente,

Pièce 47. — *Ce mémoire anonyme est vraisemblablement dû à quelque agent du cardinal. Il porte seulement la date de « juillet 1625 », mais il a nécessairement été rédigé dans le courant de la première quinzaine de ce mois, car l'auteur, qui paraît écrire d'un port ou d'un lieu voisin des côtes de Poitou, n'a pas encore eu connaissance de l'incident survenu le 16 juillet, au cours duquel Soubise parvint à faire incendier le vaisseau de l'amiral hollandais Haultain Van Zoete, dont l'escadre était arrivée quelques jours plus tôt pour se joindre aux vaisseaux français qui constituaient alors la flotte du Ponant. Depuis son coup de main sur Port-Louis, les forces navales de Soubise s'étaient accrues de tous les bâtiments dont celui-ci avait pu se saisir sur les côtes de Poitou et des îls de Ré et d'Oléron. C'est ce qui lui permit de faire une descente dans l'estuaire de la Gironde et sur les côtes du Médoc, incursion qui eut un grand effet moral sur les populations protestantes. Pendant quelques semaines, il devait rester maître de la mer entre Nantes et Bordeaux.*

---

(1) Chef de Bois ou Chef-de-Baye, pointe qui fermait alors, vers le sud, le port de La Rochelle.

(2) Il faut lire : Arvert, localité située en bordure de mer, près de la Tremblade, à quelques lieues en effet de l'île d'Oléron.

ne voulant pas desgarnir les vaisseaux ; mais le besoin qu'il a de faire son magazin, ne pouvant aultrement subsister, fait qu'il se hastera de mettre pied à terre en l'isle d'Allevert pour delà se saisir tant de bleds que de foins qui sont aux lieux circonvoisins, et faire mener le tout en Oleron, n'y ayant que deux lieues de mer à traverser, la descente n'estant à aultre fin que pour faire son dict magazin et se fortifier de cavallerie, ce qu'il ne pourroit faire sans cette descente.

Il croit aussy y attirer les trouppes du Roy, et fera mine de s'avancer en terre ferme, ce qu'il ne fera touttefois, mais retournera vers son magazin et fera embarquer toutte sa cavallerie et la laissera en Oleron pour quelque temps, ladite cavallerie estant grandement nécessaire pour la conservation de l'isle.

On cognoist aussy qu'après s'estre tiré d'Allevert et sans s'arrester en Oléon, ny luy ny aucun de ses gens, fors la cavallerie qu'il laissera pour garder ladicte isle, ne voulant les mener que premier qu'il soit pied à terre, il faict dessein d'aller à la coste de Normandie pour recepvoir quelques gens qui sont advertis. Et après il veult faire une autre descente, laquelle on n'a encore peu descouvrir, et croit-on que luy-mesme en est incertain ; ce sera selon les advis qu'il recepvra. On sçait asseurément qu'il a intelligence dans Royand (3), mais on ne peut sçavoir avec qui c'est ; et est résolu de la surprendre et d'y hasarder quantité de gens, veu que la place luy est tellement importante, ne pouvant tenir la rivière de Bordeaux qu'en grande difficulté et péril à cause des vents.

L'advis qu'il a receu que le Roy d'Angleterre donnait des vaisseaux au Roy l'a obligé à envoyer, depuis deux jours, un desputé pour tascher l'empecher, et pour luy faire sçavoir ce qui l'avoit meu à prendre les armes, et a donné d'ample[s] mémoire[s] au dict desputé pour qu'il peut respondre aux calomnies qu'on luy pourroit mettre sus.

49. — Aux Docteurs du Collège de Sorbonne. Courances, 26 juillet 1625.

A.N., Série M 74, pièce 27. — Photocopie de la pièce originale déposée au Musée de l'Histoire de France (Hôtel de Soubise). Impr. : *Musée des Archives*, p. 464. Avenel, VII, pp. 566-567.

REVERENDI DOCTORES, perculit me vehementius communis jactura quam ex obitu eminentissimi viri experti sumus. Non modo nos, sed universa omnino Ecclesia gravissimam ex eo funere tulit

Pièce 49. — *Le 21 juillet* 1625, *les membres du Collège de Sorbonne avaient eu à déplorer la perte de Philippe de Gamaches, l'un des plus célèbres professeurs de théologie de l'époque. Il occupait, depuis* 1598, *l'une des deux chaires de théologie positive créées alors par Henri IV.*

(3) Royan.

plagam, feretque acerbe sublatum sibi fatorum invidia sidus illud, quod tam pure, tam alte omnibus et in domo et extra domum praelucebat. Cedendum tamen Deo, gaudendumque magis quod habuimus quam moerendum quod amisimus, praesertim in grandi illa segete virorum doctissimorum quos ex celeberrima sua schola alumnos felicissime emisit. Hoc unum nobis ad spem et solatium relictum est ; quarendus nimirum tanto praecessori dignus successor. Res gravis, nec leviter pertractanda, cui, ut intersim ego, et rei pondus, et societatis dignitas, et officii mei ratio suadent. Idcirco quia jam mihi integrum non est hinc migrare, postulo a vobis uti me ad id expectetis aliquandiu. Vacabimus huic opera, Deo favente, ante studiorum imminentis anni renovationem. Sum interim eroque semper,

Reverendi Doctores,

Vestrorum omnium totiusque societatis amantissimus,

Armandus Card. de Richelieu.

De Courance (1), le 26 juill. 1625.

50. — A la reine mère. Courances, 27 juillet 1625.

B.N., Nouv. acq. franç., Vol. 5131, f° 75. — Minute de la main de Charpentier.

Madame,

Bien que j'aye aujourd'huy appris des nouvelles de Vos Majestés par diverses personnes, j'ay toutesfois prié M^r des Roches (1) d'aller trouver V^re Majesté pour en apprendre de certaines, et par luy, estant seur comme il est, j'ay creu que si Vos Majestés me veulent commander quelque chose, elles le peuvent faire par luy. J'ay un extrême déplaisir que mon incommodité m'empesche d'estre auprès d'elle pour leur rendre le service que je leur dois plus encore par obligation que par naissance. V. Ma^té n'ignore pas la cognoissance que j'ay de celles qu'il luy a pleu acquérir par moy, et qui sont telles que, depuis qu'il a pleu au Roy me mettre en son Conseil, la façon avec laquelle il daigne se confier en moy me rend redevable en son endroit de plus de milles vies, si je les avois. J'ay un indicible contentement de croire qu'il cognoisse la passion que j'ay à son

(1) Courances est une localité de l'actuel département de l'Essonne, non loin de Milly-la-Forêt. Comme le château de Fleury-en-Bière, dont il sera question dans de prochaines lettres, celui de Courances avait été construit par le Secrétaire d'Etat Cosme Clausse, vers 1560. Il avait été vendu, en 1622, à Claude Gallart, receveur des Consignations puis conseiller au parlement de Paris (1636) enfin président la chambre des Comptes (1651). Richelieu y fit de fréquents séjours. Les jardins à la française, dessinés plus tard par Le Nôtre, sont parmi les plus célèbres de France.

(1) Michel Le Masle, prieur des Roches de Longpont, près de Fontevrault, secrétaire de Richelieu depuis 1615.

service, que je conserveray jusqu'au tombeau. Si je n'ay toute la santé que je désirerois pour servir Vos Ma[tés], j'en porte le premier la peine, principalement par le désir que j'en ay. Vo[e] Ma[té] le sçait, que de deux ans en deux ans, je suis tousjours traînant 2 ou 3 mois. Je croy que j'en auray bien pour autant ceste fois, puisqu'à luy dire la vérité les grandes douleurs de teste, comme il fait aux accès de fiebvre quarte, qui me laissent deux jours... (a), et le 3me jour avec... (a) accez. Cela ne m'empeche pas de vacquer aux principales affaires *comme tout aujourd'huy nous y avons travaillé, selon que Mr de Schomberg pourra représenter au Roy, auquel vous direz, s'il vous plaist, qu'il est besoin* de faire semblant de faire un grand préparatif pour la guerre d'Italie, afin de disposer mieux les choses à la paix. J'ay appris aujourd'huy, sans faire semblant de rien, ce qui s'est passé en l'affaire de M[r] d'Alincour (1), où j'ay bien congneu que le Roy avoit fait merveille. Cela me confirme de plus en plus en la cognoissance que j'ay de la bonté de son esprit et de la force de son jugement, qui est accompagné d'une grande bonté, et part[iculière]ment d'un singulier naturel envers vous, Madame, qui en recevez tous les jours tant de tesmoignages, que vos serviteurs ne peuvent exprimer la joye qu'ils en reçoivent. Pour mon particulier, je ne puis autre chose sinon supplier Dieu de tout mon cœur qu'il vous conserve tous deux en la santé auquel (*sic*) vous estes avec autant de prospérité que vous en souhaite celuy qui est et sera à jamais...

De Courances, ce 27e juillet 1625.

51. — A M. Servin. Courances, 28 juillet 1625.

B.N. Fonds fr., 18.806, f° 138. — Mise au net.

Monsieur, j'ay beaucoup de desplaisir de vostre maladie, qui, avec l'aide de Dieu, ne sera rien, comme je l'en supplie de tout mon cœur.

Pièce 51. — *La suscription de la lettre est ainsi libellé : « A M. Servin, conseiller du Roy en ses conseils d'Estat et privé, et son avocat général en sa cour de parlement de Paris ». Le destinataire, Louis Servin (v.* 1555-1626), *était avocat général au parlement de Paris depuis* 1589. *Il était connu pour son zèle à défendre les libertés gallicanes et son hostilité contre les prétentions ultramontaines d'une partie du clergé. La publication d'une recueil de ses harangues, intitulé « actions notables et plaidoyers », lui avait valu, le* 16 *février* 1604, *un arrêt de censure de la Sorbonne. Sa santé, déjà éprouvée comme l'indique cette lettre, devait se rétablir, mais pour peu de temps. Le* 19 *mars* 1626 *au cours d'un lit de justice pour l'enregistrement des édits bursaux, dont il contestait la légalité, il aurait été interrompu rudement par le roi au point de s'évanouir ; il mourut quelques heures après chez lui d'une attaque d'apoplexie.*

(a) Une déchirure du papier a fait disparaître quelques mots à cet endroit.

(1) Charles de Neufville, marquis d'Alincourt, seigneur de Villeroy (1566-1642) ; il en sera souvent question dans cette correspondance.

Cependant je vous diray que, bien que je désirasse vous servir en tout autre occasion qu'en celle ou vostre mal vous donne lieu de recevoir des preuves de l'affection de vos amis, je ne lairray toutefois de vous faire cognoistre, par tous les effets qui me seront possibles, que vous n'y sauriez employer personne qui vous soit si affectionné, quoique peu puissant, que moy, qui suis véritablement, Monsieur,

Madasme vostre femme trouvera ici des asseurances et de mon affection et de mon bien humble service.

De Courances, ce 28 juillet 1625.

52. — A M. de Baradat, Courances, 30 juillet 1625.

Bibl. de l'Institut, Col. Godefroy, Vol. 268. — Minute.
Impr. : Avenel, II, pp. 101-102.

Monsieur,

J'ay eu à faveur singulière le tesmoignage que vos lettres m'ont donné de vostre souvenir, et vous asseure que j'en auray toute la recognoissance qu'il me sera possible, comme faisant un cas très particulier de l'affection qu'il vous plaist me promettre. Je suis très fasché de ne vous le pouvoir tesmoigner de vive voix, par une malheureuse indisposition, qui m'afflige d'autant plus qu'elle me prive du moyen d'estre auprès de Sa Majesté, pour luy rendre tous les services à quoy non seulement ma naissance, mais l'honneur de sa bienveillance m'obligent. Je vous suplie me conserver en sa mémoire et en l'honneur des bonnes grâces de Sa Majesté, de qui la bonté envers ses serviteurs est telle qu'ils estiment ne pas vivre pendant le temps qu'ils sont absens d'elle. En revanche des bons offices que je recevray de vous en ceste occasion, je souhaiteray sincèrement celles qui me donneront lieu de faire voir que je suis... De Courances, ce 30 juillet 1625.

Pièce 52. — *Né vers* 1600, *François de Baradat était fils de Guillaume de Baradat, gentilhomme de la chambre sous le règne précédent, et de Suzanne de Romain. Il avait été d'abord attaché à la Petite Ecurie, sortant de page* (23 *nov.* 1624), *et la faveur de Louis XIII venait d'en faire, le* 8 *avril* 1625, *un Premier Ecuyer — « Monsieur le Premier », comme on disait à l'époque — charge qui comptait parmi les plus importantes de la Maison du Roi. Ce devait être le départ d'une fortune aussi brillante que courte : premier gentilhomme de la chambre, capitaine de l'Hôtel de Bourbon en* 1625, *il sera l'année suivante nommé capitaine du château de Saint-Germain, lieutenant général pour le roi au gouvernement de Champagne, grand-bailli de Troyes et gouverneur de Châlons ; mais avant même que l'année ne s'achève, « ce jeune homme de nul mérite, venu en une nuit comme un potiron », selon l'expression des* Mémoires de Richelieu, *devait rentrer dans son obscurité. Il servira dans l'armée, au siège de Casal et ailleurs, et sera même autorisé à lever un régiment d'infanterie* (1635), *qu'il devait commander jusqu'à la mort de Richelieu. Lui-même mourra en* 1683, *laissant quatre enfants de son mariage avec Gabrielle de Coligny, épousée en* 1632.

53. — Mémoire sur lequel il plaira au Roy prendre l'advis de Messieurs de son conseil qui ont l'honneur d'estre auprès d'elle. Limours, 5 août 1625.

A.E., Mém. & Doc., France, Vol. 780, f° 358-359. — Copie de la main de Charpentier.
Impr. : Avenel, II, pp. 102-107.

Les longueurs et l'incertitude du traité de M. le légat (1), joint au peu de foy qu'il y a aux Espagnols, font que, bien que par raison on prévoye qu'enfin la paix se concluera, de peur d'estre surpris il faut toutesfois se préparer à la guerre. Lesdits préparatifs seront de peu de dépense si la paix se fait ; de grande force pour porter ceux qui diffèrent à la conclure, veu que la difficulté qui s'y rencontre ne vient principalement que de ce qu'on croit que la France ne veut point la guerre ; et de très grand fruit, si par malheur la paix n'estoit point. Si on manquoit à les faire, on estime qu'on commettroit une grande faute, veu l'estat où sont les choses, et qu'il en pourroit arriver de très grands inconvéniens. Lesdits préparatifs sont encore nécessaires pour contraindre les huguenots à recevoir la paix si on les vouloit porter à en faire difficulté.

M. de Beauclerc (2) a les commissions toutes prestes de longtemps. Le Roy a desjà nommé M. de Tavannes (3).

On estime du tout nécessaire de délivrer le plus tost qu'on pourra, six commissions de régimens, et l'argent pour la levée : deux mil pour estre levez vers la Bourgoigne et le Lyonnois, pour servir

Pièce 53. — *Le titre reproduit ici est celui qui figure en tête du document. La date est indiquée au dos par la mention « Mémoire des affaires présentes envoyé au Roy le* 5 *aoust* 1625, *de Limours ». Le château de Limours (Essonne) avait été acheté par Richelieu en* 1623 *aux héritiers de l'ancien chancelier d'Henri IV, Hurault de Cheverny ; le cardinal devait le vendre à Gaston d'Orléans quelques années plus tard.*

La disposition du texte écrit sur la moitié de la feuille, afin de permetttre les annotations du roi, sera plus d'une fois utilisée par le cardinal. Ce n'est ici qu'une copie, et les annotations reproduites par Charpentier devaient figurer sur l'original. Mais s'agit-il d'annotations de Louis XIII ? Leur nature, comme leur style, peut faire supposer qu'elles ont été portées par Richelieu lui-même après la tenue du conseil.

(1) Le cardinal François Barberini, neveu du pape Urbain VIII. Il avait été envoyé en France pour négocier l'affaire de la Valteline. Sur cette négociation, voir les *Mémoires de Richelieu*, éd. de la S.H.F., t. V p. 101 et suiv.
(2) Secrétaire d'Etat à la Guerre depuis le 5 février 1624.
(3) Jacques de Saulx, comte de Tavannes.

en Italie, et quatre mil pour servir vers la Picardie et Champagne, s'il en est besoin.

Il semble aussy nécessaire de délivrer six commissions de compagnies de chevau-légers, et l'argent pour la levée.

Quoiqu'on demande ceste levée dès ceste heure elle ne sçauroit estre résolue ou commancée qu'on ne sache si on doit avoir la paix ou la guerre ; et ainsy il n'y aura point de despense inutile.

On estime aussy du tout nécessaire d'envoier dès à présent, sans perdre temps, demander une levée de quatre mil Suisses, pour servir en France ou en l'armée d'Italie, selon que le Roy en aura besoin, et mander à M. Miron qu'on fait suivre de l'argent pour cet effet. Sa Majesté peut dès ceste heure parler à M. de Bassompierre (4) pour faire tout ce qui est de sa part pour ladite levée et la réception desdits Suisses.

L'expérience faisant cognoistre qu'en matière de grandes affaires, trois diligences sur un mesme subjet font plus d'effet qu'une, on estimeroit utile que Sa Majesté envoyast un esprit, semblable à celuy du sieur de Saint-Géry (5), en Italie pour haster la recrue à laquelle desjà on a pourveu. On estime ceste nouvelle diligence nécessaire, parce que de ceste recreue deppendent la loy et les prophètes.

M. de Schomberg doit estre chargé de pourvoir à ceste affaire avec M. le grand maistre de l'artillerie.

Il est du tout important de pourvoir à l'attirail du canon nécessaire pour les armées de Picardie, Champagne et Italie, et faire mener ledit attirail le plus tost qu'on pourra, car il n'y a personne qui ne sache qu'une armée sans canon ne peut rien faire.

M. de Schomberg et M. d'Oquerre doivent estre chargés de cela.

Il semble utile et nécessaire de renvoyer encore Le Clerc ou autre en toutes villes de Picardie et Champagne, pour voir si elles sont munies de munitions de bouche et de guerre et si elles sont capables de soustenir siège (encore qu'il n'y en ait point à craindre) et, en cas qu'elles ne soient pas telles, y pourvoir, selon l'ordre que l'on a commandé. Il verra par mesme moyen si l'on continue les fortifications des places, et les hastera selon que le Roy l'a résolu en son conseil.

(4) Maréchal de France depuis le 29 août 1622, Bassompierre sera effectivement désigné pour commander les renforts en Italie, puis chargé d'une mission auprès des Cantons suisses.

(5) Les instructions de Saint-Géry sont du 2 décembre 1624.

Ceste affaire doit estre traitée fort secrettement, d'autant que si les Anglois sçavoient que le Roy eust ce dessein ils feroient les renchéris.

Il est impossible de donner advis certain comme il faut traitter ceste affaire qu'on n'ayt premièrement veu l'ambassadeur de Savoye et M. d'Effiat.

Il seroit bon de procurer que l'ambassadeur de Savoye aille en Angleterre, comme il l'a proposé au cardinal de Richelieu, afin que sous prétexte de se resjouir du mariage de la part de son maistre, il négotie pour que la flotte aille partie en la mer Méditerranée, partie ailleurs ; il faut mettre en considération si on y renvoiera M. d'Effiat, sous prétexte de faire exécuter les conditions du mariage qu'il semble qu'on a violées depuis qu'il est party. Et cependant son subjet seroit de seconder l'ambassadeur de Savoye, sans qu'il paroisse en avoir dessein, afin de faire prendre des résolutions avantageuses pour la flotte. Or, d'autant qu'il est à craindre de s'embarquer dès ceste heure avec les Anglois, veu que si la paix se fait on demeureroit embarrassé avec des gens très-difficiles et pointilleux, s'il se peut faire que l'ambassadeur de Savoye traittast seul ceste affaire comme de la part de son maistre, ce seroit bien le meilleur. M. de Schomberg peut entrer de cela en discours avec lui, sur ce qu'il dira que j'ay dit de l'ambassadeur, qu'une fois il m'avoit parlé d'y faire voyage, comme il est dit cy-dessus. M. de la ville-aux-Clercs peut donner lumière en ceste affaire, veu que M. d'Effiat a mandé que si on veut faire la guerre en Italie, on est disposé en Angleterre d'y envoyer la flotte.

MM. d'Herbault et Beauclerc doivent estre chargés de ceste exécution.

L'advis de M. d'Herbault d'envoyer promptement deux régimens de l'armée de Champagne en la Valteline est fort bon ; on les remplacera comme il le propose. Si toutesfois la recreue de Feuquières est preste, il semble meilleur de ne changer point le premier ordre.

M. le chancelier s'en est chargé, et MM. les surintendants disent qu'ils y ont envoié 200 mil livres de nouveau.

Il est besoin d'envoyer de l'argent au marquis de Cœuvres (6), et sans délay ; car la Valteline estant le subject du différent meu, et la pièce décisive du procès, il la faut conserver, à quelque prix que ce soit.

M. d'Oquerre s'en est chargé.

Il est à propos de faire équiper les vaiseaux d'Angleterre, comme il a esté arresté au conseil.

(6) François-Annibal de Coeuvres-Estrées (1573-1670) était le frère aîné de Gabrielle d'Estrées ; il sera maréchal en 1626.

Quant à Mansfeld, il n'y a rien à faire présentement qu'à suivre l'ordre qui fut pris dernièrement devant Sa Majesté, qui est d'envoier de l'argent pour luy à M. d'Espesses, avec charge de luy délivrer promptement s'il est en pied, et de l'ayder de la faveur du Roy en tout ce qu'il pourra pour que son armée ne périsse pas (7).

Pour ce qui est de l'Angleterre, il faut prendre les remèdes aux inexécutions qui se font aux choses accordées par le traitté de mariage, de l'advis de MM. les ambassadeurs, qui ayans veu le mal doivent mieux cognoistre que tous autres les moyens de le réparer. Seulement peut-on dire qu'il est à propos de se montrer fermes en ceste occasion, parce que si on se relasche aux choses promises et stipulées, ils empiéteront de telle sorte qu'enfin la conscience de la reyne ne sera d'éviter une rupture avec le duc Bukingham.

En ce qui est de M. le légat, il n'y a rien à faire qu'à attendre ce qu'il voudra dire après le retour de ses courriers.

54. — Responce que le Roy a commandé estre faicte au mémoire qu'il a reçu de monseigneur le cardinal de Richelieu. 5 aoust 1625.

A.E., Mém. & Doc., France, Vol. 780, f° 44. — Original.

Sa Majesté n'ayant parlé de tous les articles portés par le dit mémoyre, elle respond seullement à ceux desquels elle a parlé, différant pour ce regart la responce aux autres.

Et quand à celuy qui parle de la levée des quattre mil Suisses le Roy en a commandé la disposition, laquelle partira vendredy.

Pour le regart de l'atirail du canon pour les armées de Picardie, Champagne et Italie, ensamble pour la diligence qu'il y faudra apporter, le Roy en donnera le commandement promptement après l'arrivée de Marillac qu'on attand.

Le Roy m'a commandé d'ajouter à cet article qu'il a donné

Pièce 54. — *Ce document montre bien comment s'élaboraient alors les décisions royales. A cet égard, il est un intéressant complément du précédent.*

(7) Après la capitulation de Breda (25 mai 1625), Mansfeld s'était retiré avec son armée vers le Rhin, mais, faute de ressources, il ne tarda pas à en renvoyer ses troupes.

ordre qu'il y ait à Amiens quatre couleuvrines, six moiennes et 6 batardes. C'est pour la Picardie seulement (a).

S.Mét a commandé la disposition d'un courrier que va fournir le Cler avec une ample instruction pour s'en aler d'où il est, sans perdre temps visiter touttes les villes de Champagne et Picardie, affin de pourvoir à leurs nécessités conformément au mémoire envoié.

Le Roy, ayant vu que le Plessis de Joigny et son régiment marchent, n'a rien changé au premier ordre, seullement a commandé audit Joigny d'advertir S.Mté lorsqu'il sera à la frontière s'il aura perdu de ses gardes, affin d'y pourvoir.

Pour l'argent qu'il faut envoier à Mr le marquis de Coeuvres, le Roy en a fait le commandement à M. le chancelier et aux surintendans.

Quant aux vaisseaux d'Angleterre, vous voirez par la disposition que M. d'Ocaire vous a envoiée ce jourd'huy ce qui en est.

Et pour le regart de Mansfeldt, le Roy y a donné ordre au désir du mémoire.

55. — M. de La Force au cardinal de Richelieu. Calais, 10 août 1625.

A.E., Mém. & Doc., France, Vol. 1675 (Picardie), f° 126-127. — Original.

Monsyeur,

Je fays cette despesche au Roy (1) pour luy représenter l'estat auquel j'ay trouvé cette place, et ce que j'ay peu recueillir des advis qu'ilz ont icy, et, ne faysant point de doubte que vous ne voyés ma lettre, je n'useray de [détails].

Je ne sçay sy nous debvons adjouster foy aux bruits qu'ilz font courre de deçà, mays je vous assure que j'ay trouvé ce peuple fort allarmé. Ilz sont bien disposés à tout ce qu'il faut s'ilz avoient plus de moyens. J'ay trouvé grand manque de bledz. J'avoye escrit à Sa Majesté, il y environ trois sepmaines, par deux foys, pour la permityon quy avoyt esté accordée de les sortyr et le désadvantage quy en pourroyt arriver à son service. En effeaict, nous nous sommes despourveus pour fournyr nos ennemis de ce qu'ilz avoyent besoyn, et s'ayderont de nos propres moyens pour nous ruyner. Je n'en ay jamais eu responce de Monsr d'Ocquerre, de sorte que je n'en ay plus ouy parler.

(a) Cet alinéa a été ajouté en marge.

(1) Cette dépêche a été publiée au tome III des *Mémoires du Maréchal de La Force,* p. 281-283. On y lit notamment : « On prépare à Dunkerque une grande armée de mer et fait apprêter quantité de vaisseaux plats pour y charger tous leurs équipages d'artillerie, munitions et toutes choses nécessaires pour un siège... Si on ne se prépare diligemment, on se trouvera surpris ». Rappelons que Dunkerque, prise aux Anglais en 1558, avait été cédée aux Espagnols l'année suivante.

Je me plains encores plus d'avoir trouvé sy peu d'hommes icy, estant la place de telle importance, et me crains, sy le Roy par son soyn et authorité n'y pourvoyt, que le remède que j'y cherche en ses nouveaux régimens ne me réussira guyères ; car il a rencontré, avec le mescontentement qu'ilz avoy[en]t du retardement de leurs montres, le temps de la récolte, de sorte que j'apprens qu'ilz n'ont pas le tiers de ce qu'ilz doyvent avoyr, et qu'il y a compaignye quy n'a pas dix hommes présentement.

Monsr le gouverneur m'a mené l'ordinayre de Mildebourg, qui est demeurant en cette ville et ne faict que d'arriver. Il a passé à Donquerque et Gravelines ; l'infante (3) et le marquis d'Espinola (4) estoyent à Bruges. Il a trouvé plusieurs troupes en chemin, et disent parmy eux qu'ilz vont faire la guerre en France ; a veu à Donquerque grande quantité de navires auxquels l'on travaille nuyt et jour ; mesme aujourd'huy qui est dimanche, tous sont en besoigne.

Je vous puis assurer, Monsyeur, que de nostre costé nous ne chaumons pas, et que, sy je suis aydé comme il faut, j'espère sy bien servir le Roy que Sa Majesté en demeurera satisfaicte, et que l'outrecuidance espaignolle n'en rapportera que de la honte.

Je vous supplie très humblement que la dilligence soyt apportée à ce qu'il playse au Roy nous ordonner, affin que cela y soyt à

Pièce 55. — *On trouvera, dans les divers volumes de cette correspondance, outre quelque cent vingt lettres du cardinal de Richelieu au maréchal de La Force, conservées en originaux aux archives du château de Saint-Aubin, un certain nombre de lettres du maréchal provenant pour la plupart du dépôt des Affaires étrangères. Celle-ci est la première en date pour la période* 1624-1642.

Jacques Nompar de Caumont, né le 30 *décembre* 1558, *était le fils cadet de François de Caumont, seigneur de La Force, et de Philippe de Beaupoil, veuve de François de La Châtaigneraye, la victime du célèbre « coup de Jarnac ». Il avait échappé comme par miracle au massacre de la Saint-Barthélemy, où son père et son frère aîné trouvèrent la mort. Compagnon du Béarnais, il s'était trouvé à ses côtés partout où il avait fallu combattre, à Coutras, à Arques, au siège de Paris. Gouverneur de Béarn et vice-roi de Navarre en* 1593, *il était dans le carrosse du roi, le* 14 *mai* 1610, *au moment où Ravaillac avait commis son crime. Pendant la régence, tout en se tenant à l'écart des intrigues, mais protestant convaincu, il avait tenu tête au pouvoir royal pendant une année entière (de mai* 1621 *à mai* 1622). *Il y avait perdu ses gouvernements de Béarn et de Navarre, mais sa soumission lui avait valu le bâton de maréchal. En juillet* 1625, *le roi l'avait choisi pour commander, conjointement avec le duc de Chaulnes, gouverneur de Picardie, l'armée que l'on projetait de rassembler dans cette province pour la défendre éventuellement d'une invasion espagnole. V. les* Mémoires du Maréchal de La Force (4 *vol.*, 1843) *et Duc de La Force,* Le Maréchal de La Force, un serviteur de sept rois, 2 *vol.*, 1950-1952.

---

(3) Isabelle-Claire-Eugénie (1566-1633), fille du roi d'Espagne, Philippe II et d'Isabelle de France, elle avait épousé son cousin, l'archiduc Albert d'Autriche, qui avait d'abord été cardinal. Gouvernante des Pays-Bas conjointement avec son mari, puis seule après la mort de celui-ci, en 1621, elle avait pratiquement abandonné le pouvoir aux représentants de Philippe IV. Elle devait mourir le 1er décembre 1633.

(4) Il s'agit du célèbre homme de guerre Ambrosio Spinola (1569-1630) le vainqueur de Bréda (mai 1625) ; il avait le commandement général des troupes espagnoles aux Pays-Bas depuis 1621.

temps. J'ay un grand désir, sy j'ay eu ce bonheur, qu'ayés eu quelque bonne opinion de moy que [ne] la perdyés point, faysant grand gloyre que cette occasion se soyt offerte pour tesmoigner au Roy ma fidelité et le zelle ardant que j'ay à son service. Aussy say-je que c'est ce quy me veut plus donner de part en vos bonnes graces, lesquelles j'honoreray tousjours,

Monsyeur,

comme doyt,

Vre très humble et plus obéissant serviteur,

Caumont.

De X aoust à Callays.

Monsyeur, vous verrés par la despesche de Monsr de Baugi (5) au Roy, selon les desmarches que le marquis d'Espinola faict fayre en son armée, il peut donner la jalouzie à toute cette frontière, et qu'il est bien nécessaire que le Roy face commandement à tous les gouverneurs de se rendre à leur charge. Je vous assure qu'il y a tant de choses à fayre icy qu'il est bien besoyn que je m'y occupe tout entyer et je crains fort que, sy l'on se présente aux autres places, qu'il y arrive du désordre, car elles ne sont pas pourveues comme il faudroyt. Je vous supplie, Monsyeur, fayre en sorte que l'on nous renvoye prontement le mayeur de cette ville quy est de delà ; tous ses habitans tesmoignent force bonne vollonté, mays il n'y a aucun quy sache agir ny se desméler du moindre affaire. Au reste il y a mille choses à faire qui obligent, à toute heure, à mettre la main à la bourse, et nous n'avons aucun moyen. Je vous supplie prendre la peyne de le représenter et y faire pourvoyr, s'il vous plaist.

56. — Le roi au cardinal de Richelieu. Fontainebleau, 15 août 1625.

Impr. : E. Griselle, *Lettres de la main de Louis XIII*, t. II, p. 414, n° CDXIX.

Mon cousin,

La confiance que j'ai en vous me fait vous envoyer le sieur de Lisle (1) pour vous dire ce qu'il sait d'important à mon service. Je vous prie de l'entendre et, sur ce qu'il vous dira, me donner vos avis, auxquels je me repose, étant très assuré qu'ils me sont donnés sans autre intention ni considération que du bien de mes affaires. Je vous souhaite aussi la santé qui vous est nécessaire pour y agir selon vos bonnes intentions, de laquelle je prie Dieu vous faire jouir bientôt et vous avoir, mon cousin, en sa garde.

LOUIS.

A Fontainebleau, ce 15 août 1625.

---

(5) Nicolas de Bar, seigneur de Baugy, ambassadeur en Hollande de 1628 à 1634, il se trouvait alors accrédité, à Bruxelles, auprès du gouvernement des Pays-Bas espagnols.

(1) Melchior de Lisle (1580-1644), gentilhomme protestant originaire de Bâle, docteur en droit et professeur à l'Université de Bâle, puis gentilhomme ordinaire de la chambre du roi. Il sera, par la suite, chargé de diverses missions diplomatiques, et, à partir de 1632, résident du roi à Strasbourg.

57. — A la reine mère. Limours, 16 août 1625.

Collection de M. le marquis de Flers. — Original de la main de Charpentier.

Madame,

Les tesmoignages qu'il plaist à Vostre Majesté me donner de jour à autre du soing qu'elle daigne avoir de sa créature, surpasse la portée de ma plume, aussy ne la prends-je que pour luy faire voir que si je suis incapable de les recognoistre comme je désirerois, je ne laisse d'en avoir tout le ressentiment que je doy. Je ne luy parleray point de l'estat de mon mal, parce que ceux qui m'ont veu luy pourront représenter particulièrement comme ils m'ont laissé ; seulement luy diray-je que, bien que je sente qu'il soit sans péril en y remédiant, la douleur que j'en souffre est quelquefois insupportable. Quant aux discours de la cour, tout ce qui me touche ne me fasche point, mon mal est trop évident pour que ceux qui m'auront veu puissent croire qu'il y ayt délicatesse ; mais, à parler franchement à Vostre Majesté, ce qui me pèse le plus est ce que Mr de Marillac m'a fait cognoistre, et qu'il n'a osé dire au Roy, qui est qu'on n'oublie rien de ce qu'on peut pour tascher par faulx et dammables artifices de descrier la personne du Roy. J'apprends que le col[onel] Galaty, que Sa Ma^té^ cognoist bien, en est des premiers. Quoy qui en soit, leurs mesdisances ne sçauroient empescher que la pureté, bonté et capacité du Roy ne paroissent à tout le monde, et que je ne serve Sa Majesté en tout ce que je pourray, sain ou malade. J'ay différé jusques à présent à vous dépescher le Sr de la Masure pour vous mander ce que nous aurions fait avec M^r^ le Nonce (1). Maintenant je diray à Vostre Majesté que je croy qu'il a bonne intention pour la paix, et M^r^ le légat (2) aussy, mais en effet ils n'ont point de pouvoir. Cependant, il se propose, entre luy et nous, deux partys : l'un desquels doit raisonnablement estre accepté de Rome. Mr de Schomberg en dira le dettail à Vostre Majesté, à laquelle je ne voy pas lieu de luy mander aucune certitude, comme aussy il n'y en a point, de rupture. Je suplie Vostre Ma^té^ de dire au Roy, l'advertissant qu'il luy plaise garder un secret impénétrable, que, depuis que je suis icy, j'ay découvert comme il y a des gens qui veulent abandonnement de la guerre contre les huguenots, sans regarder si le temps y est commode ou non. Il y en a une cabale d'autres, qui veulent embarquer le Roy dans la guerre contre Espagne et à la paix avec lesdits hugunenots, sans considérer si c'est le bien du Roy, ouy ou non ; et ay de grands arguments de croire, pour des raisons que je ne puis escrire, mais que je diray au Roy

Pièce 57. — *Ecrite sur double feuille, cette lettre porte au dos du second folio la suscription : « A la Reyne ». Elle a fait autrefois partie de la collection Alfred Morrison, mais la transcription qui figure au catalogue de cette collection — t. V (1891) p. 282 — est fautive en plusieurs endroits.*

(1) Bernardino Spada (1594-1661), nonce en France depuis 1624 ; il sera cardinal en 1626.

(2) Le cardinal Francisco Barberini (1597-1679), neveu du pape Urbain VIII, légat *a latere*.

et à Votre Ma^{té} de bouche, que l'homme qui advertit de chez l'ambassadeur d'Espagne peut estre souflé par telles gens, et que, parmy beaucoup de choses véritables qu'il peut découvrir de chez ledit ambassadeur, il y en mesle d'autres qui luy peuvent estre suggérées aux susdites fins. Il est besoin que Sa Ma^{té} l'escoute toujours sans faire semblant de rien, car par ce moyen la vérité du soubçon que j'ay se découvrira, ainsy que Vostre Ma^{té} recognoistra par toutes mes actions qu'il n'y a personne au monde qui soit, tant comme moy.

Madame,

De Vostre Majesté,

le très humble, très obéissant, très fidelle et très obligé sujet et serviteur,

Le Card. de Richelieu.

Vostre Ma^{té} ne parlera point, s'il luy plaist, à qui que ce soit, de ce qui s'est proposé ici entre M^{r} le Nonce et nous, qui donne espérance de la paix.

De Limours, le XVIe aoust 1625.

58. — Fragment d'un mémoire au roi. S.l., Limours, 18 août 1625.

B.N., Fonds fr., Vol. 15.583, f° 142. — Minute de la main de Charpentier.

Impr. : Avenel, II, p. 108.

....

Cependant comme cette affaire a diverses faces et peut avoir divers mouvements de part et d'autre, je la suplie de bien considérer ce qui lui sera rapporté par mondit sieur de Schomberg, et me faire, s'il luy plaist, tant d'honneur que je sache, par après, ce qui sera de ses intentions et des ses volontés, l'asseurant que, pourvu que je cognoisse à quoy elle se veut porter de la paix ou de la guerre, ainsy que MM. de son conseil qui sont auprès d'elle travailleront de leur costé, je ne manqueray du mien d'y contribuer tout ce qui me sera possible pour faire qu'elle vienne aux fins qu'elle se proposera. J'y mettrois volontiers, Sire, ma propre vie, recognoissant y estre obligé par l'honneur qu'elle me fait de sa bienveillance et confiance, et de me continuer son souvenir, pendant que le malheur de mon indisposition me contraint d'estre absent de sa personne, de laquelle je suis et seray à jamais, en quelque estat que ce soit...

18 aoust 1625.

Pièce 58. — *Cette pièce est la fin d'un mémoire dont le début n'a pu être retrouvé. Richelieu se trouvait alors au château de Limours et souffrait d'une maladie qui donna de sérieuses inquiétudes à son entourage, comme le montre la pièce précédente.*

59. — Au roi. Limours, 24 août 1625.

B.N., Nouv. acq. franç., Vol. 5131, f° 76. — Minute.

Sire,

Je n'ay point de parolles pour recognoistre l'honneur que V^re^ Majesté me fait en touttes façons, et quand j'aurois une aussi bonne santé comme je l'ay mauvaise, je recognois que touttes mes actions ne seroient pas suffisantes de ce faire. Ce qui me console, Sire, est que qui fait ce qu'il peut satisfait à ce qu'il doit, et que, sain ou mallade, je n'auray jamais pensé, mouvement ou action, qui n'ait pour but voste service. J'ay receu le commandement qu'il vous a pleu me faire de travailler à la paix avec dessein de ne rien obmettre de touttes les choses qui la pourroient advancer et randre avantageuse à V^re^ Majesté. Pour voir plus promptement avec Monsieur le Nonce à quoy ceste af^re^ pourra aboutir, je m'aprocheray dès aujourd'huy de six lieues de Fontainebleau. Et lors qu'on verra à plus près les articles desquels on pourra convenir, comme la raison le requiert que vous en soiez le souverain juge, il sera du tout nécessaire pour le bien de l'affaire qu'il plaise à V^re^ Majesté en bien considérer les articles, l'assurant que, quand mesme elle ne seroit point Roy et Maistre absolu comme elle est, nul ne pourroit mieux y aporter la dernière main que luy vaut l'excellence de son jugement. Pour moy, je continueray, avec si peu desprit et d'industrie que Dieu m'a donné, une fidélité très entière avec laquelle je seray jusques au dernier souffle de ma vie, etc.

Limours, 24 aoust 1625.

60. — Mémoire pour M. de Schomberg. S.l., 30 août 1625.

A.E., Mém. & Doc., France, Vol. 780, f° 52. — Minute avec plusieurs passages de la main de Richelieu.
Impr. : Avenel, II, pp. 117-118.

Ce qui semble à M. le cardinal de Richelieu de faire, après en avoir conféré avec Bellujon (1), c'est qu'au cas que Pécharnand (2)

Pièce 60. — *Ce mémoire concerne les négociations engagées avec les huguenots de La Rochelle, dont se trouvait directement chargé le maréchal de Schomberg, élevé précisément à la dignité de maréchal de France au mois de juin précédent. Les rédacteurs des* Mémoires de Richelieu *ont utilisé cette pièce : voir édit. de la Société de l'histoire de France, t. V, p.* 54 *et suiv.*

(1) Sur Bellujon, voir la pièce n° 42.
(2) Il faut lire : Pescharnaud. C'était un gentilhomme huguenot, originaire du Périgord, qui avait servi Rohan et Soubise à Castres et à La Rochelle.

et Noüaillan (3) reviennent aujourd'hui, et qu'ils ne rapportent le contantement qu'on se promet de leur voyage, que néanmoins on publie le contraire et que, pour illuder (4) la curiosité des ennemys de la paix, on die qu'ils ont devancé la venue des depputez, et que assurément ils reviennent avec le contantement du Roy.

On estime cet expédient nécessaire affin que Sa Majesté ne soit pas desgoutée de donner la paix à ses subjects par la continuation de leur désobéissance.

Que s'ils n'arrivent aujourd'hui, Bellujon doit partir demain matin le plus secrètement qu'il se pourra, pour les aller rencontrer à Estampes ou jusques à Orléans ; et, s'ils portent de bonnes nouvelles, il reviendra avec eux, ou sinon il les fera esvanouyr et arrester en autre lieu qu'à la cour ; et ledit sieur de Bellujon escrira à la cour avoir lieu d'espérer tout contantement pour le Roy, et cependant continuera diligemment son voyage vers la Rochelle pour y faire le dernier effort, qui consiste à asseurer les Rochelois du razement de ce fort dans le temps que le Roy l'a limité ; et pour cest effect, pour les délivrer de l'appréhension qu'ils ont qu'il n'y sera satisfait, leur protester que la Reyne mère et M. le ministre, par commandement du Roy, promettront sollennellement qu'ils procureront, par effects, après du Roy, ce rasement de fort dans ledict temps.

Ledit de Bellujon pour faciliter d'autant plus son dessein d'amener ce peuple effarouché à la confiance et obéissance, en donnant quelque raisonnable satisfaction à M. de Loudrières (5), comte de la Val (6), et autres tribuns et boutefeus, aura pouvoir de leur asseurer la distribution jusque à quarante mile livres.

Il prendra de bonnes lettres de M. le connestable, dont il a des blancs, excitatives à leur debvoir et à M. de Soubize aussy ; ou des blancs pour les remplir sur les difficultez que lesdits de Pecharnand et Noüaillan pourront rapporter.

Tout ceci estant communiqué et aggrée par le Roy, M. le mareschal de Schomberg y adjoustera ou changera, par l'ordre de Sa Majesté, ce qu'elle aura aggréable de luy dire et de commander audit de Bellujon.

---

(3) Pierre Noaillan était un avocat huguenot de Montauban, qui avait représenté cette ville durant les pourparlers de 1625 ; il sera consul de Montauban en 1629.

(4) *Illuder :* du latin *illudere,* tromper.

(5) René de Talensac, seigneur de Loudrières, était un gentilhomme huguenot de La Rochelle, qui avait exercé les fonctions de grand sénéchal d'Aunis depuis 1607. Député aux Etats Généraux de 1614, puis député du Poitou à l'assemblée du parti protestant à Grenoble, il avait pris part à la rébellion de 1621, et négocié la reddition de Saint-Jean d'Angély. Il sera, en 1627 et 1628, l'un des défenseurs les plus actifs de La Rochelle. Frappé comme rebelle, il mourra peu après la fin du siège. Il avait épousé Françoise de Coligny.

(6) Comte de la Val : Frédéric de La Trémoïlle, comte de Laval.

61. — Le R.P. François Garasse au cardinal de Richelieu. Paris, 31 août 1625.

AE., Mém. & Doc., France, Vol. 780, f° 53. — Original.

Analyse :

N'ayant pu avoir l'honneur de voir le cardinal, il a chargé son librairie de lui remettre son livre, qu'il lui présente en témoignage de sa fidélité, et pour lequel il le supplie d'avoir la plus grande indulgence.

Pièce 61. — *Cette lettre est du célèbre prédicateur et polémiste, le jésuite François Garasse* (1585-1631), *qui venait de faire paraître* une Somme théologique des vérités capitales de la religion chrétienne. *L'ouvrage allait soulever de vives controverses, en particulier les attaques de l'abbé de Saint-Cyran. Il sera finalement censuré par la Sorbonne.*

62. — M. de Valencay au cardinal de Richelieu. Montpellier, 1er septembre 1625.

A.E., Mém. & Doc., France, Vol. 1627 (Languedoc), f° 241. — Original.

Monseigneur,

J'ay envoyé à la cour, dans le XIIme de may, un des capp[nes] de cette garnison pour supplier qu'il feust pourveu aux monstres des gens de guerre qui estoient retardés. A son retour, il n'apporta que des assignations qui ne peuvent estre acquittées qu'à la fin de ce mois. Cela fut cause que, le cinquiesme juillet, je dépeschay un aultre des capp[nes] et escrivis bien au long les raisons pour lesquelles cette garnison se debvoit estre payée en argent comptant. L'on me manda que l'on les avoit trouvées bonnes et que l'on y avoit pourveu. N'en voyant point l'effect des asseurances qu'on nous en avoit données, j'envoyay à la cour le commis du Trésor de l'Extraordinaire, qui ne manda que nous ne debvions point attendre de payement, qui est une chose fort extraordinaire de penser que l'on puisse entretenir dans une petite ville quatre mil hommes sans payement.

La nécessité en laquelle je me suis trouvé a esté cause que j'ay proposé aux habitans de faire une déppartem[t] pour nourrir les soldats. Ils m'ont représenté, et avec raison, que si cela se faisoit, que c'estoit ruyner et despeupler la ville et les compagnies souveraines qui y sont habituées. En cela ils députent à la cour messieurs de Soulas, président en la Cour des Aydes, et de Bossuges, maître de la Chambre des Comptes, lesquels avant qu'ils y arrivent, il sera deub quatre monstres à cette garnison. Vous, Monseigneur, qui avez des connaissances particulières de toutes choses, jugerez bien les raisons pour lesquelles il ne peut se faire comparaison d'une armée mal payée ou d'une autre garnison mal payée avec celle de Montpellier. C'est pourquoy je ne m'estendray pas à vous en faire icy un long discours qui ne peut que vous importuner, mais après vous avoir supplié comme d'une chose très importante, qu'il vous plaise de faire qu'il soit promptement pourveu au payement de cette garnison, je n'allongeray la présente que pour vous asseurer comme je suis,

Monseigneur,

Vostre très humble et très obéissant serviteur,

Vallancay.

De Montpellier, ce premier septembre 1625.

63. — Le duc de Bellegarde au cardinal de Richelieu. Vanves (?) 10 septembre 1625.

A.E., Mém. & Doc., France, Vol. 780, f° 55. — Original.

Monseigneur,

Je suis au désespoir que vous soyez party de vostre belle maison sans que j'aye eu l'honneur de vous aller baiser les mains, ainsy que je me l'estois proposé, soudain que j'aurois achevé de boire mes eaux, pour désir que j'avois de vous pouvoir offrir en ce lieu-là mon très humble service et me resjouir avecque vous de ce que vous avez recouré une parfaite guérison ; mais n'ayant peu satis faire à de debvoir, je me sers de ce moyen pour m'en acquiter, vous supliant très humblement de croire que je ne pourrois recevoir de nouvelles capables de me donner plus de contentement que celles-là, car il est vray que tout ce qui regarde vos intérests ne m'est pas moins sensible que la conservation de ma propre vie, et, atendant que je puisse moy mesme vous aller faire ces véritables protestations, permettes-moy, Monseigneur, que je vous suplie de vous ressouvenir de l'affaire de mons^r de Castille (1), et pardonnez-moy, s'il vous plaist, l'importunité que vous fais pour ce sujet. C'est une grâce que j'espère que vous ne me refuserez pas, puisque

Pièce 63. — *De* 1624 *à* 1631, *le duc de Bellegarde figure au nombre des correspondants les plus assidus du cardinal de Richelieu.*

Roger de Saint-Lary était né vers 1565. *Fils de Jean de Saint-Lary et d'Anne de Villemur, il avait fait ses débuts à la cour d'Henri III qui en fit le maître de sa garde-robe, premier gentilhomme de sa chambre et son grand écuyer. D'Henri IV il reçut les gouvernements de Bourgogne et de Bresse. Louis XIII enfin érigea en duché-pairie ses terres de Bourgogne en* 1620. *Il était en outre premier gentilhomme de Monsieur frère du roi. Il avait épousé, en* 1596, *Anne de Bueil. La correspondance de Richelieu montrera dans quelles circonstances le duc de Bellegarde fut disgrâcié en* 1631. *Il retrouvera quelque faveur après la mort du cardinal, et mourra en* 1646.

(1) Il y avait, à l'époque, plusieurs personnages de ce nom. On pense surtout à Pierre de Castille, financier et maître des requêtes, qui avait eu, en 1619, le contrôle général des finances (1581-1629).

la plus forte passion que j'aye est de vous tesmoigner, par l'entière obéissance que je rendray à l'honneur de vos commandements, que je suis,

Monseigneur,

Vostre très humle et très obéissant serviteur,
Roger de Bellegarde.

De Vanves (?) ce 10e sept[bre] 1625.

64. — Le duc de Chaulnes au cardinal de Richelieu. S.l., 11 septembre 1625.

A.E., Mém. & Doc., France, Vol. 1675 (Picardie), f° 120. — Original.

Analyse :

Il remercie le cardinal d'avoir par son intervention facilité le règlement d'une affaire qui concernait ses intérêts ; il a chargé le porteur, M. de Custojoux, de lui dire combien il lui serait agréable dc lc servir.

Pièce 64. — *Sur le duc de Chaulnes, v. lettre du 9 mai 1624, pièce 2.*

65. — M. de Thémines au cardinal de Richelieu. Le Mas d'Azil, 20 septembre 1625.

A.E., Mém. & Doc., France, Vol. 780, f° 57. — Original.

Monseigneur,

J'ay apprins par Mons. l'abbé de Marsillac (1) qu'il vous plaist avoir de si bonnes volontés pour moy que j'en suis confus, et advoue qu'en le subjet mes paroles ne peuvent respondre à mes

Pièce 65. — *Pons de Lauzières de Cardaillac, marquis de Thémines (ou Témines), était né vers* 1552. *Il avait servi Henri IV avec distinction, mais le bâton de maréchal, qu'il avait reçu en* 1616, *lui avait été donné pour avoir procédé à l'arrestation du prince de Condé, au mois de septembre de la même année. Il convient de rappeler ici que le second fils du maréchal, Charles de Lauzières, avait tué en duel, en avril* 1619, *Henri du Plessis de Richelieu, frère aîné du cardinal. Celui-ci cependant ne semble avoir jamais montré aucune hostilité à l'égard du maréchal, qui de son côté servit toujours de son mieux la politique du ministre. On lira à sa date l'émouvante lettre qu'il lui écrivit, à son lit de mort, le* 1er *novembre* 1627.

(1) Sylvestre de Crugy de Marsillac, alors maître de chambre du cardinal de Richelieu. Il sera amplement question de lui dans cette correspondance à partir de 1626.

pensées ny vous tesmoigner assés mon ressentiment et la passion avec laquelle je veux vous honnorer et servir toute ma vie. Et parce que toutes mes affections tendent au service du Roy, j'espère cest effect de la vostre en mon endroit que vous, Monseigneur, qui pouvez toutes choses, me procurerez cest advantage que, si la paix se faict dans le royaume, je ne reste point inutille. En quel lieu que je serve, je suis trop heureus et ne saurois jamais désirer de plus glorieuses récompanses de mes services que celles-là d'estre toujours dans les occasions de bien servir. Je ne puis encore m'empescher de vous représenter ce que j'estime estre grandement du service du Roy que les trouppes qui sont en ceste armée reçoivent quelque contentement de leurs monstres (2). C'est un espèce de merveille qu'elles ayent peu subsister et servir avec tant d'affection jusques à maintenant, et quoy que je n'ay oblié nulle sorte d'industrie et d'art pour maintenir l'armée et l'entretenir d'espérances, néanmoins je ne puis reporter cela à mon sçavoir faire, ains plustost au bonheur qui accompagne les armées du Roy. Et quand bien nous serions en paix, tousjours estimé-je que cela seroit de mauvais exemple pour ceux qu'on voudroit employer à l'advenir, sy ces troupes qui servent avec tant d'affection et, si je l'ose dire, avec utillité, ne reçoivent quelque satisfaction.

Je ne faudray point encore, Monseigneur, à vous supplier que je vous aye ceste obligation que, par vostre moyen, je puisse estre honoré du tiltre de duc. Monsieur de la Reule, qui vous fist ceste supplication de ma part, me dict que vous avies trouvé à propos qu'il en parlât à Sa Majesté, et qu'après cela vous m'y favoriseriés. Comme je ne doubte point de vostre pouvoir, et que vous voulés que je sois encore asseuré de vostre affection en ce subjet, cela me fait espérer que ce bien m'arrivera, lequel me sera d'autant plus cher que je penseray le tenir de vous. Je me suis porté à faire ceste demande parce qu'elle me peust estre accordée sans nul préjudice aux affaires du Roy, et qu'il me semble que pareilles ayant esté accordées à d'autres avec justice et raison, je puis désirer cest effect de la bonté de Sa Majesté. Vous n'obligerés jamais personne qui honore plus parfaictement noz vertus ny sur qui vous ayez un pouvoir plus absolu que sur moy, qui suis de tout mon cœur,

Monseigneur,

Vostre très humble et très obéissant serviteur,

Thémines.

Du Camp du Mas d'Asil (3), 20e sept. 1625.

---

(2) Thémines commandait alors les troupes qui avaient été envoyées en Languedoc pour contenir l'agitation protestante.

(3) Le maréchal de Thémines se disposait alors à assiéger le Mas d'Azil, que tenait une petite armée protestante. Il devait échouer dans son entreprise. Par une lettre datée du 13 novembre suivant (A.E., Mém. & Doc., Vol. 1627, f° 245) Louis XIII l'invitera à se rendre à Saintes pour y attendre ses ordres.

66. — A M. de Toiras. Fleury-en-Bière, 24 septembre 1625.

Impr. : Michel Baudier, *Histoire du Maréchal de Toiras*, 1644, t. I, pp. 109-110.
Avenel, II, p. 140-141.

Monsieur, l'oubly que vous faites de vos amis n'empeschera pas que je ne vous tesmoigne la part que je prends à l'honneur que vous avez acquis, non seulement pour le service du Roy, mais encore pour vostre satisfaction particulière. J'ay tousjours creu de vous ce qu'on en voit, et vous cognoistrez tousjours que je suis, comme je vous en asseure, etc.

A Fleury (1), ce 24 septembre 1625.

Pièce 66. — *Jean du Caylar de Saint-Bonnet, marquis de Toiras, était l'aîné d'une famille de quinze enfants. Né le* 1er *mars* 1585, *il avait été d'abord page du prince de Condé, qu'il suivit d'ailleurs à Bruxelles, quand celui-ci entendit ainsi soustraire sa femme aux assiduités du roi Henri IV. Quatre mois plus tard, il rejoignit la cour, et il semble bien que son adresse à la chasse ait été à la source de la faveur qu'il connut aussi bien auprès de Henri IV que de Louis XIII. Lieutenant ordinaire de la Vénerie du roi, il acheta, en* 1619, *sur les instances du souverain, la charge de capitaine de la volière des Tuileries. Gouverneur d'Amboise en mars* 1622, *il était maréchal de camp depuis le* 13 *avril* 1625. *C'est en cette qualité qu'au mois de septembre de la même année il contribua à la reconquête de l'île de Ré sur les huguenots de Soubise. Son biographe, Michel Baudier, a reproduit, avec la lettre du cardinal donnée ici, deux lettres du roi, datées de Fontainebleau, les* 22 *et* 24 *septembre, par lesquelles le souverain avait tenu à exprimer à Toiras sa satisfaction pour sa belle conduite en cette circonstance. On verra que par la suite Richelieu n'eut pas toujours pour ce militaire les sentiments de bienveillante amitié qu'il lui témoigne ici.*

67. — Le duc de Vendôme au cardinal de Richelieu. Ancenis, 28 septembre 1625.

A.E., Mém. & Doc., France, Vol. 1503 (Bretagne), f° 244. — Original.

Monsieur,

Ayant sceu par les lettres de M. le mareschal de Schomberg et de M. d'Ocquerre, et par ce que M. le chancelier en a dit à Comblat, ce que le Roy désire de mon entremise et de mon service pour faire résoudre les Estats de Bretagne à le secourir du nombre

---

(1) Fleury-en-Bière est situé à une dizaine de kilomètres à l'ouest de Fontainebleau. Le château, construit en 1550 pour le secrétaire d'Etat Cosme Clausse, d'après le plan dressé par Pierre Lescot ou par Gilles Breton, appartenait alors à Nicolas Clausse. Richelieu y venait souvent, quand la cour séjournait à Fontainebleau. Ce château subsiste toujours, admirablement conservé.

d'hommes entretenus dont je vous ay parlé, et sans diminution du don gratuit que Sa Majesté en avoit espéré, je renvoye ledit Sr de Comblat pour faire entendre à Sa dite Majesté l'impossibilité d'obtenir l'un et l'autre, l'apréhension que j'ay qu'y insistant avecq force nous ne refroidissions les bonnes volontés plustost que de les eschaufer, et la supplier de se ressouvenir des termes des propositions que j'ay faittes, et m'honorer là-dessus de ses commandements. Je la fais aussy ressouvenir de la promesse qu'elle me feist en prenant congé d'elle de se servir de moy en l'occasion qui s'offre, ce que je fais d'autant plus volontiers que je m'ose promettre avecq l'ayde de Dieu d'y contribuer du mien, les avantages que la connoissance des lieux, le voisinage, les terres que je possède en Bretagne et Poitou, et les volontaires que je puis mener, me donnent au dessus de ceux de ma condition et au-dessoubz, qui pourroient aspirer à cet honneur. J'espère d'ailleurs que je n'y oublierois rien du courage, de la vigilance, de l'oeconomie ny de la fidellité que j'ay tesmoignée aux occasions auxquelles j'ay esté employé, et, s'il y a eu quelque manque, l'expérience donnera moyen d'y suppléer. Mais je tiens toutes ces considérations nulles si elles ne sont appuyées de v[re] faveur. C'est pourquoy je l'implore, et vous supplie, Monsieur, me vouloir tesmoigner, en cette occasion, que vous m'aymez et me croyez ce que je suis plus que personne au monde,

Monsieur,

Vostre très humble serviteur,

Vendosme.

D'Ancenis, ce 28e septembre 1625.

68. — Avis à M. le Cardinal de Richelieu. [Seconde quinzaine de] septembre [1625].

Univ. de Paris, Bibl. Victor-Cousin, Fonds Richelieu, Vol. 14, f° 115-116. — Original.

Monseigneur,

Le bon succès de la bataille navale (1), qui est deu au bonheur de n[re] Roy et aux sages conseils de vous et de Mr de Schomberg,

Pièce 68. — *Cet « advis » est écrit sur feuille double. Au verso du second folio, on lit, à côté de la suscription « A Monseigneur Monseigneur le Cardinal de Richelieu », l'indication suivante écrite sur le travers : « Advis envoyé en septembre par le messager de Poitiers touchant Calory ». La victoire mentionnée au début ne peut être que celle qui fut remportée par Montmorency sur la flotte de Soubise, le* 15 *septembre* 1625. *La pièce doit donc être de la seconde quinzaine de ce mois.*

(1) Le 15 septembre 1625, Soubise, qui s'était emparé, quelques semaines plus tôt de l'île d'Oléron, fut battu par la flotte formée des quelques vaisseaux que commandait le duc de Montmorency et de l'escadre hollandaise alliée ; il fut contraint d'aller chercher refuge en Angleterre.

faict cognoistre à tous le monde et à vos ennemis mesmes combien vos sentimens sont religieux et combien vous estes utile au public. Cela faict que, désirant v[re] conservation, vous estes prié par plusieurs gens de bien de penser à vous et de considérer que les choses du monde et de la court sont fort incertaines et variables. Le plus souvent vous n'estes point aurès du Roy et n'avez personne qui y soit p[r] vous. Jamais personne n'y a subsisté de la sorte. Puisieux (2) y avoit Deagens (3), Modène (4), Desplan (5) et tout le monde ; Beautru (6) y avoit les Sourdys (7), Ponstelnau (?), Montallet (8) et les mousquetaires ; Toiras y a les Beaumont (9), les Bo...au (10), le chevalier Beringhen (11), Buisson, Soupitré (?) et une grande séquelle d'autres gens ; Baradas y a son frère (12), Boul... (10), Artaignan et autres, qui pour sa nouvelle faveur, ne me sont pas cogneus ; Monsieur le Prince, comme grand veneur, y avoit toute la petite chasse et, à dire le vray, tous ceux de la bague bleue ; M. de Schomberg y a tous ses parents et alliés, qui ne sont pas en petit nombre ; le chancelier (13) y a son fils et son gendre, qui ont tousjours l'œil au boire. Il n'y a pas jusqu'à Tronçon (14) qui n'ait ses intelligences, qui ne sont pas petites. Et vous, personne qu'on remarque. De cela il ne vous peut arriver que mal. Le Roy escoute, et qui frappe souvent son aureille y faict à la fin impression, comme la goutte d'eau sur la pierre. Lc moien de vous garder des mauvais offices qu'on vous voudroit rendre auprès de luy seroit ou de vous acquérir Monsieur le Prince, qui, revenant, seroit bien aizc de dépendre de vous, et qui, cognoissant l'humeur du Roy comme il faict, est plus propre que personne à le porter tant de

---

(2) Pierre Brûlart, vicomte de Puysieulx (1583-1640), fils de Nicolas Brûlart ; secrétaire d'Etat depuis 1606, il avait été disgrâcié ainsi que son père au début de 1624.

(3) Guichar Déageant (écrit souvent Deagens) ; son rôle avait été influent sous la régence ; mais, en 1619, il avait été invité à rejoindre à Grenoble son poste de premier président de la Chambre des Comptes de Dauphiné ; il était revenu à la cour en 1621, mais sans retrouver son ancienne faveur.

(4) François de Raymond, baron de Modène, beau-frère du colonel d'Ornano. Comme Déageant, il sera quelque peu compromis dans l'affaire de Chalais.

(5) Esprit Alart, seigneur d'Esplan et marquis de Grimault, grand maréchal des Logis.

(6) Guillaume II Bautru (1588-1669), comte de Serrant et baron de Segré, conseiller d'Etat, puis conseiller au Grand Conseil, chargé plus tard de diverses missions diplomatiques.

(7) Les Sourdis, c'est-à-dire d'abord Charles d'Escoubleau de Sourdis, marquis d'Alluye (1578-1666), gouverneur de l'Orléanais, pays chartrain et Blésois, mais aussi le cardinal-archevêque de Bordeaux, François d'Escoubleau de Sourdis (1575-1628) et son frère, Henri, alors évêque de Maillezais (1594-1645).

(8) Probablement Charles de Bérard, marquis de Montalet (ou Montalais), qui était, depuis 1622, cornette d'une compagnie de mousquetaires du roi, qu'il commandera de 1626 à 1628.

(9) Il n'est pas possible de préciser de quels Beaumont il s'agit.

(10) Nom illisible.

(11) Henri de Beringhen (1603-1692), premier valet de chambre du roi depuis 1620, exilé plus tard pour ses intrigues, puis premier écuyer de la Petite Ecurie.

(12) François de Baradat, le favori du roi à l'époque, avait deux frères : Henri, qui était d'Eglise et sera évêque-comte de Noyon en 1627, et Pierre, qui était alors capitaine d'une compagnie dans le régiment de son frère, et mourra en 1682 lieutenant-général des armées du roi. C'est probablement du premier qu'il s'agit ici.

(13) Etienne d'Aligre (1560-1635), d'abord garde des sceaux, puis chancelier depuis le mois d'octobre 1624 ; il sera disgrâcié le 1er juin 1626.

(14) Sur Tronson, v. notice de la page 65.

bond que de volte à ce qu'il veult. Je vous dis cecy parce qu'il désire la ruine des huguenots, comme on voit maintenant que vous faictes. Mais si on peut les ruiner sans luy, je trouve bon de le laisser où il est et en ce cas, vous devez vous unir avec Schomberg, lequel je sçai de source certaine le désire passionnément. Depuis peu, il a dict de vous à quelqu'un tout ce qu'on peut dire de la capacité d'un homme, et qu'il seroit très aize, si vous vouliez, de faire que tous les siens vous advertissent de tout ce qui se passeroit et fissent la garde pour vous comme ils font pour luy (15). Je sçay qu'il a voulu deux ou trois fois vous mettre en ce discours sans que vous l'aiés entendu ou voulu entendre, (16) Toiras par conséquent vous serviroit. Mais si vous ne le faictes, vous vous en trouverez mal. Maintenant, on dit que vous et Mr de Baradas estes bien ensemble et que le Roy le veult ainsy ; mais souvenez-vous que, quand il verra que, pendant cette intelligence establie par le Roy, il ne fera point ses affaires en cherchera avec d'autres, qui bon gré mal gré porteront le Roy à ce qu'il voudra, et après vous demeurerez du guet, puisque luy-mesme aidera aux autres à vous perdre. Je veux mourir si son frère ne vous a déchiré en plusieurs endroitz et a dict que son frère par luy et S[ain]t-Géry (17) avoient sondé le Roy pour voir si, avec le temps, au cas que vous ne les contentiez, ilz ne nous pourroient esbranler. Il est vrai qu'il a dict que [vous] teniez bien dans l'esprit du Roy mais cependant il a dict, jurant par le sang dieu, qu'ilz vous en donneroient si vous ne les aidiez. Sondez-y, je vous suplie : cet advis vous est donné pour vostre bien, et si vous en voulez recevoir du fruict, mettez Schomberg sur ce discours ou l'évesque de Nismes (18) et je m'asseure qu'ils s'ouvriront à vous. Le Roy est d'humeur qui veut estre pressée. On demeure d'accord qu'il a grande confiance en vous pour ses affaires ; mais, pour en faire p[r] des particuliers, Marest (19) y peut plus que vous. Vous estes estimé de tout le monde, mais appréhendé de quelques-uns, non pour la retraicte que vos maladies vous font faire, mais pour celle de v[re] humeur. Si vous ne profitez de cet advis, dictes mal de moy si, dans six mois, vous estes, auprès du Maistre où vous estes, dans l'estat à vous vous trouvez. Monsieur (20) ne vous aime pas, à la suscitation du colomnel (21), qui n'aime ni Schom-

(15) L'avis, on le voit, insiste sur les avantages que trouverait le cardinal dans une alliance avec Schomberg. Ambassadeur en Angleterre en 1615, surintendant des finances en 1619, puis conseiller du roi jusqu'en 1624, Henri de Schomberg avait paru se lier, vers 1621, avec les adversaires de Richelieu ; mais, avant même l'arrivée au pouvoir du cardinal, il s'était rallié à celui-ci et, jusqu'à sa mort, en novembre 1632, il devait lui rester fidèle. Par ses deux mariages successifs, avec Françoise d'Espinay puis avec Anne de la Guiche, par celui de sa sœur et ceux de ses deux enfants, il se trouvait allié à plusieurs familles de la plus haute noblesse, les maisons d'Espinay de Saint-Luc, de Daillon du Lude, d'Halluin-Piennes et du Plessis-Liancourt. Il avait été créé maréchal de France au mois de juin 1625.

(16) Deux mots illisibles.

(17) Joseph de Saint-Géry, baron de Magnas, neveu du duc d'Epernon.

(18) Pierre de Valmond, évêque depuis 1598, l'auteur de l'avis ignorait sa mort survenue le 12 septembre 1625.

(19) Marais, bouffon du roi.

(20) Monsieur frère du roi.

(21) Le colonel d'Ornano, surintendant général de la maison de Monsieur.

berg ni vous ; jugez bien qu'elle conséquence cela peut avoir à l'avenir, préféré à vous. Je sçay que l'on a parlé au Roy contre vous sur le sujet de son mariage, et, depuis peu, quelqu'un affidé à Modène (22) a dict que ledict Modène disoit que ledict mariage estoit la ruine de Monsieur et qu'il feroit parler au Roy pour l'empescher par son intérest de luy-mesme (23). Je ne sçay pas qui la fait ou qui il fera parler, mais peut-estre ce sera par S[ain]t-Géry. La colonelle (24) vous hait comme la peste : elle disoit dernièrement qu'elle eust voulu estre soubs vostre emplastre ; que d'autres ont dict que vous mettiez aposté. On a aussi parlé de la Reyne (25) sur le faict du mariage ; et, croiés-moy, beaucoup veulent nuire à la Reyne à cause du Prince. Toiras fera bientost une réunion avesc Schomberg contre vous, si vous ne vous réunissez ensemble : ils vous ruineront dans l'esprit du Roy ; il y en ont bien ruiné d'autres. Vous vous fiez volontiers sur la bonne chère qu'il vous faict, mais cela ne signifie rien : les autres vous la laissent volontiers. Joinctz ensemble, rien ne vous sera impossible ni pour eux ni pour vous et les v[ost]res. On traicte aussy une réunion de Toiras avec Mr de Baradat : on a mandé à Toiras que, s'il eust esté icy un certain temps, elle eust réussi, mais que les choses y reviendront. Desplan a dict qu'il avoit promis à Baradat de le servir comme il avoit servi Luynes. C'est un estrange poulet qui est de tous escots (26) : il paiera ledict Sr de Baradat comme il fit le Père Arnoux (27) avec qui il se mit bien six mois pour le ruiner comme il fit. Il a dict que, dans trois mois, les surintendants seroient chassés et qu'ils en mettroient un à leur poste. Quelqures-uns pensent que vous voudriez estre retiré, et je ne le crois pas ; mais si cela est, vous vous gouvernez fort bien. Encores aimerois-je mieux le faire volontairement que donner lieu aux ennemis de m'y contraindre. Qui (28) croiés-moy, sur tout ruineré les huguenots. Celuy qui vous escript vous affectionne grandement et vous aime plus que ceux dont il vous parle. Il vous prie de trouver bon qu'il ne signe point cette l[ett]re ; contentés-vous qu'il est,

Monseigneur,

V[re] très humble, très obéissant et très affectionné serviteur.

---

(22) Modène était un des familiers de Monsieur.
(23) Le projet d'union entre Monsieur et Marie de Montpensier.
(24) Marie de Raymond de Montlaur, qui avait épousé le colonel d'Ornano en 1608.
(25) La reine mère, qui était passionnément attachée à ce projet de mariage.
(26) Si la lecture du mot « escots » (= écots) est bonne, l'expression signifierait qu'on est disposé à payer sa quote-part de n'importe quel festin.
(27) Confesseur du roi, disgrâcié en novembre 1621.
(28) Deux mots illisibles.

69. — Sur la nécessité de la paix du dedans. [Septembre 1625].

A.E., Mém. & Doc., France, Vol. 783, f° 4-5. — Mise au net ou copie ; le titre est de la main de Charpentier.

Chacun discourt assez des nécessités du Roy et de l'Estat, mais peu disent l'origine d'icelles, et [il est] possible mesme que beaucoup de gens ne voudroient pas qu'elle fût divulguée, bien que ce soit la chose la plus nécessaire de faire connoistre au public, en ce qu'il est impossible de bien remédier à un mal sy on n'en sait véritablement la cause.

Il est vray de dire qu'il n'y a guère de roy plus nécessiteux que le notre, n'ayant plus aucun domaine, ny tantost plus de revenu certain, ny sujets plus pauvres. Il est vray aussi de dire : il y a eu de très mauvais mesnage par le passé au maniment des finances de l'Estat. On ne peut nier non plus que tout cela en gros n'ait grandement altéré le royaume ; mais ces désordres seuls ne l'ont pas réduit aux termes où il est. La seule guerre civille, et particulièrement de Religion, est celle qui a mis le Roy, les provinces et tout le peuple de la campagne en la déplorable posture où il est à présent.

Pièce 69. — *Ce mémoire est attribué à Fancan. Dans l'inventaire des papiers de ce publiciste établi par Th. Kükelhaus* (Unbekannte Papiers Fancans, 1899), *il figure sous le numéro* 356.

Le texte pose un délicat problème de datation. Il n'a, en effet d'autre date, sur le manuscrit, que celle de 1626 *portée en tête du premier folio par une main qui n'est pas celle du rédacteur ou du copiste. Il est probable que cette date a été ajoutée postérieurement à la rédaction, sans doute lors du classement des papiers de Richelieu. Or, à l'examen, elle apparaît difficilement acceptable. Cette « paix du dedans », que l'auteur du mémoire appelle de ses vœux et réclame comme une « nécessité » pour le royaume, elle ne pouvait assurément pas être conclue à la date où le mémoire a été rédigé. Elle le sera le* 5 *février* 1626. *Le mémoire étant antérieur à cette date, l'assemblée des notables dont il est question ne saurait être celle qui devait être réunie en décembre* 1626, *mais bien celle qui s'ouvrit à Fontainebleau le* 29 *septembre* 1625. *Cette assemblée, où siégèrent — autour du roi, de la reine mère et des ministres — les cardinaux et divers prélats, les ducs et pairs, des dignitaires de l'armée et du parlement, s'occupa surtout, on le sait, de la Valteline et de la situation diplomatique créée par le brusque départ du légat du pape, François Barberini. Le* 3 *septembre* 1625, *Richelieu avait adressé au roi un mémoire (Avenel II, pp.* 119-124) *où il préconisait la réunion d'une assemblée des notables, afin d'examiner s'il convenait d'arrêter ou de poursuivre les opérations en Valteline. La question essentielle était bien, en effet, de choisir entre la paix du dehors et celle du dedans, entre l'entente avec l'Espagne et un accord avec les protestants. Sans doute l'alternative ne fut pas posée à l'assemblée de Fontainebleau, mais nul n'ignorait que le parti dévot, désireux de poursuivre contre les huguenots une lutte à outrance, était disposé à laisser l'Espagne maîtresse d'agir en Valteline. Pour Richelieu, abandonner la Valteline eût été une faute capitale : dans l'impossibilité de mener la lutte sur deux fronts, il fallait bien envisager de traiter avec les protestants. Le mémoire de Fancan apparaît ainsi, sur le plan de la politique intérieure comme le corollaire de celui que le cardinal avait présenté au roi en ce début de septembre* 1625. *Il y a donc de fortes chances pour qu'il ait été rédigé à la même époque.*

De plus, qui considérera encore le misérable estat où sont tous les alliez de cette couronne et le peu de moyen qu'elle a de les assister en leurs nécessités, que nous pouvons dire aussy les nostres en ce que leur cheutte entraîne celle de la France ; qui considérera, dis-je, tout cela, il faut qu'il confesse qu'il est temps que nous résoudions de mieux pourvoir à nos affaires ou de nous disposer à souffrir une cheutte très honteuse, de laquelle il sera possible aux François de s'en relever.

La faction estrangère, à laquelle le prétexte de religion fait qu'on luy a trop presté l'oreille, est celle qui a poussé à nous jetter dans toutes les guerres civilles que nous avons veues depuis la mort de Henri IV. Elle a fait tout ce qu'elle a peu pour nous engager à nous détruire nous-mesmes, cependant que, de son costé, elle a envahi les païs de la plupart des alliés de cette couronne. Le dessein de la mesme caballe estant encore de nous rejetter sy elle pouvoit dans quelque trouble, soit contre l'Angleterre, soit contre nous-mesmes affin d'achever de ruiner la France, nous donnant pour partage la désolation de nostre patrie, cependant qu'elle profite seule de la conqueste des Allemagnes et de nous tout ensemble.

Nostre mal donc provient des caballes estrangères et du peu de prévoiance que nous avons eue de nous jetter sy aveuglément en des guerres civilles, en un temps mesme que l'Espagnol triomphoit de nos voisins. Le seul moien de nous garantir est de ne croire plus sy légérement aux persuasions de ses conseillers, et surtout d'aviser promptement à relever cet Estat malade de la misère où il est par l'establissement d'une bonne paix et qui soit la durée, d'autant que sans cela il est très difficile ny que le Roy puisse remettre ses affaires tant dedans que dehors, ny au pauvre peuple de pouvoir respirer, ny de subsister aux impositions qui se mettent sur luy. Et si on n'a la paix dans le royaume, il faudra que le Roy et le peuple soient contraints par la nécessité de tomber sur les bras d'un petit nombre de seigneurs, officiers, marchans, qui ont quelque commoditez. le tout à la confusion des uns et des autres, là où par une paix solide il se trouverra mille expédients tant par la conservation du Roy, de l'Estat, que des peuples.

C'est pourquoy Sa Majesté ne peut entreprendre un plus grand coup pour le présent que de faire connoistre au public d'où procède la source des calamitez de la France, et en suitte la nécessité nécessitante de la paix dans le royaume ; car, bien qu'elle soit trop aisée à comprendre, néanmoins la malice du siècle a infatué tellement les esprits de la plupart du peuple, qu'il est difficile aujourd'huy de luy faire connoistre d'où procède sa misère et mesme de luy faire agréer les remèdes pour le guérir. Et le plus grand fruit que le Roy peut retirer de l'Assemblée des Notables est de faire résoudre en icelle l'importante nécessité de la paix, laquelle donnera moyen à Sa Majesté de pourvoir à loisir à toutes choses, et sans laquelle il y a grand apparence que la France est pour tomber en des confusions déplorables.

Que toute les calamitez de l'Estat ne proviennent que de nos guerres de Religion, nul ne le peut desnier, et que ce ne soit nostre entière ruine de nous embarquer en la moindre guerre du monde, soit contre l'Angleterre, soit contre la Rochelle ou ailleurs dans le royaume, nul ne peut aussy douter. Par conséquent il semble que le Roy ne sauroit prendre un plus sain conseil que de faire résoudre dans ladite assemblée, où sont les principaux chefs des trois Ordres de l'Estat, ladite nécessité de paix.

Et affin d'oster tout prétexte à caballe d'un cotté, et de déffiance de l'autre, faire enjoindre par ladite assemblée des Notables à tous les sujets de S.M., tant de l'une que de l'autre religion, de vivre doresnavant paisiblement, déclarant criminels tous ceux qui y contreviendront et qui les enfreindront. Et sur tout commander à tous les premiers présidents et procureurs généraux des Parlements de tenir rigoureusement la main à l'exécution desdits édits, et chastier exemplairement quiconque y sera réfractaire ou qui fera quelque monopole tendant à troubler le repos public. Par ce moien chacun se résoudra de ne plus penser qu'à la paix. Et les estrangers d'autre cotté qui caballent continuellement dans le royaume pour nous engager tousjours en quelque dessein de guerre, perdront par ce moyen toute espérance d'y pouvoir plus faire des factions. Et ainsy peu à peu le Roy restablira ses affaires, donnera la tranquilité à ses sujets et ruinera les desseins de ses ennemis.

70. — A Monsieur le Prince. Fontainebleau, 5 octobre 1625.

Arch. du Musée Condé, Chantilly, Série M, tome I, pièce n° 172. — Original.

Monsieur,

Le succès de vos affaires tel que vous le désirez est la meilleure response qu'on puisse faire à vos lettres. Sa Ma[té] s'est portée très volontiers à vous gratifier en ces occasions. Pour moy, Monsieur, je ne vous dis point avec combien de contentement j'ay suivi ses sentiments, puis que vous ne devez point douter que je ne vous honore comme je le doibs, et que je suis très aise de vous faire paroistre que je suis,

Monsieur,

Vostre très humble et très affectionné serviteur,

Le Card. de Richelieu.

A Fontainebleau, ce 5e octobre 1625.

Pièce 70. — *La décision prise de donner satisfaction au prince de Condé sera rendue officielle le 22 octobre par un arrêt du Conseil, aux termes duquel tous les procès de la maison de Condé étaient renvoyés devant le parlement de Dijon.*

71. — M. le Prince au cardinal de Richelieu. S.l., 7 octobre 1625.

Arch. du Musée Condé, Chantilly, Série M, t. I, pièce 177. — Minute.

Monsieur,

Je vous remercie de tout mon cœur des bons offices qu'il vous a pleu de rendre à mes affaires. Je vous en demeure très obligé, et vous supplie de tout mon cœur de continuer. Je rends response au Roy sur le subject duquel il m'a escrit, et loue ses bons conseils en la response à Monsieur le légat (1), qui, en le subject de la Valteline, ne pouvoit estre autre. Je passe outre, selon ma grossière cognoissance des affaires présentes, à luy ouvrir un mot de mon advis. Je m'asseure que verrez ma lettre et que le Roy vous la communiquera (2). Si vous y trouvez quelque chose de bon et que vous prissiez quelque résolution contre les huguenots, et que vous voulussiez m'emploier soit [a] La Rochelle, soit [a] Castres et [dans] le Languedoc, soit [à] Montauban, j'accepteray tout avec obligation très grande au Roy et à vous, s'il vous plaist me proposer. Sinon je suis contant dans la patience et obéissance aux volontés du Roy. D'une chose vous assurerai-je que nul ne servira plus fidellement ny à moins de fraits ny avec moins de prétention, car je n'en ay que de servir Dieu, la religion et le Roy en ceste occasion et d'honorer cordialement et sans trahison ceux qui me procureront les bonnes graces du Roy, vous jurant qu'à jamais je veux demeurer,

Monsieur,

Vostre bien humble serviteur,

Pièce 71. — *Au dos de la feuille, on lit l'indication:* « Mr le Prince à Mr le cardinal », *avec la date:* « 7 octobre 1625 ». *Le même jour, le prince de Condé écrivait deux autres lettres, l'une au roi* (*Même volume, pièce* 175), *l'autre à la reine mère* (*pièce* 174), *pour leur exprimer de semblables remerciements. La lettre destinée au cardinal répond évidemment à celle que celui-ci avait adressée à M. le Prince le* 5 *octobre.*

---

(1) Le cardinal François Barberini, neveu du pape Urbain VIII et légat du Saint-Siège. Il était arrivé à Paris le 21 mai pour négocier un accord sur la Valteline. Dès le début de septembre, il apparut que la négociation avait peu de chances d'aboutir ; elle fut rompue un mois plus tard.

(2) La lettre de M. le Prince au roi, conservée au Musée Condé (Série M, t. I, pièce 175), a une histoire. M. le Prince s'y risquait, en effet, à émettre quelques observations sur l'échec des négociations avec l'envoyé du pape, qui laissaient voir clairement ses sympathies pour les puissances catholiques et son désir de voir le gouvernement royal suivre une politique plus ferme à l'égard des protestants. « Or, écrit le duc d'Aumale, il advint que cette lettre fut imprimée et répandue avant que l'original eût passé sous les yeux du Roi. Monsieur le Prince fut réprimandé. Il s'excusa assez platement. Comme cette démarche avait un peu l'air d'une étourderie, le pardon fut accordé avec une facilité qui renouvela peut-être les illusions de Condé » (*Hist. des princes de Condé,* III, p. 176). La lettre d'excuses du prince est également aux archives de Chantilly (Série M, t. I, pièce 180) ; elle est datée du 5 novembre 1625.

72. — M. d'Aligre au cardinal de Richelieu. Venise, 22 octobre 1625.

A.E., Mém. & Doc., France, Vol. 780, f° 78. — Original.

Monseigneur,

J'ay veu avec une extresme desplaisir qu'il n'est tombé aucune de mes lettres entre vos mains. Je ne sçay à qui en attribuer la faulte sinon à mon propre malheur, puis qu'entre tous les aultres il a voulu choisir celles qui s'adressoient à vous, auquel je suis le plus obligé et de qui seul j'attends protection, m'estant jetté entre vos bras dès l'instant qu'il vous a pleu me recevoir pour vostre. Je vous supplie très humblement, Monseigneur, de ne point imputer ce défault, et croire que je recongnoistray toutte ma vie ce que je vous doibs comme au principal autheur de l'employ dont il a pleu au Roy m'honorer.

Je n'ay ozé vous en rendre compte, l'estimant inutile envers le premier ministre de l'Estat ; néanmoins, après l'asseurance du sieur abbé de Beaulieu (1) que nos nouvelles vous soient agréables, je ne manqueray de vous donner advis de tout.

Il semble que les affaires changent de face depuis le partement de Monsieur le légat. Sa négociation tenoit tous les princes en incertitude, et les bruits que l'on donnoit expressément de la paix causoient cet assoupissement où ils sont demeurés jusques à ce que l'on aye descouvert la fin où tendoit ce traitté, qui n'a servy qu'à donner temps aux Espagnols de s'armer pour attaquer plus puissamment nos alliés et retenir nos bras pour nous rendre inutiles ou tardifs à la déffense.

La victoire des Rochelois (2) a esté receue comme une grâce spéciale de Dieu et un témoignage asseuré qu'il favorise les armes et les entreprises de la ligue. Ce sera un subject au Roy pour exercer sa miséricorde est establir une paix asseurée au dedans de son Estat. Je sçay que beaucoup conseilleront de poursuivre la victoire

Pièce 72. — *L'auteur de cette lettre est Etienne III d'Aligre* (1592-1677). *Fils du chancelier Etienne d'Aligre, alors en fonctions, et d'Elisabeth Chappelier, il se trouvait, depuis* 1624, *en mission diplomatique auprès de la République de Venise. La disgrâce qui frappera son père, en juin* 1626, *ne semble pas avoir affecté sa carrière : conseiller d'État ordinaire en* 1635, *puis doyen du Conseil, il sera intendant de Normandie en* 1638, *directeur des finances en* 1653, *garde des sceaux en* 1672, *et enfin chancelier de France, en janvier* 1674. *C'était cependant, au dire de Saint-Simon, « un homme sans aucun mérite ni de lumière, et ce qu'on appelle vulgairement un très pauvre homme ». L'examen des alliances matrimoniales n'est pas ici sans intérêt : la mère d'Etienne III d'Aligre avait une sœur, Marie, qui avait épousé Jean Turpin, trésorier de l'Extraordinaire des guerres ; de cette union naquit une fille, Elisabeth Turpin, qui épousa Michel Le Tellier, alors conseiller au Grand Conseil depuis* 1624, *appelé à succéder à son cousin par alliance à la tête de la chancellerie, à la mort de celui-ci.*

---

(1) Philibert-Alphonse de Beaumanoir-Lavardin, abbé commendataire de Beaulieu, dans le diocèse du Mans ; il était le neveu de l'évêque du Mans, Charles de Beaumanoir, et sera lui-même évêque du Mans en 1648.

(2) Entendre : la victoire remportée sur les Rochelais.

et oster le temps à une ville séditieuse de se recogonoistre et armer de nouveau, aussy serois-je de cet avis si la guerre n'estoit point commencée avec une etranger, lequel ne désire aultre chose que nostre division et ne fera jamais la paix qu'alors que nous serons d'accord dans le royaume. Il est vray que le huguenot est foible, divisé, et qu'il suit en partie les armes du maistre soubs l'opinion que la guerre n'est pas contre la religion, mais contre la rébellion des Rochelois. S'ils voyent que l'on poursuive à outrance, ils croiront qu'on les veult accabler les uns après les aultres, et se soustèneront tout d'un coup. Ils sont asses forts pour nous donner de la peine, occuper une partie des armes du Roy ; au moins sont-ils capables de faire croire à nos alliés qu'ils ne peuvent tirer de la France un secours puissant et asseuré tant que les guerres civiles dureront. C'est ce qui les a principalement retenus jusques à cette heure, et qui les tient encore balançant comme vous voyez. Ils attendent une déclaration de paix au dedans, qui sera celle d'une guerre estrangère, et en suite d'une paix honorable à toute la Chrestienté. Je n'adjouteray rien à cecy de particulier, le remettans à ce que j'escris à Monsieur d'Herbault. Je crais d'avoir trop entrepris en représentant ces raisons à un personnage doué du plus bel esprit du monde, et qui a toutes choses présentes devant luy. Elle serviront pour marque de mon devoir. J'espère que les défaults seront excusés comme d'une de vos créatures qui fait profession d'estre à jamais.

Monseigneur,

Vostre très humble et très obéissant serviteur,
d'Aligre.

A Venise, ce 22 octob. 1625.

73. — M. de la Ville-aux-Clercs au cardinal de Richelieu. Saint-Germain-en-Laye, 22 octobre 1625.

A.E., Mém. & Doc., France, Vol. 780, f° 80. — Original.

Monseigneur,

Sans que M[rs], d'Erachlée, de Beauvais, et aultant du second ordre du Clergé, arrivassent hier soir en ce lieu, j'aurois peu satis-

Pièce 73. — *Henri-Auguste de Loménie, sieur de La Ville-aux-Clercs* (1595-1666) *était fils d'Antoine de Loménie, comte de Brienne, secrétaire d'Etat chargé de la Maison du roi, et d'Anne d'Aubourg. Dès* 1615, *il avait obtenu la survivance de la charge de son père, qu'il exerçait alors conjointement avec celui-ci, puis seul à partir de* 1638. *Il sera chargé des affaires étrangères de* 1643 *à* 1663. *Devenu comte de Brienne à la mort de son père, il est l'auteur d'intéressants* Mémoires sur les règnes de Louis XIII et de Louis XIV. *Pendant une grande partie de l'année* 1625, *il avait entretenu avec Richelieu une correspondance suivie, qui a trait aux négociations alors engagées avec le gouvernement anglais, auprès duquel il avait été envoyé en qualité d'ambassadeur extraordinaire : plusieurs lettres du cardinal ont été publiées par Avenel, au t. II de son ouvrage. Les instructions remises à La Ville-aux-Clercs avant son départ sont datées du* 27 *novembre* 1624 (*Avenel, II, pp.* 39-50).

faire à ce dont je charge cette lettre, et vous aurois porté l'advis des discours qu'a tenus M. de Maillezais (1) en Assemblée, où, pour descrier des affaires du Roy, on réduict les choses à passer par la fantaisie de Monsieur le cardinal son frère (2). Il a advancé que la paix estoit résolue avec les Rochelois que vous l'aviez conclue, adjoustant qu'il estoit partant inutile de donner aulcun secours à Sa Majesté, qui ne laissoit de le désirer pour l'employer à ses aultres affaires, ce qu'il conjecture par la réitérée demande qui leur estoit fait et par la résolution d'exclure les prélats du maniement de leur argent, ce qui a paru véritable, cette dernière restriction ayant esté désirée. Cela n'a néanmoins produit aucun effet, l'assemblée ayant résolu cette députation, celle dont cy-dessus j'ay parlé, auxquels estant donné à entendre la volonté du Roy ils s'y conformeront, sauf les deux conditions toutesfois [que] leur secours sera employé contre la Rochelle, et l'administration d'iceluy laissé à quelque-uns d'entre eux. J'ay à désirer s'il vous plaist me commander ce que j'ay à faire et à dire soit p[r] le secours et sur les discours controuvés dud. évesque de Maillezays, à quoy je ne manqueray de me conformer, puisque par obligation et inclination je suis,

Monseigneur,

Vostre très humble et très obéissant serviteur,
De Loménie.

22 oct., à St-Germain.

74. — M. de Retz au cardinal de Richelieu. Mortagne-au-Perche, 29 octobre 1625.

A.E., Mém. & Doc., France, Vol. 780, f° 84. — Original.

Analyse :

Il a appris par M. du Plessis de Juigné que le cardinal avait manifesté le désir de recevoir « les asseurances de son très humble service » ; il n'y a pas voulu manquer, et, dès qu'il pourra le faire, il viendra lui-même rendre ses devoirs à Son Eminence.

Pièce 74. — *La lettre est simplement signée « Retz », ce qui ne permet pas d'identifier son auteur avec certitude. Il y avait, en effet, à cette date, trois personnages adultes qui pouvaient ou auraient pu signer de ce nom. Le premier auquel on doit songer est Philippe-Emmanuel de Gondi, troisième fils du maréchal Albert de Gondi et de Claude de Clermont :*

(1) Henri d'Escoubleau de Sourdis (1594-1645), évêque de Maillezais depuis 1615 ; il sera beaucoup question de lui, à partir de 1627, pour le rôle militaire qu'il joua alors aux côtés de Richelieu. Il succédera à son frère sur le siège archiépiscopal de Bordeaux en 1628.

(2) François d'Escoubleau de Sourdis (1575-1628), archevêque de Bordeaux en 1599, cardinal depuis le 3 mars 1598.

né en 1581, *il était duc de Retz, général des galères et chef de la maison de Retz ; après la mort de sa femme, née Françoise-Marguerite de Scilly. il allait, l'année suivante, résigner ses charges pour se retirer à l'Oratoire. où il fera profession le* 6 *avril* 1627. *Son fils aîné, Pierre de Gondi, né en* 1602, *lui succédera alors comme général des galères ; mais il était appelé « comte de Joigny », et c'est ainsi qu'il signe ses lettres jusqu'à ce qu'il prenne le titre de duc de Retz. Il peut s'agir enfin d'Henri de Gondi* (1590-1659), *fils de Charles de Gondi et d'Antoinette d'Orléans, duchesse d'Estouteville, qui portait également le titre de duc de Retz.*

75. — M. de Gramont au cardinal de Richelieu. Bayonne, 6 novembre 1625.

A.N., K 113, pièce n° 16. — Original.

Monseigneur,

Je crérés vous ennuyer de voulloir représenter les désordres qui sont arrivés en ceste ville de Bayonne par un orage et inondation de rivière. Je cré que vous en serés asses instruit par la dépesche que je fais sur ce subject au roy et le procès-verbal que je luy envoye par ce dépputé, que le corps de ville et la communauté envoyent vers Sa Ma[té] pour implorer de sa bonté les moyens de réparer le désolé estat auquel cet accident a réduit cette ville, qui est véritablement tel, Monseigneur, que je ne l'ose dire tant elle est ouverte et abandonnée à toute sorte de mauvais événemens, qui me faict vous supplier très humblement de voulloir estre favorable à leurs justes demandes et supplications, comme à chose qui est particulièrement très importante au service du roy pour la seureté de cette place, et par conséquent de toute la province. J'assayeray de la fermer par provision et par nécessité le mieulx qu'il me sera possible, en attendant qu'il plaize à Sa Ma[té] d'y voulloir faire pourvoir, à quoy je vous supplye très humblement, Monseigneur, vous voulloir porter tout aultant qu'il vous sera possible et que la chose en a de nécessité, et me faire l'honneur de me crère éternellement,

Monseigneur,

Vostre très humble et très affectionnée serviteur (1),
Gramont.

A Bayonne, ce VI no[bre] 1625.

Pièce 75. — *Sur l'auteur de cette lettre, Antoine II de Gramont, voir la lettre du* 8 *février* 1625 (*pièce* 16).

---

(1) Cette ligne seule est autographe.

76. — M.M. de la ville de Bayonne au cardinal de Richelieu. Bayonne, 7 novembre 1625.

A.N., K 113, pièce n° 16. — Original.

Analyse :

La ville de Bayonne vient d'être dévastée par une inondation qui a causé des dégâts considérables, emportant les ponts, les bastions et une partie des murailles, en sorte qu'elle est « entièrement ouverte et quasi sans aucune deffence ». Le corps de ville a donc décidé de députer auprès du roi un de ses membres pour supplier Sa Majesté de « jetter les yeux et sa bonté sur la misère » de la population. Il espère que le cardinal favorisera cette mission « en considération du salut de cette province qui est entièrement attachée à la conservation de cette ville ».

77. — Discours tendant à voir si, ayant la guerre avec l'Espagne en Italie, il faut la faire aussy au-dedans du royaulme. 25 novembre 1625.

A.E., Mém. & Doc., France, Vol. 246, f° 32-39. — Minute avec plusieurs corrections et additions de la main de Richelieu.

C'est une chose certaine que, tant que le party des huguenots subsistera en France, le Roy ne sera point absolu dans son royaume, qu'il ne sçauroit y establir l'ordre et la règle à quoy sa conscience l'oblige et que la nécessité de ses peuples requiert. Aussi pour abatre l'orgueil des grands, qui, se gouvernant mal, regarderoient tousjours la Rochelle comme une citadelle à l'ombre de laquelle ils pourront tesmoigner de faire valoir impunément leur mécontentement. Il est certain, en outre, que, pendant ce temps, on n'oseroit rien entreprendre de glorieus au-dehors, pas mesme s'opposer aux entreprises estrangères, parce que en mesme temps ce party ne

Pièce 77. — *Le titre reproduit ici figure en tête du document ainsi que la date. Il est également porté au verso du dernier folio avec la mention « Employé » de la main de Sancy. Les* Mémoires de Richelieu — *éd. de la S.H.F., t. V, pp.* 182-199 — *suivent en effet ce texte d'assez près, mais avec des variantes et à l'exception de la dernière partie du mémoire intitulée* Conditions de paix.

Ces pages ont été rédigées dans des circonstances qui exigeaient une décision importante de la part du pouvoir royal, décision qui sera prise au Conseil tenu quatre jours plus tard à Fontainebleau. Le parti dévôt souhaitait manifestement entraîner le roi et son ministre dans une guerre à outrance contre les huguenots, alors que la France se trouvait menacée d'un conflit avec l'Espagne, à propos de la Valteline. Richelieu — comme l'écrit Victor-L. Tapié — « ne croyait pas l'Etat en mesure de courir déjà un pareil risque... Ces deux guerres, il pensait sûrement qu'il lui serait difficile de les éviter un jour ; mais ce jour n'était point venu, et la paix, maintenant, lui paraissait souhaitable » (La France de Louis XIII et de Richelieu, *p.* 146-147).

manqueroit pas, comme il a paru par des expériences passées et de la guerre dernière, de vouloir profiter à l'occasion.

Partant, il n'y a point à doutter que le premier et principal dessein que Sa Maté doibt avoir est de ruiner ce party. Mais il faut voir si le temps et l'occasion y sont aussy propres, maintenant que l'on a de l'occupation au-dehors, comme le sujet qu'ils en ont donné par leur insigne rébellion en est grand et odieus à tout le monde.

Pour le bien juger, il faut voir les raisons qui peuvent donner lieu de continuer sans délay ceste entreprise, et celles aussy qui peuvent convier à remettre la partie à une autre foye.

Tous les peuples et communautés et la pluspart des compagnies souveraines de ce Royaume sont tellement prévenus en l'opinion que l'on doibt faire présentement la guerre aux huguenots et que leur ruyne est aysée, qu'ils tiennent et publient pr mauvais catholiques ceulx qui parlent seulement contre ces sentimens, estans fomentés en ceste pensée par plusieurs grands mescontans.

Il est à craindre que, si l'on areste le cours des armes contre les huguenots, l'on ne commence à jetter dans le cœur des peuples des impressions capables de produire une ligue comme autrefois l'on a fait sur pareil sujet.

Le malheur du siècle voulant que les zélés levant les espaules avec ung soupir entrecoupé feront plus de mal à la réputation des hommes avec les grains de leur chapelet que les plus puissants monarques du monde avec les boulets de leurs canons à la vie de ceulx qui y sont exposés, on ne doibt pas, si l'on n'y est contraint par la nécessité des affaires, mespriser la calomnie que telles gens sçavent vomir contre ceulx qui, ayant les mesmes fins qu'ils ont, preignent d'autres voyes pour y parvenir que celles qu'ils estiment les meilleurs.

Il est à craindre que le Clergé, qui veult maintenant contribuer à ceste entreprise, n'y soint point disposé ou ne soit pas en pied pour le faire une autre fois (1).

Il semble que l'occasion ne fut jamais plus belle en ce que la Rochelle est fort incommodée d'elle-mesme, que tous les huguenots de France sont estonnés et du tout abatus, et que ceulx qui du dehors les pourroient ayder, comme les Hollandois et particulièrement les Angloys ne le sçauroient faire pr estre occupés ailleurs et avoir besoin de nous. Au lieu que, si l'on attend une autre conjoncture où ces deux considérations n'ayent plus lieu, il y a grande apparence qu'ils metront à effet la bonne volonté qu'ils ont de ceste heure pour ceste ville.

La saison de l'hiver fait qu'il n'y a pas grand lieu de craindre qu'une ataque estrangère des Espagnols puisse destourner Sa Maté présentement d'une telle entreprise. Il est certain que si l'on a deulx moys de temps pr faire la digue dans le port de la Rochelle, tous les princes du monde ne le sçauroient secourir. Ce temps est très propres à l'exéqution des diverses entreprises projetées contre le party, lesquelles seront toutes perdues si l'on diffère à une autre foys, comme l'on feroit si l'on foisait la paix ; et si elles

(1) Au début de ce mois de novembre 1625, l'assemblée du Clergé venait, en effet, d'accorder cinq cent mille écus pour faire le siège ou le blocus de La Rochelle.

réussissent, la Rochelle sera tellement affoyblie qu'elle ne saura s'exempter de revenir à son devoir.

Le bonheur aussy du siège de Verrue (2) doibt empescher que l'on ne se précipite en ceste paix, y ayant grande apparence que ce succès fera penser les Espagnols à leur conscience et les rendra faciles à la paix, ce qui fait qu'il est de la prudence d'attendre ce qui produira cest accident, comme aussy la surprise de Cadis (3) laquelle ne peut succèder sans changer la face de leurs affaires (a).

Les divers advis que ceulx qui commandent les armées qui sont en Piedmont et en la Valteline donnent au Roy d'avoir des entreprises avantageuses contre les ennemys font que par raison il est bon d'en attendre le succès devant que de prandre une résolution deffinitive pour les affaires du dedans.

La passion que le zèle de Monsieur le légat luy donne à faire la paix, outre que ses intérests luy portent, semble requérir que l'on se donne la patience de voir ce que produira son arrivée à Rome, s'il y va, veu principalement qu'elle sera au mesme temps de la déroutte de Verrue et des avantages que l'on attend en Italie si les desseins réussissent selon les projets.

Raisons pour faire la paix au-dedans

La prudence ne permet pas d'entreprendre deux guerres à la foys. L'on ne sçauroit, quand l'on voudroit, terminer celle d'Italie, partant il semble que la raison veuille que l'on pacifie les affaires du dedans principalement puis que l'on recouvera, quand l'on voudra, l'occasion de perdre les huguenots, au lieu que si l'on perd celle de résister aux entreprises des estrangers, il ne sera plus licite d'y revenir en une seule foys.

L'on doibt d'autaut plus se porter à pacifier les affaires du dedans que l'on a mesme des expédiens de ruiner par la paix le party huguenot. Telle paix fera faire indubitablement celle d'Espaigne, qui, ayant eu des désavantages avec nous lors mesme que nous avions une guerre intestine, ne voudra point nous avoir sur les bras quand nous pourrons employer toutes nos forces contre eux.

Les armes du Roy vont entrer dans le Milanoys tant du costé de Piedmont que de la Valteline. Pourtant il est à craindre que les Espagnols, qui ne sont pas insensibles, ne se veuillent prandre revanche dans nos frontières, qui est le seul moyen par lequel ils se peuvent guarantir. Si nous avons la paix au-dedans, il n'y a rien à craindre quand ils le feront, et apparemment et par raison ils ne l'entreprendront pas ; mais si l'on est bien embarqué au siège de la Rochelle, la cognoissance qu'ils auront qu'ils peuvent faire ceste entreprise sans qu'il leur puisse arriver inconvénient, fera

(a) Depuis « de la prudence... » jusqu'à la fin de cet alinéa, la phrase est une correction de Richelieu.

(2) Commencé au mois d'août, le siège de Verrue, (Verrua, au sud de Crescentino) tirait alors à sa fin : sept mille Français y défendirent victorieusement la place contre l'armée espagnole commandée par le duc de Feria.

(3) Au cours de l'automne 1625, un corps expéditionnaire anglais était débarqué devant Cadix, mais la difficulté du ravitaillement avait obligé les Britanniques à faire demi-tour avant même d'avoir pu investir la place.

qu'ils l'entreprendront, et, en tel cas, il faudra quitter prise ; on ne pourra plus faire la paix avec les huguenots, plus orgueilleux que jamais, factionnaires d'Espaigne par force, et lors, comme ils se résoudroyent de servir l'Espaigne pour leurs intérests, l'Espaigne se résoudroit aussy d'exécuter les pensées qu'ils ont eu plusieurs foys de leur donner de l'argent pour nourrir la guerre dans nos entrailles. Au reste, il seroit à craindre que Spinola d'un premier effort emportast quelque place, laquelle on auroit bien de la peine à reconquérir, et qui seroit capable de faire perdre tous les progrès que l'on auroit fait en Italie. Le peu de seureté qu'il y a aux Grands, parmy lesquels se trouve peu de capitaines pour faire teste à une armée réglée, composée de vieux soldats, commandée par un chef, doibt faire penser meurement à cet inconvénient.

Il est aysé de remédier à l'appréhension que l'on a que les Angloys et les Holandois assistent la Rochelle en une autre occasion, et en faisant la paix l'on peut les obliger à seconder le Roy une autre foys à ce dessein, estant certain qu'ils désirent avec grande passion que les troubles du dedans du Royaume s'apaisent maintenant. Que si l'on fait cognoistre que le Roy, mettant sous ses pieds ses propres intérests, veut donner la paix à son Royaulme pour vaquer plus puissamment aux affaires qu'ils ont contre les estrangers, pourveu qu'ils s'obligent d'en prendre revanche en assistant ouvertement Sa Maté, lors que par après il voudra avoir raison de ces rebelles, indubitablement ils s'y porteront. Et si, au contraire, l'on continue la guerre, s'il est vray que Bourquinguan agisse par boutade et non par raison, il est à craindre qu'il ne leur face donner quelque secours sous main, qui rande cette entreprise de longue haleine et, par conséquent, de douteux événement, veu que, outre que les Françoys ne demeurent pas longtemps en mesme résolution, il peut arriver beaucoup d'accidens qui la feroient changer.

Au reste, quand mesme la paix seroit faite avec Espaigne, elle ne sçauroit estre exéqutée de six moys, et il est ordinaire aux Espagnols de ne tenir ce qu'ils promettent et dont ils conviennent par traitté que lors qu'ils ne s'en peuvent esmpescher et que l'on les [peut] bien faire contraindre. Ce qui montre bien que la paix est nécessaire au dedans, veu que si elle n'y estoit pas on seroit si empesché à vacquer à la guerre que l'on n'auroit pas lieu de faire exéquuter la paix du dehors, et sans doute les Espagnols n'oublieroyent rien de ce qui leur seroit possible pour faumenter nos divisions intestines pour que le traité fait avec eux demeurast sans effet (b).

Les affaires d'Allemaigne sont en tel estat que si le Roy les abandonne, la Maison d'Autriche se rendra maîtresse de toutte l'Allemaigne, et ainsy assiègera la France de tous costés. Or est-il que si le Roy a la guerre en France, il ne peut secourir les princes de la Germanie opressés ; ou, au contaire, s'il a la paix dans son Royaulme sans entreprendre la guerre de son chef, il peut, en aydans ces princes d'argent sous main et les Anglois de quelque

(b) Depuis : « que l'on n'auroit pas lieu... » jusqu'à la fin de cet alinéa, la phrase a été corrigée par Richelieu.

cavalerie, ayder à rendre la liberté à ses anciens alliés (c), restituer la paix à l'Allemagne et remettre les choses en une juste balance (d). Que si l'on n'y pourvoie maintenant, dans six ans au plus tard, lors que la Maison d'Autriche n'aura plus rien à conquérir en Allemaigne, elle tâchera de s'occuper en France à nos despens, et s'il est vray que l'on tienne une place perdue quand tous les dehors en sont gaignés, il seroit à craindre qu'elle nous feroit bien du mal.

La calomnie ne durera qu'un moys ; le bon succès que l'on peut avoir au dehors l'estouffera incontinant, ceulx qui sont capables de raison considérant bien ainsy que, si le Roy rasoit le fort (4) par la paix, l'on pourroit dire qu'elle seroit honteuse ; pour la faire honorable, c'est assez, pendant que l'on est occupé au dehors, de maintenir les choses au-dedans ainsy qu'elles étoient auparavant, de façon que si, passant plus avant, le Roy donne la paix après avoir gaigné une bataille (5), conservant les isles qui en sont le fruit et les despouilles, et réduisant les huguenots à des conditions beaucoup pires qu'ils n'ont jamais esté, elle sera glorieuee et telle qu'elle ne pourra estre improuvée que de ceulx qui seroyent aveuglés par passion ou par ung zèle inconsidéré, n'y ayant homme de jugement qui ne recoignoisse que (e) quiconque entreprend deux grandes guerres à la foys se confie plus à son bonheur et à sa fortune qu'à sa conduite et à sa prudence.

Jamais le Turc, pour puissant qu'il soit, n'a guerre avec le Persan qui [= *qu'il*] ne face la paix avec les chrétiens. L'Empereur ayant maintenant la guerre en Allemaigne n'a rien oublié p[r] faire la paix avec luy et a tous les jours des agents à la Porte pour empescher qu'elle ne se rompe (6).

Si le Roy est contraint de faire la paix pour ces raisons, Dieu qui pénètre les cœurs, cognoissant la sainteté de ses intentions, les fera cognoistre au monde et donnera bon succès à la première entreprise pour faire réussir la seconde.

Le secours que Messieurs du Clergé donnent au Roy ne sera point perdu, mais Sa Ma[té] en peut conserver le fons et acquérir une grande réputation et probité de foy du tout nécessaire dans les affaires publiques, si, au cas que pour le présent il ne face point la guerre au dedans, il dit à ces messieurs qui [= *qu'il*] ne veult pas toucher leur argent maintenant, mais qu'il désire le conserver avec leur bonne volonté pour s'en ayder lors que les mauvais déportemens des huguenots luy donneront lieu de s'en servir à propos.

Pour conclusion, après avoir considéré tout ce que dessus, toutes raisons de prudence conviennent à n'avoir pas deulx guerres à la

(c) Le texte portait d'abord : « aux princes opprimés » ; la correction est de la main de Richelieu.

(d) « Remettre les choses en une juste balance » correction de Richelieu.

(e) « N'y ayant homme de jugement qui ne recognoisse que » ; correction de Richelieu.

(4) Il s'agit du Fort-Louis, que les Rochelais considéraient non sans raison comme une menace permanente.

(5) La victoire navale remportée par Montmorency sur la flotte de Soubise, dans le Pertuis Breton, le 14 septembre 1625.

(6) A la vérité, la paix remontait au mois de novembre 1606 ; elle avait été confirmée par deux accords signés à Vienne avec l'empereur Mathias, le 1er juillet 1615 et le 1er mai 1616. Depuis l'avènement de Mourad IV (1623) qui n'avait alors que douze ans, l'Empire ottoman traversait une période d'anarchie dont la paix bénéficia.

foys. Mais d'autant que Dieu fait souvant des miracles pour la France, qu'il les fault particulièrement attendre en ce sujet, affin qu'en outre nul ne puisse dire qu'on s'est précipité sur des ombres, on estime que le vray conseil qu'on doibt prendre est de tenir les affaires en estat que l'on puisse avoir la paix au-dedans quand l'on voudra, et cependant ne la conclure pas pour les considérations qui s'ensuivent :

Qu'il est à propos d'attendre des nouvelles d'Italie p[r] sçavoir comme les affaires auront succèdé et quelles espérances ont ceulx qui servent le Roy.

D'en attendre aussy de diverses entreprises que l'on a en Languedoc, lesquelles il faut haster le plus qu'il sera possible.

De sçavoir ce qu'aura produit la dernière depesche que l'on envoya à Blainville, laquelle luy donne pouvoir de parler hautement, s'il juge que les Anglois demeurent en l'obstination de ne donner point de contantement au Roy, et s'ils sont disposés à secourir la Rochelle comme il a desjà mandé.

D'attendre des nouvelles de Monsr de Montmorency p[r] voir si les Holandois sont résolus de servir le Roy fidèlement contre la Rochelle, ou si, comme dit M. de Toiras (7) il[s] ne le secoure[nt] pas.

Voir aussy ce quc diront sur ce point les Srs Aersens (8) et Bouquingam devant la venue duquel il est du tout nécessaire de faire partir les députés [qui] yront en Languedoc et La Rochelle p[r] esviter importunités et solicitations qu'il feroit en leur faveur.

En outre, de faire auparavant séparer l'assemblée du Clergé.

Si l'on a de bonnes nouvelles de toutes parts, l'on pourra continuer la guerre, entretenant tousjours quelque pratique secrète de paix si aussy l'on a mauvaises nouvelles, il faudra faire la paix en effet (f).

Et parce qu'il sera fort difficile de tenir les affaires en tel tempérament que présentement, l'on s'exempte de conclure paix ou guerre avec les huguenots, d'autant qu'estans soubçonneux comme ils sont, ils presseront fortement une conclusion, toutesfois l'on peut [s']exempter de conclure par le moyen qui s'ensuit :

Il faut dire aux députtés du Languedoc que le Roy veult leur donner la paix s'ils la sçavent prandre ; mais que p[r] l'honneur et la réputation Sa Maj[té] ne veult point ouyr parler qu'elle tesmoigne faction et party. Partant, que c'est à eulx d'accepter la paix sans junction, ou, s'ils en ont le pouvoir, d'envoyer quelques-uns d'entre eulx p[r] y disposer leurs provinces.

Pour porter à ce que dessus les plus mauvais, faut leur faire cognoistre bonnement que ceste séparation d'union désirée par le Roy ne fait pas qui [= *qu'il*] ne veuille en effet donner la paix à la Rochelle pourveu qu'ils la reçoivent à des conditions qui puissent compatir avec la dignité et réputation du Roy, qui autrement rece-

(f) « Et parce qu' » : addition de Richelieu. Un large blanc sépare cet alinéa de ce qui précède.

(7) Toiras était gouverneur du Fort-Louis depuis l'année précédente ; il recevra le gouvernement de l'île de Ré le 2 décembre 1625.

(8) François van Aersens avait été ambassadeur des Etats-Généraux en France ; il se trouvait alors à Londres.

vroit un grand préjudice par la calomnie et le zèle inconsidéré de plusieurs catoliques.

Il faudra mesme p[r] mieulx jouer ce personnage que quelqu'un des ministres parlant non de la part du Roy, mais comme de luy-mesme en grand secret, leur donne part de quelques-unes des conditions que l'on désire en la paix avec la plus douce saulce qu'il pourra, leur disant que l'on désire celles qui semblent les plus rudes, plus que l'apparence et pour esviter le bruit de cagots (g) qu'autrement, pourveu qu'au mesme temps que l'on jouera ce personnage avec Belugeon (9) et quelque autre qu'on choysira, l'on parle hautement de guerre.

Il y a grand aparence que l'on obtiendra d'eulx qu'ung de leurs députés de la Rochelle demeurant icy, l'autre s'en retourne p[r] faire agréer les dittes conditions, et que Madianne (10) et du Cros (11) iront personnellement en Languedoc, La Miletière (12) et le baron d'Aubais (13) demeurant icy. Cela estant (h), si l'on fait cognoistre auxd[s] Madianne et du Cros que l'on veuille donner la paix à la Rochelle p[r] esviter la faction et agir avec réputation, sans doubte ils raporteront contentement.

Conditions de paix (i)

Si l'on est contraint de faire la paix, il faut prendre quelque sujet plausible, comme le refus de la vérification de quelques édits, si le parlement en fait difficulté, crainte p[r] quelques places de frontières, si l'on en reçoit des advis, et des monopoles des grands, qui témoignent tousjours trop ouvertement leur mécontentement. Il faut insérer dans le traitté quelques conditions par lesquelles l'on puisse revenir à la guerre toutesfoys et quantes que l'on voudra : comme, par exemple, que ceulx de la Rochelle ouvriront leurs portes au roy toutes les foys qu'il voudra aller en leur ville. Pour les disposer aux conditions qui sont de ceste nature, l'on leur dira que l'on ne les met que p[r] l'honneur et réputation du Roy, qui ne peut donner la paix s'il n'y a en ycelle de quoy contenter les catholiques et le clergé, mais qu'en effet le Roy n'ira pas.

(g) Les rédacteurs des *Mémoires* ont remplacé le mot « cagots » par « catholiques ».

(h) Ces deux mots sont une addition de Richelieu.

(i) Cette partie du « Discours » n'a pas été utilisée par les rédacteurs des *Mémoires du cardinal de Richelieu*. Sur la minute, un trait a été tiré du haut en bas de la page (f° 38 v°), mais en marge on lit : « Cette page est bonne ».

(9) Daniel de Bellujon, ancien secrétaire et homme de confiance du connétable de Lesdiguières, avait été chargé de négocier un accord avec les Rochelais ; il était conseiller d'Etat depuis 1621.

(10) Jean de Bouffard dit Madiane (1597-1674). C'est lui qui avait négocié, en 1622, la reddition de Montpellier au roi ; il participait depuis l'automne de 1625, aux pourparlers engagés avec la cour comme représentant des protestants de Castres.

(11) Chargé, aux côtés du précédent, de prendre part aux négociations.

(12) Théophile Brachet, sieur de la Miletière, protestant du Languedoc il sera arrêté et mis à la Bastille le 28 juillet 1627.

(13) Lieutenant à Nîmes du duc de Rohan, également protestant du Languedoc.

Faudra mettre aussy qu'ils razeront toutes leurs fortifications, et si on ne le peut obtenir, comme il n'y a pas d'aparence, par un traitté qui seront désignées.

De plus, ils prandront un intendant de justice de la part du Roy.

Que le gouvernement de la ville ne sera plus entre les mains du peuple, mais des magistrats.

Qu'ils n'auront plus de vaisseaux de guerre, mais seulement pour aller en marchandise ; qu'ils ne feront plus voyages qu'avec congé de l'intendant et après avoir donné advis à celluy qui commande au fort, huit jours auparavant leur partement.

Que les draps volés au marchand d'Orléans et retirés dans leur ville seront rendus.

Que tous les biens des ecclésiastiques possédés en leur ville par autres seront restitués.

Si M. de Soubize est compris dans le traitté, il faudra mettre que tous les vaiseaux pris par ledit s[ieur] tant sur le Roy que sur ses sujets, seront randus ; mais il vaut mieulx pardonner à ces conditions audit s[ieur] de Soubize par ung traitté à part.

78. — M. de La Force au cardinal de Richelieu. Calais, 26 novembre 1625.

A.E., Mém. & Doc., France, Vol. 1675 (Picardie), f° 128. — Original.

Analyse :

Il remercie le cardinal de la bienveillance qu'il lui a témoignée à l'occasion du « fascheux accident » dont il a été victime. Il souffre encore beaucoup, mais assure qu'il ne se plaindrait pas d'« en recevoir deux fois autant en quelque bonne occasion pour le service du Roy ».

Pièce 78. — Les Mémoires du Maréchal de La Force (4 *vol.*, 1843) *ne disent rien de l'« accident » dont il est question dans cette lettre non plus que l'ouvrage du duc de La Force,* Le Maréchal de La Force (2 *vol.*, 1950).

79. — M. Guez de Balzac au cardinal de Richelieu. S.l., 25 décembre 1625.

Impr. : *Lettre de M. de Balzac a Monseigneur le Cardinal de Richelieu,* Paris, du Bray, 1626, 26 pp. in-8°.
Œuvres de 1627.
Recueil Faret, 1627.
Les premières lettres de Guez de Balzac, édit. écrit. par H. Bibas et K.-T. Butler, t. II, pp. 15-21 (1933-1934).

Monseigneur,

Si les chemins eussent été libres (1), et si le bon ordre que vous aviez mis à la seureté publique n'eut le mesme succez que les bonnes

(1) Balzac se trouvait alors dans la propriété dont il avait pris le nom, à une lieue d'Angoulême. Des bandes protestantes faisaient des continuelles incursions à travers le pays et les chemins n'étaient pas sûrs.

loix, qui sont d'ordinaire mal observées, je n'eusse eu garde de prendre plus de temps que vous m'en donnastes quand je partis de Fontainebleau (2), ny d'estendre jusques à cette heure le terme de mon congé. Mais encore que vos commandemens soient tout-puissans en mon endroit, vous sçavez bien que la nécessité veut estre la première obeye, et vous ne treuverez pas mauvais que j'aye choisi une prison à laquelle j'estois accoustumé, pour en éviter une autre, qui ne m'eût pas été si commode (3). Ce n'a pas esté, Monseigneur, sans beaucoup de desplaisir de ne pouvoir estre tesmoin de la plus belle vie de ce siècle, et de perdre une demye année de vos actions, qui font quasi toute notre histoire. Car quoy que nous ne soyons pas si esloignez du monde qu'il ne nous en vienne des nouvelles, elles passent néantmoins par tant de lieux, qu'il est impossible qu'elles n'en reçoivent diverses impressions et qu'elles arrivent icy en leur pureté, puis qu'on les altère dès le Louvre mesme. J'ay sceu pourtant, et la renomée a publié au désert les grands combats qui ont esté rendus pour l'honneur et la réputation de la France, et come vous avez vaincu l'esprit des Estrangers, qui est plus redoutable que leurs forces. J'ay sceu que l'Italie a espuisé toutes ses

Pièce 79. — *Nous possédons une dizaine de lettres de Jean-Louis Guez de Balzac à Richelieu. La première est du 28 avril 1620 ; la dernière du 25 décembre 1635. Toutes ont paru dans les diverses éditions des œuvres de cet écrivain. Celle dont le texte est reproduit ici fit l'objet d'une publication isolée, dans les premiers mois de 1626, car après avoir été adressée au ministre, le libraire Rouvelin en avait fait paraître une contrefaçon, ce qui décida Balzac à en publier le texte authentique.*

Les relations entre le ministre et l'écrivain remontaient à l'été de 1619. A cette époque, Marie de Médicis, qui s'était enfuie du château de Blois, venait de se réfugier à Angoulême, dont le duc d'Epernon était gouverneur. Elle reçut comme résidence la plus belle maison de la ville, qui appartenait à Guillaume Guez, sieur de Balzac, le père de l'écrivain. Ce dernier, qui n'avait encore que vingt-deux ans, était déjà au service du duc d'Epernon en qualité de secrétaire. On sait que l'arrivée de la reine mère à Angoulême décida Luynes à recourir à Richelieu, alors exilé à Avignon, pour négocier un accord avec les envoyés du roi, le cardinal de La Rochefoucauldt et Philippe de Béthune. L'accord fut conclu le 11 mai. La reine demeura cependant à Angoulême jusqu'au 29 août. Il n'est pas impossible que le jeune Guez de Balzac ait alors songé à entrer au service de Richelieu. Le sort en décida autrement, puisqu'il accompagna à Rome le troisième fils du duc d'Epernon, plus connu sous le nom de cardinal de La Valette. Mais quand quelques années plus tard, au début de 1624, Balzac songea à faire paraître un premier recueil de ses Lettres, *qui devait connaître aussitôt un très vif succès, il prit soin de faire remettre un exemplaire de son manuscrit à Richelieu, qui l'en remercia en des termes fort élogieux* (Avenel, I, p. 782, 4 février 1624).

---

(2) Au cours de l'été de 1625, Balzac fit à Paris un séjour de plusieurs semaines. Il regagna sa province en septembre et ne devait revenir dans la capitale qu'au début de l'année suivante.

(3) Peut-être faut-il voir une allusion aux retentissantes querelles, que la publication des *Lettres* avait commencé de soulever dans le public parisien et qui devaient, pendant plusieurs mois, défrayer la chronique. Certaines de ces querelles ne furent pas sans excès et leur bruit ne fut sans doute pas étranger à détourner Richelieu d'utiliser Balzac, dont les ambitions politiques étaient vives.

finesses sans nuire à personne (4) et que ces subtils, qui croyaient régner dans les assemblées et estre maistres des raisons d'Estat, n'ont pu se deffendre contre vous qu'avec la passion et la colère ny se plaindre d'autre chose que de ce que vous leur persuadiez tout ce qu'ils estoient résolus de ne faire pas. De sorte, Monseigneur, que ceux qui nous appelloient Barbares et qui par leurs traittez avoient toujours eu revanche de nos victoires, ont trouvé à la fin de la sagesse deçà les monts et reconnu qu'il y avoit un homme qui les empeschera de tromper les autres. Ils ont esté estonnez de voir un serviteur qui ne pouvoit souffrir qu'il y eut un plus grand maistre que le sien ; qui sentoit les moindres maux de sa patrie, comme ses propres douleurs, et pensoit qu'on les blessât pour peu qu'on fit semblant de touched à la dignité de ceste Corone. Mais quaud ils ont veu que vous donniez des remèdes sur le champ à tous les inconvéniens qu'ils vous figuroient, que vous préveniez les objections qu'ils vous vouloient faire, que vous alliez prendre leurs intentions jusques dans leur ame, et qu'à la première conférence vous respondiez à ce qu'ils réservoient pour la seconde ; c'est lors véritablement que leur phlegme s'est tourné en bile, et que vous avez mis en désordre la prudence humaine et les maximes politiques. Que s'il suffisoit de faire voir le bien pour le faire aymer, et si la raison avoit le mesme pouvoir sur la volonté qu'elle a sur l'entendement, sans doute tous les Italiens qui vous ont ouy parler, s'en fussent retournez bons François et le salut de la Chrestienté et la liberté de ses Princes n'eussent esté que l'ouvrage d'une journée. La guerre estrangère auroit esté achevée en vostre chambre : Nous n'aurions plus qu'une affaire sur les bras, et les armes du Roy ne seroient à présent occupées qu'à chastier les rebelles de son Royaume. Vous croyez bien, Monseigneur, qu'encore que je ne pûsse attendre de plus petites nouvelles du lieu où vous seriez j'ay receu celles-là avec de l'émotion et du transport, et qu'il n'est pas en ma puissance de dissimuler ma joye, quand j'apprends que leurs Majestez ne se lassent point de vos services ; qu'après avoir essayé divers conseils, il faut enfin s'arrester aux vostres, et que vous présidez aux affaires de l'Europe en conduisant la fortune de la France. Il est vray que de tous les contentemens qui me viennent de dehors, il n'y en a point qui me soit si sensible que celuy-là. Mais de l'autre costé lors qu'on me dit que vostre santé est toujours attaquée ou menassée de quelque accident ; que le repos que vous devroit donner la satisfaction de vostre conscience ne vous empesche pas d'avoir de mauvaises nuits, et qu'au milieu de la gloire et des bons succès qui vous arrivent, la vie vous est souvent ennuyeuse ; alors certes, on me touche en ma plus tendre partie de mon ame, et cependant que la Cour vous fait mille fausses protestations de service, il y a un Hermite à cent lieues de vous, qui pleure vos maux avec des larmes véritables. Je ne sçay si j'oseray vous dire que je vous ayme ; il n'y a point d'apparence pourtant que vous vous offensiez de ce mot, duquel vous sçavez que Dieu se contente. Je vous ayme Monseigneur, de telle sorte, qu'ou je suis malade de la nouvelle de vostre indispo-

(4) Allusion aux négociations engagées avec le Saint-Siège au sujet de la Valteline. Deux mois plus tôt, le légat Barberini avait quitté Paris sans avoir obtenu les avantages qu'il espérait.

sition, ou si le bruit court que vous vous portez mieux, je crains pour vous tous les changemens que peuvent faire toutes les heures. Faut-il donc que ce soit dans les acès de fièvre et l'inquiétude de vos veilles que vous entendiez les acclamations de la voix publique et les loüanges que vous avez méritées ? Faut-il que les gens souffrent et que l'esprit se resjouisse ? qu'ils soient à la genne parmy ses triomphes ? que vous faciez deux actions contraires à la fois, et qu'en mesme temps vous ayez besoin de modération et de patience ? Si la vertu pouvoit estre malheureuse, et si ceste Secte, qui ne connoissoit point d'autre mal que la douleur ny d'autre bien que la volupté, n'avoit esté généralement condamnée, la Providence divine recevroit aujourd'huy des plaintes de tous les endroits de ce Royaume, et il n'y auroit point d'homme de bien qui pour l'amour de vous trouvast quelque chose à désirer en la conduite du monde. Mais, Monseigneur, vous le sçavez mieux que moy : c'est seulement de la félicité des bestes, dont il faut croire le corps, et non pas de la nostre, qui réside en la plus haute partie de nous mesmes, et se ressent aussi peu des désordres qui se font au dessous d'elle, que ceux qui sont au Ciel peuvent estre offensez des orages de l'Air et des vapeurs de la Terre. Et cela estant, à Dieu ne plaise, que par l'estat de vostre santé je veuille juger de celuy de vostre condition, et que je n'estime parfaictement heureux celuy que je tiens parfaictement sage. Imaginez vous que vous avez partagé avec les autres hommes les infirmitez de la Nature humaine, et vous trouverez que l'advantage est tout de vostre costé, veu qu'en effect il ne vous est demeuré qu'un peu de douleur, pour une infinité d'erreurs, de passions et de fautes que vous nous avez laissées. Encore veux-je croire que le terme de vostre patience s'en va expiré et que l'avenir vous prépare des contentemens tous purs et une jeunesse après sa saison, comme vous avez esté vieux devant le temps. Le Roy qui a besoin de vostre longue vie, ne fait point de souhaits inutilement ; le Ciel n'exauce point les prières des ennemis de cet Estat ; nous ne connoissons point de successeur qui puisse entreprendre ce que vous n'aurez pas achevé. Et s'il est vray que nos armées ne soient que les bras de vostre teste, et que vos conseils ayent esté choisis de Dieu pour restablir les affaires de ce siècle, nous ne devons point appréhender une perte qui ne doit arriver qu'à nos neveux. Ce sera de vostre temps, Monseigneur, que les peuples opprimez viendront du bout du monde rechercher la protection de ceste Corone ; que par nostre moyen nos alliez se raquiteront de leurs pertes ; et que les Espagnols ne seront pas les conquérans, mais que nous serons les libérateurs de la Terre. Ce sera de vostre temps que le Sainct Siège aura ses opinions libres, que les inspirations du Sainct Esprit ne seront plus combatuës par l'artifice de nos ennemis, et qu'il s'eslevera des courages dignes de l'ancienne Italie pour deffendre la cause commune. Enfin, Monseigneur, ce sera par vostre prudence qu'il n'y aura plus de rebellion parmy nous, ny de tyrannie parmy les hommes ; que toutes les villes de ce Royaume seront villes de seureté pour les gens de bien ; que les nouveautez ne seront plus receuës que pour les couleurs et la façon des habillements ; que le peuple laissera entre les mains de ses supérieurs la Liberté, la Religion et le bien public ; et que du Gouvernement légitime et de la parfaicte obéïssance il naistra ceste félicité que les Politiques cherchent, et qui est la fin de la vie civile. J'espère, Monseigneur, que tout cela arrivera sous vostre sage conduite, et qu'après avoir asseuré nostre repos et procuré celuy de nos voisins, vous jouïrez de vos bien-faicts à vostre aise, et verrez durer l'estat des choses duquel vous aurez esté l'autheur. Pour moy, qui ne commence pas d'aujourd'huy à faire mes passions de vos intérests, et qui ay révéré vostre vertu en vostre mauvaise fortune, je n'ay plus rien qui m'empesche d'aller prendre ma part de cet advenir glorieux, que toutes les apparences vous promettent, et de me rendre où je pourray vous tesmoigner que je suis,

Monseigneur,

Vostre très-humble et très obéissant serviteur,

Balzac.

Le 25 décembre 1625.

80. — La duchesse de la Trémoïlle au cardinal de Richelieu. [Thouars, vers la fin de 1625].

Bibl. de Poitiers, Vol. 454, pièce 13. — Original.

Monsieur,

Il y a quelques jours que Monsieur mon mary me menda que vous aviez seu que quelqu'un de ses prédécesseurs avoit esté honoré des *charges d'admiral de Guienne et de Bretaigne*, et que, si les expéditions en estoient dans le trésor de ceste maison, que vous seriez bien ayse d'en avoir des copies, ce que j'ay fait rechercher sogneusement, le secondant bien fort en l'affection qu'il a de faire quelque chose qui vous soit agréable. Je croy y avoir rencontré ce qui s'en peut désirer et en ay fait faire des copies bien colationnées ; mais avant *vous les envoyer, j'ay creu, Monsieur, vous en devoir*

Pièce 80. — *Cette pièce ne porte ni indication de lieu ni date. Le contenu indique qu'elle n'a pu être rédigée qu'à Thouars, au château familial des La Trémoïlle. Quant à la date, faute d'éléments précis, on ne peut la fixer que très approximativement et sous toutes réserves aux derniers mois, peut-être aux dernières semaines de l'année* 1625, *c'est-à-dire à une période où Richelieu préparait, en réunissant les documents qui pouvaient s'y rapporter, la suppression de la charge d'amiral de France, dont le titulaire, le duc de Montmorency, devait accepter de se démettre dès le mois de mai* 1626.

La duchesse de la Trémoïlle, née en 1600, *était fille de Henri de la Tour, vicomte de Turenne, et, par sa mère, Isabelle de Nassau, petite fille de Guillaume le Taciturne. Elle avait épousé son cousin germain Henri de la Trémoïlle, troisième duc de Thouars, prince de Talmond et pair de France, le* 19 *janvier* 1619. *Elle était la sœur du duc de Bouillon et du futur maréchal de Turenne.*

donner advis, afin que vous ordonniez ce qu'il vous plaira sur ce sujet, auquel, co[mm]e en toute aultre, je rendray tousjours une très prompte obéissance à l'honneur de vos commandemens, désirant estre creuë de vous co[mm]e je la suis véritablement,

Monsieur,

V^re^ très humble et très obéissante servante,
Marie de la Tour.

81. — Au R.P. Suffren. S.l., [derniers jours de 1625].

Impr. : M.D.L.P. (M. de la Place), *Pièces intéressantes et peu connues pour servir à l'histoire de la littérature* (1781-1790), 8 vol., t. III, p. 250. Avenel, II, pp. 155-158.

Ayant plus au roy faire choix de vostre personne pour estre son confesseur, l'affection que je porte à votre ordre et la cognoissance que j'ay du bien que vous pouvez faire, en servant comme vous ferez Sa Majesté en cette charge, m'a fait désirer que vous la remplissiez autant d'années qu'il plaira à Dieu de vous en laisser au monde.

C'est ce qui fait que m'asseurant que vous ferez quelque cas de mes avis, sur le procédé que vous avez à tenir en cette condition nouvelle (bien que je sache assez que ce ne sera pas le désir de vous maintenir à la cour qui vous fera observer ce qui sera nécessaire pour cet effet), après vous y avoir convié autant qu'il n'est possible, par deux puissantes considérations, celle de la gloire de Dieu et du service du Roy, à qui vous la devez puisqu'il vous a fait cet honneur de vous choisir entre tant de bons religieux de tous les

Pièce 81. — *En reproduisant cette lettre dans son édition des* Lettres, Instructions diplomatiques et Papiers d'Etat du Cardinal de Richelieu *Avenel a observé que l'auteur du recueil où elle a été d'abord imprimée « n'a pas une grande autorité historique ». Elle ne lui a pourtant pas paru apocryphe, parce qu'elle figure, dans ce recueil, auprès de deux autres lettres dont l'authenticité a été reconnue, adressées à Bouthillier par l'archevêque d'Aix, Alphonse de Richelieu, et qu'en outre, selon lui, elle « résume très bien les conditions que Richelieu pouvait imposer à un confesseur jésuite ». A vrai dire, ces raisons ne sont pas absolument déterminantes, les doutes sur l'authenticité de cette lettre pouvant provenir, semble-t-il, beaucoup moins du fond que de la forme employée, à une époque ou l'autorité du cardinal n'était pas encore parfaitement assise. C'est pourquoi il convient de ne présenter cette lettre que sous d'expresses réserves.*

Le précédent confesseur du roi était le Père Séguiran, qui exerçait ses fonctions depuis le 27 novembre 1621. Son renvoi était dû aux instances de Marie de Médicis, qui n'avait jamais oublié que, pendant son séjour à Blois, en 1619, ce Jésuite avait cru devoir lui suggérer de se retirer dans un couvent. Le choix du Père Suffren semble bien avoir été conseillé par Richelieu, à l'insu de la reine mère qui tenta même de faire revenir le roi sur sa décision. Le Père Suffren était le confesseur de la reine mère depuis 1615, et il devait le demeurer jusque dans son exil. Sa désignation comme confesseur du roi est du 22 décembre 1625, ce qui permet de dater cette lettre des derniers jours de l'année.

ordres, je vous toucherai un mot par la présente de ce que je juge nécessaire, tant pour vostre conduite que pour l'honneur et maintien de vostre compagnie, que j'ay tousjours aimée.

Ne vous meslez donc point, je vous prie, des affaires d'estat, parce qu'outre qu'elles ne sont point de vostre charge, n'en cognoissant point les suites, il vous seroit impossible d'en porter un jugement certain.

N'allez chez le Roy que lorsqu'on vous y appellera, afin que, ne rendant point vostre personne commune et ordinare, ce que vous désirez pour le bien soit de plus grande considération.

Ne parlez d'aucune des affaires du tiers et du quart qui intéressent les séculiers ; non seulement parce que vous n'estes pas establi pour cela, mais d'autant que vous seriez accablé, ne pouvant parler pour tous ceux qui, en vous recherchant, vous détourneroient des devoirs de vostre profession.

N'ayez point l'ambition de disposer des éveschez et des abbayes, estant chose qui doit dépendre immédiatement du Roy, ainsy que toutes les autres grâces ; à moins que vous ne seussiez quelques raisons qui vous obligeassent en conscience de parler pour empescher que les grandes charges de l'Eglise fussent remplies par des personnes indignes de les posséder.

N'employez en vous sermons que trois quarts d'heure au plus, afin que, dans l'attention que les moins dévots ont accoutumé de donner pour peu de temps, les bonnes âmes reçoivent les bonnes instructions que vous voudrez leur donner.

Pour ce qui est de vostre ordre, embrassez peu les affaires qui le concernent ; et quand il sera nécessaire d'en parler, laissez-le faire à d'autres de la compagnie, afin que chacun voie que vostre ordre désire plustost obtenir du Roy ce qu'il demande, par justice, que par le respect deu à son confesseur.

Faites que vos pères se rendent soumis en ce qui se doit aux ordinaires, qui sont les puissances légitimes establies par l'Eglise.

Qu'ils ne donnent point de jalousie aux autres religieux, qui, estant plus anciens, portent d'autant plus impatiemment d'estre traités par les vostres comme s'ils estoient inférieurs. Que non seulement vos pères ne s'efforcent pas d'establir des collèges aux lieux où il se trouve de la résistance, mais mesme qu'ils n'aillent pas partout où ils sont appelés. Qu'aux lieux où ils sont desja establis, ils se content de prescher, confesser, catéchiser et instruire la jeunesse sans prendre cognoissance des villes, des particuliers et des secrets des familles.

Faites que désormais vos pères ne poursuivent plus d'unions de bénéfices à leurs collèges ; car outre que c'est pervertir l'intention des fondateurs, ce grand soin qu'ils ont de bien fonder leurs maisons leur attire l'envie, et fait dire qu'ils s'attendent moins que les autres religieux à la Providence divine.

Que vos supérieurs prenent soignneusement garde, je vous prie, qu'aucuns de vostre compagnie ne fassent imprimer des livres contenant de mauvaises maximes contre les justes règles des Etats ; voire qu'ils s'abstiennent d'en mettre en avant aucune qui puisse estre prise en mauvais sens.

Tout cela estant, le Roy continuera à avoir de vous la satisfaction que vostre réputation luy a desjà donnée, vous maintiendra ainsy que votre ordre, en la créance en laquelle il doit désirer d'estre dans le monde, et vous acquerra de plus en plus de louanges de la bouches mesme de ceux qui vous voudroient du mal ; qui est ce que je sais que vous méprisez, mais pourtant nécessaire pour le bien de vostre compagnie.

82. — La reine mère au cardinal de Richelieu. S.l., s.d., [1625 (?)].

A.E., Mém. & Doc., France, Vol. 247, f° 196. — Original autographe.

Mon cousin, le Roy monsieur mon fils m'a comandé que je vous mande que S[e]rvin le press[e] fort de se desfaire de sa charge entre les mains de l'avocate du Roy au gran Conseille Bignon (1). Il désire de savoir de vous s'il est appropos qu'il y accorde, et que vous le mandiés vostre avis là dessus. Je aye esté bien ais[e], en ceste occasion, de vous assurer de mon affection et de vous prier de croyr[e] que vous n'aurois jamais persone qui soit plus que moy,

Mon cousin,

V^re aff[ection]née cousine,

Marie.

Pièce 82. — *Au verso de la feuille, la lettre porte, avec la suscription : « A mon Cousin le Cardinal de Richelieu », cette indication de la main d'un secrétaire : « La Reyne touchant la charge de Mr Servin, qui désiroit la faire tomber à Mr Bignon, et veut sçavoir ce que c'est que M. Bignon ». La lettre n'est pas datée. L'avocat général Servin étant mort le* 19 *mars* 1626, *elle ne peut être postérieure à cette date, mais il est probable qu'elle est antérieure de plusieurs mois, le magistrat ayant pu songer à négocier sa charge dès l'époque où sa santé avait été gravement compromise* (*V.* supra, *pièce* 51), *au cours de l'été de* 1625.

83. — A. M. Désiré (?). S.l., [1625].

B.N., Fonds franç., Vol. 23.200, f° 161. — Copie.
Impr. : Avenel, II, pp. 152-153.

Monsieur, ayant esté contraint par l'insolence insupportable de ces misérables criminels que je poursuivois, de faire voir à la cour quels estoient leurs déportemens, et combien les plaintes que j'ay

(1) Jérôme Bignon (1589-1656) était avocat général au Grand Conseil depuis 1620. Avant cette date il avait publié deux importants ouvrages : *De l'excellence des rois et royaume de France par dessus tous les autres, et des raisons d'icelle* (1610), et, sous le pseudonyme de Théophile du Jay, *De la grandeur de nos rois et de leur souveraine puissance* (1615). Il succéda en 1626 à Louis Servin comme avocat général au parlement de Paris, charge qu'il exerça jusqu'en 1641 ; il fut nommé en 1642 grand maître de la Bibliothèque du roi, après la mort tragique de François de Thou.

formées contre eux estoient justes, je vous avoue franchement que, dans les desplaisirs que j'ay receus de la longueur survenue en ceste affaire, ce m'a esté tousjours une consolaton particulière de ce qu'elle avoit passé par vos mains, m'asseurant que, puisque vous l'aviez trouvée très équitable, la cour sans doubte n'en feroit pas un jugement contraire au vostre. Je ne vous dis point quelle est l'obligation que je vous ay de la façon avec laquelle vous avez fait paroistre le bon droict que j'avois en ceste cause, mais seulement vous asseureray-je qu'il ne se présentera jamais occasion de vous servir que je ne l'embrasse chèrement, et vous fasse voir que je suis avec vérité,

Vostre très affectionné serviteur.

Pièce 83. — *Cette lettre et la suivante font partie d'un groupe de sept lettres qui ont, semble-t-il, le même objet et sont rédigées à peu près dans les mêmes termes. Aucune d'elles ne porte de date. Avenel s'est arrêté à la date de* 1625, *après avoir observé que, sur les sept destinataires, six étaient conseillers au parlement en l'année* 1625. *Pour le septième — celui à qui précisément celle-ci est adressée — la lecture de son nom est douteuse, et ce nom a peut-être aussi été mal transcrit par le secrétaire ou par le copiste. Les autres destinataires sont : Pierre Gayan, président aux Enquêtes* (*f°* 160 *v°*), *et les conseillers Jean Bochart de Champigny* (*f°* 161 *v° et* 162), *Edouard Grangier, sieur de Liverdis* (*f°* 161), *et Jean Scarron, sieur de Mendiné et de Vaujours* (*f°* 162 *v°*) ; *enfin le président d'Hacqueville, destinataire de la lettre donnée à la suite. L'examen de ces différentes lettres ne permet pas de savoir exactement la nature de l'affaire qui en est l'objet ; il apparaît seulement que cette affaire fut jugée par la Tournelle du parlement, qui, comme on le sait, était essentiellement une chambre criminelle. V. la notice de la pièce suivante.*

84. — A M. d'Hacqueville. S.l., [1625].

B.N., Fonds franç., Vol. 23.200, f° 160. — Copie.
Impr. : Avenel, II, p. 154.

Monsieur, si j'avois autant de moyens de me revancher de l'obligation que je vous ay comme j'en ay de ressentiment, je vous ferois voir, je m'asseure, que je sçay recognoistre l'honneur que me font des personnes de vostre qualité et de vostre mérite, et la peine qu'ils daignent prendre à mon occasion. Il vous a pleu m'ayder à sortir d'une affaire dont la justice a clairement paru à tout le monde par la fin ; les artifices de ces misérables qui, par force, m'ont contraints de les poursuivre, estoient si grands que j'avois besoin de personnes de vostre authorité et de vostre affection en mon endroict. Si le temps me donne lieu de vous servir, en quelque occasion que ce puisse estre, comme je n'oublieray rien pour en rechercher le moyen, vous cognoistrez, je m'asseure, Monsieur, ce que je vous supplie de croire maintenant, qui est que personne du monde n'est tant que moy,

Vostre très humble serviteur et parent.

Pièce 84. — *Le nom, écrit dans la marge, est « M. d'Ozembray ». Avec Avenel il convient de rétablir : « M. d'Hacqueville, seigneur d'Onz-en-Bray, ou, selon l'orthographe actuelle, Ons-en-Bray, localité située à l'est de Beauvais* (Oise). *Jérôme d'Hacqueville, président à mortier, sera premier président du parlement de septembre* 1627 *à sa mort, le* 4 *novembre* 1628. *Pas plus que les lettres mentionnées dans la notice de la pièce précédente, celle-ci n'indique la nature de l'affaire qui en est l'objet. Avenel écrit, à ce sujet, que « l'année précédente,* 1624, *un procès en faux avait été intenté à Richelieu, devant le parlement de Dijon, à l'occasion de la succession de son frère aîné ». Sous cette forme, les faits que présente cette note sont inexacts. C'est au cours de l'été de* 1622 *que les hommes d'affaires du défunt Louis du Plessis firent imprimer contre l'évêque de Luçon un factum diffamatoire, qui leur valut d'être condamnés le* 6 *septembre suivant par le parlement de Paris, outre les amendes, dommages intérêts et frais judiciaires, à « dire et déclarer en la chambre, nu-tête et à genoux, que faussement et malicieusement ils avoient fabriqué » la pièce qui était la base du procès et falsifié le seing du défunt Louis du Plessis. Il s'agit de l'affaire Adumeau (V. Maximin Deloche,* Les Richelieu : *le père du Cardinal, Paris,* 1923). *A la suite de cette affaire, le cardinal intenta des poursuites contre divers créanciers de la succession de son frère, cette fois devant le parlement de Dijon, procès qui se termina, le* 18 *décembre* 1624, *par un arrêt en sa faveur. Mais comme le président d'Hacqueville, ainsi que les magistrats auxquels sont adressées les autres lettres, appartiennent tous au parlement de Paris, le doute subsiste, et rien ne permet d'affirmer avec certitude que l'affaire en question ait concerné uniquement les intérêts privés du cardinal.*

85. — Réglement pour la mer. 1625.

A.E., Mém. & Doc., France, Vol. 780, f° 293.
Impr. : Avenel, II, pp. 163-166.

Pour garantir ceux de nos subjets qui traffiquent en Levant des pertes qu'ils reçoivent des corsaires de Barbarie, et maintenir la réputation et la dignité de nostre couronne parmi les estrangers, nous voulons qu'à l'advenir il y ait tousjours en nos ports quarante galères bien et duement entretenues, preste à servir hiver et esté, pour nettoyer les costes.

Pour cest effet, nous ordonnons au trésorier de nostre espargne de délivrer présentement la somme de cent cinquante mil escus pour

Pièce 85. — « *La puissance des armes requiert non seulement que le Roi soit plutôt fort sur la terre ; mais elle veut en outre qu'il soit puissant sur la mer.* » *C'est par cette affirmation que débute la « Section cinquième »* du Testament politique, « *qui traite de la puissance de la mer* » (1). *Au début de l'année suivante, Louis XIII, décidera, en faveur de Richelieu, la création de la charge de grand maître, chef et surintendant général de la navigation et commerce de France, charge qui au mois d'octobre suivant, sera érigée en titre d'office. La pièce reproduite ici montre que l'organisation de la marine faisait l'objet des préoccupations de Richelieu bien avant cette date. Encore ce règlement n'est-il qu'une première ébauche.*

(1) Edit. L. André, p. 400.

la construction de trente galères. Commandons au grand maistre de nostre artillerie (2) de les fournir de toute celle qui leur sera nécessaire et voulons que, tous les ans, soit mise entre les mains des trésoriers de la marine la somme de deux cens quarante mil escus pour l'entretenement du corps, chiourmes et mariniers desdites galères, aux capitaines desquelles nous accordons six mil escus à cest effet, nous réservant l'entretenement des soldats.

Pour empescher que lesdits corsaires ne prennent abry à plusieurs de nos ports deshabitez, et ainsy ayent plus de commodité de troubler le trafficq que nos subjets font par mer, nous voulons qu'en tels et tels lieux soient bastis des forts, où, à l'advenir, seront entretenues des garnisons, qui, avec du canon, empescheront l'abbord desdits ports.

Le Roy d'Espagne ayant envahi la Valteline, il ne reste autre passage à la France pour secourir l'Italie que celuy de Savoie, du Piedmont et de la mer. Le premier déppend de la volonté d'un prince étranger et ainsy est incertain. Qui plus est, il donne entrée dans le Milanois, où les Espagnols font l'amas de toutes leurs forces ; partant par cette voie, il faut combattre la puissance d'Espagne en un lieu où elle a beaucoup d'avantage, avant que de pouvoir secourir les oppressez.

Reste donc le passage de la mer, où se rendant fort, non seulement conservera-t-on l'entrée libre en Italie ; mais, qui plus est, on pourroit empescher le secours qu'elle pourroit tirer d'Espagne, qui estant scituée sur la mer Océane, on peut secourir l'Italie scituée sur le golfe de Venise, autrement mer Adriatique, sans passer par les rivages de Provence, appelés goulfe de Lion, ny ayant depuis l'Espagne aucun port jusqu'à Gênes, où il y a huit cent mil de costes, que ceux qui appartiennent au Roy. Ce qui montre clairement que quarante galères fraisches en battront quatre-vingt harassées d'un grand voyage, principalement quand, les ports estant fortifiés, elles ne pourront prendre terre et faire éguade (3).

De là il s'ensuit où qu'elles ne viendront plus en Italie, ou qu'il faudroit qu'elles y vinssent prenant la pleine mer, comme les vaisseaux ronds, ce qui est difficile, parce qu'y venants pour trajetter des gens de guerre, elles en sont si chargées qu'elles ne peuvent demeurer plus de deux jours sans faire éguade ; ou parce que, si elles estoient accueillies d'une tempeste, comme cette mer ou goulfe de Lion est très dangereuse, elles seroient au hasard d'estre submergées ou de venir donner à travers des costes de Provence ou de Barbarie, où il n'y a point de ports, ains grande quantité d'écueils où elles se pourroient perdre, et plusieurs Mores, qui sont leurs ennemis.

De là il arriveroit encore un autre bien, qui est que les peuples de Naples et de Sicile, maltraittez par leurs vice-roys, pourroient se révolter sur la cognoissance qu'ils auroient de pouvoir estre secourus par l'armée navale de France.

Enfin, tous les princes d'Italie attachez à l'Espagne plus par crainte que par amour, et les papes mesmes, voyant par la France

(2) C'était, depuis 1618, le fils aîné de Sully, Maximilien II de Rosny (1588-1635).

(3) Une « aiguade » est une provision d'eau pour les vaisseaux ; c'est aussi l'endroit où les vaisseaux se ravitaillent en eau.

le moyen de se garantir de la tyrannie espagnole, se résoudroient volontiers à seconder les armes du Roy. Lequel, quand mesme ils ne le voudroient pas, se conserveroit le passage d'Italie, pouvant prendre terre en plusieurs ports sans qu'on l'en puisse empescher, comme en (a).

Le pays de Provence fera les frais du bastiment et munition des forts, et sur iceluy se lèvera l'entretenement des garnisons.

L'entretenement des gallères se prendra sur l'impost du petun et du sucre.

Le Roy lève un liard d'impost sur la livre de sucre en France. Cet impost monte à 100 mil livres par an ; y mettant un sol sur la livre, ce seroit 400 mil livres. Il se vend 25 millions de livres de sucre par an, de façon que le vingtième de cela est un million 255 mil livres (4).

D'autant qu'il s'en vend en cachette, ne faut prendre son pied que sur la moitié, qui fera 500 mil livres, les frais des officiers payez.

Il se vend en France 2 millions de livres de pétun, mais partie en cachette ; il en vient à la cognoissance publique 8 ou 900 mil livres, mettant dix sous d'impost sur livre, cela monteroit à 400 mil livres ; sur quoy il faut les frais des officiers. Cet impost estant bien estably, on pourra l'augmenter jusques à 20 sous pour livre.

86. — Mémoire. 1625.

A.E., Vol. 780, f° 248-249. — Minute.
Impr. : Avenel, II, pp. 159-161.

Vostre Majesté, comme exécuteur des saints canons, fera observer le concile de Trente, en ce qui n'est point contraire à son (a).

Maintiendra les ecclésiastiques en leur authorité spirituelle sans préjudice ; etc...

Fera tenir les conciles provinciaux, d'où s'en suivra une bonne police et discipline de l'Eglise en son royaume : réglera les appels comme d'abbus ; obligera les évesques à leurs résidences et visites.

Fera establir des séminaires en tous lieux nécessaires pour banir l'ingnorance des prestres.

Ne pourvoiera les bénéfices que de gens capables, et tiendra la main que les évesques suivent son exemple.

Fera introduire la réforme parmy tous les monastères, moyens par lesquels l'Eglise florira en son royaume, et son zelle sera cogneu en toute la chrestienté, ce qui fermera la bouche aux cagots.

Réglera sa maison et en réduira la despense à beaucoup moins qu'elle est maintenant.

(a) Il y a un blanc dans le manuscrit à cet endroit.

(4) Avenel — t. II, p. 165, n° 5 — fait observer qu'il y a une certaine confusion dans ces calculs ; « Un liard d'impôt par livre de sucre produisant 100.000 livres suppose une consommation de 8 millions de livres seulement », et non une consommation que le même mémoire évalue à vingt-cinq millions de livres.

(a) Il y a un blanc dans le texte. La rédaction générale du mémoire montre d'ailleurs qu'il ne s'agit que d'une ébauche.

Ne continuera plus le droit annuel, bannira la vénalité des offices, deux sources de beaucoup de maux préjudiciables à son authorité et à la pureté de l'administration de la justice. Supprimera par mort le grand nombre de ses officiers, qui m'ont esté créés qu'à la foule du peuple. Deschargera le peuple.

Racheptera son domaine par moyens justes et légitimes, par le moyen de quoy il augmentera son revenu de plus de six millions ; l'augmentera par le sel d'autant, par la seule imposition qu'on fera sur les estrangers sans toucher aucun de ses subjets, qui, au contraire, en seront soulagez.

Establira une chambre de justice, qui, se promenant par les provinces, purgera son royaume, etc.

Fera establir dcs hospitaux sans qu'il luy couste rien, etc.

Réduira et le grand nombre de ses collèges, et des monastères qui luy ruinent le traffic (b).

Réglera les despenses excessives.

Réduira les gouvernements à estre trianaux.

Fera raser toutes les fortifications inutiles des placcs qui sont au cœur de son royaume.

Pièce 86. — *Le volume* 780 *de la Série* Mémoires et Documents *des Archives des Affaires étrangères contient un certain nombre de mémoires rédigés au cours de l'année* 1625 *sous la dictée de Richelieu et parfois corrigés de sa main. Avenel, dans son édition des* Lettres, Instructions diplomatiques et Papiers d'Etat du Cardinal de Richelieu, *t. II, en a reproduit quelques-uns, qui lui ont paru, dit-il porter la marque de la personnalité du cardinal et « être de nature à donner une idée plus générale de ce qu'il voulait faire »* (*II, p.* 159, *n.* 1). *Sous le n° LXVIII, il a cru devoir réunir en un seul texte deux documents, qui, dans le recueil des Affaires étrangères, se présentent en réalité sur deux folios séparés et se rapportent à deux objets distincts ; un troisième folio qui fait immédiatement suite aux précédents, a été négligé par Avenel. Il a semblé préférable de donner ici ces trois documents, dont seul le premier a pour titre « Mémoire ». Chacun d'eux apparaît comme l'ébauche d'un travail appelé à être complété.*

87. — Mémoire. 1625.

A.E., Vol. 780, f° 249. — Minute.
Impr,. : Avenel, II p.. 161-162.

Faut exprimer dans les acquist patens de dons qui seront faits à l'advenir, les dons et bienfaits qui, trois ans auparavant, auront esté faits aux parties prenantes.

Pièce 87. — *Ce mémoire, comme le précédent, et le suivant n'est qu'une ébauche de projet ; comme eux, il est entièrement de la main de Charpentier.*

(b) La phrase paraît un peu sibylline ; elle s'éclaire à la lecture du paragraphe intitulé : « Monastères » du *Règlement pour toutes les affaires du royaume,* p. 256.

Les officiers des maisons du Roy, Reynes, Enfants de France et Princes du sang ne seront exempts des tailles que selon le nombre de ceux qui l'estoient du temps de François 1er. Que ceux qui excèderont ce nombre se contenteront des gages simplement, sans prétendre exemption.

Il faut, pour une des loix principales du royaume, deffendre de cèder ni vendre les charges de la maison du Roy, de la guerre et gouvernement des places ; et ne plus recevoir aucune résignation, mesme de père à fils, Sa Majesté se réservant toutesfois, après la mort des pères, à continuer les enfants qui en seront capables, ou les récompenser, selon le mérite des services de leurs pères. Dèclarant tous ceux qui y contreviendront indignes et incapables de toutes charges et offices quelconques ; les deniers, ou autres récompenses qui en auront été baillés, confisqués au Roy, et enjoindre à ses procureurs généraulx de se porter partie contre les contrevenans.

Considérant que les survivances, réserves des charges, offices et bénéfices sont très dangereux pour ce qu'elles sont accompagnées du désir de la mort d'autruy, et que d'ailleurs elles nous ostent le moyen, quand elles viennent à vacquer, d'y faire choix de ceux qui les peuvent mieux mériter ; et par conséquent font perdre l'espérance à ceux qui en sont dignes d'y pouvoir parvenir, nous avons révoqué, cassé et annulé tous brevets cy-devant obtenus de nous, ou qui se pourroient obtenir cy-après, pour survivance, réserves de bénéfices, charges et offices, sous quelque prétexte, cause, et par quelque personne que ce soit, avec deffenses de s'en ayder. Et où, au préjudice de ce que dessus, aucuns s'en voudroient prévaloir, ou en obtiendroient à l'advenir, nous les déclarons incapables de tenir les bénéfices, charges et offices dont ils auront poursuivy les réserves et survivances.

Au cas toutesfois que nous eussions accordé à aucuns des lettres de provision à condition de survivance, en vertu desquelles ils fussent entrés en possession et exercice des charges et offices dont ils ont esté pourveus, nous entendons qu'ils jouissent de l'effet de leurs lettres. Et pour ceux qui en ont obtenu de nous, et n'ont point encore pris possession, leurs résignans ou eux seront tenus d'opter dans six mois, à faute de quoy leurs lettres demeureront nulles et comme non accordées.

88. — Mémoire. 1625.

A.E., France, Vol. 780, f° 294.
Impr. : Avenel, II, pp. 166-167.

Pour l'entretien des gallères, la France a coustume de donner 9 mil escus aux capitaines ; et moyennant ce, sont obligez à servir toutes et quantes fois ils sont commandez, fournissant lesdits capitaines aux frais, tant des soldats que mariniers.

Le Roy d'Espagne fait autrement ; il donne 6 mil ducats aux capitaines qui ne sont obligez qu'à servir six mois, nourrissant leurs chioumes et entretenant leurs mariniers seulement. Et pour les soldats, l'on leur met sur les galères les compagnies d'infanterie des terres des royaumes de Sicile de Naples, pour s'en servir aux occasions qui se présenteront, lesquels sont nourris aux dépens du Roy.

Pour unir les forces des Vénitiens et François par mer, il est très difficile ou quasi impossible, d'autant qu'elles sont esloignées de quinze cent mil au moins, dont les huict cens sont contrées qui appartiennent aux Espagnols ; et une armée de mer ne peut estre plus de neuf ou dix jours sans faire eau, qui seroit tousjours fort difficile quand les costes seroient armées.

Les gens de mer sont mal propres aux entreprises de terre, d'autant que les capitaines qui commandent les galères commettent autres gens en leur place pour commander lorsqu'il est question de faire une entreprise par terre. En sorte que je jugerois plus à propos que le Roy eust un milier de vieux soldats que l'on exerciteroit (1) à la mer, desquels avec le temps et expérience l'on tireroit de très grands services.

Mais d'autant que l'expérience nous faict cognoistre, à nostre très grand dommage, que laissant l'authorité et élection aux capitaines, le public y pâtist un très grand intérest, le Roy sera suplié de faire un millier de vieux soldats, auxquels augmentant les payes, en sorte qu'ils en puissent vivre, nul n'aura pouvoir d'en licencier du service que le Roy seulement. Et pour ce, aura un livre où seront escripts les noms, lieux et remarques desdits soldats ; et seront payés par un contador, en sorte qu'il n'y peut avoir de passevolant (2).

Ce qui seroit un grand bien, puisque par ce moyen le Roy d'Espagne ne pourroit unir ses forces ensemble, qui est ce par quoi seulement sa puissance peut estre redoutable.

Pièce 88. — *On retrouve ici les préoccupations maritimes de Richelieu. Un an auparavant, en 1624, l'Espagne avait créé une compagnie privilégiée,* l'Almirantazgo, *entreprise qui avait pour but de rendre plus actifs les échanges commerciaux avec les ports de l'empire espagnol et les ports étrangers. L'exemple espagnol dut frapper fortement l'esprit de Richelieu, puisque son* Testament politique, *rédigé sans doute dix ans plus tard, l'évoque plus d'une fois, et plus particulièrement dans les pages consacrées à la puissance du prince.*

---

(1) Latinisme : exercer, entraîner à.

(2) Peut-être convient-il de voir ici l'ébauche de ce qui deviendra avec Colbert, à partir de 1669, l'*inscription maritime.* Il est vrai qu'il s'agira alors de tous les marins, pêcheurs, etc. des paroisses des bords de mer, appelés à servir, à tour de rôle, dans la marine royale.

89. — Règlement pour toutes les affaires du royaume. 1625.

A.E., Mém. & Doc., France, Vol. 780, f° 261-192. — Minute de la main de Charpentier.

Impr. : Avenel, II, pp. 168-183 (préambule et fragments).

Réglement :

Quatre conseils : — le premier des affaires de l'Eglise et de conscience ; — le 2me de la guerre ; — le 3me des finances ; — le 4me des parties. — Audience du Roy. — Audience des ministres.

Réglement spirituel :

Concile de trente. — Authorité spirituelle. — Conciles provinciaux. — Résidences. — Visites. — Séminaires. — Conseil des archevesques et évesques, qui les aydera à faire leurs fonctions et pourvoir aux bénéfices. — Augmentation de revenu des cures. — Abolition des pensions sur cures et éveschés, fors en cas de droit. — Monastères. — Mariages. — Athéistes.

Duels.

Maisons du Roy. — Guerre, etc.

Vénalité. — Suppression d'offices. — Suppression des parties casuelles. — Comptans. — Dons et gratifications. — Réductions de gages. — Chambres de justice. — Conseil de réduction.

Justice. — Police, hospitaulx. Pauvres renfermez.

Collèges.

Loix somptuaires.

Pièce 89. — *Avenel, dans son édition, n'a donné que quelques fragments de cet important document. Cependant, malgré sa longueur, il a paru préférable de le reproduire sous sa forme intégrale, en raison de l'intérêt particulier qu'il présente en tant que programme de gouvernement, au début du ministère du cardinal de Richelieu. Comme pour les autres mémoires de la même période, il s'en faut que tous les projets qui s'y trouvent ébauchés aient reçu plus tard un commencement d'exécution ; mais c'est par ces textes que s'éclairent les intentions du grand ministre et par eux qu'il est possible de comprendre l'œuvre entreprise et ce qui en a pu être réalisé. Pour l'historien, il est très important de savoir, comme l'écrit M. Victor-L. Tapié, que Richelieu « avait imaginé tout cela dès la première année de son gouvernement qu'il s'était fait ainsi l'image du royaume tel qu'il voulait le réédifier, à la place du pays anarchique dont il avait pris la charge. Elle n'était pas une figure chimérique dont se fût amusé un rêveur ou un philosophe, mais elle fixait un but qu'il ne voulait pas perdre de vue, tout en sachant très bien qu'il ne l'attendrait qu'à travers une longue patience »* (La France de Louis XIII et de Richelieu, *p.* 146).

Eglise (a)

Louis, etc. L'expérience faisant cognoistre que l'ordre maintient les Estats en leur splendeur, comme au contraire le désordre cause

(a) Ce mot figure à cette place sur le manuscrit ; en réalité, il devrait être placé après le préambule et comme titre à une partie seulement des dispositions qui suivent.

leur totale ruyne, et considérant combien les divers troubles arrivez depuis plusieurs années, en ce royaume y ont introduit et laissé de confusion et de desréglement en toutes ses parties ; pour y remédier autant que nous pouvons, à la gloire de Dieu, la descharge de nostre conscience, au bien et au repos de nos subjets, et restablissement de la grandeur de cet Estat, nous, de l'advis de la Reyne nostre mère, princes de nostre sang, autres princes, prélats, officiers de nostre couronne et autres grands et principaulx de nostre conseil ; et de nostre certaine science, pleine puissance et authorité royale, avons ordonné, arresté et statué, arrestons, ordonnons et statuons ce qui s'ensuit, pour estre inviolablement gardé :

Premièrement, que toutes les affaires qui peuvent concerner nostre Estat, et dont la cognoissance doit venir jusques à nostre personne, seront traittées en quatre conseils resséans près de nous.

Le premier, composé de quatre ecclésiatiques, cardinaux et autres prélats, premiers en dignité et en mérite, et de deux de nos conseillers lais, tels qu'il nous plaira choisir, pour délibérer et nous donner advis, tant de tout ce en quoy nous pourrions craindre que nostre conscience fust intéressée, que du mérite de ceux qui prétendront estre nommez par nous aux prélatures et bénéfices, afin que, sur leur rapport, nous prenions telle résolution qu'il nous plaira.

Le second conseil sera composé de nos connestable, princes, mareschaux de France, mareschaux de camp, deux de nos conseillers d'estat de robe longue, et autres tels qu'il nous plaira choisir pour délibérer et nous donner advis, tant des fortiffications, garnisons et munitions des places frontières et autres, que levées extraordinaires, règlemens de juges, attributions de juridiction et plaintes de communautés ou particuliers d'icelles, contre les personnes puissantes, officiers ou autres, desquels on ne peut facilement avoir justice par les juges ordinaires. Et renvoyera tous les autres causes de juridiction contentieuse en nos parlemens ou autres compagnies souveraines selon que la cognoissance leur en est attribuée par nos ordonnances, sans en prendre aucune cognoissance des évocations qui se peuvent juger par le teneur de nos ordonnances, comme pour parentez, lesquelles appartiennent à nostre grand conseil, où nous voulons les faits estre vérifiez, pour par après, estre les juges donnez par nostre dit conseil de justice ou nostre chancelier.

Les présidens de chacun de ces conseils nous rapporteront le sommaire des délibérations plus importantes, afin que sur icelles nous résolvions avec ceux qu'il nous plaira choisir et appeler au conseil secret de nos affaires, entretenement, logemens, conduite et police de nos troupes de pied ou de cheval, et généralement de tout ce qui concerne les affaires de la guerre.

Le troisième conseil sera composé de nos chanceliers, garde des sceaux, surintendant de nos finances et trois conseillers, l'un ecclésiastique, l'autre d'espée, et le tiers de robe longue, tous ordinaires ; et en outre de neuf conseillers des trois ordres susdits esgalement, lesquels se changeront tous les quartiers. Et assisteront audit conseil le contrôleur général et intendant de nosdites finances, tous pour traitter tout ce qui concernera la levée, distribution et administration de nos finances et deniers publics.

Le quatrième conseil sera composé de nos chancelier, garde des sceaux, six conseillers ordinaires, deux d'Eglise, deux d'espée et deux de robe longue. Les maistres des requestes qui seront en quartier assisteront en ce conseil, qui prendra cognoissance des cahiers des provinces, des évocations, ce que nous estimerons plus utile au bien de nostre Etat. Nous obligeant sur le saint sacre que nous avons receu, et sur nostre conscience, de ne rien arrester sciemment qui soit contre la loy de Dieu, les canons de l'Eglise et le bien de nos subjets.

Or, afin que nos subjets puissent plus facilement recevoir le fruit qu'ils doivent attendre de l'establissement de ces conseils, et parce aussy qu'il y a plusieurs occasions où ils peuvent avoir besoing de recourir à nostre propre personne, nous voulons, à l'imitation de ce grand saint dont nous portons le nom, leur donner nous-mesmes audience les festes et dimanches, à l'issue de notre messe, dans nostre salle, où estans assistés d'aucuns de nostre conseil, tous nos subjets pourront nous faire leurs plaintes par escrit, et présenter telles requestes qu'ils voudront, lesquelles nous ferons recevoir par l'un de nos maistres des requestes, pour y estre pourveu ainsy que de raison, et leur estre rendues le jour de la première audience suivante, par un de nos secrétaires à ce commis, au lieu qui sera destiné à cest effet, avec les responses au pied d'icelles, soit definitives ou de renvoy en tel de nos conseils, ou autres lieux que la nature des affaires le requerra.

Nous voulons aussy que les principaux officiers de nostre conseil donnent à mesme fin tous les jours, chacun chez soy, une heure certaine d'audience, en laquelle il soit loisible à tous de leur présenter des mémoires contenans ce qu'ils auront à leur faire entendre, sans leur faire perdre le temps par discours longs et inutiles, ny prendre autres heures pour s'adresser à eux et les divertir du soin et assiduité qu'ils doivent apporter à nos affaires ; ce que nous leur deffendons d'entreprendre à autres heures, comme à nosdits officiers de les y recevoir. Et afin que nosdits subjets ayent prompte expédition de leurs affaires, nous voulons qu'un des secrétaires ou commis de nos susdits pricipaulx ministres leur rendent leurs requestes avec la response au pied d'icelles, dès le lendemain qu'ils les auront présentées, à l'heure et lieux certains à ce par ceux destinez.

D'autant qu'ainsi qu'en l'homme l'âme est la plus noble partie, ainsy le règlement en ce qui concerne le spirituel est le premier auquel on doit penser en un Estat, nous désirons pourvoir autant que nous pouvons par nostre auctorité royale à ce qui regarde l'honneur de Dieu, service de son église et maintien de la religion Ordonnons, etc.

Concile de Trente. —

Que, suivant les instantes supplications à nous faictes par les Estats de nostre royaume, le St. Concile de Trente soit receu et observé en nostre Estat, exhortant les prélats et enjoignant à nos officiers de justice et autres qu'il appartiendra de tenir la main, chacun en ce qui le regarde, à l'observation inviolable des saints décrets et constitutions d'iceluy *sans préjudice toutesfois de* tout ce qui *peult toucher* les droits de nostre couronne, *exemption* et libertés de l'Eglise gallicane.

Auctorité spirituelle. —

Recognoissans que l'autorité spirituelle de l'Eglise sans laquelle la religion ne se peult conserver, est donnée de Dieu non aux Roys et Princes temporels, mais aux Apostres et leurs successeurs auxquels il a commis la conduite des âmes au ciel comme en la terre, nous faisons très expresses inhibitions et deffenses à tous nos officiers de quelque condition et qualité qu'ils soient d'entreprendre et cognoistre et juger des choses spirituelles, en commander ny deffendre aucunes fonctions, excommunications, absolutions, consécrations ou autres, ny commettre pour les exercer, pour quelque cause et sous quelque prétexte que ce soit, tous jugemens temporels y estant illusoires et sans autre effet que de divertir insensiblement plusieurs de nos subjects du respect deu à la religion (b).

Et pour ce que la piété des Empereurs et des Roys nos prédécesseurs a tousjours constamment rendu ce respect à l'Eglise de luy relaisser la juridiction et cognoissance soit criminelle ou civile tant des personnes des prestres ou clercs que toutes les choses vouées et dédiées à l'entretenement de son ministère, nous, suivant et renouvelant en ce regard, en tant que besoin est ou seroit, leurs sainctes constitutions et ordonnances, faisons aussy très expresses inhibitions et deffenses à tous nosdits officiers et subjcts de troubler ny emprescher lesdits ecclésiastiques séculiers ou réguliers en la la juridiction qui leur appartient, ains leur enjoignons leur donner toute assistance et main forte quand ils en seront requis pour l'exécution des jugements de ladite cour d'Eglise en ce qui est de la juridiction sans pour ce prendre cognoissance des causes ou mérites d'iceulx jugements, nonobstant toutes oppositions au autres actions que l'on voudroit intenter devant eux pour en empescher l'exécution, lesquels en ce cas ils renvoiront à ladite cour d'Eglise pour y estre terminées.

N'entendons toutesfois par ce que dessus préjudicier en aucune façon à la jurisdiction ou cognoissance réservée ou attribuée par nosdites ordonnances à nos officiers, tant inférieurs qu'autres, pour tout ce qui concerne les cas privilégiez, actions de complaintes, appellations comme d'abus ou effet d'icelles, ès cas que nous entendons cy-après ésclaircir et publier avec l'ordre et forme qui s'y devront observer, par l'advis et résolution que nous en prendrons en nostre conseil, après avoir sur ce meurement entendu aucuns tant de prélats que de nos officiers, que nous appellerons à cest effet, pour faire cesser la confusion et contention fréquentes qui surviennent tous les jours entre eux, sur le réglement desdits cas et formes d'y procéder.

(b) *En marge :* décider des points de la foy, cognoistre des sacrements, comme on a fait quelquefois, des œuvres de mariages confessions ordonner de mesme la célébration du service divin, condamner les livres de théologie, dont la censure appartient aux évesques et aux docteurs, contraindre les ordinaires de dégrader les prestres, ordonner que le refus des ordinaires servira desdits tiltres canoniques à ceux qui ont esté trouvés incapables, et enjoindre à certains évesques de donner leurs provisions sur tels refus.

Conciles provinciaux. —

Et d'autant que le deffault de tenir les conciles provinciaux suivant les constitutions de l'Eglise a fait glisser depuis plusieurs années beaucoup de confusion et désordre en la police et discipline ecclésiastique, lesquelles ne se peuvent restablir ny maintenir en chacun diocèse que par l'authorité et fréquence desdits conciles, nous exhortons les archevesques, et néanmoins par l'advis et supplication du clergé de nostre royaume leur enjoignons que, pour l'observation des saints décrets et suivant lesdites constitutions de l'Eglise, ils ayent tous à convoquer lesdits conciles en chacune province dans l'an de la publication des présentes pour tout délay, et à cette fin en envoient leurs lettres d'indiction à leurs conprovinciaux dans trois mois après icelle publication avec expression du jour et du lieu auquel ils devront s'assembler.

Et affin qu'un dessein si utile à l'Eglise ne puisse estre sans effet, au cas que lesdits archevesques manquassent à faire l'indiction desdits conciles dans lesdits trois mois, nous admonestons le plus antien évesque de chacune province, et néanmoins aussy luy enjoignons par le mesme advis et prière du clergé d'envoier ses lettres de convocation au lieu de celles dudit archevesque, y exprimant le lieu et le jour qu'il advisera pour tenir ledit concile dans l'année comme dessus pour tout délay.

Pour asseurer la continuation desdits conciles du tout nécessaires à la police de l'Eglise, nous exhortons les archevesques et évesques de prendre résolution, à la fin des premiers conciles qu'il tiendront, du jour et du lieu que se devront tenir les conciles suivants ; et ainsy des autres pour s'y retrouver trois ans après au plus tard, ou plus tost s'ils le jugent nécessaire, sans qu'il soit pour ce besoin d'aucunes nouvelles lettres d'indiction.

Nous exhortons lesdits prélats de dresser et arrester esdits conciles des formulaires de catéchisme dont l'intelligence soit facile aux plus simples pour estre envoiez à tous les curez en chacun diocèze, et par eux aux peuples toutes les festes et dimanches.

Les différents, si aucuns sont entre les archevesques et évesques pour raison de leurs charges, seront terminez et jugez auxdits conciles, comme pareillement tous autres affaires importants à la police et discipline de l'Eglise séculière et régulière.

Toutes les plaintes qu'on voudra faire contre lesdits archevesques évesques ou leurs officiers et autres personnes ou communautés ecclésiastiques, soit pour non résidence desdits prélats, vexations ou nouveautés, ou autres deffauts, pour quelque cause, contre qui et de quelque part que ce soit, seront receues auxdits conciles pour y pourvoir ainsi que de raison, et, si besoin est, réprimer ou punir avec sévérité par le jugement et authorité desdits conciles tant lesdits prélats ou leurs officiers que tous autres ecclésiastiques, qui par ignorance, malice, négligence ou autrement, auront causé du désordre ou scandale en l'Eglise, et obmis ou commis chose digne de la cognoissance et correction desdits conciles.

Les appellations de toutes causes de la juridiction ecclésiastique civile ou criminelle de tous réglements spirituels ou actions petitoires pour choses ecclésiastiques, et de tous jugements prononcés par la personne des évesques, se pourront relever ou évoquer auxdits conciles, si l'une ou l'autre des parties le requiert, durant ou trois mois auparavant la tenue d'iceux pour y estre décidées si faire se peult, ou sinon renvoiées aux jugements ordinaires.

Et au moyen de la tenue fréquente desdits conciles, nous voulons déclarons et ordonnons que tous nos officiers sur ce requis ayent à donner assistance et main forte soubs nostre authorité royale pour l'exécution des jugements et réglements y donnez, sur toutes les choses de la dite juridiction ecclésiastique, soit en première instance ou après une ou plusieurs sentences, comme s'ils estoient données en dernier ressort, ou par trois sentences conformes, dont la longueur et difficulté ont apporté jusques icy et apportent tous les jours de très grands et notables préjudices à l'Eglise et à nos subjets ecclésiastiques.

Déclarons toutesfois que par le précédent article nous ne voulons ny n'entendons en rien préjudicier ny attenter aux droits et authorité de N.S.P. le pape, juge supérieur de l'Eglise, lequel nous ferons supplier de l'avoir agréable et authoriser lesdits conciles à cest effet, comme juges déléguez de sa part en dernier ressort, sauf pour les causes graves qu'il luy plaira d'exprimer et d'en réserver l'appel au saint-siège, ou autrement pourvoir pour le bien de l'Eglise ainsy que Sa Saincteté jugera bon estre, sur les appellations qui pourroient estre interjettées des jugements desdits conciles, exécutoires cependant par provision comme dessus pour l'entretien de ladite police et discipline de l'Eglise.

Et au cas qu'il s'interjettast appel comme d'abus de quelque article ou jugement desdits conciles, nous, suivant les déclarations des Roys nos prédécesseurs et la nostre de 1612 (1), pour faire que la facilité de telles appellations ne les rende trop fréquentes, voulons que les lettres de relief d'icelles contre les réglements et visitations desdits évesques soient prises à nostre grand sceau, avertissant nos chancelier ou garde des sceaux de ne les sceller que pour causes légitimes, et deffendant aux officiers de nos cours souveraines de n'en recevoir aucunes autrement expédiées pour les choses susdites.

Résidences. —

Que tous les archevesques, évesques, curez et autres bénéficiers, obligez à résidence en leur charge, ainsy qu'il appert par les constitutions de l'Eglise, y demeurent actuellement, et n'en puissent estre absens plus de trois mois l'année, sans un exprès congé contenant les causes d'iceluy signé pour les archevesques et évesques du chef de nostre conseil ou des trois plus antiens évesques de la province, et pour les curez et autres bénéficiers par l'évesque diocésain (2).

---

(1) L'idée était de restreindre la fréquence des *appels comme d'abus*. Henri IV en 1606 et le gouvernement de la régence en 1612 l'avaient tenté ; Richelieu s'y emploiera ; mais d'un autre côté, on voulait éviter, par une énumération trop précise des cas, de limiter l'exercice de ce recours. Richelieu a longuement traité de la question dans son *Testament politique* (éd. André, pp. 157-169).

(2) La question de la résidence demeurait controversée. Dans son *Testament politique*, Richelieu après avoir examiné les conditions du choix des évêques, écrit : « ... je dis hardiment que V.M. n'aura rien à craindre » de son choix pourvu qu'ils soient obligés de « *résider* dans leurs diocèses » (éd. André, p. 155).

Visites. —

Que de trois en trois ans lesdits archevesques et évesques fassent la visite de tout leur diocèze, sans prendre autres droits que ceux qui leur sont desjà attribuez, et qu'en visitant ils puissent ordonner des réparations, ornements et meubles des églises, et contraindre nonobstant toute appellation à faire exécuter par provision leurs ordonnances : voulant pour cet effet que nos officiers des lieux leurs prestent mains forte pour l'exécution de ce qu'ils ordonneront sans pour ce prendre autre cognoissance des causes des oppositions si aucunes sont formées à l'exécution de leurs jugements.

Comptes de fabriques. —

Et par ce qu'il est impossible qu'ils puissent bien ordonner des réparations des églises, ornements nécessaires et autres choses semblables s'ils ne scavent particulièrement les fonds dont ils peuvent disposer à cette fin, les comptes des fabriques seront tous les ans exactement rendus aux archevesques, évesques, leurs archidiacres, ou autres qui seront à ce commis par lesdits prélats.

Séminaires. —

Nous exhortons aussy tous les archevesques et évesques, chacun en leur diocèze avec les députez du clergé, de procéder à l'establissement d'un séminaire selon la commodité des lieux pour l'instruction des prestres et curez, lesquels seront fondez par l'union de la prébande préceptorale et la contribution des abbayes, dont pour cet effet la taxe sera faite par le clergé selon qu'ils l'estimeront raisonnable, et de laquelle lesdites pourront se délivrer en donnant un bénéfice de leur collation pour estre uny audit séminaire (c).

Establissement de conseil. — Concours. —

Pour oster aux particuliers ecclésiastiques qui seroient refusez des provisions, dispenses ou autres grâces spirituelles qu'ils requièrent, tout subject de plainte ou prétexte de calomnier les refusans, nous exhortons tous achevesques ou évesques de choisir trois ou quatre personnes de ceux qu'ils estimeront les plus capables de leur diocèze, devant lesquels, à certains lieu et jour, les prétendans seront examinez pour, eu esgard à l'aage, mœurs, érudition et autres qualités requises, estre admis ou refusez ainsy que de raison sans toutesfois priver les prélats de la liberté de pourvoir ceux qu'ils voudront choisir moiennant qu'ils soient jugez capables en ladite congrégation.

Et pour empescher d'autant plus qu'aucunes personnes incapables puissent estre admises par connivence, négligence ou autrement,

(c) *En marge :* Dix abbayes auront par exemple 800 £ de taxes. Faut voir comment toutes ensemble elles pourront se rédimer de ladite taxe par un bénéfice de pareille valeur.

nous exhortons les conciles provinciaux d'ordonner que les archevesques et évesques, qui sont tenus d'en respondre devant Dieu, soient contraints à faire instruire à leurs despends les prestres quiseront trouvez incapables, et à donner pension canonique à ceux qui seront trouvez incapables, et à donner pension canonique à ceux condition, comme aussy d'ordonner à mesme fin que tous ceux qui voudront obtenir des bénéfices ou autres graces spirituelles soient obligez de se présenter au susdit conseil estably, et soit que lesdits bénéfices qu'ils voudront impétrer soient de la libre élection des évesques ou à la nomination des abbez, chapitres ou autres présentations ecclésiastiques ou laïques, soit qu'ils soient pourveus en cours de Rome par mort, résignation ou autrement, ils ne puissent estre admis à servir auxdits diocèses sans le consentement dudit conseil.

Que toux ceux qui auront soit rescript de Rome, présentation de patrons ecclésiastiques ou laïques, nomination de degrez ou autre droit, en conséquence et vertu duquel ils requerreront provision desdites cures, seront obligez se présenter en personne à ladite congrégation pour en subir examen comme dessus. Et au cas qu'ils y en soient jugez incapables, leur soit délivré acte du refus signé du greffier de ladite congrégation ou autre personne publique, ledit acte portant expression des deffauts ou autres causes pour lesquelles ils auront esté refusez.

Cures. — (3).

Que dès lors dudit refus, si les cures sont vacantes, il soit loisible aux évesques d'y pourvoir de personnes capables, sans plus attendre nouvelle nomination des patrons ecclésiastiques ou laïques, qui, pour cette fois, en seront privez pour y avoir nommé personnes incapables, sans toutesfois en rien préjudicier par cette provision les évesques au droit que lesdits refusez pourroient avoir auxdites cures s'ils en estoient jugez capables par les supérieurs ecclésiastiques auxquels ils pourront à cette fin recourir et s'y présenter pour subir nouvel examen en leur congrégation, en montrant auxdits seconds examinateurs l'action de refus accordé par l'évesque affin qu'en considérant les causes qui y seront particulièrement exprimées, ils puissent mieux juger si elles sont véritables ou non. Que si par l'advis de la congrégation il ne les estimoit pas considérables, il soit obligé de les insérer en la provision ou visa qu'il accordera à peine de nullité d'icelle. A laquelle autrement l'évesque diocésain ne soit tenu d'avoir aucun esgard en la question petitoire, comme nous deffendons aussy expressément à tous nos officiers devant qui le possesseur de tel bénéfice pourra estre meu d'avoir aucun esgard à telles provisions qui leur seront présentées.

Pour éviter aussy les calomnies qu'on pourroit imposer à ceux-mesmes qui faisant leurs charges comme ils doivent sont le plus modérez en la perception de leurs droits pécuniaires, nous ordonnons aux secrétaires et greffiers ecclésiastiques d'escrire au pied

(3) Comparer ce paragraphe avec le chapitre du *Testament politique* intitulé « Du Droit de divers Ecclésiastiques et autres personnes laïques de présenter aux Cures ».

des provisions et autres actes qui seront par eux délivrez ce qui aura esté receu pour l'expédition d'icelles.

Cures de 300 l. —

Et affin que tous curez ne puissent estre empeschez par pauvreté à faire leur devoir, ou que le peu de revenu des cures n'empesche qu'on n'en puisse pourvoir personnes capables, nous exhortons tous archevesques et évesques chacun en son diocèze, de faire en sorte que les cures soient pour le moins de trois cens livres de rente, toutes charges payées ; et où elles seroient moindres, faire supplément, ou par union de bénéfices simples, qu'en ce cas ils feront conformément aux décrets du concile de Trente, ou par affectation de partie des dixmes que prennent les décimateurs ecclésiastiques esdites paroisses.

Pensions sur les cures, etc. —

Et sur la remonstrance à nous faite par le Clergé de nostre royaume que souvent les pourveus desdites cures s'en desmettent par résignation avec réserve de pension d'icelles quoyque hors le cas de droit, pour satisfaire à la supplication dudit Clergé, attendant la déclaration que nous espérons de N.S.P. le pape, nous voulons que toutes pensions sur cures soient déclarées nulle sauf celles crées en cour de Rome sur la résignation des curés invalidés pour avoir passé LX ans ou estre atteints de maladies qui les rendent le reste de leurs jour inhabiles à servir lesdites cures.

Et pour le regard des éveschez, attendu qu'estans à nostre nomination il ne s'y peult créer aucune pension sans nostre consentement préalable, nous promettons en foy et parole de Roy de n'accorder ou consentir à l'advenir aucune pension sur les éveschez sinon en faveur de ceux qui durant leur vie les résigneront pour estre invalides aux fonctions de leurs charges.

Nous promettons aussy donner à l'advenir les éveschez entièrement à ceux que nous y nommerons sans réserve d'aucunes pensions.

Monastères. —

Considérant l'incommodité que la plupart de nos villes reçoivent pour estre trop chargées de monastères mendiants, nous voulons qu'à l'advenir il n'en soit plus receu aucun, si ce n'est ès lieux ou il n'y en a point, et où les évesques les jugeront du tout nécessaires. Et affin que l'on ne manque point de bons religieux, nous exhortons les archevesques et évesques de vacquer, conjointement avec les supérieurs des ordres exempts, à la réformation de leurs monastères, soit dès à présent par le consentement des religieux qui y sont, soit pour l'advenir en ne permettant plus qu'on en reçoive qu'ès maisons réformées.

Montcassin, Verdun et Chezal. — Ce que nous entendons pareillement estre effectué par le soin et auctorité desdits prélats ès maisons de l'ordre de St Benoist et St Augustin non exemptes de leur jurisdiction par les papes, ou qui l'estant ne se sont mis jusques à présent en aucune congrégation suivant les conciles et ordonnances.

Et pareillement, que par le soin et authorité des évesques, tous les monastères de filles, sans exception quelconque, soient fermez, et de divers prieurez champestres où demeurent diverses religieuses comme particulières, ils établissent un monastère où l'évesque l'estimera le mieux, y joignant à cette fin le revenu de tous lesdits prieurés ensemble (4).

Mariages. —

La licence irréligieuse et les desseins collusoires de plusieurs, légitimement conjoints par le sacrement de mariage, lesquels désirent mutuellement en estre déliez, au moins en apparence devant le monde, quoyqu'en effet ils ne le puissent estre devant Dieu, estant telle que pour y parvenir on fait supposer et alléguer par l'une des parties de faux faits et moyens de nullité de mariage, comme de contrainte, parentez, impuissance et autres empeschemens légitimes, que l'autre partie feint de contredire, mais en telle sorte que toutes les deux tendent, en effet, de faire déclarer le mariage nul au mespris de la religion et scandale extrême du public. A cette fin nous exhortons les prélats de nostre royaume de veiller et pourvoir le plus soigneusement qu'il sera possible à prévenir et empescher tel sacrilège, prescrivant à leur officiaux tel conseil qu'il estiment devoir estre appelé avec eux aux jugemens des procès qui pourront estre meus en tels cas. Enjoignons à nos officiers après que telles collusions auront esté avérées par les juges d'Eglise de punir sévérement, mesme de mort, ceux qui se seront trouvez coupables de pareilles suppositions, et ceux qui y auront participé soit par conseil, tesmoignage ou autre assistance de telles paines ou amendes corporelles ou pécuniaires qu'ils verront bon estre, voulant qu'à cet effet nos procureurs généraux ou leurs substituts en fassent toutes les recherches et diligences nécessaires.

Athéistes (d). —

Que les peines ordonnées contre les athéistes, sectateurs des religions payennes, juifve, turque, ou autres innovateurs, fors ceux que nous tollérons par nos édicts, comme aussy celles contre les blasphémateurs, soyent rigoureusement exécutées.

Duels. —

Et d'autant qu'après ce qui est des fausses religions et des blasphèmes, rien n'est si contraire au christianisme que la rage esfrenée des duels ; considérant que la rigueur des édicts que nous avons faits par le passé sur ce subject nous a quelquefois

---

(4) Réforme de la discipline monastique, mais aussi limite du nombre des monastères, ces deux idées se retrouvent dans le *Testament politique* (éd. André, pp. 199-202).

(d) Avenel, qui a reproduit ce paragraphe, observe en note, p. 175, que le mot « Athéistes », qui figure en titre, a été écrit de la main de Richelieu, ainsi d'ailleurs que les titres des divers articles. Jusqu'à cet endroit, le texte lui-même est écrit de la main de Le Masle. Les articles qui traitent des « Athéistes » et des « Duels » sont de la main de Charpentier. Le Masle reprend ensuite la plume jusqu'à la fin du mémoire.

donné lieu de nous en relascher sur les grandes importunités qui nous en estoient faites ; voulans que la diminution des peines, jusques icy imposées à telles fautes, les rendent d'autant plus convenables aux fins que nous proposons qu'il sera moins loisible de nous importuner pour en faire exempter ceux qui les auront méritées, et que moins aurons-nous lieu d'y consentir, ordonnons que ceux qui seront convaincus d'estre tombez en ceste frenaisie soyent au moings et sans espérance de grâce bannis pour cinq ans de nostre royaume, qu'ils soyent privez de toutes leurs charges, s'ils en ont, auxquelles nous nous obligeons de pourvoir promptement, et, au cas qu'ils n'en aient point, déclarés incapables d'en avoir à l'avenir ; que le tiers de leurs biens soit confisqué moitié aux hospitaulx qui seront establis dans les provinces pour les soldats estropiez, dont nous chargeons nos procureurs générauls et leurs substituds de faire soigneuse recherche sans avoir aucun esgard aux Dons et Remises qui pourront sur ce estre obtenues de nous, lesquelles desjà comme pour lors nous avons déclaré et déclarons nuls et de nul effet, nonobstant quelque clause qui y puises estre apposée pour les valider (5), et l'autre moitié applicable à nous pour en disposer soit en faveur des vesves, femmes et enfants ou autrement ainsy que nous verrons bon estre, le tout sans préjudice d'autre plus grande peine, mesme de mort, selon que nos juges et officiers ordinaires des lieux recognoistront que les circonstances des faits particuliers le pourroient mériter (6).

Et au cas que lesdits coulpables feussent trouvez dans nostre royaume pendant les cinq ans de leur bannissement, nous voulons nonobstant toutes lettres de rappel qu'ils peussent avoir obtenues de nous pour quelque cause et prétexte, et avec quelque clause que ce peust estre, lesquelles nous avons dès à présent déclarées nulles et de nul effet et valeur, voulons qu'à la diligence de nos procureurs générauIx ou leurs substituds, sur la première délation qui leur en sera faite ou advis à eux donnés, ils soyent mis et retenus prisonniers jusques à la fin de leur ban, et qu'en outre un autre tiers de leur bien soit confisqué pour la susdite contravention comme dessus, moitié à nous et l'autre auxdits hospitaulx, le quart de nostre demy tiers préalablement pris par le délateur.

Et affin que ceux qui sont offensés ne puissent prendre prétexte de violer le présent article, sous couleur de ne pouvoir tirer satisfaction des injures qu'ils prétendroient avoir reçues, les gouverneurs des provinces et des villes, avec l'avis de deux ou trois gentilshommes voisins, sages et biens sensez, ordonneront la satisfaction qu'ils jugeront raisonnables, et, en cas d'appel, les prévenus seront renvoyés par devant les Mareschaulx estans près de nostre personne, esquels nous donnons toute nostre auctorité pour décider et juger absolument tous différens de cette nature, soit qu'ils soient

(5) Déjà la déclaration royale de 1617 avait établi que ceux qui enfreindraient l'interdiction de se battre en duel pourraient se voir privés de toutes les charges dont ils seraient pourvus, leurs biens confisqués au profit des hôpitaux. L'édit de février 1626 reprendra cette disposition.

(6) La peine de mort sera prévue, dans l'édit de février 1626, et de façon irrémissible pour tout contrevenant à l'édit pour la seconde fois comme appelant.

arrivés dans nostre cour ou en quelque autre partie de nostre royaume que ce puisse estre (e).

Et afin qu'ils puissent plus facilement terminer juridiquement tous différens, nous nous obligeons d'accorder par leur advis tout ce que nostre conscience nous permettra pour la satisfaction des offensés voulant que celuy qu'ils prononcent soit si religieusement exécuté de toutes parts, que si quelqu'une des parties accordées vient à y manquer outre les peines de prison et autres que [les juges] pourront imposer, ils soient déclarés décheus de noblesse et déclarés roturiers.

Or bien que les appelans et appellés soient tous deux coulpables, celuy qui provoque estant principal autheur du crime de tous les deux, nous voulons qu'outre les peines cy-dessus spécifiées tout appellant ait trois ans de bannissement et qu'au lieu d'un tiers de son bien confisqué, ils en perdent la moitié, laissant, comme dit est cy-dessus aux juges ordinaires à leur imposer plus grande peine selon qu'ils verront bon estre.

Et quoy que nous estimions que l'observation de nos édits, qui sera à l'avenir inviolable, empeschera tous nos sujets de tomber ès fautes contre lesquelles ils sont faits, si touteffois il arrivoit qu'ils fussent si misérables que de ne s'en abstenir pas, et que, non contans de tomber en ce défaut ils y en attirassent d'autres dont ils se serviroient pour seconds, ce qui souvent a esté fait par quelques-uns pour chercher leurs seureté dans l'addresse d'un tiers et non dans leur courage, dès à présent comme dès lors nous les déclarons ignobles et décheus de toute noblesse, sans que nous ny nos sucesseurs puissent les restablir ou leur oster la note d'infamie que justement ils auront encourue.

Maison du Roy. —

Désirant autant qu'il nous est possible rechercher les désordres qui, par le cours et la facilité du temps se sont introduits en nostre maison, nous voulons que la despense en soit réglée et modérée sur le pied qu'elle estoit soubs le règne du feu Roy Henry troisième, en sorte que celle de nostre chambre aux deniers ne puisse excèder la somme de ...

Celle de nostre Argenterie ;
Celle de nostre grande Escurie ;
Celle de nostre Vénerie ;
Celle de nostre Faulconnerie ;
Celle des Gages de nos officiers ;
Celle de nos Aumones et offrandes ;
Celle de nos menus plaisirs.

Et affin que nostre intention soit exactement gardée, nous voulons que les estats de ladite despense en fin de chaque quartier soient arrestez en nostre Conseil des finances, auquel nous défendons de les arrester à plus que ce qui est cy-dessus exprimé, et à nostre Chambre des Comptes de passer et allouer pour chaque nature de despense ce qui excèdera les susdites sommes, voulans

(e) Le texte manuscrit a été barré d'un trait vertical sans pourtant qu'aucune modification n'apparaisse dans le contexte.

au contraire qu'elle en fasse faire la répétition sur les ordonnateurs.

Et au cas qu'il survint des occasions extraordinaires de nouvelles despenses que nous ne puissions éviter, nous voulons que, devant qu'estre faites, il en soit dressé estat en nostre dit Conseil, lequel ne puisse estre en façon quelconque outrepassé, ny payé aucunes choses soubs prétexte d'icelles qu'après et en conséquence desdits estats préalablement arrestez et mis ès mains de ceux qui en doivent faire la despense, à peine de répétition tant contre les ordonnateurs que les payeurs.

Considérant les inconvénients qui arrivent à cause de ce que ceux qui sont establis en quelques unes des principales charges de nostre maison et de la guerre pourvoient à beaucoup de celles des officiers qui sont soubs eux, et ainsy estiment devoir plustost dépendre d'eux que de nostre propre personne, nous déclarons que nul à l'advenir ne pourra estre pourveu d'aucune charge en nostre maison, d'Escurie, Vénerie, Faulconnerie, gardes de nostre corps et prévosté de nostre hostel, Artillerie, Marine, et tous gens de guerre tant de pied que de cheval, et généralement de tous ceux qui sont emploiez sur nos Estats et Roolles à nos gages et soldes, par autre que par nous, qui nous réservons particulièrement ce pouvoir, pour avoir plus de lieu d'en gratifier ceux qui le mériteront par leurs services.

Et affin d'avoir plus de lieu de traicter nostre noblesse selon que son ancienneté, les services de leurs prédécesseurs et les leurs le requerreront, nous voulons qu'aucun de puisse estre admis aux charges de maistre d'hostel, gentilhomme ordinaire et servant, escuyer d'Escurie, ès Compagnies des Cent gentilshommes ordinaires de nostre maison, gardes de nostre corps, et autres affectées par leur etablissement aux gentilshommes, s'ils ne sont nobles d'extraction (f).

Et au cas qu'à l'advenir il en soit receu qui ne soit de la susdite qualité, nous déclarons dès à présent que c'est contre nostre intention et par surprise, et conséquemmemt qu'elles seront toujours vacantes et impétrables nonobstant quelque temps qu'ils puissent avoir servi, jusques à ce que, sur l'advis que nous en aurons, nous y ayons mis des personnes qui ayent les conditions requises, voulants dès à présent que si aucuns sont pourveus qui soient d'autre qualité, bien que par grâce particulière, nous ne veuillions pas les priver de leurs charges, nous n'entendons pas toutesfois qu'ils soient pour cela exempts de tailles.

Vénalité (g). —

La vénalité des offices ostant le prix à la vertu et à nous le moyen de récompenser, choisir et employer ceux de nos subjets qui nous ont rendu plus de services, et sont plus capables d'en rendre, soit aux armes, en la justice et autres fonctions

---

(f) *En marge :* « Par ce moyen il n'y aura pas tant d'exempts des tailles, ce qui fera qu'elles seront plus supportables aux communautés ».
Le terme de « communautés » signifie ici : les gens des communes, les membres de la bourgeoisie.

(g) Le manuscrit porte aussi, à cet endroit, le mot « Police », qui se trouve répété plus bas, et n'est pas ici à sa place.

près ou loin de nostre personne, fait que, d'une part, nos finances sont épuisées par les dons et gratifications que nous sommes obligés d'en faire, à faute de pouvoir distribuer les honneurs et les charges dont la disposition ne nous est pas libre, et fait en outre que nosdits officiers qui n'y sont entrez que par le prix de leur argent, s'estiment moins obligez à nous rendre le service et fidélité qu'ils nous donnent, et s'attribuent plus licentieusement l'auctorité de faire des choses préjudiciables au bien et au repos de nos subjets. Nous, pour retrancher à l'advenir le cours de ce désordre qui pourroit enfin menacer nostre Estat de la ruine pour les inconvénients extresmes qui s'en peuvent prévoir, avons, suivant les advis qui nous ont cy-devant esté donnez par les Estats généraulx de nostre royaume et la résolution que nous en avons prise dès lors, retardée et empeschée par le malheur des troubles suivants, arresté et résolu de l'advis et c. (h) qu'il ne soit plus permis à l'advenir à aucun de nos officiers de quelque condition et qualité qu'ils soient, en nostre maison, aux armées, en la justice et nos finances, sauf aux personnes et ès cas cy-après exprimés, de vendre ni achepter aucuns offices, soit à prix d'argent ou choses équivalentes, nonobstant toutes permissions ou brevets particuliers, qu'ils en puissent obtenir de nous, lesquels dès à présent comme dès lors, nous déclarons nuls et de nuls effet. Voulons que tous offices susdits, pour lesquels il se trouvera qu'il ait esté donné aucun argent depuis la publication des présentes, soient vacans et impétrables, et ceux qui les auront acquis par telles voies, indignes d'en exercer à l'advenir, nonobstant toutes commissions ou lettres de provision qu'ils en puissent avoir obtenu de nous, et qu'ils fussent emploiez sur nos Estats d'une ou plusieurs années. Voulons néanmoins pour gratiffier et favorablement traiter ceux qui sont maintenant pourveus desdits offices et y sont entrez par achapt, suivant l'usage et réglements précédents ou de nostre consentement et cognoissance qu'ils puissent, soit pendant leur vie ou par leurs vesves et héritiers après leur décès, en disposer et les vendre à telles personnes capables qu'ils voudront choisir et qui nous soient agréables, sans pour ce payer aucune finance de quart denier, marc d'or ou autrement, ny dès à présent ni pour l'advenir aucun droit annuel, sans que leurs successeurs à l'advenir en puissent disposer par résignation au autrement, nous réservant néanmoins de recognoistre leurs services et fidélité à l'endroit des leurs selon qu'ils se seront bien et dignement comportez en l'exercice de leurs charges.

Suppression d'offices. —

Et advenant vacation des offices tant de nostre maison, justice, finances et autres, soit par le déceds de ceux qui en sont maintenant pourveus sans achapt, par nostre pur gratification, ou des successeurs de ceux qui les possèdent à présent par achapt, nous voulons qu'ils demeurent tous esteints et supprimez jusques à ce qu'ils soient réduits au nombre auquel ils estoient lors de l'advènement du Roy Henry troisième à la coronne. Et à cette fin nous deffendons à tous nos officiers et

(h) Le reste de la ligne est en blanc.

subjets qu'il appartiendra d'avoir aucun esgard aux lettres de provision qui pourroient estre obtenues de nous pour aucuns desdits offices supprimez comme dessus, ny de recognoistre ou admettre les y dénommez aux fonctions desdits offices : et à tous trésoriers, receveurs et autres d'en payer les gages et droits, et aux officiers de nos Comptes de les allouer, à peine de répétition solidaire tant sur les ordonnateurs que payeurs ou parties prenantes.

Parties casuelles. —

Bien qu'au moyen de la cessation de ladite vénalité nos parties casuelles demeurent dès à présent esteintes (7), nous voulons toutesfois que les thrésoriers d'icelles jouissent de leurs gages et puissent, eux ou leurs vesves et héritiers, disposer de leur offices pour la première fois comme dessus.

Comptant. —

Pour tesmoigner par effet l'extrême désir que nous avons d'empescher que les deniers qui se lèvent sur nos subjets pour les nécesités et manutention de l'estat et pour leur propre conservation ne puissent estre employez ou divertis à autre usage, nous voulons nous priver nous-mesmes de la liberté dont nos prédécesseurs et nous avons cy-devant usé de disposer des deniers de nos finances par voies secrètes de comptans (8). Recognoissant que bien que l'usage en puisse estre utile en beaucoup d'occasions pour lesquelles ils ont esté introduits, l'abus toutesfois en vient à telle conséquence, qu'on les peut dire une des principales causes de la dissipation de nos finances. C'est pourquoy nous déclarons par ces présentes ne vouloir plus à l'advenir user de telles formes d'acquits pour quelque cause et soubs quelque prétexte que ce puisse estre, deffendant à cette fin aux thrésoriers de nostre espargne et tous autres de fournir aucunes sommes de deniers sur telle forme d'acquits, quand mesme ils seroient certifiez par le surintendant de nos finances et autres principaux de nostre conseil, auxquels nous deffendons expressément de ce faire, comme aussy aux gens de nos comptes d'y avoir aucun esgard, aux comptes qui leur seront rendus, encore que les parties portées par les édits comptants fussent emploées et passées dans les estats qui nous auroient esté rendus, le tout à peine de répétition solidaire tant sur lesdits comptables que sur intendant et controlleur de nos finances et autres certificateurs, et lesdits gens de nos comptes qui les auroient passez.

(7) Parties casuelles : « Lorsqu'un office vénal tombait en déshérence ou que son titulaire mourait sans l'avoir résigné ou sans avoir survécu quarante jours à sa résignation, cet office tombait aux parties casuelles et était revendu au profit du roi ; il y avait un trésorier spécial des parties casuelles » (M. Marion, Dict. des Institutions de la France au XVIIe et XVIIIe s., Paris, 1923.)

(8) On appelait *acquits de comptant* les ordres expédiés aux trésoriers royaux d'avoir à payer les sommes indiquées sans que la Chambre des Comptes ait à en justifier l'emploi et sans reçu des parties prenantes. « Le roi était maître absolu de son Estat et n'avait nulle obligation de faire connaître aux officiers de ses comptes la nature et les motifs de ses dépenses. Telle était la raison qui avait développé l'habitude des acquits de comptant » (M. Marion, *op. cit.*).

Dons. — Gratification. —

Et parce que la pauvreté de la plupart de nos subjets est telle qu'à peine peuvent-ils porter les charges nécessaires à la manutention de l'Estat, à ce que les dons ou gratifications que nous désirons faire à ceux qui nous y convient journellement par leurs services ne nous puissent porter à des despenses si excessives que nous fussions contraints de faire de nouvelles impositions à la surcharge de nostre peuple, nous entendons ne faire à l'advenir aucun don, gratification ni récompense que sur les deniers qui pourront revenir bon de nos Estats, toutes les charges d'iceux préalablement acquittées : et là où aucun don seroit obtenu de nous sur autre nature de deniers, voulons qu'ils soient tenus pour nuls et de nul effet et valeur, comme donnez par surprise et contre nostre intention, deffendant aux surintendant et intendant de nos finances d'y avoir esgard, au contrôleur général d'icelles de les controller, aux thrésoriers de nostre Esparge de les acquitter, et aux officiers de nos Comptes de les passer et allouer nonobstant tous mandements, arrests et jussions qui en puissent estre expédiées, sur peine de répétition solidaire tant sur les parties prenantes que contre ceux de nosdits officiers qui auront contrevenu à ce que dessus.

Réduction de gages. —

Afin de parvenir plus aysément au but que nous avons de soulager nostre peuple et de ne le charger que des despenses que nous ne pouvons esviter pour estre du tout nécessaires au maintien de l'Estat, nous voulons que tous estats, gages et appointements des princes, officiers de la coronne, gens de nostre conseil et autres soient réduits au pied qu'ils estoient en l'an 1576.

Chambre de justice. —

La dissipation de nos finances arrivant souvent par les malversations de ceux qui en font les receptes et en ont le maniement, pour y remédier nous avons résolu d'establir une chambre en laquelle soient receues et examinées toutes les plaintes et advis qui seront données de ... (i). Desquels désordres nous déclarons dès à présent que nous voulons que recherche et justice soit faicte à la diligence et poursuite de nostre procureur en ladite chambre, tant contre les receveurs, con[eurs], parties coludentes (j), que tous autres nos subjets de quelque condition et qualité qu'ils soient, sans que pour raison de ce il puisse y avoir à l'advenir obtenu de nous aucune remise, grâce ou composition soubs quelque tiltre ou prétexte que ce soit. Déclarant que nonobstant icelles compositions, grâces ou remises, encore qu'elles fussent veues et approuvées en nostre conseil ou signées de nous-mesmes, et lesquelles dès à présent comme dès lors nous avons révoquées

(i) La ligne a été laissée en blanc.
(j) Il faut lire : « parties colludentes », et plus bas : « colludents », termes formés de *colluder*, avoir collusion.

comme données par surprise et contre nostre intention, nous voulons et entendons qu'il soit passé outre à la recherche et jugements d'iceux désordres, tant criminellement contre les coulpables et coludents s'ils sont vivants, que civilement contre leurs vesves, héritiers et descendants d'eux, tant pour lesdites restitutions qu'amendes et autres peines civiles, affectant aux délateurs de toutes rétentions, omissions, faulx ou doubles employs le sixiesme denier de ce qui en pourra provenir, outre les frais nécessaires auxdites poursuites qui seront préalablement pris sur ce qui en proviendra.

Conseil de réduction. —

La principale ruine et appauvrissement de nos subjets estant provenu de ce qu'à l'occasion des guerres civiles et sur les occurences et nécessités plus pressantes d'icelles pour trouver promptement les deniers dont nos prédécesseurs ont eu besoin on a esté contraint d'engager et aliéner les domaines de nostre couronne, constituer des rentes, créer des officiers et imposer diverses nature de deniers avec tant de précipitation qu'il a esté lors impossible de considérer et recognoistre les divers préjudices que chacunes natures desdites choses peuvent apporter à nostre Estat. Pour remédier à tels désordres, au soulagement de nos subjets et bien de nostre Estat, par le soin et loisir de personnes capables qui y puissent donner entièrement leur temps et industrie, nous avons advisé d'establir un conseil de douze personnes, sçavoir est trois de nostre conseil, un ecclésiastique, un homme d'espée, et un de robe longue, avec neuf autres, trois norris aux finances, trois en nostre chancellerie et trois au trafficq, que nous choisirons à cet effet aux gages de 200 L. par mois pour chacun d'eux, outre les gages ordinaires de nostre conseil pour les trois premiers susdits, lesquels et un greffier soubs eux, résidents en nostre ville de Paris, s'assembleront au lieu ou bureau qui sera à ce par nous destiné, tous les jours depuis huit heures jusques à onze du matin pour vacquer soigneusement à rechercher les moyens de désgager et retirer nos domaines et antiens droits aliénez, engagez ou usurpez, amortir les rentes constituées sur nos receptes et supprimer les notices inutiles ou supernuméraires, diminuer les despenses et autres charges publiques, ou en accroistre les receptes par le retranchement des larcins, exactions ou droits abusifs qui s'y sont glissez, dont le public est surchargé. Le tout autant que faire se pourra sans nouvelle imposition sur le public ny préjudice aux particuliers. Et outre considérer la nature de nosdites receptes anciennes ou nouvelles comme aussy celles de toutes les autres levées qui leur pourront estre proposées pour juger par la comparaison des unes aux autres lesquelles sont les plus équitables, plus supportables, moins chargées de frais ou exposées au desguisement et larcin, ou les plus dommageables, affin de retrancher du tout les dernières et se servir des premières autant seulement qu'il en sera besoin pour la manutention et charges nécessaires de l'Estat.

A cette fin nous voulons que ledit conseil ait la charge et pouvoir de se faire représenter tant les contrats d'alienations ou engagements des domaines et droits de nostre coronne, avec l'évaluation d'iceulx, que constitutions de toutes sortes de rentrées créées sur les receptes générales ou particulières de nosdits domaines, tailles, taillon, aydes, gabelles, décimes ou autres quelconques, édits de création, partys ou ventes de toutes sortes d'offices, et pareillement les estats de toutes nosdites receptes et charges anciennes et nouvelles d'icelles beaux antiens et nouveaux, partys ou traictez faits sur iceux, et généralement tout ce qui concerne la recepte et la despense de toute sorte de deniers imposez par nous ou par nostre auctorité, recevoir tous advis et mémoires aux fins susdites, en tenir registre, comme aussy du bien et du mal que ledit conseil remarquera pouvoir provenir de chacun desdits advis, qui demeureront au greffe d'iceluy pour empescher qu'à l'advenir on ne puisse recevoir par surprise ceux qui auront esté rejettez et condamnez comme les plus dommageables.

Nous n'entendons toutesfois que le dit conseil ait autre puissance de soy-mesme que de se faire représenter, recevoir et considérer toutes les choses susdites, mais non de rien ordonner, ains seulement en porter son advis de temps en temps en nostre conseil des finances pour après, selon l'ordre et mandement qu'il en recevra, estre pourveu sur chacun desdites choses ainsy que de raison.

Chambre de justice —

La punition des crimes estant le plus puissant moyen pour retenir les meschans de mal faire, et le pouvoir que beaucoup de personnes s'attribuent dans nos provinces empeschant souvent que nostre justice ordinaire y soit obéie, pour réprimer et chastier plusieurs violences et vexations indues qui s'y commettent, nous avons résolu d'establir une chambre composée de quatre conseillers de nostre parlement de Paris, deux de celuy de Tholoze, un de chacun des six autres, et deux de nos conseillers d'Estat pour présidens ; laquelle chambre ira continuellement par nos provinces, séjournant en chacune ville capitale d'icelles, autant seulement que la nécessité des affaires qui s'y rencontreront le requerera, y recevra les plaintes que nos subjets, de quelque qualité et condition qu'ils soient, y voudront faire contre toute sorte de personnes, desquelles par autre voie ils n'auront peu obtenir justice, sans crainte d'en recevoir nouvel outrage, comme aussy contre nos officiers, soit des lieux soit de nos cours souveraines, tellement craints et redouttez en l'estendue de leur ressort et jurisdiction que souvent on n'ose faire plainte de leur excez ny agir contre eux pour autres causes.

N'y ayant rien qui ruine davantage nos subjets que la longueur de temps que, par diverses chicanneries qui s'augmentent tous les jours on leur fait consommer avant qu'ils puissent avoir jugement de leurs procès, et les grands frais et excessives despenses qu'il leur convient faire à la poursuite d'iceux, telles que souventes fois il se trouve avoir de part et d'autre beaucoup plus despendu que la valeur de ce dont il s'agissoit, nous voulons que, par ceux de nostre conseil qui seront à ce par nous commis, il soit procédé au réglement requis pour l'expédition des causes, alliénation desdits procès, et la modération de frais qu'il y convient faire, appellant à cette fin avec eux tels de nos officiers du parlement que besoin sera, et que ce qui sera arresté soit gardé sur peine (k).

(k) Cette dernière phrase est écrite en marge.

Police. Hospitaux. —

La mauvaise administration des hospitaux et le divertissement qui se fait souent des revenus y affectez et employ à autre usage des choses y destinées estant causes que les malades nécessiteux n'y peuvent estre receus ny secourus selon que l'establissement desdits hospitaux et la charité le requierent, pour éviter tels inconvénients à l'advenir, nous enjoignons aux Maires et Eschevins des villes, Marguiliers et Procureurs sindics des paroisses qu'avec les ecclésiastiques qui seront à ce commis sur les lieux par les évesques diocésains, y appelez les substituts de nos procureurs généraux, ils pourvoient soigneusement à ce qu'aucun divertissement n'en soit fait, et qu'à cette fin ils recherchent et fassent un estat de toutes les choses y affectées ou qui en dépendent et establissent un tel ordre au maniement et direction d'icelles, que lorsqu'il y survient des malades, ils ne soient pas frustrez du secours qu'ils en doivent attendre, et, en cas de négligence ou malversation, mandons aux substitus de nos procureurs généraulx ... (1).

Pauvres renfermez. —

Pour ce que plusieurs vagabonds et fainéans, au lieu de s'occuper, comme ils peuvent et doivent, à gagner leur vie, s'adonnent à la quester et mandier, ostant le pain aux pauvres nécessiteux et invalides auxquels il est deu, incommodent les habitans des villes et privent le public du service qu'il pourroit recevoir de leur travail, nous voulons qu'en toutes les villes de nostre royaume soit étably ordre et réglement pour les pauvres tel que non seulement tous ceux de la dite ville, mais aussy des lieux circonvoisins, y soient enfermez et norris, et les valides emploiez en œuvres publiques.

Et qu'à ceste fin soient assemblez tous les ans les députez des ecclésiastiques, officiers, maires et eschevins et communauté des marchands, en la maison de l'évesque ès villes épiscopales, ou ès autres ès maisons de ville, pour ensemble adviser et résoudre la despense y nécessaire par chacun an, et les moyens d'en trouver le fons, auquel sera affecté tous les deniers, grains, revenus léguez au pauvres, soit sur les bénéfices ou autres biens quelconques. Et le surplus sera levé par capitation, laquelle après que d'un consentement il y aura esté résolu ce que chaque corps doit porter ; les taxes des particuliers en seront par après faites par ceux que chaque corps députera à cest effet.

Et au cas qu'aucuns desdits corps refusast de porter sa cotte part raisonnable de ladite despense, on se pourvoiera en nostre conseil pour y estre réglé, comme aussy en cas qu'il soit advisé esdites assemblées qu'il y ait quelque sorte d'impost moins dommageable au public d'où l'on peust tirer partie de ladite recepte, se pourvoiront par devant nous pour en obtenir les lettres et expéditions que nous jugerons à propos de leur accorder. Et affin que nous soions asseurez que nostre intention en ce regard ait esté promptement exécutée pour le bien des pauvres et du public, et qu'en outre nous soions esclaircis de la forme de l'establissement

(1) Le reste de la ligne est en blanc.

qui en sera fait en chacun de nos villes, nous mandons et ordonnons aux Maires et Eschevins d'icelles d'envoier au secrétaires de nos commandements, chacun au département de sa charge, dans six mois pour tout délay, autant desdits establissements.

Collèges. —

Considérant [que] la grande quantité des collèges qui sont en nostre royaume fait que les plus pauvres faisant estudier leurs enfans, il se trouve peu de gens qui se mettent au traffic et à la guerre, qui est ce qui entretient les Estats, comme aussy que, parmi tant de gens qui enseignent, il est impossible qu'il n'y en ait beaucoup de médiocres, qui par conséquent ne peuvent donner la vraye teinture des lettres à ceux qu'ils instruisent. Pour remédier à ces inconvénients, nous voulons qu'il n'y ait plus de collèges si ce n'est ès ville cy-après nommées (m), qui sont en telle assiette en nostre royaume, que tous ceux qu'on cognoistra particulièrement estre nez aux lettres y pourront estre commodément envoiez.

Nous voulons qu'en chacune d'icelles il y ait deux collèges, l'un de séculiers et l'autre de PP. Jésuites, et à cause du grand nombre de jeunesse qui se trouve dans Paris, nous voulons qu'il y en ait quatre, trois de séculiers et un de jésuites.

Et affin qu'ils soient et plus grands et mieux fondez, nous entendons qu'aux villes où la multiplicité des collèges et la commodité des lieux le permettra, l'on en unisse deux ensemble (n), ainsy qu'il sera plus particulièrement déclaré dans nos lettres d'establissement, et que les autres collèges qui demeureront inutiles, soient vendus pour le prix d'iceux estre emploié soit en bastiments nécessaires, soit à augmenter les places ou le revenu des collèges séculiers.

Que si ès collèges qui seront vendus, il y a des boursiers fondez, les fondations demeureront pour estre deservies et accomplies ès collèges séculiers qui seront establis, où les boursiers seront transportez et entretenus.

Et d'autant que l'expérience nous fait cognoistre combien il nous importe d'avoir en tous lieux ses gens capables d'instruire les peuples et leur salut, et résister à l'hérésie, et que ceux qui font particulièrement estat de marier la piété avec les lettres, comme font les jésuites, y sont aussy propres qu'aucuns autres, nous voulons que leurs collèges soient convertis en maisons professes. Mais pour ce que leur institut ne souffre pas que leurs maisons professes ayent autre fondation que la charité et l'aumosne nous ordonnons que la moitié du revenu que lesdits collèges ont en chaque ville où ils sont establis, soit annexée au corps des villes qui les ont reçeus, moyenant qu'ils se chargent de leur nourriture et entretenement, l'autre moictiée estant donnée pour les soldats estropiez.

Et au cas qu'il se trouve des villes qui se tiennent trop chargées de ladite nouriture, les religieux se pourront retirer à l'un de leurs collèges cy-dessus nommez, auxquels sera annexée ladite moitié du

(m) *En marge :* « Paris, Rouen, Amiens, Troyes, Dijon, Lyon, Tolose, Bordeaux, Poictiers, Rennes, La Flesche, Pau ».

(n) *En marge :* « Boncourt sera uny à Navarre ; à Cambray, le collège du Plessy ; aux jésuites, le collège du Mans ou à Montagu ».

revenu cy-dessus destiné aux villes. Que si toutesfois il se trouve que les fondations desdits collèges soient du bien et revenu des habitans, on ne pourra les priver du revenu desdits collèges, qu'ils emploiront ou à l'establissement des hospitaux, ou à l'entretenement des pauvres desdits lieux.

Nous n'entendons en ce présent article préjudicier en aucune façon aux universités de droit, de médecine et de théologie, lesquelles demeureront dans les termes de leur establissement et de l'usage qu'elles ont observé jusques à présent.

Aussy peu voulons-nous par ces présentes retrancher les petites escholes qui peuvent estre en diverses paroisses des villes ou de la campagne pour la première instruction de la jeunesse, jusques à leurs premiers rudimens, en sorte toutesfois qu'en chacune d'icelles il ne puisse y avoir qu'une classe et un précepteur.

Loix somptuaires. —

Les despenses excessives qui se font par seule ostentation en choses du tout inutiles et superflues ruine[nt] la plupart des familles et dérègle[nt] tellement les esprits de beaucoup de nos subjets, que, ne pouvant satisfaire à la continuation de leurs despenses, quelque bien qu'ils puissent recevoir de nous, ils se laissent emporter à recourir à d'autres voies pernicieuses pour eux et préjudiciables à nostre Estat. Pour remédier à ce désordre, et faire autant que nous pouvons que chacun règle et modère sa despense selon sa condition et son bien, renouvelons [les règlemens], que nous avons faits sur le sujet des clinquans, broderies et passemens de Milan (9).

Nous défendons en outre ... (o)

Clinquant, or et broderie
déffendus à tout le monde.

Manteaux de velours doublez
de panne, chapeaux de castor
deffendus à...

Bas de soie, habits de satin.

Femmes.
Pierreries à toutes personnes non nobles.
Robes et Juppes de satin et de velours à
toutes simples damoiselles et dames au dessoubs de...
Carosses à tous non nobles et non officiers
des compagnies souveraines.

Dorures d'iceux à toute sorte de personnes,
fors aux enfans de France.

Dorures de chambre et cabinets à toutes
personnes *ut supra.*
Festins.
Tous excès de festins, en sorte qu'il ne puisse
y avoir que trois services.

(9) Il s'agit en particulier des édits somptuaires de 1613 et de 1617.

(o) La page est restée en blanc, et les indications qui suivent ont été portées en marge.

Voulant que tous ceux qui contreviendront au règlement cy-dessus soient pour la première fois condamnez à payer, au proffit des pauvres, le quatruple de la despense inutile qu'ils auront faite contre et au préjudice dudit réglement ; avec ce qui en restera et se trouvera encore en estre qui demeurera confisqué, et en outre le double de ladite despense inutile au proffit du délateur, et à payer tous les frais de la poursuite, de laquelle nous chargeons tous nos procureurs généraux et leurs substituts, pères des pauvres des lieux.

Deffendons à tous doreurs, brodeurs, d'y travailler comme ledit règlement, à peine aussy du quadruple du prix de leur peine et frais, et, en outre, de punition corporelle, si faire se doit.

ANNÉE 1626

1. — La princesse de Piémont au Cardinal de Richelieu. Turin, 3 janvier 1626.

Bibl. munic. de Rouen, Col. Leber, Vol. 5757 (3242), portef. G, pièce 30. — Original.

Monsieur mon Cousin, Je vous ay fait une prière sur un fait qui regarde l'Eglise et la Religion. Je m'asseure que ces raisons vous auront esmeu, oultre ma considération, à y porter vostre assistance. De quoy j'ay désiré vous remercier. Le Roy et la Reyne Madame ma mère m'ont fort obligée de considérer à ma prière les justes plaintes de cette Dam^elle^ fort persécutée en hayne de sa conversion. Je recepvray à beaucoup de faveur sy vous les assistiez et seconder (sic) les intentions de Leurs Maj^tés^, affin qu'elle obtienne justice du tort qu'un beau-père et mère luy ont fait en sa personne et en ses biens. Le Sr Dallos son mary va pour faire enthériner son abolition.

Je vous recommande l'un et l'autre en la suitte de cest affaire, parce que je serois bien ayse de les mettre en repos, et que je crois en cela faire une grande charitté ; en quoy je m'asseure vous voudrez prendre part et me tesmoigner que vous aurez agréable mes prières, vous asseurant que j'estime tousjours très véritablement v^re^ amitié et que je vous continue la mienne comme estant,

Monsieur mon Cousin,

V^re^ affectionnée cousine,

Chrétienne.

Mons. le Card^al^ de Richelieu. De Thurin, le 3 jan^er^ 1626.

Pièce 1. — *Sur la protégée de la princesse de Piémont, dont il est question dans cette lettre, nous n'avons d'autres renseignements que ceux que donne Tallemant des Réaux dans une de ses Historiettes* (*Éd. A. Adam, t. II, p.* 373). *Elle se serait appelée Madame Dalot. Issue d'une famille de bourgeois d'Agen, les de Viger, elle se serait faite enlever dans des circonstances romanesques par son futur mari, jeune homme « bien fait et entreprenant », qui la conduisit dans un château de la région, puis de là en Rouergue et enfin en Savoie, où l'un et l'autre allèrent se jeter aux pieds de la princesse de Piémont, Chrétienne de France. Celle-ci, ajoute Tallemand, « les prit en affection et fit instruire la dame en sa croyance, car elle estoit huguenotte » ; mais les parents de la fugitive, qui avaient sans doute quelque crédit à la cour, auraient agi auprès du cardinal de Richelieu pour que son mari et elle-même fussent renvoyées à Paris. « Par arrest du Conseil, elle fut mise dans un couvent, afin d'estre en liberté de dire si Dalot l'avoit enlevée de gré ou de force » : elle déclara avoir agi de son plein gré, ajoutant qu'elle n'aurait jamais d'autre mari que celui qu'elle s'était donnée. Ils seraient ensuite l'un et l'autre retournés en Savoie, d'où plus tard ils se rendirent en Guyenne.*

2. — A M. de Bassompierre. Paris, 5 janvier 1626.

B.N. Fonds français, Vol. 3689, f° 204. — Copie.
B.N. Nouv. Acq. Fr., Vol. 7311, f° 166. — Copie.
B.N. Dupuy, Vol. 69, f° 200, v°, Vol. 831. — Copie.

Monsieur, Lors que vostre courrier est parti, j'estois tellement indisposé qu'il m'estoit impossible de mettre la main à la plume. Vous ne croirez pas, s'il vous plaist, que je vous aye mis en oubli, veu qu'il n'y a rien que je souhaitte plus que les occasions de vous servir. Je ne vous escriray rien sur le sujet des affaires pour lesquelles vous séjournez au lieu où vous estes, veu que M[r] d'Herbault vous en aura faict les dépesches très amples. Je vous convieray seulement de croire que je suis très véritablement, etc.

A Paris, ce 5e jour de janvier [1626].

Pièce 2. — *Cette lettre fut écrite dans les circonstances suivantes. Le maréchal de Bassompierre se trouvait alors à Soleure en qualité d'ambassadeur auprès des Cantons suisses. Il y remplaçait François-Annibal d'Estrées, marquis de Cœuvres, chargé de prendre le commandement de l'armée en Valteline avec le titre de lieutenant-général. Mais, en quittant ses fonctions d'ambassadeur, Cœuvres avait perdu du même coup l'indemnité de mille écus par mois qui était attachée à ces fonctions. Il avait donc demandé et obtenu, à titre de compensation, de conserver la charge d'ambassadeur extraordinaire auprès des Grisons. Cette disposition avait vivement mécontenté Bassompierre, qui avait d'ailleurs toujours été en mauvaises relations avec Coeuvres : il menaça de rentrer en France. Il n'est pas impossible que Richelieu ait voulu laisser au temps le soin d'arranger les choses, et que l'indisposition, à laquelle sa lettre fait allusion, n'ait été invoquée par lui que pour lui permettre de trouver quelque solution satisfaisante.*

3. — M. de Bullion au Cardinal de Richelieu. Grenoble, 6 janvier 1626.

A.E., Cor. pol., Turin, Vol. 7, f° 6. — Original.

Monseigneur,

Ainsi arrivés à Grenoble, nous avons trouvé de fascheuses affaires, Brison (1) s'estant soustenu du costé du Pouzin (2), qu'il a surprins, Montauban-Gouvernet (3) ayant prins le Poët-Laval et Truinas (4) dans le Dauphiné, qui sont deux meschantes places. M. le conestable (5) espère en venir à bout et chastier les rebelles. Il fait l'estat

(1) Joachim de Beaumont, baron de Brison, gentilhomme protestant, dont il sera souvent question plus tard, dans cette correspondance.
(2) Le Pouzin, commune de l'Ardèche, à une quinzaine de kilomètres à l'Est de Privas, position stratégique sur le Rhône.
(3) Charles de Rohan.
(4) Ces deux noms, mal écrits et mal orthographiés dans le texte, ont dû être rétablis correctement. Les deux localités sont situées à l'Est de Montélimar, distantes de quelques lieues l'une de l'autre.
(5) Lesdiguières.

de lever quelques trouppes pour promptement estoufer le mal de la province. Quant à l'affaire du Pouzin, il escript au Roy et le suplie de commander à messieurs de Guise et duc de Ventadour, marquis de Portes et comte de Tournon de faire des levées promptement d'infanterie pour venir à bout de cette place. Il est nécessaire d'avoir six mil hommes de pied, les quatre régimens de Provence destinés pour le Piedmont y pouvant servir. La diligence est très nécessaire parce que les rebelles n'ont moyen, pendant le temps des gelées, de se fortifier. M. le connestable prendra du canon dans cette ville et le fera conduire par eau jusques sur le lieu. Pour cavalerie, ils n'auront besoin que de celle qui est dans la province, M. le connestable ayant la compagnie de gendarmes, les gardes, une partie de celle de chavaulx légers, et celles de Clovis, Coudray, Grignan. Et voilà plus qu'il n'en fault. Je vous supplie prendre cette créance que monsieur le connestable y servira le Roy avec toute fidélité et affection, et qu'il est merveilleusement picqué de la hardiesse de Montauban-Gouvernet contre lequel il est animé d'ailleurs. Je m'asseure qu'il en fera faire chastiement exemplaire s'il le peut attraper. Il désire aussi s'en retourner en Piedmont.

Je vous suplie, Monseigneur, faire considération sur l'extrême désir que monsieur le connestable tesmoigne avoir que monsieur le mareschal (6) et moy fassion entendre les affaire d'Italie à Sa Majesté. Si vous ne jugez à propos que tous deus ensemble fassions le voyage, permettez, je vous supplie, que ce soit l'un de nous. Ma présence n'est point nécessaire en Piedmont, l'armée estant en garnison et ayant pourveu pour le faict des finances pour deux mois entiers ou peu s'en fault. Je désire encore l'honneur de vous dire des choses que je ne peus et doibs escrire et dont vous me blasmeriez. Je vous suplie me continuer la faveur de votre protection et croire que je suis,

Monseigneur,

Vre très humble et très obéissant, et très obligé serviteur,

Bullion.

De Grenoble, ce VI janvier 1626.

Pièce 3. — *De l'auteur de cette lettre — Claude Bullion, marquis de Gallardon et seigneur de Bonnelles, l'un des plus fidèles soutiens de la politique de Richelieu — il n'a été qu'incidemment question dans les premières années de cette correspondance. Né vers* 1570, *il appartenait par son père, maître des requêtes, et par sa mère, née Lamoignon, au monde de la haute magistrature. Conseiller au parlement de Paris en* 1599, *conseiller d'Etat ordinaire, surintendant de Navarre en* 1612, *chargé de plusieurs missions à l'extérieur, en particulier comme intendant de l'armée d'Italie, en* 1624, *il avait nommé, en* 1625, *chancelier de la reine mère. Au mois de juin* 1626, *il sera chargé d'une mission extraordinaire auprès du duc de Savoie. Enfin, en* 1632, *après la mort du marquis d'Effiat, il deviendra surintendant des finances avec Claude Bouthillier, charge qu'il devait conserver jusqu'à sa mort, le* 22 *décembre* 1640.

(6) Charles de Créqui (1578-1638) ; il avait épousé successivement deux filles du connétable de Lesdiguières, Madeleine, de Bonne, en 1595, et Françoise de Bonne en 1623. Il sera gouverneur du Dauphiné à la mort de son beau-père survenue à la fin de cette même année 1626.

4. — Louis de Marillac au cardinal de Richelieu. Verdun, 7 janvier 1626.

A.E., Cor. pol. Lorraine, Vol. 7, f° 179-180. — Original.

Analyse :

M. de Verdun (1) persiste dans sa résolution de traiter de son évêché avec le roi, ainsi qu'il l'a mandé. Marillac en a été instruit par ses soins ; il demande au cardinal de lui donner une réponse au mémoire qu'il lui envoie avant que l'évêque, qui doit bientôt se rendre à la cour, ne quitte la ville. Il croit devoir faire savoir au cardinal que « le duc de Lorraine craint qu'il ne s'accommode de son évêché avec le Roy, d'aultant que tout évesque maintenu par le Roy pourroit légitimement retirer deux villes et septantes villages que le duc a usurpez ». Marillac a vu une lettre de La Vieuville, par laquelle celui-ci se déclare disposé à faire connaître au cardinal « des choses dont il tirera un avantage très grand ». Marillac continue de faire travailler activement aux fortifications de Verdun, mais l'argent commence à manquer (2). Il convient d'y pourvoir. Avant la fin de février trois bastions seront mis en état au printemps, ils seront achevés. Mais il est au désespoir de voir l'armée réduite faute d'argent, et il prévoit « un desbandement assuré dans peu de jours s'il n'y est pas pourveu puissamment », précisant que « toute l'infanterie n'a point veu d'argent du Roy depuis le 15 juillet de l'année passée. MM. les surintendants (3) vous diront néanmoins qu'elle est bien

Pièce 4. — *Louis de Marillac — V.* supra *Année* 1625, *pièce* 38 — *était gouverneur des ville et citadelle de Verdun. Il était, en outre, lieutenant général au gouvernement des Trois-Evêchés, capitaine des Gendarmes de la reine mère et, depuis* 1598, *gentilhomme ordinaire de la chambre du roi. Les relations entre Richelieu et Marillac étaient anciennes, et les lettres que le cardinal adressa à cet officier pendant son premier ministère montrent qu'elles étaient déjà, à cette époque, cordiales et confiantes. Celles de Marillac au ministre, que l'on trouvera dans cette édition, ne feront que confirmer ce sentiment. Par là, elles corrigent l'impression que les rédacteurs des* Mémoires de Richelieu *ont voulu plus tard artificiellement créer.*

(1) François de Lorraine (1599-1661), troisième fils de Henri de Lorraine, marquis de Moy, et de Claude de Moy, évêque de Verdun depuis 1623. Il avait violemment protesté auprès de Louis XIII contre les travaux entrepris à la citadelle et, sous divers prétextes, il ira, quelques mois plus tard, jusqu'à interdire toute corvée sans sa permission.

(2) Les travaux sur lesquels il avait la haute main portaient à la fois sur la construction d'une citadelle et sur les fortifications de la ville proprement dite. Au cours du procès qui devait, quelques années plus tard, le conduire à l'échafaud, il fut établi que Marillac n'avait aucun scrupule à tirer profit de la situation, ce qui ne lui était pas d'ailleurs particulier : il percevait sur les fournitures des commissions de 25 ou même de 33 % ; il faisait établir de fausses quittances signées de personnages fictifs ; sous le nom d'un homme de paille il s'était fait adjuger la fourniture du pain de munition ; par un véritable abus de pouvoir, il faisait lever de lourdes contributions sur les villages environnants. Cependant il réclamait toujours aux surintendants les sommes qu'il jugeait indispensables pour la poursuite de ses travaux.

(3) Michel de Marillac, frère aîné de Louis, et Champigny étaient conjointement surintendants des finances depuis la disgrâce de La Vieuville. Ils avaient été nommés par lettres patentes du 27 août 1624 (A.E., Mém. & Doc., France, Vol. 778, f° 194).

payée ; mais vous pourrez respondre, s'il vous plaist, ce que je vous en dis, et qu'ils font un très notable desservice au Roy de ruiner la plus complète armée que le Roy aye sur pied. Je suis bien marry d'avoir à dire cella d'une personne qui m'est si proche, mais je ne le puis cacher ».

5. — Michel de Marillac au cardinal de Richelieu. Paris, 8 janvier 1626.

A.E., Mém. & Doc., France, Vol. 782, f° 1. — Original.

Monseigneur,

Je vous raportay dernièrement devant le Roy ce que M. d'Espernon nous a envoyé de l'entretènement de ses troupes sur quelques sénes-chaussées. Cela nous a donné ouverture pour essayer de faire porter la despense des armées, pour une bonne partie, par les provinces, et avons avisé, ainsi, M. de Champigny et moy, d'en escrire à M. d'Espernon mesme pour en avoir son avis, estimans que cela en rendra l'exécution plus facile ; mais, d'autant, Monseigneur, qu'il y a en cela des considérations que vous sçaurez mieux avoir, pour faire les affaires avec la dépendance que je doibs, je vous suplie très humblement vouloir ouvrir la lettre que nous pensons luy envoyer en commun, et me faire l'honneur de me commander ce que vous jugerez à propos. Il me semble que cet establissement nous donnera le moyen de le faire ès autres provinces. J'ay touché au commencement le plus doucement que j'ay peu ce qu'il a fait sans commission pour ne l'aprouver pas ny aussy le blesser sur ce sujet. Je prye Dieu vous donner en sa grâce et parfaite santé très longue et heureuse vye, et suis,

Monseigneur,

V^re très humble et très affectionné serviteur et obligé,

Marillac.

A Paris, ce 8 janvier 1626.

Pièce 5. — *Michel de Marillac, seigneur de Fayet et de Ferrières, était né à Paris le 9 octobre* 1563. *D'abord avocat au temps de la Ligue il était devenu conseiller au parlement, en* 1586, *maître des requêtes en* 1595, *conseiller d'Etat et, enfin, depuis la disgrâce de La Vieuville, surintendant des finances, charge qu'il devait exercer, conjointement avec Champigny, jusqu'au* 1er *juin* 1626, *date où il fut nommé garde des sceaux. Profondément religieux, il avait songé, dans sa jeunesse à se faire moine et employait ses loisirs à des traductions de psaumes. C'est autant par piété que pour complaire à la régente qu'il s'était chargé d'organiser l'établissement des Carmélites du faubourg Saint-Jacques. Cette tâche l'avait rendu intime du Père de Bérulle. L'un et l'autre appartenaient à la génération qui avait vécu les sanglants désordres des guerres de religion : l'hérésie protestante demeurait pour eux l'ennemi à exterminer et l'alliance avec la catholique Espagne le pivot de la politique extérieure.*

6. — Le duc de Montmorency au cardinal de Richelieu. S.l, 11 janvier 1626.

A.E., Mém. & Doc., France, Vol. 781, Invent. de la cor., 1626, f° 177, v°.

Analyse :

« Commandant l'armée navale, il demande congé pour un mois ou six semaines, afin de rétablir sa santé et de vaquer à ses affaires. »

7. — Le duc de Cossé-Brissac au cardinal de Richelieu. S.l, 15 janvier 1626.

A.E., Mém. & Doc., France, Vol. 781, Invent. de la cor., 1626, f° 177 v°.

Analyse :

« Il est arrivé à Port-Louis depuis un jour ; il envoye un gentilhomme pour représenter les nécessités de la place. »

8. — Le connétable de Lesdiguières au cardinal de Richelieu. Grenoble, 18 janvier 1626.

Arch. des Af. étr., Cor. pol., Turin, Vol. 7, f° 22. — Original.

Analyse :

Simple lettre remise à M. de Créqui en introduction au voyage qu'il doit faire à la cour.

9. — Le connétable de Lesdiguières au cardinal de Richelieu. Grenoble, 18 janvier 1626.

Arch. des Af. étr., Cor. pol., Turin, Vol. 7, f° 20. — Original.

Analyse :

Tout en reconnaissant que le roi a certainement de bonnes raisons d'autoriser le maréchal de Créquy à se rendre à la cour, il regrette que M. de Bullion n'y ait pas été appelé avec lui, non seulement en raison du séjour qu'il vient de faire en Italie, mais parce que le connétable estime qu'il importe à sa propre réputation et au repos de son esprit que M. de Bullion soit reçu par le roi. C'est pourquoi il supplie le cardinal d'appuyer sa prière auprès de Sa Majesté.

10. — Le duc de Montmorency au cardinal de Richelieu. Luçon, 18 janvier 1626.

Impr. : *Bulletin des Bibliophiles*, 1876, p. 19.

Monsieur,

Je fais profession d'obéissance au pouvoir. C'est pourquoy la moindre connoissance de la volonté du Roy m'a fait oublier mes indispositions (1) et toute autre chose pour ne m'esloigner pas davantage de ceste armée. Je vous supplie très humblement de vouloir tenir la main aux ordres que j'ay si souvent demandé pour y faire subsister mon service. Mes lettres jusques icy ayant esté sy peu considérées que j'ay esté obligé d'envoyer le sieur de Miremont (a) pour représenter de vive voix ce que l'on a escript et dont il est

Pièce 10. — *L'original de cette lettre, qui appartient aujourd'hui à quelque collection particulière, faisait encore partie des archives de Richelieu au début du XVIII*e *siècle, puisque l'inventaire dressé par l'abbé Le Grand le mentionne* (*A.E., Mém. & Doc., France,* 781, *f*° 177 *v*°). *Le texte publié par le* Bulletin des Bibliophiles *n'a peut-être pas été établi avec tout le soin désirable : il semble douteux au moins en deux endroits, mais à vrai dire sans que le sens général en soit altéré.*

Montmorency se trouvait, depuis le mois de mai 1625, *à la tête de l'armée navale, composée surtout de vaisseaux hollandais, que commandait l'amiral Haultain Van Zoete, et destinée à réprimer les agissements de Soubise. Il avait infligé à la flotte de celui-ci, devant l'île de Ré, le* 15 *septembre* 1625, *une défaite qui avait contraint le rebelle à se réfugier d'abord à Oléron, puis en Angleterre, au port de Falmouth, où une escadre française avait été chargée de le bloquer. Cependant la situation demeurait incertaine devant La Rochelle, dont les habitants, irrités de ne pas obtenir la démolition du Fort-Louis, parlaient toujours de guerre, d'autant plus que les Provinces-Unies venaient de laisser entendre leur intention de rappeler leur flotte. Aussi, quand Montmorency avait sollicité la permission de prendre un congé « afin de rétablir sa santé et de vaquer à ses affaires »* (*V.* supra *pièce* 6), *son écuyer, La Roche-Dagon, chargé du message, lui rapporta pour réponse l'ordre du roi ne pas s'éloigner de sa flotte. Le duc avait déjà quitté la côte pour se rendre à Fontenay-le-Comte, quand la dépêche royale « l'obligea de s'arrêter à Luçon, d'où il pouvoit estre dans trois heures à l'armée, ayant ordonné des signaux le long de la coste jusques à l'Aiguillon, afin d'estre plus promptement averty de tout ce qui paraistroit sur la mer »* (Mémoires de Montmorency, 1666, *p.* 112).

(1) Depuis plusieurs semaines, la santé de Montmorency s'était altérée. Les médecins lui avaient conseillé de prendre du repos. Mais, selon ses *Mémoires*, une autre raison expliquait ce départ : l'amiral hollandais s'attendait d'un jour à l'autre à recevoir son ordre de rappel ; il avait concerté avec le duc que celui-ci « s'éloigneroit, afin que l'amiral, ayant la charge de toute l'armée, fust engagé par son honneur et par sa promesse, de ne point quitter jusques à ce que l'on y eust pourveu » (p. 106).

(a) Il faut sans doute lire : Mirmant. Le résumé de l'inventaire de l'abbé Le Grand porte « Mismen », ce qui est une faute de lecture certaine. Le rédacteur des *Mémoires* de Montmorency écrit « Myrman » et précise que ce gentilhomme était « intendant de la maison » du duc.

pleinement informé (2). Sy vous prenez la peine de l'ouïr, vous trouverez à mon avis tout ce que je demande aussy juste pour moy qu'important pour les affaires de S.M., qui, ne m'ayant rien fait sçavoir de l'ordre qu'elle a donné pour le Lenguedoc, je renvoie le remersiment à l'onneur de vostre amy (b) et vous auray une obligation très certaine sy vous favorisez la vive supplication que je luy ay réitérée par ledit sieur de Mirmont. J'atens ce témoignage de la bonne volonté que vous m'avez promise, laquelle je crois avoir méritée, sy la passion que j'ay pour vostre service et pour en estre digne et si vous me croiés autant que je le suis vostre très humble serviteur.

11. — M. de Bullion au cardinal de Richelieu. Grenoble, 19 janvier 1626.

A.E., Cor. pol., Turin, Vol. 7, f° 37. — Original.

Monseigneur,

Vous entendrez par M. de Saint-Sauveur l'estat des affaires de deçà, qui est tel que, Dieu merci, ma présence n'est [pas] nécessaire. Je vous supplie, Monseigneur, par vostre authorité, et la protection très particulière dont il vous a pleu me favoriser, que je puisse avoir la permission de voir le Roy et vous. J'espère que mon voyage ne sera [pas] inutile pour le service de S.M., et qu'aurez agréable de voir et entendre comme toutes choses ont esté conduittes. Vous obligerez extrêmement Monsieur le Connestable en cette occasion et moy particulièrement pour vivre et mourir,

Monseigneur,

Vostre très humble et très obéissant serviteur,

De Bullion.

De Grenoble, le XIX janvier.

(b) « Amy » n'a guère de sens ; il faut lire probablement : « amytié ».

(2) Les *Mémoires* de Montmorency permettent de donner les précisions sur cette mission. L'envoyé du duc était chargé de représenter au roi « les nécessitez extrêmes où l'armée navale estoit réduite, et le danger où ses ministres jettoient l'honneur de ses armes par l'aveugle confiance qu'ils prenoient sur son crédit, et l'obligeant de faire continuellement les avances de toutes sortes de frais : que c'estoit bien assez d'avoir pourvû depuis deux mois aux munitions de guerre et de bouche, sans le presser de survenir aux choses extraordinaires, comme d'armer les pataches et les galiottes qu'on luy demandoit ; qu'il falloit luy donner le temps de vendre une terre tant pour remédier aux deffauts qui estoient dans l'armée que pour réparer les désordres que ses soins et ses services avoient apportez à ses affaires particulières... » (p. 112-113).

12. — Le duc de Montmorency au cardinal de Richelieu. S.l, 22 janvier 1626.

A.E., Mém. & Doc., France, Vol. 781, Invent. de la cor., 1626, f° 177 v°.

Analyse :

Il envoye par M. de Mailly une délibération des officiers sur les besoins de l'armée navale. Il recommande M. de Loubrière. »

13. — Louis de Marillac au cardinal de Richelieu. Verdun, 24 janvier 1626.

A.E., Cor. pol., Lorraine, Vol. 7, f° 181. — Original.

Analyse :

La confiance qu'il a au gentilhomme porteur de sa lettre l'a autorisé à ne lui rien cacher de l'affaire de M. de Verdun, en sorte que le cardinal pourra apprendre de lui l'état où en est l'affaire. Il estime que le cardinal a eu raison de faire fonds sur le duc d'Angoulême, non seulement pour ce qui concerne les intérêts du roi et de la reine mère, mais pour ce qui regarde ses propres intérêts. « Je voudrois et pour luy et pour vous que vous le congneussiez bien tel qu'il est ».

14. — Louis de Marillac au cardinal de Richelieu. Verdun, 25 janvier 1626.

A.E., Cor. pol., Lorraine, Vol. 7, f° 184.

Analyse :

Au retour du voyage que M. des Garets vient de faire en Lorraine, il a eu avec lui un long entretien avant qu'il ne se rende auprès du cardinal pour lui en faire son rapport. Il profite de cette occasion pour renouveler au cardinal son désir de le servir, l'assurant qu' « au moindre signe qu'il lui plaira de lui faire, il quittera tout pour lui ». L'évêque de Verdun est actuellement à la cour « pour y jetter ses derniers feux. Il a forcé tous les corps de l'y suivre et de parler à sa mode ». Mais Marillac n'a rien à redouter puisque le cardinal lui a promis sa protection. Reste le triste état des troupes : « Ayez pitié de ceste pauvre armée languissante depuis dix moys après l'argent du Roy ».

15. — Le duc de Guise au cardinal de Richelieu. Marseille, 26 janvier 1626.

A.E., Mém. & Doc., France, Vol. 1700 (Provence), f° 299. — Original.

Monsieur,

S'il vous plaist d'écouter ce gentilhomme, il vous dira l'estat o quel je me suis mis pour aller servir le Roy. Je tiens cest employ de vous, Monsieur, auquel je serviré le Roy très courageusement et fidellement, et n'espère jamès que de vous et par vostre moien tout ce qui sera de glorieus pour ma fortune. Ausy n'orés vous jamés pareil pouvoir sur home du monde que vous l'avez sur moy, qui suis,

Monsieur,

Vostre très humble et très afectionné serviteur,
Guyse.

Je vous suplie très humblement, Monsieur, faire advancer deux compagnies des dis qu'il a plu o Roy me doner, car se sont tous braves jans et de calité qui les ont ; je vous demande ceste grace particulière.

A Marseille, le 26 janvier 1626.

16. — Le duc de Bouillon au cardinal de Richelieu. La Haye, 27 janvier 1626.

A.E., Mém. & Doc., France, Vol. 781, Invent. de la cor., 1626, f° 177 v°.

Analyse :

« De la Haye, il demande la continuation de sa bienveillance. »

Pièce 16. — *Frédéric-Maurice de la Tour, duc de Bouillon depuis* 1623, fils de Henri de la Tour, duc de Bouillon, et d'Isabelle de Nassau.

17. — A M. de Bassompierre. S.l, 28 janvier 1626.

B.N., Nouv. acq. fr., Vol. 7311, f° 148. — Copie.
B.N., Fonds Dupuy, Vol. 69, f° 179 ; Vol. 831. — Copies.
Impr. : Avenel, II, p. 185.

Monsieur, Je n'ay pas voulu laisser partir ce courrier sans vous asseurer de mon affection et vous dire que l'on est bien fasché qu'avant vostre départ on n'a préveu les difficultéz qui se rencontrent pour vostre personne, parce qu'on les eust aplanies avec vous. La dépesche de M. d'Herbault vous donnera contentement, à mon advis ; et moy, je vous conjure de passer par dessus touttes sortes d'espines pour le service de Sa Majesté, qui sçaura bien recognoistre ce que l'adresse et le zelle de M. de Bassompierre luy auront vallu en son voiage. Si vous aviez besoing de quelqu'un pour l'en faire souvenir en vostre absence, je m'offrirois à vous y servir ; mais l'affection qu'il a pour vous vous y randant présent, il me suffit de vous asseurer qu'en toutes occasions j'auray à faveur de vous tesmoigner que je suis, etc.

Pièce 17. — *François de Bassompierre était né à Haroué, en Lorraine, le 12 avril* 1579. *Issu d'une des plus anciennes familles de l'Empire germanique, branche cadette de la maison de Clèves, il était fils de Christophe de Bassompierre (ou de Betstein), colonel des quinze cents reîtres au service du roi de France, et de Louise Le Picart, dame de Radeval. Entré au service de Henri IV en* 1598, *il n'avait cessé d'être très en faveur à la cour, en raison de ses services militaires et diplomatiques. D'abord à la tête d'une compagnie de cent chevau-légers, puis colonel général des Suisses* (1614), *maréchal de camp* (1615) *enfin — après un brillante ambassade à la cour de Madrid — maréchal de France le* 29 *août* 1622. *En novembre* 1625, *au moment où se posait avec une acuité nouvelle la question de la Valteline, il avait été choisi par le roi pour se rendre auprès des Cantons suisses, afin de resserrer les liens traditionnels qui unissaient ceux-ci à la France. Bassompierre n'était pas parti sans opposer quelque résistance, prévoyant que le marquis de Coeuvres, François-Annibal d'Estrées, qui commanduit les troupes des Alpes, et « avec lequel il avait toujours été en très mauvaises relations »* (*), *ne manquerait pas de lui créer des difficultés. C'est sans doute ces « sortes d'épines » auxquelles Richelieu fait allusion dans sa lettre. Celle-ci n'a aucun caractère diplomatique ; elle n'exprime que des sentiments personnels, Phélypeaux d'Herbault ayant les Cantons suisses dans son département.*

18. — M. de Thémines au cardinal de Richelieu. S.l, 28 janvier 1626.
A.E., Mém. & Doc., France, Vol. 781, Invent. de la cor., 1626, f° 177 v°.

Analyse :

« Il prie qu'on luy donne le moyen non seulement de subsister, mais de pouvoir rendre service avec l'armée qu'il a. »

Pièce 18. — *Le maréchal de Thémines, ainsi que semble le montrer ce résumé, se trouvait encore à la tête de l'armée qui avait été destinée à réprimer la rébellion des huguenots du Languedoc. Au cours de l'automne* 1625, *il avait été contraint de lever le siège du Mas d'Azil. Le* 13 *novembre* 1625, *le roi avait décidé de le rappeler pour l'employer contre les protestants de l'Ouest : « Faisant considération sur l'estat général de mes affaires, disait la lettre royale, et recognoissant que ceux de la Rochelle m'entretiennent de belles parolles sans me donner aucun effect de leur fidélité, et que leur désobéissance ne me permet pas de donner la paix à tout mon royaume, comme j'aurois désiré, j'ay résolu, ayant esgard qu'en mon armée d'Aulnis il s'offriroit ung digne employ pour deux mareschaux de France, de me servir de vous en ceste impor-*

(*) Paul-M. Bondois, *Le maréchal de Bassompierre*, 1925, p. 296-307.

tante occasion et de vous donner la conduite de ceste armée conjoinctement avec mon cousin le mar[al] *de Praslain ». En fait, Thémines devait recevoir la mission de tenir solidement la Bretagne. Mais, à cette date, le roi lui avait prescrit de prendre ses dispositions pour répartir les troupes qu'ils commandait dans différentes garnisons et même d'en licencier une partie, « ne pouvant par ceste considération faire aucune levée de nouvelles troupes » ; après quoi, ajoutait le roi, « vous remettrez mon armée en la conduite de vos mareschaux de camp ou de l'un d'eux qui se trouvera près de vous, et partirez aussitost pour vous acheminer en la plus grande diligence qu'il vous sera possible en ma ville de Xainctes, où vous retirerez mes ordres et commandemens » (A.E., Mém. & Doc., Languedoc,* 1627, *f°* 245. — *Original).*

19. — M. d'Esplan au cardinal de Richelieu. Valence, 29 janvier 1626.

A.E., Mém. et Doc., France, Vol. 782, f° 29-32. — Original.

Analyse :

Il rend compte de son voyage en Dauphiné. Il a trouvé le connétable de Lesdiguières fort affaibli depuis sa dernière maladie. Celui-ci semblerait disposé à prendre le commandement d'une armée en Italie si le roi le lui commande, mais à vrai dire sans montrer une grande envie de servir et laissant entendre qu'il ne saurait commander une armée moins forte que celle de M. de Savoie. Bref, ajoute d'Esplan, « jay peur qu'il vous demandera tant de choses que je ne crois pas qu'en fassiez rien, et pense qu'il n'en sera pas fasché et qu'il aymera autant demeurer à Grenoble ». Le connétable lui a aussi parlé de la paix avec les huguenots, qu'il souhaite vivement, mais en admettant que les Rochelais donnent satisfaction au roi en rasant quelques-unes de leurs fortifications nouvelles. Pour ce qui concerne le Dauphiné, le connétable a mis un impôt de 12 livres par feu, qui doit fournir de quarante à cinquante mille livres, ce qui lui permettra, pense-t-il, d'entretenir trois mille Suisses et de mettre sur pied huit compagnies de cent hommes destinées à renforcer le régiment du comte de Sault (1) et à former un nouveau régiment, qui sera confié à M. de Bressieux. Pour sa part, d'Esplan estime ces levées peu nécessaires.

Pièce 19. — *On retrouvera souvent, dans la correspondance du cardinal des années* 1626 *et* 1627, *le nom d'Esplan (écrit souvent Desplan). Il s'agit d'un gentilhomme originaire du Comtat, Esprit Alart, seigneur d'Esplan, qui avait dû sa fortune à la protection du connétable de Luynes. Par son mariage avec Marie de la Baume, fille de François de la Baume, comte de Montrevel, qui lui apporta la terre de Grimault, bientôt érigée en marquisat, il devint marquis de Grimault, nom sous lequel il est aussi désigné. Il devait mourir en* 1668. *Richelieu l'employa dans de multiples missions. Il se trouvait alors en Dauphiné mais ne tardera pas à se rendre en Provence, puis de là en Languedoc, toujours pour asseurer une sorte de liaison entre le cardinal et les différents officiers — militaires ou magistrats — qui se trouvaient aux prises avec l'effervescence protestante.*

(1) François de Créqui (1596-1677), fils de Charles de Blanchefort, maréchal de Créqui, et de Madeleine de Bonne, fille aînée du connétable de Lesdiguières.

M. de Bullion, qui se trouvait aussi auprès du connétable, pense que les choses s'arrangeraient en Dauphiné si M. de Montauban rentrait dans le devoir. D'autres pensent que l'argent réuni par le connétable pourrait précisément servir à décider ce même Montauban. Cependant le baron de Brison après s'être rendu maître du Pouzin, a fait d'autres progrès dans le Vivarais, levant des contributions et faisant des incursions de tous côtés. Cependant M. de Bullion a bon espoir de régler les choses à l'amiable sans qu'il soit nécessaire d'envoyer une armée pour venir à bout de cette agitation. D'Esplan a pourtant cru devoir prendre contact avec le comte de Tournon (2), qui se dispose à entrer en campagne dans huit jours avec quelques gentilshommes et le régiment de son fils. Il y a enfin le comte de Sault, qui témoigne des meilleures dispositions pour le service du roi : il vient de montrer sa vigueur en faisant piller et raser le village d'Hostie, dont les habitants, tous huguenots, avaient ouvert le feu sur le régiment de Coudray-Montpensier.

20. — M. d'Esplan au cardinal de Richelieu. Villeneuve-lès-Avignon, 2 février 1626.

A.E., Mém. & Doc., France, Vol. 782, f° 41. — Original.

Analyse :

M. de Montauban lui a fait savoir son intention de « se mettre dans l'obéissance qu'il doit au Roy » moyennant les douze mille écus qui lui ont été promis. Il doit avoir une prochaine entrevue avec lui. Il rencontrera aussi le duc de Guise. Quant à M. de Brison, il continue à vouloir tenir la campagne, mais il y a lieu de croire qu'il ne pourra pas se maintenir longtemps. Le connétable de Lesdiguières voudrait attaquer le Pouzin, assurant qu'il en viendrait plus aisément à bout que tout autre en raison de l'attachement que les huguenots ont pour lui. Les réformés s'emparent toujours de bicoques dans le Vivarais et le Bas-Languedoc. Il serait souhaitable que le duc de Guise hâtât ses préparatifs pour venir y rétablir la situation.

21. — M. d'Esplan au cardinal de Richelieu. Montpellier, 5 février 1626.

A.E., Mém. & Doc., France, Vol. 782, f° 44. — Original.

Monseigneur,

Je me suis donné l'honneur de vous escrire par deux fois. Je pense que mes lettres vous auront esté rendues. J'escris astheure de Mar-

---

(2) Charles du Puy de Tournon, marquis de Montbrun ; il avait été uni, pendant quelques années, à Françoise de Bonne de Lesdiguières, seconde fille du connétable. Son fils sera lieutenant-général des armées du roi et épousera une petite-fille du maréchal de La Force.

seille où j'ay laissé M. de Guise, qui se prépare tant qu'il peut, et qui a délivré toutes les commissions qu'il avet, et m'a dit que je pouvez assurer Sa Maj^{té} que, dans le vingtiesme, ses trouppes seront au bord du Rosne pour passer en Languedoc, et que, dans le mesme temps, ses navires seront prests à fere voyle, et qu'ils sortiront du port et la galère aussy. Il se rendra dans deux ou trois jours en Arles pour conférer avec le marquis de Portes et le président Faure. Je ne les verray encores de trois ou quatre jours, à cause que je m'en vay achever l'affere avec Montauban, et je croy de le pouvoir bien assurer. On faiset de deçà par tous les cartiers courre des bruits que les Anglés assisteront les rebelles et qu'ils ont commancé. Ayant dit ce qui en estoit et ce qui se pouvoit dire pour en fère perdre l'oppinion, ces dispositions ont cessé. Je ne me donneray aucun repos que je n'aye randu quelque service agréable au Maistre, désirant extrêmement en v^{re} particulier, Monseigneur, vous pouvoir tesmoigner la passion que j'ay d'estre creu de vous,

Monseigneur,

Vostre très humble, très obéissant et très obligé serviteur,

d'Esplan.

De Montpellier, le 5 febvrier 1626.

Le seg^{r} Padouero a passé par Avignon. Le seg^{r} Octavio Ubaldini l'a accompagné jusques à Grenoble. Et de l'autre fois que M. le légat passa par icy, ledit seg^{r} Octavio, après que M. le légat fust party, alla à Grenoble porter ung présent à Madame la connestable de la part de M. le légat.

Si Mr de Guyse est prest par tout le mois sera beaucoup (1).

22. — Le duc de Guise au cardinal de Richelieu. Marseille, 5 février 1626.

A.E., Mém. & Doc., France, Vol. 1700 (Provence), f° 301. — Original.

Analyse :

M. d'Herbault et aussi la lettre qu'il a lui-même adressée au roi auront fait connaître au cardinal l'état des affaires de Provence. Ceux qui critiquent les desseins du roi et qui s'en prennent à ceux de son entourage ne sont pas tous à Paris. Cette nouvelle fièvre se propage à travers les provinces et les effets en apparaissent çà et là. Tout le monde est comme animé d'un esprit de révolte, et, dans cette agitation

(1) Cette dernière phrase est chiffrée. Elle laisse entendre que les préparatifs militaires du duc de Guise ne seraient pas achevés avant un mois. Quant au légat, dont il est question plus haut, il s'agit, semble-t-il, du légat chargé de l'administration d'Avignon et des terres pontificales adjacentes.

générale, les moines même « ne font pas mal leur personnage ». Il s'efforce, dans son gouvernement de Provence, de remédier au mal. De ce côté, il n'y a rien à craindre et il répond de l'ordre qu'il y maintiendra. Encore doit-il se sentir fermement appuyé par le pouvoir royal. — En post-scriptum, il s'étonne que le cardinal ne lui ait pas écrit au sujet des proclamations qu'il fallait faire ; et proteste que certaines dispositions aient été prises à son insu ; « Ce n'est pas l'ordre, estime-t-il, car je dois recevoir les commandements du Roy sur toutes choses et les faire exécuter selon les formes ».

23. — M. de Schomberg au cardinal de Richelieu. S.l, 5 février 1626.

A.E., Mém. & Doc., France, Vol. 781, Invent. de la cor. 1626, f° 189 v°.

Analyse :

« Il sort de chez M. le chancelier, où on a signé les articles. Demain, MM. du Clergé viendront saluer le Roy. Sa Ma[té] souhaite que le Card[al] s'y trouve. »

24. — Articles de la paix donnez par Sa Majesté à ses subjetz de la religion prétendue réformée. Paris, 5 février 1626.

A.E., Mém. & Doc., France, Vol. 782, f° 48-50. — Copie.

Le Roy, désirant donner la paix à ses subjectz de la ville de la Rochelle de la Religion, qui lui ont demandé avec toute sorte d'instance et de soubmission et respectz, leur accorde aux conditions qui s'ensuivent :

Premièrement. — Que le Conseil et gouvernement de la ville sera remis et restabli ez mains de ceux qui sont du corps d'icelle en la forme qu'il estoit en l'année 1610.

2. — Qu'ils recevront un commissaire pour faire exécuter les choses qui seront arrestées p[r] l'exécution de la paix, et y demeurer tant qu'il plaira à Sa Majesté.

3. — Qu'ils n'auront aucuns vaisseaux armez en guerre dans leurs villes, et observeront pour le traffic les formes establies et usitées au royaume.

4. — Qu'ils restitueront tous les biens ecclésiastiques qui se trouveront par eux possédez, conformément à l'Edit de l'année 1598 et exécution d'iceluy.

Pièce 24. — *Bien que le caractère de cette pièce soit plutôt législatif, il a paru utile d'en reproduire ici le texte, d'abord parce que Richelieu a eu certainement part à sa rédaction, mais surtout en raison d'un certain nombre de documents, que l'on rencontrera à la suite, qui s'y réfèrent ou y font allusion.*

5. — Qu'ils laisseront jouir pleinement et paisiblement, comme aussi librement, de l'exercice de la Religion Catholique, Apostolique et Romaine, et des biens qui leur appartiennent en ladicte ville, et leur restitueront ce qui se trouvera estre en nature, et raseront le fort de Tadon par eux nouvellement construit.

6. — Et Sa Majesté ne pouvant accorder le razement du Fort Louis, dont ceux de ladicte ville de la Rochelle font instance, promet par sa bonté de faire establir dans les garnisons un tel ordre (a) qu'il luy plaira laisser audict fort comme aussy dans les isles de Ré et d'Olleron, que les Rochelois ne rececront aucun trouble en la seureté et liberté du commerce qu'ilz voudront faire suivant les loix, ordonnances et coustumes de ce royaume.

7. — Quant au général et aux villes de ceux de la religion prétendue réformée, Sa Majesté entend les faire jouir des responses faictes sur leurs cahiers du mois de juillet dernier à Fontaine-Réau, voulant aussy que de leur part ils restablissent toutes choses en l'estat qu'elles estoient audict temps, sans néantmoins estre tenue pour la Rochelle, et avoir grâce qu'à ce qui leur est accordé par l'escrit cy-dessus.

Faict et arresté à Paris le cinquiesme febvrier mil six cens vingt six.

25. — Louis de Marillac au cardinal de Richelieu. Verdun, 6 février 1626.

A.E., Cor. pol., Lorraine, Vol. 7, f° 185. — Original.

Analyse :

Il n'écrit que pour assurer une nouvelle fois le cardinal de son désir de le servir, et non pour lui mander des nouvelles, « car ce ne pourroient estre que plaintes, que désordres et que maulx causés par le retardement des monstres et de l'argent que le service du Roy vouldroit avoir icy pour la continuation de ses dessains ». Il y supplée tant qu'il peut, mais sa bourse n'est pas égale à son zèle ni à son affection. Il espère que le cardinal songera à lui venir un peu en aide. Il fait mettre au net le travail qui lui a été demandé, et il l'aurait déjà envoyé si le seul secrétaire capable dont il dispose n'était tombé malade.

(a) La phrase est maladroitement rédigée ; il faudrait : « ...faire establir un tel ordre, dans les garnisons qu'il luy plaira... etc. ».

26. — M. de Bonneuil au Cardinal de Richelieu. Cely, 7 février 1626.

A.E., Mém. & Doc., France, Vol. 782, f° 51. — Original.

Analyse :

Relégué par ordre du roi dans son domaine de Cely depuis trois mois, il sollicite l'intervention du cardinal pour obtenir son retour à Paris ; il promet qu'à l'advenir il se conduira de façon que leurs Majestés soient contentes de lui.

Pièce 26. — *L'auteur de cette lettre doit, semble-t-il, être identifié à René de Thou, seigneur de Bonneuil (ou Bonnœil), fils de Jean de Thou et de Renée Baillet, et neveu de Jacques-Auguste de Thou, l'historien. Il fut introducteur des ambassadeurs. On trouvera encore quelques lettres de lui au cardinal. Il avait épousé Marie Faye, fille de Jacques Faye, seigneur d'Espeisses, président au parlement.*

27. — M. de Schomberg au cardinal de Richelieu. S.l, 8 février 1626.

A.E., Mém. & Doc., France, Vol. 781, Invent. de la cor. 1626, f° 189 v°.

Analyse :

« On acheva hier de signer tous les articles de la paix avec les députés des huguenots. On a dépesché des courriers à La Rochelle et à tous ceux qui commandent en Guyenne et en Languedoc pour leur en donner avis. Maleret, qui faisoit pour MM. de Rohan et de Soubise, a signé après bien des difficultés, prétendant qu'on ne donne pas à MM. de Rohan et de Soubise ce que les ambass^rs^ d'Ang^erre^ et l'Hollande leur avoient promis à Fontainebleau. Il prétend aussy avoir quelque chose pour mad^e^ de Rohan.

« Le Clergé veut mettre le Roy à rançon.

« Mardy, on a répondu les cahiers des huguenots.

« La retraite de l'amiral Hautin (1) n'a pas produit de grand changement.

« On dit que M. le prince de Piémont est arrivé incognito. Il est allé descendre chez l'amb^r^ de Savoye. »

(1) L'amiral de Zélande, Haultain Van Zoete. Selon les *Mémoires du cardinal de Richelieu*, ce départ brusqué de l'escadre hollandaise ne présageait rien de bon : le roi vit « que les Hollandois ne marchoient pas avec lui du pied qu'ils devoient ».

28. — M. d'Ocquerre au cardinal de Richelieu. S.l, 8 février 1626.

A.E., Mém. & Doc., France, Vol. 781, Invent. de la cor., 1626, f° 184.

Analyse :

« Il a reçu un courrier de M. de Montmorency qui luy donne avis que l'amiral Haustin, par ordre des Estats, est parti de devant Rhé le 2 et 3 du mois, ce qui l'estonne beaucoup. M. Doquerre est d'avis d'écrire à M. de Vandome d'envoyer les 12 vaisseaux qu'il a pour remplacer les unze que Haustin a emmenés, et d'ordonner à M. de Montmorency de ne point quitter pour quelque raison que ce puisse estre. »

29. — M. de Montmartin au cardinal de Richelieu. S.l, (avant le 9 février : voir lettre suivante).

A.E., Mém. & Doc., France, Vol. 781, Invent. de la cor., 1626, f° 189.

Analyse :

« Sur la manière d'exécuter et faire recevoir les articles : il croit qu'il faut que ce soit M. de Rohan qui accepte et fasse accepter la paix, parce qu'en l'envoyant dans les provinces pour la faire recevoir par M. de Rohan on s'expose à tout ce qu'un peuple turbulant et changeant est capable de faire.

« M. de Rohan députera vers Montauban, Castres, et agira dans le Languedoc, et on enverra MM. de Maniald, de Noailland et de Malleray à la Rochelle. Si on accepte ce party, il est à propos que M. d'Herbault le fasse promptement sçavoir à M. de Candal, qui en donnera avis. »

30. — M. de Schomberg au cardinal de Richelieu. S.l, 9 février 1626.

A.E., Mém. & Doc., France, Vol. 781, Invent. de la cor., f° 189 v°.

Analyse :

« Il approuve plus les raisons de M. de Montmartin que son éloquence. — Il craint que les Rochelois, depuis le départ de l'amiral Hautin, ne désavouent leurs députés ; les ambassad^rs^ d'Ang^erre^ et d'Hollande disent qu'ils leur parleront fortement. — Il trouve le traité fait par M. de la Boderie (1) avec les Anglois très plat, et il blâme beaucoup MM. le chan^er^ de Sillery et Villeroy. »

---

(1) Antoine Le Fèvre de la Boderie avait été à plusieurs reprises chargé de négociations en Angleterre ; le traité dont il est question fut signé à Londres le 29 août 1610.

31. — Le duc de Guise au cardinal de Richelieu. Marseille, 10 février 1626.

A.E., Mém. & Doc., France, Vol. 1700 (Provence), f° 302. — Original.

Analyse :

Il a reçu la lettre du roi qui lui a appris qu'on lui enlève une partie de ses troupes sans qu'il ait été préalablement consulté. Selon lui, cette lettre ne saurait exprimer véritablement les volontés du roi. « Je sçay bien, écrit-il, que ceus qui n'approuvent pas le commandement que le Roy m'a fait d'aler en Languedoc feront tous les jours des déspeches à leur fantésie ». C'est pourquoi il a décidé de s'en plaindre au roi. Il n'en exécutera pas moins les ordres qu'il a reçus.

32. — M. de Saint-Géry au cardinal de Richelieu. Toulouse, 10 février 1626.

A.E., Mém. & Doc., France, Vol. 782, f° 53. — Original.

Analyse :

Il envoie au cardinal en original la lettre que lui a adressée le duc de Rohan : le duc prétend que M. d'Esplan lui a porté une estocade de la part de la cour, qu'il n'a pas voulu recevoir, et qu'il recevra encore moins Saint-Géry tant que les députés de la religion prétendue réformée ne seront pas de retour ou que le roi ne leur aura pas accordé la paix. Le porteur de la lettre du duc a montré dans ses propos toute la défiance de son maître pour tout ce qui vient de la cour. Mais l'entrevue qui a été refusée aujourd'hui sera peut-être accordée demain, et, dans cette éventualité, des instructions seraient bien nécessaires.

33. — M. d'Esplan au cardinal de Richelieu. Montpellier, 10 février 1626.

A.E., Mém. & Doc., France, Vol. 782, f° 58.

Analyse :

Le porteur de la lettre — qui est le même que celui qu'il a envoyé à M. de Rohan — donnera au cardinal les détails de ce qu'il en aura appris. Comme il ne sait encore si le roi estime qu'il doive avoir une entrevue avec le duc, il sollicite des instructions. Quant aux huguenots, « ils se fortifient puissamment et travaillent avec grande diligence, et si on a à faire quelque chose, le plus tost sera le meilleur, parce qu'en après on aura grande peyne de les faire résoudre » ; mais « ils sont fort divisés entre eux, et tous les jours il arrive subject de mescontement à quelqu'un d'entre eux ». Il croit qu'il faut bloquer Nîmes et marcher sur Uzès, et, de là, sur Anduze et les Cévennes. Il serait d'avis de laisser le connétable faire le siège du Pouzin, car cette place est nécessaire pour assurer la liberté des communications sur le Rhône entre Lyon et le Bas-Languedoc. Pendant que le connétable ferait ce siège, M. de Guise avancerait ses opérations. On ne pourra pas trop compter sur le vicomte de Lestrange ni sur M. de Montréal, mais MM. de Laugères, de Roche Colombe, de la Bastie, frère de d'Esplan, sont prêts à lever des troupes pourvu qu'on leur donne de l'argent.

Par son frère il a appris que M. de Brison, qui tient toujours le Pouzin, désirait le rencontrer. Il a cru devoir différer cette entrevue jusqu'à ce qu'il ait reçu des instructions à ce sujet et qu'il ait « pouvoir de lui offrir davantage ». Il ajoute : « Les serviteurs du Roy disent qu'on ne sçauroit assez donner à ung homme comme luy pour se retirer de là et remettre une place comme le Pouzin, qui comptera la perte de beaucoup d'hommes et une somme innombrable de deniers avant qu'on en soit venu à bout ».

34. — M. de Thémines au cardinal de Richelieu. S.l, 12 février 1626.

A.E., Mém. & Doc., France, Vol. 781, Invent. de la cor. 1626, f° 178.

Analyse :

« Il demande la continuation de son employ ou plustost le gouvernement » des provinces d'Aunis et Saintonge (1).

35. — Madame la duchesse de Sully au cardinal de Richelieu. S.l, 15 février 1626.

A.E., Mém. & Doc., France, Vol. 781, Invent. de la cor. 1626, f° 178.

Analyse :

« Elle représente les services de son mary, la conversion de son fils (1), et prie qu'on impose silence aux Trésoriers de France qui demandent la suppression de la charge de Grand Arpenteur (2). »

Pièce 35. — *Cette lettre émane de la seconde duchesse de Sully, née Rachel de Cochefilet. Elle était la fille de Jacques de Cochefilet et était veuve de François Hurault de Châteaupers. Elles avait épousé Maximilien de Béthune, duc de Sully, en* 1592.. *Elle devait mourir en* 1659.

(1) V. *supra* la note de la pièce 18.

(1) Ce fils, né du second mariage de Sully, est François de Béthune, comte d'Orval. Il avait épousé, le 19 décembre 1620, Jacqueline de Caumont, fille du maréchal de La Force.

(2) La charge de Grand Arpenteur de France ne devait être supprimée qu'en 1683.

36. — Le duc de Sully au cardinal de Richelieu. S.l, 16 février 1626.

A.E., Mém. & Doc., France, Vol. 781, Invent. de la cor., 1626, f° 178.

Analyse :

« Remerciement sur ses bons offices et sur la paix qu'il a donnée à la France (1). »

37. — M. de Bonneuil au cardinal de Richelieu. S.l, 18 février 1626.

A.E., Mém. & Doc., France, Vol. 782, f° 55. — Original.

Analyse :

Toujours exilé dans ses terres, il a appris par des lettres de sa femme les sentiments favorables que le cardinal lui avait montrés pour son retour à Paris. Comme le carême approche, il le supplie de faire en sorte qu'il puisse être à Paris pour y gagner le jubilé.

38. — M. de Thémines au cardinal de Richelieu. S.l, 22 février 1626.

A.E. Mém. & Doc., France, Vol. 781, Invent. de la cor., 1626, f° 178.

Analyse :

« Il réitère ses demandes pour le gouvernement de Xaintonge et d'Aunis. »

39. — M. d'Esplan au cardinal de Richelieu. Valence, 26 février 1626.

A.E., Mém. & Doc., France, Vol. 782, f° 61. — Original.

Monseigneur,

Je ne vous escris rien de ce qui se passe de deçà, depuis que au long j'en informe M. d'Herbault. Ces lignes ne seront que pour me maintenir à vostre souvenir et vous demander la continuation de vostre bienveillance, et sy je ne puis pas m'en retourner trouver Sa Ma[té] affin que, estans là, je puisse mieux tesmoigner,

Monseigneur,

que je suis vostre très humble, très obéissant et très obligé serviteur,

d'Esplan.

A Valance, ce 26 febvrier 1626.

(1) Il s'agit évidemment de la paix qui venait d'être signée avec les huguenots le 5 février précédent.

40. — Louis de Marillac au cardinal de Richelieu. Verdun, 28 février 1626.

A.E., cor. pol., Lorraine, Vol. 7, f° 186.

Analyse :

Il profite d'un courrier de Mme la duchesse douairière de Lorraine pour se rappeler au souvenir du cardinal, et lui avouer qu'il se trouve, à Verdun, « en grande langueur » pour être éloigné de sa personne ; mais tant qu'il lui plaira de le maintenir à ce poste il le souffrira. « La pauvreté de ceste armée, l'ignorance en laquelle nous vivons des affaires du monde, et moy particulièrement des vostres, le descouragement des capitaines et des soldats, les plaintes du peuple, et le peu de soin que Mr. d'Ocquerre a de nous sont des fléaux assez mal aisés à supporter ». Cependant le travail des fortifications n'en continue pas moins : faute d'argent du roi, il est parvenu à trouver quelque crédit, ce qu'il attribue à la protection du cardinal, mais n'en est pas moins une sorte de « miracle », puisque cela lui permet de nourrir et contenter tous les jours trois mille cinq cents hommes.

41. — Advis sur les affaires présentes qu'a le Roy en février 1626.

A.E., Mém. & Doc., France, Vol. 246, f° 47-51. — Minute.
Impr. : Avenel, II, p. 193-202.

Il y a cinq ou six affaires en mesme temps sur le tapis, dont la moindre est capable de donner bien à penser et occuper un conseil.

La première est l'exécution de la paix accordée aux Huguenots (1), en laquelle il se peut trouver beaucoup de difficultez, lesquelles il faut surmonter.

La seconde est faire finir l'assemblée du clergé, en sorte que le Roy aye les cinq cens mil escus promis nonbstant la paix. Que la compagnie, en les donnant, demeure satisfaite et espende dans les provinces dans lesquelles chasqu'un s'en retournera que le Roy n'a rien faict en faisant la paix, qu'il ne deubt faire pour le bien de son Estat et de l'Eglise. Il faut aussi terminer le différent de la censure de M. de Chartres (2) en sorte que le nonce, le clergé et le parlement soyent tous contens.

Pièce 41. — *Le titre de ce mémoire est donné au dos de la minute. Les rédacteurs des* Mémoires du cardinal de Richelieu *ont fait plusieurs emprunts à ce document. Voir, en particulier, au t.* V *de l'édition de la Société de l'Histoire de France, les p.* 254-255, 260, 261 et 264.

(1) La paix avait été signée le 5 février 1626.

(2) De nombreux libelles en latin répandus à travers le royaume « dénonçaient l'existence en Europe d'une conjuration diabolique en faveur des huguenots ; ils suppliaient le Roi de France de la prévenir, en rétablissant la paix avec le Pape et l'Espagne. Les plus remarquables d'entre eux étaient les *Mystères politiques* (Mysteria politica) et l'*Avertissement au Roi Lous XIII* (Admonitio ad regem Ludovicum) » (V.L. Tapié, La France de Louis XIII et de Richelieu, p. 145). L'assemblée du Clergé avait chargé l'évêque de Chartres, M. d'Estampes, d'en rédiger la censure, que la Sorbonne devait elle-même prononcer, le 2 décembre suivant.

La troisiesme est faire vérifier les édicts par messieurs du parlement qui sembleroient en devoir faire plus de difficulté après la paix ; en sorte qu'ils le fassent ou d'eux-mesmes sans que le Roy y aille, ou, s'ils désirent la présence du Roy, en rendant hautement ce tesmoignage public qu'ils voient bien que le bien de la France et la gloire de cette couronne le requièrent.

La quatriesme est tirer hautement raison de l'injure receue des Hollandois (3) sans toutesfois rompre avec eux, puisque le Roy n'a alliance et confédération avec ces Estatz que pour l'amour de luy, s'en servant pour faire teste à ses ennemis et les occuper, en sorte qu'ils ne puissent faire dessein sur la France.

La cinquiesme est de démesler d'avec les Anglois, en sorte qu'on en tire satisfaction sur le point des vaisseaux, marchandise prise, et la libre disposition que la Reyne (4) doibt avoir en sa maison, sans s'engager, en ce qu'ils désirent de la France, plus avant que ce que l'utilité et le service de Sa Majesté le requiert.

Quant à ce qui est du domaine de la Reyne (4) et autres advantages qui concernent sa maison, j'estime qu'il est bon de ne les procurer qu'à mesure qu'on pourra obtenir du soulagement pour les catholiques d'Angleterre, affin qu'ilz voient que, quand ils souffrent, elle est mal traictée, et ainsy qu'elle est en une cause commune avec eux, et fait marcher leurs intérests premiers que (5) les siens particuliers si on faisoit autrement, ils croiroient estre abandonnez.

La sixiesme est escouter, délibérer et résoudre les propositions qui seront faictes par M. le prince de Piedmont (6), en sorte qu'il ne demeure point mescontent, et que le Roy ne s'oblige qu'à ce qu'il luy plaira et ce qui sera nécessaire pour le bien de ses affaires.

Pour le premier point de la paix des huguenots, Votre Majesté ordonna ce qui se pouvoit faire, auparavant que partir. En son absence on a fait ce qui se debvoit faire sur l'accident de la retraite survenue de l'amiral Hautin (7) ; cette retraite, se trouvant réparée par le remplacement des vaisseaux de Bretagne, n'altérera pas, à mon advis, la résolution de la paix, pourveu qu'on tesmoigne mespriser cet accident et qu'on soit plus ferme que jamais à ne point relascher des choses accordées.

Sa Majesté peut juger par cet accident combien la prévoyance qu'elle a eue en faisant armer les vaisseaux de Bretagne a esté utile et nécessaire, et comme ès grandes affaires il faut voir de loing, n'espargner point la despense et avoir toujours deux cordes en son arc comme plusieurs ancres en un vaisseau.

Pour le second point, il sera assez aysé, la compagnie estant résolue de causer (a) le don qu'elle faict au Roy non seullement pour la guerre, mais pour la fortification des isles et construction des vaisseaux.

De façon que de ces trois causes deux [du moins] (b) estant

(a) Accorder.

(b) A cet endroit, le papier du manuscrit est déchiré : ainsi que le fait Avenel, on peut substituer les mots mis entre crochets.

(3) Sans doute l'incident dont il est question plus bas, p.

(4) La jeune reine d'Angleterre, Henriette de France.

(5) C'est-à-dire : avant les siens.

(6) Victor-Amédée de Piémont.

(7) L'amiral hollandais Haultain van Zoëte qui commandait la flotte hollandaise.

subsistantes, le don subsistera aussy, et toute la compagnie s'en ira contente, s'il plaist au Roy leur accorder cent ou six vingt mil livres, pour empescher qu'on n'impose pareille somme, pour les frais de l'assemblée, sur les diocèzes, ce qui aigriroit les esprits contre les députez et nuiroit à la levée des cent cinquante mil livres de rentes qu'il faut imposer pour avoir les quinze cent mil livres du Roy, lesdits députez la pouvant empescher par eux-mesmes, s'ils vouloient, ou quand ilz ne le voudroient pas, en y faisant former opposition par les diocèzes.

Cela fait qu'il est beaucoup meilleur de tirer quatorze cent mil livres avec la satisfaction du clergé que quinze cent mil livres de leur mescontentement.

La voix et l'approbation du clergé ne feroient pas peu, spécialement en ce temps qu'on a voulu calomnier le Roy et ses ministres d'avoir peu de zelle au bien de la religion.

Quant au point des censures, l'expédient pour passer entre M. le nonce et messieurs du parlement sans choquer ny l'un ny l'autre est de faire que le résultat de l'assemblée porte commandement à Mons. de Chartres de faire un livre qui réfute et condamne les pernicieuses et damnables opinions qui se trouvent dans les deux livres intitulez *Admonitio* et *Mysteria politica*. Et en outre de faire une censure sommaire, de la part de l'assemblée, pour estre envoyée dans les provinces.

Par ce moyen, le parlement ne sera point offensé, veu que son arrest porte seulement deffense de faire aucune censure contraire à celle qui a paru de Mons. de Chartres, ce qui [en effet ne] (c) sera point, la censure sommaire n'y estant point contraire. D'autre part, on fera cognoistre à Mons. le nonce qu'il ne doibt pas estre mescontent puisque bien que la censure sommaire qu'il désire ne soit point enregistrée, l'envoy qui en sera faict dans les provinces par les députez généraux est un vray enregistrement.

Pour le troisiesme, qui consiste en messieurs du parlement, s'il plaist au Roy qu'on travaille aux fins que j'ay dittes ci-dessus pour que le parlement vériffie les édicts de soy-mesme ou en la présence du Roy avec éloge, j'espère qu'on en viendra à bout, ce qui ne sera pas peu, ces grandes souveraines compagnies estant les premiers motifs des contentement ou mécontentement des peuples.

Pour ce qui est des Holandois, il faut demander fermement raison de ce procédé injurieux des Estatz, dire ouvertement aux ambassadeurs qu'ilz ne doivent espérer aucune chose de la France qu'aprez qu'ilz auront satisfaict Sa Majesté.

Cette satisfaction doit estre le chastiment du capitaine qui estoit à Porsemus (d), et un offre au Roy de la part de Messieurs les Estats d'autant de vaisseaux qu'il luy plaira, et en effect vendre les six desjà offerts.

Quant à l'amiral Hautin, il sera bon de trouver quelque excuse, par laquelle on se satisfasse à son sujet à moindres frais, à cause qu'il a bien servi.

(c) Mots substitués comme précédemment et pour la même raison.

(d) Portsmouth. Il s'agit d'un capitaine qui, commandant un vaisseau hollandais placé sous les ordres du chevalier de Manty, avait abandonné l'escadre pour rejoindre sa base.

Il faut grandement exaggérer le procédé des Estatz. On leur demande raison d'une première offense faicte à Porsemus ; ils la promettent par ambassadeur extraordinaire, offrent des vaisseaux à vendre, et au mesme temps en commettent une plus grande.

Ce redoublement d'offense mérite une satisfaction très publique, affin qu'elle soit cogneue par toute la chestienté, où l'injure ne peut estre ignorée.

Ilz cognoistront, je m'asseure, que cette retraicte est aussy mauvaise pour Messieurs des Estatz que pour la France ; ilz se sont rendus prisonniers la veille de Pasques, ayant désobligé le Roy en faveur des hérétiques deux jours avant la paix. Après qu'on aura receu satisfaction, on traictera une ligue nouvelle avec eux.

Pour ce qui est des Anglois, la première chose qu'il y a à faire est de convenir du renouvellement de la ligue deffensive qui expire un an après la mort du feu Roy de la Grande-Bretagne.

Il faudra tascher d'y mettre de meilleures conditions que celles du passé.

Quant au grand dessein qu'ilz ont pour l'Allemagne, le Roy peut concourir par bons effetz avec tous ceux qui voudront procurer la liberté de l'Empire, sans entrer ouvertement en la ligue faicte en Hollande à ceste fin.

Il y a mesme nécessité de le faire, parce qu'à faulte de son secours, la perte de l'Allemagne est asseurée, et si l'Espagne en estoit maistresse, elle auroit de beaucoup advancé le dessein qu'elle a à la monarchie universelle.

Pour faire réussir ce dessein, il faut attaquer ces forces ennemies de deux parts, l'une du costé du nort par une armée puissante composée des forces du Dannemarc, Suède, Brandebourg, [Bronzvic] (e) et autres princes associez et voisins ; l'autre du costé de deçà, par les forces de France, Angleterre, Hollande, et de tous ceux qui voudront prendre part en ceste cause commune. Ces deux armées doivent agir à mesme temps, par un dessein commun et avec certitude d'une fidelle exécution des choses convenues.

Chacune d'icelles sera composée de vingt-cinq mil hommes de pied et trois mil chevaux.

Celle du Dannemarc sera entretenue aux despens des Roys de Dannemarc et Suède, Brandebourg, Bronzvic, villes unies, et de la contribution qu'ilz recevront d'Angleterre. Celle [de] deçà sera entretenue aux despens de la France, Angleterre et Hollande.

La France souldoyera dix mil hommes de pied et trèze cens chevaux, l'Angleterre autant, et l'Holande cinq mil hommes de pied et quatre cents chevaux.

Venise et Sovoye porteront partie de cette despense ou par nouvelles troupes renforceront cette armée, si on les peut faire entrer en ce dessein.

Ceux qui sont les plus intéressez en ceste affaire y doibvent aussy contribuer plus fortement que les autres, et partant les Anglois qui, outre l'intérest commun, ont le particulier du Palatinat, dont ilz sont

(e) Le papier est détérioré à cet endroit ; on distingue cependant la lettre initiale qui semble être un B : d'après ce qui suit, il faut vraisemblablement lire : Bronzvic, pour Brunswick.

obligez, par honneur et par le sang, de poursuivre la restitution, doibvent faire davantage que la France.

En ceste considération, ce n'est pas merveille si, par ce traitté les Anglois demeurent obligez de continuer le secours qu'ilz donnent à Dannemarc, quoyque la France n'en face pas autant.

La difficulté sera à convenir du lieu par où ceste armée passera en Allemagne (f), où elle se mettra [ensemble, et qui en] (g) aura la conduite. Si on pouvoit convenir d'un chef allemand, qu'on peust jusger n'avoir autre principal intérest que la liberté de l'empire, on en tireroit de grands avantages.

Il semble que le marquis de Baden (8) soit le meilleur qu'on puisse maintenant prendre en Allemagne, et pour son expérience, et pour la croyance qu'il a parmi les gens de guerre.

M. le duc de Savoye (9) pourroit bien peut-estre prendre ce commandement, si on luy faict cognoistre qu'il y a de la gloire et de l'utilité en cest employ.

Une des choses à quoy il faut aultant veiller est à oster le soupçon aux princes catholiques qu'en procurant la liberté de l'Allemagne on n'establisse l'hérésie, attendu que cette appréhension a jusques icy empesché les princes catholiques de s'unir à ce dessein, où, si une fois on l'a levé, on pourra gaigner en peu de temps quelques électeurs catholiques, ecclésiastiques ou séculiers.

Ce qu'il semble nécessaire à cette fin est de ne changer en aucun lieu la religion qui s'y trouvera establie, et ne point contrevenir durant cette conqueste à la bulle d'or, qui exclud les calvinistes de beaucoup de lieux où le luthéranisme est toléré.

On voudra obliger le Roy à ne point faire la paix en Italie que la guerre d'Allemagne ne soit terminée ; mais ce n'est pas la raison. Il suffira qu'il promette de ne point discontinuer le dessein d'Allemagne, auquel on agira d'autant plus puissamment qu'ailleurs on sera moins engagé.

L'Angleterre ne se souciera pas beaucoup de cest article, si ce n'est que l'intérêt de la Savoye les porte à faire ceste demande.

Quelque traicté qu'on fasse, il faut que ceux qui y entreront donnent chacun un banquier solvable qui responde et s'oblige de faire tenir en tous les lieux où sera l'armée les monstres de chaque prince.

Il est bon aussy, pour éviter les despenses inutiles, de ne s'engager qu'à des conditions exécutables, au temps (h) seulement que les intéressez feront de leur part les choses qui auront esté stipulées.

Si on peut porter les Anglois à prendre quelque tempérament avec Bavierre, par lequel il ait contentement sur l'électorat, sans doubte le

---

(f) *En marge :* « Les Anglois pourroient passer par la Hollande, venir à Julliers, le laisser à main droicte, passant entre Cologne, qui est sur le Rhin, et Lunebourg ; de là ils entreroient dans l'évesché de Trèves, passeroient la Moselle vers Coblenz, et viendroient joindre les trouppes françoises entre Metz et Vorms sur le Rhin, dans le bas Palatinat ».

(g) Les mots entre crochets sont substitués (Avenel).

(h) Lire : autant.

(8) Le margrave Guillaume de Bade.

(9) Le duc Charles-Emmanuel Ier (1580-1630), qui avait dû céder à la France, au traité de Lyon de 1601, le pays de Gex, le Valromey, la Bresse et le Bugey ; en revanche, il était resté en possession de Saluces, que les Français considéraient comme une des clefs de l'Italie. Son fils, Victor-Amédée, avait épousé en 1618, une sœur de Louis XIII Chrétienne de France.

dessein en réussira, estant certain ou que luy-mesme y aideroit, ou qu'il n'y seroit point contraire (i).

Il faut aussy lever le soupçon que les Allemands pourroient prendre qu'en chassant les Espagnols en voulust introduire une autre domination qui leur seroit également redoutable.

En partant, il sera bon de déclarer ouvertement que la liberté de l'empire, pour laquelle on prend les armes, consiste à remettre les choses en l'estat qu'elles doibvent estre, sans que aucun estranger y puisse prendre part.

On ne parle point de la flotte, pour ce qu'on présuppose qu'elle sera employée selon le premier projet.

Pour M. le prince de Piedmont (10), son voyage peut avoir et va apparemment à deux fins, la première à embarquer ouvertement le Roy à la guerre et faire entrer dans le Milanais. La seconde à empescher le retour de MM. le connestable et de Créqui en Piedmont et avoir le commandement des armées du Roy en Italie.

Il faut l'escouter en conseil, s'il le [désire, il faut app]rouver tant qu'on pourra ses propositions, tesmoigner les vouloir exécuter, mais estre contraints d'en différer un peu l'exécution pour attendre l'accomplissement de la paix des huguenots nécessaire à cet effet, puisqu'en ce cas on veut faire passer M. de Rohan en Italie et les trouppes du Languedoc.

Par ce moyen, on gagnera avec prétexte et raison le temps qui est nécessaire pour avoir des nouvelles d'Espagne devant que de prendre une dernière résolution.

Si le traicté d'Espagne est racommodé, on aura de la peine de satisfaire l'esprit de M. de Savoye et de ce prince ; on peut toutesfois en trouver des moyens : les seuls que je voy sont ou de luy donner le change dans un grand dessein d'Allemagne dont il ne se contentera pas, à mon avis, ou de luy donner lieu de renouveler ses desseins sur Gennes, dont l'effet ne seroit pas peut-estre à désirer, ou de luy promettre de s'employer à Rome pour luy faire changer de qualité (11), ce qui recevra tant de difficultez que je ne vois pas grand péril à s'engager et en faire quelque poursuite.

Il restera une septiesme affaire de très grande conséquence, puisqu'il est question de résister fortement à la bravade que le Pape veut faire au Roy, se déclarant pour les Espagnolz, sans toutesfois perdre le respect et la révérence qui luy est deue.

A cela il n'y a rien à respondre sinon que le Roy n'eust jamais creu que de père commun il eust voulu devenir partial et sectateur

---

(i) La phrase est à la fois incorrecte et embarrassée. Il s'agit du duc Maximilien le Grand (1597-1651), qui avait pris le titre d'électeur en 1623 et avait été mis en possession du Haut-Palatinat à titre de gage, après la défaite de l'électeur Frédéric.

En marge : « Fault traicter avec son agent pour empescher que son maistre ne signe avec l'Espagne la ligue qu'elle désire. »

(10) Le prince Victor-Amédée de Piémont était arrivé en France au début de 1626. Le but de sa mission était de déterminer son beau-frère Louis XIII à agir vigoureusement en Italie contre les Espagnols. Or, au moment même, venaient de s'achever, à Monçon, les négociations secrètes engagées entre la France et l'Espagne. Il était impossible au gouvernement royal de donner entièrement satisfaction au duc de Savoie.

(11) Charles-Emmanuel ambitionnait le titre de roi, pour lequel l'agrément du pape était indispensable.

d'Espagne. Que rien ne fara perdre à Sa Majesté le respect et la révérence qu'il doibt à Sa Sainteté, mais qu'il est [légitime] (j) de faire cognoistre à tout le monde qu'obéissant religieusement à un pape ès choses spirituelles, on peut s'opposer justement ès desseins temporels qu'ilz prennent pour favoriser ceux mesme qui opprimoient l'authorité de l'Eglise quand ses prédécesseurs avoient les armes en main pour la deffendre.

Sa Majesté pourra adjouster :

Je me deffendray bien de tous ceux qui voudront faire contre moy, et m'y préparerai d'autant plus puissamment que peut-estre, lorsque Sa Sainteté pense à m'attaquer, aura-t-elle besoin de mes armes pour la servir contre ceux qui, soubz prétexte de me nuire, la veulent perdre tout à faict.

42. — Le duc d'Epernon au cardinal de Richelieu. S.l, 1er mars 1626.

A.E., Mém. & Doc., France, Vol. 781, Invent. de la cor., f° 178.

Analyse :

« Contre le parlement de Bordeaux il a envoyé un mémoire à M. le Cardal de la Valette, son fils ; il prie le Cardal de se le faire lire. »

43. — Réglement entre les Secrétaires d'Estat. Paris, 11 mars 1626.

A.E., Mém. & Doc., France, Vol. 782, f° 84. — Copie.
A.E., même volume, f° 83. — Copie datée de 1743.
B.N., Fonds franç. Vol. 4321, f° 116 v°. — Copie.
B.N., Fonds franç. Vol. 18243, f° 111. — Copie
B.N., Fonds franç. Vol. 20762, f° 26 v°. — Copie.
B.N., Fonds franç. Vol. 21432 f° 131. — Copie,
B.N. Col. Clairambault, Vol. 664, f° 129.
Impr. : O. Ranum, *Les Créatures de Richelieu* (*trad. fr.*, 1966), App. A, p. 234-235.

Le Roy jugeant qu'il est à propos et très expédient pour le bien de ses affaires que les Provinces estrangères soient touttes entre les

Pièce 43. — *Ce règlement relatif aux attributions des Secrétaires d'Etat est le troisième et dernier qui fut arresté sous le règne de Louis XIII. Les deux règlements précédents sont respectivement datés de Fontainebleau, le 21 juin 1617, et de Saint-Germain-en-Laye, le 29 avril 1619. Celui-ci est surtout remarquable en ce que, pour la première fois, il donne une forme juridique fixe aux deux départements des Affaires étrangères et de la Guerre, et davantage encore en ce qu'il attribue la correspondance avec l'étranger à un seul secrétaire d'Etat.*

(j) Le papier est détérioré à cet endroit.

mains d'un seul de ses secrétaires d'Estat pour en faire les despeches et expéditions qui luy seront demandées, Sa Majesté a résolu de changer les départements suivant lesquels ils ont travaillé jusques à présent, affin de donner aux trois autres un honorable employ pour exercer tous quatre en bonne intelligence et amitié leurs charges selon la dignité d'icelles, et a voulu et ordonné que désormais le Sr de Loménie ou le Sr de la Ville aux Clercs, son fils, receu à sa survivance, aura la maison de S. M[té], Paris, l'Isle de France, Orléans, Berry, Soissons, et le Parlement de Navarre ; que le S[r] d'Herbault aura tous les estrangers, et, outre, aura dans le royaume, le Languedoc, la Guyenne, Brouage, Aulnis, la Rochelle et les affaires générales des huguenots ; que le S[r] d'Ocquerre aura l'Auvergne, Bourbonnais, Nivernois, Bourgogne, Champagne, Brie, Picardie, Normandie, Bretagne, les trois éveschez de Metz, Toul et Verdun, la Lorraine et la marine du Ponant, et que le Sr de Beauclerc aura la guerre suivant le réglement de 1619, pour le dedans du royaume, mais toute entière pour le dehors (a), le taillon et l'artillerie sans qu'aucun autre de ses secrétaires d'Estat y ayt part. Et outre cela il aura le Poitou, la Marche, Limosin (b), Lyonnois, Dauphiné, Provence et la marine de Levant. Et pour le regard des fortifications, chacun en fera les estats en ce qui sera de son département.

Fait à Paris le 11è jour de mars 1626, et, au bas, est escrit de la main du Roy : Je veux que le présent réglement soit suivy. Signé : Louis.

44. — MM. les consuls de Montpellier au cardinal de Richelieu, S.l, 13 mars 1626.

A.E., Mém. & Doc., France, Vol. 781, Invent. de la cor. 1626, f° 184.

Analyse :

« Ils députent le S[r] des Farges pour se plaindre que les catholiques veulent les exclure entièrement des charges de la ville. »

45. — A M. de Bouthillier. S.l, 14 mars 1626.

A.E., Mém. & Doc., France, Vol. 245, f° 10. — Original.
Impr. : Avenel, II, p. 204-205.

Monsieur,

Je vous fais ce mot pour vous dire que demain je ne manqueray de m'en retourner en estat de ne rendre pas grand service, puisque

(a) Le ms. de la col. Clairambault porte, au lieu de « le dehors », « les Estrangers ».

(b) Entre les mots « Limosin » et « Lyonnois », le mas. de la col Clairambault porte : « Angoumois, Xaintonge ».

je suis autant persécuté de ma teste que j'ay esté cet esté dans l'excès de mes douleurs. Considérant qu'il est nécessaire de terminer l'affaire du parlement et du clergé, de peur qu'elle produise de plus grands maux, et désirant estre à Paris lorsqu'elle sera jugée, de peur qu'on ne dise que je me suis absenté exprès, je retourneray sans faute. Il y a encore l'affaire de M. le prince de Piedmont, qu'il est temps de terminer.

Quant au reste, je ne vois qu'à exécuter le mémoire que je vous laissay (1). En un mot, il y a plusieurs affaires, et je suis si persécuté de ma teste que je ne sçay à qui le dire. Mais quand je serais encore pis, je mouray plustost que je ne traisne jusques à la fin des plus importantes, vous jurant sur ma foy que j'aime mieux périr que de manquer à servir leurs Majestés en ces occasions. Je suis,

Monsieur,

Vostre très affectionné à vous rendre service,
Le Card. de Richelieu.

Ce samedy, 14 mars 1626.

Pièce 45. — *Cette lettre porte en suscription : « A Monsieur Bouthillier ». Il s'agit de Claude Bouthillier, fils aîné de Denis Bouthillier, seigneur de Pont-sur-Seine, mort conseiller d'Etat en* 1622. *Il était né en* 1581 *et avait d'abord été, depuis* 1613, *conseiller au parlement Paris, puis, grâce à la faveur de Richelieu, secrétaire des commandements de la reine mère et surintendant des bâtiments. Il sera secrétaire d'Etat en* 1627 *et, conjointement avec Bullion, surintendant des finances, de* 1632 *à* 1643. *Disgrâcié au temps de la régence, il se retirera à Pont-sur-Seine, où il devait mourir en* 1655. *Comme son père et les autres membres de sa famille, il était très attaché à Richelieu.*

46. — M. de Pontchier du Lilon, lieutenant particulier de La Rochelle, au cardinal de Richelieu. S.l, 21 mars 1626.

Arch. des Af. étr., Mém. & Doc., France, Vol. 781, Invent. de la cor. 1626, f° 184.

Analyse :

« Les rumeurs continuent à la Rochelle non obstant la paix. Ils ne veulent point raser le fort de Tadon ny se défaire de leurs troupes. Ils disent que M. de Soubise a écrit à Loudrière pour désavouer la signature (1), qu'il promet de venir avec six ramberges, vingt vaisseaux flamans et ceux qu'il avoit emmenés. Ils l'attendent tous les jours. Ils ont révoqué les députés qu'ils avoient à la cour, et ils ont nommé l'avocat Godefroy et Gerans Epicier pour remplir leur place. »

---

(1) Peut-être s'agit-il du mémoire de février : V. *supra*, p. 294.

(1) Apparemment la signature du traité conclu avec les huguenots de La Rochelle le 5 février 1626.

47. — Contrat de la Compagnie du Morbihan ou des Cent Associés. Charonne, 31 mars 1626.

B.N., Fonds fr., Vol. 4826, f° 58-60. — Copie.
B.N., Cinq-Cents Colbert, Vol. 203, f° 197-200. — Copie.
A.E., Mém. & Doc., France, Vol. 782, f° 782, f° 97-105. — Copie.
Bibl. du Sénat, Vol. 287, f° 695-705. — Copie.
Bibl. de Carpentras, Col. Peiresc, Vol. 1775, f° 174. — Copie.
Impr. : *Mercure franç.*, t. XII (1626), p. 44-45, reproduction non littérale et incomplète.

Par devant Nicolas Taconnet et Estienne Comtesse, no[tai]res du Roy no^{re} se^{r} en son Cha[ste]let de Paris soubz signés, sont comparuz Révérendissime et Illustrissime Messire Armand Jean du Plessis de Richelieu, car[din]al, con[seill]er du Roy en ses con[sei]ls, au nom et comme surintendant (a) g[é]n[ér]al du Commerce de (b) ce royaume, et suyvant le pouvoir à luy donné par Sa Ma^{té}, d'une part, et Guillaume de Bruc, sieur dud. lieu et y demourant, évesché de Nantes en Bretagne, Jean-Baptiste du Val, demourant à Paris, rue du Coq, en la parr[oiss]e de St Jean en Grève, Nicolas Le Mareschal, dem^{t} à Paris, rue du Four, parr[oiss]e St Eustache, et Antoine Regnault, s^{r} de Montmort (c), demourant à Paris, rue Plastrière, en

Pièce 47. — *Le contrat d'association, dont le texte est reproduit ici, fut passé à Charonne, dans la maison du cardinal, par devant deux notaires au Châtelet, Etienne Contesse et Nicolas Taconnet, dont les archives respectives ont été déposées au Minutier Central de Paris. La minute de l'acte ne s'y trouve plus par suite des importantes lacunes que comportent les fonds de ces deux études pour la période qui nous intéresse. Parmi les copies qui nous sont parvenues, deux surtout présentent une rédaction particulièrement soignée : celle des Archives des Affaires étrangères et celles de la Bibliothèque du Sénat. Toutes les deux sont du* XVIIe *siècle. La première est intitulée* Copie du contract des Cent Associéz en France pour l'establissement du commerce par mer et par terre ; *l'écriture en est élégante, mais le copiste y a fait par distraction de nombreuses omissions, portant parfois sur une ligne entière, et la fin du texte est bizarrement écourtée. La seconde porte en titre* Traicté entre le Cardinal de Richelieu pour le Roy et quelques habitans de Paris pour le commerce à establir à Morbian en Bretaigne : *moins bien écrite que la précédente, la lecture en est ausi rendue plus difficile par un véritable abus des abréviations ; elles est cependant plus complète que l'autre, et c'est elle qui a servi de base à l'établissement du texte. Quant au* Mercure françois, *s'il reproduit par endroits assez fidèlement le texte du contrat, le rédacteur y a fait plusieurs coupures, et le préambule qu'il présente ne figure dans aucune des copies mentionnées ci-dessus. Toutefois, comme cette publication était destinée à faire connaître au public les dispositions principales de ce contrat d'association, il a paru intéressant de noter les variantes qu'on y relève.*

Dès 1625, Richelieu, élaborant de vastes projets de réformes, avait déjà jeté les bases d'un Réglement pour la Mer (*V.* supra, *p.*) *qui atteste les vues qu'il méditait pour donner une impulsion nouvelle aux deux branches de la richesse nationale, la navigation et le commerce.*

(a) Cop. A.E. : « intendant ».
(b) Cop. A.E. : « en ce royaume ».
(c) Cop. A.E. : « Montimort ».

lad^{e} par[oiss]e St Eustache, tant en leurs noms propres et privez que de ceulx ayant (d) charge et pouvoir spécial des autres personnes faisant le nombre de Cent Associez p^{r} le Commerce g^{al} en ce royaume, tant par mer que par terre, au ponant, levant et voyages de long cours, pour lesquelz s[ieur]s associez et chacun d'eulx lesd[it]s s[ieur]s de Bruc, Duval, le Mar[esch]al et de Montmort (e) promettent faire valablem^{t} ratiffier le pr[ése]nt contract et les faire avec eulx obliger tant personnellem^{t} que solidairement à l'entière exécu[ti]on d'iceluy et desdites obligations et ratiffications, fournir à Sa Ma^{té} ès mains de mon dits seig^{r} Card^{al} lettres en bonne et authentique forme faictes où besoing sera, le tout soubz obligations et submissions de renonciations nécess^{res}, à peine de tous despens, dommages et intérests et y

L'année 1626 allait être marquée par la création, à quelques mois d'intervale, de trois grandes compagnies maritimes, dotées de privilèges exceptionnels : en mars, la Compagnie de Morbihan, en mai, la Compagnie de la Nacelle de Saint-Pierre fleurdelysée ; en octobre, la Compagnie de Saint-Christophe. Chose curieuse, les Mémoires de Richelieu *ne parlent que de la première en date de ces compagnies, et seulement à propos des difficultés soulevées par le parlement de Rennes pour en enregistrer l'édit de création (*) ; ils ne mentionnent même pas le nom des deux autres.*

La Compagnie de Morbihan devait être reconnue par l'édit de juillet 1626, qui fit l'objet d'une nouvelle rédaction au mois d'août suivant. C'est dans cette rédaction que la dénomination primitive fut remplacée par celle de Compagnie des Cent Associés. Le texte de ces deux édits consécutifs, signés l'un et l'autre à Nantes, a été publié par Dugast-Matifeux en appendice à son étude intitulée Le commerce honorable et son auteur *(Nantes, 1857), d'après l'exemplaire imprimé qui se trouvait alors aux archives de la mairie de Nantes. Cette publication a mis en évidence la façon incorrecte avec laquelle le* Mercure françois *(**) et, plus tard, Forbonnais (***) avaient reproduit ces textes officiels. Outre la modification apportée dans la dénomination de la compagnie, les deux principales différences qui apparaissent entre les deux édits sont les suivantes :*

— Dans l'édit de juillet, les noms des deux principaux contractants — Guillaume de Bruc et Jean-Baptiste du Val, qui figurent dès les premières lignes du contrat d'association — sont mentionnés en qualité de représentants des autres associés ; dans l'édit d'août, leurs noms disparaissent.

— L'édit de juillet reproduit en termes presque identiques l'article du contrat prévoyant que la compagnie recevrait « en toutte seigneurie et propriété » la possession des « terres de la Nouvelle France, tant sur le continent qu'isles et autres lieux » (V. infra, *p. 311). Dans l'édit d'août, cet article a été entièrement supprimé : il sera remplacé par une disposition autorisant la compagnie a transporter « des marchandises voiturées d'un port à un autre du royaume » et à les faire charger « sur des navires par des gardiens et dépositaires » qu'elle désignera à cet effet.*

(*) Mém. de Richelieu, éd. de la Soc. de l'Hist. de France, VI, p. 145.
(**) Tome XII (1626), p. 44-45.
(***) François Véron de Forbonnais, *Recherches et considérations sur les finances de France,* 1758, 2 vol. in-4°, t. I, p. 572-578.
(d) Cop. A.E. : « de ceux disant avoir... ».
(e) Cop. A.E. : « Montimort ».

estre contraintz comme p[ou]r, les propres deniers et affaires de Sa Maté, d'autre part (a).

Disant lesds associez que, bien asseurez de l'affection que Sa Maté porte à tous ses subjectz, tant dedans que dehors le royaume et du soing qu'elle a et veult avoir journellemt de l'advancement de la religion, accroissemt de son Estat, bien et advantages de son peuple, iceulx associez s'estant résolus de travailler à un bon establissement du Commerce gnal en touttes sortes de marchandizes manufacturées et autres choses possibles et licites pr l'employ des hommes, ilz auroient pr[ésen]té à Sa Maté et Nosseigrs (b) de son Cens[ei]l leurs articles et par iceulx offert d'establir en effect ledt commerce gnal tant par mer que par terre, mesmes pr y donner commancement faire un fondz de seize cens mil livres, et icelle somme employer à l'establissement dud. commerce et pr randre en bon estat les lieux de leurs demeures, le tout soubz l'auctorité, souveraine jurisdiction et commandement de Sa Maté aux charges et conditions portées par lesdits articles, et ayant esté iceulx leus, considérez et résoluz par Sa Maté en sond. Con[sei]l (c), auroit commandé à Mondt seigneur Cardal, surintendant dud. commerce, de faire et passer, au nom et comme procureur et ayant charge expresse de Sa Maté (d), le pr[ésen]t contract. Pour à quoy satisfaire mondt seigr Cardal et lesds associez comparant esds noms sont demeurez d'accord de ce qui ensuit :

ASSAVOIR

Que mondt seignr Cardal a ratiffié et confirmé pr Sa Maté la societté et compie de Cent associez faisant profession de la religion catholique, appostolicque et romaine, pr led. commerce gnal tant par mer que par terre, levant, ponant et voyages de long cours, led. commerce leur estant permis partout tant dedans que hors le royaume ; et à cest effect Sa Maté leur fera expédier son édit et lettres d'establissement de lad. compnie cn bonne et due forme et touttes autres à ce nécessres soubz les conditions cy après déclarées (e) :

Premièrement lesds associez comparant esd. noms ont promis, promettent et s'obligent (f) tant pr eulx que pour le reste desds autres associez, l'un pour l'autre et un seul pr le tout sans faire division ny discussion des biens ny de personnes, de faire ledit establissement de commerce gnal de touttes sortes de marchandises tant par mer que par terre, ponant, levant et voyage de long cours, conforme à leurs dits articles et lesqls par eux baillés, et pour y

---

(a) La copie de la Bibl. du Sénat porte, évidemment par erreur : « d'une part ».
(b) Cop. A.E. : « Messeigneurs ».
(c) Cop. A.E. : « Sadicte Maté et sond. Conseil ».
(e) Cop. A.E. : « Sadicte ».
(e) Le texte imprimé au *Mercure françois* commence à ce paragraphe. Tout ce qui précède est remplacé par cette simple phrase : « Premièrement, que Sa Majesté leur feroit expédier son édit et lettres d'establissement de leur compagnie de Cent associez en bonne et deüe forme et toutes autres à ce nécessaires, sous les conditions cy-après déclarées ».
(f) *Merc. fr.*, art. II : « Lesdits Bruc etc., esdits noms, prometteront de s'obliger tant pour eux que pour leurs associez l'un pour l'autre, un seul pour le tout... etc. ».

donner commancemt faire (a) un fondz perpétuel de lade somme de XVIe mille livres avec la moitié des proficts de lade somme pour l'augmenter annuellemt (b), lequel fondz ne pourra estre saisy, arresté (c) ny diverty par lade compie ny aulcun d'eulx, mesmes pr leurs affaires part[iculi]eres (d) ny par autres pr quelque occasion que ce soit (e).

Sera lade somme de XVIc m[ille l]ivres employée partye à la construction et équipages (h) de vaisseaulx que lesds associez promettent et s'obligent (g) de faire faire et fournir (h) armez et esquipez en guerre et marchandises, comme il appartient, et prestz de faire voille dans six mois du jours qu'ils auront esté mis en possession et establis au lieu de leur demeure cy après déclarée (i) et les (j) vérifications préalablemt faictes, et employer à cest effect jusques à la somme de IIII c mille livres pr le moings : une partye desqls vaisseaulx lesds associez seront tenuz de laisser dans le port de Morbihan pr la conservation d'icelluy, et le surpluz dud. fondz sera employé à l'establissement d'icelluy (k) commerce, remboursement des fondz de terre à eulx accordez par Sade Majesté (l), achapts de marchandises, logement, payement d'ouvriers, et autres choses à ce nécessaires (m), duql fondz et employ de (n) lade somme de (o) XVIc m[ille] livres lesds associez seront tenuz faire (p) apparoir et en bailler estat à mond. seignr Cardal aud. nom, et sont demeurez d'accord (q) que la destination desds deniers ne pourra estre changée que du consentement et ordres (r) de mond, seigr Cardal.

Et pr donner par Sad. Maté moyen ausds associez (s) de parvenir audt establissement et continuation dud. commerce gnal, mondit seigneur Cardal, par le commandement de Sa Maté et pour et au nom d'icelle et par ces prés[en]tes a déllaissé et délaisse (t) ausds cent associez et ceulx qui seront cy après de lade compnie pr siège et demeure perpétuelle en la mer du ponant le havre dud. lieu de Morbihan en la coste de Bretagne pr la commodité de leurs flottes et vaisseaux, et pr construire une ville libre pr la seureté de leurs personnes et biens avec l'estandue de la banlieue, qui sera réglée par

(a) Cop. A.E. : « ...y donner commencement et un fond perpétuel... ».
(b) *Merc. fr. :* « continuellement » ; cop. A.E. : « anuellement ».
(c) Le mot « arresté » ne figure pas sur la copie des A.E.
(d) Le mot « particulières » n'est pas dans le texte du *Mercure.*
(e) La copie des A.E. et le texte publié au *Mercure françois* portent « pour quelque cause et occasion que ce soit ».
(f) Cop. A.E. : « du équipage ».
(g) *Merc. fr. :* « promettteront et s'obligeront ».
(h) Cop. A.E. : « de faire faire fournir ».
(i) *Merc. fr. :* « au lieu de Morbihan ».
(j) Cop. A.E. : « et lesdites ».
(k) Cop. A.E. : « dudict » ; *Merc. fr. :* « du susdit ».
(l) *Merc. fr. :* « qui leur seront accordez par Sa Majesté ».
(m) *Merc. fr. :* « et aux autres choses nécessaires ».
(n) Le mot « de » a été omis sur la copie de la Bibl. du Sénat.
(o) Cop. A.E. : « des ».
(p) Cop. A.E. : « tenuz de faire ».
(q) *Merc. fr. :* « ainsi ils demeureront d'accord que... ».
(r) *Merc. fr. :* « consentement et accord dudit seigneur Cardinal ».
(s) Cop. A.E. : « Et pour donner moyen aux associez par Sa Maté... » ; *Merc. fr. :* les mots « *par Sadite Majesté* » ne figurent pas.
(t) *Merc. fr. :* « et pour et au nom d'icelle délaissera ausdits... ».

Monsr Hollier (a), con[seil]er du Roy en son con[seil]l d'Estat, que mond. (b) seig^{r} Card^{al} par le commandement de Sa Ma^{té} a de sa part nommé (c) p^{r} cest effect : ensemble leur délaisse (d) toutte l'isle et seig[neur]ie (e) de Thina (f), le vieil chasteau de Succuno (g) et la seig[neur]ie de Musillac (h), faisant l'un des costés dud. havre, isle et isleaux qui sont dans icelluy et ez rivière de Vannes (i), et hors tombantes dans led. havre de Morbihan, et ce qui appartient à Sad. Ma^{té} de l'autre costé dud. havre, à la charge de payer et rembourser par lesdites (j) associez à ceux qui tiennent les lieux par engagement les sommes qui seront actuellement entrées ez coffres de Sa Majesté ; et pour le regard des choses qui appartiennent en propriété aux par[ticul]iers, le payement et récompense leur en sera aussy faicts (k) ; le tout selon qu'il sera arbitré (1) par led. Sr Olier (m), de la seuretté de tous lesquels lieux Sa Ma^{té} se remet (n) à la garde et fidellitté desd^{ts} associez avec promesse de n'y establir aulcun (o) gouverneur, lieutenant ou capp^{ne} à prés[en]t ny à l'advenir (p).

Et desq[uel] les choses qui sont (q) comme dit est racheptées (r) et acquises par lesd^{s} associez, lad^{e} comp^{nie} jouira et pour tousjours incommutablem^{t} ; et à cest effect mond. seign^{r} Card^{al} a renoncé et renonce (s) pour Sad^{e} Ma^{té} à la faculté de rachapt perpétuel desd. lieux en faveur de lad. comp^{ie} et societté et de ceux qui y entreront cy-après, p^{r} en jouir par eulx en plaine propriété et comme de chose non plus domanialle ; et, moyennant ce, payeront lesd^{s} associez annuellement en la Recepte gn^{alle} de Bretagne par forme d'abonnement et inféodation la somme de III^{c} l[ivres], à laquelle il a pleu à Sa Ma^{té} les abonner pour ch[ac]un an pour tous droictz gn^{allement} quelzconques qu'elle y pourroit prétandre.

Pourront lesd^{s} associez esd^{s} lieux establir collèges, avec faculté d'enseigner tous artz et sciences, y faire imprimer touttes sortes de livres non deffanduz et qui seront approuvez, fabriquer navires, fondre canons et basles, faire pouldres et salpestres, armes et tous autres ustancilles et manufactures nécess^{res} à la guerre et au commerce p^{r} armer et équiper leurs vaisseaux.

(a) *Merc. fr.* : « le s^{r} d'Olier » ; Cop. A.E. : « Monsr Ollier ».
(b) *Merc. fr.* : « ledit ».
(c) *Merc. fr.* : « nommera ».
(d) *Merc. fr.* : « délaissera ».
(e) Cop. A.E. : « l'isle, terre et seigneurie ».
(f) *Merc. fr.* : « Thenio ».
(g) *Merc. fr.* : « du Suvigno » ; Cop. A.E. : « du Succinio ». Il faut lire : le château de Succino, près de Sarzeau (Morbihan)
(h) *Merc. fr.* : « Massillac » ; lire : Muzillac.
(i) *Merc. fr.* : « ès rivières de la mer ».
(j) Cop. A.E. : « par les susdits ».
(k) *Merc. fr.* : « leur en sera fait ».
(l) *Merc. fr.* : « arbitté ».
(m) *Merc. fr.* : « par ledit sieur Cardinal » ; Cop. A.E. : « par ledict Sr Ollier ».
(n) *Merc. fr.* : « se remettra ».
(o) *Merc. fr.* : « establir jamais aucun ».
(p) Les mots « à présent ny à l'advenir » ne figurent pas sur le *Mercure*.
(q) *Merc. fr.* et Copie A.E. : « seront ».
(r) Cop. A.E. : « achattées ».
(s) *Merc. fr.* : « renoncera » au lieu de « a renoncé et renonce ».

Item mond. (a) seig[r] Card[al], par le commandement de Sa Ma[té], accorde (b) ausd[s] associez qu'au moyen desd[s] abonnement (c) et remboursement ils soient et demeurent (d) subrogez (e) en ses droictz sur lesd[s] lieux soit de fouages, creues et taillon de traictes (f), impostz et billotz de ports et havres, et autres quelzconques mis ou (g) à mettre, imposez ou à imposer, ord[inai]res ou ex[traordinai]res, et sans rien réserver p[r] en jouir par icelle comp[nie] comme fait ou pourroit faire Sad[e] Ma[té] ; et partant lesd[s] associez en demeureront dès à pr[ése]nt (h) deschargez sans estre tenus de rendre aulcun compte en la Chambre des Comptes de Bretagne ny ailleurs (i).

Item pourront lesd[s] associez faire tenir deux marchez publics par ch[acu]ne sepmaine et quatre foires l'année de quinzaine ch[acu]ne franche, et ce en lad[e] ville de Morbihan et banlieue, ausq[les] foires et marchez tous marchans forains et estrangers pourront aller vendre et achepter touttes sortes de marchandises sans payer aulcuns droitz allant ou retournant d'icelles foires et marchez, tenir banques ouvertes et avoir correspondances pour cest effect (j) en tous endroictz tant dedans que hors le royaume ; et sy ne pourront lesd[s] marchands ny leurs marchandizes allant et revenant desd[es] foires estre saisys ny arrestez en quelque lieu et pour quelque cause que ce soit estans porteurs de la certiffication des juges des lieux dont ilz seront partis.

Pourront aussy lesd[s] associez tenir, pour le faict dud. commerce, magazins dans touttes les bonnes villes de ce royaume, et y avoir facteurs et correspondants pour vendre et achepter en gros et sans estre subjectz aux visitations ny mesmes prandre congé ny permission des gouverneurs, admiraulx, gardes des portz et havres, ponts, passages, ou autres quelzconques, p[r] entrer et sortir, vendre et achepter, à la charge néantmoins de payer les droictz accoustumez ainsy que les marchands (k).

Item, lesd[s] associez auront en l'estendue desd[es] villes et banlieue du Morbihan et lieux en deppendans, tant pour le faict de la justice que de la police, armes, finances et commerce, pouvoir de faire exercer gratuitement (l) touttes sortes de justice et juridictions civilles et criminelles en dernier ressort sur ceulx de lad[e] comp[ie], leurs facteurs, commis et commissionnaires, en quelque lieu qu'ilz

(a) *Merc. fr.* : « ledit ».
(b) *Merc. fr.* : « accordera » ; la copie des A.E. porte : « Item a mondit sr cardinal... accordé... ».
(c) Cop. A.E. : « dudict abonnement ».
(d) *Merc. fr.* : « ils seront et demeureront ».
(e) Cop. A.E. : « surroguez ».
(f) *Merc. fr.* : « tailles » (au lieu de « traictes »).
(g) Cop. A.E. : « et » (au lieu de « ou »).
(h) Les mots « dès à présent » ne figurent pas sur le texte du *Mercure*.
(i) *Merc. fr.* : « ny d'ailleurs ».
(j) Les mots « pour effect » ne se trouvent pas sur la copie des Affaires étrangères.
(k) Les mots « ainsy que les marchands » ne figurent pas dans le texte du *Mercure*.
(l) Le mot « gratuitement » n'est pas dans le texte du *Mercure*.

soient (a), tant sur mer que sur terre, et sur tous autres demeurant en la ville et banlieue, soit qu'ilz soient estrangers ou regnicoles, pour les contractz et autres actes (b) passez, deslitz et crimes commis dans ladite ville et banlieue seullement (c). Sad[e] Ma[té] faisant injonction à tous huissiers et sergens royaulx d'exécuter les jugemens qui seront émanez de ladite comp[ie], ensemble tous les actes (d), traictez et contractz passez en lad[e] ville et banlieue de Morbihan sans demander congé, placet, visa ne pareatis, le tout soubz l'auctorité de Sad[e] Ma[té] (e).

Et pour l'exécution (f) de la justice, lad[e] comp[nie] p[ése]ntera à Sa Ma[té] le nombre de dix personnes de lad. comp[nie] *pour juger pourroient mouvoir entre les personnes de lad[e] comp[nie]* (g), off[ici]ers pourroient mouvoir entre les personnes de lad[e] comp[nie] (70), off[ici]ers d'icelle et habitans de lad[e] ville de Morbihan et banlieue à la charge néantmoins que pour les jugemens de mort et infliction (h) de peynes corporelles ilz seront tenus d'appeler avec eux jusques au nombre de (i) graduez et estans de lad[e] comp[nie] ou habitans de lad[e] ville de Morbihan ou des lieux plus proches d'icelle ; et pour l'expédition des jugemens, proceddures (j) et actes, esliront et commentront (k) deulx de lad[e] comp[nie] propres et capables, qui exerceront la charge (l) de greffier p[r] deux ans selon l'ordre ci dessus : lesquels juges ainsy esleuz, p[rése]ntez à Sa Ma[té] et confirmez par icelle (m), feront le serment entre les mains de mond. seign[r] Card[al], surintendant dud. commerce, et seront dictz et nommez con[seill]ers de la justice (n) establis pour le commerce de Morbihan ; et ne pourront lesd[s] off[ers] *p[r] le p[rése]nt ny p[r] l'advenir estre vénaulx ni lesd[s] officiers* (o) exercer leurs charges (p) plus de deux ans : et à cette fin et qu'il puisse tousjours y (q) avoir des personnes expérimentées, tous les ans sera faicte eslection de cinq desd[s] juges et d'un greffier, qui exerceront avec les cinq et le greffier de la précédente eslection, ainsy qu'il se practique entre les eschevins de la ville de Paris.

Comme aussy (r) pourront lesd[s] associez avoir un petit sceau p[r] soubz les nom et auctorité de Sa Ma[te] expédier et sceller touttes les comm[issi]ons pour la guerre, trafficq et affaires de leur comp[nie] et les jugemens, actes et contractz qui seront faictz entre par[ticuli]ers

---

(a) *Merc. fr.* : « en quelque lieu qu'ils peuvent estre ».
(b) La copie des A.E. porte : « lettres » à la place d'« actes ».
(c) Le texte du *Mercure* porte deux points après « seulement », suit une nouvelle phrase : « Sadite Majesté fera injonction, etc. ».
(d) La copie des A.E. porte : « ensemble tous autres traictés... ».
(e) *Merc. fr.* : « Sa Majesté ».
(f) Cop. A.E. : « Et pour l'exercice ».
(g) Le membre de phrase en italiques ne figure pas dans le *Mercure.*
(h) *Merc. fr.* : « inflictifs » ; copie des A.E. : « inflictifs ».
(i) Un blanc a été laissé dans les trois textes.
(j) *Merc. fr.* : ce mot est remplacé par « sentences ».
(k) *Merc. fr.* : « il sera esleu et commis ».
(l) *Merc. fr.* : « ladite charge ».
(m) *Merc. fr.* : « par elle ».
(n) Les mots « de la justice » ne se trouvent pas dans le texte du *Mercure.*
(o) Les mots en italiques ne figurent pas dans le texte du *Mercure.*
(p) Copie des AF. etr. : « leurs dites charges ».
(q) Copie A.E. : « en ».
(r) Le mot « aussy » a été omis sur la copie de la Bibl. du Sénat.

délivrez par celuy de lad[e] comp[nie] qui à ce faire sera commis par Sa Ma[té] et prins du nombre des dix (a) esleuz pour juges, comme dit est ; et pour deux ans seullement, lequel ne pourra prandre aulcun droict de sceau.

A esté aussy accordé (b) que de (c) tous les procès que lesd[s] associez pourroient (d) avoir *pour le pr[ése]nt et pour l'advenir* (e) en demandant ou deffendant en g[é]n[ér]al ou par[ticuli]er et contre quelque personne que se puisse estre, la cognoissance en appartiendra et en donnera Sa Ma[té] l'attribution à Mrs des Requestes de l'hostel (f) en première instance, et par appel à Noss[rs] de son con[se]il d'Estat, *auquels les instances seront rapportées par led.* Sr Olivier con[seill]er d'Estat, que Sad[e] Ma[té] députte (g) p[r] cest effect (h) et sy auront lesd[s] associez l'un d'eulx près la personne de mond. seig[r] Card[al] à la suitte du Con[se]il p[r] les affaires de lad[e] comp[nie] lesq[ls] jouiront (i) des mesmes droictz (j) privilèges, franchises (k) libertez et exemptions que les off[ici]ers, domestiques (l), commenceaux de la maison de Sad[e] Ma[té], avec deffense à tous les autres juges d'en cognoistre, et sans que lesd[s] associez ny lad[e] ville et banlieue dc Morbihan dépendent des gouverneurs, admiraulx, m[aistr]es de l'art[ille]rie, m[aistr]es des portz, et tous autres (m) off[ici]ers pour quelque cause que ce soit et occasion que ce puisse estre en ce qui concerne le contenu au p[rés]ent contract, circonstances et deppendances d'icelluy.

A encores esté accordé (n) ausd[s] associez que les esclésiastiques et gentilhommes d'extraction noble et privillégiez, tant ceulx qui se trouveront du nombre des cent associez que autres qui metteront en lad[e] comp[nie] argent ou autres choses équipolans en vadz (o) ne seront censez ny réputez faire acte desrogeant à noblesse ny à leurs quallitez et privilèges ; et jouiront ceux des cent qui ne seront nobles (p) des privilèges de noblesse, eulx et leurs enfants légitimes, pourveu que les pères demeurent en lad[e] comp[nie] et qu'ils ne s'en soient séparez avant leur décedz, et que leurs enfants servent et soyent employez en lad[e] comp[nie] (q), auquel cas seulement les descendans desd[s] enfans

---

(a) Cop. A.E. : « de ces », au lieu « des dix ».
(b) Les mots en italiques ne figurent pas dans le texte du *Mercure*.
(c) Le mot « de » a été omis sur la copie de la Bibl. du Sénat.
(d) *Merc. fr. :* « pourront ».
(e) Les mots en italiques ne figurent pas dans le texte du *Mercure*.
(f) Cop. A.E. et *Merc. fr. :* « de son hostel ».
(g) *Merc. fr. :* « députera ».
(h) Dans le texte *du Mercure françois* la fin de ce paragraphe, à partir de « avec deffense », est placé à la suite des mots « pour cest effect ».
(i) *Merc. fr. :* « et jouyront... ».
(j) Le mot « droictz » a été omis sur la copie de la Bibl. du Sénat.
(k) Même remarque pour le mot franchises.
(l) Le mot « domestiques » ne figure pas dans la copie des A.E.
(m) Le mot « autres » a été omis sur la copie de la Bibl. du Sénat.
(n) Ces mots manquent dans le texte du *Mercure*.
(o) *Merc. fr.* « en vade » ; ces mots ont été omis dans la copie des Affaires étrangères. En terme de commerce et d'affaires, cette expression signifie la part que chaque associé a dans une entreprise.
(p) La copie des A.E. ajoute « et privilégiés ».
(q) Ce passage est ainsi rédigé dans le *Mercure françois :* « ... ne sont censez ny réputez faire actes dérogeant à la noblesse, ny à leurs qualitez et privilèges de noblesse, eux et leurs enfans servant et estans employez en ladite compagnie ».

jouiront des privillèges de noblesse, ne faisant par eulx aulcun acte y desrogeant.

Pourront lesd^{s} associez user du droict de représailles envers et contre tous, après toutesfois qu'ilz auront faict plainte à mond. seig^{r} Card^{al}, surintendant dud. commerce, et receu l'ordre du Roy par lequel ordre seullement ilz pourront faire lesd^{es} représailles.

Plus, en faveur du p[rése]nt contact (a), a esté accordé (b) auxdits associez qu'eulx et leur comp^{nie} puissent jouir et posséder les terres (c) de la Nouvelle France (1), tant le continent que isles et autres lieux (d), que lad^{e} comp^{nie} pourra conquérir et peupler en toutte seig[neu]rie et propriétté avec tout pouvoir et auctorité, à la charge de les relever de Sa Ma^{té} en tiltre de foy et hommage, et en (e) renouveller les submissions à chacun advènement des Roys (f) par un des membres de lad^{e} comp^{nie}, qui aura pouvoir spécial d'icelle, *déclarant mond. seign^{r} Card^{al}, par commandement de Sa Ma^{té}, qu'elle n'y veult ny pour le p[rése]nt ny pour l'advenir réserver* (g) autre droict que la souveraineté et une couronne d'or, que lad^{e} comp^{nie} sera tenue de donne à ch[ac]une muta[ti]on des Roys (h).

Item, a esté accordé ausd^{s} associez que (i) p^{r} fournir aux peuplades et conquestes des pays et autres lieux (j) qu'ilz pourront conquérir, il leur sera loisi[ble] (k) de tirer hors de ce royaume tous ceulx qui y vouldront aller volontairement, les enroller et armer, comme aussy tous les mandians valides et vagabons de tous sexes et aages que lad^{e} comp^{nie} jugera propres p^{r} les armes et pour le travail ; et lesq^{ls} mandians et vagabons y pourront estre contrainctz et forcez par emprisonnement de leurs personnes.

Et affin que facilliter ausd^{s} associez et comp^{nie} les moyens et auctoritez nécess^{res} pour l'exécution dud. commerce et choses susdites mond. seig^{r} Card^{al} a déclaré à lad^{e} comp^{nie} que Sa Ma^{té} *leur fait*

(a) Les mots « en faveur du présent contract » ne se trouvent pas dans le texte du Mercure.

b) *Merc. fr.* : « sera accordé ». — (8) Les mots « auxdits associez » ont été omis sur la copie de la Bibl. du Sénat.

(c) La copie de la Bibliothèque du Sénat porte « la terre », sant doute par inadvertance du copiste.

(d) Le mot « lieux » a été omis sur la même copie.

(e) Le mot « en » a été omis sur la copie des A.E.

(f) Cop. A.E. : « de Roy ».

(g) Dans le texte publié par le *Mercure françois*, on lit, à la place de la phrase en italiques : « avec déclaration de Sa Majesté que, pour le présent ny pour l'advenir, elle ne se se réservera.. »

(h) Cop. A.E. : « de Roy ».

(i) Ce premier membre de phrase ne figure pas dans le texte du *Mercure françois*.

(j) Cop. A.E. : « et autres terres ».

(k) *Merc. fr.* : « permis ».

(1) On sait que, jusqu'en 1763, le Canada porta le nom de Nouvelle-France. Depuis qu'en 1534 le Malouin Jacques Cartier avait planté la croix sur la péninsule de Gaspé, la région du Saint-Laurent, jusqu'alors inconnue de l'ancien monde, était devenue terre française. Mais la colonisation n'avait commencé qu'en 1604, quand De Monts et Champlain eurent fondé le premier établissement français à Port-Royal (devenu plus tard Annapolis Royal), puis Québec, en 1608, qui devint la capitale de la nouvelle colonie. Champlain, qui depuis cette date avait découvert les lacs Huron et Ontario, devait entrer dans la Compagnie des Cent-Associés, dont il devint le mandataire sur le nouveau continent.

l'honneur de les prendre (a) en sa spéciale protection et sauvegarde tant en g[é]n[é]ral qu'en par[ticul]ier p[r] les deffendre et garder comme ses bons et loyaux subjectz envers et contre tous, et promettra (b) de ne contrevenir en aucune façon au p[rése]nt contact, le faire vériffier où besoing sera, mesmes de fournir dans quinzaine la ratification qu'il plaira à Sa Ma[té] faire d'icelluy (c) comme fait et passé par son commandement (d).

Promet (e) encore mond. seig[r] en faire expédier l'edict et touttes lettres et comm[issi]ons nécess[ai]res portant révocation de touttes autres qui pourroient avoir esté obtenues par le passé non vériffiées ny exécutées.

Et d'aultant que mond. seig[r] Card[al] n'a accepté lad[e] charge de surintendant g[éné]ral du commerce que par le commandement qu'il a pleu au Roy luy en faire en suite de la très humble prière et supplication que lesd[s] associez en ont faicte à Sa (f) Ma[té], sur la recognoissance qu'ilz ont que pour un establissement de telle conséquence il est besoing de l'auctorité singulière (g) qu'ilz recognoissent en la personne de mond. seign[r] Card[al], affection et persévérance qu'il a eu aux grandes entreprises dont il peult revenir beaucoup d'avantages à l'Estat, et qu'ilz auroient à craindre, après le décedz de mond. seig[r] Card[inal], de tumber (h) entre les mains de personnes qui leur seroient aussy préjudiciables comme son entremise et impériosité leur sera utille et advantageuse, lad[e] charge (i) de surintendant g[é]n[ér]al dud. commerce demeurera (j) estaincte et suprimée par le décedz de mond. seig[r] Card[al] (k) sans qu'elle soit ou puisse estre transmissible (l) à auc[un]le personne de quelque qualitté et condition qu'el[le] soit, et ne pourra Sad[e] Ma[té] la faire revivre à l'advenir soubz quelque nom, tiltre, prétexte, cause et occasion que ce soit, en tout ou partye.

De plus, a esté convenu et accordé sur ce qu'a esté recognu (m) qu'il convient faire de grandes despances ex[traordinai]res pour l'advantage commung de lad[e] comp[nie], et pour entretenir le p[rése]nt contract (n) par lequel Sa Ma[té] a remis (o) ausd[s] associez, tous et un chacun, ses droictz, à la réserve de ceulx y contenuz (p), et *qu'il*

(a) A la place des mots en italiques, le texte du *Mercure* porte : « prendra ladite compagnie et associez ».
(b) Cop. A.E. : « promet ».
(c) Les mots « d'icelluy » ont été omis dans la copie de la Bibl. du Sénat.
(d) Dans le *Mercure françois* la fin de cet article est ainsi rédigée : « ... et promettre de ne contrevenir en aucune façon aux articles qui leur seront accordez par ledit seigneur cardinal, estans vérifiez où besoin sera; mesmes on leur promettra de fournir dans quinze jours la ratification qu'il plaira Sa Majesté faire desdits articles comme passez par ses commandements ».
(e) *Merc. fr.* : « Promettra ».
(f) *Merc. fr.* : « Sadite ».
(g) *Merc. fr.* : « ... de l'autorité et singulière probité ».
(h) Cop. A.E. : « travailler » au lieu de « tumber ».
(i) *Merc. fr.* : « c'es pourquoy ils requièrent que ladite charge .. ».
(j) *Merc. fr.* : « soit ».
(k) Cop. A.E. et *Merc. fr.* : dudit seigneur Cardinal ».
(l) *Merc. fr.* : « sans qu'elle puisse estre transmise ».
(m) *Merc. fr.* : « Sur ce qui a esté recongneu aussi qu'il conviendra faire de grandes despenses... » etc.
(n) *Merc. fr.* : « pour entretenir ces articles ».
(o) *Merc. fr.* : « remettra ».
(p) *Merc. fr.* : « contenues cy-dessus ».

ne seroit raisonnable qu'elle fut tenue de porter aulcun desd^{s} fraiz, et p^{r} l'en descharger (a), *ainsy que lesd^{s} associez y sont obligez* (b), a esté, dès à p[rése]nt, de tout le traffict et commerce que lad^{e} comp^{nie} fera après son establissement, destiné un fondz de vingt mil livres par an et plus grande somme au fur et à mesure que led^{t} traffict croistra et que les affaires le requerront, p^{r} estre led. fondz pourveu (c) par celuy de lad^{e} comp^{nie} qui sera agréé par mond. seig^{r} Card^{al}, surintendant g[é]n[ér]al du commerce de France, et par les ordonnances duquel icelluy fondz sera distribué, *ce qui a esté accepté pour Sad^{e} Ma^{té} par mond. seig^{r} Cardinal, et p^{r} monstrer de plus en plus combien mond. seig^{r}* (d) *veult contribuer de soing p^{r} le bien et establissement de lad^{e} comp^{nie}, il a déclaré ne vouloir aulcune chose en son par[ticul]ier, n'y prétandant rien que la gloire qui se peult acquérir en cest affaire* (e).

Et où arriveroit (f) le décedz de mond^{s} seig^{r} Card^{al}, lesd^{s} associez choisiront entre eulx un supérieur qui aura la direction de lad^{e} comp^{nie} par année (g).

Sans touttes (h) lesq^{les} clauses et conditions le p[rése]nt contract n'eust esté passé ny accepté par lesd^{s} associez, lesq[ue]ls associez comparant esd^{s} noms ont esleu leur dom[ici]le irrévocable en ceste ville de Paris en la maison dud. Sr du Val, rue du Coq, paroisse St Jean en Grève, auq[uc]l lieu ilz veulent consentir et accorder que tous exploitz et commandementz que Sa Ma^{té} y fera faire pour l'exécution des^{es} p[rése]ntes soient valables (i) comme faitz à leurs personnes ; et à (j) faire tenir et garder tout ce que dessus (k) mond. seig^{r} Card^{al} et lesdits associez esdits noms (l) se sont respectivement obligez à peyne de tous despens, dommages et intérestz, promettant chacun en droict ès esd^{s} noms led^{s} associez, et chacun d'iceulx noms l'un p^{r} l'autre, et chacun d'eulx seul, et pour le tout sans division ny discussion, comme p^{r} les deniers et affaires de Sa Ma^{té} renonçant d'une part et d'aultre iceulx associez aux droictz et bénéfices susd^{ts}. Fait et passé à Charonne, en la maison où est logé mond. seig^{r} Card^{al}, l'an M.XVIcXXVI, le mardy XXXIe et dernier jour de mars après midy. Ainsy signé, Armand, Card. de Richelieu, de Bruc, Regnault, Le Mareschal, Duval, Taconnet et Comtesse.

(a) Cop. A.E. : « dégager ».
(b) Les phrases en italiques ne figurent pas dans le *Mercure* ; le reste est ainsi rédigé : « ... sera accordé que, sur tout le commerce et trafic que ladite compagnie fera ... sera destiné un fonds... » etc.
(c) *Merc. fr. :* « géré ».
(d) Les mots « et pour monstrer de plus en plus combien mond. seig^{r} » ont été omis par inadvertance de copiste sur la copie des affaires étrangères, ce qui rend la phrase inintelligible.
(e) Les phrases en italiques ne figurent pas dans le texte du *Mercure françois.*
(f) *Merc. fr.* et cop. A.E. : « Et arrivant... ».
(g) Par ce paragraphe prend fin le texte publié au *Mercure françois.* Au lieu de « par année », la copie des A.E. porte « par advis ».
(h) Ces mots ont été omis dans la copie des Affaires Etrangères.
(i) Cop. A.E. : « semblables ».
(j) Cop. A.E. : « et à ce... ».
(k) Les mots « tout ce que dessus » ont été omis dans la copie des Affaires étrangères.
(l) Cop. A.E. : « promettant un chascun d'eulx pour un ». La phrase s'arrête à cet endroit. Les lignes suivantes ont été omises jusqu'à la formule finale : « Fait et passé, etc. ».

48. — M. le Cardinal de Sourdis au cardinal de Richelieu. S.l, [mars] 1626.

A.E., Mém. & Doc. France, Vol. 781, Invent. de la cor., 1626, f° 189.

Analyse :

« Il reproche vigoureusement au Card[al] la foiblesse qui paraît dans la Déclaration du Roy au sujet de M. de Soubize, et luy dit que le feu chancelier ne fît jamais une plus lasche et plus honteuse. Un cadet, dit-il, donnera un soufflet au Roy sans punition ! Les bons François et ses vrais serviteurs le trouveront plus insuportable que la perte de leurs biens. La dépesche de Pugeals, qui va mandier les seings et des aveux de leurs consistoires est pleine de mépris. La Majesté Royalle se doit maintenir avec dignité et repousser les ennemis avec le fer et non avec l'or. Il croit qu'il faut par le moyen du Pape travailler à l'union des deux couronnes, et que, Blavet manqué, les Espagnols seront plus traitables » (a).

49. — A M. Bouthillier. S.l, [Début d'avril 1626].

A.E., Mém. & Doc., France, Vol. 245, f° 26. — Minute.

Monsieur, Mr de Marillac me vient d'escrire très sensément d'un arrest qu'on veult faire donner en suite de la censure de la Sorbonne. Je vous supplie de dire au Roy qu'il est nécessaire, devant qu'il parte, qu'il prenne sur le subjet une bonne résolution. Je n'ay rien veu dans l'advis que M. de Marillac m'a envoyé que de judicieux, utile et nécessaire. C'est pourquoy je me rapporte à ce qu'il dira. J'appréhende cette affaire plus que je n'en puis dire. Elle peut donner grand et spécieux prétexte à des factions dans le royaume, s'il y avoit quelques-uns qui eussent dessein d'en faire. Je supplie le Roy d'y penser.

Pièce 49. — *Cette pièce est sans date. La censure rendue par la Sorbonne, dont il est question, est sans doute celle qui frappa le Jésuite Santarel. Elle fut rendue le 1er avril 1626 et revue le 4. C'est probablement de cette période qu'il convient de dater le mémoire envoyé par le garde des sceaux au cardinal à ce sujet, et, par conséquent, cette lettre.*

(a) Ce résumé est sans date. On dit en marge : « cette lettre doit être du mois de mars ».

50. — [A Michel de Marillac]. S.l, [Début d'avril 1626].

A.E., Mém. & Doc., France, Vol. 245, f° 25. — Pièce incomplète, probablement originale.

Monsieur, J'estime ce que vous me mandez au mémoire que je vous renvoie du tout judicieux et important au service du Roy. Je dis hier à Sa Maté que j'appréhendois que cette affaire causast du mal. Je n'osay m'expliquer jusques au point où je l'appréhende, mais j'en dis assez pour faire cognoistre au Roy que cette affaire est de grande conséquence. Il est bon que vous l'alliez trouver et luy disiez les raisons contenues en vostre papier. Une censure de Rome nous a fait autrefois bien du mal. Il est à craindre que les esprits mal intentionnés ne portent le pape à se mesler encore de nos affaires une autre fois. Ceux qui veulent faction dans le royaume seront bien avisés d'avoir occasion de mettre les moynes de leurs costé. Dans les confessionnaux ils gagnent les esprits, qui s'animent par après par un mauvais zèle à ce à quoy ils ne se peuvent penser sans frénésie. Mon advis est qu'il plaise au Roy, devant que de partir, d'envoyer quérir Monsieur le Chancelier, Mr de Schomberg et vous pour adviser ce qu'il faut faire pour empescher que cette affaire n'aille plus avant. Quand un arrest se donne au parlement, on ne contraint pas ceux qui n'en ont pas esté d'advis de changer d'opinion, mais l'arrest demeure donné et a autant de force que s'il avoit passé tout d'une voix, vous entendez...

Pièce 50. — *Cette lettre ne porte ni date ni indication du destinataire; mais la lettre précédente adressée à Bouthillier traite du même sujet et parle d'un mémoire que le cardinal vient de recevoir de Michel de Marillac. Il y a donc de fortes chances que pour que cette lettre-ci soit une réponse au surintendant et que le mémoire ait pour objet l'affaire Santarel, qui causait d'inquiétants remous dans les milieux religieux et parlementaires de la capitale.*

51. — M. de Valençay au Cardinal de Richelieu. Montpellier, 6 avril 1626.

A.E., Mém. & Doc., France, Vol. 785, f° 121. — Original.

Analyse :

Il a appris par une lettre de son frère, le chevalier, les dispositions bienveillantes du cardinal en son endroit ; il lui en témoigne sa reconnaissance, avec toutesfois le regret de ne pas avoir encore

Pièce 51. — *L'auteur de cette lettre est le marquis de Valençay, gouverneur de Montpellier, dont il sera souvent question dans cette correspondance. Mais un doute subsiste en ce qui concerne la date de cette lettre; on lit très lisiblement « 6 avril 1626 », mais on peut se demander si c'est seulement par mégarde qu'elle a été classée dans un recueil qui ne contient que des pièces de 1627.*

appris que l'affaire dont il l'a entretenu précédemment n'est pas en voie d'être réalisée (1). Il l'espère de la bonté du cardinal entre les mains duquel il a remis son sort.

52. — Le duc de Guise au cardinal de Richelieu. Marseille, 10 avril 1626.

A.E., Mém. & Doc., France, Vol. 1700 (Provence), f° 304. — Original.

Analyse :

Il prie le cardinal de trouver agréable de recevoir la duchesse de Guise (2), à laquelle il voudra bien accorder la même confiance qu'à lui-même dans l'exposé des affaires.

53. — M. de Schomberg au cardinal de Richelieu. S.l, 28 avril 1626.

A.E., Mém. & Doc., France, Vol. 781, Invent. de la cor., 1626, f° 190.

Analyse :

« Il rend grâce à M. le Card[al] pour tout ce que la R[eine] M[ère] a fait en faveur de MM. du Lude, ses neveux, depuis la mort de Pontgibaut tué en duel (3). »

54. — M. de Bailleul au cardinal de Richelieu. Paris, 30 avril 1626.

A.E., Mém. & Doc., France, Vol. 1590 (Ile-de-France), f° 98. — Original.

Analyse :

Les lettres prorogeant sa charge de prévôt des marchands ont été enregistrées le jour même à l'Hôtel de ville. Il sait tout ce qu'il doit au cardinal pour ce nouveau bienfait. Il en est d'autant plus obligé de bien servir le roi. « Or, dit-il, il semble que la saison présente m'en offre d'assez importants subjects, qui se trouve si incommodée

(1) Rien ne permet de préciser de quelle affaire il s'agit.

(2) Henriette-Catherine de Joyeuse. Elle avait d'abord épousé, en 1599, Henri de Bourbon, duc de Montpensier, qui l'avait laissée veuve en 1608. De ce premier mariage était né Marie de Montpensier, qui allait épouser, en août 1626, Monsieur le frère du roi. Elle s'était remariée, le 5 janvier 1611, au duc Charles de Guise.

(3) Roger de Daillon de Lude, baron de Pontgibault, avait été tué en duel par Henri de Talleyrand, comte de Chalais.

et fascheuse par la disette de bleds que nous ressentions... Jusques à présent, nous avons eu assez bonne main pour aller au-devant du mal et du trouble, dont ceste mauvaise disposition sembloit nous menacer ; mais comme la cause n'en cesse point, ... nous vous supplions ... de prendre » des mesures pour y remédier. « Quant à la disposition de la ville, ... elle est telle, graces à Dieu, que nous le pouvons désirer. Nous y recognoissons plus de santé que les années dernières, qui ne nous ont pas tant fait souffrir de disette que celle-cy ». Il joint à sa lettre un exemplaire de la censure que la Faculté de Théologie vient de prononcer contre le livre de Santarel (1), ainsi qu'un libelle, qui « court aussy les mains de ceux de la Religion » intitulé le *Manifeste des Hollandois.*

Pièce 54. — *L'auteur de cette lettre, Nicolas de Bailleul — c'est, du moins, ainsi qu'il signe, car on rencontre aussi Le Bailleul — était né vers* 1586. *Maître des Requêtes de l'Hôtel en* 1616, *puis président au Grand Conseil, il avait été nommé lieutenant civil de Paris le* 27 *février* 1621. *Il conservera cette charge en même temps que celle de prévôt des marchands de* 1621 *à* 1626. *Il devait acquérir, en septembre* 1627, *une charge de président à mortier au parlement, et être nommé surintendant des finances en juin* 1643. *Il cessa ses fonctions en* 1647 *et mourut en* 1652.

55. — La maréchale d'Ornano au cardinal de Richelieu. Paris, 5 mai 1626.

A.E., Mém. & Doc., France, Vol. 792, f° 140. — Original.

Monseigneur,

Aiant apris la disgrases arrivée à mon mary et me trouvant dans un trouble et afligsion extreme, j'ay heu recours à Dieu pour reprendre mes esprits, et me suys résollue de m'adresser à vous, monseigneur,

Pièce 55. — *Le* 4 *mai* 1626, *à* 10 *h du soir, le maréchal d'Ornano était arrêté sur l'ordre du roi par du Hallier, capitaine des Gardes en quartier, ainsi que Claude de Chaudebonne, favori de Monsieur. Tous deux furent conduits au château de Vincennes. Le lendemain,* 5 *mai, furent également arrêtés le baron de Modène et Déageant, confidents du maréchal, ainsi que les deux frères de celui-ci, Henri-François-Alphonse d'Ornano, seigneur de Mazargues, et Joseph-Charles, abbé de Montmajour. Quant à la maréchale, elle fut invitée à quitter Paris ; elle devait se retirer d'abord à Gentilly. Elle était née Marie de Montlaur, fille de Guillaume-Louis de Mormoiron de Maubec de Monlaur, baron de Modène, et de Marie de Maugiron. L'une de ses deux sœurs, Marguerite, avait épousé en secondes noces François d'Ornano de Mazargues, frère du Maréchal.*

(1) Ce livre, en vente chez le libraire Sébastien Cramoisy depuis le 6 février 1626, était intitulé *Tractatus de haeresi, schismate, sollicitatione in sacramento poenitientiae et de potestate Summi Pontificis in his puniendis.* Edité à Rome en 1625, il développait des thèses soutenues à la fin du siècle précédent par le cardinal Bellarmin sur le pouvoir indirect du pape en matière temporelle.

comme je fays, aveque ma très humble et passionnée supplication de vouloir protéger l'innosance de mon mary et nous obliger par vostre assistance et parrage, comme vous avez déjà fayt aux autres occasions, dont nous vous sommes très redevables, et porter la bonté du Roy et de la reyne sa mère, à considérer nostre fidellité et sincérité aux service de leurs majestés. J'espère que Dieu, le roy et les puissances que je réclame nous feront la graces de feyre connaytre à tout le monde cette vérité, et que vous me ferez loneur de pardonner à ma douleur la liberté que je prans de m'adresser à vous, puys que je suys,

Monseigneur,

Vostre très humble et très obéissante servante,

Marie de Monlaur.

De Paris, ce [5 may 1626].

56. — M. de Valençay au cardinal de Richelieu. Montpellier, 7 mai 1626.

A.E., Mém. & Doc., France, Vol. 1627 (Languedoc), f° 253. — Original.

Monseigneur,

Comme je n'oze entreprendre de vous escrire que de choses importantes de peur de me rendre importun en v[re] endroit, j'ay creu que je ne debvoys escrire qu'à vous seul sur le subjet suivant pour ce qu'aussy tost que je fais part d'un dessein à ceux qui le debvroient le mieux taire, ce sont eux qui le publient pour en destourner l'effect. L'affaire est que le marquis de *Montbrun et son frère* (1) me tesmoignent une très grande affection au service du Roy ; j'ay tousjours entretenu intelligence avec eux pour le bien du service de Sa Majesté. *Ils sont sortis de Nismes* pour oster le soupçon que l'on pourroit avoir d'eux. Mais avec ces précautions que touttes et quantes foys *qu'ilz y voudront revenir ils y seront bien receus*. Ils m'ont faict dire que, sans que le Roy y paroisse, qu'ilz peuvent faire *chasser Rohan de Nismes*, mesmes *l'arrester*, mais qu'ils voudroient voir par escrit que le Roy l'eust agréable. Je leur ay représenté que veu que la paix se venoit de faire (2), que le Roy ne leur voudroit pas escrire. Ilz se contenteront de le voir entre mes mains, et, si vous le trouvez à propos, il sera besoin de leur faire bientost paroistre l'intention du Roy, et suffira pour cesteheure qu'il vous plaise me faire escrire une lettre de Sa Ma[té] sur ce subjet, que je leur puisse faire voir.

Pour l'affaire de laquelle je vous ay escrit par le cons[er] Emeric, de laquelle il vous a porté *le livre.*, suivant le commandement que vous en aviez donné à *Codus*, je voy de grandes dispositions à cela : plu-

(1) Charles-René du Puy de Tournon, marquis de Montbrun, et son frère cadet, Alexandre, marquis de Saint-André.

(2) Il s'agit de la paix signée le 5 février 1626, mais elle concernait surtout les huguenots de La Rochelle.

sieurs *ministres* des plus qualifiées m'ont faict sçavoir leurs intentions de se *jeter dans l'Église et d'y porter tout le peuple qui suit leur doctrine*. Mais ils désirent que tout cela soit soubz v[re] conduitte. Des magistrats mesmes qualifiés m'ont faict des ouvertures sur ce subjet. S'il vous plaist me mander que vous l'approuvez, j'envoieray un homme de qualité vous porter les mémoires de cela et les intentions de tous les autres. Si j'avoys l'honneur de vous voir comme je le désire et l'espère, je vous feroys voir une très grande disposition à des conversions générales et abandonnements de la faction. C'est ce que j'ay creu vous debvoir mander, après vous avoir asseuré que touttes mes intentions ne tendent qu'à vous rendre une entière obéissance et vous tesmoigner comme je suis,

Monseigneur,

Vostre très humble et très obéissant serviteur,
Vallancay.

De Montpellier, ce VII may 1626.

57. — M. d'Esplan au cardinal de Richelieu. S.l, 11 mai 1626.

A.E., Mém. & Doc., France, Vol. 782, f° 145. — Original.

Analyse :

Il ne peut encore rien assurer au sujet du Pouzin, où M. de Brison tient toujours. Celui-ci lui a demandé quatre jours pour se dégager, ce qui lui a été accordé. Les troupes avancent toujours, et si l'on veut faire un exemple de Brison, on doit le presser. M. de Montauban est toujours aussi irrésolu, et la discussion avec lui a été si véhémente qu'ils ont failli en venir aux mains sans l'intervention du marquis de la Chaise, frère de Montauban, et de M. du Cheilar. M. de Brison, qui a vu l'engagement souscrit par Montauban, a déclaré qu'il aimerait mieux être mort que de l'avoir signé. Cependant Montauban se croit assez de crédit pour ruiner celui de M. de Rohan et le faire sortir de Nîmes. Les Montbrun (1) prétendent se rendre maîtres de ceux de leur parti en Languedoc, comme Montauban en Dauphiné, et Brison en Vivarais et Velay. Ce dernier a fait savoir qu'il aimait mieux deux mille écus que les charges. Montauban veut continuer son traité. M. de Saint-André (2), qui commande dans la ville de Montauban, est venu le trouver et s'est déclaré ouvertement du parti de M. de Rohan, contre ses propres frères. — Quant à lui, il doit prochainement se rendre à Beaucaire pour conférer avec le marquis de Portes (3) sur ce qui se peut faire. Il en profitera pour se rendre compte de l'état des troupes.

(1) Voir, p. 318 n. 1.

(2) Alexandre du Puy, marquis de Saint-André, il était le troisième frère du marquis de Montbrun. Il se distinguera comme homme de guerre à l'étranger sous les ordres du duc de Rohan, puis sous ceux de Gustave Adolphe (1600-1673).

(3) Oncle maternel du duc Henri de Montmorency ; il devait mourir en 1629 au siège de Privas.

58. — Michel de Marillac au cardinal de Richelieu. Fontainebleau, 14 mai 1626.

Univ. de Paris, Bibl. Victor-Cousin, Fonds Richelieu, Vol. 14, f° 122. — Original.

Monseigneur,

Le Roy me feit l'honneur de me dire mardy ce dont il vous a pleu me donner advis. Vous continuez à m'obliger très estroitem[en]t à tous les services que v^s^ pourrez jamais désirer de moy, à quoy je prie Dieu me donner le moyen de correspondre selon l'affection que j'en ay. L'on m'a dit que M. de Castille (1) traite de l'intendance avec M. de L... (2). Je vous supplie très humblement, Monseigneur, me faire l'honneur de me mander s'il sera agréable, afin que selon cela je m'y conduise. Je suis,

Monseigneur,

V^re^ très humble et très aff[ection]né serviteur et obligé,

De Marillac.

A Fon[taine]bleau, le 14 may 1626.

59. — M. de Valençay au cardinal de Richelieu. Montpellier, 15 mai 1626.

A.E., Mém. & Doc., France, Vol. 1627 (Languedoc), f° 255. — Original.

Monseigneur,

Sachant que je ne doibz obmettre nulle occasion d'avancer le service de Dieu ou du Roy en ce païs, je n'ay voulu mespriser celle dont le porteur de la présente a désiré vous entretenir, qui sont de certaines propositions et dont il semble que l'on pourroit tirer quelques advantages et pour l'un et pour l'autre. Mais comme ce sont choses qui ne sont pas de ma profession et dont vous estes juge capable et légitime, j'ay estimé, Monseigneur, sur les ouvertures que ce bon religieux m'en a faictes, en me demandant quelque mot d'adresse pour vous, que je ne luy debvois pas desnier, mais au contraire vous suplier de luy vouloir donner favorable audience. Et d'autant plus que je sçay qu'il a véritablement eu de si grandes et particulières conférences sur ce subjet avec les principaux ministres de ce bas Languedoc, que cela m'a donné plus d'asseurance de vous en escrire comme de chose que vous n'auriez point peut estre

(1) Pierre de Castille (1581-1629), fils d'un receveur du Clergé, fut successivement maître des requêtes, ambassadeur, en Suisse et contrôleur général des finances, depuis 1610.

(2) Le nom est illisible.

désagréable, non plus que la continuation du veu que j'ay faict d'estre toutte ma vie,

Monseigneur,

V^re^ très humble et très obéissant serviteur,

Valancay.

De Montp^er^ ce 15 may 1626.

60. — M. d'Hécourt au cardinal de Richelieu. S.l, 16 mai 1626.

A.E., Mém. & Doc., France, Vol. 781, Invent. de la cor., 1626, f° 178 v°.

Analyse :

« Il ne peut rien tirer des prisonniers qui sont à Vincennes. Le Mar^al^ d'Orano a peur du poison. Il est venu un gentilhomme de la part de la ma^ale^ d'Ornano pour le voir. On l'a renvoyé sans qu'il l'ait vu. »

Pièce 60. — *L'auteur est le gouverneur du château de Vincennes, Augustin Evrard, sieur d'Hécourt (orthographié aussi parfois Haiecourt), gentilhomme ordinaire de la chambre du roi.*

61. — Contrat de la Compagnie de la Nacelle de Saint-Pierre fleurdelysée. Limours, 19 mai 1626.

B.N., Fonds fr., Vol. 18781, f° 214-225. — Copie.
B.N., Fonds Dupuy, Vol. 318, f° 123-134 et f° 137-155. — Copies.
A.E., Mém. & Doc., France, Vol. 782, f° 264-276. — Copie avec addition originale.
Bibl. Mazarine, Vol. 142. — Copie.
Bibl. de Carpentras, Col. Peiresc, Vol. 1755, f° 180-190. — Copie.
Impr. : *Mémoires de Mathieu Molé,* éd. de la Soc. de l'Hist. de France, 1855, t. I, p. 424-448.

Monseigneur l'Illustrissime et Révérendissime Cardinal de Richelieu, G[ran]d M[aistr]e, Superintendant et resformateur général du commerce en ce royaume, ayant bien particulièrement entendu et examiné la proposition qui a esté faicte par Nicolas Witte dit Schapencas, natif de Dalemart en Hollande, Francisco Billoty, natif de Bruxelles en Brabant, et Jehan du Meurier, S^r^ de S[ain]t-Rémi, demeurant en la ville de Redon en Bretaigne, en leurs noms et de leurs associez françois, flamans et autres, formant ensemble une compagnie appellée la Nasselle de St-Pierre fleurdelysée, contenant qu'ilz ont les moyens et le désir d'establyr dans ce Royaume, avec l'assistance divine et soubz le bon plaisir du Roy, un grand et très important négoce de touttes les marchandises qui entrent dans le commerce, introduire les pescheries, ensemble la fabrique des vais-

Pièce 61. — *La comparaison entre les différentes copies mentionnées ci-dessus montre que celle qui est conservée au dépôt des Affaires étrangères offre la particularité d'être accompagnée, à la suite de la reproducton des lettres royales, d'un récépissé original, daté du 2 novembre* 1626 *et signé des trois contractants. C'est cette copie qui a servi de base à l'établissement du texte reproduit ici. En tête du premier feuillet, une main étrangère a écrit : « Copie du contrat passé avec les Flamans pour le commerce — juillet* 1626 *». Cette date est celle des lettres royales sanctionnant le contrat, et non la date du contrat lui-même. Sur ces sortes de documents, le titre est toujours ajouté pour en faciliter le classement ; il ne présente qu'un intérêt relatif. L'une des deux copies de la collection Dupuy — Vol.* 318, *f°* 13 *porte pour titre* Traicté fait par le Roy, Monsieur le Cardinal de Richelieu traictant pour ledit seigneur, avecq ses amis flamans, partisans associez pour l'establissement général du commerce en son roy^{me}, soubz le nom de la Nacelle de Saint-Pierre fleurdelisée. *La copie de la collection Peiresc (Bibl. de Carpentras) porte simplement en tête :* Articles de Limours pour le grand commerce — 19 mai et 4 juin 1626. *De ces deux dates, la première correspond au texte du contrat, la seconde est celle de l'enregistrement de l'acte notarié, auquel a procédé le prévôt de Paris.*

Il est intéressant de noter, à ce sujet, que la procédure suivie pour l'établissement de cette compagnie diffère de celle qui fut employée, le 31 *mars précédent, pour la constitution de la Compagnie des Cent Associés, et de celle qui sera observée, le* 31 *octobre suivant, pour l'établissement du contrat d'association de la Compagnie Saint-Christophe. Dans ces deux cas, en effet, l'acte fut simplement passé devant deux notaires du Châtelet de Paris. Ici, sans doute parce que deux des principaux contractants étaient étrangers, il fut fait appel au prévôt de Paris, conseiller du roi, pour présider à la signature de l'acte et authentifier celui-ci par l'opposition du sceau de la prévôté. En outre, le jour même, mais cette fois par devant notaire, le contrat devait être complété par l'adjonction d'articles secrets. Enfin — dernière particularité — il semble prouvé par les* Mémoires *du procureur général Mathieu Molé que le contrat de la nouvelle compagnie ne reçut sa forme définitive que plusieurs mois plus tard. Voulant créer de grandes compagnies commerciales dotées d'importants privilèges, le cardinal de Richelieu, écrit Mathieu Molé, « me chargea d'examiner la première proposition qui lui était faite par Nicolas Witte, Francisco Billoty, Jean de Meurier, sieur de Saint-Rémy, et autres François et Flamans, qui avaient formé ensemble une compagnie appelée la Nacelle de Saint-Pierre fleurdelysée, pour établir dans le royaume un grand négoce de toutes les marchandises qui entrent dans le commerce »* (*). *Molé ne précise pas la date où le cardinal lui confia cet examen ; il n'indique pas davantage les modifications qu'il fit apporter au texte qui lui était soumis ; mais il déclare que ces propositions devaient être présentées à l'assemblée des Notables, ce qui supposerait que l'application du contrat signé le* 19 *mai* 1626 *fut suspendue même après la sanction des lettres royales du mois de juillet suivant. Quant aux modifications apportées au texte du contrat, il apparaît que les articles* 32 *et* 36 *furent supprimés, et qu'un autre, l'art* 22, *fut sensiblement modifié.*

(*) *Mémoires de Mathieu Molé*, éd. de la Soc. de l'Hist. de France, t. I, p. 420.

seaux et de divers ouvrages qui n'y sont communs de mettre en valleur plusieurs terres et lieux qui ne rendent que peu ou point de proffict, faire des aménagements et apporter plusieurs autres inventions et moiens très commodes et très advantageux au public et aux particuliers, s'estant pour cet effect desjà asseurez d'un grand nombre de familles propres pour travailler à cette entreprise, à laquelle ilz sont prestz de donner un tel commencement que l'on recognoistra bientost le progrez n'en pouvoir estre que très utile et très profitable, s'il plaist à Sa Ma[té] leur en donner les permissions et leur assigner des biens commodes et avec des conditions et privilèges qui leur sont pour ce nécessaires ; considérant que cette proposition, bien qu'elle contienne un grand dessein, se trouve néantmoins de facille exécution, estant bien conduitte comme elle le peult estre par des moyens qui luy ont esté représentez, désirant apporter toute sorte de soing à l'avancement du commerce, et affin qu'il soit continué et entretenu pour le service du Roy, pour le bien de ses subjets l'establissement de leurs compagnie soubs le bon plaisir de Sa Majesté et en vertu du pouvoir qu'il en a consenti, et demeure d'accord qu'elle s'effectue aux conditions qui s'ensuivent,

Asçavoir :

1. — Que les susnommez promettent pour eulx et leurs associez d'establir et arrester pour tousjours leur compagnie dans ce Royaume et aporter toutte l'industrie et tous les moyens qu'il se pourra pour l'y rendre utille et fructueuse, s'obligeans à ceste fin y donner commancement d'amener dans six moys aux lieux commodes qui leur seront désignez le nombre de quatre cent familles ou environ composées de personnes propres aux commerces, pescheries, fabriques, ouvrages et aménagemens proposez, où elles travailleront dès qu'elles seront arrivées et placées, et après en attireront encore davantage à mesure qu'ils auront des lieux pour les loger et qu'ils verront les occasions de les pouvoir utillement employer.

2. — Promettant en oultre d'amener en ce Royaume dans le susdict temps du moings douze vaisseaux esquipez de touttes choses nécessaires pour commancer leur commerce et pescherie sur mer, et d'en acquérir et faire fabriquer bien tost le plus grand nombre qu'ils pourront.

3. — Moyennant ce, led. Sr Grand M[aistr]e, superintendant et refformateur (a) g[énér]al de la navigation et du commerce de France, ayant pouvoir et charge expresse de Sa Ma[té], a permis et permet ausdicts de Witte, Billoty, et du Meurier et à leurs associez tant françois que flamans et autres l'establissement de lad[e] compagnie soubs le nom et tiltre de la Nacelle de St-Pierre fleurdelisée, avec pouvoir de commercer tant par les mers et rivières que par terre, establyr des pescheries, ensemble des fabriques de toutes sortes de vaisseaux et de tout ce qui est nécessaire pour les esquiper, drapperies tant de soye que de layne, tapisseries, thoiles fines et autres, passe-

(a) Le mot « refformateur » a été raturé d'une autre main sur la copie des Affaires étrangères ; il figure sur les autres copies.

mens, dentelles, cordaiges, blancheries des thoilles, et de la cire, semer le riz, planter les cannes de sucre et le raffiner, confection d'armes et autres ouvrages et marchandises de fer, cuivre et leton, du savon, formages, beurres, tourbes et houille, à la façon de Hollande faire des verres de cristal et les raffiner, travailler aux misnes, ensemble aux vaisseaux de pourcelaine et vaisselle de fayance à la façon des Indes et d'Italie, et à tous autres ouvrages et manufactures qu'ils recognoistront propres et utiles, mesmes pourront faire le petit sel selon la practique des Flandres pour saler les beurres, fromages, poissons et chairs, qui seront consumez et vendus aux lieux de l'establissement de la susdite compagnie, fabriques et manufuactures dessusdites sans que ceux de ladicte compagnie soient pour ce tenus de payer aulcun droict, sans aussy qu'ils puissent débitter led. sel ailleurs, dedans ny dehors le Royaume, sans le consentement des fermiers du scel. Et d'aultant qu'il ne seroit pas raisonnable que lad^e^ compagnie, s'estant mise en peine et en despence pour introduire en ce Royaume des nouvelles manufactures et ouvrages, d'autres s'en prévalent à son préjudice, Sa Ma^té^ veult et accorde qu'aucun ne puisse sans le consentement de lad^e^ compagnie travailler aux manufactures et ouvrages non encore fabriquez en ce Royaume, et qu'elle y introduira de nouveau ; et ce pendant le temps de vingt-cinq années passées, auquel il sera permis à chacun d'y travailler, en vendre et débitter.

4. — Tous les Flamans, Hollandois et autres non orriginaires de ce Royaume et pays de l'obéissance de Sa Ma^té^ qui seront de lad^e^ compagnie, ensemble tous ceux qu'ils y améneront pour y establir leur principal domicille et les employer à l'entreprise dessusd^e^, de quelque sexe et quallité qu'ils soient, seront tenus et réputez comme François ; et comme tels jouiront, et leurs enfans et descendans, de tous les honneurs et privilèges, franchises, libertez exemptions, immunitez et droits, dont les vrais orriginaires naturels françois ont accoustumé de jouir en tous lieux et endroictz, sans que venans à mourir dans les terres de l'obéissance de Sa Ma^té^ ou ailleurs, en voyages ou commerces, l'on puisse prétendre leurs biens estre acquis à Sa Ma^té^ ou autres par droict d'aubayne, déshérance ou aultrement, ainsi appartiendront aux vrais héritiers des deffuncts, encores mesmes qu'ils ne fussent orriginaires de ce Royaume, et sans qu'il soit pour ce besoing d'aulcunes lettres de naturalité généralles ou particulières ny d'autres expéditions que des p[rése]nts articles ; deffendant Sad. Ma^té^ à tous ses juges, procureurs, officiers et tous autres d'y contrevenir à peyne d'en respondre en leurs propres et privez noms de tous les despens, dommages et intéretz que leurs contreventions pourroient faire souffrir aux parties intéressées, à la charge de vivre par les dessusdicts selon les loys receues en ce Royaume, fors en ce qu'il pourra estre desrogé par les présens articles, et qu'ils seront tenus d'en faire déclaration, prester serment de fidellité à Sa Ma^té^ par devant ceux qui auront esté commis par le superintendant général du commerce comme aussy d'avoir l'adveu de ladicte compagnie ou des directeurs d'icelle, pour estre le tout inséré en un registre qui sera pour cest effet tenu au greffe de chascune des juridictions qui seront establies en faveur de ladicte compagnie, dont acte sera expédié à chascun d'eux pour luy servir et valloir et avoir la mesme force et

vertu qu'auroient des lettres de naturallité deuement vériffiées. Comme aussy accorde Sa Ma^{té} que tous autres estrangers qui viendront cy après habitter esdicts lieux, y seront receuz avec leurs familles et biens aux conditions, charges et privilèges dessusdicts, et qu'ils y puissent vivre en toutte seureté sans qu'ils y soient inquiettez ou mollestez en quelque façon et manière que ce soit, encores qu'il yeust des arrests et jugemens donnés à l'encontre d'eux en leur pays ou ailleurs hors de ce Royaume, et qu'ilz y feussent réclamés en vertu d'iceux ou aultrement.

5. — Et pour davantage obliger les estrangers et François qui seront de ladicte compagnie et qui y apporteront le plus d'industrie et de moyen, Sa. Ma^{té} a pour agréable d'en anoblir jusques au nombre de trente deux, qui seront nommez au Grand M[aistr]e de lad^{e} compagnie à mesure qu'ils se présenteront, pour jouir par eulx et leurs descendans naiz et à naistre en loial mariage du tiltre d'escuyers et de la qualité de nobles avec les mesmes honneurs et privillèges, prérogatives, exemptions et droitz dont jouissent les autres nobles de ce Royaume naix et extraictz de noble et antienne famille ; et ce en vertu du présent article et de la nomination de lad^{e} compagnie, qui leur tiendra lieu et serviront (*sic*) comme de lettres d'annoblissement deument vériffiées, sauf à ceux qui en voudront avoir de leur en faire expédier gratis à leur première réquisition. Comme aussy veult et accorde Sad^{e} Ma^{té} que deux desdicts estrangers qui par actes authentiques tesmoigneront estre extraicts de noble race et estre tenus pour gentilzhommes au pays de leur naissance, le soient pareillement en ceux de l'obéissance de Sa Ma^{té} et jouissent des mesmes privillèges que ceux des autres nobles dessusdicts, se réservant Sa Ma^{té} d'accorder aussy des lettres d'annoblissement aux François et estrangers qui, dans la première année de l'establissement de ladicte compagnie, y entreront et metteront du moings la somme de vingt mille livres en fondz sans la pouvoir retirer de six ans après. Et pour les autres ui n'y metteront pas un si grand fondz, mais apporteront de l'industrie et du travail, à l'advancement et advantage de lad^{e} compagnie, Sadite Ma^{té} en estant deuement informée aura soing de les recongnoistre et gratiffier de pareil honneur ; et ce pendant veult et entend que ceux de cette condition qui, n'ayant encores receu cette gratification viendront à mourir en exerçant le commerce en ladicte compagnie, puissent faire souche pour acquérir la noblesse à leurs descendans, qui justiffieront leur père, ayeul et bisayeul avoir esté de ladicte compagnie sans discontinuation jusques à leur trespas, sans qu'il leur soit pour ce besoing, sy bon ne leur semble, d'autres expéditions que des présens articles ; et au cas que quelques-uns en désirent, des l[ett]res patentes leur seront expédiées sans difficulté, à la charge de s'adresser au Grand M[aist]re pour luy faire voir et l'informer deuement qu'ils ont satisfait aux conditions néces [sai]res et sont de la qualité requise par les réglemens pour recevoir l'annoblissement par sa permission, l'intention de Sa Ma^{té} estant de départir doresnavant plus d'honneurs que l'on a faict jusques icy à ceux qui embrasseront le commerce, affin d'y attirer les personnes qui en seront capables, et à cest effect prendra soing d'en faire arrester au plustost les réglements convenables.

6. — Sera loysible à ceux de lad[e] compagnie de dresser leurs articles des conventions qu'ils estimeront estre propres pour leur liaison et société, ensemble pour l'effect de leur proposition pour estre entretenus et gardez entre eulx et avoir lieu comme un acte authentique, sans qu'ils puissent estre astrainctz de les rendre publiqz, les ayans au préalable représentez au Grand M[aist]re et superintendant du commerce, qui les gardera par devans soy et leur en donnera l'authoricté nécessaire pour en faciliter l'exécution. Et si pour raison de leur d[e] société surviendroient quelques différendz, ils seront jugez deffinitivement et sans appel par les directeurs de lad[e] compagnie ou bien par cinq personnes capables, qu'elle pourra choisir pour cest effect, avec deffance à tous autres juges quelconques d'en congnoistre sy ce n'est que les parties fussent respectivement d'accord de procéder ailleurs ; et seront les jugemens sur ce donnez par les directeurs ou par les cinq personnes dessusdictes exécuttez comme s'ils estoient donnez en l'une des justices souveraines du Royaume sans qu'il soit besoin de donner placet, visa ni pareatis (1) ; et pour le regard de leurs livres, comptes, résolutions et clostures d'iceux, seront secrets et non communiquez qu'à la compagnie.

7. — Sa Ma[té] désignera à lad[e] compagnie du moings deux lieux, l'un sur la mer océane, à l'endroict de quelque rivière en laquelle donne le flux et le reflux, et l'autre sur la mer méditerranée, propres pour l'abbord et conservation des vaisseaux, charge et descharge des marchandises, avec le pouvoir à lad[e] compagnie d'y loger le nombre des susdictes familles qu'elle advisera, y faire bastir et construire maisons et édifices, mesmes les clore et fermer de tours, murailles et fossez, pour se tenir à couvert de l'invasion des corsaires et ennemys (2). En chascun desquels lieux y aura une ou plusieurs églises et parroisses qui seront servies par des prestres françois et flamans pourveus par l'évesque diocézain, à la nomination touttesfois de lad[e] compagnie, avec pouvoir d'administrer les sacremens et faire touttes les fonctions que l'on a accoustumé de faire aux paroisses. Et au cas que la propriété desdicts lieux appartienne à Sa Ma[té], elle la remettra libérallement à ladicte compagnie, ou sinon luy permettra de l'acquérir des propriétaires à pris raisonnable, Sad. Ma[té] se réservant, en l'un et l'autre cas, pour elle et ses successeurs Roys le ressort et souveraineté avec la direction des maisons et des lieux qui seront aux par[ticuli]ers, que Sa Ma[té] a modérez à un denier tournois de cens pour chacun an pour les petits édiffices, deux deniers pour les moyens, et de trois deniers pour les plus grands, et des autres héritages à proportion, led. cens portant lots et ventes à raison du denier quarente seulement (3) ; et pour les lotz qui pourroient estre deubz à Sa Ma[té] des lieux dessusdicts que ladicte compagnie acquera

(1) On appelait *lettres de pareatis* les mandements obtenus en chancellerie permettant de faire exécuter une décision de justice en dehors du ressort de la juridiction qui l'avait rendue.

(2) Ces deux endroits ne devaient jamais être précisés : les lettres royales de juillet 1626 portent seulement qu'il sera prévu d'« assigner des lieux commodes » à la compagnie.

(3) Il s'agit ici des droits de *lods et ventes*, le plus important des droits seigneuriaux ; il s'appliquait surtout aux héritages roturiers. Le taux en variait selon les provinces. Il est ici au denier 40 soit 2,5 %.

des particuliers, elle les exempte du payement d'iceux pour la première vente.

8. — En chascun desquels lieux sera establie une justice pour juger, terminer et décider de tous les différendz tant civils que criminels qui pourront y survenir, ensemble en toutte l'estendue du terroir qui leur sera designé ; et ce tant seullement pour les causes, différendz et actions qui seront meues et intantées pour les affaires du commerce et deppendances d'icelluy, tant entre les habitans des lieux qu'autres y allans et fréquentans, ladicte justice composée du nombre de juges qui sera nécessaires avecq un procureur fiscal, un greffier, des no[tai]res, procureurs, sergens et autres officiers que besoin sera, lesquels seront choisis et nommez par ladicte compagnie et à sa nomnation pourveuz par Sad^e^ Ma^té^ sans payer aulcune finance, marc d'or (1) ny autres frais, pour en jouir par les pourveus avec pareils honneurs, pouvoirs et authoritez qu'ont les juges présidiaux et conservateurs establys à Lyon et autres villes de négoces, avecq pouvoir de juger souverainement et en dernier ressort jusques à la valleur de troys mil livres de principal en matières civilles, et pour les criminelles de tous les cas ausquels n'eschera condamnation de peyne corporelle, sans que l'on puisse appeler des jugemens qu'ils donneront esdicts cas ny eulx tenus de déférer aux appellations qui en pourront estre interjectées. Mais pour les cas excèdant les termes dessusdicts, les appellations en pourront estre rellevées et terminées ès cours de parlement, au ressort desquelles lesdicts lieux seront situez. Et pour davantage authoriser les susdicts juges et officiers, Sa Ma^té^ veult qu'ils soient quallifiez officiers royaulx, et leurs sentences et jugemens avoir force et vertu et estre exécuttez comme s'ils avoient esté donnez par lesdictz présidiaux et juges conservateurs. Et à cet effect seront les jugemens, comme tous autres actes de justice ezdicts lieux, escripts en langage françois, sans touttesfois que lesdicts juges et officiers soient abstraincts à subir l'examen ny se faire recevoir ailleurs qu'en leurs sièges, excepté pour les premiers pourveuz, qui presteront le serment deub par devant Monsr le Cardinal de Richelieu, superintendant général du commerce de France, duquel tous les officiers prendront l'attache qui leur sera expédiée gratis.

9. — Sera estably dans chacun desdicts lieux un marché chacune sepmaine, et deux foires l'année, de huict jours chascune, avec les mesmes franchises, tant pour les marchands origginaires que forains, dont ilz jouissent aux foires de Lyon et autres foires franches de ce Royaume ; et ce aux jours que ladicte jugera les plus propres et commodes, pourveu touttesfois qu'ausd^s^ jours il n'y ayt autres foires et marchez à quatre lieues à la ronde desdicts lieux, auxquels ceux-cy puissent préjudicier.

10. — Tous les habitans desdicts lieux et banlieue d'iceulx, sans y comprendre les rivières, y seront exempts du payement des tailles,

(1) Le *marc d'or* était un droit perçu sur un office vénal ou non, à l'occasion de toute concession nouvelle, il était payable avant l'expédition des provisions.

impotz, billotz (1), fouages (2), empruntz, aydes, subcides et impositions quelconques mises et à mettre sur les subjects de ce Royaume, pour quelque cause et occasion que ce soit, mesme des droictz qui se prennent ès autres ports et havres, comme aussy seront exemptz du logement des gens de guerre tant de pied que de cheval, suitte de l'artillerie, vivres et autres esquipages d'armée, faisant Sad[e] Ma[té] très expresses inhibitions et deffences à tous générauix d'armée, chefs et conducteurs de gens de guerre, mareschaulx des logis des armées, fourriers des compagnies et autres qu'il appartiendra, d'entreprendre lesdicts logemens ny souffrir qu'il soit pris et enlevé aulcune chose ausdicts habitans sans leur gré et consentement, à peyne de punition, Sa Ma[té] les ayant prins et mis avec tout ce qui leur appartient soubs sa protection et sauvegarde par les présens articles sur lesquelz elle leur fera expédier gratis touttes les l[ett]res que lad[e] compagnie désirrera pour ce regard.

11. — Ne sera construict aulcunes forteresses, ni aulcunes garnisons, gouverneurs ou autres pour commander et avoir charges esd[s] lieux, si ce n'est en cas de nécessité à la réquisition et du consentement de lad[e] compagnie et des habitans d'iceux, Sadite Ma[té] s'en remettant au soin du Grand M[aistr]e, auquel elle a donné le pouvoir d'ordonner ce qui sera nécessaire pour leur seuretté.

12. — A esté aussy accordé à ladicte compagnie qu'il ne sera estably esd[s] lieux aucuns sièges, bureaux, com[missai]res ou autres officiers et commis soit soubz prétexte de la conservation des droits de Sa Ma[té], de ceux de l'admirauté, droit d'ancrage, visite des vaisseaux et marchandises ou autrement, pour quelque cause et occasion que ce soit, sans le consentement de ladicte compagnie.

13. — Ladicte compagnie pourra faire tels statuz et réglemens qu'elle advisera pour la pollice desdicts lieux, spéciallement pour les fabriques et ouvrages, lesquelles seront manufacturéez, venduez, et débiteez, dont elle dressera des articles, lesquels seront veuz et examinez et approuvez par le superintendant du commerce, qui en donnera les actes d'approbation et authorisation nécessaire, sans que lesdicts lieux soient subjetz à recevoir les maistrises et jurandes establies et qui se pratiquent aux villes de ce Royaume ; mais ne pourra aussy lad[e] compagnie imposer aulcunes choses esdicts lieux sans s'estre adressée au Grand M[aistr]e, pour en obtenir la permission de Sa Ma[té].

14. — Nulz, de quelque condition qu'ilz soient, ne pourront desbaucher ny retirer desd[s] lieux aulcunes des familles qui s'y seront habituées, ny pareillement aulcuns ouvriers, artisans, et leurs enfans serviteurs et servantes, sy ce n'est qu'ilz ayent au moings travaillé troys ans continuels soubz lad[e] compagnie, à peyne aux contrevenans de mil livres d'amende pour la première fois, de plus grande [peyne]

(1) Le *billot* était un impôt perçu en Bretagne pour le roi, mais appartenant à la province, sur la vente et consommation du vin, de la bière, du cidre et du poiré, ainsi que sur les eaux-de-vie et vins de liqueur. Il était, pour les premiers, de la valeur de six pots par barrique de cent vingt pots.
(2) Imposition par feu.

pour la seconde applicable aux proffits de lad[e] compagnie, et de punition corporelle pour la troisiesme.

15. — Pourra lad[e] compagnie loger aulcunes desdites familles et establir des manufactures dessud[es] en celles des villes de ce Royaume qu'elle verra bon estre, du consentement des maires et eschevins d'icelles pour y jouir des mesmes privillèges que les naturels habitans.

16. — Touttes personnes de quelle qualité qu'elles soient, ecclésiastiques, gentilzhommes, nobles, officiers de Sa Ma[té] et autres quelconques ses subjectz pourront entrer en lad[e] compagnie ou y mettre leurs deniers, mesmes entreprendre en icelle les voyages et commerces de mer sans desroger à leurs qualitez ny préjudicier à leur privillèges, ains veult Sad[e] Ma[té] que ceux qui s'y rendront considérables par leur soin, labeur et industrie, cela leur serve d'accroissement de noblesse.

17. — Sera permis à la compagnie de faire pescher par touttes les costes dc ce Royaume, pays, terres et seigneuries de l'obéissance de Sa Ma[té] et autres endroictz qu'elle verra bon estre, toutes sortes de poissons, soit pour les mettre en adobe (1), seicher, fumer, saller, en tirer huile, les vendre et débiter ainsy accomodez ou fraiz, aux endroicts que ladictc compagnie advisera pour le mieux, en sorte touttes fois que ce Royaume en soit le premier fourny et à prix raisonnable.

18. — Pour la sallaison desquels poissons, ensemble pour l'usage des familles dont la compagnie peuplera les lieux qui leurs seront indiquez, il leur sera permis de prendre telle quantité de selz que bon leur semblera ès sallains de Sa Ma[té], au mesme prix que les subjets du Roy sont accoustumés de le prendre, sans qu'il y ayt aulcunes différence d'eux avecq les subjets naturelz du Royaume.

19. — Et d'aultant qu'il y a plusieurs mines et minières dans ce Royaume qui demeurent inutiles, et que la compagnie peult mettre en valleur pour l'utilité publicque, Sa Ma[té] luy a permis et permet de faire ouvrir, fouiller et profonder tous et chascuns des lieux et endroits des terres de l'obéissance de Sa Ma[té] où il y aura mines ou minières, pour en tirer les mestaux, minéraux et autres substances terrestres précieuses et non précieuses qui s'y pourront trouver. Et à cette effect pourra lad[e] compagnie faire dresser forges, fourneaux, martinetz, engins, machines et autres instrumens qu'elle estimera propres pour fondre et former l'or, l'argent, cuivre, estaing, plomb, fer et autres mestaux, ensemble pour l'affinement d'iceux, et pour convertir le fer en acier, comme aussy pour faire des canons, boulletz, pouldre, ustancilles et autres ouvrages, sans quelle soit tenue de payer aucune chose pour les fondz vagues et inutilles qu'elle fera ouvrir et fouiller appartenant à Sa Ma[té] et dont elle n'aura encores disposé. Et pour ceux qui seront aux par[ticuli]ers, la compagnie les pourra prendre et s'en accommoder, comme aussy des maisons, domaines, ruisseaux et moulins, qu'elle jugera pour ce nécessaires, en leur payant pour une fois le prix qui sera amiablement convenu

(1) *Mettre en adobe :* préparer, accommoder (XVI[e] siècle).

ou arbitré par experts dont les parties conviendront, ou, à faulte d'en pouvoir convenir, qui seroient nommez d'office par le Grand M[aistr]e le superintendant et général refformateur des mines et minières de France (1), le S[r] marquis d'Effiat, lequel réglera les parties ainsy qu'il est accoustumé en pareil cas, entendant Sa Ma[té] que les maistres et ouvriers qui travaillent ausdictes mines jouissent de tous les privillèges et exemptions octroyées par les ordonnances de ses prédécesseurs, tant aux maistres et ouvriers des monoyes de ce Royaume qu'aux autres, auxquels semblables permissions ont esté cy-devant accordées, en prenant les permissions et provisions nécessaires, comme on a cy-devant accoustumé en pareil cas, lesquelles leur seront expédiées gratis.

20. — Se trouvant aussy dans ce Royaume plusieurs terres vaines, vagues, inutilles et maretz inondez des eaux de mer ou douces, ensemble quelques isles non cultivées ny habitées, que lad[e] compagnie peut pareillement mettre en valleur pour le bien public, après que Sa Ma[té] aura esté informée par ses officiers, la certiffication desquels sera veue et examinée par le Grand M[aistr]e pour estre par luy plainement authorisée ; pourveu que celle que lad[e] compagnie luy indiquera soit de la qualité dessusd[e], elle les luy accordera volontiers pour les cultiver, y semer, planter, bastir et faire valloir comme bons pères de famille, en jouir et user par lad[e] compagnie et ses ayant droict et causes ainsy que de leurs propres héritages, vray et loyal acquest, les tenir noblement et à plain fief de Sad[e] Ma[té], franches et quittes de toutes charges et servitudes, excepté de la foy et hommage lige, ensemble des droictz de lotz et ventes à chasque mutation de possesseur à la raison du denier quarente (2), comme les autres fondz dont a esté cy-devant parlé, mais non du droict de prestation, duquel Sa Ma[té] s'est desparty en faveur de lad[e] compagnie, encores qu'il luy feust deub, selon l'observance desdictes provinces, comme aussy à l'exception des dismes deuez à l'Eglises et de la vingt-cinquiesme gerbe des gros grains et la vint-cinquiesme mesure des vins qui croistront ès terres qui leur seront aussy accordées, lesquelles appartiennent à Sa Ma[té] ; et ce pour ce qui regarde le vin ès pays où Sa Ma[té] y prend des droitz, pour en commancer la jouissance dans vingt-cinq ans après que lesdictes terres auront esté cultivées et mises en valeur, Sa Ma[té] les en ayant jusques aud[t] temps tenus quites et deschargez, affin de donner d'aultant plus d'occasion et de moyen aux entrepreneurs de mettre lesdictes terres en valleur.

Et pour la mesme considération, Sad[e] Ma[té] accorde pareillement à ladicte compagnie que ceux par qui elle fera habiter lesdictes terres jouiront des mesmes exemptions et privillèges que ceulx qui habiteront les portz et havres accordez à lad[e] compagnie, et le tout conformément aux éditz que Sa Ma[té] a cy-devant faitz en faveur de ceux qui dessecheroient les maretz et metteroient en culture les lieux inutilz.

(1) La création de cet office, ainsy d'ailleurs que l'organisation de l'administration des mines, remontait à l'édit de juin 1601, œuvre de Sully.
(2) Soit 2,5 %.

21. — Ladicte compagnie pourra faire de la bière aux lieux qui luy seront désignez, tant pour la boisson des habitans que pour le fournissement des vaisseaux qui luy appartiendront, sans pour ce payer aulcunes impositions ou à mettre pour quelque chose et occasion que ce soit, et sans que les brasseurs et vendeurs soient pour ce astraints à autres réglemens que ceux qui seront faictz par lad^{e} compagnie ; mais s'ilz en veulent débiter ailleurs, il leur sera permis à mesmes conditions que les autres qui en vendent dans ce Royaume.

22. — Pourra ladicte compagnie establir en touttes et chacunes les villes et autres lieux de ce Royaume, pays, terres et seigneuries de l'obéissance de Sa Ma^{tté}, qu'elle advisera bon estre, les magazins de touttes sortes de marchandises pour les vendre et achepter en gros, et à cest effect y tenir des facteurs et avoir des correspondances, sans que les marchands des lieux ou autres quelconques y puissent donner aulcun empeschement soubz couleur de leurs statuz ou autrement, pour quelque occasion et en quelque manière que ce soit. Comme aussy permet Sa Majecté à ladicte compagnie d'y establir et tenir des bureaux et banques de change, mesmes des bureaux de prests, où il sera loisible à touttes personnes de mettre leurs deniers à proffict, et emprunter sur touttes sortes de gaiges, d'en dresser les articles qui seront présentez au superintendant général du commerce pour en faire l'establissement, pour jouir par ceux qui tiendront au nom de lad^{e} compagnie lesd^{s} magazins, et bureaux, des privillèges et facultez accoustumez aux lieux où il y en a desjà d'establis (1).

23. — Sa Ma^{té} permet et accorde à ladicte compagnie d'entreprendre des voyages au loin, faire de peuplades et establir des collonies aux lieux qu'elle advisera, mesmes en Canada et Nouvelle-France, conquestes des terres hors celles qui sont de l'obéissance de Sa Ma^{té} pour les appliquer au proffict de ladicte compagnie, à laquelle la plaine et entière possession, jouissance et disposition en appartiendra, à la charge de tenir foy et hommage de Sa Ma^{té} et de ses successeurs Roys, qui seront à tousjours recognuz et tenuz pour souverains aux terres qui seront conquises ainsi et peuplées, donnant advis de temps en temps de leurs establissement et progrez au Grand M [aistr]e, qui en aura la direction et le soin nécessaire.

24. — Comme aussy permet Sad^{e} Ma^{té} à ladicte compagnie de négocier e^{t} traffiquer en tous les pays qui ne seront ennemis déclarez de cette couronne touttes sortes de marchandises licites et non deffendues, mesmes dans des pays de Septentrion, comme Moscovie, Norveigue, Danemarc, Suède, Hambourg et autres lieux, sans que semblable permission puisse estre accordée par Sa Ma^{té}, ses vice-roys, admiraulx, vice-admiraulx ny autres quelconques à aulcuns estrangers et non orriginaires de ce Royaume, n'entendant touttesfois Sadicte Ma^{té} qu'ausdicts voyages, commerces et peuplades il soit rien entrepris, dont les voisins, alliez et amys de ceste couronne ayent juste subject de se plaindre ny contrevienne aux confédérations, alliances et traictez qu'elle a avecq eulx et qu'elle désire estre entretenue de bonne foy.

---

(1) Sur le texte définitif, Molé fit supprimer le droit pour la compagnie d'avoir des bureaux et banques de change et de prêts sur gages.

25. — A esté permis à ladicte compagnie et à ses associez et ayant charge d'elle de fournir tout l'attirail d'armes, cordages, voilles, matz, planches, canons, poudres, munitions, filletz et autres choses nécessaires pour l'armement, provision, esquipage, réparation des vaisseaux, qu'ilz envoyeront en marchandises, voyages ou à la pesche, sans qu'autres prétendans y avoir quelque droict puissent entremettre ou sur ce donner aulcun empeschement à ladicte compagnie et associez en quelque façon et manière que ce soit, ny mesmes que de lad^e^ compagnie puissent entreprendre pareil fournissement pour les vaisseaux que l'on voudra esquiper et fournir aux portz et havres qui seront accordez, construitz et peuplez au nom de lad^e^ compagnie.

26. — Et pour ce qu'il y a en ce Royaume un grand nombre de mandians et vagabons, lesquels bien que propres au travail passent néantmoings leur vie à la gueuserie et à l'oyseveté, qui les portent pour la pluspart à des vices et à des desbauches pernicieuses, de telle sorte qu'[ils] sont non seullement inutilles mais à charge du Royaume, au lieu qu'estant employez ilz pourroient servir à eulx et au public, Sa Ma^té^ fera expédier des lettres patentes pour estre publiées en l'estendue de son Royaume, par lesquelles elle enjoindra à tous mendians et vagabonds et gens sans adveu et sans vaccation ny autre exercice que de la gueuserie, qui seront vallides et capables de travailler, de prendre condition pour estre employez et servir soit avecq lad^e^ compagnie ou ailleurs, selon qu'ils seront propres et qu'ilz en trouveront les occasions. Et où deux moys après la publication desdictes lettres quelques-uns n'y auront satisfaict et continueront encores en leur fénéantise, oysiveté et mandicité, sera permis à ladicte compagnie de les faire contraindre d'aller servir soit aux peuplades soit aux ouvrages et manufactures qu'elle prestend faire, et les retenir pendant six années, pendant lesquelles elle ne sera tenue que de leur nourriture et vestement ; et passé ledict temps ils demeureront libres pour travailler où il verront leur mieux, sauf à ladicte compagnie de recognoistre de quelque gratiffication ceux qui s'en seront renduz dignes par leurs services ; et sera enjoinct à tous les officiers et subjectz de Sa Ma^té^ de prester main forte à ceux qui de la part de lad^e^ compagnie procedderont à la susdicte contraincte, de telle sorte que l'intention de Sa Ma^té^ soit effectuée.

27. — Sy aulcuns des vaisseaux de ladicte compagnie viennent à faire bris et naufrage soit aux costes de la mer ou aux rivières de ce Royaume, pays, terres et seigneuries de l'obéissance de Sa Ma^té^, lesdicts vaisseaux ny pareillement les marchandises, munitions, armes, vivres, attirail, esquipages et autres choses y estant, ne pourront estre acquis à Sa Ma^té^ ny autres quelconques prétendans droict de bris, nauffrage, espave ou autres, ains seront rendues et restituées à la première réquisition qui en sera faitte de la part de lad^e^ compagnie en payant seullement le labeur et fraiz légitimes qui auront esté faictz pour mettre à couvert et en seureté les choses retirées du naufrage. Et où l'on feroit difficulté de les restituer, Sad^e^ Ma^té^ veult qu'on s'adresse au Grand M[aistr]e, qui donnera pouvoir à ceux de ladicte compagnie de les faire saisir en quelque lieu qu'elles se trouveront, et que les détempteurs soient contrainctz à la restitution par touttes voyes deues et raisonnables nonobstant opposition ou appellations quelzconques et sans préjudice d'icelles.

28. — Aucun des vaisseaux, équipages, vivres et munitions de guerre servant à iceux appartenant à ladicte compagnie, en quels portz, havres et lieux qu'ilz se rencontrent, ne pourront estre arrestez et pris au nom de Sa Ma[té] des gouverneurs de province, admiraulx, vice- amiraulx ny autres quelzconques pour servir en quelque occasion que ce soit sans le gré et consentement de lad[e] compagnie.

29. — Sera permis à ladicte compagnie de traicter avec tous les princes et potentatz estrangers non ennemys déclarez de cette couronne, des moiens qu'elle estimera estre à propos pour négotier seurement et utillement aux pays de leur obéissance, et mesmes pour y establir magazins et tenir des facteurs, négociateurs et entremetteurs, à la charge touttesfois de communiquer les articles desdictz traittez au superintendant du commerce de France avant que de les pouvoir résoudre.

30. — La compagnie employera aux susd[s] voyages, commerces et fabriques le plus qu'elle pourra des subjectz naturelz de Sa Ma[té], soient mariniers, mathelots, gens de main et autres, dont elle aura besoin et affin qu'elle n'en puisse manquer, Sadicte Ma[té], à la première réquisition qui luy sera faitte de la part de ladicte compagnie, donnera les ordres requis pour retenir et retirer ceulx qui, à faulte d'employ dans ce Royaume, en vont chercher ailleurs.

31. — Les vaisseaux de ladicte compagnie allant en mer seront arborez des estendars et bannières que les vaisseaux françois ont accoustumé de porter, y adjoustant la figure d'une nef fleurdélisée avecq le pourtraict de St-Pierre, qui est la marque de ladicte compagnie, laquelle nulz autres vaisseaux françois ou estrangers ne pourront porter ny s'attribuer à faux tiltre le nom ou pouvoir de ladicte compagnie, à peyne de confiscation desdicts vaisseaux et des marchandises, munitions et attirail qui s'y trouveront. Et pourra ladicte compagnie mettre en ses vaisseaux les cappitaines, mattelots, marchans, ouvriers et autres personnes qu'elle advisera et dont elle respondra civillement sans qu'elle soit contraincte d'y en recepvoir d'autres contre son gré et consentement soubz quelque prétexte que ce soit.

32. — Pourra lad[e] compagnie faire construire, fretter et équiper tel nombre de vaisseaux que bon luy semblera, sans qu'elle soit tenue prendre ordre, congés ny permission que du Grand M[aistr]e et supérintendant du commerce et de ceux qu'il commettra pour cet effet (1).

33. — Sy les vaisseaux de la compagnie, assistez de quelques autres vaisseaux françois ou autrement, font quelques prises en mer sur les ennemys ou pirates, led. Sr Grand M[aistr]e aura le droict de l'amiraulté.

34. — Ladicte compagnie envoyant des vaisseaux en mer ne pourra estre tenue, si bon ne luy semble, de les faire aller de conserve avec autres, ains luy sera laissée la liberté d'en user comme elle verra pour le mieux.

(1) Cet article devait être supprimé dans la rédaction définitive.

35. — Les amandes qui pourront estre adjugées esd^s sièges de justice appartiendront par moittyé aud. Sr Grand M[aistr]e et à ladicte compagnie, dont l'une moittyé appartiendra à Sa Ma^té, laquelle compagnie demeurant néantmoings chargée du payement des gaiges desdicts juges et officiers. Et pour pourvoir à touttes choses nécessaires il sera faict fondz de deux pour cent, qui seront pris sur touttes sortes de marchandises et danrées qui se vendront et débitteront ès lieux qui leur seront indiquez pour les faire peupler et habiter dans ce Royaume, à la recepte desquelz le Grand M[aistr]e commettra quelques-uns de ladicte compagnie et en orddonera selon qu'il verra bon estre pour la manutention et conservation du commerce.

36. — Sa Ma^té n'accordera à aucun autre estranger les pouvoirs de former et establir en ce Royaume et pays de son obéissance pareille compagnie, et ne leur permettra non plus de pouvoir en particulier entreprendre les voyages, pescheries, commerces et manufactures dessud^s ; et où par surprise ou autrement elle en feroit cy-après expédier quelques l[ett]res, elle les révoquera incontinant à la première réquisition qui luy en sera faicte de la par de lad^e compagnie (1).

37. — Les marchandises qui seront fabriquées ès portz et lieux accordez à ladicte compagnie seront exempt[es] de touttes impositions généralement quelzconques mises et à mettre aux autres endroictz.

38. — Sa Ma^té, fera tant par ses l[ett]res que par ses ambassadeurs et ageans, tous offres requis envers les princes et potentatz ses amys, alliez, confédérez et tous autres qui ne seront ses ennemys déclarez, à ce qu'ilz favorisent le commerce de lad^s compagnie en leurs Estatz.

39. — Le sieur Grand M[aistr]e superintendant et refformateur général du commerce promet de moyenner en faveur de cette compagnie que Sa Ma^té ordonne à tous gouverneurs de ses provinces, ses lieutenants généraulx en icelles et en ses armées tant de mer que de terres, gouvernerneurs et cappitaines de ses places, maistres et gardes des portz, passages et destroictz, maires, consuls eschevins, capitouls des villes, et générallement à tous ses officiers et subjects quelzconques de donner toutte l'ayde, faveur et assistance, dont ilz seront requis de la part de ladicte compagnie pour l'effect des p[rése]ns articles ou d'aucuns des points y contenuz, sans souffrir qu'il y soit contrevenu ny que ses associez et entremetteurs y soient troublez directement ou indirectement, en quelque manière ny soubz quelque prétexte que ce soit. Et où il arriveroit quelque différend, que Sa Ma^té en réserve la congnoissance au Grand M[aistr]e et au Conseil, et l'interdise à tous autres ses juges, desrogeant Sad^e Ma^té de sa plaine puissance et authorité royalle à tous les ecdits, ordonnances, réglemens, contractz, ar[ti]cles, arrestz, jugements et autres actes générallement quelzconques qui pourroient estre contraires au contenu des p[rése]ns articles, ensemble aux desroga[toi]res des desrogatoires y contenus.

---

(1) En marge de la copie des Archives des Affaires étrangères, on lit — peut-être de la main de Richelieu : « Cet article est trop rigoureux ». L'article devait d'ailleurs disparaître dans la rédaction définitive.

40. — Touttes les lettres patentes qui seront requises au nom de lad^{e} compagnie pour l'exécution des présents articles, circons[tan]ces et despendances luy seront expédiées. Enjoindra Sa Ma^{té} à ses procureurs généraulx d'en poursuivre et consentir l'enreg[ist]rement pur et simple partout où besoin sera, sans que pour les frais desd^{es} l[ett]res et expéditions lad^{e} compagnie soit tenue d'en rien payer, à peyne de répétition et de tous despens, dommages et intéresttz à l'encontre de ceux qui seroient si ozez d'en tirer quelque chose au préjudice des deffences que Sa Ma^{té} leur en fera.

40 bis. — Les différends que la compagnie en corps ou quelques-uns d'icelle en particulier auront avec quelques subjectz du Roy, regnicolles ou autres, pour choses deppendantes de leur société et commerce le Roy leur octroyera d'avoir leur causes commises aux Req[ues]tes du pallais des parlements au ressort desquels seront assis les lieux du commerce, sans qu'ilz soient tenuz de prendre lettres de committimus aux chancelleries (1), et leur suffira d'avoir une certiffication aucthorisée du tesmoignage du Grand M[aistr]e comme ilz sont de ladicte compagnie.

41. — Que sy par leur soin ilz font descouverte nouvelle ou descente en quelques lieux de l'Ynde occidentale, où les François n'ayent point d'establissement, le Roy leur octroyera de les jouir et tenir privativement à tous autres et fera defferences à tous ses subjectz de les troubler ny mollester en quelque manière que ce soit.

42. — Et au cas que cy-après lad^{e} compagnie recongnoisse qu'il soit besoin d'amplifier ou d'esclaircir aucun des articles dessusd^{s} ou bien d'y en adjouster quelques nouveaux pour davantage l'asseurer et rendre son entreprise plus utille au publicq et aux particuliers, Sa Ma^{té} en fera dellivrer touttes les expéditions raisonnables qui luy seront demandées par le Grand M[aistr]e en faveur de lad^{e} compagnie.

Faict et arresté par nous soubz signez au chasteau de Lymours, ce aujourd'huy dixneuf^{me} jour de may mil six cens vingt six, ainsy signé en l'orriginal : Armand Card. de Richelieu, Witte Scapencads, Billoty et J. du Meurier.

Le texte ci-dessus est immédiatement suivi, sur les copies les plus complètes — celles des Affaires étrangères, du vol. 18781 *de la Bibliothèque nationale et du vol.* 1775 *du fonds Peiresc de la Bibliothèque de Carpentras — de la mention de l'enregistrement par le Prévôt de Paris :*

A tous ceulx qui ces p[rése]ntes l[ett]res verront, Louys Séguyer (2), chevallier, baron de Sainct-Brison, S^{r} des Ruaulx et de

(1) Les *lettres de committimus*, rappelons-le, accordaient le privilège de pouvoir faire évoquer devant une haute juridiction les causes où le bénéficiaire pouvait être intéressé. Il s'agit ici de *lettres au petit sceau*, qui étaient limitées au ressort du parlement dont la chancellerie les avait délivrées.

(2) Louis Séguier, baron de Saint-Brisson, était le fils de Pierre II Séguier, président à mortier au parlement, et de Marie du Tillet, et le cousin de Pierre IV, qui sera garde des sceaux, puis chancelier. Il fut prévôt de Paris du 31 décembre 1611 au mois de novembre 1653.

S[t]-Firmain, con[seill]er du Roy n[ost]re Sire, gentilhomme ordinaire de la Chambre et garde de la prévosté de Paris, salut. Sçavoir faisons que par devant Michel de Beauvais, no[tai]re gardenotte du Roy n[ost]re Sire en son Chastellet de Paris, soubzsigné, sont comparuz Monseigneur l'Illustrissime et Révérendissime Armand Cardinal de Richelieu, Grand M[aistr]e, superintendant et refformateur général du Commerce en ce Royaume de France, estant de présent en son chasteau de Lymours, d'une part, et Nicolas Witte, dit Scapencats, natif d'Allemare en Hollande, Francisco Billotty, natif de Bruxelles en Brabant, et Jehan du Meurier, escuyer, sieur de S[ain]t-Rémy, demeurant en la ville de Redon en Bretaigne, estans tous de pr[ése]nt aud. chasteau de Lymours pour l'effect qui en suit, faisant tant pour eulx que pour leurs associez en la compagnie appellée la Nacelle de St-Pierre fleurdelisée desquelz ilz se font et portent fort et promettent sollidairement leur ratiffier ces pr[ése]ntes dedans six moys prochains, d'autre part (a), lesquelz ont recongnu et confessé estre demeurez d'accord du contenu ès articles cy-devant escrits pour raison du commerce en ce Royaulme, et iceulx avoir signez sur ledict orriginal de leurs noms et signatures accoustumez, lesquelz articles ilz promettent respectivement entretenir de poinct en poinct selon leur forme et teneur, et à cest effect promet mond. seigneur le Cardinal faire octroyer à lad[e] compagnie tous esdicts, déclara[t]ions et lettres pattentes de Sa Ma[té] qui leur sera nécessaires, promettant icelles dictes partyes lesdicts art[ic]les et lesdictes présentes avoir pour agréables sans y contrevenir soubz l'obligation et ypotecque de tous et chascuns leurs biens pr[ése]ns et advenir, qu'ilz en ont chacun endroict soy, lesdicts Witte, Billoty et du Meurier esdictz noms, l'un pour l'autre, et chacun d'eux seul et pour le tout sans division ne discussion, soubzmis et soubzemetant à la justice, jurisdiction et contraincte de ladicte pr[évos]té de Paris et de touttes autres justices et juridictions où sceuz et trouvez seront, renonçant en ce faisant à touttes choses à ce contraires et au droict disant généralle renonciation non valloir. En tesmoing de quoy nous, à la rellation dud. n[otai]re, avons à ces pr[ésen]tes faict mettre le scel de lad[e] prévosté de Paris, qui faictes et passées furent aud. chasteau dud. Lymours après midy, led. jour dix neuf[me] may mil six cens vingt six, ès présences de Louys de Meaux (1), chevallier, gentilhomme ordinaire de la Chambre du Roy, gouverneur du Pont de Sé, et de M[r] Jehan Mauvillain, chirurgien du Roy, demeurant à Paris, trouvez aud. chasteau de Lymours, qui ont avecq lesdittes parties cy endroict signé l'original des pr[ésen]tes demeuré vers De Beauvais n[otai]re soubzsigné. Ainsy signé : De Beauvais, et scellé, le 4 juin 1626 (2).

(a) Le texte porte : « d'une part », ce qui semble une erreur du copiste.

(1) Louis de Meaux, sieur de La Ramée et de Douy, fils d'Emery de Meaux et de Vaudeline de Popincourt. Conseiller du Roi et gouverneur des Ponts-de-Cé, il sera plus tard lieutenant général du grand maître de l'Artillerie de France en Normandie.

(2) Cette date du 4 juin 1626 est celle de l'apposition des sceaux sur le contrat ; elle figure seulement sur la copie de la Bibliothèque de Carpentras. Ainsi conclu et scellé, le contrat devait recevoir la confirmation du roi par lettres patentes données à Nantes au mois de juillet 1626. La copie de ces lettres patentes figure à la suite du texte reproduit ici, mais il n'a pas paru nécessaire de les donner. Par contre, on trouvera le texte du récépissé original signé des intéressés attestant qu'ils ont reçu des mains du cardinal de Richelieu le contrat royal.

Nous soubsignez Nicollas Witte dit Schapencats, Francisco Billoty et Jean Dumeurier, Sr de Saint-Rémy, confaissons avoir receu de Monseigneur le Grand M[aistr]e cardinal de Richelieu les originaux dud. contract et ratification d'iceluy, dont les copies sont cy-dessus transcriptes. Faict ce XIIme jour de novembre mil six cens vingt six.

Witte Schapencats
Billoty
Dumeurier.

62. — Articles secrets ajoutés au contrat d'association de la Compagnic de la Nacelle de Saint-Pierre fleudelisée. Limours, 19 mai 1626.

A.E., Mém. & Doc., France, Vol. 792, f° 46-47. — Original.

ARTICLES SECRETZ ET PARTICULIERS, que le Sieur Grand Maistre, Superintendant général du Commerce, promet faire agréer et ratiffier à Sa Maté en faveur de la compagnie appelée de la Nacelle de St Pierre fleurdélisée ensuite des articles généraulx qui leur ont esté accordez pour avoir mesme effect et estre observez ainsy que les généraulx et tout de mesme effect et estre observez ainsy que les généraulx et tout de mesme que s'ils estoient publiez, enregistrez et vériffiez ès cours souveraines de ce Royaume, dont Sa Maté les descharge et veult qu'ilz soient de pareille aucthorité et valleur en vertu de la recognoissance qui en sera faicte par devant no[tai]re royal que s'ils avoient esté deuement publicz partout.

D'autant que l'édict de Nantes reigle les lieux où l'exercice de la religion prétandue réformée peult estre faict, desquels on ne peult augmenter le nombre sans renverser les loix sur lesquelles est establie la tranquilité publique de l'Estat, il a esté accordé et arresté qu'ez lieux qui seront indiquez et octroyez, peuplez ou habitez en son nom dans ce royaume, pays, terres ou seigneuries de l'obéissance de Sa Maté, il n'y aura autre exercice publique de la religion que de la catholique, appostolique et romaine.

Le R.Père de Bérulle, chef général des pères de l'Oratoire, prendra le soin de la conduite et direction de tout ce qui concernera le spirituel ès lieux susds, dedans ou dehors le royaume.

Pièce 62. — *Au dos du folio* 47, *on lit : « Compagnie de la Nacelle S. Pierre —* 1626 *—* 6e *coffre », et, en tête du folio* 46 *: « France-*1628 *». Cette seconde date est une erreur, qui fut sans doute commise au cours d'une classification, car le texte porte en lettres et de façon suffisamment lisible « le dix neuf*me *jour de may après midy mil six cens vingt six »* (*).

(*) Il n'y a pas lieu de tenir compte de la note d'Avenel à propos de ce texte, t. VIII, *Corrections et Additions*, p. 195. Avenel a bien lu les articles secrets, mais — d'ordinaire plus exact dans ses observations — il a négligé l'acte notarié qui les accompagne. *Quandoque bonus dormitat Homerus.*

Ne se pourront faire aucun establissement de famille, magazins, bureaux, manufactures ou autres choses dépendant de la compagnie ou ville formée par ceulx de la religion prétendue réformée, afin que le commerce ne puisse estre troublé par aucuns mouvemens pour empescher que soubs prétexte de nouvel establissem[en]t il ne soit en quelque chose desrogé aux édicts de Sa Maté.

Armand Card. de Richelieu.
Witte Schapencats
Jehan du Meurier
Billoti
Mauvillain.

Aujourd'hui date des pr[ése]ntes sont comparus par devant nous no[tai]re garde-nottes du Roy nre seignr en son Cha[stel]et de Paris soubsigné (a), Monseigneur Illustrissime et Révérendissime Armand Card. de Richelieu, grand M[aistr]e, superintendant et réformateur général du commerce en ce royaume de France, estant de pr[ése]nt en son chasteau de Lymours, d'une part, et Nicollas de Witte dit Schapencats, natif d'Alemar en Hollande, Francisco Billotty, natif de Bruxelles en Brabant, et Jehan du Meurieur, sieur de St-Rémy, dem[eura]nt en la ville de Redon en Bretaigne, estans tous de présent ausd. chasteau de Lymours pour l'effect qui en suit, faisant tant pour eulx que pour leur associez en la compagnie appelée la Nacelle de St-Pierre fleurdelysée desquels ils se sont portés fort et promettent sollidairement leur faire ratiffier les pr[ésen]tes dedans six mois prochains, d'autre part lesquels ont recogneu et confessé estre demeurés d'accord du contenu ès articles cy-dessus ce devant escripts et faictz cy-dessus, et tesmoignèrent d'avoir ce jourd'huy arresté entre mond. seigneur Cardal et lesds dessusnommez comparus par devant nous no[tai]re soubzsigné, lesquels articles ils ont signé de leurs noms et signatures accoustumez qu'ils promettent entretenir sans y contrevenir [aucunement] (b). Faict par nous au chasteau dud. Lymours le dix neufme j[ou]r de may après midy mil six cens vingt six, ès prés[en]ces de Louis de Meaux, esc[uy]er, gentilhomme de la chambre du Roy, gouverneur du Pont de Sé, et de Mr Jehan Mauvillain, chirurgien du Roy, dem[euran]à à Paris, trouvez ausd. chasteau de Lymours, qui ont avec ledes parties signé ces présentes.

Armand, card. de Richelieu
Witte Schapencats
Jehan du Meurier
Billoti

(a) En dépit de cette formule, le notaire — sans doute De Beauvais, dont le nom est mentionné dans le contrat — n'a pas apposé sa signature au bas de l'acte.

(b) « aucunement » est une substitution, l'acte notarié étant particulièrement mal écrit en cet endroit.

63. — Lettres patentes du roi Louis XIII en faveur du cardinal de Richelieu. 20 mai 1626.

B.N. Fichier Charavay.

Analyse :

Il est accordé au cardinal de Richelieu, tant pour la récompense de ses services que pour pourvoir à la sécurité de sa personne, une garde de douze capitaines entretenus, dont quatre cavaliers et huit fantassins, à la solde de 17 600 livres par an. Le roi « entend que ces douze capitaines résident près de la personne dudit sieur cardinal de Richelieu, qu'ils le suivront et accompagneront en quelque lieu qu'il aille, pour s'opposer aux entreprises qui pourraient être faites contre lui ».

64. — Le roi au cardinal de Richelieu. Paris, 30 mai 1626.

A.E., Mém. & Doc., France, Vol. 2164, f° 1. — Original.
B.N., Fonds fr., Vol. 3722, f° 20. — Copie.
Impr. : *Catalogue de la Collection of autograph letters and historical documents... by Alfred Morrisson, London,* 1883-1892, t. III, p. 208. — Reproduction imprimée de l'original.
Marius Topin, *Louis XIII et Richelieu,* 1875, p. 130. R. de Beauchamp, *Louis XIII d'après sa correspondance avec Richelieu,* 1902, p. 67.

Mon cousin, ayant escrit, il y a trois ou quatre jours à mon cousin le prince de Condé sur ce qu'il m'a fait dire avoir un extrême désir

Pièce 64. — *Cettre lettre fut écrite dans les circonstances suivantes. A la suite de l'arrestation du maréchal d'Ornano* (4 *mai* 1626), *le roi et le cardinal eurent la confirmation de l'ampleur des intrigues ourdies par une faction « si puissante au dedans et si appuyée au dehors qu'elle étoit capable de renverser l'Etat »* (*). *Le plus urgent parut être de « diviser ceux qui étoient liés ensemble, et, quand ils seroient séparés, diminuer la puissance d'un chacun ». Les* Mémoires de Richelieu *rappellent, à ce sujet, qu'on se souvint alors opportunément du conseil que donna jadis le duc de Milan au roi Louis XI aux prises avec les princes conjurés de la Ligue du Bien Public : la division des adversaires pouvait se faire de deux manières, soit en s'attachant quelques-uns d'entre eux par des moyens convenables, soit « en les mettant tous en jalousie et soupçon les uns des autres ». Or, la personnalité la plus importante en la conjoncture était alors celle de Monsieur le Prince. Richelieu savait mieux que tout autre que Louis XIII était toujours aussi fermement opposé au retour de son cousin à la cour, mais il parvint à obtenir du roi qu'il lui soit permis d'avoir avec le prince une entrevue, dont il espérait retirer l'effet désiré. Le cardinal se trouvait alors dans son château de Limours, à quatre lieues environ au nord de Dourdan.*

(*) *Mémoires du cardinal de Richelieu,* éd. de la Soc. de l'Hist. de France, t. VI, p. 48.

de vous voir, que j'aurois fort agréable vostre entrevue (1), je vous faits la présante pour vous disposer à le resevoir, et, afin que vous ayés plus de liberté de conférer avec luy, je vous commande d'ouïr et entandre tout ce qu'il voudra vous dire, fors et excepté pour tout ce qui concerne son retour, duquel s'il vous parle vous luy dirés n'avoir aucune liberté de luy répondre sur ce sujet, que tout discours en seroient innutils puisque l'ordre qu'il peut resevoir pour ce regard dépend de moy seul et de l'estat de mes affaires. Il sçayt la croyance que j'ay en vous, me servant comme vous faites. Je la témoigne avec satisfaction et prie Dieu qu'il vous ayt, mon cousin, en sa garde et vous donne une parfaite santé. Escrit à Paris, ce 30e de may 1626.

LOUIS.

65. — Mémoire de ce qui a esté convenu de la part du Roy que Mrs le Prince et le Cardinal de Richelieu diroient en leur entrevue. 30 mai 1626.

A.E., Mém. & Doc., France, Vol. 783, f° 52. — Minute de la main de Le Masle avec corrections de la main du Cardinal. — f° 53, mise au net.
Impr. : Avenel, VII, p. 582-583.

Monsr le Prince dira partout qu'il est asseuré de la bonne volonté du roy et de la reyne mère, *et qu'il sçait bien qu'il ne recevra* jamais de mal de Leurs Majestés, mais tout bien.

Qu'il n'a point parlé de son retour, qu'il le remet à la volonté du roy, lequel sçaura bien l'employer aux occasions, selon qu'il luy plaira, cognoissant mieux ce qu'il luy fault que luy mesme.

Il dira encore que, le cardinal luy a communiqué toutes les affaires passées et présentes, et qu'il en a dict son advis.

Que le cardinal l'a asseuré de son amitié, ayant eu commandement du roy de ce faire, selon qu'il luy a dict ingénument.

Pièce 65. — *Le titre de cette pièce est celui qui est porté sur la mise au net. Quant à la minute, elle a d'abord été rédigée à la première personne. Les membres de phrase ainsi rectifiés sont indiqués ici en caractères italiques.*

---

(1) La lettre du roi au prince de Condé est datée du 28 mai 1626 ; elle est ainsi conçue :

« Mon cousin, ayant seu par mon cousin le duc de Montmorency que vous désiriés avec grande instance voir mon cousin le cardinal de Richelieu comme personne en qui j'ay toute confiance, pour m'assurer par luy de l'afection que vous me portés, m'esclaircir par luy de plusieurs bruits qui peuvent avoir couru, me dire vos avis sur les affaires présentes, j'ay volontiers consenti à v^re entretien. Il vous dira ce qui se passe en mes affaires et l'estat auquel je suis envers vous. Vous le croirés comme à moy mesme. Je prie Dieu qu'il vous ayt, mon cousin, en sa garde. Escrit à Paris, ce 28e may. 1626.

LOUIS.

(Arch. du Musée Condé, Chantilly Série M., t. I, p. 210. — Original autographe).

En particulier il a asseuré le roy et la reyne sa mère de son affection *et service* envers tous et contre tous, selon *qu'il y est obligé et qu'il n'y manquera.*

Le roy et la reyne parleront, s'il leur plaist, conformément à ce mémoire, et n'en diront pas davantage.

66. — Discours de M. le Prince à M. le cardinal de Richelieu à Limours. 30 mai 1626.

A.E., Mém. & Doc., France, Vol. 782, f° 160.

Il y a longtemps que j'avois désiré l'amitié de Monsieur le Cardinal, et je suis icy venu pour faire que chacun le connoisse. Sa vertu et ses glorieuses actions, qui sont cogneues d'un chacun, que ses

Pièce 66. — *Le document se présente ainsi : sur une feuille de garde (f° 159), on lit de la main de Sancy cette indication : « Pour la feuille 37 », et, au-dessous, de la main de Charpentier : « Ce que Monsieur le Prince dit à M. le Cardinal, à Limours, en mai* 1626 ». *Enfin, une autre main a ajouté : « Employé ». Le document a, en effet, été utilisé par les rédacteurs des Mémoires de Richelieu (V. édit. de la S.H.F., t. VI, pp.* 51-52), *mais en partie seulement, les deux derniers paragraphes (à partir de : « Je n'ay jamais trompé... ») ayant été barrés sur le manuscrit A des* Mémoires.

La visite de M. le Prince au château de Limours, le 30 *mai* 1626, *fut précédée, quelques heures plus tôt, de celle de Monsieur frère du roi, visite qui, selon les* Mémoires, *« ne fut pas d'un moindre fruit pour le service et le contentement du roi », puisqu'il en résulta, de la part du jeune prince, une déclaration de soumission, dont on trouvera plus loin le texte (pièce* 67). *Quant à M. le Prince, si l'on en croit une annotation portée sur le manuscrit A des Mémoires (f°* 93 *v°), il aurait été accompagné du duc de Montmorency et de l'évêque d'Albi, Alphonse d'Elbène, dont le rôle auprès du gouverneur du Languedoc sera si fâcheux en octobre* 1632. *C'est donc, semble-t-il, en présence de ces deux personnages que le prince de Condé tint au cardinal les propos qui furent ensuite consignés par écrit. La présence de Montmorency aux côtés de son beau-frère n'a rien de surprenant, mais on peut se demander pourquoi ni la relation reproduite ici, ni davantage celle des* Mémoires *n'en font état.*

L'entrevue de Limours entre Condé et le cardinal devait marquer le point de départ d'une alliance, à laquelle l'un et l'autre devaient demeurer fidèles. Il est peu douteux que, ce jour-là, le premier prince du sang ait subi profondément et de façon définitive le charme, au sens classique de ce mot, qui se dégageait de la personnalité prestigieuse de Richelieu. M. le Prince n'avait pas encore quarante-huit ans, et s'il n'était pas doué du génie militaire qui sera celui de son fils aîné, il n'était nullement le personnage médiocre, que certains historiens se sont plu à imaginer. « Fort capable et fort appliqué en affaires », a écrit de lui Saint-Simon, qui en avait entendu beaucoup parler par son père, « il estoit prince vaillant, judicieux et sage, avec beaucoup d'esprit et de ressources dans l'esprit sans estre du tout hazardeux, et penchant plustost au contraire ». Ses lettres au cardinal, qu'on trouvera reproduites dans cette édition, attestent la vivacité d'une intelligence et la verdeur d'une imagination, dont l'exubérance même apparaît comme la marque d'une personnalité hors de l'ordre commun.

ennemis ne sçauroient nier, et qui sont au-dessus de toute envie, m'y ont obligé. Il ne s'est jamais veu si grand ministre que luy dans cest Estat, ny si désintéressé. J'en parle sans flatterie et pour l'avoir moy-mesme éprouvé. Car je sçay bien que, despuis sa conduite, le Roy m'a tenu bas comme il a voulu ; et je suis en estat qu'on ne sçauroit penser que j'en parle autrement que je croy. J'ay veu, dès l'entrée de son ministère dans l'Estat, qu'en l'affaire d'Italie et des Grisons il a préféré la gloire du Roy et la grandeur de l'Estat aux intérests de Rome, lesquels sa propre dignité l'obligent d'affectionner. Il pouvoir appréhender en ceste action le blasme des zèles inconsidérés, les calomnies des escripvains. Il a généreusement tout mesprisé pour effacer la honte des autres traictés et en poursuivre un qui fust honorable au Roy. Il a faict le mariage d'Angleterre nonobstant toutes sortes de contradictions pour donner un contrepoix à la grandeur d'Espagne. Quant les Anglois ont voulu s'eschapper et faire la mine de favoriser les huguenots, pour obliger le Roy à f[air]e une ligue offensive pour le recouvrement du Palatinat, il les a si heureusement maniés qu'il s'est servi d'eux pour faire que le Roy donnast la paix aux huguenots (1) comme de maistre à valet, et qu'il retire des avantages que nul n'eust ozé espérer. Dès que les Anglois ont voulu abuser du bon accueil qu'on leur avoit fait pour se servir d'eux, il a fait glorieusement la paix d'Espagne (2), où il a retenu les avantages que les Espagnols nous avoient ostés, et leur a faict renoncer à ceux qu'ils avoient poursuivis, et sans lesquels ils avoient tousjours dit qu'ils ne conclueroient jamais la paix. Il a faict monter l'affaire des financiers au double de ce qu'on s'estoit promis. Et si avec tout cela il n'a point de soin de sa fortune et ne regarde qu'au Roy, si Monsieur a esté esbranlé par quelques mauvais conseils, aussy tost il y a pourveu courageusement, et n'a esté retenu d'aucune considération de ses intérests présens ou à venir, qu'il n'ait faict tout ce qu'un grand et fidel ministre pouvoir faire. Je suis résolu de l'aimer quand mesme il ne voudroit pas.

Je n'ay jamais trompé ceux à qui j'ay promis mon amitié. La Reyne sçait bien comme j'ay vescu avec le feu connestable après luy avoir promis. La considération de la Reyne ne sçauroit l'empescher de m'aimer, car je suis son très-humble serviteur et je sçay très bien l'avantage qu'elle a sur moy, puisqu'elle est la mère du Roy. Je suis résolu de servir le Roy par les advis que mons[r] le cardinal me donnera. Je me chargeray de tenir l'armée que le Roy voudra, et m'employeray à tout ce qu'il luy plaira de me commander, dedans ou dehors la cour, selon qu'il voudra. Si je tiens parole, nous sommes indéfaisables. Si je ne le fais pas, Mr le cardinal en un cart d'heure peut me faire plus de mal auprès du Roy que je n'en sçaurois f[ai]re en dix ans.

Au reste, il a donné de si bonnes preuves de la pureté de ses intentions, pendant le temps de son administration, que la calomnie mesme ne peult plus avoir de prise contre luy, et qu'il ne faut point appréhender à l'engager de suivre aveuglém[t] ses pensées, n'y ayant personne

(1) La paix signée le 5 février 1626.
(2) Le traité de Monçon, conclu le 5 mars 1626.

qui ait des yeux qui ne voie clairem[t] qu'elles ne peuvent estre que très avantageuses pour l'Estat (3).

---

(3) Il a paru intéressant de donner ci-dessous le texte de la lettre que le prince de Condé adressera au roi à la suite de son entrevue avec le cardinal. et la réponse que Louis XIII lui a faite.

La lettre de M. le Prince nous a été conservée par le manuscrit A des *Mémoires du cardinal de Richelieu* — f° 97 — et les éditeurs des *Mémoires* l'ont publiée en note (t. VI, p. 58-59) ; la lettre du roi est inédite.

— Le prince de Condé au roi :

Sire,

J'ai reçu un contentement qui ne se peut exprimer d'avoir vu Monseigneur le Cardinal et avoir appris de lui la continuation de votre bonne volonté en mon endroit. Il m'a entretenu du succès de vos affaires et de la très honorable paix qu'avez traitté avec les Espagnols sur le sujet de la Valteline, sans néanmoins en rien désobliger vos alliés, mais, au contraire, ayant religieusement conservé leurs intérêts. En cela reluit la prudence de vos résolutions, comme elle a fait ci-devant en la conduite de toutes vos autres affaires. Je ne puis aussi que je ne loue la fidélité de mondit S[r] le Cardinal, qui met à part tous ses propres intérêts pour soutenir fidèlement les vôtres, ne craignant point pour votre service, d'acquérir plusieurs ennemis. Et sur la résolution qu'il m'a dit qu'aviez prise de faire un traitement à Monseigneur votre frère, tel que sa qualité le mérite, j'ose dire que je vous eusse conseillé le même, si déjà vous n'eussiez pris ce conseil, car il vous doit être cher comme la principale colonne de votre Etat et appui de la France, principalement jusqu'à ce que Dieu vous donne des enfants, de quoi je le prie tous les jours. Et quant à mes avis que désirez savoir sur ce qui touche M. le maréchal d'Ornano, je vous dirai que je suis assuré que n'avez rien fait que bien et qu'asurément l'affaire finira, ou par un témoignage de votre bonté, ou par une ouverte justice, bien que n'ayez besoin de justifier vos actions qu'à Dieu. Je ne doute point aussi que vous ne sachiez bien empêcher toutes factions contraires à votre service, comme vous y êtes obligé devant Dieu, dans lesquelles mon nom ne sera jamais trouvé, car je demeurerai à jamais à vous, envers tous et contre tous absolument, et sans condition. Je vous l'offre et jure sur la damnation de mon âme, aujourd'hui que j'ai communié, et vous supplie d'en prendre créance et à toutes les autres choses lesquelles M. le Cardinal m'a communiquées, lesquelles il vous dira. Je m'en remets sur lui et vous dirai que mes avis se sont trouvés fort conformes aux siens, ne désirant rien tant que de voir régner V.M. absolument et que chacun sous lui tienne sa partie. Je ne veux aussi oublier de témoigner à V.M. qu'en quelque lieu que je sois, je serai toujours très content, pourvu que je sois assuré de vos bonnes grâces, comme je suis maintenant, assurant V.M. que, quand je voudrois, il me seroit impossible d'en douter. Le lieu où je vous serai le plus utile est celui où je souhaiterai toujours plus être, vous avouant pourtant que, plus de près je pourrai faire voir mes actions à V.M., plus aurai-je de contentement, désirant qu'à jamais il plaise à V.M. de me croire votre très humble, très obéissant, très fidèle sujet et serviteur,

Henry de Bourbon.

— Le roi au prince de Condé :

Mon cousin, la let[tr]e, que vous m'avez escrite et le raport que mon cousin le cardinal de Richelieu m'a fait de tout ce qui s'est passé entre vous me donne une telle satisfaction qu'il m'est impossible ne vous la témoigner pas. Je ne doute point que vous me teniez fidellement tout ce que vous m'avez mandé. Aussy pouvés vous vous assurer que j'en auray tout le ressentiment que vous sauriez désirer. Le porteur vous dira le sujet de son voiage. Sur ce je prie Dieu qu'il vous ayt, mon cousin, en sa garde. Escrit à Blois, ce 8e juin 1626.

Louis.

(Arch. du Musée Condé, Chantilly, Série M, t. I, f° 211, original).

67. — Escrit signé du Roy, de la Reyne mère et de Monsieur. Paris, 31 mai 1626.

A.E., Mém. & Doc., France, Vol. 782, f° 151-153, original ; même vol., f° 155-157, mise au net.
A.N., Musée de l'Histoire de France, A.E. II 2932. — Original.

Sur les divers artifices et desseins de plusieurs mal affectionnez à la paix, à la grandeur et à la prospérité de la maison royale, qui désireroient la troubler par ombrages, soubçons et défiances, et voudroient donner lieu par ce moyen à ceux qui prennent leurs espérances d'une imaginaire grandeur sur sa ruine, singulièrement à l'occasion de plusieurs mauvais bruicts qu'on a faict courir du mescontentement de Monsieur pour ce qui s'est passé depuis peu en l'affaire du sieur mareschal d'Ornano, Monsieur, désirant faire veoir au Roy la sincérité de ses actions et ouvrir franchement son cœur devant Sa Majesté, ayant une plaine confiance de sa bonté, de laquelle dépend le comble de toute sa grandeur et félicité, a promis à Sa Majesté de l'aimer non seulement comme son frère, mais le révérer comme son père, son Roy et souverain seigneur, l'a supplié très humblement de croire qu'il n'ignore point le mauvais desseing de ceux qui aspirent à s'agrandir (a) par leur division et ruine, mais qu'il aimeroit mieux mourir que d'y contribuer jamais par un seul désir ou consentement, directement ou indirectement, en quelque manière que ce puisse estre ; qu'il est très résolu de ne se séparer jamais de sa personne, de ses intérests ny de ceux de l'Estat ; n'avoir aucune intelligence ny union qui puisse estre préjudiciable à l'Estat ny donner ombrage à Sa Majesté ; qu'il veult soubmettre de bon cœur ses volontés et affections à celles de Sa Majesté, qu'il aura tousjours pour loy et règle de ses actions ; qu'il ne luy sera jamais dit, proposé ou suggéré aucun conseil de la part de qui que ce soit, dont il ne donne advis à

Pièce 67. — *Ce document, signé du roi, de la reine mère et de Gaston, duc d'Anjou, se présente sous forme de deux originaux, écrits chacun d'une main différente, et d'une mise au net. L'orthographe du texte reproduit ici est celle de l'original des Affaires étrangères, qui nous a été conservé dans les papiers de Richelieu. L'autre original a été acquis par les Archives de France au mois de juin* 1973 *dans une vente publique d'autographes ; il provenait d'une collection privée. Les rares variantes entre ces deux pièces ont été signalées en note. D'autre part, les rédacteurs des* Mémoires de Richelieu *ont reproduit ce document intégralement (éd. de la S.H.F., VI, pp.* 60-64).

Au cours de la visite que lui fit, le 30 *mai, le duc d'Anjou, lit-on dans ces* Mémoires, *le cardinal « sut si bien dissiper les nuages des mauvais conseils que les factions lui avoient donnés, et si bien gagner son esprit » que, dès le lendemain, « il alla trouver le Roi et la Reine sa mère et, leur ouvrant son cœur », leur témoigna sa ferme résolution de se comporter désormais avec la plus entière soumission ; « pour gage de sa fidélité », il voulut que sa déclaration fût aussitôt mise par écrit » et fût « signée de la main de LL.MM. et de la sienne ». C'étai le jour de la fête de la Pentecôte.*

(a) Le texte des Archives nationales porte : « qui aspirent à sa grandeur », ce qui est probablement une distraction du secrétaire.

Sa Majesté jusques à ne luy taire point les moindres discours qu'on tiendra pour luy donner des ombrages du Roy et de ses conseils, affin que, n'estant entre eux qu'un cœur et qu'une âme, n'ayant qu'un mesme secret et vivants ensemble avec une telle confiance que nulle sorte d'artifice ne la puisse rompre, ils puissent franchement (b) dissiper les desseings de ceux qui vouldroient s'eslever par leur ruine. De quoy il prie la Reyne sa mère de vouloir respondre pour luy, la suppliant très humblement de croire qu'il accomplira de bonne foy ce qu'il promet en ses mains et en sa présence comme devant un autel, où il voit l'image vivante de celuy qui punit éternellement les parjures, où il a devant les yeux la mémoire très glorieuse du feu Roy son très honnoré père, et qu'il n'a ny ne veult avoir pensée, mouvement ny desseing aucun qui ne tende à l'aimer, honnorer et réserver comme une bonne mère, qu'il est obligé par toutes les loix, et principallement par le ressentiment naturel qu'il a dans le cœur, qu'il exprimera tousjours plus par effects que par paroles.

Pour faire veoir encore à Leurs Majestés comme il désire leur complaire en toutes choses, il leur promet d'aymer et affectionner sincèrement ceulx qu'ils aimeront, et se conduire en sorte qu'on recognoistra (c) qu'il les tient pour ses serviteurs, et qu'il ne met point de différence entre ses propres inthérests et ceulx du Roy ; qu'il veult estre servy par ceulx qui sont auprès de luy autant et plus que luy-mesme, leur commandant à tous d'avertir Sa Majesté si jamais il pensoit à faire le contraire de ce qu'il promet, et l'abandonner en ce cas, remettant au surplus à la bonté du Roy de traiter favorablement led. S[r] mareschal d'Ornano en considération de la supplication qu'il en a faite à Sa Majesté (d).

Sur quoy il a pleu au Roy de donner sa foy et parole royale à Monsieur son frère qu'il le tient et veult tenir non seulement comme son frère, mais comme son propre fils ; qu'il sçait et recognoist très bien que sa seureté gist principalement en sa personne, qu'il tient par inclination et par raison comme la moictyée de soy-mesmes, protestant devant Dieu qu'il consentiroist plustost à recevoir du mal que de souffrir jamais qu'il luy en fust faict ; qu'il cognoist bien le desseing de ceulx qui les voudroient voir en division ne tendre qu'à proffiter de leur perte, à quoy il sçait qu'il n'a pas de plus asseuré remède que d'aymer, chérir et affectionner Monsieur son frère comme celuy sur lequel il veult appuyer sa maison et la conservation de sa propre personne ; qu'il ne sçaura jamais par rapport ou autrement aucune chose qui le regarde dont il ne luy donne advis et qu'il ne luy die franchement, affin qu'il ne puisse arriver entre eulx aucune mauvaise intelligence ; qu'il ne prendra jamais ny ne souffrira qu'on luy donne aucun conseil contre le bien, l'avantage et la seureté de Monsieur, qu'il veult aymer et chérir plus que jamais sans que par aucune voye que ce soit il puisse changer de cœur et d'affection envers luy.

(b) L'exemplaire des Archives nationales porte « facilement ».

(c) C'est la leçon de deux documents originaux et des *Mémoires* imprimés ; le manuscrit A de ces *Mémoires* porte : « qu'on cognoistra ».

(d) Les dernières lignes de cet alinéa, depuis les mots : « remettant au surplus... » jusqu'à la fin, figurent, sur la mise au net, en marge de la feuille et d'une autre écriture. C'est évidemment une addition. Cette addition a été ensuite incorporée à la rédaction définitive.

Et pour estraindre cette union si saincte, si nécessaire à l'Estat et à la Maison royalle, il prie de toute son affection la Reyne sa mère d'intervenir pour demeurer entre eulx comme le vray et l'unique lieu de leur amitié indissoluble, et respondre en qualité de mère de la sincérité avec laquelle Sa Majesté gardera ce qu'il luy plaist promettre. Désire en outre Sa Majesté et commande à ceux desquels il se sert en ses plus importantes affaires et sur lesquels il a toute sa confiance qu'ils l'advertissent franchement s'ils s'apperçoivent que, par quelque malheur, il vinst à se départir d'une si saincte résolution, leur commandant de n'avoir en cela autre but que de servir à l'amitié et très estroicte union avec Monsieur son frère, laquelle Sa Majesté dépose entre leurs mains pour avoir un soing très exact de l'entretenir et contribuer tout ce qu'il leur sera possible pour l'accroistre.

Après ces promesses, la Reyne, joignant avec larmes ses mains au ciel, et priant Dieu pour l'union, grandeur et félicité de ses deux enfans, les a conjurés au nom de Dieu et par les plus tendres et puissantes affections de la nature de vouloir estre tousjours bien unis, sans donner lieu à aucun soubçon ny défiance, et de vouloir s'entraymer cordialement et avec sincérité, leur protestant que c'est la plus grande joye qu'elle puisse jamais recevoir au monde, sans laquelle elle ne sçauroit passer sa vie qu'avec toute sorte de misère et desplaisir ; qu'au contraire ils la combleront de bonheur, qui leur apportera toute sorte de bénédictions, s'ils sont soigneux de garder inviolablement leur foy et leur parole, dont, comme mère, elle se charge et en répond à tous les deux réciproquement, désirant passionnément qu'ils croyent que celuy d'entre eulx qui viendroit à mancquer luy abrégeroit ses jours, desquels elle ne désire l'usage que pour les veoir heureux et contens.

Leurs Majestés et Monsieur ayant juré ce que dessus sur les Sts Evangiles, il leur a pleu de signer cet escript en tesmoignage de leur estroicte union et pour asseurance qu'ils veulent inviolablement observer ce qui est porté en iceluy.

Faict à Paris, ce dernier de May, feste de Pentecoste 1626.

LOUIS.
MARIE.
GASTON.

68. — Etat des affaires du Roy au 1er juin 1626.

A.E., France, Vol. 782, f° 162-165. — Copie avec quelques additions de la main du cardinal.
Impr. : Avenel, II, pp. 207-211.

Le Roy avoit quelque XV millions tant de mille l[ivres], son revenu (a) ayant esté diminué depuis l'année mil VIc douze, et à présent il en a plus de XX millions, ses fermes et revenus ayant

(a) *En interligne, au-dessous du mot « revenu »*, on lit : « depuis que je suis en charge », de la main de Richelieu, semble-t-il.

augmenté de V millions, au lieu qu'aux autres années, avant que j'entrasse en charge, il n'estoit année que son revenu ne diminuât de XIIII à XVc mille l[ivres], par les constitutions et alliénations qui se faisoient de son domaine. Ce n'est pas que le subject des despenses ayt cessé, les grandes actions que Sa Majesté a faites montrent bien qu'il se peut dire que jamais Roy n'a tant et si peu despendu. Tous les comptes des despences qui se sont faictes jusques aujourd'hui sont arrestez ; et par là il se verra qu'il n'y en a quasi point d'inutilles ; et jamais prince n'en feit moings ; et si elles ont monté à XL et tant de millionz, c'a esté la solde du grand nombre des gens de guerre que Sa Majesté a entretenus pour les grandes actions qu'elle a faictes qui en sont cause ; et jamais Roy ne soustint tant de despenses si solides et dont l'employ fut si utille.

Il est aysé de justifier le tout par le menu, par les comptes qui en sont arrestez, par lesquelz il se veoid aussy que le Roy a despendu jusques aujourd'huy plus de XLV millions d'or depuis que je suis en charge, et le revenu ordinaire n'en a pas donné XV millions qui n'est que le tiers ; le surplus est venu d'affaires extraordinaires des comptes que j'ay arrestez, dont le labeur est tel que je ne l'oserois exprimer de peur d'estre accusé de vanité, si ce n'estoit que ce sont choses si publicques qu'il y a peu de particuliers qui l'ignorent, chacun sçachant que la confusion des finances estoit telle, qu'il n'estoit plus permis de veoir les comptes des comptables, qui estoient par ce moyen maistres de leur maniement, que, quelques affaires que le Roy eust peu faire, il n'eust sceu s'en ayder, tant ils avoient advantage en ceste confusion, qui leur donnoit le moyen de former les despences et divertissements qu'ilz jugeoient les plus avantageuses, pour les tourner à leur proffit. Et les formes de l'Estat ne permettant point que le Roy touche ses deniers par luy-mesme, estant nécessité que ce soit par les officiers qui en donnent leurs quictances, et lorsque l'on pensoit s'ayder des deniers que l'on leur avoit fait tomber entre les mains, ilz disoient qu'ilz avoient des advances, et que quand on verroit leurs affaires, il se trouveroit qu'au lieu de debvoir de l'argent, qu'il leur en estoit deub. Et tout ce que l'on pouvoit tirer d'eux, c'estoit des prestz qu'ilz faisoient des propres deniers du Roy, dont les intérestz estoient si grandz qu'ilx mangeoient tout le principal, disant qu'il leur falloit prendre leur remboursement sur les années suivantes, n'y ayant point de fonds sur le courant ; et si l'on vouloit pénétrer le fondz, on trouvoit qu'il y avoit cinq ou six années qu'ilz n'avoient compté, et les surintendant[s] voyant une montaigne de papiers, se trouvant chargez d'affaires, ne pouvoient prendre le loisir pour y vacquer, tant ilz estoient pressez de despences, et peu de moyens qu'ilz avoient de les soustenir ; aussy qu'il n'est pas possible de veoir les comptes de ces comptables en recette qui ne ferme[nt] ceux de l'Espargne, car c'est là que tous les deniers des XXI recettes générales, de XXIII fermes et plus de cinquantes traictés qui se sont faictes toutes les années doibvent estre portez (b). Et y ayant cinq années entières que l'on en avoit arresté un seul, ayant trouvé jusques à dix comptes de l'espargne ouverts, qui sont

(b) La phrase est obscure, peu intelligible.

tous arrestez de moy, et il n'y en a pas un qui ne demandast de l'argent, et qui par son estat final ne se soit trouvé en debvoir, et n'en ayt apporté à l'espargne ; comme par exemple Morant (1) pour l'année mil VIc vingt-deux avoit des descharges pour estre remboursé de VIIIc mille l. qu'il prétendoit luy estre deubs, et au lieu de cela j'ay fait veoir qu'il debvoit CL mille l. au Roy, qu'il a payez. Coulon, qui a exercé soubz luy la mesme année, avoit un arrest de remboursement pour IIc mille l., et il s'est trouvé en debvoir plus de IIIc L mille, qu'il a payez ; et Villoutreys, plus d'un million ; ainsy tous les autres comptables à proportion de leur maniement. Quant aux fermiers, Charlot prétendoit luy estre deub VIc mille l. Je le feis compter des cinq grosses fermes (2) ; il se trouva debvoir IIIc et tant de mille l., au lieu de luy estre deub. Il avoit de plus la ferme de XXs et Vs sur les gabelles du Lyonnois, dont il n'avoit pas payé un teston, et y avoit cinq ans qu'il en jouissoit, et en avoit tout le fondz entre les mains. Il estoit aussy fermier du convoi de Bordeaux, et il n'y avoit que pour en acquitter les charges et elle est aujourd'hui donnée à XIIIIc IIIIxx mille l.

Le Languedoc, qui ne portoit pas un sol au Roy, donnera à l'espargne à l'advenir plus de XVc mille l.

La Provence et le Dauphiné, qui ne fournissoient rien, en donneront plus de VIIIc mille l.

La Bourgogne nous en donne plus de IIIc mille l. Le trepas de la Loire (3) est augmenté de IIc L mille l.

Tous ces fermiers avoient de grands fonds entre les mains dont ilz se jouoient. Feydeau avoit un prest au Roy dont il avoit receu l'intérest de XIIc mille l. pour quinze mois, et il s'est trouvé qu'au lieu de faire des advances à Sa Majesté, il luy debvoit XVIIc tant de mille l. du reste des années passées, par l'estat que j'en ay arresté de la seulle ferme des aydes, que j'ay augmentée de VIc mille l., n'estant qu'à XIXc mille l., et elle est à présent à II millions Vc mille l., et doibt plus d'un million d'or ailleurs ; voilà comme tous ces comptables faisoient des prestz au Roy.

Quant aux traictans, ils faisoient le mesme, et fus contrainct de faire assigner un nommé Mennager qui avoit traicté pour les fermiers et il déclara qu'il ne debvoit rien ; et par l'estat que j'ay arresté, il s'est trouvé redevable de IIIc tant de mille l., qu'il a payez. Et Bordier, la mesme chose pour ce qui est des trois deniers attribuez aux recepveurs des tailles.

Le Camus et le mesme Bordier, semblable somme pour les controlleurs des grandes et petites mesures dont ilz avoient traicté.

(1) Sur les malversations des financiers dont il est question ici, Morant, Coulon, Villoutreys, voir les *Mémoires de Richelieu*, édit. de la Société de l'Hist. de France, t. IV, pp. 150-156.

(2) Les *Cinq grosses fermes* étaient : les droits de haut passage, de domaine forain et d'imposition foraine ; la traite domaniale ; les droits d'entrée sur les drogueries et épices, les droits à l'importation ; les charges locales.

(3) Droit perçu sur toutes les denrées et marchandises qui passaient sur la Loire, le péage était situé au confluent de la Loire et du Maine.

Le Feron jouissoit des VIIs de Dauphiné, il y avoit plus de quatre ans, sans avoir rien payé.

En somme, il se trouvera que de ces comptables, fermiers et traictans, j'en ay arresté plus de quatre cens estatz, dont il y a dix comptes de l'espargne, et n'y a plus d'ouverts, toutes les despenses estant clauses, que celles du mois courant, et qu'il n'y en a un seul qui n'ayt porté de l'argent à l'espargne ; et tous ces comptables sont maintenant si bien réglez dans leur maniement, qu'au lieu qu'on pensoit qu'il y avoit peu de gens capables de conduire la direction des finances, je puis dire qu'il n'y a rien si aysé que d'en continuer la conduite. Et si Dieu nous donne la paix, que la constance qui se rencontre en la généreuse affection de ceux qui ont la principale conduitte des affaires du Roy subsiste, il sera aysé à l'advenir par l'espargne et par les rachapts et moyens qui seront proposez, de faire en moings de cinq années plus de X millions de livres de revenu au Roy qu'il n'a. Mais comme ces grands mouvements ne se peuvent faire que dans une solide constance du temps et seure protection de ceux qui agissent, estant besoing à tous rencontres de s'exposer à la lutte des grandes puissances de l'Estat, soit des compagnies souveraines ou des principalles maisons, aussy que ceux qui inventent les affaires, cherchant le prix de leurs travaux dans l'honneur et la recongnoissance qu'ilz attendent du maistre et ceux qui agissent soubz eux veullent une solidité si grande envers ceux avec qui ils traictent, qu'ilz les cautionnent, en sorte que le temps et l'argent qu'ilz employent en ces advances ne puissent péricliter, aultrement ilz ne s'y embarqueroient jamais. C'est pourquoy il faut que Sa Majesté, ayant examiné ces moyens en particulier, et les trouvans bons, et en voulant tirer advantage devant que les faire esclatter, donne des marques de la bonne volonté qu'elle a pour ses serviteurs, qui soient telles que l'on n'en puisse doubter ; ces fruits qui ne sont jamais traversez que des changemens de la cour, ne se trouvent que dans un calme très asseuré.

Et est à noter que, outre ce que l'on a tiré des comptes arrestez, je m'oblige de faire revenir des comptes de Feydeau, Payen et Moisset et du Simple, plus de II millions d'or.

69. — M. de Valençay au cardinal de Richelieu. Montpellier, 1er juin 1626.

A.E., Mém. & Doc., France, Vol. 1627 (Languedoc), f° 257. — Original.

Analyse :

Il remet au porteur — M. de La Tour d'Abadie, capitaine au régiment de Picardie — cette lettre de recommandation pour le cardinal, qui pourra utiliser cet officier en toute confiance pour l'exécution de ses ordres.

70. — A Michel de Marillac. [Début de juin 1626].

Impr. : Antoine Aubéry, Mémoires pour l'histoire du cardinal de Richelieu, t. V, p. 493.
Avenel, II, pp. 212-213.

Je vous renvoye la déclaration pour les estropiats, avec un mémoire de ce que M. le maréchal de Schomberg et moy avons pensé sur ce sujet, sousmettant le tout néanmoins à ce que M. le cardinal de la Rochefoucauld (1) et vous jugerez plus à propos. A la vérité, il est important, juste et nécessaire d'avoir soin de la vie de ces pauvres soldats, qui sçavent si bien la mépriser lorsqu'il en est besoin pour le service du Roy. Je suis très ayse du bon succez que l'affaire de Monsieur a eüe (2). Je supplie Dieu de tout mon cœur qu'à l'advenir il ne se trouve plus d'esprits de division. J'ay esté en peine de la petite indisposition du Roy, qui, grâces à Dieu, n'est plus rien, à ce que l'on me mande.

Pièce 70. — *Le texte de cette lettre n'est connu que par les* Mémoires *d'Aubéry. Michel de Marillac ayant été nommé garde des sceaux le* 1er *juin* 1626, *il semble que cette lettre puisse être datée des jours qui suivirent, mais avant l'arrestation des frères Vendôme* (13 *juin*).

71. — A M. Fougeu d'Escures. Limours, 4 juin 1626.

B.N., Nouv. acq. fr., Vol. 5131, f° 78. — Minute de la main de Charpentier.

M[onsieu]r, si vous sçaviez les intentions du Roy, vous ne me donneriez pas la peine d'envoier vers vous pour vous dire que feu

Pièce 71. — *Charpentier a écrit hâtivement au dos de la feuille : « A Mr Descures de Fougeu ». Il eût été préférable d'écrire : « A Mr Fougeu d'Escures ». Il s'agit, en effet, de Charles Fougeu, seigneur d'Escures, fils aîné d'Hélie Fougeu, seigneur des Fourneaux, mort gouverneur d'Amboise, et d'Anne Béloïs. Il avait succédé à son père, le* 1er *octobre* 1621, *dans la charge de maréchal général des Logis des camps et armées du Roi, et devait mourir en* 1646.

(1) Le cardinal François de La Rochefoucauld (1558-1645) était alors grand aumônier du roi. Il le demeurera jusqu'au 6 février 1632. Parmi les attributions de cette charge figurent la direction et surveillance de la plupart des hôpitaux et, plus spécialement, l'intendance de l'hôpital royal des Qinze-Vingts. Le grand aumônier s'employait à fournir aux soldats devenus invalides un asile en les plaçant, munis d'une subvention en argent, dans les abbayes. Une pièce datée de 1624, f° 308 du Vol. 159 des Cinq-Cents Colbert, signalée par Avenel, montre qu'on n'avait pas abandonné, à l'époque, les recours aux monastères, qui, depuis longtemps, recevaient en qualité d'« oblats » ou « frères lais » les vieux militaires, auxquels on confiait des fonctions domestiques.

(2) L'« affaire de Monsieur » ne peut être déjà, comme le pense à tort Avenel, la conspiration de Chalais, qui n'éclatera qu'un mois plus tard. Il s'agit plutôt, semble-t-il, des « déclarations » que Monsieur avait faites au roi et à la reine mère, le 31 mai précédent, et qui permettaient d'espérer, en effet, la fin de pénibles divisions au sein de la famille royale.

Mr Descures, qui sçavoit fort bien sa charge, n'eut pas fait ce que vous faites. Depuis que S[ain]t-Benoist (1) est à moy, le Roy m'a tousjours faict cet honneur de ne vouloir pas qu'aucune de ses troupes logeassent à Sonchamp (2), ny mesme ses gendarmes quand il est à Dourdan. Et vous estes si peu considéré de m'y envoier toutes sortes d'autres trouppes qui peuvent prendre leur passage ailleurs. Si le service du Roy le requeroit, je les logerois moy-mesme dans Limours, et n'auriez point la peine de leur donner d'appartement à tous les villages qui en deppendent comme vous avez fait. Je suis fasché que vous m'obligiez par ce procéder à rendre, sans ressentiment aucun de ce qui me touche, le tesmoignage que je dois de vostre ignorance, sur le subjet de laquelle je vous fais ce mot pour vous convier d'apprendre à faire vre charge, vous asseurant que, quand vous la sçaurez, je seray,

Vre bien aff[ection]né à vous servir.

De Limours, du 4 juing 1626.

72. — M. de Schomberg au cardinal de Richelieu. Blois, 5 juin 1626.

Arch. des Af. Etr., Mém. & Doc., France, Vol. 782, f° 170. — Original.

Monseigneur,

Le voiage du Roy a esté bienheureux jusques icy. Monsieur vint rejoindre Sa Majesté à Orléans, et la Reyne mère du Roy arriva hier au soir en ce lieu, où vous estes désiré et atandu pour les raisons que vous pouvez bien juger. Monsieur paroit tousjours pansif et triste, de sorte qu'il est croiable qu'il songe à d'autre chose qu'à ce qu'il dit.

J'ay veu le billet que vous avez escrit à Mr Bouthillier, et me souviens bien des discours que nous eumes à Limours, où je ne vois point d'aparance de rien changer, mais il est incertin ce que l'inocence peust produire en suitte, et les remèdes ne se pouvant et devant prandre sans vous, il est bien nécessaire que vous vous avanciés pour estre icy avant la fin de cette semaine.

Monsr le guarde des seaux doibt arriver ce matin (1), et monsr Desfiat, qui me vist hier au soir, vous pourra tesmoigner qu'il n'a pas trouvé difficulté à me porter à ce que je sais que vous désirez, n'ayant

Pièce 72. — *Le roi et les reines étaient partis de Paris le 2 juin le cardinal prenait alors les eaux à Forges, à une lieue de Limours.*

---

(1) Le bois de Saint-Benoît est situé entre Rambouillet et la forêt de Dourdan, dans l'actuel département des Yvelines. Peut-être à l'époque existait-il un village ou un hameau de ce nom.

(2) Sonchamp, localité de l'actuel département des Yvelines, à environ huit kilomètres au sud-est de Rambouillet.

(1) C'était, depuis le 1er juin, Michel de Marillac, qui laissa la surintendance des finances au marquis d'Effiat.

pas plus grand désir que de vous pouvoir faire voir par touttes mes actions que personne du monde ne mérite à meilleur tiltre que moy le nom,

Monseigneur,

de vostre très humble et plus obéissant serviteur,
Schonberg.

Blois, ce 5e juin 1626.

73. — M. le chevalier du Guet au cardinal de Richelieu. Paris, 6 juin 1626.

A.E., Mém. & Doc., France, Vol. 1590 (Ile-de-France), f° 100. — Original.

Analyse :

En raison de la fièvre tierce qui le tient, il n'a pu venir prendre lui-même les ordres du cardinal avant son départ de Paris. Il l'assure de son entier dévouement et le supplie, au cas où il se présenterait quelque bénéfice vacant, de songer à l'un de ses enfants, « dont quantité que j'ay, écrit-il, est au nombre de douze » (1).

On lui a donné quelques renseignements sur les menées de la marquise de Verneuil (2) et sur ses relations avec l'ambassadeur d'Espagne (3). Il s'emploie à en découvrir l'objet.

On examine les papiers qu'il a saisis chez le maréchal d'Ornano, chez Déageant et chez Modène. Ce dernier parle beaucoup ; il a laissé entendre que les commissaires n'ont pas découvert une cache qui serait dans son coffre-fort.

Il fait garder chez son lieutenant le bailli de Chalons et son fils.

Pièce 73. — *Le chevalier du guet, qui dirigeait, à Paris, tout le service de police de la capitale, était alors Louis Testu, qui appartenait à une ancienne famille de Normandie, dont la noblesse semble remonter au début du* XIVe *siècle* (*Cabinet des Titres*). *Seigneur de Frouville et de Villers-en-Vexin, conseiller d'Etat et, de* 1613 *à* 1637, *l'un des quatre maître d'Hôtel du roi, il était fils de Laurent Testu, qui avait été lui-même chevalier du guet et gouverneur de la Bastille, et de Guillemette Colin.*

---

(1) Louis Testu épousa d'abord Marie Le Comte, fille de Charles Le Comte, seigneur de la Martinière et maître des Comptes, et de Jeanne Le Picart ; et, en secondes noces, Françoise Barat, fille de Robert Barat, premier valet de la garde-robe du roi. De ces deux unions naquirent, d'après ce qui est dit ici, douze enfants. *Les Dossiers bleus,* Vol. 629, n'en mentionnent que huit, parmi lesquels Charles Testu, qui succéda à son père comme chevalier du guet et fut, du vivant de celui-ci, son lieutenant dans cette charge, et Jacques Testu (1626-1706), aumônier du roi, abbé de Belleval et prieur de St-Denis de la Chartre, qui fut membre de l'Académie française en 1665.

(2) C'est la célèbre Henriette d'Entragues (1583-1633), l'ancienne favorite d'Henri IV. On sait quelle haine implacable existait entre elle et Marie de Médicis. Celle-ci la faisait surveiller.

(3) Antoine de Tolède et d'Avila, marquis de Mirabel.

74. — M. de Thémines au cardinal de Richelieu. S.l., 9 juin 1626.

A.E., Mém. & Doc., France, Vol. 781, Invent. de la cor. 1626, f° 178 v°.

Analyse :

« M. de Thémines luy envoye son cousin Mr de Léobart pour l'assurer de ses services. »

75. — Michel de Marillac au cardinal de Richelieu. S.l, 9 juin 1626.

A.E., Mém. & Doc., France, Vol. 781, Invent. de la cor., 1626, f° 173 v°.

Analyse :

« Le Roy a fait M. d'Effiat surintendant des finances, Sa Majesté a témoigné de l'aversion pour M. de Castille, que M. de Schomberg proposoit pour surintendant. »

76. — Le roi au cardinal de Richelieu. Blois, 9 juin 1626.

Impr. : Le Père Griffet, *Histoire de Louis XIII*, t. I, p. 500. Marius Topin, *Louis XIII et Richelieu* (1875), p. 133.
Comte de Beauchamp, *Louis XIII d'après sa correspondance avec Richelieu* (1909), p. 68-69.

Mon cousin, J'ai vu toutes les raisons qui vous font désirer votre repos, que je désire avec votre santé plus que vous, pourvu que vous le trouviez dans le soin et la conduite principale de mes affaires. Tout, graces à Dieu, y a bien succèdé depuis que vous y êtes ; J'ai confiance en vous, et il est vrai que je n'ai jamais trouvé personne qui me servît à mon gré comme vous. C'est ce qui me fait désirer et vous prier de ne point vous retirer, car mes affaires iroient mal. Je veux bien vous soulager en tout ce qui se pourra et vous décharger de toutes visites, et je vous permets d'aller prendre du relâche de fois à autre, vous aimant autant absent que présent. Je sais bien que vous ne laissez pas de songer à mes affaires. Je vous prie de n'appréhender point les calomnies, l'on ne s'en sçauroit garantir à ma cour. Je connois bien les esprits, et je vous ai toujours averti de ceux qui vous portoient envie, et je ne connaîtroi jamais qu'aucun ait quelque pensée contre vous que je ne vous le die. Je vois bien que vous méprisez tout pour mon service. Monsieur et beaucoup de grands vous en veulent à mon occasion ; mais asseurez-vous que je vous protégerai contre qui que ce soit, et que je ne vous abandonnerai jamais. La reine ma mère vous en promet autant. Il y a longtemps que je vous ai dit qu'il falloit fortifier mon conseil ; c'est vous qui avez toujours reculé de peur des changements, mais il n'est plus temps de s'amuser à tout ce qu'on en dira ; c'est assez que c'est moi qui le veut. Au reste, si ceux que j'y mettrai n'ont habitude avec vous, ils ne suivront pas vos avis, principalement vous étant quelquefois absent, à cause de vos indispositions. Ne vous amusez poinct à tout ce qu'on on dira ; je dissiperai toutes les calomnies que l'on sçauroit dire contre vous, faisant connoître que c'est moi qui veux que ceux qui sont dans mon conseil ayent habitude avec vous. Asseurez-vous que je ne changerai jamais et que quiconque vous attaquera, vous m'aurez pour second.

77. — M. de Schomberg au cardinal de Richelieu. Blois, 9 juin 1626.

A.E., Mém. & Doc., France. Vol. 782, f° 173. — Original.

Monseigneur,

Vous aprendrez de mons[r] Desfiat comme il est en pocession de ce que vous luy avez procuré (1). Le Roy a tesmoigné ce porter en cette action avec guaité, et Monsieur en a montré une grande aprobation. Je ne vous mande rien des desportements de Monsieur, parce que M. Boutelier n'oublie pas de vous en randre compte, joint que je n'ay point de chiffre et de jarguon avec vous. Les gens de mons[r] de Vandosme disent qu'il sera icy jeudy (2). Je vous en conjure de nous venir revoir le plus tost que vous pourez parce qu'en cent choses vous estes utille au Roy, à l'Estat et à vos serviteurs. Cependant honorez-moy, je vous supplie, tousjours de la qualité,

Monseigneur,

de vostre très humble et plus affectionné serviteur,

Schonberg.

Blois, le 9 juin 1626.

78. — M. d'Escures au cardinal de Richelieu. S.l, 10 juin 1626.

A.E., Mém. & Doc., France, Vol. 781, Invent. de la cor., 1626, f° 78 v°.

Analyse :

« Il luy fait des excuses d'avoir logé des gens de guerre sur ses terres ne sachant pas qu'elles fussent à luy » (1).

---

(1) Le marquis d'Effiat venait d'être nommé par le roi surintendant des finances à la place de Michel de Marillac devenu garde des sceaux.

(2) Le duc de Vendôme et son frère le grand prieur devaient arriver à Blois le 11 juin ; ils seront arrêtés dans la nuit du 12 au 13.

(1) C'est la réponse à la lettre du cardinal du 4 juin précédent.

79. — Le duc de Cossé-Brissac au cardinal de Richelieu. Redon, 2 juin 1626.

A.E., Mém. & Doc., France, Vol. 1503 (Bretagne), f° 249. — Original.

Monsieur,

Je voy que je ne suis au monde que pour vous donner de la peyne et de l'importunité, mais c'est la malice d'autruy plus que par mes propres défaults. Je viens d'avoir advis que *le marquis d'Acigné* (1) *s'est jeté de nuit dans Châteaugiron* (2) *avec cinquante ou soixante coquins, où il se fortifie et fait mille excedz et violences sur le peuple* dont on est tout en ferment et scandalizés à Vannes et dans le pays. J'eusse bien entrepris de le tirer de là par la force, sans la juste appréhension que j'ay eu d'esmouvoir quelque chose sur les bruits qui courent, il y a si longtemps. Ce porteur, si vous luy faites l'honneur de l'entendre, vous en dira, s'il vous plaist, les détails, vous supliant très humble[t], Monsieur, avoir agréable d'en dire un mot au Roy, affin qu'il en ordonne ce qu'il luy plaira avec la diligence que la chose mérite. Je m'en vais à Pouancé (3) attendre les commandem[ts] de Sa Ma[té] et les vostres. Faites-moy l'honneur de me les départir comme à celuy qui a trop d'obligation de demeurer,

Monsieur,

V[re] très humble et très obéissant serviteur,

François de Cossé.

A Redon, ce XIIe juin 1626.

80. — L'évêque de Nîmes au cardinal de Richelieu. Paris, 12 juin 1626.

A.E., Mém. & Doc., France, Vol. 1627 (Languedoc), f° 259. — Original.

Monseigneur,

Je suis effrayé jusques au mourir d'avoir appris que vous soyés offensé contre le sieur de Restenclières, mon frère (1), car sachant

Pièce 80. — *Claude du Caylar de Saint-Bonnet de Toiras, abbé de Saint-Gilles et de Longvilliers, prieur de Longpont, avait été élevé au siège épiscopal de Nîmes en 1625. Il était l'un des quinze enfants issus du mariage de Jacques du Caylar de Saint-Bonnet et de Françoise de Claret de Saint-Félix, dame de Palières. Il était frère du marquis de Toiras, qui s'illustrera l'année suivante à la défense de l'Ile de Ré.*

(1) Ce marquis d'Acigné, c'était Charles de Cossé, frère cadet du duc de Brissac ; il avait épousé Hélène de Beaumanoir.

(2) Au sud-est de Rennes, actuellement chef-lieu de canton du département de l'Ile-et-Vilaine.

(3) Actuellement chef-lieu de canton du département du Maine-et-Loire.

(1) Rollin du Caylar de Saint-Bonnet, seigneur de Restinclières, capitaine aux Gardes du Roi, il sera tué au combat de l'Ile de Ré, le 22 juillet 1627. On ignore de quelle affaire il est question.

combien sont reiglés les mouvements de vostre esprit, il ne m'est pas permis de doubter que vostre indignation n'aye des fondements très justes. Je n'oserois donc, Monseigneur, vous dire que mondit frère aye plustost manqué de recognoissance que de respect et qu'en la procédure il y entre plus de quixoterie (a) que de malice, de peur de passer moy mesmes pour estourdi si je cherchois des excuses en une faute pour laquelle je ne voy pas que nous puissions jamais vous donner assés de satisfaction. Le dessein de cette lettre est seulement pour m'excuser de ce que je ne vous ay pas rendu assés tost des tesmoignages de la détestation en laquelle j'ay la mauvaise conduicte de mondit frère. J'ay esté si malheureux de l'avoir ignorée jusques au retour de monsieur le duc de Bellegarde, qui a pris le soin de m'informer des circonstances de ceste mauvaise rencontre. Cette nouvelle m'a faict promptement résoudre de partir pour m'aller jetter à vos pieds, mais comme la diligence que je feray ne peut estre asses grande pour mon désir, j'ay estimé devoir cependant vous fere sçavoir, Monseigneur, qu'il n'y a sorte de submission en laquelle mes frères et moy ne nous rangions pour obtenir de vostre bonté le pardon de ceste offense. En mon particulier, je choisiray bien tousjours plustost de perdre la vie que de deschoir de l'honneur de vos bonnes graces et de la qualité,

Monseigneur, de

Vostre très humble et très obéissant serviteur,

de Toiras, év. de Nismes.

A Paris, le 12me juin 1626.

81. — Le roi au cardinal de Richelieu. Blois, 13 juin 1626.

B.N., Fonds franç., Vol. 3722, f° 22, n° 42. — Copie.
Impr. : Marius Topin, *Louis XIII et Richelieu* (1875), p. 135.
Comte de Beauchamp, *Louis XIII d'après sa correspondance avec Richelieu* (1909), p. 70.

Mon cousin, Aiant trouvé bon de faire arrester mes frères naturels, les duc de Vendosme et grand Prieur, pour bonnes et grandes considérations importantes à mon Estat et repos de mes subjects, j'ay bien voulu vous en donner advis et vous prier de vous rendre

Pièce 81. — *Les* Mémoires du cardinal de Richelieu *relatent les circonstances qui précèdent l'arrestation du duc de Vendôme et de son frère, le grand prieur* (*Voir édit. de la Société de l'Hist. de France, t. VI, p.* 65 *et suiv.*) *Arrivés à Blois le* 11 *juin, ils furent arrêtés dans la nuit du vendredi* 12 *au samedi* 13, *vers deux heures. Le « Mercure françois » — t. XII, p.* 320 *et suiv. — contient d'intéressants détails sur cette arrestation.*

(a) Lire : « quichotterie », dans le sens d'extravagance.

près de moy le plus tost que votre santé le pourra permettre. Je vous attends en ce lieu et prie Dieu vous avoir toujours, mon cousin, en sa saincte protection.

LOUIS (1).

82. — M. de Schomberg au cardinal de Richelieu. Blois, 13 juin 1626.

A.E., Mém. & Doc., France, Vol. 782, f° 177. — Original.

Monseigneur,

Je ne vous ay peu escrire ce matin par mons[r] du Mon. Il vous aura dit comme tout s'est passé le plus dextrement et segrétement du monde. Les prisonniers sont à my-chemin d'Amboise, et M. de Bestindière avec sa compagnie du rég[t] des Guardes en a la conduite et la guarde dans Amboise, dont on luy a dit que sa teste respondroit. J'ay par le commandement du Roy porté la nouvelle de cette prinse à Monsieur, qui l'a receue fort sagement et ne s'en est point esmeu. Il est aussy tost venu chez la Reyne mère, où le Roy, mons[r] le Guarde des seaux et moy estions ; tout s'y est passé à souhait. Au sortir de là, nous avons, mons[r] le Guarde des seaux et moy, parlé à tous les gouverneurs de Monsieur (1) pour les randre responsables s'il survenoit du changement en l'esprit de leur maistre. Ils ont tous cinq promis merveille et disent cognoistre fort bien que, hors les bonnes graces du Roy, il n'y a point de salut pour Monsieur ny pour eux.

Pièce 82. — *L'événement dont il est question dans le premier paragraphe de cette lettre est évidemment l'arrestation du duc de Vendôme et de son frère, qui avait eu lieu le matin même.*

---

(1) Le même jour, Louis XIII adressait à la reine mère une lettre analogue : Madame ma mère, ayant, pour de grandes considérations et très importantes au repos et sécurité de mon Estat, trouvé bon de faire arrester mes frères naturels les ducs de Vendosme et Grand Prieur de France, j'ay bien voulu vous en donner advis par ladite lettre, et vous asseurer que je ne me suis porté à ladite résolution vers des personnes qui me sont sy proches que pour leur bien propre et pour couper chemin aux désordres qui menaçoient mon royaume sy il n'y eust esté pourvu, désirant que vous en informiez mes principaux serviteurs dans l'estandue de vostre charge, et que vous conteniez ung chacun dans les limites de son devoir, de quoy me reposant sur vous, je prie Dieu qu'il vous aye, Madame ma mère, en sa sainte garde.
Escrit à Bloys le XIIIe jour de juin 1626.

V[re] très humble et obéissant fils,

LOUIS.

(A.E., Mém. & Doc., France, Vol. 782, f° 179 — Autographe).

(1) Seul le maréchal d'Ornano portait le titre de gouverneur de Monsieur. Schomberg entend par là les favoris du prince, les conseillers qui « gouvernaient » son esprit. La lettre suivante du garde des sceaux donne les noms de ces « gouverneurs » : Le Coigneux, Marcheville, Goulas, Puylaurens et Boisdennemetz.

Nous avons aussy fait faire les despesches de tous costés, dedans et dehors le royaume, afin que l'on ne publiast que ce qui est, et non pas ce que les faulx bruits font souvant courir.

Il nous a aussy samblé que pour maintenir la cour dans le calme où elle est, il seroit à propos de faire adroitement entandre à mons[r] le conte de Soissons et au card[al] de la Valette qu'ils ne suivissent point le Roy en ce voiage, parce que vous sçavez ce qu'ils peuvent sur l'esprit de Monsieur et vous ne doutez pas de ce qu'ils veulent. Toutefois nous avons estimé à propos, avant que donner ces ordres, d'en avoir votre avis. Mandez-le donc, s'il vous plaist. Nostre pensée est que le card[al] de la Rochefoucauld pourra parler à celuy de la Valette ou M. de Bellegarde, s'il est encore à Paris. Et pancerons à quelque homme de qualité qui ne soit pas mal avec la maison de Soissons pour faire sentir la mesme chose de ce costé-là. J'oubliois à vous dire que nous avons jugé à propos que M. le marquis de Raigni, comme allié, allast vers M. de Longueville, en l'absence du général des gualères et de M. de la Rocheguyon, parce que la peur qu'il aura d'estre trété comme MM[rs] de Vendosme luy pourroit donner de mauvais conseils, le désespoir estant un dangereux conseiller. C'est assez vous entretenir pour un homme qui n'a point dormi, et qui espère vous dire, dans deux jours, que je suis plus que tous les hommes du monde,

Monseigneur,

Vostre très humble et plus affectionné serviteur,

Schonberg.

Blois, le 13 juin 1626.

83. — Michel de Marillac au cardinal de Richelieu. Blois, 13 juin 1626.

A.E., Mém. & Doc., France, Vol. 782, f° 89. — Original.

Monseigneur,

J'ay laissé partir le sieur Du Mons sans vous escrire, parce qu'il vous portoit lettres de Sa Majesté et l'advis de l'heureux succès de la résolution que le Roy a prise d'arrester M. de Vendosme et M. le grand prieur, en quoy la vigilance et la circonspection du Roy a esté admirable à conduire les affaires, d'une dextérité singulière et telle qu'il y avoit deux heures qu'ils estoient pris que personne dans le chasteau ne le sçavoit, sinon ceux à qui Sa Majesté l'a fait dire. M. le Mar[al] de Schomberg en a pris un grand soin et s'y est gouverné fort prudemment. Ils sont maintenant à Amboise ou bien près. Le Roy a dépesché partout, en Bretagne, au parlement, à M. de Retz, Brissac, Montbazon et à Mad[e] de Vendosme, à laquelle ii a escrit des lettres fort amiables, à M. le Prince, à M. le Comte, à M. de Longueville, et a envoyé M. le marquis de Ragny, vers les deux heures, aux parlements de gouvernements, et fait donner l'advis à M. le nonce et tous les ambassadeurs. Il mande à Mad[e] de Vendosme qu'elle peut demeurer avec (a) si elle veut. Sa majesté vous désire fort icy. Le sujet particulier de la présente est, Monseigneur, pour ce que nous désirerions bien que personne ne vînt solliciter l'esprit de Monsieur ny luy suggérer de mauvais conseils, et par cette fin empescher, s'il est possible, que le card. de la Valette ne vienne point à la cour pour ce voyage ny Monsieur le Comte aussy, pour ce que l'on craint qu'ils soient offensés par cette action et qu'ils ne prennent sujet d'altérer l'esprit de Monsieur. Pour cela nous avons pensé que M. de Ragny le feroit doucement connoistre à Monsieur le Comte, à M. de Bellegarde et à M. le card. de la Valette ou quelque autre que vous jugiez à propos, *si vous trouvez bon que l'on face cet office,* qui est d'autant plus nécessaire à présent que l'esprit de Monsieur est en très bonne assiette. Il s'est recueilli trois heures après le coup encores, et il a fallu l'éveiller jour luy dire la nouvelle, laquelle M. de Schomberg a eu commandement de luy dire. Il l'a receu très bien, et est venu trouver le Roy chez la Reyne sa mère, et s'est souvenu avoir dit à lad. dame, il y a plus de six mois, que M. de Vendosme se faisoit le pensionnaire de Bretagne et s'y establissoit le plus qu'il pouvoit. Je vous suplie très humblement de nous faire l'honneur de nous mander si on fera doucement sentir à ces messieurs que le Roy sera bien aise qu'ils ne viennent point pour ce voyage, et, selon cela, nous le ferons escrire à ceux qui auront à leur dire. Je suis, sur ce,

Monseigneur,

Vostre très humble et très affectionné serviteur, obligé,

de Marillac.

A Blois, ce 13 juin 1626.

Monseign^r^

V^re^ prévoiance et conduit se font *sentir* (b) en cette affaire, et le Roy en retire ces bons et importans succès. Je vous supplie très humblement f^re^ brusler la prés^té^. M. de Schomberg et moy avons parlé par le commandement du Roy à Mrs le Cogneux, Marcheville, Goulas, Puylaurens, Bois de Nemetz (c)). J'en espère bien.

84. — Au roi. Romilly, 13 juin 1626.

A.E., Mém. & Doc., France, Vol. 245, f° 16. — Original.
Univ. de Paris, Bibl. Victor-Cousin, Fonds Richelieu, Vol. 17 (non paginé). — Expédition devenue minute, de la main de Charpentier.
Impr. : Avenel, II, pp. 214-215.

Sire,

Vostre Majesté est si prudente et si sage qu'elle ne sçauroit faillir en ses conseils. Je suis extrêmement fasché que MM. de Ven-

---

(a) Entendre demeurer avec son mari.
(b) Le mot est de lecture incertaine.
(c) Lire : Bois d'Ennemetz.

dosme et le grand prieur ayant donné subjet de les réduire au point qu'ilz sont (a); Mais Vostre Majesté doit tant à son Estat qu'elle ne peut estre que louée des résolutions qu'elle prend pour empescher l'effet des mauvaises volontez que l'on auroit au préjudice de son repos. Je me rendray demain à deux lieues de Vostre Majesté, pour estre lundy (1) auprès d'elle, pour obéir à ses commandemens, que recevra (b) tousjours comme une loy invialable,

Sire,

De Vostre Majesté,

le très humble, très obéissant, très fidèle et très obligé sujet et serviteur,

Le Card. de Richelieu.

De Romilly (2), ce 13e juin 1626.

Je prends la hardiesse d'envoyer à Vostre Majesté un petit mémoire des choses que j'estime les plus pressées (c).

85. — M. le prince de Condé au cardinal de Richelieu. Dijon, 13 juin 1626.

A.E., Mém. & Doc., France, Vol. 782, f° 176. — Original.

Monsieur,

Comme en mon absence il vous est aisé à juger combien la présence de Monsieur Vignier (1) m'est utile en cour, cela me fait plus ardemment vous supplier la luy procurer honorable, ce que vous pouvez le mettant en la place d'ordinaire du Conseil qu'avoit Mr le garde des sceaux. Je vous en suplie donc de tout mon cœur, et après vous avoir recommendé toutes les autres affaires, je vous asseureray que j'ay une grande joie de la souvenance que le Roy a de moy, et du choix qu'il a fait de Mr d'Esfiat, qui est très capables de cet employ où le Roy le met, comme aussy je vous proteste de nouveau que je demeureray sans variation à perpétuité,

Monsieur,

Vostre très humble serviteur,

Henry de Bourbon.

De Dijon, ce 13e juin 1626.

(a) Minute : « où ils sont ».
(b) Minute : « que je recevray ».
(c) Ce post-scriptum ne figure pas sur la minute.

(1) Le 15 juin.
(2) Romilly-sur-Aigre, près de Cloyes, dans l'actuel département du Loir-et-Cher.

(1) Claude Vignier, seigneur de Saint-Liébault, conseiller au parlement de Bourgogne. Monsieur le Prince l'avait choisi comme conseiller juridique. Il sera président à mortier au parlement de Metz en 1633.

86. — M. de Bailleul, lieutenant civil et prévôt des marchands de Paris, au cardinal de Richelieu. Paris, 15 juin 1626.

A.E., Mém. & Doc., France, Vol. 1590 (Ile-de-France), f° 102. — Original.

Analyse :

Le ravitaillement en blé de Paris s'améliore sensiblement, « les bleds que nous avons acheptés au loing arrivant de jour à autre, et faisant par ce moyen diminuer ce grand prix qui donnoit lieu aux plaintes du peuple et qui nous menaçoit de mal aussy bien que de calamité. Nous en avons à présent en abondance à bon prix ». Mais la Maison de Ville a dû s'engager à verser sur ses fonds d'importantes subventions pour lesquelles il été chargé de supplier le cardinal d'obtenir une indemnité. L'exemple de Paris est capable d'entraîner beaucoup d'autres villes.

87. — M. de Valençay au cardinal de Richelieu. S.l, 15 juin 1626.

A.E., Mém. & Doc., France, Vol. 781, Invent. de la cor., f° 183.

Analyse :

« Il adresse à M. le Card[al] un religieux qui luy vient faire des propositions utiles pour le service du Roy et le bien de la religion ».

88. — Le duc de Bellegarde au cardinal de Richelieu. Paris, 16 juin 1626.

A.E., Mém. & Doc., France, Vol. 782, f° 192. — Original.

Monseigneur,

J'ay estimé qu'en ceste dernière occasion qui s'est passée, je ne debvois rien ofrir au Roy, seulement sa créature aprouver ce que Sa Majesté a fait et louer les conseils généreux qu'elle prent de relever son authorité, qui s'en alloit quasy dans le mespris. Pour vous, Monseigneur, je sçay ce que le Roy, l'Estat et les gens de bien vous doibvent d'avoir fait résoudre Sa Majesté d'entreprendre fermement le maniement de ses affaires et récompenser ses bons serviteurs, chastier ceux qui font mal et empescher que ceux qui sont en puissance et en volonté d'en faire ne puissent, en troublant le royaume, se ruyner eux mesmes. C'est d'une bonté que nous n'avons point veue encore pratiquée. Aussy avez-vous des parties et des qualités qui ne se rencontreront jamais toutes ensemble en un mesme sujet. C'est ce qui m'oblige de plus en plus à vous admirer et à demeurer tant que j'auray de vie,

Monseigneur,
Vostre très humble et très obéissant serviteur,
Roger de Bellegarde.

Sy je n'eusse esté malade, je serois dès maintenant auprès du Roy, mais je pense de partir dans quatre jours pour aller trouver Sa Majesté.

De Paris, ce 16 juin 1626.

89. — M. de Bailleul au cardinal de Richelieu. Paris, 18 juin 1626.

A.E., Mém. & Doc., France, Vol. 1590 (Ile-de-France), f° 104.

Analyse :

Il a reçu une lettre du roi qui l'informe qu'en son absence M. le Comte de Soissons a été chargé d'assurer le commandement de la ville de Paris. Il ira dès le jour même lui présenter ses devoirs.

90. — Le duc de Guise au cardinal de Richelieu. Marseille, 18 juin 1626.

A.E., Mém. & Doc., France, Vol. 1700 (Provence), f° 306. — Original.

Analyse :

Il s'emploie à exécuter de point en point ce qui a été convenu lors de l'entrevue qu'il a eue avec le cardinal, et n'omettra rien de ce qu'il lui a plu lui dire.

91. — M. de Bullion au cardinal de Richelieu. Lyon, 19 juin 1626.

A.E., Cor. pol., Turin, Vol. 7, f° 204-205.

Monseigneur,

J'ay veu, à mon passage à Digeon, Monsieur le Prince, lequel parla fort particulièrement de la résolution qu'il a de servir le Roy et

Pièce 91. — *Claude de Bullion qui entretenait avec Richelieu une correspondance régulière pour ce qui avait quelque rapport avec les relations de la France et de la Savoie, revenait d'un séjour à Paris et avait été chargé vraisemblablement de renseigner le cardinal sur l'agitation protestante dans le Bas Dauphiné.*

de vivre parfaictement bien avec vous, ne voulant accès aucun de S.M. et de la Reyne sa mère que par vostre seul moyen, ne se pouvant lasser de publier vos louanges et d'estimer les bonnes maximes dans lesquelles vous conduisez heureusement et advantageusement les affaires du Roy en despit de l'envie mesme qui est contrainte de recongnoistre la vérité de ce discours. Je suis obligé, Monseigneur, de vous dire, par le très humble service que je vous ay voué, que le discours de deux grosses heures et dadvantage, réitéré près d'une heure le lendemain que je rencontray fortuitement mondit seigneur le Prince dans la rue, n'a abouty à aultre chose sinon que mondit seigneur le Prince désire avec une passion extraordinaire que fassiez trouver bien au Roy qu'il voye S.M. pour si peu de temps qu'il plaira à Sadicte Majesté, m'ayant mesme dit qu'il se contentera d'estre une heure à la cour, affin que toute la France peust cognoistre qu'il n'est pas mal auprès de S.M. et de la Reyne sa mère, et qu'il ira et viendra tout ainsi et toutes les fois qu'il luy sera ordonné, luy estant très aisé pour les affaires publiques et du dedans et du dehors, dont nous avons parlé assez amplement, de bien vivre avec vous, Monseigneur, estant entièrement dans la résolution de v^re^ conduitte et du dedans et du dehors. Je ne me suis chargé de ne vous faire cette harangue, mais j'ay estimé d'estre obligé de vous en donner advis de ce qu'il s'est passé, ayant exhorté tout ce qu'il m'a esté possible mondit seigneur le Prince à patienter, et qu'il falloit vous laisser conduire, et que toutes choses se feroient à son contentement, à leur temps. Il m'a prié instamment de me voir à mon retour d'auprès de M. le connestable. J'attendray sur ce point l'honneur de vos comandemens, suivant lesquels je suivray Sa Majesté et vous, Monseigneur, en ce qu'il vous plaira me commander. J'espère me rendre dans deux jours auprès de M. le connestable pour y servir suivant ce qu'il vous a pleu me prescrire ; mais, Monseigneur, permettez-moy de vous dire que jusques à présent tout ce que Monsieur le garde des sceaulx a ordonné n'est point exécuté : la patante de l'imposition n'a [pas] esté envoyée ; le comis de l'extraordinaire avec l'argent qui luy a esté ordonné n'est [pas] arrivé ; le lieutenant de l'artillerie n'est [pas] ausi venu. Et tout cela debvoit estre devant moy en cette ville. Je vous suplie croire que je feray l'impossible pour rendre le Roy content et vous, Monseigneur, Je vous demande v^re^ protection affin que le service se puisse faire. Je feray tous mes efforts pour en sortir par la douceur. M. Desplan, depuis la lettre que le Roy lui a escripte pour son retour, est allé au Pouzin. Il vous doibt rendre compte de ce voyage. Je vous supplie me favoriser tousjours de la continuation de vostre protection et croire que je suis véritablement,

Monseigneur,

Vostre très humble et très obéissant serviteur,

Bullion.

De Lyon, ce XIXe juin 1626.

92. — M. de Valençay au cardinal de Richelieu. S.l, 19 juin 1626.

A.E., Mém. & Doc., France, Vol. 782, f° 194. — Original.

Analyse :

Il remercie le cardinal du brevet que le roi vient de lui accorder ; il saisit cette occasion pour lui dire toute la fidélité et tout le zèle qui l'animent, mais il se sentira plus obligé encore quand le cardinal, dit-il, aura « ficellé » cette affection par l'honneur de son alliance. Il a chargé son frère, le chevalier de Valençay (1), d'en avancer la réalisation comme d'une chose qui doit mettre le comble à ses vœux.

Pièce 92. — *Il n'a pas été possible d'identifier avec certitude l'auteur de cette lettre. Il y avait alors huit représentants mâles de la famille d'Estampes-Valençay, parmi lesquels le marquis de Valençay, gouverneur de Montpellier. Peut-être s'agit-il — sous toutes réserves — du troisième fils de celui-ci : Jean de Valençay, baron de Bellebrune. Il n'était pas marié, à l'époque, et épousera, le* 14 *avril* 1627, *Catherine d'Elbène ; il sera tué au siège de Privas, en* 1629.

93. — M. d'Effiat au cardinal de Richelieu. Paris, 20 juin 1626.

A.E., Mém. & Doc., France, Vol. 782, f° 198-199. — Original.

Analyse :

Les difficultés que soulève le parlement l'obligent à demander au cardinal de lui faire promptement parvenir deux lettres de cachet : l'une pour le premier président, l'autre pour le procureur général, par lesquelles le roi leur demandera de recevoir « l'officier de Paris ». Pour éviter de perdre du temps, M. de La Ville-aux-Clercs pourrait se charger d'apporter ces deux lettres. Il serait bon que le cardinal en envoyât une troisième destinée au prévôt des marchands, qui a fait savoir que s'il ne recevait pas d'ordre exprès du roi, il n'inviterait pas M. le Comte (de Soissons) à assister au feu de la Saint-Jean. « J'ay creu vous devoir donner cet advis, ajoute-t-il, de peur que par ceste action Monsr et Madame la Comtesse ne rentrent dans leurs mauvaises humeurs ». Il termine ainsi ; « Tous les ambassadeurs m'ont honoré de leurs visites, et chacun d'eux en particulier m'a tesmoigné, à la mode de leurs affaires qu'ils souhaitent d'estre auprès de vous, asseurans qu'ils n'ont point de matières à traicter qui ne vous plaise ».

---

(1) Henri (1603-1678), alors chevalier de Malte ; il sera plus tard successivement bailli, grand prieur de Champagne et grand prieur de France.

94. — Les docteurs et bacheliers de Sorbonne au cardinal de Richelieu. Paris, 22 juin 1626.

A.E., Mém. & Doc., France, Vol. 1590 (Ile-de-France), f° 106. — Original.

Monseigneur,

Nous ne vous pouvons représenter la réjouissance et l'applaudissement universel de toute vostre Sorbonne voyant le dessein du bastiment que vous prétendiez faire en faveur d'icelle. Si quelqu'un s'est estonné de la beauté d'iceluy et d'une si grande structure vrayement royale, s'attachant à la simplicité de nos ancestres, il luy a esté respondu qu'il ne fault pas avoir esgard à la satisfaction du philosophe qui se contente du peu de libéralité d'Alexandre pour le tirer de la nécessité, mais qu'il fault considérer que la magnificence d'Alexandre doibt estre digne de luy et correspondre à la grandeur de son courage. Cest ouvrage, Monseigneur, est digne de vous, auquel non seulement les François et les estrangers, pour le présent, mais aussy toute la postérité y puisse recognoistre le bonheur et la faveur singulière que nostre maison a receu du ciel de vous avoir pour proviseur, patron et singulier bienfaiteur, en un mot second fondateur. Le premier (1) soubs ung Roy S.Loys, ayant donné l'estre à ceste Maison, mais vous le second, soubz ung Roy Loys, vray modelle de piété et de toute vertu, avez redonné la vie à ces bastiments mourants, faisant renaistre de ses ruines une Sorbonne toute neufve, toute magnifique. Et là où l'esclat de vos perfections contraint les plus asseurés qui vous abbordent de baisser la veue, d'aultres avec plus d'asseurances et sans sourciller contempleront en cest ouvrage non pas tant une particulière affection vostre envers ceste société de Sorbonne, comme vostre zèle non pareil pour procurer le bien général de toute la chrestienté, puisqu'en donnant le moyen à ceste compagnie de s'accroistre, c'est multiplier d'autant ceux qui peuvent travailler et respandre tant dedans que hors ce royaume les fruits de leurs veilles et travaux au bien universel de l'Eglise de Dieu, à l'honneur de Sa Majesté, de la France et de vous, Monseigneur, qui, oultre mille obligations que cest Estat vous a, par ceste incomparable libéralité, en ce faisant, graverés dans l'éternité vostre nom et vostre mémoire.

Après ces très humbles remerciements que nous vous faisons pour ce reguard, l'espérance du progrès d'un commendement si magni-

Pièce 94. — *Elu proviseur de la Sorbonne au mois de septembre* 1622, *alors qu'il n'était encore qu'évêque de Luçon, Richelieu, devenu ministre, avait confié à l'architecte Jacques Lemercier le soin de dresser les plans d'un nouveau « collège ». Il ne s'agissait pas de relever simplement les bâtiments qui tombaient en ruines, mais de construire un nouvel édifice. Les travaux commencèrent en* 1626, *et pour l'église, à partir de* 1635. *L'ensemble était achevé en* 1642.

(1) Robert de Sorbon (1201-1274), chapelain de Saint-Louis ; il fit construire à Paris, entre 1253 et 1257, le premier collège destiné aux clercs séculiers, étudiants et maîtres de théologie, qui devait porter son nom, et dont il fut d'ailleurs le premier proviseur.

fique, suivy de son entier accomplissement, nous donne encore plus subject de multiplier nos vœux et prier pour vostre prospérité et santé avec témoignage perpétuel que nous sommes,

Vos très humbles et très obéissants serviteurs et cliens,

les Docteurs et Bacheliers de nostre Maison de Sorbone,

[Deux signatures.]

De Paris, ce 22me juing 1626.

95. — Louis de Marillac au cardinal de Richelieu. Verdun, 22 juin 1626.

A.E., Cor. pol., Lorraine, Vol. 7, f° 187-188. — Original.

Analyse :

De retour à Verdun, il tient à rendre compte au cardinal du mauvais état dans lequel il a trouvé l'armée faute de paiement, et des mesures qu'il a prises pour la rétablir. Il insiste sur la nécessité qu'il y a d'assurer la régularité des paiements si le roi veut être servi en cas de besoin. Il signale l'absence trop fréquente des capitaines ; depuis son départ de Verdun il n'y en a pas eu quatre qui soient demeurés dans leur garnison. Il recommande M. de Vaubecours pour le gouvernement de Villefranche devenu vacant. Son intention est de partir dans quelques jours pour Metz. Il a appris que M. de Marcheville cherche à cèder sa charge de bailli de l'évêché de Metz, charge qui est de grande autorité dans le pays et qui exige un homme de confiance pour le service du roi. La nomination dépend de l'évêque. Il conviendrait de faire savoir à celui-ci de ne pas accorder son consentement avant que le roi ne soit assuré que le candidat est d'une fidélité éprouvée.

96. — M. le Premier président du parlement au cardinal de Richelieu. S.l, 23 juin 1626.

A.E., Mém. & Doc., France, Vol. 781, Invent. de la cor., 1626, f° 175.

Analyse :

« Il envoye le Sr d'Arcis pour demander la révocation de l'édit des Procureurs et le minot de sel accordé à toutes les compagnies. »

97. — M. de La Ville-aux-Clercs au cardinal de Richelieu. Paris, 23 juin 1626.

A.E., Mém. & Doc., France, Vol. 782, f° 204. — Original.

Monseigneur,

Celle dont il vous a pleu m'honorer du 20 de cestuy-cy me vient tout présentement d'estre rendue, qui vous puis asseurer n'avoir rien appris du contenue en icelle. Comme aussy je ne manqueray aux lieux où je me trouveray et où j'en entendray parler, de dire ce que vous m'ordonnez par la vostre, que je tiens aussi véritable come vous pourez [croire], ma très humble dévotion à vous servir et vous tesmoigner par tout ce qui dépendra de moy le grand contentement que je recepvray d'estre honoré de voz commandemens, et ce pendant je vous supplie de me conserver en vostre bienveillance et amityé l'affection que mérite à vostre service,

V^re très humble serviteur,

De Loménie.

23 juin à midy 1626. Paris.

98. — M. le cardinal de Sourdis au cardinal de Richelieu. S.l, 24 juin 1626.

A.E., Mém. & Doc., France, Vol. 781, Invent. de la cor., 1626, f° 179.

Analyse :

« Il le remercie de la protection qu'il a donnée à M. de Maillezais, son frère, dans l'affaire de Royaumont. »

99. — M. de Bourges au cardinal de Richelieu. S.l, 24 juin 1626.

A.E., Mém. & Doc., France, Vol. 781, Invent. de la cor., 1626, f° 179.

Analyse :

Il le prie d'ajouter foy à ce que luy dira le Sr de Laubardemont (1), député du parlement de Bordeaux.

(1) Il s'agit de Jean Martin de Laubardemont (1590-1653), qui se rendra tristement célèbre par le procès d'Urbain Grandier ; il était alors conseiller au parlement de Bordeaux.

100. — Brevet du roi déchargeant le cardinal de Richelieu des « visites et sollicitations des particuliers » pour lui réserver la connaissance des affaides « générales et plus importantes », afin de ménager sa santé. Blois, 26 juin 1626.

A.N., Série AB XIX 2927, pièce 4 *bis*. — Original.

AUJOURD'HUY, XXVIe jour de juin [mil] six cent vingt six, le ROY estant à Bloys, sur ce qui luy a esté représenté par Monsr le cardinal de Richelieu que le soing [+++] qu'il a pris, depuis qu'il a l'honneur d'estre en ses conseils, de vacquer à la direction des grandes affaires, qui, depuis ce temps, ont esté dedans et dehors le royaume, luy a causé plusieurs incommodités qui l'empeschent, par leur continuation, de pourvoir au [+++] avec l'assiduité qu'il désireroit y apporter, et qu'il le supplioit en ceste considération de l'en vouloir descharger sur d'autres, SA MAJESTE, ne voulant en aucune façon se priver de son service, les événements ayant fait voir com[me il a] utilement et heureusement contribué ès grandes affaires qui, depuis deux ans, ont esté en ce royaume pour les faire [+++] de son auctorité au contentement et à la gloire de Sa Majesté et au bien de cet Estat, elle l'a deschargé de toutes [les affaires] tant du dedans que dehors le royaume, voulant toutesfois qu'il prenne autant de cognoissance des estrangères et des [gé]nérales et plus importantes qui seront dans l'Estat, qu'il cognoistra le pouvoir faire sans faire préjudice à sa santé, à condition que, lorsque ses indispositions ordinaires l'empescheront d'y pouvoir vacquer, on ne puisse luy imputer d'avoir manqué à son devoir, Sa Majesté n'entendant l'obliger qu'à ce qu'il recognoistra pouvoir faire sans altérer sa santé, de laquelle elle désire tellement la conservation qu'elle veut le descharger des visites et sollicitations des particuliers, déclarant à cet effet que son intention est qu'ils s'adressent au [+] autres Ministres et aux Secrétaires d'Estat, qui proposeront leurs affaires au Roy affin que ledit Sr Cardinal n'ay a[utre] soing que d'en dire son advis, quand il se trouvera près de sa personne. Et parce que Sa Majesté espère jouir longuement de ses labeurs pour le bien de ses affaires et qu'elle le veut soulager et libérer de toutes les poursuites et importunités des particuliers, lesquelles, outre le tort qu'elles font à sa santé, portent aussi bien souvent, par la perte du temps, un notable detardement aux grandes affaires de l'Estat, elle nous recommande d'en expédier le présent brevet qu'elle veut estre observé comme un règlement par elle fait pour l'ordre de ses affaires, qu'elle a signé et fait contresigner par nous ses conseillers et secrétaires d'Estat.

LOUIS,
Le Beaucler,
d'Ocquerre,
Phélipeaux,
De Loménie.

Pièce 100. — *Cette pièce fort remarquable est l'un des très rares documents qui portent à la fois la signature du roi et celles des quatre secrétaires d'Etat. Louis XIII se trouvait alors à Blois, à la veille de gagner Tours, tandis que le cardinal se disposait à se rendre au château de Richelieu. La pièce est malheureusement en très mauvais état, déchirée au centre et piquée partout d'humidité. Malgré plusieurs lacunes, dont certaines irrémédiables, le texte n'en est pas moins parfaitement intelligible.*

101. — MM. de la R.P.R. de Béarn au cardinal de Richelieu. S.l, 28 juin 1626.

A.E., Mém. & Doc., France, Vol. 781, Invent. de la cor., 1626, f° 184 v°.

Analyse :

« Ils demandent l'exécution des promesses du Roy conformément à l'édit de remplacement fait pour leur sûreté particulière et affermissement de l'entretenement de leurs pasteurs, diaires, collèges et séminaires. »

102. — L'évêque de Nantes au cardinal de Richelieu. Nantes, 28 juin 1626.

A.E., Mém. & Doc., France, Vol. 782, f° 208. — Original.

Analyse :

Il remercie le cardinal de l'avoir autorisé à ne pas siéger aux Etats de Bretagne, et l'assure de son dévouement et de son désir de le servir. M. le garde des Sceaux pourra lui confirmer ce qu'il avait l'intention de représenter aux Etats. Il termine en faisant des vœux pour que Dieu maintienne le cardinal en bonne santé.

Pièce 102. — *L'évêque de Nantes, de 1621 à 1635, fut Philippe Cospeau, que ses contemporains appelaient toujours Cospéan. Né à Mons en 1571, il devait mourir évêque de Lisieux le 8 mai 1646. Ami du cardinal de Bérulle et lié au parti espagnol en France, il soutint à plusieurs reprises des thèses ultramontaines notamment contre le théologien gallican Edmond Richer. V. Abbé J.-Fr. Gaignard,* Monseigneur Cospéan, évêque de Nantes, *in-8e, Nantes,* 1876.

103. — M. le Mazuyer au cardinal de Richelieu. Toulouse, 29 juin 1626.

A.E., Mém. & Doc., France, Vol. 781, Invent. de la cor., 1626, f° 184 v°.

Analyse :

« Les caballes du duc de Rohan à l'encontre du Pouzin continuent. Il a néanmoins perdu beaucoup de son crédit. Il y a plus de douze ou quinze procès qui l'instruisent, les factieux le poursuivant de parti à parti. Ils ont voulu donner quelque ombrage du voyage du Roy, mais on a dissipé leurs frayeurs. Il recommande fort M. de Barbazan, porteur de cette lettre. »

104. — M. de Poyanne au cardinal de Richelieu. Navarrenx, 29 juin 1626.

A.N., Série K — 113, pièce n° 20. — Original.

Analyse :

Gouverneur des ville et château de Navarrenx (1), il demande de recevoir les moyens de subvenir à l'entretien de la garnison. On a cessé, depuis plusieurs années, d'y fournir, au point que, s'il n'avait engagé personnellement « soixante mille escus pour entretenir les gens de guerre depuis que le Roy » lui confia le gouvernement de la ville, celle-ci « se feust mille fois perdue ». Il a tenté une première démarche pour faire entendre au cardinal l'extrémité où il se trouve ; il le supplie, cette fois, de croire, écrit-il, « qu'il m'est impossible de pouvoir plus subsister, m'asseurer de la place ny en respondre à Sa Majesté sy mes advances du passé ne me sont pas payées et s'il n'est pas présentement pourveu à l'entretien ». Il espère que le cardinal fera en sorte de « racheter par un prompt et hastif remède ceste place, qui a ses ennemis et dedans et dehors, et l'Espagnol à la frontière, du péril éminent où elle est jetée ».

105. — Monsieur le Doulx au cardinal de Richelieu. La Rochelle, 2 juillet 1626.

A.E., Mém. & Doc., France, Vol. 1475 (Angoumois), f° 36. — Original.

Monseigneur,

Par la despeche que nous (1) envoyons au Roy, vous pouvez voir plus particulièrement ce qui s'est passé sur la résolution prise par le corps de ville et par les bourgeois de ceste ville d'obéir au Roy, et suivant la poursuite des articles accordez le cinq^me de febvrier, que le conseil et gouvernement de ceste ville sera réuni ez mains de ceulx du corps de ville comme il estoyt en 1610, ce qui s'est faict après de grandes contestations et ensuite des esmotions populaires que nous avons essuyées et appaisées. Ils ont dressé quelques articles sur quelques abus qui se commettayent, que nous envoyons au Roy pour les veoir seullement. Car Sa Ma^té est toute libre d'en ordonner quand

Pièce 105. — *Claude le Doulx, chevalier, seigneur de Menneville, avait été désigné comme commissaire royal auprès du corps de ville, de la Rochelle, ainsi que François de Monluc, baron de Navailles. De ces deux commissaires, le premier était catholique, le second protestant. Claude le Doulx, après avoir été lieutenant au bailliage d'Evreux, était maître des Requêtes au parlement de Paris.*

(1) Sur Fernand de Baylens, baron de Poyanne, voir la notice de la lettre du 23 décembre 1624.

(1) Nous, c'est-à-dire les deux commissaires, Le Doulx et Navailles.

et comment il luy plaira. Maintenant ils sont très bien d'accord et protestent de se bien conduire à l'advenir et de ne se départir jamais du respect et obéissance qu'ils doibvent au Roy. Ils disent ce qu'ils peuvent pour nous le faire croire. Nous les remettons aux effectz, afin qu'ils puissent recepvoir du Roy toutes les graces qu'ils en peuvent espérer. Pour le reste des articles de la paix qu'il a pleu au Roy de leur donner, nous n'estimons pas qu'il s'y trouve de difficulté. Ils ont retardé la desmolition du fort de Tasdon à cause de leurs protestations, mais ils se disposent bien d'y travailler à bon escient, et, pour cest effet, ils ont destiné un fonds de quinze cens livres de leurs deniers par une ordonnance pour prendre les paroisses de la banlieue comme ils désiroient, pour les ayder. Nous ne ferons aultre chose que ceste desmolition ne soit faicte. Sur ce je prie Dieu vous conserver en santé et vous donner généreuze et longue vye, demeurans toujours,

Monseigneur,

Vostre très humble et très affectionné serviteur,

De Menneville le Doulx.

La Rochelle, ce 2e juillet 1626.

106. — L'évêque de Bayonne au cardinal de Richelieu. — Bayonne, 2 juillet 1626.

A.N., Série K — 113, pièce n° 21. — Original.

Analyse :

Il a recours à l'intervention du cardinal pour exposer au roi l'etat de dégradation où les récentes inondations ont mis la ville de Bayonne. Il écrit : « Rien ne me doibt toucher de si près, Monseigneur, que mon diocèse. Bayonne est en un estat qui, quand je n'en serois pas l'évesque et que pourtant j'en eusse connoissance, je le vous devroys donner, estant ce que vous estes dans la France. Ce n'est plus une ville, c'est un village... » ; les ponts, les bastions, les deux tours qui se dressaient de part et d'autre de la rivière sont en partie écroulés. La population est hors d'état de porter remède à tant de ruines, si le roi ne consent à lui venir en aide, en quoi d'ailleurs le souverain ne ferait que comprendre ses propres intérêts, car « Bayonne n'est point sy peu considérable qu'elle n'asseure au Roy soixante lieues de pays et troys ou quatre bons ports ». Il supplie le cardinal de plaider auprès du roi en faveur de la requête que lui présentent les habitants.

Pièce 106. — *L'évêque de Bayonne, signataire de cette lettre, est Claude de Rueil, monté sur ce siège épiscopal en* 1622. *Il devait, le* 6 *juillet suivant, être transféré sur le siège d'Angers, où il mourut le* 20 *janvier* 1649.

107. — Madame Déageant au cardinal de Richelieu. S.l, 3 juillet 1626.

A.E., Mém. & Doc., France, Vol. 782, f° 212. — Original.

Analyse :

Elle fait appel à la bonté du cardinal pour obtenir la liberté de son mari arrêté en même temps que le maréchal d'Ornano. Elle affirme son innocence, assurant que ses pensées et ses actions n'ont jamais été dirigées que par le souci de servir le roi. Elle supplie enfin le cardinal « de ne consentir point que l'on face aucune poursuite à l'encontre de luy ailleurs que dans le parlement de Paris », privilège qui est attaché à sa qualité de secrétaire du roi.

Pièce 107. — *C'est de la seconde épouse de Déageant qu'il s'agit ici : Jeanne Quentin, fille d'André Quentin, seigneur de Richebourg, et de Jeanne Drouin. Elle devait mourir l'année suivante. Quant à son mari, Guichard Déageant, il avait été arrêté, le* 5 *mai précédent, ainsi que Modène et Chaudebonne, et ne sera remis en liberté qu'en décembre* 1631. *Né en Dauphiné, il avait été successivement secrétaire de la maison et couronne de Navarre, conseiller du roi* (1610), *secrétaire ordinaire de la reine mère* (1615), *intendant des finances, enfin premier président de la cour des Comptes en Dauphiné* (25 *avril* 1619). *Il joua un rôle important dans les menées qui précédèrent la chute du maréchal d'Ancre et son influence fut, pendant quelque temps considérable. Après une première disgrâce, en juillet* 1619, *il ne devait jamais retrouver son ancienne faveur. Quand il sera rendu à la liberté, il se retirera définitivement à Grenoble pour y exercer sa charge jusqu'à sa mort, survenue en* 1639.

108. — MM. les consuls de la ville d'Aix-en-Provence, au cardinal de Richelieu. Aix-en-Provence, 4 juillet 1626.

A.E., Mém. & Doc., France, Vol. 1700 (Provence), f° 308. — Original.

Monseigneur,

Ayant pleu à Dieu et au Roy favoriser ce pays et nous avoir esleu pour premier procureur d'icelluy Monseigneur l'archevesque v^re^ frère, nous nous ozons promettre v^re^ assistance et protection aux oraiges qui nous voudroient menasser. C'est pourquoy, sur l'advis qui nous a estés donné par Monseigneur le Connestable qu'il désiroit, retirant les trouppes de l'armée du Roy qui sont en Piedmont, leur donner quar[ti]er et les mettre en garnison dans le Lyonnois, Daulphiné et Provence, par ung gentilhomme exprès qu'il nous a envoyé de sa part, nous avons esté occasionnez de dépescher exprès de courrier à mond. seigneur v^re^ frère pour implorer son ayde envers Sa Ma^té^ pour soullager ce pauvre païs (engaigé encores pour son service de plus de çent mil escus) d'un tel abort et surcharge, qui causeroit inévitable ruyne d'icelluy. Nous nous trouvons privetz de la présance de Monseigneur le duc de Guyse, n^re^ gouverneur, party pour son voiage de mer dès le second de ce mois, auparavant l'arrivée du courrier de mondit seigneur le Connestable, ce qui nous met tous en de grandes perplexités pour les inconvénians et ruynes que nous prévoyons arriver à ce pauvre païs, s'il n'est favorisé de v[re] assistance et de l'honneur de v[re] bienveillance, ce que nous ozons vous supplier très humblement, Monseigneur, en l'absance de mondit seigneur v[re] frère, que nous craignons n'estre à la suite de la cour, et excuser la liberté que nous avons prinse de nous adresser à vous, le devoir de nos charges nous y oblige, et de demeurer comme nous sommes, s'il vous plaist,

Monseigneur,

Vos très humbles et très obéissants serviteurs,
les consuls d'Aix, procureurs du pays de Provence,
Labastide,
Herestin.

D'Aix, ce IIIIe juillet 1626.

109. — M. de Bullion au cardinal de Richelieu. Grenoble, 5 juillet 1626.

A.E., Cor. pol., Turin, Vol. 7, f° 225-226. — Original.

Analyse :

Il rappelle d'abord au cardinal qu'il lui a écrit de Lyon pour l'informer de ce qu'il avait fait en passant par la Bourgogne. La présente lettre lui sera remise par le marquis de Villeroy (1); une autre suivra dans deux jours. Il a trouvé, à son arrivée à Grenoble, le connétable de Lesdiguières engagé dans la négociation du « traité » avec le baron de Brison concernant la place du Pouzin. Diverses considérations ont déterminé le connétable à accorder les articles demandés. Lui-même s'y est résolu. L'affaire n'est d'ailleurs pas terminée, et l'on ne saura que dans deux jours le parti que prendra M. de Brison, mais il n'y a pas lieu d'en espérer grand'chose, car, à son avis, Brison ne veut qu'amuser et gagner du temps. Le commis de l'Extraordinaire n'est toujours pas arrivé avec l'argent qu'il devait apporter. Même s'il arrive plus tard, des dispositions seront prises pour remettre à Brison les quarante mille écus qu'il a demandés contre la remise de la place. Le connétable a décidé de faire l'avance des fonds sur la parole que M. de Bullion lui a donnée de la prochaine arrivée de ceux-ci. Il a eu avec le connétable l'entretien que le roi lui a commandé d'avoir. Il espère partir dans deux jours pour le Piémont et se rendre auprès du duc de Savoie. Pendant le séjour qu'il vient de faire en France, il a été décidé que l'armée du roi, sur

(1) Nicolas de Neufville, marquis de Villeroy (1597-1685). C'est le futur duc et maréchal de Villeroy, gouverneur de Louis XIV. Il avait épousé Madeleine de Bonne de Créquy, fille de Charles de Créquy et de Madeleine de Bonne de Lesdiguières.

les instances du duc, repasserait la frontière : il sera alors possible d'utiliser les troupes, s'il est nécessaire, contre le Pouzin. Il est d'ailleurs souhaitable que ces troupes soient pour un temps encore, conservées dans le pays, « pour tenir en considération Espagnols et Genevois. »

110. — MM. de la ville de Bayonne au cardinal de Richelieu. S.l., 6 juillet 1626.

A.E., Mém. & Doc., France, Vol. 781, Invent. de la cor., 1626, f° 186.

Analyse :

« Ils représentent que Bayonne n'est plus qu'un village ; que ses ponts et ses fortifications sont ruinés ; et que la ville est abîmée si on n'a pas égard à la requeste des habitants. Ils se plaignent de plusieurs arrests du Conseil, qui leur ostent le maniement des deniers destinés à payer les charges de la ville. Ils demandent que ces arrests soient cassés. »

Pièce 110. — *Cette lettre est à rapprocher de celle de l'évêque de Bayonne du* 2 *juillet : v.* supra *pièce* 106.

111. — M. de Lessongère au cardinal de Richelieu. S.l., 6 juillet 1626.

A.E., Mém. & Doc., France, Vol. 781, Invent. de la cor., 1626, f° 185.

Analyse :

« Il prie qu'on conserve le gouvernement d'Ancenis, qu'on veut oster à M. de Genonville, son gendre. Il avertit qu'il a empesché Mad^me^ de Vendôme d'envoyer à M. le marquis de Coeuvres (1) sans permission du Roy. »

Pièce 111. — *L'auteur était procureur général en la Chambre des Comptes de Bretagne ; il était conseiller d'Etat par brevet du* 23 *août* 1614, *charge qu'il se verra confirmer par lettres patentes du* 15 *novembre* 1629 *; il sera conseiller d'Etat ordinaire en* 1634.

(1) François Annibal d'Estrées (1573-1670), qui, quelques mois plus tard, sera nommé maréchal de France.

112. — M. de Valençay au cardinal de Richelieu. Montpellier, 7 juillet 1626.

A.E., Mém. & Doc., France, Vol. 1627, (Languedoc), f° 261. — Original.

Monseigneur,

Vous trouverez peut estre estrange qu'estans dans de bonnes espérances de recevoir par vostre favorable recommandation la récompense des assidutz services que j'ay rendus icy depuis quatre ans, que j'envoye exprès à la cour ce gentilhomme pour demander mon congé ; mais la nécessité me presse fort, et le mauvais traittement que l'on fait en gen[al] aux gens de guerre de cette garnison et à moy en particulier, que ne pouvant servir qu'il n'en arrive inconvénient, j'ayme mieux que ce soit un autre en ayant la charge que, pour touttes les récompenses du monde, ce malheur fust arrivé soubz ma conduitte. Tellement, Monseigneur, que si les affaires du Roy ne sont en estat qu'il puisse estre pourveu à nos paiemens, je vous supplie, comme du plus particulier bienfaict que je puisse recevoir de vous, que l'on me veuille renvoier ce gentilhomme avec mon congé. Ayant sceu que le Roy estoit party de Paris, j'y avois faict une despeche et mandé à Mrs de Chevry et Moran les moiens de s'accommoder avec Mr de Coulanges à ce que, durant le voiage du Roy et en attendant que Mr de Fiat (1) eust mis ordre aux finances, ledit Sr de Coulanges eust fourni icy, touttes les semaines, deux mil escus de ce qui reviendroit du Grenier à sel de cette ville, mais j'ay responce que cela ne se peult, et ma femme estant allée trouver Mr. Morant pour estre paié de quelque chose de mon entretenement de l'année passée, suivant une ordonnance de Monsieur de Marillac, et luy représentant nos nécessitès, il luy dit que doresnavant ce seroit bien encore pis. Si je pouvois, subsister, je n'importunerois pas le Roy durant son voiage, mais ayant tiré à Paris et icy de la bourse de mes amys ce que j'ay peu, et m'y trouvant engagé de plus de cent mil franz, je ne sçay plus quel ordre metre à ce que tout n'aille en confusion. Vous sçavez par Mrs de Beauclere et d'Herbault le menu du mauvais traittement qui est faict à cette garnison, que je n'oze metre icy craignant de vous importuner, qui est tel en effect que j'aymerois mieux permission de me retirer chargé de dettes, voire un baston à la main, que d'y séjourner davantage pour voir perdre par nécessité cette ville devant moy. Je vous supplie donc me faire recevoir cette grace de me faire obtenir mon congé, si ce n'est que l'on pourvoye promptement à nos paiemens, et que vous m'obligez de m'empescher, après y avoir si fidellement servy le Roy, d'y recevoir un affront, puisque je suis,

Monseigneur,

Vostre très humble et très obéissant serviteur,

Vallancay.

De Monp[er] ce VIIe juillet 1626.

---

(1) Lire : M. d'Effiat.

113. — M. de Bullion au cardinal de Richelieu. Grenoble, 7 juillet 1626.

A.E., Cor. pol., Turin. Vol. 7, f° 227. — Original.

Monseigneur,

Je vous ay escript par M. le marquis de Villeroy que Monsieur le connestable vous dépescheroit M. de Chapolay dans deux jours après son départ, affin de vous donner advis de la dernière résolution de Brison et de ceux de Privas. L'affaire a esté tirée en quelques longueurs par les huguenots, qui ne veulent que tromper par leurs longueurs et remises ordinaires. Enfin Monsieur le connestable a prins la dernière résolution affin de terminer ce faict ou par la douceur ou par la force. Les nouvelles que vous porte M. de Chapolay vous feront voir, Monseigneur, qu'il n'a esté rien oublié pour les mettre dans la raison, leur ayant esté accordé beaucoup plus qu'il ne falloit. Le désir de conserver la paix publique, de décharger ces provinces de deçà d'une ruine extrême ont donné lieu à tels conseils, et aussi pour justifier extrêmement les armes du Roy. J'ay trouver S.A. de Savoye, qui me presse extraordinairement, où j'espère servir le Roy et vous, Monseigneur, comme je dois et suis obligé en tant de fassons, parce que si Brison et Privas acceptent nous voilà hors d'affaires de ce costé-là (1) ; s'ils refusent, l'armée entre aujourd'huy dans le Dauphiné et a quitté le Piedmont, et par ce moyen il y a de quoy faire obéir le Roy, et pour le Pouzin et pour Ménouillan, où je vous asseure que S.M. sera servie punctuellement suivant ses commandemens et les vostres. Je ne peux pas empescher le monde de parler mais les effects vous feront cognoistre cette vérité, Dieu aydant. Et nonobstant que des cent mil escus promis à Monsieur le connestable pour le faict du siège il n'en est encore arrivé un seul denier, les affaires n'en ont pas retardé d'un quart d'heure pour tout cela, m'estant engagé en tout et par tout affin que rien ne manque au service de S.M., et pour faire cognoistre à Monsieur le connestable qu'on ne le veult tromper. Je vous peux asseurer qu'il est très fidelle et très affectionné au service du Roy, et qu'il a de très bonnes *intentions* (2), et mesme pour vous, Monseigneur, qu'il trouve parfaictement, désirant vous servir et adjurant qu'il n'a jamais cogneu un plus grand serviteur de ceste couronne et un meilleur François que vous, Monseigneur, Pour Menouillan, il treuve qu'il le faudra blocquer, Montauban estant un trompeur et ne voulant que différer, estant d'accord avec Brison en tout avec luy dans la rébellion. Au premier jour, cette affaire sera faicte, Dieu aydant. M. de Chapolay vous rendra compte de la lettre de Monsieur le connestable sur l'affaire de M. Deagens. Je ne vous importuneray de plus longs discours dans l'incertitude en laquelle je suis si l'obéissance sera rendue au Pouzin. Je seray trompé si l'affaire ne réussit par la dou-

(1) La veille même, 6 juillet, Lesdiguières avait conclu avec Brison un accord secret, dont le texte a été publié par le comte L.-A. Douglas, *Actes et correspondance de Lesdiguières*, 3 vol., 1878-1884, t. II, pp. 449-450 (pièce CCCLXXXVII).
(2) Mot de lecture douteuse.

ceur, estimant bien que justice soit faicte de l'insolence et trahison de Brison.

Je vous suplie me conserver l'honneur de vos bonnes graces et croire que je suis,

Monseigneur,

Vostre très humble et très obéissant et très obligé serviteur,

Bullion.

De Grenoble, ce VII juillet 1626.

114. — M. le chevalier du Guet au cardinal de Richelieu. Paris, 10 juillet 1626.

A.E., Mém. & Doc., France, Vol. 1590 (Ile-de-France), f° 108. — Original.

Analyse :

Il communique au cardinal quelques renseignements qu'il a pu obtenir sur les menées de la marquise de Verneuil — « la dame que vous sçavez » — qui a reçu à son domicile, sur les sept heures du soir, l'ambassadeur d'Espagne et le marquis de Châteauvillain. La marquise elle-même est allée chez l'ambassadeur « à la nuit fermante ». Le donneur d'avis lui a promis, dans deux ou trois jours, de faire répéter à son informateur ce qu'il lui a dit et en un lieu où il lui sera possible d'écouter lui-même. Le bailli de Chalons et son fils se désespèrent.

Pièce 114. — *V.* supra *pièce* 73.

115. — A Louis de Marillac. Nantes, 10 juillet 1626.

Bibl. de l'Institut, Col. Godefroy, t. 270. — Minute.
Impr. : Avenel, II, pp. 218-219.

Monsieur,

J'ay receu vostre lettre du 22 juin, pour réponse à laquelle je vous diray qu'une des choses que j'ay recommandée plus particulièrement à M. d'Effiat, a esté le payement de vostre armée, afin qu'elle puisse subsister.

Vous ne devez point vous relascher de la rigueur que vous tesmoignez vouloir tenir aux capitaines pour les obliger de résider en leurs compagnies, le service du Roy ne pouvant souffrir qu'on les en dispense, si ce n'est pour causes très justes et importantes, ce qui fait que sans doute vous serez soutenu en cela ainsy que vous le désirez.

Les preuves que M. de Vaubecour (1) a rendues de son affection au service du Roy, et la recommandation particulière que vous me faites en sa faveur font que je serai très ayse de l'assister en la prétention qu'il a sur le gouvernement de Villefranche, en sorte qu'il en ayt contentement.

On a donné ordre à l'affaire du bailly de l'évesché de Metz, dont vous m'escrivez, ce qui m'empesche de vous faire ceste lettre plus longue que pour vous conjurer de me croire, Monsieur...

De Nantes, ce 10 juillet 1626.

116. — M. Le Doulx au cardinal de Richelieu. S.l., 11 juillet 1626.

A.E., Mém. & Doc., France, Vol. 781, Invent. de la cor., 1626, f° 185.

Analyse :

« Ceux de la Rochelle, après bien des contestations, ont remis le conseil et gouvernement entre les mains de ceux du corps de ville, suivant le 1er article accordé le 5 de février. Ils envoyent quelques réglemens qu'ils ont faits pour le bon ordre en les sousmettant au Roy. Ils promettent d'estre fidèles au Roy et vont raser le fort de Tadon. »

117. — M. de Navailles au cardinal de Richelieu. S.l., 11 juillet 1626.

A.E. Mém. & Doc., France, Vol. 781, Invent. de la cor., 1626, f° 185.

Analyse :

Les émotions survenues dans la Rochelle et si préjudiciables au service du Roy n'ont été causées que par l'opposition qui estoit entre le corps de ville et le peuple, et quoyque le réglement qu'on vient de faire ne soit pas entièrement conforme à celuy de 1610, il semble que cette union préviendra tous les désordres qui estoient à craindre.

118. — M. le Commandeur de Sillery au cardinal de Richelieu. S.l., 11 juillet 1626.

A.E., Mém. & Doc., France, Vol. 781, Invent. de la cor., 1626, f° 179.

Analyse :

« Remerciement. » (1).

---

(1) Jean de Nettancourt, baron de Vaubecourt. Il s'était notamment distingué, à la tête de sa compagnie de chevau-légers, à la bataille d'Ivry et à celle de Fontaine-Française.

(1) Noël Brûlart de Sillery était le frère de l'ancien chancelier.

119. — M. de Schomberg au cardinal de Richelieu. S.l., 12 juillet 1626.

A.E., Mém. & Doc., France, Vol. 781, Invent. de la cor., 1626, f° 190.

Analyse :

« Il est à Duretal (1), où il a la goute. Il espère en partir dans deux jours et être à Nantes deux jours après. »

120. — Le duc de Nemours au cardinal de Richelieu. S.l., 12 juillet 1626.

A.E., Mém. & Doc., France, Vol. 781, Invent. de la cor., 1626, f° 179.

Analyse :

« Pour le faire souvenir d'une prière qu'il luy a faite à Beauregard » (2).

121. — A Monsieur le Prince. Nantes, 13 juillet 1626.

Arch. du Musée Condé, Chantilly, Série M, tome I, pièce n° 218. — Original.

Monsieur,

Je n'ay pas voulu laisser partir le gentilhomme qui vous va trouver pour vos affaires sans vous asseurer par ces lignes que le Roy de son propre mouvement s'est porté en cela à vous donner le contentement que vous pouvez désirer. En mon particulier, je vous suplie croire, Monsieur, qu'en tout ce qui vous concernera je seray tousjours plein de désir de vous tesmoigner par effets que je suis véritablement,

Monsieur,

Vostre très humble et très affectionné serviteur,

Le Card. de Richelieu.

De Nantes, ce XIII juillet 1626.

(1) Lire : Durtal, sur le Loir, à une douzaine de kilomètres à l'ouest de La Flèche.

(2) Henri de Savoie, duc de Nemours (1572-1632) ; il avait épousé, en 1618, Anne de Lorraine-Aumale. Le château de Beauregard est situé à quelques kilomètres au sud-est de Blois.

122. — Louis de Marillac au cardinal de Richelieu. Verdun, 14 juillet 1626.

Arch. des Af. étr., Cor. pol., Lorraine, Vol. 7, f° 190. — Original.

Analyse :

D'un voyage qu'il vient de faire en Lorraine, il est revenu très satisfait des bonnes dispositions que Son Altesse a témoignées pour le roi. Il en a été comblé d'honneurs et de caresses. Le prince est mal avec l'empereur à cause de M. de Vaudémont, mal avec la Bavière à cause de l'évêché de Strasbourg, mal avec Cologne pour le même motif, et mal avec ses autres voisins pour diverses raisons ; mais il assure qu'il se moque de tout cela. — Autres nouvelles : « La Valette a eu des nouvelles du frère de Vendosme, qui l'ont tiré de la peine où il estoit, très grande, je n'ay peu sçavoir quelles elles sont, mais c'est de la prison et par un homme exprès ; j'ay peur que la garde n'y soit pas bonne ». — Il signale que le prince de Phalsbourg est fermement résolu à se donner au roi : cette occasion ne doit pas être perdue. — Il a différé de se rendre à Metz pour aller prendre officiellement possession de sa charge, car M. de La Valette refusait de lui faire rendre les honneurs accoutumés, et, en particulier, il n'acceptait pas de quitter la ville à son arrivée. Or, sa charge ne peut s'exercer en présence du gouverneur. Depuis, au cours d'une entrevue entre Nancy et Metz, La Valette est revenu sur sa décision. Il semble même rechercher son amitié. Il s'efforcera de voir clair dans ses desseins. — Enfin il conjure le cardinal d'avoir pitié de l'armée. « Elle a diminué, écrit-il, faulte de paiement, et diminuera encore beaucoup quoy que j'y puisse faire, s'il ne luy en vient bientost. Pour le présent, vous pourrez faire estat des deux tiers des hommes ; mais si, dans un moys, il ne nous vient secours, il n'y en aura pas la moitié. Les levées de l'empereur nous en ravissent beaucoup, et la nécessité chasse le reste. L'infanterie n'a receu qu'une monstre de ceste année, et la cavallerie point. Il n'y a point d'argent pour le pain de munition, et le pays n'a plus de blé, il y a plus de trois sepmaines. Si vous demandez maintenant un bon service de moy je serois bien empesché de vous le rendre... ».

123. — M. de Louvigné au cardinal de Richelieu. 15 juillet 1626.

A.E., Mém. & Doc., France, Vol. 1503 (Bretagne), f° 251. — Original.

Analyse :

Invité par le cardinal à le venir trouver, il s'excuse de ne pouvoir le faire, car en s'absentant, ne fût-ce que trois jours, son voyage ne manquerait pas d'être remarqué par ceux de sa profession, « ce qui, écrit-il, me rendroit parmi eux odieux et suspect, et ensuitte moins capable de pouvoir à l'avenir si utilement servir Sa Majesté ». Il proteste de son zèle à servir le roi.

124. — M. Matel au cardinal de Richelieu. 16 juillet 1626.

A.E., Mém. & Doc., France, Vol. 781, Invent. de la cor., 1626, f° 175 v°.

Analyse :

« Il donne avis à M. le Cardinal de se donner garde de quelque artiffice de deux livres de poudre qu'on pourroit jetter dans sa litière, dans son carosse ou sous son lit. Que Spinola fait construire une espèce de frégatte toute particulière pour attaquer les isles des Hollandois. Dans la mesme lettre est un billet, où l'on dit que Coublat, gentilhomme d'Auvergne, domestique de M. de Vendôme, a couché trois nuits à La Callotière, est allé à Goufe, puis à Paris. »

125. — M. de Bailleul au cardinal de Richelieu. S:l., 17 juillet 1626.

A.E., Mém. & Doc., France, Vol. 781, Invent. de la cor., 1626, f° 175 v°.

Analyse :

« Il a fait toutes les perquisitions pour découvrir certains libelles dont on parloit dans le public, et n'a rien trouvé. »

126. — M. de Montauban au cardinal de Richelieu. S.l., 17 juillet 1626.

A.E., Mém. & Doc., France, Vol. 781, Invent. de la cor., 1626, f° 185.

Analyse :

« Il avoit dépesché au Roy pour l'informer de son traitté avec M. Desplan, mais Bosareau, qu'il avoit chargé de cette commission ayant esté retardé par M. le Connestable, il envoye un gentilhomme à M. le Card[al] l'informer de toutes les pratiques qui se sont faites, et le prier de terminer cette aff[re] avec luy. »

127. — M. le Doulx au cardinal de Richelieu. La Rochelle, 18 juillet 1626.

A.E., Mém. & Doc., France, Vol. 1475 (Angoumois), f° 38. — Original.

Monseigneur,

Nous (1) envoyons ce porteur vers le Roy pour entendre ses volontez sur deux affaires qui se présentent en ceste ville. L'une est

(1) Les deux commissaires royaux, Le Doulx et Navailles.

pour la traicte domanialle, de laquelle les Rocheloys se prétendent exempts en conséquence de la responce à leur requeste présentée le sept^{me} febvrier, et de l'arrest du Conseil du 22me apvril dernier. L'aultre, pour un différend survenu entre le présidial et le maire, lorsque nous voulions faire signer un accord général de tous leurs différentz. Vydier, messager ordinaire à Paris, a voulu avoir réglement de sa charge et faict ordonner que luy et ses compagnons partiroyent les mardiz comme ils faisoient auparavant... (a), et que leurs pacquetz seroyent portez aux logis des officiers du présidial et du maire. Cette dénomination du maire après le présidial a faict assembler le corps de ville, joinct quelques aultres raisons qu'ilz peuvent avoir, et ordonner que lesd. messagers partiront le mercredy ainsy qu'ils ont faict depuis la paix. En exécution de ce conseil, le maire a empesché le messager de partir mardy de nuict. Le mercredy, les présidiaulx ont faict sortir sa malle et l'ont faict porter au palais. Ils ne l'ont dellivrée que jeudy au matin, que le messager est party. Et pour avoir par le maire empesché l'exécution de leur jugement, ils l'ont condamné à trois mil livres d'amendes et desclaré prise de corps contre deux du corps de ville qui l'assisteroient, de quoy le maire et le corps de ville se sont fort offensez, et résolu de s'opposer à l'exécution de ce jugement. Nous avons faict et faisons tout ce qui nous est possible pour tempérer les agitations des uns et des autres, et procédé par remonstrances consistant en propositions d'expédients, n'ayant pouvoir suffisant pour juger. Mais il n'y a pas moyen d'empescher l'effect de ces sortes de passions. C'est à quoy il vous plaira de faire pourvoir et le plus promptement qu'il se pourra, et nous faisant entendre les intentions de Sa Majesté nous ne manquerons de les exécuter comme tout ce qui luy plaira nous commander. Ce nous est toutesfois moyen pour bien servir de ce qu'il a pleu à Sa Ma^{té} nous tesmoigner avoir esté agréable n^{re} négociation en ceste ville. Nous envoyons les pièces justifficatives de tout ce que dessus à Monsieur d'Herbault. Sur ce je finy la présente pour prier Dieu vous donner en santé très longue vie, et me dire tousjours,

Monseigneur,

Vostre très humble et très affectionné serviteur,

De Menneville Le Doulx.

La Rochelle, ce XVIIIe juillet 1626.

128. — Considérations sur le mariage de Monseigneur, frère du Roy,

A.E., Mém. & Doc., France, Vol. 782, f° 237-239.
Impr. : *Mémoires du cardinal de Richelieu,* édit. de la société de l'Hist. de France, t. VI, Appendice II.

A Monsieur le Card^{al} de Richelieu. 19 juillet 1626.

Comme le mariage de Monsieur avec Mlle de Montpensier a esclatté tout à coup dans la cour, les fidèles serviteurs du Roy ont

(a) Deux mots illisibles : probablement « la paix » de février 1626).

tous esté saisis d'estonnement d'une résolution sy subite en une affaire de sy grande importance. Et ne prévoyans que confusions d'une telle alliance faicte à contretemps et avec des personnes sy suspectes à l'Estat, ils ont estimé qu'ils devoyent faire retentir leurs cris et leurs soupirs jusques à ceulx qui en sont les autheurs ou pour le moins qui y peuvent apporter les remèdes, en leur faisant entendre succinctem[t] les puissantes raisons qui les doibvent esmouvoir, pour prévenir les misères dont la France est menacée, qui sont celles qui ensuivent :

Premièrement, qu'il n'y a rien qui presse de marier Monsieur en l'aage de 18 ans (1) ; que son mariage ne peult en tout sens qu'apporter du désordre dans le royaume et nulle seureté présente au repos de l'Estat ;

Que du jour du mariage de Monsieur on verra la cour partagée en caballes et le royaume en factions, ainsy qu'il semble le tout n'y estre desjà que trop disposé et à quoy il fauldroit travailler p[r] y remèdier, sans en faciliter davantage les menées ;

Que si, par les artifices des partisans des ennemis du repos public, le Roy et Monsieur venoyent à entrer en deffiance l'un de l'autre (comme il n'y a que trop d'apparance qu'ils y tomberont), tant s'en fault que l'entremise de la Reyne mère puisse servir à la réunion, qu'au contraire la faction estrangère la fera rendre suspecte aux deux partys, à fin d'allumer le feu par tout, et de tous les désordres qui naistront d'une telle division on accusera tousjours la Reyne mère comme première cause d'iceulx ou vous, Monsieur le Card[al], pour ne les avoir prévenuz.

Or, quand bien il seroit nécessaire pour retenir Monsieur de luy donner apannage ou de le marier, les judicieux soutiendront qu'il vault beaucoup mieulx pour le Roy et le Royaume luy accorder le premier que de faire les deux ensemble. On a veu plusieurs fils de France avoir leur apannage sans estre mariez, tesmoin feu Monsieur (2) : et n'y a nul inconvénient d'accorder celuy de Monsieur et cependant luy donner quelque espérance de grand mariage hors le Royaume, pour tousjours le tenir mieulx attaché à la bienveillance et assistance du Roy. Mais de le marier dès à présent avec Madem[lle] de Montpensier, c'est le rendre trop puissant de bonne heure et en un

Pièce 128. — *Cette pièce est précédée d'une feuille de garde. — f° 236 — sur laquelle Charpentier a écrit : « Employé 1626 ». Au-dessous, de la main de Le Masle, on lit : « Avis envoyé à M[r] le card. de Richelieu le 19e juillet contre le mariage de Monseigneur, frère du Roy, monstré au Roy deux heures après l'avoir receu ». Toutefois, au verso du dernier folio — f° 239 — le Secrétaire d'Etat Phélypeaux d'Herbault a porté cette indication : « Il a pleu au Roy me commander de certiffier que l'escrit susdit a esté veu et présenté à Sa Ma[té] à Nantes le 11e jour d'aoust 1626, qui l'a veu. — Phélipeaux ».*

(1) Gaston, duc d'Anjou, fils d'Henri IV et de Marie de Médicis, était né le 25 avril 1608, à neuf heures et demie du matin.

(2) François duc d'Alençon, puis duc d'Anjou, quatrième fils de Henri II et de Catherine de Médicis, et frère d'Henri III (1554-1584). Il reçut en apanage, le 6 mai 1576, l'Anjou, la Touraine et le Berry.

aage trop glissant ; en un mot c'est courir risque de jetter la France dans la Lorraine et mesme donner un compagnon au Roy, voire un m[aîtr]e au cas qu'il vinst à avoir lignée devant Sa Maté.

Il y a plus, c'est que le Roy n'ayant point d'enfants à présent et n'estant qu'au commencement de la fleur de son aage et la Reyne aussy, c'est jouer la réputation et l'authorité de Sa Maté que de marier Monsieur avant que le Roy ayt lignée, d'aultant que mariant Monsieur au bas aage où il est s'est desjà faire cognoistre au public que c'est par une nécessité pressante et qu'on se défie que Dieu ne donne des enfans au Roy, et, bien qu'il en puisse avoir dans un, deux ou trois ans ou plus (comme c'est chose qui n'est hors d'espérance), néantmoins Monsieur venant à en avoir devant Sa Maté, il est certain que le Roy, dès ce jour-là, deschoit de son authorité et tombera dans le mespris des grands et de tout son peuple.

Que si, d'un aultre costé, Dieu permettoit que Monsieur n'eust point d'enfans dès la première année de son mariage, chacun s'imaginera aussy tost qu'il n'aura pas de lignée non plus que le Roy. Et là dessus les princes du sang et leurs partisants ne manqueront de réveiller leurs espérances, et tel que l'on pense abbaisser et reculer en mariant Monsieur (3), se haussera et s'advancera davantage dans l'Estat, le tout au préjudice du Roy, de la Reyne mère, de Monsieur, et de vous mesme, Monsieur le Cardal, en ce que chacun jettera les yeulx sur luy malgré que vous en ayez.

Un aultre inconvénient très grand, c'est que, mariant Monsieur à Mademoiselle de Montpensier, il est très difficile d'empescher que la puissante Maison de Lorraine ne s'empare de luy, à raison du grand nombre de seigneurs et dames qui sont de cette Maison, qui grossiront celle de Monsieur par l'assiduité qu'ils rendront auprès de luy et, encore qu'il n'ayt pour l'heure aucune inclination de ce costé-là, les artifices l'y jetteront. Monsr d'Espernon, qui est superlatif aux intrigues, hault à la main et oncle de Mademlle de Montpensier, sçaura bien attirer Monsieur et se prévaloir de son alliance. Il ne manquera de faire susciter des brouilleryes entre Sa Maté et son frère, à fin de le faire tomber dans le party lorrain au premier dégoust qu'il aura du Roy. Or, de se persuader que Sa Maté ni la Reyne mère puissent en tout et partout contenter Monsieur, c'est chose impossible ; et ainsy, tant plus Monsieur sera puissant, et plus légèrement il s'emportera et impatiemment supportera du desplaisir.

De plus, ceste alliance relève une Maison estrangère (4) qui a tousjours esté nuisible et suspecte à la France, laquelle a mesme desjà par plusieurs foys heurté l'authorité de nos Roys, n'ayant pour but que d'enjamber tous les jours sur les Bourbons jusques à faire difficulté de leur céder, ceux de cette tige estants aujourd'huy si puissants que les cadets d'icelle sont pour l'heure plus riches que n'estoyent les ainez du temps qu'ils ont osé tramer dans le Royaume une puissante ligue contre leur souverain ; que s'il arrivoit par malheur que ceux de ceste famille vinssent à posséder Monsieur avant que le Roy eust des enfants, ils sont plus que trop capables de tout

(3) Allusion au prince de Condé.

(4) La maison de Lorraine : la mère de Marie de Montpensier, Henriette-Catherine de Joyeuse, s'était remariée à Charles de Lorraine, duc de Guise, qui devenait ainsi le beau-père de l'héritier du trône.

entreprendre, les choses n'estants, possible desjà, que trop disposées à les favoriser par les vieilles intelligences qu'ils ont tant dedans que dehors le Royaume ; et par là vous seriez bien fin, Monsieur le Card[al], s'ils ne vous attrapent au trébuschet, et le Roy aussy (5).

De dire que, Monsieur estant marié, cela le retardera de faire aucune escapade, c'est tomber hors du sens commun, car, si on le craint lorsqu'il n'a encore rien, il sera bien plus à craindre quand il sera puissant, joint que le mariage, les enfans et l'alliance l'authoriseront beaucoup davantage pour entreprendre tout ce qu'il voudra sans que le Roy, la Reyne mère ni vous, Monsieur le Card[al], osiez vous y opposer.

Est aussy à noter que Madem[elle] de Montpensier a de grandes prétentions sur le duché de Bourbon et comté d'Auvergne, à raison de quoy elle fait mesme renouveler tous les ans ses demandes par signiffications à Mr le Procureur g[al]. Or, estant mariée à Monsieur, cela servira de subject de querelle toutes fois et quantes qu'il y aura quelque mescontentement : ainsi, en tout biays, ce mariage ne peult produire que brouilleryes et nulle apparance de repos.

Pour conclusion, tous les fidèles serviteurs du Roy qui sont à présent en ceste cour vous advertissent, Monsieur le Card[al], qu'ils ne prévoyent que calamitez d'un tel mariage précipité, et qu'indubitablement Sa Ma[té] et tout le royaume vous sçaura mauvais gré, devant qu'il soit trois moys, sy vous ne l'empeschez pas vostre prudence et bonne affection au bien public (6).

129. — M. D'Esplan au cardinal de Richelieu. S.l., 19 juillet 1626.

A.E., Mém. & Doc., France, Vol. 782, f° 234. — Original.

Analyse :

Il remercie le cardinal de la bonté qu'il a eue de l'autoriser à rentrer à Paris. Avant de partir, il fera une dernière tournée à travers le Languedoc, mais ne verra personne à l'exception du connétable de Lesdiguières. Il se défend contre l'opinion émise par M. de Bullion, qui a prétendu que si les affaires ne se terminaient pas par la douceur, c'était sa faute. Il justifie la conduite qu'il a observée en ne rendant compte qu'au cardinal de sa mission. Le connétable a envoyé un paquet de Madame la Princesse à Monsieur le Prince, lequel a eu de longues conférences avec le Père Arnoux (1). Il a été très bien reçu à Dole et assez mal à Besançon.

---

(5) Tous ces arguments dirigés contre les dangers que ferait courir l'élévation de la maison de Lorraine seront repris, quelques années plus tard, par Richelieu, quand Gaston d'Orléans, devenu veuf de Marie de Montpensier, contractera un mariage secret avec Marguerite de Lorraine-Vaudémont.

(6) L'auteur de ce mémoire est demeuré inconnu. Il n'est pas impossible que Richelieu en ait été l'inspirateur, peut-être avec la pensée d'exposer ainsi plus complètement au souverain les deux faces du problème.

(1) Jésuite, ancien confesseur de Louis XIII, il avait été disgrâcié en 1621 et remplacé par le Père Séguiran, qui, à son tour, avait cédé la place, en 1625, au Père Sufren.

130. — M. de Saint-Luc au cardinal de Richelieu. S.l., 20 juillet 1626.

A.E., Mém. & Doc., France, Vol. 781, Invent. de la cor., 1626, f° 179 v°.

Analyse :

« Il demande quelqu'une des places vacantes. »

131. — Au roi. Considérations sur le mariage de Monsieur son frère. 20 juillet 1626.

A.E., Mém. & Doc., France, Vol. 782, f° 241-244. — Minute. Impr. : Avenel, II, pp. 226-235.

Pour ne pas faire ce mariage on peut considérer l'intérest du Roy, celuy de Monsieur ou celuy des princes du sang.

Cette raison a une autre face qui sera touchée cy-après.

Pour le Roy, on peut dire :

Que si Monsieur a des enfans, il sera plus considéré que Sa Majesté ;

M. de Guise n'est pas d'humeur à hasarder sa fortune.

M. de Chevreuse est tout à fait attaché à son plaisir et à ses aises.

M. d'Elbeuf n'a point d'establissement.

Qu'il prendra une forte liaison avec les princes qui entreront en l'honneur de son alliance, ce qui luy pourroit donner diverses pensées dans le royaume préjudiciables au repos de l'Estat et au bien du service de Sa Majesté.

Pour Monsieur on peut considérer :

L'imagination, quoyque vaine, d'une meilleure fortune, dans laquelle on pourroit avoir pour luy des pensées d'une alliance plus haute.

Pièce 131. — *Cette pièce est précédée, dans le volume des Archives des Affaires Etrangères, d'un folio (f° 240) sur le recto duquel on lit de la main même de Richelieu le titre reproduit ici : « Considérations sur le mariage de Monsieur son frère », et, d'une autre main, l'indication : « 1626, 20 juillet ». Une troisième main, qui est sans doute celle de Harlay de Sancy, a écrit, « Employé ». Les* Mémoires du cardinal de Richelieu *reproduisent, en effet, le texte de ces « Considérations », mais sans les annotations marginales qui figurent sur la minute et dont l'écriture est celle de Charpentier avec quelques mots de la main du cardinal.*

Les Mémoires *placent cette pièce aussitôt après la visite que fit Monsieur au Cardinal, le 23 juillet. Mais la chronologie des* Mémoires *n'est pas toujours parfaitement rigoureuse. C'est ainsi que les rédacteurs ont placé après ce texte la mention d'un document qui lui est manifestement antérieur, l'avis envoyé au cardinal contre le mariage de Monsieur, qui est daté du 19 juillet. Il ne semble donc pas qu'il y ait lieu d'écarter la date du 20 juillet qu'une main contemporaine a portée sur la feuille liminaire de cette pièce.*

Les personnes :

M. le comte ; M. le duc de Savoye, M. de Longueville ; M. de Vendosme ; M. le grand prieur ; M. de Guyse et les siens ; M. le prince, lié par le mariage de sa fille avec la maison de Guise, et l'intérest commun de luy et de M. le comte contre la maison royalle.

Les gouvernements :

Berry, Bourbonnois ; Auvergne, Daulphiné, Savoye ; Provence, à la propriété de laquelle les prédécesseurs de M. de Guise ont prétendu ; Languedoc, où M. de Montmorency, beau-frère de M. le Prince, est gouverneur ; Normandie ; Bretagne, qui n'est plus en estat de nuire par l'ordre que Sa Majesté y a mis.

Pour l'intérest des autres princes du sang, il est évident à ne le (1) faire pas, tant parce que moins y auroit-il d'espérance que le Roy ou Monsieur ayent des enfants, plus en auront-ils à la couronne, que parce aussi que, ce mariage rompu, il va directement à M. le Comte (2), qui, par ce moyen, augmentera beaucoup en authorité, en biens et en liaisons d'hommes et de gouvernements considérables.

Pour le faire il faut considérer, à l'opposite, l'intérest du Roy, celuy de Monsieur, celuy des princes et de plus celuy de la France.

On a ouy dire à M. d'Espernon que le feu Roy Henri IIIè n'ayant point d'enfans, c'estoit une question du temps, sçavoir s'il debvoit laisser marier M. le duc d'Anjou ou non.

La plus part estimoient qu'un tel mariage estoit désavantageux au Roy, pour les mesmes raisons exposées ci-dessus, qui estoient appuyées alors par les uns à bonne intention, et par les autres comme partisans de ceux qui vouloient la ruyne de la maison royalle.

Luy, au contraire, disoit au Roy qu'un tel mariage luy estoit nécessaire, parce que si Monsieur avoit des enfans, cela osteroit tout lieu aux estrangers de penser à la couronne, et par conséquent de faire aucun attentat sur les personnes royalles.

Cependant le conseil de la plus grande part prévalust, et, comme on sçait, les deux frères finirent sans enfans ; Monsieur, le premier, après quoy fust commis le misérable attentat contre le feu Roy Henri III.

Lorsque M. le prince voulut faire aller Monsieur aux armées de Languedoc (3) conjointement avec Sa Majesté, elle (4) en fust divertie par cette considération que la seureté de l'un dépendoit de la conservation de l'autre.

Qui plus est, si le mariage ne se faict pas on laisse Monsieur en estat de pouvoir escouter et entretenir des négocia-

(1) — « à ne le faire pas » — : à ne pas faire le mariage.

(2) Si le projet de mariage avec Monsieur était rompu, Marie de Montpensier épouserait le comte de Soissons — M. le Comte.

(3) Lors de la campagne de 1622.

(4) Elle : Sa Majesté.

tions en païs estrangers, soubz prétexte de mariage ; ce qui pourroit bien estre avantageux pour luy, mais non pour le Roy ni pour l'Estat.

On laisse en outre en estat de penser au mariage de la fille de M. le prince (5), qui seroit de bien plus périlleuse conséquence que celuy qu'on veut faire à présent.

L'intérest de Monsieur se trouve en ce mariage à raison de la seureté qu'il luy aporte, par les enfans qu'il en peut avoir ; mais autrement il semble n'y estre pas. Veu qu'il le prive de plus grande espérance de liaison tendante à négociations, qui pourroient diminuer le repos et la tranquillité du Roy et de l'Estat.

L'intérest des princes du sang ne s'y rencontre pas, d'autant qu'il les esloigne de la ligne royalle et empesche qu'ils ne se fortifient par des liaisons préjudiciables.

L'intérest de la France y est évident, parce que, si l'exemple de ce qui est arrivé au Roy Henri IIIè a lieu, ce mariage asseure la personne du Roy, oste lieu de craindre aparemment que ceste couronne passe en une autre main que celle de la ligne royalle, arreste les desseins des uns, affoiblit les pensées des autres, et, ostant toute occasion d'entreprinse, conserve et affermit la paix.

Le Roy a besoin de grande prudence pour se résoudre sur ces diverses considérations : car tel luy dissuadera le mariage soubs prétexte de l'intérest de Sa Majesté, représenté ci-dessus, qui le faira pour favoriser Monsieur, son frère, luy donnant lieu de penser à une alliance estrangère ou à celle de la fille de M. le Prince, ou l'en dissuadera (a) aussy peut estre pour favoriser M. le Prince ou par hayne de la maison de Guise. Tel aussy le fera innocemment et sans mauvais dessein.

Il se pourra faire aussi que, comme quelques-uns le conseilleront syncèrement pour asseurer la personne du Roy et pour le salut de l'Estat, d'autres encore le conseilleront pour rendre Monsieur plus

(a) « l'en dissuadera » : de la main de Richelieu.

(5) Anne-Geneviève de Bourbon-Condé, née le 29 aoust 1619, elle n'avait alors que sept ans. C'est la future duchesse de Longueville.

considérable par l'alliance qu'il prendra, et par les enfans, s'il vient à en avoir.

Ceux qui seront despouillés de passion et n'auront devant les yeux que l'intérest du Roy appréhenderont tellement les calomnies ordinaires et les événemens incertains, qu'on ne doibt pas trouver mauvais, si, en une affaire si délicate, ils suspendent leurs jugemens (6).

Sa Majesté sçait que, pour ces considérations, je n'ay jamais voulu luy donner aucun conseil en ceste affaire (a), parce qu'à vray dire il y a des inconvéniens, à craindre, soit à faire le mariage, soit à ne le faire pas.

Cependant il y a deux raisons pour lesquelles on peut juger (b) que le Roy tirera avantage du mariage.

Tandis que Sa Majesté n'aura point d'enfans elle ne peut estre asseurée en son Estat contre les diverses pensées de ceux qui voudroient veoir la fin de la maison royalle que par la conservation de la vie de Monsieur. Et d'autant que la vie d'une personne est incertaine, ceste asseurance ne sera point entière que lorsque Monsieur aura des enfans, puisqu'en ce cas il est difficile qu'on puisse faire des desseins pour venir à une succession où il y a plusieurs testes.

Outre cela, tant que le Roy et Monsieur n'auront point d'enfans, Sa Majesté sera contrainte de souffrir de Monsieur tout ce qu'il voudroit faire, veu que de sa conservation dépend la seureté du Roy. Au lieu que s'il a une fois des enfans, quoyqu'au berceau, ils asseurent Sa Majesté et luy donnent lieu de retenir sans crainte Monsieur dans les termes de son debvoir, au cas qu'il s'en ésloignast ; ce qui n'est pas un petit avantage, puisqu'en ce cas Sa Majesté pourra vivre en maistre sans qu'aucune considération l'en empesche.

Il y a encore une raison considérable entre plusieurs autres que j'ay ouy plusieurs fois dire à Sa Majesté luy avoir faict prendre la résolution de faire ce mariage, c'est qu'il y a eu d'assez méchantes âmes pour porter aux oreilles de

(a) « en ceste affaire » : de la main de Richelieu.
(b) « on peut juger » : id.
(6) Telle est apparemment l'attitude de Richelieu.

la R. (7) que les roys, non plus que les autres hommes, n'estant pas asseurés de vivre longuement, elle debvoit considérer comme une personne qu'elle pourroit espouser, si le malheur de la France nous privoit de celle du Roy, et debvoit par conséquent empescher qu'il ne se mariast (8). Bien qu'il n'y ait personne qui ne croie que la R. n'a pas plus tost ouy ceste proposition qu'elle ne l'aye condamnée comme diabolique, si est-ce toutesfois que j'ay ouy dire souvent au Roy qu'il seroit bien ayse de fermer la porte à telles imaginations par le mariage de Monsieur, son frère, auquel il tesmoignoit aussi de porter pour les considérations suivantes.

Que ce mariage sépare Monsieur et M. le comte, qui espère maintenant espouser Mlle de Montpensier, par le moyen de Monsieur, qui luy a promis de la refuser exprès pour la luy faire avoir.

Qu'il a osté à M. le prince l'espérance de la couronne, laquelle il regarde ouvertement ayant tesmoigné plusieurs fois croire et espérer certainement qu'il la posséderoit un jour.

Que Sa Majesté aime beaucoup mieux, s'il ne doibt point avoir d'enfans, que la couronne aille un jour aux enfans de Monsieur qu'à ceux de M. le prince.

Que le mariage de Monsieur n'empeschera pas que le Roy ayt des enfans, s'il en doibt avoir. Que si Monsieur en a le premier, le Roy les fera nourrir auprès de sa personne : ce qui luy donera quelque seureté des comportemens de Monsieur.

Que Mlle de Montpensier se sentira tellement obligée au Roy, qui aura vaincu toutes les difficultez qui auront été faictes de la part de Monsieur en ce mariage, qu'elle n'oubliera rien de ce qu'elle pourra pour faire que Monsieur se gouverne bien avec luy.

(7) La reine, Anne d'Autriche.

(8) Cette insinuation avait pris corps surtout à l'occasion de l'affaire de Chalais, dont on instruisait alors le procès. Dans son *Testament politique* (édit. L. André, p. 101) Richelieu rappelle qu'« une personne de la plus grande considération » se trouva « insensiblement engagée avec plusieurs autres » dans cette intrigue, et Mme de Motteville, dans ses *Mémoires*, relate la scène qui se serait déroulée entre le roi et les deux reines, et au cours de laquelle Anne d'Autriche, « outrée de douleur de cette accusation », aurait répliqué à Louis XIII qu'« elle auroit trop peu gagné au change pour vouloir se noircir d'un crime pour un si petit intérêt ».

Tout ce que je crains est que (9) bien que M. le Comte espère le mariage pour fruit de l'union qu'il a avec Monsieur, je ne juge pas toutesfois que, quand il sera privé de son attente, en ce point, il se sépare tout à fait de Monsieur veu qu'il n'y est pas attaché par ceste seulle considération, mais encore par les intérestz de M. de Vendosme et particulièrement du grand prieur. Ce qui faira que, bien que dans son cœur il se tienne offencé de Monsieur, à raison du mariage, il n'en faira pas semblant et ne lairra pas de porter Monsieur aux extravagances qu'il pourra, pour monstrer que c'est l'intérest de ses amis, et non le sien, qui le pique.

Or, si Monsieur s'en va estant marié, bien que son mariage ne soit pas cause de ceste faute et qu'au contraire il fust plus capable de la commettre n'estant pas marié, beaucoup de gens le croiront et le publieront ainsi et estimeront que la résolution que le Roy aura prinse touchant son mariage sera mauvaise, le vulgaire voulant que les événemens et les succès justifient les conseils.

Les judicieux auront beau veoir que, si le mariage ne se fait point, Monsieur ne faira pas moins une escapade et n'en sera pas moins puissant et moins fort, ceste raison ne respondra pas à l'opinion commune du vulgaire, dont les jugemens sont appuyés sur ce qui paroist et sur les sens et non sur la raison.

Partant, ceux qui auront publié le mariage mauvais, soit selon leur conscience ou par malice, auront subject de calomnier non seulement ceux qui l'auront conseillé, mais aussi ceux qui ne s'y seront pas opposés.

Après tout cela, il ne reste rien qu'à espérer que Dieu, qui seul ne se peut tromper en ses lumières, inspirera dans l'esprit du Roy ce qui est le plus expédient pour sa personne et pour son Estat.

(9) A cet endroit, le texte du manuscrit a été biffé et remplacé de la main de Richelieu, par les mots : « Tout ce que je crains est que ». Le paragraphe supprimé portait : « Quand toutes les raisons ci-dessus exprimées ne pourroient empescher un homme sage, en un temps chatouilleux comme celuy-cy, et qui est dans la posture où je suis, de donner un advis déterminé, en une affaire de telle conséquence, une seule considération, qui n'est pas du poids des autres, devroit l'empescher de dire son sentiment. Bien que M. le Comte, etc. ».

132. — Projet de réunion après la prise de MM. de Vendosme et le grand prieur. [Vers le 20 juillet 1626].

A.E., Mém. & Doc., France, Vol. 795, f°s 192-194. — Copie.
Impr. : Avenel, II, pp. 221-224.

Sur ce que Monseigneur le duc d'Anjou, frère unique du Roy, auroit aprins que le Roy faisoit faire le procez à MM. de Vendosme et le grand prieur, et que Sa Majesté avoit conceu plusieurs soupçons contre quelques-uns de ceux qui sont auprès de luy, comme estant enveloppés ès faictz dont lesdits sieurs de Vendosme et grand prieur sont accusés, mondict seigneur, estimant qu'il iroit du sien si leur procez alloit plus avant, puisqu'on sçait bien que ceux qu'on veut de nouveau comprendre en ceste affaire sont jeunes gens qui suivent plustot ses ordres et commandemens que de se mesler de luy donner des conseils ; ce qui faict qu'on ne les peut convaincre d'aucune chose qui ne retourne sur luy, n'estant pas de ce faict comme des autres, desquels la conviction ne regarde que la personne de ceux qu'on pense en avoir esté eux-mesmes les autheurs. A mondict seigneur, à cet effect, supplié très humblement le Roy de vouloir arrester le cours de sa justice, et en sa considération vouloir étoufer ceste affaire.

Sa Majesté a faict entendre à Monsieur qu'elle désire luy continuer toujours les vrais effects de sa bienveillance et très sincère affection en toutes occasions ; mesmes de luy donner en celle-ci le contentement qu'il désire, à condition que, pour luy faire veoir aussy de sa part, comme il reçoit sincèrement et de bon cœur la faveur qu'il plaist à Sa Majesté luy faire, mondict seigneur procède franchement et à cœur ouvert, afin que Sa Majesté puisse recognoistre,

Pièce 132. — *Le titre reproduit est celui qui a été porté au dos de la pièce de la main de Charpentier. Quant à la date, les raisons suivantes permettent de la fixer approximativement vers le* 20 *juillet* 1626. *Les* Mémoires de Richelieu *relatent, en effet, que, pendant l'emprisonnement de Chalais, Monsieur manifesta la plus grande inquiétude des découvertes que pourrait révéler l'instruction. C'est alors qu'il songea à quitter la cour ; mais, avant de prendre cette résolution, il se rendit auprès du cardinal — qui s'était retiré à deux lieues de Nantes — « pour tâcher de découvrir de lui s'il étoit vrai qu'on eût quelque dessein de passer, en l'affaire de Chalais, plus avant que sa personne. Le cardinal, jugeant son dessein par ses inquiétudes, prit la hardiesse de lui dire qu'assurément il avoit quelque chose en la tête, et prit occasion, sur ce sujet, de lui faire voir le dessein que plusieurs, par cette voie, prenoient de le perdre ; qu'il n'y avoit de salut pour lui qu'auprès du roi ; que sa personne étoit si nécessaire au roi qu'il étoit impossible qu'il pût penser à autre chose qui lui pût être préjudiciable ; que l'intérêt de la reine sa mère... le devoit assurer... Sur cela, sans rien dire, le prince changea de dessein, comme il confessa depuis » (VI, p. 78). C'est, semble-t-il, à la faveur de ces circonstances que Richelieu conçut ce* projet de réunion, *destiné à lier le jeune prince par des révélations qui compromettraient définitivement ses mauvais conseillers. Les* Mémoires *ne donnent pas la date de l'entrevue, mais celle-ci dut précéder de peu la déclaration du* 23 *juillet, par laquelle Monsieur acceptait le mariage à condition de recevoir son apanage en même temps. Cette décision rendit désormais inutile le* projet de réunion, *et les rédacteurs des* Mémoires *ne crurent pas devoir utiliser ce document.*

par une ingénue confession de tout ce qui s'est passé en l'affaire dont il s'agit, que mondict seigneur ne veut point, à l'avenir escouter aucune chose qui luy soit préjudiciable, sans en avertir le Roy, ainsi qu'il l'a ci-devant promis ; ce dont Sa Majesté ne peut prendre asseurance tant qu'il verra que mondict seigneur son frère use de retenue à ne dire point les choses dont Sa Majesté est bien informée qu'il a cognoissance.

A l'instant Mgr le duc d'Anjou, frère unique du Roy, a promis d'estre non-seulement pour tousjours inséparablement uny et (a) attaché au Roy, à la Reyne sa mère et aux intérests de l'Estat ; non seulement (b) de ne céder à l'advenir aucune chose importante à Leurs Majestés ou au bien de ce royaume, mais mesme de ce qu'il sçait du passé, moyennant qu'il plaise au Roy luy promettre de faire arrester le procès de MM. de Vendosme et le grand prieur, et qu'on n'y comprendra point de nouveau quelques-uns des siens qui sont maintenant auprès de sa personne, ce qu'il ne demande qu'aux conditions susdictes.

Et Sa Majesté condescendant à sa prière, et ce en la présence de la Reyne sa mère, luy a donné sa foy et parolle royale qu'en sa considération et pour l'amour de luy, il asseure la vie, les biens et l'honneur desdicts sieurs de Vendosme et grand prieur, ses frères naturels, et qu'il arrestera le procès qui a esté commencé, pourveu qu'il déclare franchement les mauvais conseils qu'il a receus par leur moyen : ce qu'aussi bien Sa Majesté a commencé desjà d'avérer et peut vérifier clairement, sans que par après le bien de son Estat lui puisse permettre de se relascher jusques au point qu'il le désire luy-mesme à présent en sa considération, à cause de la prière qu'il luy en faict, et pour l'honneur qu'ils ont de luy appartenir.

De quoy monseigneur le duc d'Anjou, frère unique du Roy, ayant remercié très humblement Sa Majesté, et acceptant avec grande affection ce tesmoignage de sa bonté, a ingénuement déclaré qu'il est vrai :

Que le grand prieur l'a destourné tant qu'il a peu du mariage de Mlle de Montpensier, projetté par le feu Roy ;

Que, depuis la prise du maréchal d'Ornano, il le portoit à imputer tout ce qui arriveroit aux ministres de Sa Majesté, et particulièrement à M. le cardinal de Richelieu, lequel il disoit qu'il falloit premièrement prier, puis menacer, et puis user de voyes rigoureuses ;

Qu'il luy a parlé de sortir de la cour, et luy a proposé divers lieux pour sa retraicte ;

Qu'il l'asseuroit que MM. de Vendosme et plusieurs autres le serviroient en ses desseins ;

Qu'il est vray que ledict grand prieur en a parlé à quelques-uns des siens, auxquels il supplie très humblement le Roy de vouloir pardonner, parce qu'ils n'ont eu habitude avec ledict grand prieur que par son commandement, et ne se sont meslés de telle chose qu'à la suscitation du grand prieur, ainsy qu'ils diront eux-mesmes.

(a) « Uny et » ont été ajoutés de la main de Richelieu.
(b) « Non seulement » ajoutés de la main de Richelieu.

Après quoy ils ont recogneu ingénuement ceste vérité en la présence de mondict seigneur, devant le Roy, ce qui faict que Sa Majesté a voulu, pour seureté de la parolle qu'elle a donnée à mondict seigneur, signer cet escript et le faire signer à la Reyne mère, qu'il a désiré estre engagée en l'accomplissement d'iceluy, tant par ce qu'il plaist au Roy de promettre à mondict seigneur son frère que par la recognoissance et promesse que mondict seigneur a faict ci-dessus de ne rien sçavoir dont il ne donne advis à Sa Majesté. En considération de quoy mondict seigneur l'a aussi signé, ayant suplié le Roy, pour marque de la bonne volonté qu'il luy plaist promettre à (c) qu'ils fussent comprins audict escrit, par lequel ils promettent de ne sçavoir aucune chose qui puisse estre préjudiciable à l'Estat, ou tendre à aucune séparation de mondict seigneur d'avec le Roy ou la Reyne sa mère, qu'ils n'en advertissent Sa Majesté beaucoup plus fidellement qu'aucuns autres qui peussent estre mis auprès de mondict seigneur en leur place.

Faict à......... le.........

133. — M. de Chalais au cardinal de Richelieu. [Château de Nantes], [entre le 20 et le 28 juillet 1626].

Impr. : Pièces du procès de Henri de Talleyrand, comte de Chalais, 1781, pp. 216-218.

Monseigneur,

Encore que le plus galant prôneur du royaume ne m'ait pas instruit à médire de soi volontiers, si vous dirai-je que j'ay reçu une extrême consolation dans ma confession générale, vu qu'il importait au service du Roy. Il ne reste donc plus rien pour le soulagement de

Pièce 133. — *Cette lettre est la première d'une série de douze lettres éditées dans un ouvrage paru en* 1781 *sans nom d'auteur, mais qui est l'œuvre de Jean-Benjamin de La Borde, intitulé* Pièces du procès de Henri de Taleyrand, comte de Chalais. *Outre ces douze lettres adressées à Richelieu, l'ouvrage contient huit autres lettres de Chalais quatre au roi, trois à Madame de Chevreuse et une au duc de Bellegarde. Il s'y trouve enfin quatre autres lettres qui n'intéressent pas directement le procès de Chalais : une lettre de Louis XIII, une de la reine mère, une de Bouthillier, toutes trois adressées à Richelieu, et la réponse du cardinal au roi.*

L'authenticité de ces pièces ne semble pas avoir été jamais suspectée. Jean-Benjamin de La Borde n'était sans doute ni un historien de profession, ni même un érudit au sens propre du mot, mais il appartenait à ces esprits auxquels la curiosité des choses du passé a donné le respect du document écrit. Né en 1734 *d'une famille de bonne noblesse, il avait été premier valet de chambre de Louis XV. Sous le règne suivant, il avait participé à la Ferme générale, qui groupait alors, comme on le sait,*

(c) Un espace en blanc a été laissé dans le manuscrit.

mon misérable esprit que d'obtenir quelque part en ses bonnes grâces à quoi je vous supplie très humblement de continuer par vos agréables intercessions, ne pouvant espérer les mériter par une autre voye.

Je les attends avec l'impatience que vous avez vue et ne la puis modérer qu'en vous écrivant sans flatterie ce qui me semble de Sa Majesté et des rares qualités qui sont en elle. Je commencerai donc par la solidité de son jugement, par le grand soin qu'il a de son État, portant sa personne avec tant de périls aux moindres choses qui pourroient faire obstacle à son heureux règne. Je ne dirai rien de sa justice, puisque les autres rois qui l'envient lui donnent en le nommant le titre de *Juste,* et que sa bonté la surpasse de

plus d'une personnalité éminente par la distinction et la culture de l'esprit. Comme son collègue Lavoisier, La Borde consacrait une part de ses journées à des occupations qui le reposaient des affaires de finance. Comme musicologue, il a laissé une œuvre qui n'est pas négligeable, mais il s'intéressait autant aux recherches historiques et géographiques. On lui doit, outre les Pièces du procès de Chalais, *une édition des* Lettres de Marion de Lorme aux auteurs du Journal de Paris (1780), *un* Mémoire historique sur Raoul de Coucy (1781), *une* Description générale de la France *et un* Essai chronologique (1788). *Arrêté et emprisonné avec vingt-sept autres fermiers généraux, dont Lavoisier, il périt comme eux sur l'échaffaud* (22 *juillet* 1794). *Il laissait le manuscrit des* Lettres de Ninon Lenclos, *qui devait être publié en* 1806.

La Borde a négligé d'indiquer les sources où il avait puisé ses documents ; mais il est fort probable qu'il a eu sous les yeux soit des pièces originales, soit des copies des lettres de Chalais, comme celles qui sont conservées aux Archives des Affaires étrangères (*Mém. & Doc., France, Vol.* 782, *f°* 286-289). *Des douze lettres à Richelieu, une seule est datée* (14 *août* 1626) *: c'est la onzième de la série. Celle qui la suit semble avoir été écrite un ou deux jours avant la sentence de la Chambre de justice* (18 *août*), *car Chalais y parle de cette décision comme prochaine.*

Ces deux lettres portent, dans l'édition de La Borde les numéros 11 *et* 12. *Des dix autres, numérotées de* 1 *à* 10, *la première ne peut être antérieure aux premiers interrogatoires de Chalais, puisque celui-ci y parle de la « confession générale » qu'il a faite. La cinquième mentionne la nouvelle du prochain mariage de Monsieur, laquelle ne fut rendue publique qu'à la fin de juillet La septième serait très voisine de ce mariage, qui eut lieu le* 5 *août : Chalais n'en fut informé que le* 7 *par les soins de Lamont et sur l'ordre du roi. Or, dans cette lettre, il élève encore des doutes sur la sincérité des intentions de Monsieur. Quant aux huitième, neuvième et dixième lettres, elles furent probablement écrites à des dates très rapprochées, puisque Chalais s'excuse, dans la dernière d'entre elles, d'importuner le cardinal « tous les jours d'une lettre ».*

Sans doute faut-il admettre que l'ordre dans lequel l'éditeur présente ces lettres est bien celui dans lequel Chalais les a écrites ; mais, dans le cas contraire, on ne s'expliquerait pas le soin pris par l'éditeur d'attribuer un numéro à chacune d'elles. En résumé, on peut, avec les réserves qui conviennent, affecter aux lettres de Chalais les dates suivantes :

Lettres 1, 2, 3 *et* 4 *: entre le* 20 *et le* 28 *juillet* 1626.
Lettre 5 *: vers le* 30 *juillet.*
Lettre 6 *: vers le* 1er *août.*
Lettre 7 *: vers le* 5 *août.*
Lettres 8, 9 *et* 10 *: probablement les* 9, 10 *et* 11 *août.*
Lettre 11 *: le* 14 *août.*
Lettre 12 *: le* 16 *août ou le* 17 *août.*

beaucoup ; mais bien dirai-je qu'il n'y a jamais eu grand roy se connoître si bien en gens que lui. Il y paroist assez, Monseigneur, au choix qu'il a fait de vous pour le principal de ses ministres ; car, permettez-moi de vous dire que jamais homme ne rendit si grand service à son maître que celui-ci, et qu'encore que ma repentance ne me souffre nulle gayeté, je ne me suis pas pu tenir de sourire de considérer tous ces grands remueurs de ciel et de terre avoir à peine moyen de se tourner dans leur lit, Monseigneur, qui étoit leur grande protection, danser, baller, coucher ensemble ; ce mariage, ce me semble, au même tems qu'on travaille en grève pour la plus grande partie d'eux et pour tous ces grands coups de poignards, qui vous étoient destinés, réduits à Mademoiselle de Montpensier, que les dames que vous savez et tant de princes trouvoient trop belle pour être si malheureusement ensanglantée (a). Il n'y a plus rien à souhaiter pour parachever un si grand service que d'essayer à le rendre aussi bon mari que M. de Ménibus, lequel empoise les rabats de sa femme et augmente son revenu tous les ans de deux mille livres de rente, et, en ce cas, vous n'aurez pas grand besoin de moi pour son sujet. Mais s'il est assez malheureux pour se lasser de la vocation où Dieu l'a appellé, et que, par conséquent, l'esprit et autre chose lui baille, j'ose vous affirmer que vous aurez très grand besoin d'un homme très zélé, affectionné et un peu éveillé comme l'est,

Monseigneur,

Votre, etc.
et créature,

Chalais.

134. — M. de Chalais au cardinal de Richelieu. [Entre le 20 et le 28 juillet 1626].

Impr. : *Pièces du procès de Chalais, p.* 219-220.

Monseigneur,

Ce n'est pas pour vous importuner en l'intercession envers Sa Majesté que je vous écris celle-ci, vu que m'ayant fait l'honneur de me juger digne de lui rendre service, je crois que vous en aurez plus de soin que moi. C'ezt donc pour vous dire qu'il m'est souvenu que du temps que M. d'Espernon avoit du mécontentement à cause du parlement de Guyenne, il fit offrir Bergerac à Monseigneur (1), et cela de sa propre bouche ; je l'ai appris et est la cause pourquoi il le vouloit engager. De plus, n'ayant autre passion que de servir, fusse dans une plus obscure prison mon séjour, j'ai songé que le

(a) Le verbe principal manque à la phrase. Faut-il y voir une erreur dans la transcription ? N'est-ce pas plutôt que l'incohérence de l'expression répondrait à l'incohérence de la pensée ?

(1) « Monseigneur », ici, désigne le frère du roi.

gouverneur des dames (2), étant chagrin d'inclination et de mauvaise fortune, il est dangereux, et gouvernant huguenots et huguenotes, il est à craindre : si le Roy exerce son extrême bonté sur moi, je remédierai à tout cela. Si ma déposition est nécessaire, je la ferai bien mieux à la Garde-Robe du Roy qu'ici (3), car je dirai non seulement ce que je sçai, mais ce que j'aurai appris, que je vous promets n'être pas peu de chose.

Emouvez donc la miséricorde du Roy, car avec ses excellentes inclinations il ne peut rejetter les prières d'un si grand serviteur et la compassion qu'il doit comme très clément à sa créature et à,

Monseigneur,

Votre très humble et très obéissant serviteur,

Chalais (a).

135. — M. de Chalais au cardinal de Richelieu. [Entre le 20 et le 28 juillet 1626].

Impr. : *Pièces du procès de Chalais, p.* 221-223.

Monseigneur,

Bien qu'il n'y ait rien d'inconnu à l'excellence de l'esprit du Roy et au vôtre, permettez-moi comme le plus intéressé de cette affaire de vous représenter combien il est avantageux de me tirer d'ici par l'expédient que j'ai proposé à M. le Garde des Sceaux, et que, plus il y aura de retardement, moins Monseigneur se résoudra à me demander, voyant bien que si juste droit, cela étourdit ses prétensions dc sauver le maréchal et de le prolonger ; Sa Majesté faisant voir à tout le monde combien sa bonté est grande, qu'ayant découvert mondit Seigneur dans des factions, il lui a non seulement pardonné et aux siens, mais encore à ses propres domestiques, et par conséquent dudit maréchal en faire ce que bon lui seemblera comme de celui qui a formenté tous mouvements (a). De plus, vous considérerez combien il est nécessaire d'avoir quelqu'un auprès de mondit Seigneur lequel assiste Monsieur de Bellegarde (1), l'arrêtant auprès de lui pour le tenir en respect auprès du Roy, et quelqu'autre de la secrette intelligence (2), vous vous mettez l'esprit en repos ; il ne reste donc plus qu'à prendre confiance en moi, puisque nul ne peut mieux servir à cela. Je vous supplie donc, Monseigneur, de la

(a) Il y a au revers, de la main du Cardinal : « *Lettre de Chalais qu'il* faut supprimer au procès » (note de l'éditeur).

(a) La phrase est obscure : on saisit mal ce que Chalais veut dire.

(2) Périphrase qui désigne le duc d'Epernon.

(3) Chalais était, on le sait, maître de la garde robe.

(1) Le duc de Bellegarde était premier gentilhomme de Monsieur.

(2) Proposition étrange et, au demeurant, peu honorable, mais que la captivité excuse. Chalais ne semble pas avoir conscience, à cette date, de toute la gravité de son cas.

prendre toute entière et la donnez à Sa Majesté. Je vous en conjure par cet extrême générosité qu'on a tousjours reconnue en vous, et par cette affection que vous avez au service du Roy. Si le maréchal a été assez ingrat pour méconnoître les bons offices que vous lui avec faits, et que, au bout de seize mois (3), il vous ait trompé, asseurez-vous, Monseigneur, que je ne suis point Corse et qu'en seize siècles cela ne m'entrera pas dans l'esprit. Ne croyez pas que ce soit tant l'impatience de sortir que de servir le Roy qui me donne la présomption de vous représenter ces choses, et honorez-moi de vos commandements, et faites que Monseigneur (4), par le moyen de Monsieur de Bellegarde et des petits garçons (5), se résolût à me demander et vous fasse intercesseur, pour qu'il en sente gré et à la Reine mère du Roy. Quoi qu'il en soit, je serai toute ma vie,

Monseigneur,

Votre très humble et très obéissant serviteur,

Chalais.

136. — M. de Chalais au cardinal de Richelieu. Entre le 20 et le 28 juillet 1626.

Impr. : *Pièces du procès de Chalais, p. 224-225.*

Monseigneur,

Bien que mes fautes viennent plutôt de malheur que de malice, si ne prétens-je point prendre la voie de m'excuser, et sans la connaissance parfaite de la bonté du Roy, que m'ont donné vingt ans de

(3) Après une première détention à la citadelle de Caen, Ornano avait été remis en liberté le 18 août 1624 (V. *supra,* Année 1624, pièces 52 et 53). Il fut de nouveau arrêté le 4 mai 1626. Entre ces deux dates il s'est sans doute écoulé plus de seize mois. Mais, entre temps, en janvier 1626, il avait été nommé maréchal de France, et n'avait pas tardé par son comportement à lasser la patience du roi et du cardinal. « Depuis quatre ou cinq mois », lit-on dans les *Mémoires de Richelieu,* il « avait rompu d'amitié avec tous ceux qu'il savoit avoir les sentiments au repos et à la paix, et avoit pris habitude avec Déageant et Modène, contraires au Roi et à la Reine sa mère et aux ministres, esprits de division et de cabale » (VI, p. 11). On trouve le même écho dans les *Mémoires de Fontenay-Mareuil :* Ornano avait d'abord accueilli son élévation à la dignité de maréchal de France « avec tant de démonstrations de joye et de ressentiment qu'on ne se seroit jamais imaginé qu'il eust peu après cela manquér à tout ce qu'on désiroit de luy. Mais, soit que sa femme, qu'il aimoit extrêmement et qui y estoit contraire, croyant que Monsieur ne la considéreroit plus, s'y opposast continuellement, ou bien qu'aveuglé de sa bonne fortune il pensast n'avoir rien à craindre et pouvoir faire tout ce qui luy plairoit ; tant y a qu'il ne se souvint pas longtemps de la grâce qu'il avoit receue, et que, quoy qu'on luy peust dire, on n'en peust rien obtenir. De sorte que, dès lors, on eust envie de le faire arrester... » (éd. Michaud & Poujoulat, p. 177).

(4) Monsieur frère du roi.

(5) Probablement les jeunes familiers de Gaston.

service (1), je n'oserois implorer vos grâces, lesquelles vous ne refusâtes même jamais à vos ennemis : cette extrême générosité me fait vous demander l'intercession de la Reine sa mère, laquelle je crois être toujours disposée à avoir confession (2) du plus affligé des hommes qui ne s'étoit jamais trouvé en apparence de crime, et si il en réussit l'issue que j'espère, je proposerai, si vous le trouvez bon, à Monseigneur, avec ceux qui ont quelque crédit auprès de lui, combien lui est honteuse et désavantageuse la déposition au maréchal tant pour sa personne que pour sa réputation, et peut-être ferez-vous les choses par douceur que vous serez contraint de faire, lui donnant beaucoup de chagrin. Pardonnez-moi, Monseigneur, si j'ai tant de hardiesse, mais je vous supplie de croire que je n'ay point plus de désir de sortir d'ici que j'ai de réparer ce qui s'est passé ; et si mes services ne sont plus utiles et que toutes choses aillent à votre contentement, procurez-envers Sa Majesté ma grâce, de laquelle, hors mes ennemis, on lui donnera louanges immortelles, et moi plus que nul autre, qui vous souhaite autant de joye et prospérité que j'ai d'affection.

Ce sont les vœux,

Monseigneur,

de votre, etc.

Chalais.

137. — M. de Montauban au cardinal de Richelieu. 23 juillet 1626.

A.E., Mém. & Doc., France, Vol. 781, Reg. de cor., 1626, f° 185 v°.

Analyse :

« Il a traité avec M. Desplan pour Mevoulhon et les terres qu'il possède aux environs, qu'il donne au Roy en échange pour autant de terres du domaine, à condition qu'on luy payera douze mille escus de supplément pour Montbéliard, qui luy fut donné l'an passé. Il se plaint que M. Desplan veut laisser cette partie de douze mille escus en arrière, qui estoit assignée sur la recette de Lyon, et qu'il en sollicite le payement. »

(1) Etant né probablement en 1599, Chalais fait remonter ses services à l'âge le plus tendre.
(2) « Confession » ? On attendait plutôt « compassion ».

138. — M. d'Alincourt au cardinal de Richelieu. Lyon, 23 juillet 1626.
A.E., Mém. & Doc., France, Vol. 781, Invent. de la Cor., 1626, f° 185 v°.

Analyse :

« Il écrit au Roy en même temps qu'au Card[al] avec un mémoire par lequel il donne avis que cinq gentilshommes sont passés par Lyon, envoyés par M. le Comte pour lever du monde ; qu'un d'eux luy a déclarré que Monsieur avoit résolu de pognarder M. le Card[al] dans le Conseil ; que, dans le temps que le Roy partiroit de Nantes, Monsieur se retireroit à la Rochelle, où M. le Comte et plusieurs autres devoient se rendre de Paris ; que M. de Soubise y viendroit avec cinquante vaisseaux ; que les ambassadeurs de Savoye et de Venise entroient dans le complot ; que Chalais, qui est arresté, le sçait ; que Senneterre (1) et Sardini (2) sont entremetteurs de cette affaire ; et qu'il y a huit cent mille escus dans une maison à Paris prests pour ce dessein ; que l'Angle[erre] l'appuyera ; que les huguenots se joindroient, et qu'on a envoyé à Brison pour empescher la reddition du Pouzin. »

Le texte de la lettre du marquis d'Alincourt donné par les *Mémoires* est le suivant :

« Il a été ici cinq gentilshommes passé l'un après l'autre, qui tous vont dans les provinces de la part de Monsieur, frère du roi, et envoyés par Monsieur le Comte pour arrher tous ceux qu'ils peuvent. L'un de ceux-là s'est découvert à moi et m'a dit que la résolution étoit prise que Monsieur se sauveroit d'auprès du Roi en même temps que S.M. partiroit de Nantes, et qu'il s'en iroit à la Rochelle et se saisiroit des îles de Ré ; mais qu'il essaieroit, avant que de se résoudre à s'en aller, de poignarder Monsieur le Cardinal dans le

Pièce 138. — *Le texte original de cette importante lettre n'a pu être retrouvé. Il ne subsiste, semble-t-il, que le résumé qui figure dans l'Inventaire de la correspondance, Année* 1626, *et l'extrait reproduit dans les* Mémoires du cardinal de Richelieu (*édit. de la Soc. de l'Hist. de Fr., t. VI, p.* 149-150), *qu'il a paru intéressant de donner à la suite.*

Charles de Neufville, marquis d'Alincourt et seigneur de Villeroy (1566-1642), *était le fils de Nicolas de Villeroy, secrétaire d'Etat de* 1567 à 1588, puis de 1594 à 1614. *Ambassadeur auprès du pape en* 1600, *il avait négocié le mariage d'Henri IV et de Marie de Médicis ; après un nouveau séjour à Rome, de* 1605 *à* 1608, *il avait été nommé en juin* 1607, *lieutenant général du roi au gouvernement de Lyon et des pays Lyonnois, Forez et Beaujolois, dont le gouverneur était alors le duc de Vendôme. Celui-ci lui avait cédé sa charge en* 1610 *moyennant une forte indemnité. Il est le père du futur maréchal duc de Villeroy, né de son second mariage avec Jacqueline de Harlay-Sancy.*

---

(1) Henri de Senneterre (ou Saint-Nectaire), marquis de la Ferté-Saint-Nectaire (v. 1575-1662). Sa sœur, Madeleine, très intrigante, était liée à la comtesse de Soissons. Il est le père du futur maréchal de la Ferté.

(2) Alexandre de Sardini, vicomte de Buzançais (1574-1645) fils du financier Scipion Sardini, il devait être exilé dans ses terres au mois de septembre suivant.

Conseil et, s'il y failloit, qu'il partiroit et s'en iroit à la Rochelle, et qu'en mesme temps Monsieur le Comte partiroit de Paris pour aller trouver Monsieur, comme devoient faire beaucoup d'autres ; qu'il y avoit à Paris, en une maison, 800 000 escus prêts pour employer à leur dessein ; que ceux qui étoient les entremetteurs de ses affaires à Paris étoient Senneterre et Sardini, et que Chalais qui est pris savoit tout et étoit du dessein et que les huguenots s'y joindront, et que M. de Soubise en même temps se rendra à la Rochelle avec cinquante vaisseaux, et que les ambassadeurs de Venise et de Savoie assurent leurs maîtres, et qu'ils sont aussi assurés d'Angleterre. L'un de ceux qui sont passés a charge de voir Brison, lui communiquer le dessein, affin qu'il retarde la reddition du Pouzin. Tout cela se traite avec Monsieur par deux jeunes hommes qui sont prêts de lui, auxquels on envoie tous les jours des mémoires de Paris, et y a sur le chemin quatre ou cinq hommes exprès pour cela, sur des coureurs qui portent ses avis. Il a été estimé à propos de faire savoir celui-ci par courrier exprès, comme important au service du Roi et à la personne de Monsieur le Cardinal. »

139. — Au roi. S.l. [Vers le 23 juillet 1626].

B.N. Fonds franç., Vol. 23200, f° 108. — Copie.
Impr. : Avenel, II, p. 224-225.

Sire,

J'ay tant de joye de voir l'esprit de Monsieur se disposer de mieux en mieux à tout ce que V^e^ Ma^té^ sçauroit désirer que je ne la puis exprimer. Si mes malheureuses douleurs n'estoient bien enracinées, ce contentement sans doubte les emporteroit tout à faict. Les S^rs^ Le Coigneux, Marcheville et Goulas me sont venus trouver avec un mémoire de quelques particularitez que Monsieur désire que V^e^ Ma^té^. Je leur ay promis que je vous l'envoierois pour que V^re^ Ma^té^ voye par sa prudence ce qu'elle en peut accorder (1). J'ay pris la hardiesse de mettre mon advis, dont vostre Majesté ne fera estat, sy luy plaist qu'autant qu'elle le jugera à propos. Si Dieu me fait la grâce de vivre six moys, comme je l'espère davantage, je mourray content

Pièce 139. — *La copie de cette lettre ne porte pas de date. Il est très probable que la lettre elle-même fut rédigée à la suite de la visite que Monsieur vint faire au cardinal à l'évêché de Nantes, le* 23 *juillet* 1626. *Ce jour-là, « après lui avoir fait plusieurs protestations de vouloir honorer et obéir à la Reine sa mère », le prince déclara au cardinal « qu'il se marieroit quand on voudroit pourvu qu'on lui donnât son apanage en même temps »* (Mémoires, *édit. de la Société de l'Histoire de France, t. IV, p.* 80). *Par la suite, il devait charger le président Le Coigneux de négocier avec le ministre l'affaire de son apanage.*

(1) Il s'agit sans doute de la pièce intitulée *Considérations sur le subject du mariage de Monsieur avec Mademoiselle de Montpensier*, voir *supra* p. 387.

voyant l'orgueil de l'Espagne abbatu (2), vos alliez maintenus, les huguenotz domtez (3), toutes factions dissipées, la paix establies dans ce royaume, une union très estroite dans vostre maison royale (4) et vostre nom glorieux par tout le monde. C'est, Sire, ce que désire plus que sa vie celui qui sera éternellement,

De vostre Majesté,

Sire,

Le très humble, très obéissant, très fidelle et très obligé subjet et serviteur,

Le Card. de Richelieu.

140. — Louis de Marillac au cardinal de Richelieu. Verdun, 24 juillet 1626.

A.E., Cor. pol., Lorraine, Vol. 7°, f° 189. — Original.

Analyse :

Il n'entretiendra le cardinal que de choses de peu d'importance, car le but de sa lettre est de profiter du passage d'un gentilhomme qui se rend à la cour pour se rappeler au souvenir du ministre. Les seules nouvelles dignes d'intérêt concernent le recrutement de soldats qui se fait jusqu'aux abords de cette frontière pour le compte du roi de Danemark. Pour ce qui concerne Verdun, le porteur de la lettre est chargé de dire l'essentiel au cardinal.

141. — Madame de Thure au cardinal de Richelieu. S.l., 24 juillet 1626.

A.E., Mém. & Doc., France, Vol. 781, Invent. de la cor., 1626, f° 179 v°.

Analyse :

« Elle luy demande, après la mort de son mary, qu'il affectionnoit, sa protection pour elle et dix enfans qu'elle a. »

---

(2) La paix de Monçon avec l'Espagne au sujet de la Valteline avait été conclue, après des retouches, le 5 mars 1626.

(3) La paix avec les huguenots du 5 février 1626 avait, il est vrai, scandalisé le parti dévot par sa modération « Rohan et Soubise rentraient en grâce ; les Rochelais conservaient leurs privilèges ; on ne demandait que l'arasement de quelques ouvrages, mais il faut observer que le roi maintenait Fort-Louis. Il s'engageait, en revanche, à ne pas troubler les Rochelais dans la liberté de leur commerce avec les îles de Ré et d'Oléron » (V.-L. Tapié, *op. cit.*, p. 147).

(4) Cette union était précaire : l'harmonie entre les deux frères ne survivra guère à Marie de Montpensier, qui devait mourir le 4 juin 1627, et, dès 1630, l'année du « grand orage », la rupture entre le roi et la reine mère deviendra définitive.

142. — M. le chevalier du Guet au cardinal de Richelieu. Paris, 25 juillet 1626.

A.E., Mém. & Doc., France, Vol. 1590 (Ile-de-France), f° 110. — Original.

Analyse :

Madame de Déageant, dont le mari a été arrêté, a adressé une requête au parlement pour faire appel des procédures des commissaires du roi (1). Le Sr Perrot (2) a promis d'en être rapporteur, disant que c'estoit « des violences de ce temps ». Le nommé Beaufort (3), « lieutenant des gardes bourguignonnes du Roy d'Espagne », qui fut détenu à la Bastille, et qui, dit-on, faisait des levées d'hommes pour son maître, est à Cambrai. On a tenté de l'arrêter, mais il s'est réfugié dans une église, où il n'a pas été jusqu'à présent possible de s'en saisir sans les ordres de l'Infante « parce qu'on ne prend personne là-dedans » (4).

143. — M. de Bullion au cardinal de Richelieu. Turin, 25 juillet 1626.

A.E., Cor. pol., Turin, Vol. 7, f° 247. — Original.

Analyse :

Lors de son passage à Grenoble, il a informé le cardinal de ce qui avait été fait au sujet de la place du Pouzin. Il lui rappelle qu'il a toujours estimé que le baron de Brison « donnoit de belles paroles pour tirer les affaires en longueur » ; aujourd'hui, il a de bonnes raisons de penser que, dans cette affaire, « quelqu'un a plus promis qu'il ne pouvoit et ne debvoit ». Il envoie par le même courrier les dernières propositions, qui ont été faites au rebelle, afin de faire voir au cardinal « qu'on luy a accordé par delà la raison » (1). Il est vrai toutefois que si l'on n'avait pas procédé ainsi la négociation eût traîné bien davantage. Le bruit a couru que le roi allait se rendre

---

(1) Voir *supra* la lettre de Madame Déageant au cardinal, du 3 juillet 1626.

(2) Ce « sieur Perrot » pourrait bien être Jean Perrot, sieur de Fercourt, président aux Enquêtes, à moins qu'il ne s'agisse de son cousin germain, Cyprien Perrot, conseiller à la Grande Chambre depuis 1590, et qui fut l'un des juges de Théophile de Viau, en 1625.

(3) De ce personnage, originaire de Picardie, il sera plus tard question. Il s'appelait en réalité Don Antonio Beaufort, mais il signera les lettres envoyées de la Bastille au cardinal « le colonel de Beaufort ». Emprisonné en 1625 pour des motifs obscurs, il s'était échappé de la Bastille quatre mois plus tard.

(4) Finalement, Beaufort devait se faire prendre à Amiens, quelques jours plus tard ; il sera transféré à la Bastille, d'où il enverra à Richelieu un certain nombre de lettres, dont quelques-unes ne sont pas sans intérêt.

(1) Le « traité » conclu entre Lesdiguières et Brison devait être définitivement signé deux jours plus tard, le 27 juillet 1626. Le texte en a été publié par le comte L.-A. Douglas, *Actes et corrrespondance de Lesdiguières,* d'après le *Mercure françois,* Année 1626 (pièce CCCXC, p. 451-452). Parmi les conditions, assurément très avantageuses pour Brison, on note sa nomination comme maréchal de camp et le paiement d'une pension de mestre de camp.

à Lyon. « Ce bruit a infiniement servy, mais la venue fera plus d'effect encore ». Il faut qu'une justice exemplaire soit faite, et la conjoncture y semble particulièrement favorable. Il désire être autorisé à quitter la cour de Turin pour pouvoir, selon les ordres du roi, s'employer à régler la question de Pouzin.

Le reste de la lettre concerne les affaires de Savoie.

144. — M. le chevalier du Guet au cardinal de Richelieu. Paris, 26 juillet 1626.

A.E., Mém. & Doc., France, Vol. 1590 (Ile-de-France), f° 112. — Original.

Analyse :

Malgré la maladie dont il souffre, il n'a pas laissé de poursuivre ses activités. Le nommé Marcel a nié avoir jamais vu le livre intitulé « Le Roy du Roy », et, jusqu'à présent, on n'a pu en savoir davantage. M. de Saint-Germain lui-même (1) assure n'en avoir vu aucun exemplaire. Ce Marcel avait autrefois été mis en prison pour avoir écrit un libelle intitulé « le Financier ». Il semble que « le Roy du Roy », soit imprimé à Rouen. — Pour ce qui concerne l'affaire du Parlement touchant les commissaires, M. de Guron n'en a pas eu tout le contentement qu'il en désirait. — Pour l'évocation touchant la requête de la Sorbonne, le parlement a décidé d'adresser une très humble remontrance au roi, et d'interdire aux religieux de se trouver plus de deux de chaque ordre en Sorbonne. « Je vous asseure, Monseigneur, selon ce que je puis juger, que le moins que l'on pourra faire assembler la cour pour ces choses-là sera le meilleur ». — Pour la dame que vous savez (2), il est vray qu'elle a vu particulièrement l'ambassadeur d'Espagne ». Il en a eu la confirmation, « ayant quelqu'un caché dans la garde-robe ». — Pour le bailli de Chalons, « il est très insupportable » et manifeste une grande impatience. Il a donné plusieurs avis qui se sont révélés faux. « Si vous n'avez la lumière entière en ceste affaire, ce sont gens à garder, et, cela estant, la Bastille sera bonne pour cela ».

145. — M. de Schomberg au cardinal de Richelieu. S.l., 26 juillet 1626.

A.E., Mém. & Doc., France, Vol. 781, Invent. de la cor., 1626, f° 190.

Analyse :

« Il a lu au Roy et à la R[eine] M[ère] la dépesche de M. de Mande (1). Il adresse avec MM. le garde des sceaux et d'Herbault

(1) Mathieu de Morgues.
(2) La marquise de Verneuil.
(1) L'évêque de Mende, aumônier de la reine Henriette, épouse de Charles Ier d'Angleterre, c'est Daniel du Plessis de la Mothe-Houdancourt.

la réponse à cette dépesche. Leurs Ma^{tés} sont bien faschés que les Aff^{res} d'Allemagne soient si négligées, les intérests de la France si peu considérés, et la Reyne d'Ang^{re} si maltraitée. Il doit le lendemain examiner avec M. d'Effiat les prétentions de Savoye ».

146. — Michel de Marillac au cardinal de Richelieu. S.l., 27 juillet 1626.

A.E., Mém. & Doc., France, Vol. 781, Invent. de la cor., 1626, f° 173 v°.

Analyse :

« Le projet pour l'apanage est prest. On attend la résolution de Sa Majesté. Il seroit bon que M. le Card^{al} fust prest d'elle pour en parler. Il prépare la proposition qui se doit faire aux Estats (1) pour le rég^{t}. On a donné parolle aux Estats de ne leur point demander, cette année, de don gratuit en faisant le régiment. On en pourroit donner le commandement au marquis de Brezé, supposé qu'on ne mist par un Breton. Il demande si on passera le contract pour Belle-isle ».

147. — M. du Plessis au cardinal de Richelieu. S.l., 27 juillet 1626.

A.E., Mém. & Doc., France, Vol. 781, Invent. de la cor., 1626, f° 179 v°.

Analyse :

« Il assure M. le Cardinal qu'il peut compter sur M. d'Epernon. »

148. — A. M. le Procureur général. Nantes, 29 juillet 1626.

B.N. Fonds Cinq-Cents Colbert, Vol. 6, f° 245. — Original.

Monsieur, je n'ay pas voulu différer davantage à vous rendre grâces, comme je fais par ces lignes, de l'affection que M. de Guron m'a mandé que vous tesmoigné avoir en toutes les occasions qui se présentent pour le service du Roy ou en mon particulier. Il vous parlera plus amplement sur ce subject. C'est pourquoy vous adjousterez, s'il vous plaist, créance en luy, et que personne ne vous estime et n'est plus véritablement que moy,

Monsieur,

Vostre très affectionné à vous rendre service,

Le Card. de Richelieu.

De Nantes, ce XXIXe juillet 1626.

---

(1) Les Etats de Bretagne. Les lettres royales portant attribution d'apanage à Gaston d'Orléans furent signées à Nantes, le 31 juillet 1626. Elles furent publiées au *Mercure françois* (t. XII, p. 385 sq.).

Pièce 148. — *La lettre porte en suscription : « A Monsieur le Procureur général, à Paris ». C'est une simple lettre de remerciement, dont la signification s'éclaire par la lettre suivante adressée à M. de Guron.*

Le procureur général du parlement de Paris, était, depuis 1614, *Mathieu Molé. Né en* 1584, *il était le fils du célèbre procureur général du temps de la Ligue. Il avait débuté dans la magistrature en* 1606 *en qualité de conseiller au parlement, puis avait été président aux Enquêtes avant de succéder à son père comme procureur général. Richelieu le tenait en haute estime et l'avait même proposé au roi, en* 1624, *pour la surintendance des Finances, « comme personne de singulière probité et dont les mains innocentes aideroient beaucoup au dessein qu'on avoit de bien administrer les finances », ce qui montrerait, en outre, au public « qu'on choisissait dans les corps des gens pour l'administration de l'Etat ». Mathieu Molé sera président à mortier en* 1640, *et, après la Fronde, où il jouera un rôle modérateur, il devait devenir garde des sceaux* (1651).

149. — A. M. de Guron. Nantes, 29 juillet 1626.

Impr. : *Armorial général de d'Hozier,* 4e registre : Rechignevoisin de Guron, p. 28.
Avenel, II, p. 235-237.

Monsieur,

Je vous envoye une lettre que j'escrits à M. le procureur général pour le remercier du soin qu'il a d'avérer la supposition du meschant livre qu'on dit qu'on a fait (1). Véritablement, je serois bien aise de sçavoir d'où vient cette fourbe, et vous me ferez plaisir de l'avérer s'il se peult. Je remets à M. d'Effiat à vous escrire pour ce qui est

Pièce 149. — *Cette lettre est adressée à Jean de Rechignevoisin, seigneur de Guron (v.* 1575-1635), *conseiller d'Etat dès* 1621 *et chargé par Louis XIII de diverses missions. Il était sans aucun doute en faveur auprès du souverain, car il venait de recevoir, à l'époque où cette lettre fut écrite, les dignités de chevalier des Ordres du roi et de gentilhomme ordinaire de sa chambre. Au mois de septembre de la même année, il devait être nommé gouverneur de la ville et du château de Marans. En* 1627, *il participera à la défense des îles de Ré et d'Oléron menacées par les Anglais ainsi qu'aux préparatifs du siège de La Rochelle. Envoyé en mission auprès du duc de Savoie, il se distinguera plus tard au siège de Casal et sera employé à diverses négociations avec les huguenots du Languedoc, avant de recevoir la charge de conducteur des ambassadeurs (sept.* 1631). *En* 1632, *et* 1633, *il sera choisi comme ambassadeur extraordinaire en Lorraine et en Angleterre.*

(1) Un grand nombre de pamphlets contre Richelieu ont été publiés au cours de l'année 1626. Il n'est pas possible de préciser de quel livre il est question ici.

des affaires du parlement. J'ay veu le livre que vous avez envoyé, où je ne trouve rien à redire, sinon qu'il dit trop de bien de moy; sans sçavoir quel en est l'autheur, je le juge bien intentionné, instruit des affaires de la cour et habile homme. J'honore Monsieur et Madame la contesse comme je le doibs et comme ils le peuvent souhaiter (2); vous m'obligerez de les asseurer de mon service, et qui plus est de l'affection.

Quant à M. de Senetere (3), il m'a trop promis d'amitié pour que j'en puisse douter, s'il ne me l'ordonne ainsy, ce que je ne crois pas qu'il fasse. Pour mademoiselle de Senetere, je l'honore particulièrement et mandie part en ses bonnes prières ès jours de ses plus ferventes dévotions. Le sieur de Gurat (4) se porte bien, et moy je suis,

Monsieur,

Vostre plus affectionné à vous servir,

Le Card. de Richelieu.

A Nantes, ce 29 juillet 1626.

150. — M. de Chalais au cardinal de Richelieu. Vers le 30 juillet 1626.

Impr.: *Pièces du procès de Chalais, p. 226-229.*

Monseigneur,

L'honneur que je reçus de votre dernière visite m'auguroit toute sorte de bonne fortune; j'en ai vu aujourd'hui des effects par ce qu'il m'a été permis de me conjouir de ce nouveau mariage (1). Cela pourtant m'a failli à faire désister du dessein que j'avois de vous écrire quelque chose de plus particulier que j'ai étudié dans ce nouveau marié. Mais d'autant que je me suis du tout voué à vous, j'ai songé que vous excuseriés la liberté de ma plume, qui ne va pourtant qu'au service du Roy, de son Etat et à votre personne en particulier, qui me seront à jamais les seules choses recommandables. Je com-

(2) Il s'agit de Louis de Bourbon-Condé, comte de Soissons, et de son épouse, Angélique de Montmorency-Luxembourg. Compromis dans l'affaire de Chalais, le prince ne devait pas tarder à se retirer dans ses terres, d'où il gagnera la principauté de Neufchâtel. « Madame la Comtesse » désigne ici la mère du comte de Soissons, née Anne de Montafié.

(3) Henri de Senneterre (ou Saint-Nectaire).

(4) Gabriel de Rechignevoison, seigneur de Gurat, fils de Jean de Guron. Il devait être nommé lieutenant des ville et château de Marans, dont son père était gouverneur, puis gentilhomme ordinaire de la chambre du roi. Il mourut en 1629.

(1) La nouvelle du mariage de Monsieur fut rendue publique dans les derniers jours de juillet.

mencerai donc à vous dire que, hors le respect que je dois à l'honneur qu'il a d'être frère de mon maître, je lui soupçonne peu ou point du tout de confiance, et qu'ajoutant à cette belle qualité ses inquiétudes et ses visites continuelles de petites maisons vers le Herty (2) vous croirez tenir tout que vous ne tiendrez rien, et sera capable de retourner son esprit à faire mal, comme il a tourné promptement à faire bien ; et vous souvenez toujours qu'aux grands services que vous devez à Sa Majesté, vous avez longtemps à vivre ensemble, qu'il y a bien des Grands Prieurs en France (3), et qu'il verra bien des fois le jour des personnes qui ne vous aiment guères, et par conséquent l'Etat. Je ne dis point ceci pour me rendre plus nécessaire, car je crois les affaires avoir un autre visage que lorsque j'étois au monde ; mais, quoi qu'il en soit, si vous vous servez de moi, je veux perdre l'honneur si je ne me revanche hautement de ce que vous me donnez la vie par vos profitables intercessions. Tout ce que j'ai à vous supplier, c'est de les continuer et faire que d'un si grand Roy je ne reçoive pas des grâces à demi. Il est tout bon, et vous me l'avez représenté en bonne disposition de me pardonner. Si ce mariage me pouvoit valoir cela, les apparences je les donnerois à jamais à Monseigneur (4) et les services effectifs à qui je les dois. Je ne vous réitère plus les grandes choses que je ferois parmi les dames, auprès de Monseigneur le Prince, en cas qu'il fît nulle liaison en cour, et auprès de Monseigneur le Comte, quoique petit saint qui ne guérit rien sans les mutins éloignés, et tout cela avec ma vie dépend de vous ; car si vous voulez, faisant voir à Monseigneur la barbe sauvage que je porte pour l'amour de lui, j'en racommoderai plus en un jour qu'on n'en aura gâté en six semaines. Dieu et Sa Majesté par-dessus tout, au moins saye bien qu'à la vie et à la mort il me souviendra que vous m'avez protégé, ne le méritant pas de ma propre mère, et par conséquent,

Monseigneur,

Votre très humble et très obéissant serviteur et créature,

Chalais.

---

(2) Le Herty était un fou célèbre, alors enfermé aux Petites Maisons. Il se trouvait des gens pour aller s'entretenir avec lui.

(3) Des trublions comme le Grand Prieur de Vendôme, arrêté, comme on le sait, depuis le 13 juin.

(4) Monsieur, frère du roi.

151. — M. de Vignoles au cardinal de Richelieu. S.l., 30 juillet 1626.

A.E., Mém. & Doc., France, Vol. 781, Invent. de la cor., 1626, f° 179 v°.

Analyse :

« Il a ramené l'armée de Piémont. Il demande la lieutenance générale de Guienne, qu'avoit M. de Thémines, à qui on a donné le commandement de Bretagne. »

Pièce 151. — *L'auteur de la lettre semble bien être Bernard Vignon, sieur de la Rivoire et de Bonneval, comte de Vignoles et de Servesca, qui était entré au service du duc de Savoie Charles-Emmanuel et deviendra le premier écuyer de son fils, Victor-Amédée. Fils de Jean Vignon, bourgeois de Grenoble, et de Françoise Rognon, il était frère de la seconde épouse du connétable de Lesdiguières. Il avait reçu des lettres de noblesse en février* 1620 *et devait mourir en* 1636.

152. — M. de Laffemas au cardinal de Richelieu. Paris, 30 juillet 1626.

B.N., Fonds Baluze, vol. 343, f° 29. — Original.
Impr. : G. Mongrédien, *Le bourreau du cardinal de Richelieu : Isaac de Laffémas*, Paris, 1929, p. 66.

Monseigneur,

Je sçay qu'on vous a voulu persuader que certaines gens essayoient à vous servir dans leurs compagnies, qui néantmoings font des actions fort contraires au vœu qu'ils ont faict. Je ne sçay pas si c'est pour mieux couvrir leur desseing, mais je vous puis dire que les meilleurs motz de resjouyssance que ces gens là ayent en leurs festins sont les brocardz dont les libelles qu'on faict courir contre le gouvernement sont remplis. Je suis trop estroictement obligé à vostre bonté pour dissimuler ce que j'en destourne, et souhaiterois qu'il me fust permis de faire chastier ceux qui donnent cours à tous ces mauvais escripts. Il y a de bons remèdes pour cela si l'on en vouloit user, mais il semble que chascun connive au mal, et que ceux qui sont establis pour y prendre garde sont ceux qui s'en formalizent le moings, et qui peut-estre aydent à débiter toutes ces mauvaises pièces, où le Roy n'est pas moings offensé que vous. Je voudrois que sa Majesté m'eust authorisé pour luy en faire raison. Je les aurois bienstost mis en

Pièce 152. — *Nous possédons jusqu'à ce jour dix-sept lettres d'Isaac de Laffémas au cardinal de Richelieu. Celle-ci est la première en date, mais les relations de celui qui mérita d'être appelé de son vivant « le grand gibecier de France »* (Mémoires *de La Porte*) *avec le ministre remontent certainement à une dizaine d'années plus tôt, à l'époque où Richelieu était secrétaire d'Etat. Isaac de Laffémas était né en* 1584 *; reçu avocat au Parlement de Paris en* 1604, *il avait obtenu, le* 21 *juin* 1613 *une charge de secrétaire du roi. Ce fut Richelieu qui lui fit accorder, le* 31 *janvier* 1620, *la commission de procureur de Sa Majesté en la chambre de justice réunie à Paris pour juger les prévarications des financiers. A la date où la lettre ci-desus fut écrite, Laffemas était maître des requêtes depuis le* 17 *octobre* 1625. *Il sera, en* 1634, *nommé intendant à Limoges. Ecarté de l'administration peu après la mort du cardinal, il mourra le* 16 *mars* 1657. — *Voir : G. Mongrédien, Le bourreau du cardinal de Richelieu, Isaac de Laffemas, Paris,* 1929.

mauvaise posture, en sorte que ceux qui se meslent de descryer le gouvernement croyent avoir un grand apuy dans les comp[agnies] souver[aines]. Je vous ay bien mandé par une précédente l'entreprise du parlement contre vostre com[missi]on, mais je ne vous ay pas dit à quel desseing cela se faisoit. A présent que je suis mieux adverti, je vous diray qu'on croyait en rompant les prisons du Fort Lévesque obliger nos archers à quelque deffense, sur lesquelles on eust pris subject de faire une esmotion populaire, estant très véritable qu'il y avoit desjà des quartiez armez à la persuasion de ceux qui désiroient le trouble, soit pour obliger le Roy à revenir delà, ou pour quelque autres desseing de cet attentant par quelque expédient digne de vostre générosité et de vostre courage. Et néantmoings quoy qu'il arrive, nous interpréterons tousjours toutes vos actions au bien et à l'advantage du Roy (qui ne souffrira pas tousjours que le parlement cognoisse de toutes manières). Je vous envoye la copie d'un arrest notable donné par François Ier en son Conseil estroit, qui vous peut servir à cela. Et vous suplie, Monseigneur, de trouver bon que je vous dye qu'il n'y a jamais eu de brouilleries dans l'Estat que le parlement n'ayt entrepris ou attenté quelque chose extraordinaire. Aussi ay-je bien recogneu que les gens du desseing se servent de toutes sortes de moyens et d'occasions pour atirer les autres à leurs volontez, dont les mouvemens seroient peut-estre contraires, s'ils cognoissoient l'artifice de ceux qui les veulent engager. Le temps vous fera cognoistre ce que je vous dis, si le Roy ne rompt les cabales desdits aussi bien que ceux de Bretagne.

Je crains que vous trouviez mon zèle indiscret, mais comme je puis faillir pour trop dire, je manquerois peut-estre aussi pour ne pas dire assez, estant comme je suis par toutes sortes d'obligations.

Monseigneur,

Vostre très humble, très obéissant et très assuré serviteur,

De Laffemas.

A Paris, ce XXXe juillet 1926.

153. — M. de Bailleul au cardinal de Richelieu. Paris, 30 juillet 1626.

A.E., Mém. & Doc., France, Vol. 1590 (Ile-de-France), f° 128. — Original.

Analyse :

Deux semaines avant l'élection de son successeur, il prie le cardical d'agréer l'hommage de son respect et de son dévouement, et lui exprime sa gratitude pour l'appui qu'il a reçu de son autorité pendant l'exercice de sa charge.

Pièce 153. — *Bien que le dernier chiffre du millésime soit mal formé et qu'on puisse lire* « 1628 », *cette lettre ne peut être que de* 1626. *Il ne peut, en effet, s'agir ici que de la charge de prévôt des marchands qu'exerça Nicolas Le Bailleul de* 1621 *à* 1626 ; *il devait être ensuite nommé président à mortier au parlement de Paris le* 25 *septembre* 1627. — *V. supra pièce* 54.

154. — Louis de Marillac au cardinal de Richelieu. Verdun, 31 juillet 1626.

A.E., Cor. pol., Lorraine, Vol. 7, f° 192-193. — Original.

Analyse :

Il dit son regret d'importuner le roi sur l'état de l'armée qu'il commande, mais il lui était impossible de lui dissimuler la vérité. Il espère que le cardinal adoptera l'un des deux projets qu'il a proposés pour y remédier. Il a écrit au garde des sceaux au sujet de la charge de M. de Vaudémont, et rappelle au cardinal ce qu'il lui a précédemment écrit sur les dispositions du prince de Phalsbourg. — M. de Verdun est rentré de Cologne et il a, dit-on, l'intention de se rendre à la cour. — Le travail des fortifications se poursuit, mais lentement, car l'eau manque.

En terminant sa lettre il reçoit celle que le cardinal lui a envoyée de Nantes le 11 du mois : il se réjouit d'apprendre que le cardinal est en bonne santé, ce dont il est « en continuelle peine ». Cette lettre lui montre aussi combien paraîtra rude au cardinal le contenu du mémoire sur l'état de l'armée, puisque celui-ci lui recommande fortement de veiller à la conservation des troupes, « mais, dit-il, ma condition est pitoyable, puisque, dans le zelle que j'ay, les forces me manquent et que je suis réduit à gouverner par prières et remonstrances un nombre d'affamés qui n'ont pas un quart du pain qu'ils avoient accoustumé d'avoir, par prévoyance et pour plus long temps durer réduit les rations de chacun... ». Tant qu'on n'aura pas pris de mesures pour remédier à cet état de choses, il restera dans la crainte de voir cette ville et toutes celles qui ont des garnisons livrées au pillage par les troupes.

155. — Au Révérend Père Joseph. S.l. [fin juillet 1626].

A.E., Mém. & Doc., France, Vol. 245, f° 51. — Minute de la main de Charpentier.
Impr : Avenel, VII, pp. 588-589.

Mon Père, pour responce à ce dont vous m'avés escrit touchant le Sr de Chaudebonne (1), je vous diray librement que je l'estime

Pièce 155. — *La minute est sans date. La phrase : « Monsieur est parfaitement bien auprès du Roy » autorise à penser que cette lettre a été écrite à l'époque où Monsieur ayant décider de consentir à épouser Mademoiselle de Montpensier — ce qui lui valut l'apanage du duché d'Orléans — une amélioration sensible se produisit dans les relations entre le roi et son frère, c'est-à-dire dans les derniers jours de juillet* 1626.

(1) Claude d'Urre du Puy-Saint-Martin, seigneur de Chaudebonne était fils de Louis d'Urre de Cornillan d'Oncieu, lieutenant général des armées du roi et gouverneur de Provence, et de Geneviève de Laire. Gentilhomme ordinaire de la maison de Monsieur et l'un de ses familiers, il avait été compromis dans les intrigues qui tendaient à empêcher le mariage du frère du roi. Il avait été arrêté le même jour que le maréchal d'Ornano, le 4 mai 1626.

beaucoup. Je le tiens homme de parole et de cœur, et vous asseure que je seray bien aise de le servir auprès du Roy. Au reste, vous cognoissés mon humeur : si je ne faisois cas de luy, je ne le dirois pas. Je le remercie des offres qu'il vous a faites, tant pour le service du Roy, de la Reyne sa mère, que pour mon particulier. Quand il plaira au Roy de tirer du lieu où il est (2), ce sera sans stipuler aucune condition particulière avec luy, et ceux qui l'assisteront le feront sans dessein. Il est en lieu de tout promettre ; il seroit peu honneste d'exiger des paroles d'une personne qui est en l'estat auquel il est. La conscience d'un homme d'honneur luy faict faire plus que tous les serments du monde faicts en lieu contrainc. Monsieur est parfaitement bien auprès du Roy, Sa Majesté en est fort contente. Pour mon particulier, vous sçavés bien que je ne souhaite rien au monde comme la tranquilité de cet Estat, et de voir Monsieur grand et heureux dans la prospérité et le bonheur des affaires du Roy. Par ce moyen il sera bien aisé et tous ceux qui serviront Monsieur de servir le Roy et l'Estat, puisque ces deux choses ne requièrent rien qui ne soit advantageux à Monsieur.

Les intrigues des femmes nuisent plus à Mr de Chaudebonne qu'autre chose. Je suis, comme vous sçavés, mon père, tout ce que vous voudrés pour vous,

156. — MM. Dubernet et de Pontac, présidents au parlement de Bordeaux au cardinal de Richelieu. S.l. juillet 1626.

A.E., Mém. & Doc., France, Vol. 782, f° 262. — Original.

Monseigneur,

Lorsque nous avons fait entendre à nostre compagnie les obligations qu'elle vous a et tout ce que nous avons peu obtenir sur les poursuittes que nous avons faict près de Sa Majesté, nous dézirions satisfaire en quelque façon nostre debvoir, et particulièrement nous leur avons voulu représenter les glorieux et généreux desseins que vous avez pour la grandeur de l'Estat et mesme pour la forme des gouvernements dont nos remonstrances estoyent chargées. Sy après cela nous avons esté sy malheureux qu'on ayt calomnié nostre relation et publié qu'il n'a pas tenu à nous que le parlement n'ait veu qu'il avoir trouvé moings de faveur et d'apuy près de vous qu'il ne debvoit se promettre, nous nous plaindrons à vous, Monseigneur, de la malignité de ceux qui ont donné cet advis et leur oppozerons quatre-vingt tesmoings quy ont ouy tout ce que nous avons dict et dont les registres sont chargés, ou tout l'escrit du discours bien contraire sy vos occupations vous permettoyent d'y jetter les yeux.

Pièce 156. — *La date de « juillet* 1626 » *a été portée sur le recto de la feuille précédente (f°* 261). *Les deux signataires de la lettre étaient présidents au parlement de Bordeaux.*

(2) Le Château de Vincennes.

Mais ce soin blesse le respect qui vous est deubt, et la lecture de ceste seule lettre vous desrobe trop de temps. Quand vous aurez seulement considéré les autheurs de ces nouvelles, leurs mouvements et leurs desseins, nous espérons de vostre bonté et justice qu'ils n'auront pas l'advantage qu'ils se sont promis de nous rendre odieux, et diminuer la considération en laquelle veult estre prise de vous une grande compagnie, où il n'y a personne quy ne vénère vostre nom et ne recognoisse le bonheur de la France soubz la conduitte de voz conseils, lesquels nous prions Dieu,

Monseigneur,

qu'il vous veuille tousjours inspirer au gré et contentement de Sa Ma[té], et vous donner longue vie,

Voz très humbles et obéissants serviteurs,

Dubernet De Pontac.

157. — Le connétable de Lesdiguières au cardinal de Richelieu. Grenoble, 1er août 1626.

A.E., Cor. pol., Turin, Vol. 7, f° 270. — Original.

Analyse :

Il envoie à la cour le Sr de Chappolay porter au roi le texte du traité conclu avec M. de Brison pour la reddition du Pouzin en même temps que la nouvelle de sa soumission. M. de Chappolay en donnera les détails au cardinal.

158. — Le Père Séguiran au cardinal de Richelieu. S.l., 1er août 1626.

A.E., Mém. & Doc., France, Vol. 781, Invent. de la cor., 1626, f° 180.

Analyse :

« Il rend compte et demande pardon d'un sermon très séditieux presché dans l'église des Jésuites, le jour de Saint Ignace, par l'évêsque de Bellay (1). Ce prélat y attaqua fort le parlement et encore plus le gouvernement. Il s'estend sur les affaires de la Valteline, sur le secours qu'on devroit au prince palatin, etc. » (2).

(1) Cet évêque de Belley, c'est le célèbre Jean-Pierre Camus (1584-1652) disciple de François de Sales, qui l'avait consacré évêque en 1609.
(2) Le Père Séguiran avait été confesseur du roi de la fin de 1621 à 1625.

159. — M. de Chalais au cardinal de Richelieu. [Vers le 1er août 1626].

Impr. : *Pièce du procès de Chalais, p.* 230-231.

Monseigneur,

Ceux qui sont assez malheureux pour perdre les bonnes grâces du Roy ne doivent espérer nuls intercesseurs ; c'est pourquoi, bien que la plus innocente de ses créatures, je ne m'attends qu'à ce papier pour conjurer votre extrême soin au bien de l'Etat, de vouloir m'écouter comme j'avois déjà proposé à Messieurs de Bellegarde et Chevalier de Valençay. L'importance de l'affaire requiert et secret et vigilance, qui me fait espérer que vous ne rejetterez pas l'affection que j'ai de servir puissamment et de sortir d'un lieu dont l'innocence m'ouvrira les portes : faites-moi cette grâce, Monseigneur, d'essayer que je vous serve, ou que vous ôtiez l'importunité d'un homme très affligé ; c'est,

Monseigneur,

Votre très humble et très obéissant serviteur,

Chalais.

160. — Diverses choses que Monsieur a avouées au Roy. [Fin juillet et début d'août] 1626.

A.E., Mém. & Doc., France, Vol. 782, f° 223-228. — Original.
Impr. : Victor Cousin, *Madame de Chevreuse,* 1862, Notes du Chapitre deuxième, pp. 364-372 (reproduction peu fidèle et parfois inexacte).

Le samedy XIe jour de juillet 1626, le Roy estant en la ville de Nantes, Monsieur a dit à Sa Majesté les choses qui s'en suivent, en présence de la Reyne sa mère, de Monsieur le Cardinal de Richelieu et de Messieurs le Garde des Sceaux Deffiat et Beauclerc, voulant recognoistre franchement la vérité sur les occurences présentes dont le Roy lui parloit.

Qu'il estoit vray que Chalais luy avoit dict dès Paris qu'on le vouloit prendre prisonnier.

Qu'il avoit faict une grande faute de souffrir qu'on mist des troupes dans le Pont de l'Arche et Honfleur, par ce qu'il se fust retiré dans l'une des deux places, et que le Havre se fust joinct à luy.

Qu'il debvoit empescher monsr le Comte de venir à la Cour de peur qu'on les prist tous deux ensemble.

Qu'il l'avoit convié à demander le marquis de Coeuvres pour premier gentilhomme de sa chambre parce qu'il est parent de Mesrs de Vandosme et Grand Prieur.

Que luy, Chalais, vouloit vendre sa charge pour estre plus attaché à Monsieur et plus libre de le servir.

Qu'estant à Nantes il luy avoit dict qu'on avoit mis des compagnies de chevaux légers de tous costés pour l'empescher de sortir.

Monsieur dist aussi au Roy que Monsr le Comte luy avoit faict dire à Paris qu'il ne luy parloit point parce qu'il disoit toutes choses et ne guardoit pas secret, et qu'après qu'il eust esté à Limours voir le cardinal de Richelieu, Monsr de Longueville luy dist en se moquant qu'il voudroit bien sçavoir si les affaires du Colonel en alloient mieux.

LOUIS.

MARIE.

ARMAND CARD. DE RICHELIEU.

DE MARILLAC.

Pièce 160. — *Le titre de cette pièce est donné par la feuille de garde (f° 222) d'une écriture qui est celle de Charpentier. Celui-ci a écrit également, au-dessus, le mot « Employé ». Sous ce titre, deux mains différentes ont écrit : « Juillet et août 1626 ». Pour l'ensemble des documents qui suivent, on relève tantôt l'écriture de Charpentier, tantôt celle de Claude Bouthillier, et plus souvent celle de Le Masle. Il s'agit, en effet, de cinq procès-verbaux rédigés, sinon immédiatement, du moins fort peu de temps après les conversations que Monsieur eut, les 11, 12, 17, 23, 31 juillet et 2 août avec le roi son frère et la reine mère, en présence du cardinal de Richelieu, ou encore avec le cardinal seul. Comme on le verra, le jeune prince y fait des aveux accablants pour ceux qui l'avaient conseillé et encouragé dans ses agissements, en particuliers pour Chalais. M. Georges Dethan, le biographe de* Gaston d'Orléans, prince charmant — *Paris, 1959, p. 60 — observe que, si l'ensemble de ces cinq documents, est « revêtu des griffes de Louis XIII, de sa mère et de Richelieu », on n'y relève pas la signature du prince, et il note un passage des* Mémoires *de Bois d'Ennemetz, qui rapporte que Gaston s'était vanté à ses familiers, quelques jours plus tard, d'en avoir « bien baillé au roi et à la reine mère » et leur avoir « dit quantité de choses qui n'étaient de nulle conséquence » ; ces confidences ajoute le biographe, enlèvent beaucoup de force aux aveux du jeune prince. Il resterait cependant à démontrer que les vantardises de Gaston devant ses familiers aient plus de valeur que les déclarations faites devant sa mère, son frère et le cardinal. Celle-ci, en tous cas, étaient loin d'être d'aussi « nulle conséquence » qu'il le prétendait.*

Le lendemain dimanche XIIe du mois de juillet 1626, Monsieur a recoignu ces divers desseins qui s'en suivent en présence du Roy, de la Reyne sa mère et de mons[r] le cardinal de Richelieu.

Dessain perpétuel de s'en aller de la Cour depuis Bloys, qui estoit tout acquis à Chalais, Boistalmet (1) et Puylaurens, et, depuis la prise de Chalais, au président le Coigneux.

Qu'en ce dessein il y avoit diverses fins.

D'aller à Paris pour tascher de faire révolter le peuple, luy donnant du blé gratuitement, et publiant qu'on l'avoit voulu prendre prisonnier, et faire arrester mons[r] le Comte ainsi qu'on avoit desjà arresté des princes et autres personnes.

D'essaier de surprendre le Bois de Vincennes et par quelque artifice faire sortir le bonhomme Hacour pour s'en saisir et faire

(1) Jacques de Bois d'Ennemetz.

ouvrir par ses enfants par crainte qu'on poignardast leur père devant eux ; qu'il voioit bien plusieurs difficultés à ce dessein par ce que Taillas estoit en la basse cour et qu'il falloit onze pétards pour venir jusqu'à la chambre du Colonel, aussi qu'il y avoit quatre des mousquetaires du Roy dans le donjon, et qu'il craignoit qu'ils ne le rendissent pas quand mesmes les autres le voudroient (2).

Qu'il eust bien désiré que le Colonel eust esté à la Bastille, où il ne falloit que cinq pétards, mais qu'il avoit bien jugé qu'on y avoit mis Mazargue et Ornane par ce que ceux-là n'avoient rient fait et qu'on avoit mis le Colonel et Chaudebonne au Bois de Vincennes.

Que sa résolution estoit de ne point partir de Paris que quand le Roy reviendroit, auquel cas il en fust sorti pour aller à Metz, à Dieppe ou au Havre, desquelles places on luy avoit parlé pour se retirer dès avant que le Roy partist de Paris ; que pour cet effect le Roy se souviendroit qu'il luy avoit demandé cent mil escus plusieurs fois dès Fontainebleau, et que c'estoit en intention de gaigner Madame de Villars (3) par ce moien, ne se souciant pas du mari pourveu qu'il eust gaigné la femme.

Que le Grand Prieur sçavoit l'affaire de Metz et du Havre, et qu'il luy avoit donné conseil d'aller à Fleury menacer le cardinal de Richelieu du poignard si il ne moiennoit la liberté du Colonnel, à quoy il avoit esté résolu.

Qu'il avoit eu dessein de fortifier Quillebeuf.

Qu'il avoit pensé que le duc de Chaulnes (4) ne luy refuseroit retraicte à Amiens, et qu'on luy avoit faict cette proposition comme aussi on luy avoit parler de Lan, luy disant que le lieutenant luy donneroit peust estre retraicte à cause de la parenté du marquis de Coeuvres avec Mes[rs] de Vandosme et Grand Prieur (5).

Qu'il est vray que c'est luy-mesme qui a faict donner l'appréhension à MM[rs] de Chaulnes et Luxembourg (6) qu'on leur vouloit oster leurs places, affin de les disposer à l'y recevoir.

Qu'il avoit branqueté toutes les provinces du royaume pour cognoistre si on luy vouloit donner retraicte en quelqu'une.

Que les Rochelois et mons[r] de Soubize luy avoient faict offrir retraicte à la Rochelle, et que Boistalmet et Puylaurens luy avoient dict qu'ils le suivroient par tout excepté en ce lieu-là.

Qu'il n'avoit point encore escript, mais qu'il avoit résolu d'escrire par tout sitost qu'il seroit parti pour aller à Paris, à trois lieues mesme de Nantes.

---

(2) « Cet invraisemblable complot, estime G. Dethan, paraît bien être du nombre de ces « choses qui n'avaient jamais été pensées » et dont Gaston se vantait d'avoir étourdi son frère et sa mère » (*op. cit.*, p. 61).

(3) Julienne-Hippolyte d'Estrées, épouse de Georges de Brancas-Villars, gouverneur du Havre, et tante des Vendôme.

(4) Henri-Louis d'Albert d'Ailly, second duc de Chaulnes, vidame et gouverneur d'Amiens.

(5) Le marquis de Coeuvres, François-Annibal d'Estrées, était le frère aîné de la belle Gabrielle, et par conséquent oncle des Vendôme.

(6) Marie-Léon d'Albert, duc de Piney-Luxembourg, frère aîné du connétable de Luynes.

Qu'il avoit seulement escript une lettre à Madame la Princesse de Piedmont (7), à laquelle il est vray qu'il avoit envoié Valins devant que le Colonnel fust pris.

Que l'on avoit dit que depuis que Monsr le Prince de Piedmont fut mécontent de la paix d'Italie, luy et Monsr le Comte luy avoient parlé, ce qui n'est pas vrai, mais bien qu'il avoit envoié Valins en Savoye comme il a dict.

Qu'il avoit demandé son apanage à Bloys à deux fins. L'une pour amuser, et l'autre affin qu'estant retiré de la cour on ne luy peust refuser comme faisant une nouvelle demande ce qu'on luy avoit auparavant accordé.

Que Monsr le comte et Monsr de Longueville (8) estoient tout à luy, et que, maintenant, qu'il estoit bien avec le Roy, il respondoit d'eux à Sa Majesté (9) ; que Monsr de Longueville mourut de peur qu'on le prist à Bloys, où il n'avoit ozé parlé à luy, mais luy avoit laissé Montigny pour luy parler après qu'il seroit parti, ce qu'il avoit faict.

A dict que Dieu avoit voulu qu'avant-hier ses maistres d'hostel par hazard l'avoient disné tard, et que, sans cela, il partoit pour s'en aller à Paris, mais y aiant dix ou douze gentilshommes des siens qui disnoient, cela le retarda, et que dans le retardement, il trouva sujet de se contenter et changer son dessein (10).

Que, outre Chalais, Boistalmet et Puylaurens (11), qui ont tousjours sceu toute la conduicte, il y avoit plus de quinze personnes qui sçavoient le dessein de son voiage à Paris, sçavoir le Coigneux (12), Ouailli (13), Dusaunois (14), qui estoit venu de Paris depuis trois jours, Peregrin (15), son maistre d'hostel, Rames (16), qui est à Blin-

---

(7) Chrétienne de France, née en 1606, sa sœur, qui avait épousé Victor-Amédée de Savoie.

(8) Louis de Bourbon, comte de Soissons — Monsieur le Comte — était le fils de Charles de Bourbon-Soissons ; sa sœur, Louise de Bourbon-Soissons, avait épousé Henri II d'Orléans-Longueville, dont il est question ici. Quand cette princesse mourra, en 1637, le duc de Longueville épousera Anne-Gennevième de Bourbon-Condé, si célèbre pendant la Fronde.

(9) C'était s'aventurer beaucoup ; le comte de Soissons, comme on le verra, passera à l'étranger dès la fin du mois d'août.

(10) Ce paragraphe a été utilisé par les rédacteurs des *Mémoires du cardinal de Richelieu* édit. de la Société de l'Hist. de France, t. IV, p. 108. Les *Mémoires* portent d'ailleurs la trace de plusieurs emprunts aux différents procès-verbaux reproduits ici, mais sans entrer dans les détails des aveux du prince. Voir au tome VI de l'édition mentionnée, les pages 104, 105, 107, 108, 115-117, 125, 130, 131, 133, 134, 156-157, 173-176, 179, 180, 183, 184 et 186.

(11) Antoine de l'Age, seigneur de Puylaurens, d'abord enfant d'honneur de la maison de Monsieur, puis gentilhomme ordinaire de sa chambre, maître de sa garde-robe, enfin son chambellan. Il en sera question plus d'une fois.

(12) Jacques Le Coigneux, président en la Chambre des Comptes depuis 1619, il était chancelier de Monsieur. De lui aussi on reparlera. Richelieu, dans la pensée de s'assurer ainsi de sa fidélité, lui fera donner une charge de président à mortier.

(13) Charles-Maximilien de Hallewin, seigneur de Wailly, capitaine des gardes de Monsieur.

(14) Gabriel Thibeust, sieur des Aulnois, gentilhomme de la fauconnerie de Monsieur.

(15) Antoine Pellegrin, sieur des Presles.

(16) Henri Martel, seigneur de Rames-Baqueville, chambellan de Monsieur.

ville, les deux d'Elbenes (17), Delfin (18) et autres, et qu'il avoit envoié Boistalmet et Puylaurens tant pour l'attendre sur le chemin que par ce qu'auxxi, sachants ses affaires dès le commancement, il craignoit qu'on les arrestast.

La Reyne disant à Monsieur qu'il avoit manqué à un escript si solennel duquel le Roy avoit voulu qu'elle fust dépositaire, il a respondu qu'il l'avoit signé, mais qu'il ne l'avoit promis de bouche en quoy sa mémoire l'a mal servi, veu la lecture de l'escript, jurant qu'il le garderoit inviolablement, le Roy et la Reyne luy faisants souvenir que, plusieurs fois depuis, il avoit juré solennellement de ne penser jamais quelque chose qui tendist à se séparer d'avec le Roy. Il a dict qu'il avoit tousjours quelque intelligence et qu'il réservoit quelque chose en jurant. Et estant pressé par beaucoup de choses qu'il a jurées clairement, il a recognu que depuis qu'on a faict une faute on en faisoit en suite cinquante autres.

En suite de tout cela Monsieur a prié le Roy de luy pardonner, ce que Sa Majesté a faict de très bon cœur, et l'aiant Monsieur suplié de pardonner aussi à Boistalmet et Puylaurens, le Roy leur a pardonné pourveu qu'ils recognoissent ingénuement leur faute, et qu'ils découvrent franchement la vérité de tout ce qu'ils sçavent, et viennent demander pardon au Roy, ce que Monsieur promit de leur faire faire le lendemain, condition à laquelle Monsieur s'estoit soumis luy mesme aiant donné sa parole au Roy de ne luy rien celer de tout ce qu'il a dict et pensé sur ces affaires.

LOUIS. MARIE.
ARMAND CARD. DE RICHELIEU.

Le vendredi XVIIe du mois de juillet 1626, Monsieur estant en bonne humeur, après avoir faict force protestations à la Reyne sa mère, qui estoit en son lict, il luy avoua, le cardinal de Richelieu présent, qu'il estoit vrai que le Colonnel l'avoit porté à prendre habitude et liaison avec le plus de grands qu'il pourroit dans le royaume et mesmes avec les Princes estrangers.

Qu'après que le Prince de Piedmont s'en fut allé malcontent de la Cour, ils avoient envoié Valins soubs prétexte d'aller au St.Esprit en Savoye pour former une estroicte ligue et union avec Monsieur le Prince de Piedmont, *et que ses pacquets furent portés par un homme qui partit trois jours après, de peur qu'on dévalisast Valins* (a).

Qu'ils avoient aussi faict la mesme chose avec les Anglois par le duc de Boukquinqan lors qu'il estoit en France, et que, depuis qu'il en estoit parti, ils se servoient de Rames, lequel il eust bientost renvoié en Angleterre si il eust suivi le dessain qu'il a déclaré ces jours passés qu'il avoit de s'en aller.

(a) Cette phrase a été ajoutée au texte en interligne et d'une autre encre.

(17) Guy d'Elbène, capitaine des gardes et son frère cadet Barthélémy, abbé d'Elbène, aumônier de Monsieur ; ils étaient neveux de l'évêque d'Albi, Alphonse d'Elbène, tout dévoué aussi à Monsieur.

(18) Benoist d'Istria, seigneur Delfino dit Delfin, Corse d'origine et ancien « domestique » du maréchal d'Ornano.

Que du temps du Colonnel ils s'estoient aussi assurés de l'amitié d'Harsen (19), ambassadeur extraordinaire des Estats ; sur quoy est à noter que tout d'un coup Harsen, qui estoit convenu des articles d'un nouveau traicté avec les Estats, se refroidist sans que l'on ne peust pénétrer la cause, qui peut estre estoit l'assurance qu'on luy avoit donnée des brouilleries qu'on méditoit.

Il dist aussi qu'ils avoient au mesme temps dessain de gaigner le Nonce, et généralement de s'acquérir le plus d'amis de tous costés qu'ils pourroient.

Après tout cela, estant dist à Monsieur avec quelle foy il pouvoit jurer que le Colonnel estoit innocent, comme il avoit faict plusieurs fois, il respondit qu'il entendoit, quand il juroit cela, qu'il estoit innocent envers luy par ce qu'il le servoit, et non pas envers le Roy.

MARIE.

ARMAND CARD. DE RICHELIEU.

Le 23e juillet (b), Monsieur estant venu voir le card[al] de Richelieu en la maison épiscopale de Nantes, après luy avoir fait plusieurs protestations de vouloir honorer et obéir à la Reyne sa mère luy dit que c'estoit maintenant tout de bon, qu'il estoit vray que celle qu'il avoit faite par le passé n'avoit esté que pour gagner du temps, et que mesme la dernière fois qu'il luy avoit parlé il avoit fait semblant d'avoir du mal et luy avoit dit en grande confiance, encore qu'il ne fust pas, par ce qu'il avoit une extreme aversion du mariage, non à cause de la personne de Mademoiselle de Montpensier mais en général parce qu'il appréhendoit de se lier. En suite il prioit le cardinal d'asseurer qu'il se marieroit quand on voudroit pourveu qu'on luy donnast son appanage en mesme temps. Sur quoy il dist que feu Mr d'Alençon (20) avoit eu trois appanages, sçavoir est le premier, qui valoit cent mil escus de revenu, le second celuy du Roy de Pologne quand la couronne luy escheut par la mort du Roy Charles, et le troisième une augmentation qui luy fust donnée pour luy faire poser les armes.

Sur cela le Cardinal luy dit qu'il ne faloit pas prendre pied sur ces appanages, et qu'il y avoit une considération particulière en son fait qui n'empescheroit pas le Roy de luy en donner un bon, bien qu'elle le peust porter à ne le faire pas. S'enquérant soigneusement

(b) A partir de cet endroit, le texte est de la main de Michel Le Masle.

(19) Aarsen ou mieux Van Aersens (1572-1641) ; il avait été déjà ambassadeur en France, puis à Venise, avant d'être envoyé à Londres comme ambassadeur extraordinaire de 1624 et 1625.

(20) François, quatrième fils d'Henri II (1554-1584). Ce prince reçut en fait, quatre apanages successifs : — en février 1566, Alençon, Château-Thierry, Châtillon-sur-Marne, Epernay, le comté du Perche, avec Gisors, Meulan et Vernon ; — en oct. 1569, le comté d'Evreux érigé en duché, et les comtés ou seigneuries de Beaumont-le-Roger, Breteuil, Orbec et Passy, Dreux et Sésanne ; — en oct. 1570, Caen, Falaise, Bayeux, Vire, Valognes, Coutances, Avranches, Saint-Sauveur-Lendelin, Saint-Sauveur-le-Vicomte, Pontoise, Chaumont-en-Vexin, Beaumont-sur-Oise et la Ferté-Alais, enfin, en mars 1576, l'Anjou, la Touraine et le Berry, avec le titre de duc d'Anjou (Arch. des Aff. étr., Vol. 782, f° 279).

de ce que c'estoit, le Cardinal luy dit que l'intention du feu Roy estoit qu'on luy donnast de grosses pensions, mais pas un appanage comme on avoit donné aux autres enfans de France. Il demanda si cette volonté du feu roy estoit signée. Le Cardinal luy respondit que non, et que le Roy ne s'en vouloit servir. En suite de cela il dit force belles paroles pour l'asseurer de son amitié auxquelles le Card[al] respondit avec le respect qu'il devoit.

Puis, venant de discours en discours, à parler du M[al] d'Ornano, il dit que la plus grande faute qu'il eust commise estoit de traicter avec les estrangers sans le sçeu du Roy, qu'il estoit vray qu'il avoit escrit en Piedmont, Angleterre et à Harsen, en Hollande, et que si on avoit de ses lettres, comme il tesmoignoit le croire, on trouveroit à la plus part d'icelles qu'il avoit escrit une ligne ou deux de recommandations particulières ou autres choses semblables pour donner créance.

Sur cela le Card[al] luy disant que cette faute du Colonel estoit capitale, il tesmoigna ingénuement le scavoir bien, mais qu'il le faisoit pour luy acquérir plus d'amis et le rendre plus considérable.

Ensuite Monsieur dist encore qu'une des plus mauvaises lettres qu'eust escripte le Colonel estoit à Madame la Princesse (21), à laquelle il mandoit : asseurez-vous que je vous tiendray ce que je vous ay promis ; mais (ajouta-t-il) ce n'estoit que d'amourettes qu'il vouloit parler ; ce qui est du tout sans apparence, estant certain que, s'il y avoit quelque intelligence de ce genre entre une personne de la qualité de cette dame et un Adonis comme le Colonel (22), ce seroit plustost à elle à asseurer qu'elle tiendroit ses promesses qu'à luy, qui par raison devoit estre recherchant et non promettant. Pour conclusion, Monsieur luy dist qu'il luy envoieroit M. le président Le Coigneux pour luy parler de son mariage et de son apanage.

Monsieur dit aussy le mesme jour au Card[al] que, lors que Mrs de Vendosme et le Grand Prieur arrivèrent à Blois, pendant que le Roy parloit à M. de Vendosme, il disoit au Grand Prieur que M. de Vendosme avoit grand tort d'estre venu trouver le Roy, et que, s'il eust tenu bon en Bretagne, luy s'en fust allé à Paris et, de là, tascher de se jetter en quelque place de Picardie, où il n'y a point de citadelle, comme St-Quentin ou Compiègne, qu'il eust aisément surprises, s'il n'en eust eu d'autres asseurées, et que, par ce moyen, le Roy ne pouvant aller à tous les deux à la fois, ils se feussent sauvez les uns les autres. En tout cas, dit-il au Cardinal, je croiois bien que M. de Longueville ne me dénieroit pas retraicte dans Dieppe (23).

Armand, card. de Richelieu.

(21) Charlotte-Catherine de la Trémoïlle (1568-1629), dernière fille de Louis de la Trémoïlle, duc de Thouars, et de Jeanne de Montmorency, avait épousé, en 1586, Henri Ier de Bourbon, prince de Condé ; elle était la mère de Monsieur le Prince. Notons, au passage, que Madame la Princesse était alors âgée de cinquante-huit ans ; le maréchal d'Ornano en avait quarante-cinq.

(22) Le sens est ironique : Ornano était d'une laideur singulière.

(23) Le duc de Longueville était gouverneur de Normandie.

Le 25e juillet 1626, Monsieur estant dans le Cabinet de la Reyne sa mère, à Nantes, dit, en présence de M. le Card[al] de Richelieu et du Mar[al] de Schomberg.

Que, depuis qu'il estoit à Nantes, il s'estoit résolu diverses fois avec son petit conseil de s'en aller. Une fois, il s'en vouloit aller avec cinq ou six gentilshommes sur des coureurs, mais il eust crainte qu'il pourroit facilement estre arresté.

Une autre fois il s'en vouloit aller avec toute sa maison, et, estant à Ingrande, depescher vers le Roy pour luy faire scavoir que luy ayant esté dit qu'il n'y avoit point de seureté pour luy à Nantes, il s'en alloit à Blois, où il attendroit le retour de Sa Majesté ; mais que son dessein estoit, après avoir passé Angers, de prendre le chemin du Perche, droit à Chartres, et s'en aller à Paris en grande diligence, et qu'affin que son dessein fust plus secret, celuy qu'il enverroit d'Ingrande vers le Roy n'en devoit rien sçavoir.

Qu'une fois il fust tout preste de s'en aller sans qu'on luy vinst dire que ses m[es] d'hostel n'avoient pas disné.

Et comme M. le Cardinal et le Ma[al] de Schomberg blasmoient les conseils qu'on luy donnoit, il dit : c'estoient conseils de jeunes gens, mais asseurément si l'on ne m'eust donné advis qu'il y avoit des compagnies de chevaux légers sur tous les chemins que je pourrois tenir en m'en allant, et si je n'eusse eu crainte d'estre arresté par lesdites troupes, je m'en fusse allé.

Monsieur dist de plus : quand je fus voir M. le Car[al] à la Haye j'estois résolu de partir l'après-dinsée, mais M. le Car[al] me dit tant de choses et m'embarrassa tellement, que je revins tenir mon Conseil, où Le Coigneux me dit qu'il falloit voir s'il n'y auroit point moyen de me contenter plustost que de me résoudre à m'en aller. Et comme cela le dessein fust rompu.

En suite de cela, Monsieur dit : Je fus un soir bien embarrassé à Fontainebleau. Le Roy avoit donné le bonsoir à tout le monde et etoit au lit ; j'entray dans sa chambre avec le Ma[al] d'Ornano, et incontinent après je vis venir Mr du Halier, et le Roy demanda son habillement. Cela me mist bien en cervelle et eusse voulu estre hors de là, car nous scavions bien que nous faisions mal, et ceux qui font mal sont tousjours en crainte et ont peur.

Comme Monsieur faisoit ce conte, le Roy entre, et Monsieur luy dit : Monsieur, vous souvient-il quand vous donnastes un soir, à Fontainebleau, une sérénade à la Reyne ? Je disois icy que cela me mist bien en peine, et recommença à dire quasi les mesmes choses qu'il avoit dites.

ARMAND CARD. DE RICHELIEU.
SCHOMBERG.

Le dernier juillet 1626, Monsieur a dit à la Reyne sa mère qu'à quelque prix que ce soit il falloit sauver Chalais, et qu'il falloit en parler au Roy, et que de Paris on luy avoit mandé que si il laissoit perdre Chalais et qu'il enfust fait justice, il ne trouveroit plus personne qui le voulust plus servir, Chalais estant embarrassé pour son service.

Le mesme jour, Monsieur demanda à la Reyne si on feroit le procès au maréchal d'Ornano, et luy dit que tout ce qu'il avoit fait avoit esté par son commandement, et que mesme il avoit des lettres escrites de sa main par lesquelles il avouoit tout ce qu'il avoit fait.

En mesme temps Monsieur dit que Mr le Comte luy offroit quatre cens mil escus à prester pour sortir de la Cour si on le contentoit.

Il dit qu'on avoit creu qu'il eust traicté du Havre, mais qu'on n'y avoit jamais pensé, ce qui fait soubçonner que peult estre y a-t-il encore quelque dessein, veu qu'il nie une chose qu'il a confessée autresfois.

Que Mr le Comte estoit bien fasché de son mariage, mais qu'il n'oseroit se séparer du luy, de peur qu'on creust qu'il s'y fust mis seulement pour espouser Mlle de Montpensier.

Que la Reyne régnante l'a prié par deux diverses fois depuis trois jours de ne pas achever le mariage que le mareschal ne fust mis en liberté.

Il dit de plus à la Reyne qu'il vouloit demander abolition pour les petits garçons Boistalmé et Puylaurens.

Le deux^{me} aoust le Roy ayant fait appeléer Mr au Conseil pour luy dire la résolution qu'il avoit prise de luy donner son appanage et approuver son mariage nonobstant tous les divers advis qu'on luy avoit donné pour ne le faire pas, dont mesme Sa M^{té} en monstra un qu'on avoit addressé au Card. de Richelieu pourluy faire voir, duquel Mr lust la plus grand part, mondit Sr tesmoigna au Roy un extreme ressentiment de la bonté dont il usoit en son endroit, protesta avoir un extreme desplaisir de toutes les pensées qu'il avoit eues, jura qu'il ne se sépareroit jamais du service du Roy, auquel il recognoissoit estre extraordinairement obligé, et sur ce que Sa M^{té} luy dit : Parlez-vous sans les équivoques dont vous avez plusieurs fois usé ? Il jura solennellement qu'ouy, qu'il donnoit sa parole nettement de tout ce qu'il disoit, et qu'on se pourvoit fier en luy quand il déclaroit donner sa parole sans aucune intelligence. Et pour tesmoignage que je dis vray, c'est que je vous promets nettement que si Mr le Comte, Mr de Longueville et autres qui sont de mes amis, me donnent jamais de mauvais conseils, je les en détourneray si je puis, et si je ne le puis faire, je vous en avertiray. Il promist et jura le contenu cy-dessus devant le Roy, la Reyne sa mère, le garde des Scaux, le duc de Bellegarde, le Mareschal de Schomberg et le président le Coigneux.

Monsieur (c) dit devant le Roy, la Reyne et le cardinal de Richelieu que l'intelligence qu'il avoit en Angleterre estoit particulièrement avec le comte de Carlile, qui estoit lié de grande affection avec luy, et que, quand il entendoit parler des poursuites qu'on faisoit contre Buckingham, il n'en seroit pas fasché, espérant que, s'il venoit à estre ruiné, Carlisle viendroit en faveur et qu'il pourroit beaucoup en son endroit (24).

(c) A partir de ce mot, l'écriture est celle de Charpentier.

(24) Le comte de Carlisle avait été envoyé, au printemps de 1625, par le roi Charles Ier, ainsi que le comte de Holland, pour négocier les fiançailles du souverain avec Henriette de France.

Monsieur aiant sceu, trois ou quatre jours avant la mort de Chalais (25), qu'il avoit dit que le fondement de l'opposition que les dames faisoient au mariage estoit afin que, si le Roy venoit à mourir la Reyne pust espouser Monsieur (26) ; il dit au card[al] de Richelieu il est vrai qu'il y a plus de deux ans que je sais que Madame de Cheveuse a tenu ce langage.

Un jour devant la mort dudit Chalais, Monsieur dist à la Reyne sa mère qu'il n'y avoit que trois choses qui luy peussent faire faire une escapade et sortir de la Cour : l'une, si on vouloit faire trancher la teste au Colonel, l'autre, si on vouloit faire le mesme party au Grand Prieur, n'y ayant rien qu'il ne fist pour sauver ces deux personnes ; la 3e si on luy dénioit en effet l'appanage qu'on luy avoit promis.

Sept ou huict jours auparavant, il dist aussy à la Reyne sa mère qu'il sçavoit quelque chose de trois personnes qui leur feroit trancher la teste si on le sçavoit, mais que pour rien au monde il ne les nommeroit pas.

Monsieur (d) confessa à La Ferté à M. de Mandes revenant d'Angleterre, que Montagu (27), au voiage de Nantes, luy avoit dit de la part du comte de Carlile, qui est celuy avec lequel Monsieur a recogneu plusieurs fois que le Colonel avait formé estroite liaison, que ledit comte de Carlile l'avoit chargé de luy tesmoigner le desplaisir qu'il avoit de le voir mal traicté, scavoir ses sentiments sur ce subjet, et l'asseurer que, pourveu qu'ils sceussent ses intentions, il seroit servy du costé d'Angleterre comme il pouvoit désirer.

Monsieur, sur la fin du mois de septembre (e), estant au Conseil à St-Germain, un jour que la Reyne avoit esté seignée et estoit au lit, avoua franchement que Beaufort, qui est à la Bastille, faisoit des levées, sous prétexte de l'empereur, pour luy en Picardie. Dit de plus que le Roy faisoit très bien de désirer que l'ambassadeur de Savoye s'en allast, que c'estoit un mauvais homme, qu'il en pouvoit parler comme sçavant.

(d) Ici, Claude Bouthillier a repris la plume pour la rédaction de cet alinéa. Le reste du mémoire a été ajouté plus tard.

(e) Ce dernier paragraphe est de la main de Charpentier.

(25) L'exécution de Chalais est du 19 août ; l'indication donnée ici et celle donnée plus bas montrent que cette partie du mémoire est postérieure à cet événement.

(26) Si cette déposition de Monsieur est authentique, elle rejoint les propos relevés dans le Mémoire intitulé : « Copie des raisons que l'on a données à M. le Cardinal pour lesquelles il doit prendre garde de sa personne ». V. *infra*, pièce 234.

(27) Lord Montagu, déjà lié à cette époque avec Mme de Chevreuse, intriguera avec elle, au moment de son exil en Lorraine. Il sera question de lui, en 1627, lors de son arrestation en territoire barrois.

161. — A. M. de Guron. Nantes, 3 août 1626.

Impr. : *Armorial général de d'Hozier*, 4e registre ; Rechignevoisin de Guron, p. 29.
Avenel, II, pp. 237-238.

Monsieur, Vous m'obligeriez de voir M. le Procureur général et le remercier de ma part de l'advis qu'il donna au Masle, mon secrétaire, d'un dessein dont il avoit esté adverty qu'avoient certaines personnes lorsque je passay près de Vendosme. Vous tascherez de me mander le plus d'éclaircissement que vous pourrez de cette affaire, affin de voir s'il y a lieu d'en informer. Je vous prie donc de me mander bien précisément ce que vous en avez appris, et de croire que je suis, etc.

A Nantes, ce 3 aoust 1626.

Pièce 160. — *Au cours de l'année 1626, on sait que Richelieu échappa à deux tentatives d'assassinat. La première, vers le milieu du mois de mai, devait avoir pour théâtre la maison de campagne de Fleury, près de Fontainebleau, où séjournait alors le cardinal : il avait été décidé « que le duc d'Anjou irait en compagnie de quelques gentilshommes, lui demander l'hospitalité..., qu'on feindrait, pendant le dîner, d'avoir une querelle, d'en venir aux mains, et que, dans le tumulte, un coup mortel serait porté au Cardinal »* (1). *La seconde tentative aurait eu lieu, selon les* Mémoires *du cardinal, au retour de son voyage en Bretagne, au cours duquel on voulut « lui faire un mauvais parti en quelque logement sur le chemin, où il étoit peu accompagné, ne pouvant pas aller si vite que le Roi à cause de ses incommodités »* (2). *Ce court billet semble révéler l'existence d'une troisième tentative, qu'il faut situer dans les derniers jours de juillet, aux environs de Vendôme.*

162. — Certiffication de Monsieur le Cardinal de Richelieu d'avoir fiancé et espousé Monseigneur le duc d'Orléans à Madame Marie de Bourbon son espouse, du cinquiesme jour d'aoust 1626.

A.N., Série K — 539, pièce n° 45 bis, sur parchemin.

Nous, Armand, Cardinal de Richelieu, certiffions, suivant la commission rogatoire et le pouvoir à nous donné par le Sr Official

Pièce 162. — *La Série K des Archives nationales conserve — K* 539, *pièce* 44 — *une copie du Contrat de mariage de Gaston d'Orléans avec Mademoiselle de Montpensier, contrat passé le* 5 *août* 1626. *Les Archives des Affaires étrangères possèdent deux autres copies de cet acte, dont l'une sur parchemin* (*Mém. & Doc., France, Vol.* 782, *f°* 291-298).

Les fiançailles eurent lieu dans l'après-midi du 5 *août. Le* Mercure françois — t. XII, p. 379 — *donne quelques détails de cette cérémonie, qui fut suivie, dans la soirée, de la célébration du mariage.*

(1) V.-L. Tapié, *La France de Louis XIII et de Richelieu*, 1967, p. 151.
(2) *Mémoires de Richelieu*, édit. de la Société de l'Histoire de France, t. IV, p. 192.

et Grand Vicaire (1) de Mr l'évesque de Nantes (2) en datte de ce jour, avoir ledit jour, prins et receu les promesses que se sont faicts en nostre présence Très Haut et Très Puissant prince Monseigneur Gaston Jean-Baptiste duc d'Orléans et de Chartres, comte de Blois, pair de France, frère unique du Roy, et Haute et Puissante princesse Marie de Bourbon, souveraine de Dombes, duchesse de Montpensier, Saint-Fargeau, etc., fille de Monsieur le duc de Montpensier et de Madame Henriette-Catherine de Joyeuse, cy-devant femme et espouse dudit seigneur, duc de Montpensier, et à présent Mr le duc de Guyse, de se prendre par mariage l'un l'autre, et d'icelluy exécuter et accomplir à la première semonce de l'un d'eulx, en signe de quoy ils se sont baisez, ce qu'estant faict, j'ay à hault et intelligible voix donné à entendre leds. promesses et fiancé et fait le premier ban et proclamation pour parvenir audict mariage en la forme accoustumée en l'Eglise et en ce diocèse, auquel ne s'est trouvé aulcune contradiction et opposition. Le tout faict à Nantes le cinquiesme juillet mil six cens vingt six en la présence de Sa Majesté, de la Reyne sa mère, de la Reyne sa femme, de Madame la princesse de Condé et de Madame la princesse de Conty, Madame de Guise, mère de lad. Damoiselle de Montpensier, de Monseigneur le Cardinal de la Valette, de Monseigneur le Cardinal Spada, nonce de Nre St Père le pape en France, plusieurs princes, princesses, ducs, pairs et officiers de la couronne, mesmemt de messire Jean de Prouille, curé de Sté-Radegondc, de laquelle est le chasteau où demeure mondit seigneur le duc d'Orléans et de messire Pierre Grenier, curé de la paroisse de Saint-Denis, de laquelle est ladicte damoiselle de Montpensier.

Ainsy signé :

Armand Card. de Richelieu, et plus bas : par Monseigneur, Le Masle, et scellé sur soie rouge.

163. — Certificat de mariage de Gaston, duc d'Orléans, frère unique du roi, avec Marie de Bourbon-Montpensier. 5 août 1627.

A.N., Série K — 539, pièce 45 bis et 45 ter (Cahier de parchemin). — Copies.

ARMAND, par la grâce de Dieu et du Saint-Siège Apostolique cardinal de la Saincte Eglise Romaine, dit de Richelieu, à tous ceux qui ces présentes lettres liront, salut en celuy qui est le vray salut.

Sçavoir faisons que, suivant le pouvoir à nous donné par la commission de l'Official et Grand Vicaire de Monsieur l'évesque de Nantes, de ce jourd'huy cinquiesme aoust mil six cent vingt six, signé Blanchard, et plus bas : par mond. Sieur le Grand Vicaire, Jahenneau, commis secrétaire et scellé du scel et cachet des armes

(1) Il se nommait Blanchard.

(2) Philippe Cospeau — nom que ses contemporains écrivaient d'ordinaire, on ne sait pourquoi : Cospéan. Né en 1571, il avait été évêque d'Aire avant d'être celui de Nantes, en 1621 ; il sera, en 1635, évêque de Lisieux, Mort en 1646.

dudit sieur évesque par lequel ledit sieur Blanchard, Official et Grand Vicaire susdict, après avoir veu l'acte de certificat, par nous expédié le dict jour, d'avoir eu en conséquence de sa commission rogatoire et pouvoir à nous donné, faict les fiancés et premier ban affin de mariage de très hault et puissant prince Monseigneur Gaston Jehan-Baptiste, duç d'Orléans, de Chartres, et comte de Blois, pair de France, frère unique du Roy, et haute et puissante princesse Maire de Bourbon, souveraine de Dombes, duchesse de Montpensier, fille de feu Monseigneur le duc de Montpensier et de Madame Henriette Catherine de Joyeuse, cy-devant femme et espouse dudict seigneur duc de Montpensier, et à présᵗ de Monseigneur le duc de Guise, ensemble la requeste à luy présentée de la part de mondit sieur frère unique de Sa Majesté et madicte damoiselle de Montpensier à ce que, pour les causes y continuées, ledict sieur Grand Vicaire leur octroyast dispense des deux autres bannies affin de leur estre par nous administré le Sainct Sacrement de mariage, ledict sieur Grand Vicaire a dispensé mondict seigneur le duc d'Orléans et madicte damoiselle de Montpensier, sa future espouse, des deux derniers bans dudict mariage, et conséquemᵗ de ce nous prie de recevoir mondit seigneur le duc d'Orléans et madicte damoiselle de Montpensier à la bénédiction nuptiale et les conjoindre ensemble par le Saint Sacrement de mariage en la forme usitée et accoustumée de l'Eglise, soit en la chapelle du chasteau de Nantes et en partout ailleurs où Sa Majesté l'ordonnera et en tant que besoing est ledict sieur Grand Vicaire, en vertu de la charge qu'il a dudict sieur évesque de Nantes, nous en donne le pouvoir, nous avons resceu mondict seigneur le duc d'Orléans et mad. damoiselle de Montpensier à la bénédiction nuptialle et les avons conjoints par mariage avecq les sollennitez et cérémonies observées en l'Eglise et audict diocèse, en l'hostel où loge la Reyne mère de Sa Maᵗᵉ, à la prière de mond. seigneur le duc d'Orléans d'accélérer ledict mariage pour plusieurs raisons très importantes, et le tout faict en la présence de Sa Majesté, de lad. dame Royne sa mère, de madame la duchesse de Guise, Monsieur le garde des sceaux, Monsieur le duc de Bellegarde, Monsieur le mareschal de Schomberg, Monsieur Le Coigneux, consᵉʳ au Conᵉⁱˡ du Roy, président en la Chambre des Comptes et Chambre de mondit seigneur, et de messire Jean de Prouille, curé de la paroisse de Sᵗᵉ-Radegonde, en laquelle est la demeure de mondict seigneur le duc d'Orléans, et messire Pierre Grenier, curé de la paroisse de Sainct-Denis, en laquelle est la demeure de madicte damoiselle de Montpensier, en tesmoing de quoy nous avons signé ces présentes, faict contresigner par nostre secrétaire et à icelles faict apposer le scel de nos armes les jour et an que dessus.

Ainsy signé :

LOUIS. Marie. Armand, card. de Richelieu. Catherine de Joyeuse De Marillac. Schomberg. Roger de Bellegarde. Le Coigneux. J. de Prouille, recteur. P. Grenier. Et plus bas mondict seigneur Le Masle, et scellé sur cire rouge.

164. — M. de Chalais au cardinal de Richelieu. Vers le 5 août 1626.

Impr. : *Pièces du procès de Chalais,* p. 232-233.

Monseigneur,

Je crois que vous aurez vu la continuation de ma franchise par Monsieur le Garde des Sceaux, et même considéré les avis que je puis servir, sans ceux que je rencontrerai si Sa Majesté a pitié de moi. Je crois, Monseigneur, que vous y contribuerez, puisqu'il n'y a rien qui vous puisse ôter la confiance que je vous donne de ma fidélité (1), cela étant je rendrai de très grands services, et oserois vous dire que tout le monde en aura besoin ; car si celui qui est cause de ma détention va à la chasse, s'éloignant beaucoup (2), son ancien dessein est de s'en aller delà, et si il vous donne quelque espérance de son mariage, asseurez-vous qu'il vous amuse jusqu'à ce qu'il ait fait son escapade. Je suis très véritable, et servez-vous de moi, au nom de Dieu, puisque par là vous mettrez l'esprit du Roy, de la Reine sa mère et le vôtre et celui de ses bons serviteurs, dont je suis des plus avans, en repos perpétuel. Si vous m'en jugez digne, faites-le moi savoir ; car je suis si véritable et si puissant pour l'effectuer que j'ai très grande espérance en la bonté du Roy. S'il arrive le contraire, faites-moi mieux punir qu'on n'a fait au moindre soupçon, je signerai de ma main. C'est ce que souhaite,

Monseigneur,

Votre très humble et très obéissant serviteur et créature,

Chalais.

165. — A M. de Guron. Nantes, 7 août 1626.

Impr. : Armorial général de d'Hozier : Rechignevoisin de Guron, p. 29.
Avenel, II, pp. 238-239.

Monsieur, Si tous les évangélistes estoient aussy difficiles à entendre comme celuy avec qui vous traités, il y auroit encore bien plus d'hérésies qu'il n'y a eu jamais ; en un mot, je ne comprends rien aux propositions de ce seigneur ; car s'il pense qu'on luy accorde les propositions qu'il demande, il ne nous tient pas pour estre sage ; et s'il le fait pour se moquer de nous, il ne l'est pas luy-mesme. Le prix que j'ay veu dans la lettre de M. d'Effiat qui réduit tout en argent, quoyque desraisonnable, est celuy qui l'est le moins. A mon jugement, il n'y a que deux responces à faire à cet homme là comme de vous-mesme et sans charge, et vous en venir le lendemain. J'estimerois

(1) Chalais ignorait, on l'a dit, que les lettres qu'il écrivait à la duchesse de Chevreuse étaient interceptées, et que le cardinal pouvait avoir de sérieuses raisons de douter de sa sincérité.

(2) Il s'agit évidemment de Monsieur.

qu'il ne seroit pas mauvais que M. le procureur général envoyast quérir M. de Saint-Germain et eust Marcel chez luy sans qu'on le sceut, afin qu'on vist lequel des deux diroit la vérité (1). Je suis fort ayse que vous me mandiés la bonne assiette de Monsieur et Madame la comtesse ; vous les asseurerés, s'il vous plaist, de mon affection à leur service, et que je ne manqueray pas d'asseurer le Roy et la Reyne de celle qu'ils tesmoignent à l'endroit de Leurs Majestés. Ce pendant je vous conjure de me croire, Monsieur, etc.

A Nantes, ce 7 août 1626.

166. — M. de Chalais au cardinal de Richelieu. 9 ou 10 août 1626.

Impr. : *Pièces du procès de Chalais*, p. 234-235.

Monseigneur,

L'espérance que j'ai toujours eue en la bonté du Roy m'avoit fait presque reprendre mes esprits très égarés par la perte de ses bonnes grâces, lorsqu'il m'est venu une surcharge de malheurs par un scrupule qu'il lui reste pour le sujet d'une dame (1), avec qui l'on dit que j'ai quelque intelligence pour les affaires de Monsieur à quoi je vous supplie très humblement, Monseigneur, de considérer que je suis très marri qu'elle ne se soit davantage découverte sur ses affaires, vous protestant que je vous témoignerois que je veux si absolument servir le Roy qu'il n'y peut avoir de réserve ; bein appréhenderois-je si elle avoit à ménager quelque remuement dans l'État, qu'elle n'y appelât plustot l'Anglois, que de se servir d'une personne de qui elle invente mille faussetés pour son salut. Octroyez-moi donc la grâce de répondre au Roy de tout ; et je vous puis jurer lui dire si ponctuellement tout ce qui lui pourra servir ou nuire, que vous en recevrez louanges éternelles de m'avoir favorisé de votre recommandation, outre l'extrême charité dont vous userez de donner la vie à un homme à qui il n'en reste plus que pour se dire,

Monseigneur,

Votre, etc.

Chalais.

---

(1) Ce Marcel, auteur ou colporteur de libelles, avait été plus d'une fois arrêté puis relâché ; Mathieu de Morgues, sieur de Saint-Germain, mettait alors sa plume au service du cardinal ; il lui servait aussi parfois d'informateur. Voir *infra* la lettre du 14 août 1626.

(1) Madame de Chevreuse. Celle-ci, par prudence, inquiète de son propre sort, n'avait pas répondu aux lettres de Chalais. Le prisonnier en avait conclu qu'elle l'abandonnait après l'avoir compromis. Dès lors, il devait, au cours de ses interrogatoires, dénoncer les intrigues et le dessein de la duchesse.

167. — M. de Chalais au cardinal de Richelieu. 10 ou 11 août 1626.

Impr. : *Pièces du procès de Chalais,* p. 236-237.

Monseigneur,

Déjà plus bourru que Théophile (1) et presqu'autant égaré que le Vidame (2), j'ai recours à vous, le plus noble des hommes, pour exciter le bon naturel du Roy, à avoir compassion de sa créature si transportée d'afflication qu'elle n'a dans la pensée rien de plus doux que le remords perpétuel de d'être oubliée de son devoir et perdu sa fortune en une seule occasion. Considérez donc, Monseigneur que quatre jours de prison me tuent plus que l'exécuteur des hautes-justices ne sçauroit faire, et qu'il est tems que j'apprenne de vos nouvelles si vous voulez me donner la vie et la consolation de réparer mes fautes passées. Ne permettez pas que les grâces que j'ai reçues de vos visites me soient infructueuses, et témoignez à Sa Majesté combien ingénuement je vous ai dit tout ce qui importoit son service, et combien passionnément je m'y employerais si j'étois hors d'ici, et peut-être ne lui serois-je pas tout à fait inutile. Souvenez vous, Monseigneur, que si Sa Majesté me fait cette grâce, que jamais prison ne me fera rien, et que le moindre de ses contentements me sera si précieux que je ne désespère pas de pendre de ma main tous ceux qui s'y opposeront ; et attendant cette belle exécution, je vous supplie me faire visiter et me croire,

Monseigneur,

Votre, etc. et créature,

Chalais.

De votre tour pestiférée, au Château de Nantes.

168. — A Monsieur le Prince. Nantes, 11 août 1626.

Arch. du Musée Condé, Chantilly, Série M ; tome I, pièce n° 225. — Original.

Monsieur,

Le Sr Saintou (1) retournant vous trouver vous dira particulièrement ce que j'ay estimé à propos de luy dire pour le bien de vos affaires. Je luy en ay parlé avec d'autant plus d'ingénuité que j'ay cogneu par la lettre qu'il vous a pleu m'escrire que vous trouverez bon que j'en aye usé de la sorte. Vous aggréerez donc, s'il vous plaist, en cela ma franchise, puis qu'elle procède non tant de la permission que vous avez daigné m'en donner, que de l'affection que j'ay à vostre

(1) Il s'agit sans doute du poète Théophile de Viau, qui, sorti de prison l'année précédente, devait mourir le 25 septembre suivant.
(2) On ne sait ce que recouvre cette allusion.
(1) Saint-Aoust (Jean Fradet de —).

service, qui me fait souhaiter les occasions de vous en pouvoir rendre des preuves qui vous facent voir que nul n'est plus véritablement que moy,

Monsieur,

Vostre très humble et très affectionné serviteur,

Le Card. de Richelieu.

De Nantes, ce XIe aoust 1626.

169. — M. de Chalais au cardinal de Richelieu. 11 ou 12 août 1626.

Impr. : *Pièces du procès de Chalais*, p. 238-240.

Monseigneur,

Je ne croyois pas qu'il y eût rien à ajouter à mes malheurs que d'être oublié de votre protection, n'ayant appris nulles nouvelles, comme vous m'aviez fait l'honneur de me faire espérer. Je vous avoue que cela m'a estonné, et que si je n'avois plus de confiance en votre parole qu'en toutes les choses du monde, je serois sans consolation. Pardonnez-moi donc, Monseigneur, si j'ose vous importuner tous les jours d'une lettre, puisque c'est pour ne r'entrer jamais en prison, et que m'étant tout à fait résigné au service du Roy, et par conséquent à vos intérêts, j'ai voulu vous faire souvenir que le beau-frère du gentilhomme que Monsieur de Lamont vous nommera, étant arrêté, et lui étant d'ancienneté dans l'intelligence des huguenots, il sera capable de tenter quelque mauvaise cabale, dont je découvrirai le fond si vous procurez ma délivrance ; et le même étant surpris s'il arrive, pourroit dire beaucoup de nouvelles du maréchal. Car je suis bien trompé s'il n'étoit de tout avec Modène (1) ; et ne croyez pas que je sois en état de rien dissimuler ; mais je prie Dieu de mourir en désespéré céans, si Puylaurens et moi seuls n'empêchâmes pas le dessein de Saumur (2). Faites-moi donc l'honneur, Monseigneur, puisque vous êtes la franchise même, de protéger mon ingénuité, et, pour ce qui est de la dame (3), croyez fermement tout ce que Monsieur de Lamont vous en dira, et me tirez par votre générosité et par la bonté du Roy de la plus haute misère en quoi fut jamais gentilhomme, lequel vous témoignera dorénavant qu'il mérite véritablement cette qualité par les signalés services qu'il rendra à Sa Majesté et à vous, de qui il est,

Monseigneur,

le très humble, etc.

Chalais.

(1) Arrêté le 5 mai avec Déageant.
(2) Dans sa déposition du 6 août, Chalais avait déclaré que le conseil de quitter la cour avait été donné à Saumur à Monsieur ; ce conseil serait venu de M. le Comte par l'intermédiaire d'un messager.
(3) Madame de Chevreuse.

170. — Louis de Marillac au cardinal de Richelieu. Verdun, 12 août 1626.

Arch. des Af. étr., Cor. pol., Lorraine, Vol. 7, f° 194. — Original.

Analyse :

Il vient de recevoir la lettre du cardinal du 29 juillet. Il satisfera aux ordres qu'elle contient touchant le duc de Lorraine et le prince de Phalsbourg. Puis il écrit : « Quant à ce que vous désirez sçavoir touchant *La Valette* (1), je ne vous puis dire le secret du message que luy a fait faire le frère de *Vendosme,* car personne ne l'a peu pénétrer, mais bien qu'il a paru que c'estoit pour luy donner compte de son advanture et bonne espérance que *sa prison ne seroit pas longue,* et que le Roy le luy avoit fait dire en l'y envoyant avec de fort bonnes parolles. Néanmoins, tousjours depuis, l'embarrassement d'esprit et la tristesse de *La Valette* a continué. Le mesme porteur luy amena de la part du frère de *Vendosme deux bons chevaux,* aulcuns disent un paquet bien chachetté, mais je n'en ay rien peu sçavoir assuré. L'empeschement de *La Valette* a augmenté encore par la *prise de Chalais,* et tant sur l'une que sur l'autre, il a dit assez haut et assez souvent que, où il seroit besoing de *ressentiment sur qui que ce soit* autre que *le Roy,* il n'y espargneroit ny fortune ny vie ».

Le bruit court en Lorraine que le roi de Danemark seroit mort, mais la nouvelle n'a pas été confirmée d'Allemagne (2). Un agent du duc de Bavière lui a fait demander s'il voulait s'entremettre pour faire parvenir au roi un message de sa part. Il a accepté, et demande au cardinal s'il doit donner une autre réponse.

171. — M. de Saint-Germain au cardinal de Richelieu. Paris, 14 août 1626.

A.E., Mém. & Doc., France, Vol. 782, f° 301. — Original.

Analyse :

Il a déjà fait parvenir une lettre au cardinal pour l'informer de différentes choses. Le porteur de celle-ci est chargé d'en compléter le contenu. Il croit que son devoir de signaler les agissements de certains étrangers et de « mauvais François », qui, à Paris s'emploient à discourir contre les intérêts de l'Etat. Il s'est offorcé d'en découvrir la source. Il a fait aussi en sorte que le secretaire de l'ambassadeur de Flandre et l'agent du duc de Bavière soient avertis du soupçon qu'on avait qu'ils diffusaient des livres venus de Bruxelles et Augsbourg. Il donne enfin quelques détails sur un pamphlet intitulé :

(1) Les mots en italiques ont été chiffrés dans le texte.
(2) Christian IV ne devait mourir qu'au début de 1648.

« le Roy du Roy » et quelques autres libelles, contre lesquels des mesures ont été prises par le procureur général et le lieutenant civil. Il affirme que l'auteur du pamphlet est bien le nommé Marcel qu'on a arrêté. Pour lui, il prêche tant qu'il peut le service qu'on doit au roi.

Pièce 171. — *L'auteur de cette lettre est Mathieu de Morgues (ou Mourgues) abbé de Paimpont en Bretagne, mais souvent appelé abbé de Saint-Germain parce qu'il était né au château de Saint-Germain-Laprade en* 1582. *D'abord jésuite à Avignon, il avait été, pendant quelques années, prédicateur de Marguerite de Valois avant d'être attaché, en* 1618, *au service de Marie de Médicis, pour laquelle il rédigea divers écrits politiques, en particulier le* Manifeste de la Royne-Mère envoyé au Roy *et* les Véritez chrestiennes au roy très-chrétien. *Richelieu eut recours à ses services jusqu'en* 1627, *année où il écrivit pour lui* l'Advis d'un théologien sans passion. *Quand, à partir de* 1631, *la brouille eût été définitivement consommée entre la reine mère et le cardinal, Mathieu de Mourgues devint l'ennemi acharné du ministre. Rentré en France, après la mort de celui-ci, il devait encore se manifester contre Mazarin pendant la Fronde. Il mourut en décembre* 1670.

172. — M. de Chalais au cardinal de Richelieu. 14 août 1626.
Impr. : *Pièces du procès de Chalais,* p. 240-246.

Monseigneur,

Je vous avoue que, quel[que] crime que j'aie commis et quel[que]s malheurs qui m'accablent, j'ai toujours eu si grande confiance en la bonté du Roy et en votre parole qui me faisoit espérer assistance, que je n'ai jamais cru être perdu qu'à présent, que vous me déniez la douce consolation de votre présence ; mais quel[que] désespoir qui me possède, si ne perds-je point le jugement jusques-là de perdre l'affection que je dois et que j'ai promis au service du Roy et à votre personne, que les dernières choses regardoient principalement. C'est pourquoi, demeurant dans une obéissance aveugle à faire tout ce que vous ordonnez, je vous dirai que les circonstances que je vous faisois espérer sont que, lorsque cette Lucrèce Dame (1) me parla touchant le Grand Prieur, jamais je n'avois manqué à vous servir, et, voyant que je tenois sa proposition dangereuse, me voulut engager par un autre biais, à savoir que vous étiez amoureux d'elle, et, par conséquent, me toucher de jalousie. Je vous avoue que j'en étois amoureux et qu'elle faisoit tout ce qu'elle pouvoit pour me faire croire qu'elle le trouvoit bon. Mais, depuis que je suis si malheureux que d'être aux mauvaises grâces du Roy, que vous me fîtes l'honneur de me dire qu'elle avoit médit de moi, je n'ai plus eu autre intention que de m'y conserver, ou pour voir si elle changeroit volontairement une enragée animosité qu'elle a contre votre particulier, ou vous témoigner que

(1) Madame de Chevreuse. C'est elle, comme on le sait, qui détourna Chalais de servir les desseins du cardinal dans l'affaire du mariage de Monsieur

si vous m'aviez aidé à sauver la vie par vos bonnes intercessions, je vous rendrois un pareil office, par l'extrême soin et affection que j'apporterois à ce qui regarde le bien de l'Etat, vous sacrifiant cette personne, qu'on savoit que j'avois aimée, et pour vous en assurer, quoique M. le Lamont soit en extrême colère contre moi, demandez-lui (il est gentilhomme et dira vrai) si je ne lui disois pas à toutes les heures : « si le Roy me donne grâce par son extrême clémence, je lui rendrai le service le plus agréable qu'on lui sauroit faire par une personne de ma condition ». On dit qu'ils disent des propositions que je leur ai faites ; j'en prends la Reine à serment, quel[que] adresse que la Dame Lucrèce aye pour l'enchanter. Malheureusement je ne crains ni ses calomnies ni celles d'homme vivant ; car je me suis voué entièrement à mon ingénuité, et par conséquent, ai fait une confession générale. Je ne doute pas qu'elle ne me suscite toutes sortes de sortilèges, de peur de voir un homme qui ne veut plus vivre que pour la damner. Mais, Monseigneur, ayant vu la bonté du Roy préparée à avoir compassion de moi, et trois de vos visites, dont la moindre me feroit ressusciter, je ne puis croire que vous ne voudrez plus vous souvenir de ce que vous m'avez fait espérer par votre intercession, et que vous ne fassiez plus que vous ne me promettiez si le Roy me juge digne de le servir où je lui ai proposé plusieurs fois à savoir chez Monseigneur. Je détacherai bien tout à fait l'intelligence qu'il y a entre lui et cette dame, lui faisant voir clairement que c'est elle qui est seule cause que toute la terre s'opposoit à son contentement, et qui incitoit tout le monde à nuire à Mademoiselle de Montpensier. Cela vous aurois-je dit plûtot si elle me l'eût dit, mais je le tiens du bruit commun ; c'est par là qu'elle a embarqué le maréchal d'Ornano ou je suis bien trompé ; elle lui conserve bien plus inviolablement l'amitié promise, car si elle vouloit, sans invective, je jure que je crois qu'elle diroit de belles choses. Lorsque j'arrivai à Fontainebleau après sa prise (2), je fus par miracle chez la Reine : je croyois du moins qu'il n'y avoit plus d'hommes dans le royaume, tant elle (3) portoit le deuil au visage et à la contenance ; bref, vous ne sauriez jamais assez juger de mal de cette personne, puisque vous voyez ce qu'elle a fait, pensant me prévenir à dire ses vérités et achever de perdre un homme fort ébranlé (4).

Ayez compassion de moi, Monseigneur, et ne permettez pas que je perde et la tête et l'honneur et l'âme tout d'un coup, puisque je n'ai rien conseillé à Monseigneur contre le service du Roy, ni à le persuader de quitter la cour, ni à vous faire violence, et qu'au contraire je me donne à juste droit la gloire de vous avoir sauvé la vie (5) tant en combattant les conseils qui étoient continus, que par les avis

---

(2) Après l'arrestation du maréchal d'Ornano.

(3) Madame de Chevreuse.

(4) Dans l'entrevue qu'elle eut avec le cardinal au château de Beauregard, Madame de Chevreuse avait tenu sur Chalais des propos accablants, que Richelieu avait rapportés au prisonnier.

(5) Allusion à la démarche qu'il avait faite auprès du commandeur de Valençay en lui découvrant le projet que plusieurs gentilshommes de l'entourage de Monsieur avaient fait d'aller au château de Fleury, sous prétexte de demander à souper au cardinal : une querelle aurait éclaté, au cours de laquelle on aurait profité du désordre pour tuer Richelieu.

que je vous en donnois ponctuellement. Je promets n'être jamais amoureux que du service de mon maître et de vos commandemens. Je ne puis croire que cette dernière affaire (6) vous aie tout à fait irrité contre moi, puisqu'elle sert à la confiance entière que vous devez prendre de moi et à ma justification, que je ne veux rien mander à la ville qui importe. Vous vous enquérerez de celui qui les a données ces lettres : toutes deux sont depuis votre dernière visite, et je les faisois à l'intention que je vous dis ingénuement. Ayez donc de rechef compassion d'un homme qu'il y a trente-six jours qu'il est sur la roche, et me faites savoir si vous et la reine mère du Roy me déniés vos grâces, afin que je regarde ce que j'ai à faire. Si vous avez pitié de moi, faites-moi l'honneur de présenter cette lettre, comme vous en avez donné une lorsque vous étiez en délibération d'exciter la bonté du Roy, et attendons ses volontés, Je demeurerai,

Monseigneur,

Votre, etc. et créature,

Chalais.

173. — A la reine mère. 16 août 1626.

Bibl. de l'Institut, Col. Godefroy, Vol. 548, f° 43. — Copie.

Puisque les services que j'ay tasché de vous rendre jusques à présent ne sont pas suffisans de vous asseurer de ma fidélité, je cognois bien qu'il me seroit impossible de rien faire qui vous en peust donner asseurance à l'advenir ; c'est ce qui me faict vous supplier très humblem[t], Madame, de trouver bon que je supplie le Roy d'avoir aggréable que je me retire en quelq. lieu où je ne donne aucune peine à V.M. Le peu de santé que j'ay, les grandes affaires qui renaissent tous les jours et les afflictions que je reçois à tout moment donneront

Pièce 173. — *Cette lettre nous est parvenue sous forme de copie du* XVIIe *siècle. Recueillie par Théodore Godefroy, historiographe de France, et peut-être même copiée par lui-même sur l'original, elle semble authentique. Sans doute, les* Mémoires *de Richelieu ne disent rien de l'intention que le cardinal manifeste ici de se retirer, mais ils rappelent en une trentaine de pages* (1) *les multiples intrigues qui se nouèrent à propos du mariage de Monsieur et que révéla l'instruction du procès de Chalais. Toutes visaient plus ou moins directement la personne de Richelieu, considéré comme le principal obstacle qu'il fallait abattre. Elles s'insinuaient jusque dans le cabinet du roi, jusque dans l'entourage de la reine mère et sa pieuse coterie. On comprend qne le cardinal ait eu ses heures de découragement.*

(6) La découverte des lettres que Chalais adressait à Madame de Chevreuse. Celles-ci s'échelonnent du 30 juillet au 11 août. Les premières étaient des protestations d'amour. Ce sont celles qui ont été publiées par Benjamin de La Borde. Les autres contenaient des reproches amers, qui confirmaient les dépositions qu'il avait faites devant ses juges.

(1) Edit. de la S.H.F., t. VI, p. 92 et suiv.

lieu, je m'assure, à vostre bonté de trouver bon que je luy demande. Je sçay bien que je pense à une retraicte en une mauvaise saison, n'y aiant personne qui ne sache que je me retireray autant chargé d'envie que de haine comme je le seray peu de bonne fortune, mais ma consolation est que, si j'ay des ennemis, c'est pour avoir bien servy ceux à qui je dois et veux rendre ma vie. J'ay desjà veu tant de recheutes à mon mal que rien ne me peut plus faire changer de résolution.

Je l'exécuteray sans bruict demandant congé au Roy d'aller aux bains dont j'ay nécessairement besoin. Il luy a pleu me permettre une retraicte ; il me reste encor du bien pour en paier quelqu'une pourveu que je la trouve ; je vendrais de très bon cœur pour cette raison, puisque ce sera plus pour trouver un lieu où je sois sans donner peine à V.M. que pour y chercher ma seureté. En quelque lieu que je sois, je prieray Dieu qu'il vous donne autant de prospérité que vous en méritez et que j'ay tousjours tasché par mes vœux de vous en procurer et que je vous en souhaiteray tousjours aux despens de ma vie, comme estant...

De la Haye, ce seiziesme aoust 1626.

174. — M. de Chalais au cardinal de Richelieu. Vers le 16 août 1626.

Impr. : *Pièces du procès de Chalais,* p. 247-250.

Monseigneur,

Bien que vous sachiez assez de nouvelles d'une femme de la cour (1) si est-ce que n'ayant plus d'espérance de vous parler entre ci et le jugement de mon affaire, je me suis étudié à mériter les grâces du Roy par la continuation de mon ingénuité au passé et par les avis que j'ai jugés être de son service à l'avenir : j'ai donc songé depuis hier que, le jour que la dame vous alla visiter à Beauregard (2), fut celui de mon malheur, me faisant croire qu'elle donnoit cela à l'importunité de Bautru, mais que si je me donnois du tout à elle, elle mépriseroit toute la terre (3). Ce petit contract ressembloit fort à ceux qu'on fait avec le diable ; mais, pour vous continuer, elle me dit que Monseigneur avoit grande inclination pour moi ; je lui répondis que cette bonne volonté coûteroit bien cher ; elle me dit là-dessus

(1) Madame de Chevreuse.

(2) A deux lieues environ de Blois, ce château appartenait à un trésorier de l'Epargne, Paul Ardier, qui fut plus tard président de la Chambre des Comptes de Paris. Le cardinal y fit plusieurs séjours et y reçut la duchesse de Chevreuse au moins deux fois : l'une le 21 juin (*Mémoires,* VI, p. 101), l'autre pendant le procès de Chalais. C'est au cours de cette dernière visite que Richelieu déchaîna adroitement la colère de la duchesse contre Chalais en lui dévoilant les dépositions que celui-ci avait faites sur ses intrigues et ses agissements.

(3) Chalais montre ici une clairvoyance tardive. La duchesse ne s'était mise en frais de coquetterie que pour mieux utiliser ses services : elle obtint de lui tout ce qu'elle voulut.

qu'un jour le Grand Prieur étant devant le Roy et devant elle, et mon dit seigneur et elle le remarquant, se moquèrent un long temps de lui, lequel ne la remarquoit pas par la foiblesse de sa vie : ce qu'ayant aperçu, à la vue de tout le monde, une heure à son oreille, me voulant piquer par là d'une générosité qui me coûtera bon sans la miséricorde du Roy. Si le Grand Prieur manquoit de vue j'ai bien manqué de jugement, mais bien juré-je devant Dieu avoir été très intelligent de la faction, mais non pas conseillé, ains au contraire empêché les deux boutades de Saumur et d'ici ; je vous en ai dit les raisons. Il est très mal aisé de ne se laisser pas surprendre des artifices endiablés, car qui pourroit éviter une princesse très bien vue dans la Cour des deux plus grandes reines du monde, qui est très facile et dont le fard est très bien appliqué ? Je ne sais aussi si je ne vous ai point dit que, parlant de son intelligence et amitié avec Madame de Rohan, elle me dit être bien mieux avec son mari ; par là vous pouvez prendre garde à elle. Si elle est cause de ma perte, l'on pourra dire que la plus méchante femme du monde a ruiné un homme, qui ne demande sa vie à la clémence du Roy que pour la conserver (a) inviolablement à son service. Je ne m'excuse point des dernières lettres (4), car avec mon maître je demande pardon et mille fois prie Dieu pour sa prospérité. Je suis,

Monseigneur,

Vostre très humble et très obéissant serviteur,

Chalais.

Je me sens trop coupable pour oser entreprendre d'écrire à Sa Majesté. Je laisse faire l'intercession de la Reine sa mère, et aux larmes perpétuelles de la mienne.

175. — M. de Bonneuil au cardinal de Richelieu. Paris, 17 août 1626.

A.E., Mém. & Doc., France, Vol. 782, f° 305. — Original.

Monseigneur,

J'ay prié M. de la Ramée de vous présenter ce mot de ma part, qui n'est que pour vous faire souvenir que je suis encore au monde, attendant vostre heureux retour de deçà avec impatience, et encore plus l'assistance que j'en espère pour me sortir de la misère où je suis. Pour m'achever d'accabler, M. le Garde des sceaux a refusé de me continuer les lettres d'Estat que vous m'aviez fait accorder par Sa Majesté, disant qu'il avoit fait serment de n'en point céder. Cela a esté cause qu'il a fallu que j'en aye faussé un que j'avois faict de ne rien payer de mes debtes jusques à ce que je fusse remis, mes

Pièce 175. — *C'est plutôt ici une lettre familière. L'auteur était introducteur des ambassadeurs à la cour. Il semble avoir été fidèlement attaché au cardinal, car au moment de la disgrâce de Marillac, en novembre* 1630, *il fut de ceux qui s'efforcèrent d'apaiser les ressentiments de la reine mère et de la réconcilier avec le ministre.*

(a) Il faut sans doute lire : consacrer.

(4) Les lettres écrites à Madame de Chevreuse et qui avaient été interceptées.

créanciers m'ayant mis à rançon pour tenir de l'argent jusques à me faire de demeurer à Paris contre mon gré. Le Père Guron (1) m'a advoué qu'il vous a fait une petite description par une lettre de la façon dont il m'avoit trouvé. Je ne diray rien de luy sinon que, pour ce que l'on croit qu'il a l'honneur d'estre bien auprès de vous, l'on ne peut plus passer dans la rue des Pères de l'Oratoire pour la quantité de monde qui le va voir et principalement depuis qu'il est gouverneur de Maran. Il va par les rues sur un cheval de bataille, et avec moins de la despense qu'il fait pour son fils qui est à l'académie (2) ; il va chez Monsr de Benjamin (3) en cachette pour rapprandre à faire les passades à la vieille françoyse, comme il faisoit quand il estoit avec feu Monsieur le mareschal de Biron, et véritablement il a l'assiette toutte aultre qu'il n'avoit quand il arriva. Je ne vous demande pour toutte grâce sinon que vous trouviez bon que j'aille à Limours vous attendre deux jours auparavant que vous y soyés, et je vous promets que j'auray du fonds pour vous faire rire, *si vous daignés me faire l'honneur de me faire un mot de response : cela me servira aultant pour mes créanciers que mes lettres d'Estat.* J'ay bien sceu me servir contre tout le monde de (a) quand je fus mener l'ambassadeur d'Espagne à Limours, en telle façon que Monsr du Hamel m'en a beaucoup plus respecté. Il m'est venu dire qu'il s'en alloit à la cour avec Monsieur Carleton (4). S'il n'en a point de présent, il aura regret à son voyage. Pour moy, je n'ay pas trouvé propos de recommencer à aller à la cour avec l'ambassadeur d'Angleterre : il m'a trop mal réussi d'avoir esté en leur païs. Monsieur de Tardigny change à cette heure d'advis sur le cy-gist que l'on avoit faict de Monsieur de Guron, car il croit que sa bonne fortune vient d'avoir donné le prieuré aux Jésuites ; et moy, je croy que c'est qu'il y a desjà fort longtemps qu'il loge devant les Père de l'Oratoire en un assez mauvais logis, mais tel qu'il est, s'il le quitte, je suis résolu de le prandre plustost qu'un beau qui est à la rue de Sainct Antoine, devant les Jésuites. Attendant l'honneur de vous voir, je me contenteray de vous asseurer que je suis,

Monseigneur,

Vostre très humble et très obligé serviteur,

Bonneuil.

A Paris, ce XVIIe aoust 1626.

(a) Un mot illisible.

(1) Jean de Rechignevoisin, seigneur de Guron (v. 1575-1635), conseiller d'Etat depuis 1621 ; il venait d'être nommé gouverneur de Marans, mais ses lettres de provision ne sont datées que du 6 septembre 1626. Quant à l'appellation de « Père », c'est une plaisanterie, dont on ignore l'origine, mais qui devait être courante à l'époque, puisqu'on la retrouve dans deux lettres émanant de Richelieu, en 1627. Cette année-là précisément, il sera souvent question de M. de Guron dans la correspondance du cardinal.

(2) Une école où les jeunes nobles venaient apprendre l'escrime et l'équitation. La première — et c'est peut-être d'elle qu'il s'agit — avait été fondée par Antoine de Pluvinel, mais celui-ci était mort en 1620.

(3) M. de Benjamin tenait alors l'académie la plus réputée de Paris.

(4) Lord Carleton était arrivé, avec lord Holland, en qualité d'ambassadeur en France depuis le début de janvier 1626 ; il avait regagné l'Angleterre à la fin de mars, mais pour revenir quelques mois plus tard, jusqu'en décembre de la même année.

176. — A. M. le chevalier du Guet. 17 août 1626.

B.N., Fonds Baluze, Vol. 334, f° 37. — Minute.
Impr. : Avenel, II, pp. 240-241.

Monsieur,

Depuis ma dernière lettre, ayant veu ce que vous me mandez touchant Dryon (1), je vous fais celle-cy pour vous dire que, bien qu'il paroisse qu'il soit accusé à tort, ayant néanmoins receu commandement du Roy de vous saisir de luy, il semble nécessaire que vous en receviez un autre de sa part, en vertu duquel vous le puissiez mettre dehors du lieu où il est.

Lorsque je seray auprès de Sa Majesté, je luy parleray de ceste affaire pour vous y faire sçavoir son intention. Quant à Marcel, je n'ay rien à vous dire, sinon que je juge qu'il mérite ce que vous m'avez tesmoigné par vos lettres, joint aussy que M. le garde des sceaux vous aura mandé la volonté du Roy pour ce regard. Ce qui me fait finir celle-cy en vous asseurant que je suis, etc.

Pièce 176. — *Le personnage dont il est question ici est un écrivain qui avait déjà été emprisonné à la Bastille au temps de Luynes pour divers écrits. Il venait de publier un Discours au Roy, qui n'avait rien de séditieux, à propos de la paix conclue avec les huguenots ; mais il était en même temps accusé d'avoir écrit un libelle intitulé* Le Roy du Roy, *pour lequel un autre folliculaire, du nom de Marcel, avait été embastillé. Arrêté à Orléans le* 2 *août* 1626, *Derion fut conduit à Paris ; il ne sera relâché que le* 20 *septembre.*

177. — A M. de Guron. 17 août 1626.

B.N., Nouv. acq. fr., Vol. 5131, f° 82. — S.l. Minute de la main de Charpentier.

Le Roy trouve bon de donner pour récompense de Brouage la lieutenance gén^{ale} de Normandie, les 50 mil escus pour Mr de Saint-Luc (1) et les cinq^{te} mil livres p^{r} tous les officiers qui sont dans le gouvernement et qui pourroient prétendre récompense, Sa Majesté désirant avoir la place vuide de toutes choses fors des munitions de guerre, canons, vivres et autres choses semblables nécessaires à une place.

En suite de cela, le Roy fera Mr de Saint-Luc Mar^{al} de France, mais, afin que, pour l'honneur dudit Sr de Saint-Luc, il ne paroisse

Pièce 177. — *En haut de la feuille, on lit : « Lettre du Cardinal de Richelieu au Sr de Guron sur le traité de la démission du gouvernement de Brouage à faire par Mr de Saint-Luc ».*

(1) Ce nom est aussi orthographié : Drion, Derion, de Rion.

(1) Timoléon d'Espinay marquis de Saint-Luc, issu d'une ancienne famille de Normandie, avait épousé, en 1602, une sœur du maréchal de Bassompierre. Il tenait de son père, François d'Espinay, le gouvernement de Brouage. Il exerçait, en outre et continuera d'exercer les fonctions de vice-amiral.

pas que la maréschaussée qu'il doit recevoir pour ses mérites, soit pour sa place, Sa Maté ne désire le faire maral de France que 15 jours ou trois sepnes après qu'il aura livré sa place. Cependant le Roy luy en baillera sa parole et un brevet, la Reyne mère luy donnera la sienne, et les ministres encore la leur par commandement du Roy. Et en effet on adjustera ces asseurances avec Mr de Saint-Luc en sorte qu'il n'en pourra douter.

Quant au bien dudit Sr de Saint-Luc, on luy lairra pour le présent, tant de récompenses ne se pouvant faire à la fois.

Si on veut faire l'affaire, concluez-la à présent aux termes ci-dessus, car d'espérer autre chose par traitté, il ne faut point que ledit sr de Saint-Luc se le mette en la teste.

Si vous faites le traitté, n'oubliez aucune condition nécessaire mais souvenez-vous surtout qu'il ne faut point que la mar[eschau]cée entre pour récompense de la place. Et si ceste occasion se passe, il se verra prévenir du réglement qu'on veut faire de supprimer les mareschaussées par mort. Ceste affaire doit estre secrette, car elle n'est sceue que du Roy et de son Conseil. Je serviray Mr de Saint-Luc en ce qui me sera possible.

Ceste affaire éstant conclue, venez-vous en sans délay.

178. — M. de Schomberg au cardinal de Richelieu. S.l., 19 août 1626.
A.E., Mém. & Doc., France, Vol. 782, f° 307-308. — Original.

Monseigneur,

Vous avez aprins par Monsr Boutlier tout ce qui se passa hier au soir entre le Roy et Monsieur, sur la demande de la grâce de Chalais, et M. de Bérule vous aura aprins depuis quelques nouvelles. Maintenant je vous diré que tout va de bien en mieulx, et qu'il paroist que vous avez parlé comme il faut à M. le Coigneus, lequel m'a avoué ce matin que nous donnions bon conseil au Roy, et que s'il estoit en nos places, il n'auroit pas davantage d'esguart aux prières de Monsieur que nous, mais qu'il estoit obligé de dire ce qu'il disoit. Monsieur s'en est allé coucher à deux lieues d'icy, et fait estat d'aller atandre le Roy à Chasteaubrian. Ce soir, Monsr de Bellegarde et le Coigneus vous doivent voir après qu'ils auront aprins ce qui résultera de l'interrogatoire qui ce va faire par deux commissaires de la chambre des personnes de mesrs de Retz, de Bellegarde, de la Rochefoucauld et de Louvigni. Je souhaiterois que les deux sieurs duc de Bellegarde et le Coigneus vous vissent séparément, car n'estant pas amis vous n'apprendrez rien d'eux d'important en présence d'un de l'autre. Je croy que si l'esprit de Monsieur estoit bien mesnagé il n'iroit pas plus loing, mais au plus il ne s'esloignera que jusques à Chasteaubrian. Vous en prendrez encor, s'il vous plaist de nouvelles assurances de ses messieurs qui vous doibvent voir.

Le Roy est en pansée de s'en aller dès samedi, afin de laisser

Pièce 178. — *Cette lettre fut écrite quelques heures avant l'exécution du comte de Chalais.*

Monsieur moins de temps esloigné de luy, et prandra son chemin par Chasteaubrian pour se randre en quatre jours près de Rennes. Sa Majesté désir sçavoir sy vostre avis est conforme à ce dessein. Mandez le moy, je vous supplie, dès ce soir, parce que le Roy, selon cella, fera partir dès demain ou retiendra icy des compagnies de ses guardes.

Je n'auray point l'honneur de voir voir d'aujourd'huy, à cause de toutes ces affaires, et parce que je veulx exercer l'occasion de parler à M. le mareschal de Thémines pour ses r[é]g[imen]ts de Bretaigne. Sy vous estes d'advis que le Roy parte samedi, il est bien nécessaire, sy vostre santé le permet, que vous soiez ici demain pour les affaires d'entre le Roy et la Reyne sa femme.

J'oubliois à vous dire que Chalais a esté bien particulièrement interrogé sur tous les points contenus au mémoire d'hier et sur les discours qu'avoit tenus Louvigni, dont il a bien protesté n'avoir parlé ny entandu parler (1).

Honorez-moy, je vous supplie, de la qualité qui mourra avec moy, qui est,

Monseigneur,

celle de
Vostre très humble et plus obéissant serviteur,
Schonberg.

Une heure après midy, ce 19e d'aoust 1626.
La grâce que le Roy accorde à ceux de Monsieur qui sont accusés par Chalais doibt servir d'un grand lesnitif pour amoindrir le desplaisir de Monsieur (a).

179. — Au roi. La Haye, 19 août 1626.

B.N., Nouv. acq. franç., Vol. 5131, f° 77. — Minute de la main de Charpentier.

Sire,

M. le Président Le Coigneux m'estant venu trouver de la part de Monsieur pour me dire *qu'une des plus fortes raisons pour laquelle Monsieur fait instance pour le retardement de l'exécution de Chalais* est pour avoir lieu et temps d'esclaircir *le bruit qui a couru* sur le discours que M. de Retz et Louvigny eurent ensemble, en sorte qu'après la mort de Chalais on ne puisse dire ce qu'on voudra sans

(a) Ce post-scriptum a été porté au verso de la lettre.

(1) D'après les *Pièces du Procès de Chalais,* celui-ci était accusé d'avoir eu le dessein de tuer le roi, un soir, dans son lit, et Monsieur se serait trouvé, à ce moment-là, à la porte de la chambre royale, avec quelques gentilshommes, prêt à y pénétrer pour s'y faire aussitôt proclamer roi. C'est sur ce point que le garde des sceaux Marillac et deux juges chargés d'instruire l'affaire entendirent, le 19 août, les quatre témoins mentionnés : les ducs de Retz, de Bellegarde et de La Rochefoucauld et le comte de Louvigny. Ce prétendu dessein ne reposait sur aucun fondement.

désadveu, j'ay estimé d'estre obligé d'en donner advis à Vostre Ma[té], veu que *Mr le garde des sceaux peut aujourd'hui entendre M. de Retz, Louvigny, M. de la Rochefoucauld et autres, et ensuite demander à Chalais* ce qu'on pourra désirer *pour le contentement de Monsieur*, dont Vostre Ma[té] connoit trop l'innocence pour consentir à cet esclaircissement pour autre raison que pour sa satisf[on] part[ère]. M. le Coigneux m'a fait cognoistre que cela retarderoit le voyage de M(onsieur), pendant lequel retardement Vostre Ma[té] est si bonne et si sage qu'elle ne peut faillir en ses conseils. Pour moy, je prie Dieu qu'il me donne assez de vie et de santé pour vous rendre le service que vous a voué celuy qui est... etc.

De la Haye, ce 19 aoust 1626.

Pièce 179. — *Cette lettre fut écrite le jour même de l'exécution de Chalais. L'arrêt des juges avait été prononcé le* 18 *août : convaincu du crime de lèse-majesté, Chalais devait avoir la tête tranchée, sa tête mise au bout d'une pique sur la porte du Sauvetout, à Nantes, son corps mis en quatre quartiers, chaque quartier attaché à des potences aux quatre principales avenues de la ville et, auparavant l'exécution, mis à la torture, tous ses biens confisqués, sa postérité déchue de noblesse* (Mercure françois, *t. XII, p.* 404-406). *On sait que Louis XIII réduisit la sentence au supplice ordinaire.*

180. — Michel de Marillac au cardinal de Richelieu. S.l., vers le 20 août 1626.

A.E., Mém. & Doc., France, Vol. 793, f° 158. — Original.

Monseigneur,

Ce jourd'huy Mr de Sourches (1) est venu demander au Roy justice de la part de Monsieur et m'en a parlé aussy. Le Roy a trouvé bon de luy dire que demain il assemblera son conseil et fera lire les informations et prendra advis sur icelles et donnera toute satisfaction à Monsieur. On n'a pas trouvé à propos pour beaucoup de raisons que vous pourrez conjecturer de le faire juger par la chambre (2) pour ce que ces Mess[ieu]rs prendront demain congé du Roy, et s'ils avoient commencé il faudroit qu'ils achevassent et envoyer Louvigny (3) à Rennes (4), ce qui n'est pas à propos. Cependant le Roy a avisé d'envoyer Lou[vigny] en prison à Ancenis, le tenir là quelque

(1) Jean de Bouschet, marquis de Sourches, fils d'Honoré de Bouschet et de Catherine Hurault. Il avait été enfant d'honneur de Louis XIII, et détenait la charge de prévôt de l'Hôtel ; il sera grand prévôt de France en 1643.

(2) La chambre de justice érigée au début du mois pour juger Chalais.

(3) Roger de Gramont, né en 1606, tué en duel le 18 mars 1629, fils cadet d'Antoine II de Gramont et de Louise de Roquelaure.

(4) Ainsi qu'il a été dit, les membres de la chambre de justice appartenaient pour la plupart au parlement de Rennes.

temps, et cela par l'advis de son conseil sur la veue des informations. Après cela on avisera de ce qu'il devra ensuite, et néantmoins espère que vous verrez le Roy avant la conclusion de la dernière détermination de cette afaire, qui ne sera prise que sur vostre advis.

Vous jugez très sainement de l'estat de cette offense et qu'un ho[mm]e qui dit un tel bruit est justement accusé d'en estre l'autheur s'il ne dit de qui il a appris et que ceste allégation d'un autheur inconnu n'est pas recevable devant des juges, de sorte qu'il pourroit estre puny comme calomniateur d'une calomnie si importante (5). C'est pourquoy, à mon avis, il ne faut pas ny prendre ny donner tant de lumière à cette affaire, et la traiter plustost au Conseil du Roy pour après estre mise ès mains d'autres juges, s'il le faut. Or, il est nécessaire que ces Mess[ieu]rs de Rennes s'en aillent dès samedy, afin que dès lundy ils travaillent aux éditz, et, devant que le Roy soit près de Rennes, ils ayent accordé ou refusé, et, sur ce qu'ils auront fait, le Roy aille ou n'aille point au parlem[en]t ; et par ce moyen vous conduirez l'affaire à l'œil. Si vous avez autre avis, Monseigneur, je vous suplie très humblement me le mander pour le suivre, et suis,

Monseigneur,

V^re^ très humble et très aff^né^ serviteur et obligé,

De Marillac.

Pièce 180. — *La suscription est au verso : « A Monseigneur Monseigneur l'Ill^me^ et R^me^ Card^al^ de Richelieu. » A côté et sur le travers, on lit : « Lettre de M. le garde des sceaux de Marillac sur le sujet de Louvigny ». Cette pièce a été classée par erreur parmi celles du mois de* mai 1629, *bien que* l'Inventaire de la correspondance de Richelieu *dressé par l'abbé Le Grand la mentionne à l'année* 1626 (*A.E., Mém. & Doc., Vol.* 249, *f°* 160 *v°*). *On peut aisément préciser la date de cette lettre. La sentence de mort contre Chalais avait été rendue le* 18 *août* 1626 *et l'exécution eut lieu le lendemain. Les membres de la chambre de justice, dont la plupart appartenaient au parlement de Rennes, durent prendre congé du roi le* 20 *ou, au plus tard, le* 21. *Il est donc probable que la lettre de Marillac a été écrite le* 19 *ou le* 20, *puisqu'il indique que les juges auront « demain » leur audience de congé. D'autre part, une lettre écrite par un inconnu, datée du* 19 *août* 1626, *signale que Gaston d'Orléans avait l'intention de réclamer qu'on fît le procès de Louvigny comme complice de Chalais, « n'ayant formé ses accusations que huit mois après en avoir su le causes » (Cimber et Danjou,* Archives curieuses de l'Histoire de France, 2e *série, t. III, p.* 351).

(5) Dans son interrogatoire du 13 août, Louvigny avait déclaré que Chalais avait eu l'intention de supprimer le roi, en accord avec Gaston d'Orléans ; le 19, il maintint sa déclaration, ajoutant qu'il tenait cette information de quatre inconnus, dont il avait surpris par hasard la conversation, au cours d'une chasse royale.

181. — Michel de Marillac au cardinal de Richelieu. S.l., 22 août 1626.

A.E., Mém. & Doc., France, Vol. 781, Invent. de la cor., 1626, f° 173 v°.

Analyse :

« Il croit que c'est le premier écrit pour Morbihan, et non le second, qu'on a porté au parlement. Il est bon d'avertir d'y prendre garde et d'y envoyer le second en retirant le premier sans faire de bruit. Il croit qu'il est encore à propos de parler d'un grand armement, et de retarder le voyage de M. de Bassompierre (1).

182. — Louis de Marillac au cardinal de Richelieu. Verdun, 28 août 1626.

A.E., Cor. pol., Lorraine, Vol. 7, f° 195. — Original.

Monseigneur,

C'est avec vous premièrement que me doibz resjouir de l'heureux accomplissement du mariagc de Monsieur, non seulement comme d'une œuvre de vostre zelle et de vos puissantes mains, mais encore comme du meilleur coup que pouvoient recevoir les intérests du Roy et de l'Etat. Bénit soyez-vous et en vos pensées et en vos œuvres, et puisse le Ciel vous rétribuer les biens que vous donnez à ce royaume aultant que vous le mérittez. Je feray voller ceste bonne nouvelle et je ne manqueray de l'espandre avec les circonstances requises. Elle plaira à aulcuns de nos voisins par leur propre intérest, mais non à tous, sur quoy je vous rendray fidelle compte de ce que je recongnoistray. Cependant asseurez-vous, s'il vous plaist, que je satisfairay soigneus[t] aux commandements que v[e] lettre du 3 dernier me donne et de toutes celles dont il vous plaira de m'honorer. Je vous envoye les derniers advis que j'ay d'Allemagne. Ceux de *Metz,* continuent à donner jalousie *des pensées de La Valette,* de qui les conférences avec les personnes que je vous ay cy-devant desclarées continuent, et les *inquiétudes* sont plus *grandes que jamais* (a). Le voiage du sieur de *Mun* et autres de la part de *Mr d'Espernon,* et les *courses que La Valette desrobe* sans que l'on puisse *descouvrir où il va* mettent *Metz* en peine, dont ils ont recours à *Marillac,* mais très secrètement. *La Valette* doit faire *députer par Metz vers le Roy,* pour *descharger le pays* et tesmoigner combien *la présence de La Valette* est nécessaire, et le commandement *sur les troupes. La Valette* n'a jalousie que sur *le régiment de Saucourt* (b).

(a) Les mots en italiques ont été chiffrés dans le texte.

(1) Il y eut, en effet, deux édits relatifs à l'établissement de la Compagnie du Morbihan donnés en juillet et août 1626, à Nantes. Le texte en a été publié par Dugast-Matifeu, dans *Commerce honorable et son auteur,* 1854, pp. 53-70.

(2) Il faut lire : Soyecourt.

Je n'ay peu encore voir le *prince de Falsbourg* (1) pour ce qu'il est absent.

Je prépare pour le jour de la Saint-Louys un feu de joye en faveur du mariage de Monsieur, où je convieray toutte la frontière, et feray ouir le canon à beau bruit avec des artifices de feu. Cependant je vous supplie très humblement de me continuer l'honneur de vos bonnes grâces, et de croire que vous ne fairez jamais d'acquisition plus asseurée et plus durable que celle de ma dévotion et fidellité à vous servir, et de mon entière démission à touttes vos volontez sans condition ni réserve pour toutte ma vie, estant comme je suis pour jamais,

Monseigneur,

Vostre très humble et très obligé serviteur,

Marillac.

De Verdun, ce 28 aoust 1626.

183. — A M. le chevalier du Guet. S.l., 28 août 1626.

B.N., Fonds Baluze, Vol. 234, f° 7. — Minute de la main de Charpentier.
Impr.: Avenel, II, pp. 255-256.

A veu le mémoire qu'il luy a envoyé qui contient des choses dont il n'a jamais ouy parler. Je trouve autant de différence entre ce qu'il a ouy dire de la dernière affaire et ce que dit M. de Rion, comme M. le procureur général en a trouvé à Paris entre ceux qu'il a fait parler ensemble. Qu'il croit, comme luy, de Rion innocent de ceste accusation qu'on luy a mise à sus et ne peut juger quel fondement M. de Saint-Germain a eu de le soubçonner d'une telle chose, de laquelle je croy le jugement que vous faites estre très bon. Il seroit à désirer que chacun se meslat de ses affaires, et ceux qui sçavent s'ayder d'une plume, comme les faiseurs de livres, serviroient grandement le Roy et obligeroient bien fort ceux qui sont auprès de luy, s'ils ne se mesloient point de parler de leurs actions ny en bien ny en mal, veu que souvent leurs louanges blessent autant comme leurs médisances. Que tant autant de personnes que j'ay peu sçavoir qui vouloient faire des livres en faveur du gouvernement, je les ay priés de s'en abstenir ; ce que je pense avoir fait mesme envers de Rion, un jour en sortant du Conseil, dans la cour du Louvre, où, me disant qu'il avoit une belle pièce à faire imprimer en la louange du temps présent, je le priay de n'en rien faire. Ayant moins d'affaires en la teste que je n'ay, il se souviendra mieux que moy de ce que je vous dis, dont il m'est revenu une mèmoire confuse en vous escrivant. Je sçay bien que je feis ceste response à quelqu'un ; je ne voudrois pas juger que ce fust à luy ; mais je le croy certainement, et il s'en souviendra.

---

(1) Louis de Guise, prince de Phalsbourg, fils naturel du cardinal de Guise tué à Blois.

184. — A M. le Procureur général. S.l., 28 août 1626.

B.N., Fonds Cinq-Cents Colbert, Vol. VI, f° 246. — Original.
Impr. : *Mémoires de Mathieu Molé*, I, p. 383.

Monsieur, Ayant appris tant par la lettre qui m'a esté rendue de vostre part par le Sr Ferrier (1) que par luy-mesme, comme quoy vous vous portez non seulement en ce qui concerne le service du Roy, au lieu où vous estes, mais aussy en ce qui me touche, je ne puis qu'outre la satisfaction que Sa Majesté et le public en doivent avoir, je ne vous tesmoigne en mon particulier le ressentiment que j'en ay en v^re endroit. Je n'ay point encore veu Mr de Guron pour sçavoir de luy les choses que vous m'escrivez luy avoir dittes pour me dire, mais je ne laisse pas par anticipation de vous rendre les grâces que je vous dois du soin que vous avez d'une personne, qui est véritablement, comme je suis,

Monsieur,

Vostre très affectionné à vous rendre service,

Le Card. de Richelieu.

Ce 28e aoust 1626.

Pièce 184. — *La lettre porte en suscription: « A Monsieur Molé, conseiller du Roy en son conseil d'Estat et privé et son procureur général en sa cour de parlement, à Paris ». Elle a trait aux recherches auxquelles se livrait le procureur général pour découvrir et punir les auteurs de libelles, dont le cardinal était l'objet.*

185. — M. de Schomberg au cardinal de Richelieu. Fontenay, 28 août 1626.

A.E., Mém. & Doc., France, Vol. 781, f° 170. — Original.

Monseigneur,

Le Roy vous atand avec impatience, et, craignant que quelque chose vous empesche de venir icy, Sa Majesté m'a commandé vous escrire que Monsieur fait faire grande instance par mons^r de Bellegarde de s'en aller voir Madame sa femme à Blois. Le Roy a dit à M.

(1) Les *Mémoires de Mathieu Molé* portent à tort « le sieur Fenier ». Il s'agit de Jérémie Ferrier, qui joua alors un certain rôle contre les huguenots. Né à Milhaud, près de Nîmes, vers 1570, il avait été ministre protestant et même prédicateur renommé à Alès, puis à Nîmes. Mais il était déjà, à cette époque, parmi ceux qu'on appelait les *huguenots d'Etat*, parce qu'ils entendaient demeurer fidèles sujets du roi. Il se convertit au catholicisme en septembre 1613. Il est l'auteur de deux ouvrages de polémique religieuse : le premier parut en 1615 et s'intitule *De l'Antéchrist et de ses remarques contre les calomnies des ennemis de l'Eglise romaine ;* l'autre, *Le Catholique d'Estat*, publié en 1625, était alors un ouvrage d'actualité. Richelieu appréciait les services de Jérémie Ferrier et l'avait fait nommer conseiller d'Etat. Il devait mourir le 26 septembre de cette année 1626.

de Bellegarde de s'excuser envers Monsieur sur ce qu'il veut vous parler avant que de faire ce discours au Roy. Mais sy vous ne venez point, cette excuse n'aura plus de lieu, et Sa Majesté désire vostre avis de ce qu'il doibt respondre à mons[r] de Bellegarde. L'opinion du Roy est de faire toutes choses possibles pour retenir Monsieur auprès de luy jusques à ce qu'il soit vers le Mans, mais sy tout ce qu'on luy dira ne le peult destourner de ce dessein, Sa Majesté vous prie de luy mander ce à quoi il se devra résoudre et ce qu'il devra dire.

Je crois que, parlant à M. le Coigneux, l'on pourra changer la résolution de Monsieur, et que toutes les raisons en autre bouche que cet homme-là ne seront pas bien receues. Je suis,

Monseigneur,

Vostre très humble et plus affectionné serviteur,

Schomberg.

De Fontenay, ce 29 aoust 1626.

186. — Lettre du roi à la reine mère. S.l., 30 août 1626.

Bibl. nat., Nouv. acq. franç., Vol. 5131, f° 86. — Minute de la main de Charpentier.

Je vous dépesche ce porteur pour vous advertir que mon frère m'a fait prier et m'a prié luy-mesme de faire faire le procès du mareschal d'Ornano devant d'arriver à Paris, appréhendant que, sur ce subject là, mille personnes l'importunent et le pressent de choses qu'il tesmoigne ne vouloir pas faire. En ceste considération, je me suis résolu de demeurer quinze jours à Blois pour prendre le temps qu'il faut pour faire le procès ; ce qui me fait vous prier d'en faire autant et, partant, ne vous avancer pas davantage. Il m'a proposé aussy de donner une abolition générale à tous ceux qui, à son occasion, pourroient s'estre rendus coulpables comme Chalais. Je ne l'ay pas reffusé tout à fait, mais bien luy ay-je fait cognoistre ne vouloir penser à ceste affaire qu'après le procès du mareschal et ne vouloir faire qu'avec vous. Il est maintenant en bonne disposition et je ne doute point qu'il n'y continue, si on ne l'en destourne. J'escris à la Reyne de peur qu'elle aille à Forges ; je ne doute point qu'elle ne le face incontinent qu'elle aura receu mes lettres. Vous me ferez très grand plaisir de la faire haster, afin qu'elle ne perde point le beau temps. Je désire co voyage autant pour vostre contentement que pour le mien propre, cognoissant la passion que vous avez à me voir des enfants. Je me porte bien, grâces à Dieu, avec grande impatience de vous voir, vous asseurant que c'est le plus grand contentement que j'aye, et que je seray tousjours... etc.

187. — A la reine mère. S.l., 30 août 1626.

B.N., Nouv. Acq. franç., Vol. 5131, f° 84-85. — Minute de la main de Charpentier.

Madame,

Le Roy m'a commandé de vous escrire qu'il attend des nouvelles de Paris avec impatience, principalement depuis qu'on luy a mandé l'extrême maladie du Mareschal, dont on ne juge pas qu'il puisse reschapper. Sa Majesté est très faschée que ceste maladie ayt prévenu son procès, mais puis qu'il est en cest estat-là, il juge qu'il est à propos d'attendre qu'il soit mort ou guéry avant que d'arriver à Paris. Vous en jugerez bien, Madame, les raisons, qui aboutissent à ce que Monsieur estant à Paris avec le Roy, sachant le Mareschal en l'extrémité où l'on dit qu'il est, demanderoit sans doute avec instance permission de le voir ou de le faire voir, ce qui ne serviroit qu'à renouveler ses douleurs et à le remettre en ses mauvaises humeurs, dont on n'oseroit dire qu'il soit sorty. Si Vostre Majesté apprend que le malheur de sa mort soit arrivé, elle ne s'arrestera point s'il luy plaist ; si, au contraire, elle apprend sa guérison, elle pourra aussy passer outre, mais si elle n'apprend ny l'un ny l'autre, elle aura agréable, s'il luy plaist, de séjourner deux ou trois jours à Blois, en attendant des nouvelles du Roy, qui l'advertira soigneusement de ce qui sera plus à propos de faire. Le Roy a fait continuer le Parlement pour, si la maladie du Colonel luy donne quelques relasche, comme Sa Ma[té] le désire, luy faire dépescher son procès. Ceux qui sçauront l'extrémité de ce malade ne plaindront pas sa perte ; mais je sçais bien, Madame, que vous serez du mesme sentiment que le Roy et son Conseil, qui appréhendent infiniement que sa mort oste le moyen à Sa Majesté de découvrir beaucoup de choses et de faire paroistre sa justice. M(onsieur) ne sçait encore rien de ceste maladie, et on a pensé qu'il n'est point besoin de la luy dire, parce que peut-estre par bonne fortune sçaura-t-il plustost la guérison que le mal. Sa Majesté se porte fort bien, grâces à Dieu, aussi plein d'aff[on] pour vous, Madame, que jamais, osant vous respondre qu'en ce point il n'est point capable de changement. Il me fait plus d'honneur que je ne mérite, c'est-à-dire autant que de coustume, ce qui me fait tous les jours désirer autant de santé que j'en aurois besoing pour le servir selon ma passion. On est encore incertain si le Roy yra au parlement ou non. D'une chose devez-vous vous consoler, Madame, en l'absence du Roy qu'en esvitant ce pays-cy Vostre Majesté a esvité le plus vilain pays du monde. Il n'y a personne qui ne voulust en estre hors. Pour moy, je me sens sy pressé d'aller aux eaux que je le souhaite avec passion, mais non pas telle comme de bonnes occasions de vous faire voir de plus en plus que je suis, etc.

Pièce 187. — *Au verso du folio 85 on lit : « A la Reyne, du 30 aoust 1626 », et au haut de la première page, d'une écriture étrangère : « Lettre du Card[al] de Richelieu à la Reine sur la maladie du colonel d'Ornano, la prie de ne point s'advancer devers Paris qu'elle n'apprenne sa mort ou guérison, et en dit les raisons qui empeschent aussy que Roy ni Monsieur n'y aillent ». Cette lettre a été publiée incomplètement, en note, au tome VI des Mémoires de Richelieu, p.* 153-154.

P.S. Ce qui me fait juger qu'il est important que Vostre Majesté ne s'avance pas tant qu'elle sache *la mort ou la guérison du colonnel* est qu'il est à craindre que quelques-uns *de ses parens* ne vous facent presser de leur permettre en l'absence *du Roy* de le faire *secourir et traitter par des médecins à leur poste,* voye par laquelle on luy pourroit donner *instruction sur son procès,* dont le suject et les *tesmoings* peuvent estre *cogneus* et le sont partic[t] de ceux qui sont *coulpables* comme luy. Bien que vous leur peussiez reffuser leur demande par ces considérations, il est toutesfois meilleur d'en esviter la prière, n'allant pas en [ce] lieu où il la puissent faire commodément.

Depuis ceste lettre escrite, M[onsieur] a fait grande instance pour avoir permission de s'avancer vers Paris. Le Roy a trouvé ce changement fort estrange, mais il a esté changé quand Sa Ma[té] a parlé au Coigneux. D'aucuns croyent qu'il avoit receu des nouvelles de la Mareschale 3 heures auparavant. La lettre de Sa Ma[té] (1) n'a pas esté escrite exprès de sa main, afin que ceux qui l'escriroient en espandissent un peu le bruit. Le Roy ira demain au parlement pour les remercier des 2 édicts qu'ils ont vérifié de leur bonne volonté, et faire un establissement pour la garde de leurs costes (a).

188. — Michel de Marillac au cardinal de Richelieu. S.l., 30 août 1626.

A.E., Mém. & Doc., France, Vol. 781, Invent. de la cor., 1626, f° 173 v°.

Analyse :

« Il croit que M. le Card[al] doit envoyer quérir le comte de Vertus (1), et lui faire des plaintes sur ce qui s'est passé à Rennes, d'où le grand prévost lui a écrit. On peut le menacer que le Roy transfèrera le parlement à Nantes. »

189. — Michel de Marillac au cardinal de Richelieu. S.l., 31 août 1626.

A.E., Mém. & Doc., France, Vol. 781, Invent. de la cor., 1626, f° 173 v°.

Analyse :

« Il doit aller à Rennes pour se disposer à aller au parlement si cela est nécessaire. On a bien fait d'appeler du Conseil. Il dit la même chose du parlement, mais on s'y est engagé par l'espérance qu'ils ont donnée. »

(a) Tout ce paragraphe a été ajouté au verso du folio 85.

(1) Voir la lettre précédente.

(1) Claude de Bretagne, comte de Vertus, baron d'Avaugour (1582-1637). Il était issu d'une branche descendant de François, bâtard de Bretagne, fils naturel du dernier duc de Bretagne, François, mort en 1488.

190. — Madame de Chalais au cardinal de Richelieu. S.l., fin août 1626.

Univ. de Paris, Bibl. Victor-Cousin, Fonds Richelieu, Vol. 14, f° 170. — Original

Monsegneur,

L'obéysance que je doits aux desfanses du Roy et la crainte de vous importuné me font demuré icy dans les desplesirs que l'es[pr]it (a) auquel je suis vous peuvent représen[t]er. Néantmoins les assurances que j'ay des bonnes vollontés de Leurs Magestés et l'espérance que vous m'avés donné de m'acisté an resepvoir les effets, me fait vous suplié très humblement, Monseigneur, d'y mettre fin et *me donné moyen que je m'aquite de mes deptes*, qui m'ont esté conceus que par la volonté du Roy, qui ne voudret profité de ma misère. Je devré ceste grase à vostre bonté pour dem[eur]é (b) le reste de mes jours,

Monsegneur,

Vostre très humb. et obéyssante servante,

De Monluc.

Pièce 190. — *La date de 1626 figure seulement en tête du texte. Jeanne-Françoise de Lasseran-Masencome, dame d'Excideuil, fille du maréchal de Monluc, et veuve de Daniel de Talleyrand, prince de Chalais, avait été autorisée à ensevelir le corps de son fils, exécuté le* 19 *août. Cette lettre dut suivre de peu le départ du roi de Nantes, qui eut lieu le* 24 *août.*

191. — Secrétissime. Août 1626.

A.E., France, Vol. 782, f° 321. — De la main de Charpentier. Impr. : Avenel, II, pp. 258-259.

On a sceu par voye secrétissime, de la bouche des Dieux accouplez qui le peuvent sçavoir, qu'il estoit vray que Chesnelle (1) croyoit espouser Hébertin (2), et qu'il y avoit longtemps qu'elle avoit ceste espérance.

Le dit Hébertin a dit clairement que, trois jours devant son mariage, Chesnelle et la lapidaire (3) s'estoient mises à genoux devant luy pour le prier de n'espouser point Mlle de Montpensier, et qu'autres

Pièce 191. — *Le titre de cette pièce est de la main du cardinal. La date a été ajoutée en tête de la feuille et d'une autre écriture que celle de Charpentier.*

(a) Le papier est détérioré à cet endroit.
(b) Lecture probable.

(1) La reine.
(2) Monsieur.
(3) Madame de Chevreuse.

fois elles luy disoient, croyans ceste condition impossible qu'au moins il ne l'espousast point qu'il ne se fust souvenu du colonel (4) et ne l'eust délivré.

Par la mesme voye des Dieux, on sçait encore que l'ambassadeur d'Espagne a fait offrir à l'innocence (5) de l'argent de la part de son maistre, pour luy donner lieu de pouvoir soustenir les brouilleries qu'il croyoit qu'il feroit dans le royaume.

Hébert (6) a sceu par voye secrétissime que le Marroquin (7) traitte quelque chose avec Hébertin pour agir avec les Holandois.

Deux jours devant qu'Hébertin partist de Nantes, Marroquin le fut trouver le soir, après qu'il fut couché ; Hébertin se leva et parla deux heures avec luy d'une liaison commancée entre luy et les Holandois du temps du Colomnel, laquelle il fait négocier par Maroquin, qui partit deux jours après pour y aller sous prétexte de sa charge.

192. — La reine mère au cardinal de Richelieu. Blois, 2 septembre 1626.

Impr. : *Pièces du procès de Chalais,* p. 252.

Mon cousin, si l'on croioit le bruit de Paris, le maréchal seroit mort il y a plus de huit jours. Je n'en tiendrai rien de certain que je n'aye des nouvelles du Roy, qui sera bientôt averti de sa mort ou de sa guérison. La dernière seroit bien plus à préférer que l'autre pour les raisons que vous me mandez, A tout hazard, le Roy a fort bien fait de continuer le parlement pour faire promptement le procès. Je suis ici de lundi, et je n'en partirai que vendredi prochain pour attendre encore des nouvelles du Roy. Cependant assurez-vous qu'en quelque lieu que je sois, je serai toujours,

Mon cousin,

Votre affectionnée cousine,

Marie.

A Blois, le 2 de septembre 1626.

---

(4) Ornano. Cette expression : « qu'il ne se fust souvenu du colomnel » doit être relevée. Au cours de son interrogatoire, le 11 août 1626, Chalais déclara, en présence de Richelieu, que « lorsqu'entre les dames on disait : Monsieur ne se souviendra-t-il pas du Colonel, c'étoit à dire : ne fera-t-il point de violence au Cardinal ; et que cela étoit un jargon ordinaire entre elles et le Grand prieur... ». (*Pièces du procès de Chalais,* p. 137).

(5) L'« innocence » désigne Gaston d'Orléans comme le mot « Hébertin » employé plus haut.

(6) La reine mère.

(7) Ce nom désigne peut-être l'un des deux familiers de Monsieur, Puylaurens ou Bois d'Ennemetz, l'un et l'autre ayant souvent des entretiens, la nuit, avec le prince (*Mémoires,* t. VI, p. 132).

193. — La reine régnante au cardinal de Richelieu. S.l., 2 septembre 1626.

A.E., Mém. & Doc., France, Vol. 781, Invent. de la cor., 1626, f° 180.

Analyse :

« Elle recommande le S[r] d'Oquincour (1), porteur de cette lettre pour estre son premier équier en cas de mort du marq. de Mony, et madame de Senecy, pour sa dame d'honneur (2). »

194. — Michel de Marillac au cardinal de Richelieu. Rennes, 2 septembre 1626.

Cabinet Alfred Morrison. — Orignal.
Impr. : *Collection of autograph letters and historical documents... by* Alfred Morrison, t. IV (1890), p. 144.

Monseigneur,

J'ay expédié les deux commissions ausquelles les deux conscillers, les Seigneurs Peschari et Hus et M. de Machaut, son résolus de bien travailler. J'espère que cela donnera grand esclaircissement. Les autres affaires sont expédiées avec contentement, moyennant le soin que vous en avez pris et le respect qu'ils ont rendu à la sincérité et dignité de vostre conduite aux affaires de l'estat. Mr le surintendant des finances y a fort soigneusement travaillé, et utilement aussy, et Mr Ferrier pareillement, lequel travailla hier quatre ou cinq heures avec Mrs les commissaires, députés pour examiner l'establissement du Morbihan, et le voulurent avoir avec eux, afin d'esclairer les doutes qu'ils pourroient rencontrer, ce qui a servy grandement, car on a accommodé toutes les difficultés, lesquelles en effect ne regar-

Pièce 194. — *Le roi avait quitté Nantes le 24 août pour se rendre à Rennes, afin d'y faire enregistrer par le parlement en un lit de justice dix édits, parmi lesquels l'édit de création de la Compagnie des Cent-Associés au havre de Morbihan. Il arriva aux abords de la ville le 27 août ; il y fut reçu le 1er septembre. La séance du parlement eut lieu peu de jours après. Le garde des sceaux, Michel de Marillac, y prononça une harangue, dont le texte se trouve, avec des modifications de forme, dans les* Mémoires du cardinal de Richelieu (*éd. de la Soc. de l'Hist. de France, t. VI, p.* 142-145). *La lettre de Marillac a trait aux négociations qui précédèrent l'examen des édits royaux, auquel le parlement de Bretagne avait fini par se résoudre. On sait que, pour des raisons diverses, l'édit du Morbihan ne devait jamais être enregistré.*

---

(1) Charles de Mouchy (1599-1658) ; c'est le futur maréchal d'Hocquincourt rendu célèbre par Saint-Evremont. Son père, Georges de Mouchy, était premier maître d'Hôtel d'Anne d'Autriche et prévôt de l'Hôtel.

(2) Marie-Catherine de La Rochefoucauld-Randan, marquise de Senecey (1588-1677). D'abord dame d'atours d'Anne d'Autriche, elle fut, en effet, nommée dame d'honneur au mois d'octobre 1626 et demeurera en fonctions jusqu'en 1640. Elle sera plus tard gouvernante de Louis XIV.

doient rien de ce qui est essentiel en cette introduction. Ainsi vous aurez, Monseigneur, plein content[t] de vostre voyage, et j'en espère tout autant de tous les autres desseins que vous aurez pour le service du Roy. J'ay écrit à Paris conformément à vos lettres, et en toutes choses je prendray pour la meilleure règle de ma conduite les conseils qu'il vous plaira de prendre en touttes choses. Sur ce, je prye Dieu vous donner, en sa grâce et parfaite santé, très heureuse et très longue vye, et suis,

Monseigneur,

V[tre] très humble et très aff[né] serviteur et obligé,

de Marillac.

A Rennes, ce 2 septembre 1626.

195. — Louis de Marillac au cardinal de Richelieu. Verdun, 2 septembre 1626.

A.E., Cor. pol., Lorraine, Vol. 7, f° 197-198. — Original.

Analyse :

C'est un miracle que l'armée subsiste encore depuis le temps qu'elle se trouve sans argent. Il a épuisé tout crédit, et est assuré de n'en trouver aucun à l'advenir si M. d'Effiat n'envoie les fonds qu'il a promis depuis trois semaines. Il faut pourtant maintenir la troupe en état d'intervenir si l'on doit aller rompre en Bourgogne la mutinerie qui, dit-on, vient d'éclater dans certains corps d'armée venus du Piémont, qui réclament le paiement de tout ce qui leur est dû. Il lui semble « très important au service et à l'authorité du Roy de ne pas laisser introduire dans son royaume parmy les gens de guerre une telle manière de se faire payer. »

Aux derniers avis qu'il a reçus, le comte de Soissons aurait quitté Paris sans attendre le retour du roi.

M. de Valette a eu plusieurs entretiens secrets avec un capitaine de cavalerie bourguignon, et il fait faire dans sa citadelle de Metz des préparatifs que l'on ne peut découvrir.

En Allemagne, il apparaît que la considération que l'on éprouve pour le ministère du cardinal et sa politique s'accroît de jour en jour.

196. — Au roi. Saint-Denis d'Anjou, 4 septembre 1626.

B.N., Nouv. acq. franç., Vol. 5131, f° 88. — Mise au net de la main de Charpentier.

Sire,

La Reyne vostre mère, pensant que j'aye eu l'honneur de faire les mesmes journées qu'a fait Vostre Majesté, m'a adressé une lettre

Pièce 196. — *Au dos de la pièce, on lit : « Au Roy, du 4 sept[bre] 1626 ».*

pour luy présenter de la part de la Reyne d'Angleterre, digne de très grande compassion. Je l'envoye à Vostre Majesté. Elle me commande très expressément de l'asseurer de son affection et de son service et de la grande impatience qu'elle a d'estre auprès de vous. Mr de Mande (1) s'est aussy adressé à moy pour sçavoir de Vostre Majesté où elle auroit agréable qu'il la vinst trouver. Je crois que le plustost qu'il pourra venir sera le meilleur pour estre instruit de certaines particularités de ceste affaire, lesquelles il mande ne pouvoir commettre au papier. Mme de St-Georges (2) et tout le reste de l'équipage désiroit venir trouver Vostre Majesté à Blois, ce dont je croy qu'il luy plaist, sa volonté par le présent porteur, qui m'a dit deux nouvelles que j'ay de la peine à croire parce que je ne les désirerois pas : l'une est que, partant de Paris le 29e du mois passé, on luy dit à la poste que le mareschal d'Ornano estoit mort (3) ; l'autre que Monsieur le Comte s'estoit retiré de Paris. J'auray l'honneur d'estre demain auprès de Vostre Majesté, ce qui m'empeschera d'alonger ceste lettre que de la véritable protestation que je luy fais d'estre jusques au tombeau,

Sire,

De Votre Majesté,

Le très humble, très obéissant, très fidelle et très obligé subjet et serviteur,

De St-Denis (4), ce 4e septembre 1626.

197. — Le roi au cardinal de Richelieu. S.l., 4 septembre 1626.

Impr. : *Pièces du procès de Chalais*, p. 250.

Mon cousin, Je viens d'avoir nouvelle de la mort du maréchal d'Ornano ; je vous en donne avis, je l'ai mandé à la Reine ma mère aussitôt que j'ai sçu : je vais parler à M. de Bellegarde et au président le Coigneux pour le dire à mon frère. Je vous prie de vous rendre ici le plutôt que vous pourrez, priant Dieu, mon cousin, qu'il vous tienne à sa sainte garde. Ce 4 septembre, à dix heures.

LOUIS.

(1) Daniel du Plessis de la Mothe-Houdancourt, grand aumônier de la reine d'Angleterre.
(2) Dame d'honneur de la reine d'Angleterre.
(3) Cependant le maréchal d'Ornano ne mourut que le 2 septembre.
(4) Saint-Denis d'Anjou, dans l'actuel département de la Mayenne, en bordure de la vallée de la Sarthe.

198. — Au roi. S.l., 4 septembre 1626.

Impr. : *Pièces du procès de Chalais*, p. 251.

Sire,

Je suis infiniment fâché que la mort du maréchal d'Ornano ait prévenu le jugement de son procès. Mais puisqu'il a plu à Dieu en disposer, il faut croire que sa justice a voulu prévenir la vôtre. Je me rendrai demain de bonne heure auprès de Votre Majesté, qui est le lieu où je me désire le plus pour être celui que j'estime le plus propre à vous faire connoître que je suis et serai jusqu'au tombeau,

De Votre Majesté,

Sire,

le très humble, très obéissant, très fidèle et très obligé sujet et serviteur,

Le Cardinal de Richelieu.

Ce vendredi au soir 4 septembre.

Pièce 198. — *La mort du maréchal d'Ornano est ainsi relatée dans les* Mémoires de Richelieu : « *La tristesse qu'il eut de sa prison, augmentée par l'accomplissement du mariage de Monsieur, furent causes de sa mort. Le vertige dont il était travaillé tourna en haut mal, et sa gravelle lui apporta une suppression d'urine* » (*éd. de la S.H.F., VI, p.* 150). *On peut lire, sur le même sujet, d'intéressants détails dans le* Mercure françois, *t. XII, p.* 427-432. — *Bien entendu on parla de poison.* « *Je sçay bien que quelques-uns, mal affectionnés au cardinal de Richelieu, ont dit qu'il avoit esté empoisonné, écrit Fontenay-Mareuil ; mais M. le Comte, qui l'aimoit extrêmement, ayant envoyé auprès de luy son médecin et son chirurgien, qui y demeurèrent tant que la maladie dura, et assistèrent mesme à l'ouverture de son corps, ne s'en estant jamais plaint, il est aisé à voir que c'est une pure calomnie* ».

199. — M. de Schomberg au cardinal de Richelieu. Le Mans, 4 septembre 1626.

A.E. Mém. & Doc., France, Vol. 781, f° 2. — Original.

Monseigneur,

J'ay creu devoir donner la peine à ce gentilhomme de retourner au-devant de vous pour vous faire sçavoir comme Monsieur a reçeu la nouvelle de la mort du mar[al] d'Ornano avec beaucoup de sentiment de desplaisir, mais sans aucun recentiment qui paroisse contre personne. Il n'a point sorti depuis cette nouvelle de son logis et ne parle plus de partir de cette ville. Je remets les autres particuliaritez à demain, puisque j'auray l'honneur de vous voir, et iray demain au leuver du Roy pour luy dire de vos nouvelles et luy faire voir la lettre que la Reyne vous escrit. Sa Majesté a d'elle mesme excusé le partement de la Reyne et n'a point esté fasché qu'elle se soit avancée vers Paris, ayant sy grande envie d'en faire de mesme, qu'il sera bien malaizé de le retenir que jusques à lundy matin.

Je suis et seray toute ma vie,

Monseigneur,

Vostre très humble et plus obéissant serviteur,

Schomberg.

Du Mans, ce 4e septembre au soir.

200. — M. Bouthillier au cardinal de Richelieu. S.l., 6 septembre 1626.

Impr.: *Pièces du procès de Chalais, p.* 253-256.

Monseigneur,

Si tôt que le Roy a sçu la nouvelle de la mort du maréchal d'Ornano, il l'a mandé à la Reine par M. Dumont, qui lui a dit que vous n'étiez pas encore arrivé au Mans lorsqu'il en est parti, et quc le courrier du bois de Vincennes avoit fait fort grande diligence. Je vous assure qu'il ne l'a pu faire moindre. Sa Majesté eut désiré comme le Roy que la mort ne fut point survenue, afin de continuer le procès ensuite de celui de Chalais. Dieu en a autrement ordonné. Deux heures avant que le sieur Dumont arrivât à Artenay, où la Reine a couché, le sieur de Soudeille, qui venait de Paris vcrs Madame de Montmorency de la part de M. son mari, avoit dit à Sa Majesté les particularités de la mort du maréchal, et comme son vertige s'étoit tourné en haut mal ct sa gravelle lui avoit apporté la suppression d'urine. Ledit sieur de Soudeille m'a parlé sagement de beaucoup de choses et sur le partement de M. le Comte, qui est allé à l'une de ses maisons en Bourgogne. Il m'a dit qu'il croit que le partement venoit de quelqu'appréhension qu'a eue M. de Senneterre (1), ce qu'il estimoit que cela ne fût pas arrivé si le R.P. Bérule (2) les eut vus auparavant. Il m'a dit que M. de Longueville étoit allé dans son gouvernement au-devant du Roy. Il n'y a qu'une chose qui me met en peine pour le regard de M. de Soudeille, qui est qu'hier il sembloit qu'il fît état de retourner à Paris, et aujourd'hui ayant présentement envoyé un homme au logis de Madame de Montmorency porter des lettres pour Paris, un des siens a dit qu'il étoit parti dès hier au soir pour aller à Orléans, ce que j'ai sçu à l'instant du maître de poste de ce lieu être vrai, cela peut-être ne veut rien dire, encore que ce soit le

(1) Henry de Senneterre (ou Saint-Nectaire), marquis de la Ferté-Nabert était un des familiers du comte de Soissons, sa sœur, Madeleine de Senneterre, était dame d'honneur de la comtesse.

(2) Pierre de Bérulle (1575-1629), fondateur de l'Oratoire ; le roi l'avait envoyé auprès du comte de Soissons pour l'assurer de sa part qu'il pouvait demeurer à Paris en toute sécurité.

grand chemin de Bourges (3). Je vous dirai là-dessus, Monseigneur, qu'une pauvre demoiselle qui est à Bourbon m'a mandé que Monseigneur le Prince, qui est à Pougues, disoit tout haut que le Roy avoit très bien fait de châtier Chalais, et qu'il ne parloit que du service du Roy et du gouvernement de l'Etat, qu'il loue entièrement. Je n'ose vous dire ensuite qu'il a temoigné un soin particulier de cette pauvre demoiselle, lui ayant même envoyé les maires et échevins de Moulins jusqu'à Bourbon. C'est à cause qu'elle a avec elle Monsieur votre neveu, qui se porte parfaitement bien d'avoir pris quelques jours les eaux. Ma femme (4) y a couru fortune depuis le vingt-deux jusqu'au dernier du mois passé, ayant eu un grand dégorgement de rate en forme d'abcès. Je vous demande pardon de vous importuner de si mauvais discours, dont votre bonté est cause. Je vous envoye copie de la réponse de la Reine, et suis,

Monseigneur,

Votre très humble et très fidèle,

Bouthillier.

De dimanche matin 6 septembre 1626.

201. — M. de Saint-Géry au cardinal de Richelieu. S.l., 6 septembre 1626.

A.E., Mém. & Doc., France, Vol. 781, f° 4. — Original.

Analyse :

Il écrit de sa prison (1). Il s'en remet à MM. de Salengues et de Terien, qui l'ont accompagné dans sa dernière mission à Béziers et à Nîmes, du soin de donner au cardinal des détails sur les affaires du Languedoc. Il souhaite qu'on arrête celui contre qui on a informé, et supplie la reine mère et le cardinal de s'intéresser à son sort.

---

(3) Bouthillier avait vu juste. Le comte de Soissons avait quitté Paris le 27 août sous prétexte de se rendre dans son château de Louhans, en Bresse, d'où il gagna la principauté de Neufchâtel. Le Père de Bérulle était arrivé trop tard.

(4) Née Marie de Bragelonne et fille d'un conseiller à la cour des Aides, Madame Claude Le Bouthillier était de santé délicate et mourut très jeune.

(1) Il n'a pas été possible de savoir ce qui avait amené l'arrestation de Saint-Géry, dont la détention devait d'ailleurs être de courte durée.

202. — Madame de Villars-Brancas au cardinal de Richelieu. S.l., 7 septembre 1626.

Univ. de Paris, Bibl. Victor-Cousin, Fonds Richelieu, Vol. 14, f° 124. — Original.

Monseigneur,

J'oseray par ces lignes vous suplier très humb[lemen]t de croire que je me randray aussitôt après Mr de Meaus près de vous pour resevoir l'honneur de vos commandemans et vous témoigner par toute[s] mes « actions » et obéissance que je ne puis estimer notre vie heureuse qu'an nous randant digne[s], Monsieur de Villars et moy, de mériter la qualité de vos créatures et très humble[s] serviteur et servante. C'est la grasce que demande,

Monseigneur,

Votre très humble et obéissante servante,

Hippolite d'Estrée.

Pièce 202. — *La lettre est écrite sur feuille double ; au verso du second feuillet a été portée cette suscription « A Monseigneur Monseigneur le Cardinal ».*

Sœur puînée de la belle Gabrielle, Julienne-Hippolyte d'Estrées avait épousé, en 1597, *Georges de Villars-Brancs* (*V.* supra *lettre du 24 février* 1625). *Tallemant des Réaux lui a consacré une curieuse historiette. Cette lettre annonce peut-être l'amorce de la négociation qui devait aboutir, quelques mois plus tard, à la démision de Georges de Villars-Brancas de son gouvernement du Havre, que Richelieu désirait placer directement sous son administration.*

203. — A M. Bouthillier. Connéré, 8 septembre 1626.

A.E., Mém. & Doc., France, Vol. 245, f° 18-19. — Original.
Impr. : Avenel, II, pp. 259-260.

Monsieur, je receus hier une lettre du Père Chavineau, du 22e aoust, par laquelle il me mande qu'il estoit party de Tours, le jour précédent, un religieux de Saint-Basile, se disant Grec de nation et ne sachant autre langage que le naturel, ayant un truchement avec luy, quoyqu'il ayt parlé à luy en langage italien, adjoustant qu'il avoit affaire au Roy, et que, quand cet homme ne le verroit point, il n'en seroit que mieux. Et parce qu'il peut arriver avant moy auprès de Sa Majesté, et qu'au temps où nous sommes il ne faut négliger aucune chose qui puisse donner le moindre soubçon, je vous donne cet advis afin que vous le donniez à Sa Majesté et qu'elle ayt agréable de commander à M. de Tresmes de prendre garde à cet homme et

Pièce 203. — *La lettre porte en suscription : « A Monsieur Bouthillier, conseiller du Roy en son Conseil d'Estat et secrétaire des commandemens de la Reyne mère ».*.

mesme de se saisir de sa personne, pour sçavoir de luy quel subject le meine en cour ; après quoy on le pourra licentier.

Ledit Père Chavineau m'escrit aussy qu'il y a un libraire à Tours, nommé La Tour, qui porte souvent des livres aux prisonniers d'Amboise (1), et que, comme il sçait une invention par laquelle on peut par tels livres, sans lettres, donner toutes sortes d'advis, un autre la pouvant sçavoir, il est nécessaire de pourvoir au mal qui en peut arriver. Vous en advertirez aussy Sa Majesté, afin qu'à la première occasion elle en donne advis au sieur de Laforest (2).

Je vous diray aussy qu'hier le marquis de Sablé (3) envoya en diligence un advis à Marillac que le capitaine des gardes de M. de Vendosme avoit mandé tous ses compagnons, ce qu'il avoit appris par un soldat qu'il connoist, dont il ne nomme point le nom, lequel estoit venu deux jours avec deux desdits gardes qui alloient audit mandement dont l'un s'appelle Besiers. Cela ne peut avoir que trois fins : ou quelque dessein qu'eussent les prisonniers de se sauver ; ou quelque dessein de brouillerie générale sur la retraite de M. le Comte (4), ce que je ne prévoy paz ; ou dessein sur la personne de Calori (5), ce que la pluspart soubçonnent et estiment le plus vraysemblable. Pour éviter aux fausses prophéties, je me suis laissé bailler par M. du Mans vingt gentilshommes qui m'accompagneront jusques en vos quartiers, outre trente autres que j'ay eus tout le voyage. Je vous avoue que c'est une fascheuse chose d'estre contrainct de se faire garder, estant certain que, dès l'heure qu'on est réduit à ce point, on peut dire adieu à sa liberté. Cependant, s'il falloit encore refaire les choses que j'ay faictes pour y estre obligé, je les referois de très bon cœur, et plus ilz chercheront ma vie, plus chercheray-je à servir le Roy.

Buckingham a fait assassiner en Flandres depuis quinze jours le médecin qui l'avoit déféré pour estre cause de la mort de son maistre et d'Amilton (6). M. de Mande (7) nous dit des choses espouvantables de ces gens là, lesquelles il craint, dit-il, de dire au Roy et à la Reyne.

---

(1) Le duc de Vendôme et son frère, le grand prieur, qui étaient alors détenus au château d'Amboise avant d'être transférés à Vincennes.

(2) Simon du Caylar de Saint-Bonnet, seigneur de La Forest, qui gouvernait le château d'Amboise pour son frère, Toiras.

(3) Philippe-Emmanuel de Montmorency-Laval, seigneur de Bois-Dauphin marquis de Sablé (+ 1640). Il avait épousé la fille du maréchal de Souvré (1542–1626), qui avait été gouverneur de Louis XIII.

(4) Le comte de Soissons avait fait l'objet d'une prise de corps décrétée contre lui à la suite du complot de Chalais. Louis XIII avait suspendu l'ordre et avait même fait donner des assurances au prince. Celui-ci n'en partit pas moins pour son château de Louhans, en Bourgogne, d'où il gagna la principauté de Neufchâtel, qui appartenait à son beau-frère, le duc de Longueville.

(5) Richelieu.

(6) Jacques Ier était mort le 27 mars 1625 ; l'ivrognerie et la maladie l'avaient réduit, dans les derniers mois de sa vie, à une sorte d'imbécilité. Quant à son chambellan, le marquis d'Hamilton, il était mort l'année précédente.

(7) Daniel du Plessis, évêque de Mende et parent de Richelieu, avait été envoyé en Angleterre pour accompagner, en qualité de grand aumônier, Henriette de France, il venait d'être renvoyé avec la maison de cette princesse. Il sera employé par le cardinal à l'expédition de l'île de Ré pour organiser le ravitaillement de la place, en 1627, et devait mourir devant La Rochelle l'année suivante.

Mais je luy ay dit que Leurs Majestés n'ignoroient rien et ne se faschoient de rien.

Je vous prie, s'il se peut, faire oster un buste du Roy qu'on a mis au passage de la porte de Limours, entre les deux statues du Roy et de la Reyne sa mère ; car, outre qu'il n'est pas bien fait, Brard n'ayant pas la main comme Berthelot, il est destiné pour estre à Richelieu avec un autre buste de la Reyne sa mère, et je fais faire un roy en grand et en Mars de la mesme main de Berthelot, pour le mettre dans la croisée eslevée, entre le Roy et la Reyne sa mère. Quand vous en verrez l'invention, vous l'approuverez fort, jusque-là que vous vous entendez assez mal en bastimens pour ne la comprendre pas. Je suis, Monsieur,

Vostre très affectionné à vous servir,

Le Card. de Richelieu.

De Conarré (8), ce 8 septembre 1626.

204. — Le président Faure au cardinal de Richelieu. S.l., 8 septembre 1626.

A.E. Mém. & Doc., France, Vol. 781, Invent. de la cor., 1626, f° 180.

Analyse :

« De Montpellier. Il croit que le Sr Fleurisse, qui a été médecin du feu prince d'Orange (1) luy a donné connoissance des titres de la principauté d'Orange ; qu'il seroit d'avis qu'on le sursît de ces titres ou qu'on en fît un inventaire. On pourroit y faire intervenir MM. de la Chambre, qui ont de grands droits sur cette principauté et avec qui on s'en accommoderoit. »

205. — M. de Valençay au cardinal de Richelieu. Montpellier, 10 septembre 1626.

A.E., Mém. & Doc., France, Vol. 1627 (Languedoc), f° 270. Original.

Monseigneur,

J'attendois tousjours des nouvelles de mon frère le Commandeur (1) pour envoier exprès vous remercier très humblement de tant

(8) Connéré, petite ville située dans l'actuel département de la Sarthe, à vingt-cinq kilomètres du Mans.

(1) Maurice de Nassau, prince d'Orange, était mort le 23 avril 1625.

(1) Achille d'Estampes-Valençay (1593-1646), entré dans l'Ordre de Malte à huit ans, Commandeur de l'Ordre, il se rangera plus tard au parti de la reine mère ; cardinal en 1643.

de faveurs que j'ays receues de vous, et particulièrement de ce qu'il vous a pleu me procurer l'honneur du gouvernement de Callays, mais comme j'ay veu les nouvelles de mon frère trop tardives à venir, je n'ay peu demeurer davantage sans vous tesmoigner les ressentimens que j'ay de ce bienfaict, et vous asseurer que je demeureray très constant au vœu que j'ay faict de vous honorer et servir toutte ma vie, comme je vous suplie d'avoir agréable que mon filz d'Aplincourt (2), que je despeche vers vous, vous en continue les asseurances de ma part et vous entretienne aussy de ce dont je l'ay chargé, en vous faisant voir la coppie que j'ay tirée d'une lettre de laquelle j'ay veu l'original, et, bien que ce soit peu de chose, j'ay creu que je vous debvois donner cet advis, et que vous me feriez aussy l'honneur de le recevoir comme d'une personne qui, vous estant toutte acquise, n'aura jamais autre pensée que de vous tesmoigner que je suis véritablement

Monseigneur,

Vostre très humble et très obéissant serviteur,

Vallançay.

De Monp^er^, ce X^e^ septembre 1626.

206. — M. de Schomberg au cardinal de Richelieu. S.l., 12 septembre 1626.

A.E., Mém. & Doc., France, Vol. 781, Invent. de la cor., f° 172.

Analyse :

« Sa Ma^té^ a donné audience à tous les députés et est party pour Versailles. M. de Schomberg croit qu'on devroit envoyer M. de Saint-Chamont à Rome, et qu'il y feroit mieux qu'un autre. »

207. — Le roi au cardinal de Richelieu. Dourdan, 14 septembre 1626.

A.E., Mém. et Doc., France, Vol. 781, Invent. de la cor., 1626, f° 186 v°.

Analyse :

« En luy envoyant une lettre du comte de Soissons, que Senneterre luy avoit aportée. Il luy a dit ce qui estoit porté par le mémoire que

(2) Dominique d'Estampes-Valençay (1595-1691), d'abord marquis d'Applincourt, il épousera en 1641 Marie-Louise de Montmorency-Bouteville ; marquis de Valençay et de Fiennes en 1643.

Lucas (1) luy a rendu de la part du Cardinal ; et s'il demande d'aller en Italie, il répondra ce qui est porté par le mémoire que Marsillac (2) luy a donné. »

208. — Le roi au cardinal de Richelieu. S.l., 15 septembre 1626.

A.E., Mém. et Doc., France, Vol. 781, Invent. de la cor., 1626, f° 186 v°.

Analyse :

« Il dit que Tresmes (1) s'excuse de faire le voyage d'Amboise parce qu'il est en quartier. Il fera cependant ce que le Roy voudra. S.M. demande s'il l'enverra ou du Hallier, et répète ce qu'il a dit au sujet de M. le Comte. »

209. — M. de Valençay au cardinal de Richelieu. 15 septembre 1626.

A.E., Mém. & Doc., France, Vol. 1627, (Languedoc), f° 272. — Original.

Monseigneur,

Il y a quelque temps que Monsieur de l'Abadie fut à la cour pour y faire deux propositions : l'une, *une entreprise sur Orange,* et l'autre ce certains moiens de s'en pouvoir *approprier le domaine* et faire voir les droitz que le Roy avoit *en ceste souveraineté.* Sur quoy l'on luy fist responce que *pour l'entreprise* qu'elle n'estoit pas alors de saysons, mais que pour l'autre moien l'on seroit fort ayse de voir et les droitz et les expédiens *de s'acquérir ce domaine* ce qu'il promit de faire par le moien d'un honneste homme nommé Mr de *Violeta, lequel il envoie maintenant à la cour,* à condition qu'il ne traittera qu'avec vous de cette affaire, par la faveur de qui il espère toutte protection, puisqu'au grand préjudice de *Mr le prince d'Orange il se jette dans le service du Roy.* Je l'ay asseuré qu'il ne se pouvoit mieux adresser qu'à vous, comme je vous asseure aussy que Mr de l'Abadie,

(1) Michel Lucas (1562-1639). Après la disgrâce de Tronson, secrétaire du cabinet du roi, c'est à Lucas que la charge fut donnée. Celui-ci continua en même temps, semble-t-il, jusqu'en 1631, ses fonctions de secrétaire ordinaire de la reine mère. Il devait demeurer secrétaire de la chambre du roi jusqu'à sa mort, avec le titre de « secrétaire de la main ».

(2) Le manuscrit porte « Marsillac ». Celui-ci était alors maître de chambre du cardinal ; il sera évêque de Mende en 1628. Cependant il pourrait s'agir d'une erreur de copiste : une lettre du garde des sceaux, Marillac, en date du 19 septembre, mentionne, en effet, son intervention (V. *infra,* pièce 215).

(1) Capitaine des gardes du roi ; ce fut lui qui fut en effet chargé de conduire le duc de Vendôme et son frère du château d'Amboise au donjon de Vincennes (V. *infra,* pièce 214).

qui le conduit, veult estre vostre serviteur, de la fidellité duquel je vous donne parolle, l'ayant esprouvé depuis cinq ans que nous vivons ensemble, estant un des cap[nes] du régiment de Picardie, duquel j'ay eu la conduitte depuis ce temps-là. Je suis

Monseigneur,

Vostre très humble et très obéissant serviteur,

Vallencay.

De Monp[er], Ce XV septemb. 1626.

210. — Mémoire pour interroger M. le Grand Prieur. [Vers le 15 septembre] 1626.

A.E., Mém. & Doc., France, Vol. 783. — Minute de la main de Charpentier.

Les difficultés que peut faire le G[rand] P[rieur] de respondre sont vuidées par l'interrogatoire fait à Amboise : celuy qui a desjà respondu ne pouvant s'exempter de continuer.

A mon jugement, on le doit laisser entre l'espérance et la crainte, luy disant toutesfois avec conduite les choses qui luy peuvent faire craindre la rigueur de la justice, s'il n'a recours à mériter et implorer la miséricorde par bonne et vraye confession.

Avec la mesme conduite on luy fera cognoistre sans dire ex professo si le Roy veut user de rigueur — il a plus de cognoissance qu'il ne faut pour ce faire — ce qui fait qu'il semble que Sa Ma[té] cherche de deux choses l'une, ou subjet de pardonner, ou bien de faire voir à tout le monde, que, s'il use de rigueur, c'est après avoir fait tout ce qu'il aura peu pour trouver lieu de pardonner, ainsi que le Roy son père le vouloit faire au Mar[al] de Biron, qui se perdit pour ne vouloir confesser son crime (1).

Mr Chalais deppose comme Mr le G[rand] P[rieur] a conseillé Monsieur de faire violence aux ministres et de sortir de la cour, qu'il a proposé purement (a) pour la retraitte de Monsieur Metz outre plusieurs autres lieux.

Monsieur a confessé la mesme chose.

Mr le G.P. a avoué plus à Mr de Fossé (2), à son secrétaire et à Loustelnau, puisqu'il confessa avoir conseillé de traitter rudement

Pièce 210. — *Cette pièce n'est pas datée. Mais on sait par une lettre du garde des sceaux Marillac au cardinal, en date du* 19 *septembre, qu'il va faire procéder aux interrogatoires « sur les mémoires de M. le cardinal »* (*v. pièce n°* 215). *On peut donc penser avec vraisemblance que le mémoire ci-dessous a été rédigé vers le* 15 *septembre.*

(a) Mot douteux.

(1) Armand de Gontaut, maréchal et baron de Biron, convaincu de haute trahison, fut décapité le 31 juillet 1602.

(2) Gabriel de la Vallée, marquis de Fossez, fidèle serviteur de Marie de Médicis ; il recevra, en cette même année 1626, le gouvernement de Montpellier.

les ministres, de sortir de la cour et de prendre les armes pour tirer le colomnel de prison.

Le but de Mr le garde des sceaux doit estre de tirer de la bouche dudit Sr G.P. confession des mesmes choses, esclaircissements sur icelles, et nouvelles descouvertes purement sur ce que Du Nault (3) a dit des entreprises contre la personne du Roy.

Pour cet effet, après qu'il aura avoué le conseil de traitter rudement les ministres, faut sçavoir comme cela s'entendoit, ceux qui le devoient faire, quelle résolutions ont esté prises là-dessus, quand et comment elles devoient estre exécutées, qui estoit de ce conseil.

Sur la sortie, où il devoit estre la retraitte, qui devoit négocier ceste affaire, comme ils avoient peu gaigner ceux qui devoient fournir leurs places.

Sur la prise des armes, qui en devoit estre, comment elle se pouvoit faire, quel dessein on avoit, comment ils avoient peu gaigner les estrangers qui leur avoient promis, s'ils avoient commancé à s'offrir d'eux-mesmes ou si on les avoit recherchés, s'ils ne pensoient pas bien que lesdits estrangers ne leur sçauroient tenir les promesses qu'ils leur faisoient, et qu'ainsy ils s'embarqueroient sans pouvoir faire grande chose, s'ils ne considéroient pas que s'embarquer en un dessein où les huguenots eussent eu part les eust desservis.

Sur le subjet de l'entreprise de la personne du Roy, il le faut manier fort délicatement, ne luy proposant qu'après avoir tiré sa confession des autres, sur lesquels toutesfois s'il ne vouloit rien dire, on estime qu'il luy faut proposer ce dernier point rudement, afin que, la disposition qu'il aura de les désirer avec quelque apparence de le faire par dissimulation, luy face confesser les autres dont il peust bien en effet qu'il sera convaincu.

Il faut tascher en ceste interrogatoire de tirer indirectement des tesmoignages de luy qui empesche[nt[qu'il ne puisse, quand on viendra à la confrontation, récuser ny Mr du Fossé, ny Loustelnau, ny Du Nault. Cela se peut faire adroitement, en luy tesmoignant le soin que le Roy a eu de le sauver, luy envoyant un homme de probité comme Mr de Fossé, quand il a sceu par son secrétaire qu'il désiroit venir à recognoissance de ses fautes.

On croit qu'il ne faut pas luy dire que Du Nault soit pris, de peur que, sachant le contraire, il se méfie et doute de l'ingénuité de ceux qui traitteront avec luy, mais que bien luy faut-il dire quelque chose qui luy face juger qu'on le peut avoir arresté sans dire où afin que s'il sçait qu'on l'a fait esvader de Paris, il croye qu'on l'ayt pris en pays estrange.

Faut aussy interroger sur le faict du moyne Mureschau, sçavoir quels voyages et quelles négociations il luy a fait faire, s'il ne le tient pas pour homme de bien, s'il avoue ce qu'il a fait pour luy et ce que l'interrogatoire de Mareschau donnera lieu de luy demander.

De plus, quel argent il a fait donner à quelques soldats d'Amboise pendant qu'il y a esté, s'il cognoist un soldat nommé La Planche, quelles paroles et quelles lettres il luy a apportées et fait porter, et s'il se

(3) Secrétaire du Grand Prieur.

rapporte à ce qu'il en dira. Faut aussy demander la mesme chose sur un porteur d'eau et un baleyeur.

Enfin, il faut par (a) d'interrogatoire donner atteinte à tout ce qu'il peust avoir fait, afin de le porter à avoir plus franchement recours à une vraye confession et à la miséricorde. Il faudra quelquefois l'interpeller de dire ce qu'il sçait, qu'on l'y convie pour son bien propre, parce qu'il verra par l'événement qu'on a plus de cognoissance qu'il ne faut pour le traitter à la rigueur.

211. — Response du Roy aux compagnies de Paris. [17 septembre 1626].

B.N., Fonds de Sorbonne, Vol. 1135, f° 236. — Copie.
Impr. : Avenel, II, pp. 261-262.

Response à Messieurs du Parlement.

J'auray tousjours plus soin de mon estat que de ma propre personne, j'ay faict un voiage qui estoit nécessaire ; il ne m'a pas esté trop agréable, puisqu'il a fallu user de rigueur ; mais en tel subjectz, il fault souvent faire ce qu'on ne voudroit pas. Je reviens en pleine santé ; la Reyne ma mère aussy, et mon frère, qui est fort bien avec moy.

Response à la Ville.

Je lis dans vos cœurs et dans vos visages la joye que vous avez de me voir. Il y a longtemps que je désirois me rapprocher de vous ; mais je préfère mes affaires à mon plaisir. J'ay faict un bon voiage ; j'ay marié mon frère, et, grâce à Dieu, il est avec moy comme il doit estre ; j'en suis fort content (a).

Monsieur, les coups faisant d'autant plus d'effects que le bras qui les pousse a de force, la consolation que je reçoy de vous m'est autant plus utile et fructueuse, que je recognois vostre auctorité et vostre mérite plus grand.

L'effect d'ordinaire estant semblable à la cause, vostre auctorité et vostre mérite font que la consolation que je reçois de vous ne peut estre petite.

Pièce 211. — *La date de ce document est donnée par Avenel d'après le* Mercure françois — *t. XII, p.* 432. — *où l'on peut lire : « le jeudy* 17 *septembre, le Roy arriva à Paris, environ sur le midy : M. de Bailleul, lieutenant civil et prévost des marchands, avec les eschevins de Paris, le furent saluer ». Le texte manuscrit est corrigé de la main de Le Masle.*

(a) Deux mots illisibles.

(a) A cette place du manuscrit, se trouvent trois lignes qui ont été barrées : « Sa Majesté ne s'assujétira pas, s'il luy plaist, aux parolles, mais dira le sens de ce qui est contenu cy-dessus, sans se contraindre. Pour les autres compagnies, il fault autre chose que le mesme sens ».

212. — M. de La Forest-Toiras au cardinal de Richelieu. Amboise, 17 septembre 1626.

A.E., Mém. & Doc., France, Vol. 1749 (Touraine), f° 19. — Original.

Monseigneur,

J'envoye ce gentilhomme qui sert le Roy avec nous pour la garde de ceste place et des prisonniers, pour donner advis à Sa Maté de la maladie de Mr le grand prieur. J'eusse creu de falir si j'eusse retardé plus long temps, puis que c'est après le troisiesme accès de la fièvre qui l'a desjà abattu. Les impatiences de Mr de Vendosme sont très grandes pour le voir en ceste occasion, s'il luy estoit permis, mais la demande que fait avec plus d'instance que de coustume Mr le grand prieur d'un confesseur semble plus juste et raisonnable. Je vous suplye très humblement, Monseigneur, me faire prescrire ce que j'ay à faire aux accidens qui pourroient arriver desquels ce gentilhomme vous entretiendra, si vous l'avez agréable. Si je sçavois quelque chose digne du secret, je ne serois pas paresseux de vous l'escrire, non plus que de vous témoigner que je suis en toutes occasions,

Monseigneur,

Vostre très humble et plus acquis et affectionné serviteur,

La Forest Toiras.

Au Chasteau d'Amboise, le 17 septembre 1626.

Pièce 212. — *Le château d'Amboise, où se trouvaient alors détenus le duc de Vendôme et son frère, avait pour gouverneur le marquis de Toiras, qui était également gouverneur du Fort-Louis et de l'île de Ré. Cette lettre a pour auteur le frère de celui-ci, Simon du Caylar de Saint-Bonnet, seigneur de la Forest, qui devait sans doute exercer les fonctions de gouverneur en l'absence du titulaire.*

213. — Louis de Marillac au cardinal de Richelieu. Verdun 17 septembre 1626.

A.E., Cor. pol., Lorraine, Vol. 7, f° 200-201. — Original.

Analyse :

Il a reçu notification de la décision qui a été prise de retirer de l'armée les régiments de Turenne et de Marcheville. Il considère le premier comme l'un des meilleurs, et, en conséquence, propose de l'employer à renforcer les troupes de la frontière. Quant au second, il n'en pense pas de bien.

M. de La Valette montre toujours de l'inquiétude, et cela l'incite à rechercher des appuis pour assurer éventuellement sa défense. C'est ainsi qu'il a eu des entretiens secrets avec l'évêque de Verdun — François de Lorraine — « de qui les actions sont plus suspectes que jamais et les intentions plus mauvaises. Il fault ou gaigner cest homme ou le chasser absolument ».

Plus de nouvelles d'Allemagne.

Il prie le cardinal de lui faire savoir la décision qu'il aura prise au sujet du régiment de Turenne aussi promptement que possible, car si la nouvelle d'un prochain licenciement se répand, le régiment risque de se débander. Il termine en suppliant le cardinal de se souvenir de lui aux occasions qui se présenteront en raison de l'attachement qu'il lui porte.

214. — Copie des instructions données à M. de Tresmes pour la conduite de Mrs de Vandôme. Paris, 18 septembre 1626.

A.E., Mém. & Doc., France, Vol. 781, f° 11. — Copie.

Monsr de Tresmes partira dimanche 20e de ce mois, et les deux carrosses partiront dès demain 19e.

Ledit Sr de Tresmes estant arrivé à Amboise sçaura sy toutes les trouppes seront jointes, et lors que cela sera, il partira avec les prisonniers.

Il les fera entrer chacun en différend carrosse et mettra avec eux les mesmes soldats qui les garderont dans leurs chambres, affin qu'ils ne soient pas aprochez de différentes personnes, et, pour esviter ce que l'on pourroit dire à leurs valletz qui seront demeurez près d'eux, l'on les fera mettre dans les mesmes carrosses de leurs maistres.

Ceux qui seront avec les prisonniers les pourront entretenir de la mort du maréchal d'Ornano et de Chalais, tous deux condamnez par justice, de la bonne intelligence de Monsieur avec le Roy, comme le mariage de mondit seigneur est heureux, et que la France est en paix et repos de tous costez. Et si les prisonniers demandent ce que l'on veut faire d'eux, les gardes respondront qu'ils croyent que le Roy s'en veult seulement asseurer pour les empescher de brouiller et d'achever de se perdre.

Monsr de Tresmes ne fera cognoistre à personne le chemin qu'il doibt tenir, et d'Amboise il s'en ira à Blois, de là à Beaugency, de là proche de Chasteaudun sans s'arrester dans la ville, puis vers Chartres sans aussy entrer dans la ville, et de là prendre la routte du bois de Vincennes.

Il logera les prisonniers dans les chasteaux, où il s'en trouvera dans ses cartiers, et il pourvoyera à toutes les autres choses qu'il jugera nécessaire pour la seure garde et conduitte desditz prisonniers.

Il s'informera sur le chemin s'il n'a point advis que l'on face

Pièce 214. — *Le titre de cette pièce est porté sur une sorte de feuille de garde* (*f°* 10)

Le destinataire est René Potier, comte de Tresmes (1579-1670), *capitaine des gardes du roi, lieutenant général au gouvernement de Champagne et gouverneur de Châlons. Il sera élevé à la dignité de duc en* 1648.

quelque assemblée, et commandera aux prévosts de battre la campagne à droit et à gauche de sa routte.

Estant près de Chartres, Mr de Tresmes envoyera le Sr de Chastelnau vers le Roy pour luy donner advis de son acheminement et recevoir le commandement de Sa Maté avec la descharge nécessaire desdits prisonniers.

Fait à Paris ce XVIIIe jour de septembre 1626.

Signé : Louis, et plus bas de Loménie.

215. — Michel de Marillac au cardinal de Richelieu. S.l., 19 septembre 1626.

A.E., Mém. & Doc., France, Vol. 781, Invent. de la cor., 1626, fo 174.

Analyse :

« Il fera faire les interrogatoires sur les mémoires de M. le Cardal (1). Le Roy commanda hier à M. Lucas la lettre pour M. le Comte telle que vous luy avez envoyée (2), et commanda suivant votre avis une lettre pour M. le Connestable et M. de Créqui en son absence touchant M. le Comte et les places du Dauphiné. »

216. — M. de Schomberg au cardinal de Richelieu. S.l., 20 septembre 1626.

A.E., Mém. & Doc., France, Vol. 781, Invent. de la cor., 1626, fo 190 vo.

Analyse :

« La maladie de sa belle-fille l'empesche de voir M. le Caral. Il se rendra demain auprès de luy à Pontoise. Il y mènera M. d'Herbault, qui a beaucoup de dépesches d'Espne, de Venise et de Savoye à luy communiquer. »

(1) Il s'agit vraisemblablement des interrogatoires du duc de Vendôme et du grand prieur détenus à Amboise.

(2) Le Comte de Soissons avait quitté Paris le 27 août pour se rendre à son château de Louhans, d'où il ne tarda pas à gagner la principauté de Neufchâtel, qui appartenait au duc de Longueville, son beau-frère. Voir pièce no 203.

217. — A M. Bouthillier. Pontoise, 20 septembre 1626.

A.E., Mém. & Doc., France, Vol. 245, f° 20. — Minute de la main de Charpentier.

Monsieur, je vous envoye une minute de lettre que M. le garde des sceaux a dressée (1) ; vous la ferez voir au Roy avec la mienne. Entre vous et moy, il sera aisé d'en juger la différence : je croy qu'il fault envoyer la mienne, et ce sans me flatter. Vous en conférerez avec M. le garde des Sceaux et M. de Schomberg, affin qu'ils choisissent celle qu'il faudra, et adjoustant à celle qu'on envoiera ce qu'ils jugeront estre à propos.

Le seigneur Luc demande d'estre payé du voyage qu'il fist de Nantes à Paris, c'est au Roy, vous en aurez besoin.

Je vous prie que ce porteur me rapporte des nouvelles certaines de la santé de ma nièce et de mon frère. Je l'envoye exprès pour en sçavoir et m'addresse à vous de peur de les incommoder en leur mal.

La Reyne (2) est icy de retour des eaux, M. Séguin ayant esté prompt et facile à juger qu'elles ne sont pas bonnes. Je ne l'ay point encore veue, je m'acquitteray tantost de ce devoir. Elle couche

Pièce 217. — *Cette lettre, en son premier alinéa, ainsi que la suivante appellent un éclaircissement : à la suite de l'exécution de Chalais, le comte de Soissons, que le roi entendait pourtant ménager, avait cru devoir se retirer dans la principauté de Neufchâtel qui appartenait à la maison d'Orléans-Longueville. Tardivement — le 8 septembre — il avait sollicité de Louis XIII la permission de faire un voyage en Italie. Un premier projet de réponse au prince fut alors rédigé par Michel de Marillac, qui l'adressa à Richelieu.*

(1) Voici le projet rédigé par Marillac :

« Mon cousin, quand, à l'occasion du voiage que j'ay faict en Bretagne, je vous commis le soin de ma bonne ville de Paris et de mes affaires avec un establissement d'une partie de mon conseil près de vous, j'attendois à mon retour de recevoir de vous la reconnoissance de ce tesmoignage de mon affection singulière et de la grande confiance que j'avois en vous pour continuer les effets des bontés particulières que j'ay toujours eues abondamment pour vous mesmes ès dernières occasions où je la vous ay monstrée si signalée ; mais au contraire j'apprens par vos lettres du huictiesme de ce mois à Neufchâtel que vous estes retiré hors de mon royaume avec dessein, ce dites-vous, de voir les païs estrangers sans m'en avoir demandé la permission, ce que j'ay trouvé si nouveau qu'à peine le pouvois-je croire, et que vous, qui avez l'honneur d'estre de mon sang, qui avez un des premiers offices de mon Estat, dont tout le soin est tout auprès de ma personne, sur qui j'ay versé tant de grâces et de bienfaicts, et qui avez tant de subjets de vous asseurer de mon amitié, ayez à un instant oublié tous ces devoirs pour faire une action que les loix de mon royaume rendent punissable au moindre de mes officiers ; je n'ay peu ny par l'estat de l'affaire ny par vos lettres en comprendre la raison. C'est pourquoy je ne vous y puis respondre. J'estime que lors que vous serez en l'estat et en la condition que vostre naissance, vostre debvoir, mes bienfaicts et mon affection vous obligent d'estre, j'entendray mieux vos raisons et j'y respondray bien volontiers. Cependant, je prie Dieu, mon Cousin, etc. ».

(B.N., Fonds fr., Vol. 23200, f° 218 v° - 219. — Copie).

(2) Anne d'Autriche.

dans le lit de sœur Marie de l'Incarnation (3). Il est important que la Reyne sa mère (4) luy fasse grandes caresses, et je l'en supplie afin que le monde luy donne gloire de toutes ses actions.

A Pontoise, ce 20 septembre 1626.

Je vous prie dire à M. d'Effiat que je l'attendray demain à disner.

Mandez-moy quand la Reyne ira à Saint-Germain, et l'asseurez mon très humble et très passionné service.

218. — Le roi au comte de Soissons. [20 septembre] 1626.

B.N., Fonds fr., Vol. 23200, f° 217 v°. — Copie.
Impr. : Avenel, II, pp. 264-265.

Mon Cousin, Vous n'ignorez pas que ceux qui sont de vostre qualité sont plus obligez qu'aucuns autres de ne sortir pas de mon royaume sans congé, la confiance que j'ay eue en vous particulièrement en ceste occasion où, pendant que j'estois occupé en un des bouts de mon Estat, je vous avois laissé le gouvernement de ma bonne ville de Paris entre les mains, vous obligeoit encore davantage à ne manquer pas à ce devoir. Si vous m'eussiez tesmoigné désirer faire un tour aux païs estrangers, je vous l'eusse permis volontiers. Le congé que vous m'en demandez maintenant semble superflu ; si toutesfois il importe à vostre contentement, comme vous me le faites paroistre, pourveu que je vous tesmoigne ne trouver pas mauvais que de là où vous estes vous fassiez un tour plus avant, je le fais, afin que vous cognoissiez et que tout le monde sache que je n'oublieray rien de tout ce que je pourray pour vostre satisfaction. Cependant, je ne puis que je ne vous recommande d'avoir soin de vostre personne, qui me sera tousjours grandement chère et que j'affectionne particulièrement. Sur ce, je prie Dieu, mon Cousin, etc.

Pièce 218. — *La pièce porte en titre : « Minute de lettre du Roy à M. le comte de Soissons, faite par Monseigneur ». La date ne figure pas sur le manuscrit ; elle est donnée par la lettre du cardinal à Bouthillier, à laquelle ce projet de lettre était joint* (*V. pièce* 217).

(3) Marie de l'Incarnation, c'était en religion le nom de Madame Acarie, née Barbe Jeanne Avrillot (1566-1618). Après la mort de son mari, Pierre Acarie, conseiller à la Chambre des Comptes, elle était entrée au Carmel, qu'elle avait contribué, avec le Père de Bérulle, à établir en France, et elle était devenue la supérieure du couvent de Pontoise. Anne d'Autriche — qui, depuis son mariage, avait eu au moins deux fausses couches, et peut-être trois — faisait des cures d'eaux pour favoriser une grossesse. Mais, comme elle était très pieuse, elle usait aussi d'autres moyens pour attirer les grâces du ciel, tel le lit de Marie de l'Incarnation et, plus tard, la chemise de la Mère Marie des Anges.

(4) « Sa mère » ou plutôt sa belle-mère, Marie de Médicis. Les deux femmes ne s'entendaient guère. Bouthillier, secrétaire des commandements de la reine mère, avait sur celle-ci une heureuse influence, que Richelieu utilisait.

219. — Michel de Marillac au cardinal de Richelieu. Paris, 21 septembre 1626.

A.E., Mém. & Doc., France, Vol. 782, f° 90. — Original.

Monseigneur,

Je vous remercye très humblement du soin qu'il vous plaist avoir de moy. J'espère aprendre des nouvelles de vostre santé à St-Germain, où je m'en vay coucher, Dieu aydant. Cependant, je vous diray que l'on dit icy que M. le premier président (1) à l'apoplexie, et que, soit qu'il meure, soit que par la crainte d'une prochaine mort il obtienne, ou Mad^me^ sa femme, permission du Roy de traiter de sa charge, vous avez moyen de faire deux ou trois grands coups très importans pour ruiner le mal et establir le bien, dont j'espère avoir l'honneur de vous entretenir, espérans que mes forces m'en donneront bien tost le moyen, au moins mon désir me fait aysément croire que je le puis, et tousjours que je suis,

Monseigneur,

Vostre très humble et très affectionné serviteur et obligé,

Marillac.

Paris, 21 sept. 1626.

220. — Madame de Rohan douairière au cardinal de Richelieu. S.l., 22 septembre 1626.

A.E., Mém. & Doc., France, Vol. 781, Invent. de la cor., 1626, f° 187.

« Sur ce que M. de Montmartin luy avoit dit que la R[eine] M[ère] souhaitoit la paix, elle répond qu'elle voudroit qu'on luy en eust parlé plutost ; qu'on auroit épargné beaucoup de sang ; et que, pourveu qu'on rende les choses faisables et suivant ce que dira son secrétaire, qui est à Paris, elle y contribuera (1). »

(1) Nicolas de Verdun : il devait mourir le 17 mars 1627.

(1) Le même *Inventaire de la correspondance* de l'année 1626 contient, en résumé, le déchiffrement de quelques lettres de Madame de Rohan qui avaient été interceptées par les services du cardinal. Ce déchiffrement est daté du 23 mai 1626 :

« Elle blasme la lascheté des députés de la Rochelle, qui ont accepté la paix, quoyque les ambassadeurs d'Angleterre l'eussent conseillée dans la vue d'une ligne offensive avec leur maistre, et qu'on obtiendroit le rasement du fort. Ny l'un ny l'autre ne s'est exécuté. M. de Soubise ne doit point songer à passer en France. Il n'y seroit pas en seureté. Il doit ménager le Roy d'Angleterre pour procurer du secours à la Rochelle. Valençay avoit promis dix mille escus pour faire sauter Rohan par une fougade (= fougasse). On dit que le cardinal a fait emprisonner le maréchal d'Ornano. M[onsieur] a dit qu'il s'en vangeroit jusqu'à la troisième génération. »

221. — Louis de Marillac au cardinal de Richelieu. Verdun, 23 septembre 1626.

A.E., Corp. pol., Lorraine, Vol. 7, f° 199. — Original.

Analyse :

Sachant en quelle estime le cardinal tient le duc d'Angoulême, il se permet de lui faire souvenir de lui pour le gouvernement de Picardie, au cas où celui-ci serait rendu vacant par la mort du connétable de Lesdiguières. Il le juge, en effet, à l'écart de toute cabale et sincèrement désireux de bien servir le roi. En agissant ainsi il ne fait lui-même qu'acquitter une dette qu'il a envers le prince pour les services que celui-ci lui a autrefois obligeamment rendus à Fontainebleau (1).

222. — M. de Schomberg au cardinal de Richelieu. S.l., 23 septembre 1626.

A.E., Mém. & Doc., France, Vol. 781, Invent. de la cor., 1626, f° 172.

Analyse :

« Un nommé Le Grand, commis au recouvrement des taxes des financiers, est venu menacer M. d'Herbault de vendre ses meubles et de mettre aux affiches l'office de trésorier de l'Epargne, que possède son fils. Il est venu dans un chagrin mortel. »

223. — Le duc d'Angoulême au cardinal de Richelieu. S.l., 24 septembre 1626.

A.E., Mém. & Doc., France, Vol. 781, Invent. de la cor., 1626, f° 180.

Analyse :

« Sa lettre accompagne l'envoi de mémoires que M. d'Effiat luy avoit demandés sur la réformation des abus. »

(1) Le connétable de Lesdiguières devait mourir le 28 septembre.

224. — M. de Tresmes au cardinal de Richelieu. Amboise, 25 septembre 1626.

A.E., Mém. & Doc., France, Vol. 781, f° 19. — Original.

Monseigneur,

J'ay trouvé Mr le grand prieur avec la fièvre tiairse et peu danvie de partir dicy. Mr de Vandosme a tesmoigné ne le désirer pas davantage. Il semble que le médecin que l'on a envoié de Paris m'a escrit que j'attandisse icy, je manfusse alé dès ojourhuy, et Mr le grant prieur avoit se matin fait ses dévossions pansant quiter Amboise, et a voulu aler à la chapelle. Les médecins escrivent olong à Mr Herouart (1) lestat de son mal, qui juge durer plus d'un mois. Mr de la Forest anvoie au Roy un mémoire de choses plus particulières qu'il a cru devoir donner avis. Pour moy, Monseigneur, je natans que les commandemens du Roy et les vostres pour me randre au plustost au lieu qui ma esté ordonné, et de là vous aler suplier très humblement de me croire tousjours comme je suis,

Monseigneur,

Vostre très humble et très obéissant serviteur,

Tresmes.

A Amboise, ce 25 septembre 1626.

225. — Note anonyme sur ce que dit le duc de Vendôme en sa prison. Septembre 1626.

Univ. de Paris, Bibl. Victor Cousin, Fonds Richelieu, Vol. 19, f° 47. — Original.

Mr le duc de Vendosme, parmy plusieurs discours qu'il fait pour persuader son inocence, dit que le conseil de ses ennemis a donné la volonté au Roy de le faire arrester prisonnier, et que ceux-là mesme ont eu le pouvoir de faire empirer journellement sa condition depuis qu'il est arresté, contre ce qu'il avoit pleu au Roy de luy faire promettre de melieur et plus favorable traitemant.

Que deux choses ont formé son imaginaire crime : l'une pour avoir son gouvernement ; l'autre parce qu'il vivoit sans cabale ne dépendant

Pièce 225. — *Cette note est sans date et sans signature. Cependant il semble bien que l'écriture soit celle de Simon de La Forest, gouverneur du châtau d'Amboise pour son frère, le marquis de Toiras. La lettre précédente indique que, selon M. de Tresmes, La Forest avait préparé à l'intention du roi un mémoire contenant certaines « choses plus particulières » dont il voulait donner avis. C'est peut-être ici le mémoire en question. Les deux frères Vendôme ne quittèrent Amboise que le 29 septembre. La note pourrait donc avoir été rédigée dans le courant du mois de septembre, vers le 25.*

(1) Jean Herouard (ou Héroard), premier médecin de Louis XIII.

que du Roy, auquel il estoit obligé plus que nul autre de dire les vérités par l'affection qu'il portoit à son service et par l'honneur de sa naissance.

Que pour ne se contenter pas de dire simplement les vérités sans en produire à mesme temps les preuves, il avoit ramassé et recouvert plusieurs le[ttr]es par lesquelles il prétendoit faire voir au Roy que M^{r} le cardinal de Richelieu desservoit Sa Ma^{té}, escrivant des le[ttr]es tout à fait contraires à celles de Sad^{e} Ma^{té}.

Qu'il avoit commandé à son valet de garde avec soin lesd^{es} l[ettr]es jusques à ce qu'il les demanderoit ; qu'il avoit recherché, durant le peu de temps qu'il fut à Blois, heure opportune et lieu commode pour découvrir ces choses à Sa Ma^{té} ; qu'ayant esté inopinément arresté, son valet, sur le bruit et à son desceu, auroit déchiré lesd^{es} l[ettr]es en mille pièces et en auroit mangé une partie, craignant que ce fussent papiers qui eussent peu nuire à son maistre.

Qu'il avoit recouvert une partie desd^{es} l[ettr]es par le moyen de M^{r} le marquis de Coeuvres (1) ; qu'il n'estoit pas possible que le Roy ne vist son inocence, s'il plaisoit à Sa Ma^{té} de lire les interrogatoires qu'on luy avoit fait avec ses réponces (2) ; que tout son désir seroit que Sa Ma^{té} prist la peine de les considérer, mais que ses ennemis estoient si puissants qu'ils le divertiroient de ce bon dessein.

226. — M. de Schomberg au cardinal de Richelieu. Saint-Germain-en-Laye, 25 septembre 1626.

A.E., Mém. & Doc., France, Vol. 781, f° 20. — Original.

Monseigneur,

Le Roy veult tant defferer à vos bons avis qu'il atant à respondre à la despesche cy joint après avoir sceu sy vous aprouverés son opinion, qui est que l'on face venir les prisonniers, puisque le maladie de mons^{r} le grand prieur n'est qu'une légère fieuvre tierce, et que, les jours de l'accès, l'on les face séjourner, mais qu'en récompance, les jours qu'ils marcheront, ils facent de plus grandes traites.

Les Roynes arrivèrent hier au soir, mais je ne vous en dis rien parce que je n'ay point encor eu l'honneur de les voir. Sy vous avez

(1) Il s'agit de François-Annibal d'Estrées (1573-1670), frère de Gabrielle d'Estrées, donc oncle maternel du duc de Vendôme et du grand prieur. Il se trouvait alors à la tête des troupes qui opéraient en Valteline, et il semble bien qu'il soit demeuré étranger aux intrigues, dont Monsieur frère du roi et les Vendôme étaient les principaux centres. Cependant, dans l'entourage de ces princes, on avait certainement songé à l'enrôler dans les rangs de l'opposition à Richelieu : l'instruction du procès de Chalais devait révéler que celui-ci avait engagé Monsieur à demander au roi le marquis de Coeuvres comme premier gentilhomme de sa chambre « parce qu'il était parent de MM. de Vendôme et grand prieur ».

(2) Pendant les premiers mois de sa détention, le duc de Vendôme ne cessa de protester de son innocence. Le garde des sceaux, qui eut ordre d'aller tenter de sa part « une ingénue confession », ne put rien en obtenir. Ce ne fut qu'au mois de décembre suivant qu'il renonça à cette tactique de défense et commença à « plaider coupable ». V. *infra* la lettre du roi du 28 décembre et le début du volume suivant.

à venir icy aujourd'huy ou demain, je croy que la journée d'anuict (1) seroit la meilleure sy vostre santé le permet, parce que le Roy sera peust estre bien aise d'avoir demain libre pour la chasse. Je vous dis cecy de moy mesme et sans charge. C'est pourquoy vous en ferez ainsy qu'il vous plaira.

Monsr d'Herbaut et moy vous porterons demain, sy vous ne venez point, tous les mémoires pour les dépeches d'Espaignes et de Rome. C'eust esté dès cette après disnée, n'estoit la créance que j'ay que vous pouvez venir ou que le Roy, à faulte de meilleur exercice, ne veuille tenir conseil cette après disnée. Faites moy, je vous supplie, l'honneur de me croire à la mort et à la vie,

Monseigneur,

Vostre très humble et plus affectionné serviteur,

Schomberg.

Saint-Germain, ce 25 sept. 1626.

227. — M. de Montauban au cardinal de Richelieu. S.l., 26 septembre 1626.

A.E., Mém. & Doc., France, Vol. 781, Invent. de la cor., 1626, f° 187.

Analyse :

« Il a remis Mevoulhon à M. des Perrières, exempt des Gardes, et, de la manière que M. le Card^al l'a voulu, on a mis cinquante soldats de Normandie. Il ira incessam^t recevoir les ordres du Roy et de M. le Cardinal. »

228. — M. de Montmartin au cardinal de Richelieu. S.l., 26 septembre 1626.

A.E., Mém. & Doc., France, Vol. 781, Invent. de la cor., 1626, f° 187.

Analyse :

« Il croit que s'il eust agi plustost il auroit pu calmer bien des tempestes ; mais il appréhende que le Roy, voulant profiter de sa prospérité, ne pousse les Rochellois au désespoir. Il prie encore M. de Bouthillier de voir ce qu'il écrit à M. d'Herbault. »

(1) « La journée d'annuict » = la journée d'aujourd'hui.

229. — Louis de Marillac au cardinal de Richelieu. Verdun, 27 septembre 1626.

A.E., Cor. pol., Lorraine, Vol. 7, f° 202-204. — Original.

Analyse :

Avec la montre de l'armée M. d'Effiat n'a pas envoyé l'argent du pain de munition. Il lui a écrit à ce sujet ainsi qu'au garde des sceaux, qui l'avait incité à ce changement. Il en souligne les inconvénients qui en résulteraient, et s'est résolu à ne pas distribuer la montre afin de donner aux ministres le temps de revenir sur leur décision. Il supplie donc le cardinal de presser les choses. — Pas de nouvelles d'Allemagne —. Il déclare souhaiter avec passion l'honneur de recevoir le cardinal, qu'il regarde comme son bienfaiteur et son protecteur.

P.-S. : Il vient de recevoir l'avis que le comte de Tilly rassemble ses troupes pour joindre le roi de Danemark. Il paraît qu'on dit dans son armée que c'est pour venir aux Trois Evêchés. L'évêque de Verdun en a témoigné beaucoup de joie.

230. — M. le chevalier du Guet au cardinal de Richelieu. Paris, 27 septembre 1626.

A.E., Mém. & Doc., France, Vol. 1590 (Ile-de-France), f° 114. — Original.

Analyse :

Il s'est rendu à la Bastille pour interroger le nommé Marcel. Celui-ci a dit avoir des choses très importantes à communiquer à M. le Cardinal, et que M. le cardinal serait fâché de n'en avoir pas été instruit. — Le bailli de Chalons et son fils l'embarrassent toujours. Il leur a fait dire par son lieutenant qui les garde que s'ils voulaient mettre par écrit ce qui s'était passé en leur négociation, il transmettrait au roi leur déclaration. Ils ont alors demandé qu'on leur présentât l'ordre de Sa Majesté. Il prie le cardinal de croire qu'il n'a jamais eu de personnes plus difficiles à garder, et il doute que « la longueur puisse donner éclaircissement à cette affaire », sur laquelle il attend les instructions de cardinal.

231. — M. Turquant au cardinal de Richelieu. S.l., 29 septembre 1626.

A.E., Mém. & Doc., France, Vol. 781, Invent. de la cor., 1626, f° 187.

Analyse :

« Hier, M. le Connestable mourut sur les sept heures du matin. On dit qu'il a des émotions dans le Vivarets, le Languedoc, le Dauphiné. Il y a véritablement de mauvais esprits qui décrient le gouvernement. Il taschera de découvrir les auteurs de ces bruits. »

Pièce 231. — *L'auteur est probablement Jean Turquant, maître des Requêtes.*

232. — M. de Saint-Chamond au cardinal de Richelieu. Saint-Germain-en-Laye, 29 septembre 1626.

A.E., Mém. & Doc., France, Vol. 781, f° 16. — Original.

Monseigneur,

Puisque l'honneur de vous voir ne m'est pas si libre que la volonté de vous écrire, que j'ay à toute heure, vous me permettrés, s'il vous plaist, de recourir à ce papier pour vous dire que, si après m'estre apauvry de deux cents mil escus pour suyvre et servir le Roy depuis vingt et cinq ans, je n'ay peu obtenir de luy une chambre dans le bourg de Saint-Germain pour me mettre à couvert, ce seroit me trop flatter d'en attendre une plus grande récompense. Veu mesme le retardement qu'il apporte à me f[air]e du bien dans les moyens qu'il en a sans bourse délier, me donne assés à cognoistre que ceux qui ne sont pas des petites chasses ne peuvent avoir part aux bonnes prises. Je sçay, Monseigneur, qu'il ne tient pas à vous que je n'aye plus de subject de contan[teme]nt, et que vous m'y avés obligé de vos bons offices ; aussi me plais-je de mon malheur plus pour s'estre opposé à v^re^ puissance que pour m'avoir privé jusques icy des charges dont vous et tous les honnestes gens de la court m'avés jugé digne, et tire plus de gloire de l'honneur de v^re^ approbation que si je possédois le plus bel employ que le Roy me sçauroit donner. Aussy ne luy veux-je rien plus demander que la permission de me retirer dans ma maison, si vous l'avés agréable. J'y emporteray en moy-mesme la satisfaction d'un fort homme de bien, et conserveray très entière l'affection que je dois à vostre service. Je vous y féré bien f[air]e les pistolets que je vous ay promis, en attendant qu'il se présente occasion de les tirer contre vos ennemys, vous protestant, Monseigneur, que vous n'aurés jamais de pensées si hardies que je ne les exécute encore plus hardiement, quand vous m'honorerés de vos commandements, pour vous f^e^ paroistre que je suis sans aucune réserve,

Monseigneur,

Vostre très humble et très obéissant et très obligé servit^r^,

Saint-Chamond.

A St-Germain, ce 29e 7bre 1626.

Pièce 232. — *L'auteur de cette lettre, dont les termes ne laissent pas de montrer une belle audace, est un officier, qui, jusqu'alors, n'avait guère fait parler de lui, mais allait connaître une brillante carrière. Melchior Mitte de Miolans, marquis de Saint-Chamond (nom qu'on trouve orthographié à l'époque SaintChaumont), était né de l'union de Jacques Mitte de Miolans avec Gabrielle de Saint-Priest, en* 1586. *Il avait donc à l'époque tout juste quarante ans. Maréchal de camp depuis* 1621, *il semble avoir eu déjà la confiance du cardinal, qui le fera nommer, à la fin de l'année suivante, ambassadeur extraordinaire à Mantoue. Il sera plus tard chargé de diverses missions diplomatiques à Turin, en Angleterre, en Suède, en Allemagne et à Rome. Il obtiendra en* 1633 *le titre de ministre d'Etat et le grade de lieutenant général. Il mourra en* 1649.

233. — M. de Tresmes au cardinal de Richelieu. Amboise, 29 septembre 1626.

A.E., Mém. & Doc., France, Vol. 781, f° 22. — Original.

Monseigneur,

Je ne peus parti[r] hier acause que sestoit le jour de la fieuvre de Mr le grand prieur. Je pars présentement avec luy et mons[r] de Vandosme pour aler coucher à Blois. Je vous suplie très humblement me vouloir tousjours honorer de vos bonnes grasses et de vos commandemans, voulant demeurer toute ma vie comme je suis,

Monseigneur,

Vostre très humble et très obéissant serviteur,

Tresmes.

D'Amboize, ce 29 septem[bre].

234. — Copie des raisons que l'on a données à M. le Cardinal, pour lesquelles il doit prendre garde à sa personne. [Seconde quinzaine de septembre] 1626.

B.N., Suppl. franç., n° 2036, f° 96. — Mise au net de la main de Charpentier.
Impr. : Avenel, II, pp. 265-268.

Il a paru par le procès de Chalais le dessein formé que toute la cabale a de faire faire violence au cardinal.

Il paroist qu'ils n'estiment point avoir de plus prompt et asseuré salut que celuy-là.

Il paroist qu'Hébertin (1) est porté à cela par tous les principes qui sont de sa cabale.

Que Chesnelle (2) et Chevrette (3) sont dans ce dessein et ceste intelligence, ce qui se vérifie encore clairement en ce que les Anglois

Pièce 234. — *Le titre de ce mémoire est donné au dos du folio. On peut penser avec Avenel qu'il a été sans doute rédigé à l'époque où Richelieu reçut du roi pour sa sécurité une garde de cinquante mousquetaires, c'est-à-dire dans la seconde quinzaine de septembre 1626. Louis XIII était rentré à Paris le 17 septembre, et le connétable de Lesdiguières, dont il est question, mourut le 28 du même mois. Le roi, la reine mère, Richelieu, etc. sont désignés ici, comme dans la plupart des documents de ce genre, par des noms de convention utilisés par le cardinal et ses familiers ; on les trouve parfois déchiffrés en interligne dans certains manuscrits, mais ce n'est pas le cas pour ce mémoire.*

(1) Gaston d'Orléans.
(2) La reine Anne.
(3) La duchesse de Chevreuse. Sur le rôle de celle-ci dans la conspiration de Chalais, voir L. Batiffol, *La Duchesse de Chevreuse,* Paris, 1913, 2e éd. 1945, p. 91-103. Ses agissements devaient lui valoir un exil qui durera jusqu'à la fin de 1628.

ont attendu trois ou quatre fois le succez de ce dessein, le publioient franchement, et s'en sont resjouis comme s'il estoit fait.

Les émissaires que M. le comte a envoyés dans les provinces ont posé pour fondement du party de Monsieur et des princes la mort de Calori (4), les advis donnez par MM. le connestable et d'Alincourt le justifient.

Adjoustez que Chesnelle s'est laissée entendre estre pleine de désir de vengeance depuis Nantes, mais que la lapidaire (5) a dit ouvertement qu'elle s'abandonneroit plus tost à un soldat qu'elle ne trouvast quelqu'un qui luy fist raison de son esloignement. Joint à ce que ceste cabale est en estroite intelligence avec l'Angleterre et la Savoye, qui sont accoustumées à se faire raison par telles voyes, temoing le duc de Leno (6), le comte de Rairre et Amilton empoisonnez (7), et le médecin dudit Amilton assassiné, outre vingt autres histoires semblables. On ne spécifie point les exemples de Savoye, pour estre trop cogneus.

Tous les jours ceux d'Hébertin disent que Calori a beau se garder, quand Monsieur voudroit il le prendroit avec deux cents chevaux le promoteur de M. du Mans l'a ouy de ses propres oreilles. Un escuier de M. le comte, demeurant à la Cousture, n'a pas craint de dire à Laffemas que ce n'estoit qu'au cardinal à qui on en vouloit.

La voix publique apprend à un chascun que toute ceste faction n'a d'autre but que sa perte.

Partant, puisque ladite faction n'est point dissipée, bien qu'elle soit descouverte, estant ulcérée au dernier point de ce qu'on l'a mise en estat de ne pouvoir pas faire au Roy et à l'Etat le mal qu'elle avoit projetté, c'est sans doute que son dernier reffuge est de perdre par embusche et trahison celuy qu'ils tiennent autheur de tout leur malheur.

Si les principaux autheurs de ceste conspiration estoient perdus, il semble que ce dessein pourroit n'avoir pas lieu ; mais il est impossible de les extirper tous, y en ayant de qualité, au chastiement desquels on ne veut pas penser (8). Les parens de ceux que l'on chastie demeurent tousjours sur pied pour les animer, les femmes ne perdent point leur mescontentement et leur rage ; MM. de Vendosme sont tousjours prisonniers ; s'ils en sortent, ils feront le diable ; s'ils sont punis, leurs enfans s'en voudront ressentir. Saint-Ursin (9) et les autres princes seront tousjours les mesmes, et ne peuvent changer que si on ne leur abandonne la moitié de l'Estat. Au reste, qui pis est, il n'y a pas lieu d'espérer que les légèretés d'Hébertin passent

(4) Richelieu.

(5) La duchesse de Chevreuse.

(6) Ludovic Stuart, duc de Lennox (1574-1624), créé en 1623, duc de Richmond. Il mourut subitement le 16 février 1624, le jour même où s'ouvrait la session du Parlement.

(7) James, marquis d'Hamilton (1589-1625). Il mourut à Whitehall, le 2 mars 1625, à la suite d'une courte maladie. Comme il était l'adversaire de Buckingham, on prétendit que celui-ci l'avait fait empoisonner.

(8) Gaston d'Orléans d'abord, mais les Vendôme et le comte de Soissons, tous princes du sang.

(9) « Saint-Ursin » : le comte de Soissons.

aisément (10) ; ce qu'estant tout considéré, il y a grand subjet de prendre garde à soy, et peu de prévoir que le temps donne lieu de quitter un tel soing.

On n'entre point icy en considération de beaucoup d'accidens qui peuvent arriver, et qui causeroient une perte asseurée, parce qu'on aime mieux s'exposer à sa perte en n'y pensant pas que trouver son salut en les prévoyant.

Bien peut-on dire que si, quelque soing qu'on puisse avoir, il arrivoit accident à Calori, le service du Roy en pastiroit en plusieurs façons.

Premièrement parce qu'il perdroit une personne à qui ils n'en veulent que parce qu'il empesche leurs mauvais desseins et porte hautement les intérests du Roy et de l'Estat.

Secondement, parce que si ledit Calori succomboit en servant le Roy, tout le monde croiroit que Sa Majesté ne seroit pas assez puissante à maintenir ses serviteurs ; ce qui feroit que personne ne voudroit plus s'embarquer à le servir en desplaisant aux grands, et toutesfois il est véritable qu'on ne peut servir le Roy et l'Estat qu'en tombant en ces inconvéniens, veu que les intérests des grands vont d'ordinaire à l'abbaissement de l'autorité royale et au trouble de l'Estat.

On peut dire encore que beaucoup de gens qui n'aiment pas la personne du Chesne (11) publieroient à tout le monde, s'il arrivoit malheur à Calori, non seulement qu'il proviendroit de ce que le Chesne n'auroit peu le maintenir, mais de ce qu'il ne l'auroit pas voulu fortement, veu qu'il n'auroit pas fait les choses nécessaires pour sa conservation ; ce qui apprendroit à un chascun à se deffier de la protection du Roy et à chercher appuy ailleurs qu'en sa personne ; ce qui ne peut compâtir ny avec le bien du service de Sa Majesté ny celuy de l'Estat (12).

---

(10) Richelieu et son entourage ne se faisaient donc aucune illusion sur la valeur des serments solennels que Monsieur avait prêtés quelques semaines plus tôt.

(11) Louis XIII.

(12) La décision de donner au cardinal une garde particulière est mentionnée dans un *Estat des lettres patentes, déclarations et brevets donnés par le Roy en faveur de Son Eminence Monseigneur le Cardinal de Richelieu et qui sont aux Archives de Richelieu* :

« Du 27 sept[bre] 1626. — Brevet du Roy par lequel Sa Majesté ordonne à Mgr le Cardinal de tenir tousjours près de sa personne sainquantes hommes à cheval avec les chefs pour les commander par luy choisis. »

(A.E., Mém. & Doc., France, Vol. 823, f° 146-147).

235. — M. de Champvallon au cardinal de Richelieu. S.l., septembre 1626.

A.E., Mém. & Doc., France, Vol. 781, f° 27.

Analyse :

Il se félicite de l'heureux retour plein de gloire du cardinal, et souhaite que Dieu lui accorde « autant de santé et de longue vie » qu'il lui a donné « de fidélité, de prudence et de courage ».

Pièce 235. — *Jacques de Harlay, seigneur de Champvallon, mort en* 1630, *était le frère de François de Harlay de Champvallon, archevêque de Rouen depuis* 1616, *et le père de François de Harlay de Champvallon, futur archevêque de Rouen, puis de Paris.*

236. — Le duc de Montbazon au cardinal de Richelieu. Paris, septembre 1626.

A.E., Mém. & Doc., France, Vol. 731, f° 24. — Original.

Analyse :

Il se reproche à lui-même son silence, et supplie le cardinal de vouloir toujours l'honorer de son amitié et d'avoir égard à ses sentiments d'affection et de fidélité.

Pièce 236. — *Cette lettre de pure courtoisie émane d'Hercule de Rohan, duc de Montbazon* (1568-1654), *gouverneur de l'Ile-de-France.*

237. — A M. de Fossez. [Septembre] 1626.

B.N., Fonds Baluze, Vol. 335, f° 18. — Mise au net de la main de Charpentier.
Impr. : Avenel, II, p. 269.

Monsieur, La Reyne n'a jamais eu intention de vous faire le moindre préjudice du monde ; sa pensée a tousjours esté de vous traitter ainsy qu'elle a fait Monsieur le mareschal de Pralin (1), en vous dédommageant. Je ne croy pas qu'on vous ayt fait la proposition d'autre sorte. C'est en quoy elle persiste ; et, estimant vostre personne autant qu'on peut le faire, elle vous prie de luy accorder ce qu'elle

(1) Charles de Choiseul, marquis de Praslin, maréchal de France, lieutenant général en Champagne, gouverneur de Saintonge et d'Aunis ; il était mort le 1er février 1626.

désire de vous ; ce dont elle aura le sentiment que vous sçauriez souhaitter. Si elle n'y estoit engagée de longue main, elle ne vous eust pas fait ceste prière ; mais vous sçavez de quelle considération est une parole donnée. Pour mon particulier, Monsieur, je vous supplie de croire que j'auray à faveur de vous tesmoigner en toutes occasions que je suis, etc.

Pièce 237. — *Le destinataire de cette lettre, Gabriel de La Vallée, marquis de Fossez, ne devait faire son entrée officielle à Montpellier comme gouverneur que le* 9 *mai* 1627, *mais sa nomination est antérieure de plusieurs mois à cette date, et remonte vraisemblablement au mois de septembre* 1626 (*Voir le* Mercure françois, *t. XII, p.* 436). *Le roi avait sans doute voulu ainsi récompenser le marquis de Fossez des services qu'il avait rendus à la reine mère. Cependant les adversaires du cardinal prétendirent que celui-ci avait entendu favoriser une de ses créatures, et on lit, dans les* Mémoires de Richelieu, *que « Baradas menaçoit de dire au Roy que le cardinal faisoit tout, qu'il avoit fait avoir la Bastille au Tremblay et Montpellier à Fossé »* (*édit. de la S.H.F., t. VI, p.* 313).

238. — A M. d'Estaing. [Septembre 1626].

B.N., Fonds de Sorbonne, 1135, f° 137. — Copie.

Impr. : Avenel, II, p. 268.

Monsieur,

Je vous remercie des assurances que vous me donnez par celle que vous m'avez escrite de la continuation de vostre affection en mon endroit ; je ne puis, en revanche, que vous asseurer de la mienne, vous priant de croire que je seray très aise qu'il se présente occasion en laquelle je puisse vous en rendre preuve ; cependant, je vous diray qu'il n'y a rien qui vous empesche d'entretenir, au lieu où vous estes, M. vostre frère, que vous me mandez vous estre venu voir. Je désire ses bonnes grâces et les vostres, que je tascheray de mériter en vous faisant voir que je suis véritablement vostre, etc.

Pièce 238. — *On peut avec Avenel penser que cette lettre sans indication de date a été écrite peu de temps après l'affaire de Chalais, à une époque où les graves soupçons qui pesaient sur l'épouse de Louis XIII ont pu justifier à l'égard de l'entourage de la souveraine les mesures de surveillance auxquelles il est fait allusion ici. Le destinataire, le vicomte François d'Estaing, était lieutenant de deux cents hommes d'armes. Il avait un frère, nommé Louis, chanoine et aumônier d'Anne d'Autriche, et il avait sollicité du cardinal l'autorisation de recevoir chez lui cet ecclésiastique au service de la reine compromise.*

239. — Mémoire et manifeste touchans Mr le Comte. [Sept.-oct.] 1626.

A.E., France, Vol. 783, f° 54. — Minute de la main de Charpentier.

Le Sr Vieupont a dit à Laffemas que le fils aisné du Sr de Senetere (1) apporte une forme de manifeste, que le Père Martin jésuite a conseillé de faire.

Que ledit Père parle avec une grande chaleur des affaires présentes et fort licentieusement des ministres, principalement de celuy qu'il croit estre la cause de l'absence de M. le Comte.

Qu'il luy avoit dit que la Société feroit ce qu'elle pourroit pour le service de ce prince, et qu'un ministre (dont il redoute la puissance) avoir tors de luy avoir ravy Mlle de Montpensier pour la donner à Monsieur qui n'en vouloit point.

Qu'il y a quelqu'un qui donne les advis de ce qui se fait et se dit chez le Roy et chez M. le Card[al].

Que Seneterre voulant parler à son M[e] en part[er], comme on fist sortir un chacun, estant demeuré le dernier, il entendit en sortant que Seneterre dit à Mr le Comte qu'il ne falloit pas qu'il esperast plus de contentement tant que cet homme seroit au monde, parlant de Mr le Cardinal.

Que le chevalier de Seneterre luy dit encore qu'il fist tout comme les joueurs qui avoient plusieurs coups à faire, dont celuy-là estoit le dernier, parlant d'assassiner Mr le Card[al].

Et que Coquet, frère du contrôleur général, luy en a dit autant.

Que ledit Sr de V(ieupont) s'offre de le dire au Roy et le maintient par tout.

Qu'il dira mesme à S.M[té] un mauvais discours que fit le chevalier de Seneterre : quand on dist à Mr le Comte que le Roy ne vouloit plus que les arrests du Daulphiné feussent expédiez sous le nom du gouverneur, — Ho, ho ! dit-il, ce petit prince est donc bien en colère, mais aucun mespris qui sert à donner l'interprétation de ces mauvaises paroles.

Mr l'ambassadeur de Savoye a dit que les Anglois, après avoir traitté avec beaucoup de froideur Basompierre, aiant sceu le bruit qui court de la liaison projetée entre la France et l'Espagne, se sont résolus de traitter à la françoise, c'est-à-dire promettre tout et ne tenir rien ; et que desjà ils avoient commencé à promettre quelque chose, et promettroient plus si on vouloit, mais que dans peu de mois ils feroient voir à la France ce qu'ils peuvent, spécialement s'ils s'accommodent avec l'Espagne, comme ils espèrent.

Que le dessein des Anglois est de se moquer de la France, et de renvoyer Bassompierre avec quelque contentement jusques à ce que leurs affaires soient en meilleur estat, et qu'ils ne désespèrent point que l'Espagne, après une première boutade, n'entre en paix avec eux.

Il a indiqué et donné à entendre en termes un peu couverts que Mrs les Rochelois eurent parole de la démolition du fort dans six mois,

---

(1) Le marquis Henri de Senneterre ou plutôt de la Ferté-Saint-Nectaire (1573-1662) avait eu trois fils de son mariage avec Marguerite de la Châtre ; l'aîné, Henri, qui devait se distinguer devant la Rochelle, sera maréchal de France en 1651 ; on l'appellera le maréchal de la Ferté (1599-1681).

que ces paroles leur avoient esté données par les Anglois ; les Rochelois se plaindroient des Anglois, et les Anglois prendroient ce prétexte de venir à la Rochelle pour faire tenir la parole qu'on leur a donnée.

Il a dit au Nonce qu'il alloit faire un manifeste où il accommoderoit le Cardinal sanglamment.

240. — A M. Bouthillier. S.l., 1er octobre 1626.

A.E., Mém. & Doc., France, Vol. 245, f° 21. — Original.
Impr. : Avenel, II, pp. 270-272.

Monsieur, la despeche d'Espagne dont vous me parlez est bonne et nécessaire.

Faites mes excuses à la Reyne si je ne l'ay veue, car je suis si mal et si incommodé que j'ay bien peur que la nécessité me contraindra à manquer à d'autres devoirs. Je fus saigné hier au soir, et ay esté toute ceste nuit en esmotion, après quoy il m'a fallu changer de chemise. Sur mon Dieu, je ne puis plus faire la vie que je fais sans mourir.

Il est besoin que, la première fois que le Roy verra le cardinal Spada (1), qu'il luy face une instance furieuse, tant sur l'offense qu'on luy feroit s'il n'avoit point de part à ceste promotion, que sur la personne que vous sçavez (2).

Il est besoin que le Roy commande à M. d'Herbault une dépesche pressante à Rome pour demander des cardinaux.

Il est besoin que vous alliez, de la part du Roy, chez l'ambassadeur d'Espagne, pour qu'il face que son maistre face une instance pressante, conjointement avec la France, pour avoir part en ceste promotion.

Je vous prie de dire au Roy que je ne peus hier voir M. le Premier (3) pour luy dire que j'avois montré sa lettre. Il n'y a point de danger que Sa Majesté luy face cognoistre que je la luy ay montrée en le priant de faire quelque chose pour son frère. Je le suplie s'y gouverner en sorte qu'il ne s'en prenne pas à moy.

Je croy que la Reyne se doit contenter de dire à ceux qui parlent pour Madame de Chevreuse, que tout ce qu'elle peut faire est que le Roy ne presse pas son retour et ne leur en parle plus maintenant ;

Pièce 240. — *La lettre porte en suscription : « A Monsieur Bouthillier ».*

(1) Bernardo Spada, archevêque de Damiette, nonce du Saint-Siège en France de décembre 1624 à avril 1627 ; il avait été promu cardinal au mois de janvier précédent.
(2) Il s'agit probablement du Père de Bérulle, dont il est question plus bas, et qui recevra effectivement le chapeau — ou plutôt, comme on disait alors, le bonnet — de cardinal l'année suivante.
(3) Le premier écuyer François de Baradat.

mais que de changer l'ordre qu'il a donné (4), il est impossible. Je me doute que la response sera desjà faite, c'est pourquoy vous n'en parlerez point.

Envoyer promprement ma lettre à M. de Bérule.

Je suis vostre très affectionné à vous servir,

Le Card. de Richelieu.

241. — M. de Navailles au cardinal de Richelieu. La Rochelle, 1er octobre 1626.

A.E., Mém. & Doc., France, Vol. 1475 (Angoumois), f° 41-44. — Original.

Analyse :

Il rend longuement compte des derniers événements de la Rochelle, où tout semblait rentrer peu à peu dans l'ordre pour le bien du service du roi et le repos des habitants, quand trois ou quatre incidents sont survenus entre les Rochelais et M. de Toiras (1). Celui-ci s'est plaint de ce que les habitants de La Rochelle ont battu et désarmé un veneur portant la livrée du roi, tué un soldat et maltraité, aux portes de la ville, un laquais de M. de Montferrier, son frère ; il s'est plaint, en outre, de ce que le maire n'a pas donné suite à ses protestations. Ces affaires ont brusquement fait naître de l'humeur de part et d'autre. Les deux commissaires, MM. de Navailles et Le Doulx, s'emploient de leur mieux à apaiser le différend. Ils vont se rendre auprès de M. de Toiras. Celui-ci a envoyé en terre ferme une compagnie de chevau-légers, qui campe à Marcilly. Il répète qu'il épargnera le peuple et ne s'en prendre qu'aux gens de la maison de ville. D'autre part, on a appris à La Rochelle que M. de Toiras allait recevoir les provisions du « gouvernement d'Aunis et de La Rochelle », formule qui a été jugée inacceptable, et les Rochelais ont déclaré qu'ils refuseraient d'envoyer vers M. de Toiras, car ce serait reconnaître un gouverneur en faisant cette démarche. Ils ont donc décidé d'envoyer une nouvelle députation au roi pour lui présenter leurs doléances. Mais la tension est telle que plusieurs insolences ont été perpétrées à l'égard des deux commissaires royaux.

Pièce 241. — *Des deux commissaires royaux chargés d'assurer la liaison entre le gouvernement et le corps de ville de La Rochelle, François de Monluc. baron de Navailles, était de religion protestante, mais il appartenait à ces réformés qui entendaient demeurer fidèles au roi. Les lettres qu'il écrit à Richelieu ne sont pas sans intérêt mais, en général, elles gagnent à être résumées.*

(4) A la suite d'une décision de Louis XIII, prise au cours d'un conseil tenu au château de Nantes, la duchesse de Chevreuse avait reçu l'ordre de se retirer chez son frère, le prince de Guéméné, au château du Verger, en Poitou. Elle préféra se réfugier en Lorraine. Elle ne sera autorisée à rentrer qu'à la fin de 1628.

(1) Toiras était gouverneur du Fort-Louis depuis septembre 1624, et de l'île de Ré depuis le début de décembre 1625.

242. — Madame la duchesse douairière d'Orléans-Longueville au cardinal de Richelieu. S.l., 1er octobre 1626.

A.E., Mém. & Doc., France, Vol. 781, f° 30. — Original.

Analyse :

Elle n'a pas voulu tarder à exprimer au cardinal sa joie et sa reconnaissance pour la grâce qu'il vient de faire accorder à son fils. Elle aurait préféré le faire de vive-voix, mais elle sait « les continuelles affaires et les importunes visites » qui accablent le ministre. Elle le supplie de croire que son fils saura mériter ses bontés et lui aura toujours fidélité et affection.

Pièce 242. — *Catherine de Gonzague-Clèves, était la fille de Louis de Nevers, prince de Mantoue. Veuve d'Henri Ier d'Orléans-Longueville, elle devait mourir le* 2 *décembre* 1629. *Son fils, Henri II de Longueville, né en* 1595 *et filleul d'Henri IV, avait, cette même année* 1626 *été compromis dans les intrigues dirigées contre Richelieu.*

243. — M. l'archevêque de Rouen au cardinal de Richelieu. S.l., 1er octobre 1626.

A.E., Mém. & Doc., France, Vol. 781, Invent. de la cor., 1626, f° 180 v°.

« Il demande la place et le bonnet de M. de Marquemont, mort à Rome, et promet de bien soutenir l'honneur de la France (1). »

Pièce 243. — *Cet archevêque de Rouen était alors François de Harlay de Champvallon* (1585-1653), *qui avait succédé sur le siège archiépiscopal de Rouen au cardinal de Joyeuse en* 1616.

244. — Le chevalier de Valençay au cardinal de Richelieu. Calais, 4 octobre 1626.

A.E., Mém. & Doc., France, Vol. 1675 (Picardie), f° 130. — Original.

Monseigneur,

Estant vous seul qui avez fait donner le gouvernement de Callais à mon frère (1), je crois aussy comme à nostre bienfaicteur qu'il faut s'adresser à vous mesme pour donner comte de la pocession que j'en ay prise le 3me octobre tant de la ville que de la citadelle, sur quoy et sur quelques autres concernantes le service du Roy j'ay dépesché

(1) Le cardinal de Marquemont, archevêque de Lyon, représentait la France auprès du Saint-Siège ; il était mort le 16 septembre précédent.

(1) Voir *supra*, pièce n° 205.

exprès ce gentilhomme vers vous, Monseigneur, que j'ay instruit pleinement de ce qui se passe icy. Vous y pouvez prendre créance, et le l'aurez (*sic*) aussy, s'il vous plaist, toute entière que jamais personne ne me surpassera en la passion que j'ay de vous faire voir aux prix de mon sang et de ma vie que je suis,

Monseigneur,

Vostre très humble et très obéissant serviteur,

Le chev. de Vallançay.

A Calais, ce 4e octobre 1626.

245. — A Monsieur le Prince. Pontoise, 5 octobre 1626.

Arch. du Musée Condé, Chantilly, Série M, tome I, pièce n° 230. — Original.

Monsieur,

Je ne sçaurois assez vous rendre graces des asseurances qu'il vous a pleu me donner de vostre affection par la lettre que ce gentilhomme m'a apportée de vostre part. Je vous suplie croire que je tascheray tousjours d'y correspondre par tous les effets que vous sçauriez attendre de la mienne en vostre endroit. Il vous reporte le contentement de ce que vous avez eu agréable me tesmoigner désirer. A quoy j'adjousteray que ce m'en sera un singulier lors que j'auray lieu en vous servant de vous faire voir que ce qui vous concerne m'est aussy cher que ce qui me touche moy mesme, qui suis véritablement,

Monsieur,

Vostre très humble et très affectionné serviteur,

Le Card. de Richelieu.

De Pontoise, ce 5e octobre 1626.

Pièce 245. — *La lettre porte en suscription : « A Monsieur le Prince ».*

246. — Le Maire, les Echevins et Pairs de La Rochelle au cardinal de Richelieu. La Rochelle, 5 octobre 1626.

A.E., Mém. & Doc., France, Vol. 1475 (Angoumois), f° 45. — Original.

Analyse :

Depuis que, sur les sages conseils du cardinal, le roi est parvenu à « calmer les orages qui menaçoient l'Etat », ils ont regardé la paix dont ils jouissaient comme un bienfait, dont ils se sont efforcés de se rendre dignes en se contenant « dans les bornes du devoir et de la subjection », et les commissaires du roi peuvent témoigner qu'aucune plainte n'a été formulée contre les déportements des habitants. Mais il semble que le repos de la cité soit remis en question par la présence de la garnison qui a été mise dans le fort, laquelle se donne toute licence, nuit à l'exercice du commerce et même empêche les habitants de récolter librement les fruits de leurs champs. Ils ont supporté pour un temps ces « désordres et incommodités » dans l'espoir qu'il y serait porté remède ; mais ils constatent, au contraire, que « pour comble, celuy qui commande au fort » leur cherche chaque jour de nouvelles querelles et va jusqu'à prononcer des « parolles insolentes » à leur endroit comme s'ils étaient « nés à la servitude ». C'est pourquoy ils ont décidé d'envoyer au roi une députation chargée de lui exposer la situation où ils se trouvent et les plaintes légitimes, qu'ils prient le cardinal de prendre en considération.

247. — M. de Navailles au cardinal de Richelieu. La Rochelle, 5 octobre 1626.

A.E., Mém. & Doc., France, Vol. 1475 (Angoumois), f° 47. — Original.

Monseigneur,

Depuis la dernière lettre que je me suis donné l'honneur de vous escrire, datée du premier de ce mois, le ressentiment de Mr de Toiras est venu jusques à ce point qu'il a fait venir moullier l'ancre aux Vesaux du Roy à Che de Bois (1) et fait passer quelque infanterie et cavalerie de Ré pour faire le dégât en tout ce qui appartiendroit à ceux de la Rochelle et leur rompre le comerse tant par mer que par terre, résolu de leur donner toutes les incommodités qu'il leur pouroit aporter. Jeugez, Monseigneur, en quel désordre et en quelle confeusion eussent esté les affères de nostre commission qui est pour l'exéqution de la pais, et si nous nous feussions trouvés bien empêchés à la persuader à ceus qui ... (a), et les domages que jugez aporter. M. de Toiras nous fit dire à Mr le Dous et à moy de nous mestre en lieu de seureté. Mon opinion feut de luy fere la response que nous fismes, quy feut que nous ne partirions pas de la Rochelle sans en avoir le commandement du Roy, que ce seroit donner ocasion de faire mal interpréter les intansions de Sa Majesté sy nous fesions autrement, et cels de son conseil, et prévoiant l'orage de tous costés, nous avons par nos soins et par nostre industrie randeu capables ceus de la Rochelle d'envoier vers Mr de Toiras des dépeutés de la part de la ville, pour luy asseurer que, seur les plaintes qu'il avoit envoié fere au mere, que l'intansion de la ville n'avoit plus esté d'autoriser ce quy s'estoit fait ny de l'offançer, et qu'ils seroient bienmaris de luy doner neule ocasion d'offance, ce qu'il ont fait, et, d'autre coté, prier Mr de Toiras de se contanter de cela, ce qu'il fit aussy ; et de ceste

(a) Deux mots illisibles.

(1) Chef de Bois ou Chef de Baie, pointe qui ferme, au nord, la baie de La Rochelle.

fason le tout s'est acomodé au contantement de Mr de Toiras et à son avantage. Mais nous avons eu bien de la peyne à porter ceus de la Rochelle à faire ceste dépeutastion, car ils disoient que sy c'étoit pour quelque chose quy regardat l'autorité ou le service du Roy, qu'ils souffriroi[en] de toute ceste rigueur, mes que pour une passion de Mr de Toiras que cela estoit insupportable, et qu'ils esmoi[en]t mieus perdre tout ce qu'ils avoient à la campagne que de dépeuter vers luy tandis qu'ils les menaseroit comme il fesoit, et qu'ils nous prioient de les fere jouir de la pais peuisque le Roy leur y avoit donée par sa bonté, et que nous estions comisères pour l'exsequsion de la pais ; à quoy nous estions bien empeschés de respondre. A la fin, Monseigneur, le tout s'est pasifié et acomodé, non sans très grande difficulté et beaucoup de peyne. Et de tout ce qui s'est passé en tout cela il en peut arriver deu bien et deu mal pour le service du Roy ; car, d'eun coté, ceus de la Rochelle auront peu conoistre que peuisque Mr de Toiras les arange à ce point pour son intérest partigulier de les fere venir à ce qu'il a voleu, que lors qu'il s'agira de l'intérest du Roy et de son autorité, qu'il les fera bien venir à la reson, et, par ceste considération, ils pourront estre pleus sages et se mieus contenir dans leur devoir ; mes aussy il peust arriver que, voiant que pour bien légères ocasions, à ce qu'ils estiment, qu'ils sont à toute heure manasés et prests d'estre incomodés en leur comerse et de perdre les éritages qu'ils ont à la campagne, que cela leur fera songer plus songeuseument (a) qu'ils n'eussent peust estre pas fait aux moiens de s'oter de ceste incomodité et d'ambraser tous les moiens que l'on leur pourroit offrir pour cela, et de panser à ce que peust estre ils n'eussent pas panser sy l'on les eust mené plus dousement jusques à ce que l'on soit bien aseuré qu'ils ne trouvent point d'apeui ny assistance parmy les estrangers, auquel cas toute sorte de chatimens, en quelque séson que ce soit, ne seroit que bien à propos et très nécessère ; et, de fet, nous avons veu qu'encore que l'acomodement se soit fait entre Mr de Toiras et eus, ils n'ont pas lésé (b) d'envoier leurs dépeutés à la court pour importeuner le Roy et leurs plaintes, et pour demander la démolision deu fort, més particulièrement aussy pour essaier d'avoir connoissance des affères de la court pour en fère leur profit s'ils peuvent, et pour estre en lieu pour prester l'oreille à ceus qui leur voudront dire et conseiller quelque chose pour le bien de leurs affères, et seurtout pour parler et conférer avec Carleton (2) et savoir de luy de quelle sorte le roy son mestre s'intéresera à leur fère obtenir la démolision deu fort, quel estat et aseurance ils peuvent espérer de son secours, en cas qu'ils en peussent avoir besoin, et, selon cela, se gouverner et prandre leurs desseins. Més vous, Monseigneur, quy par vostre preudance et sage condeuite disipés tous les orages qui semblent menaser l'Estat de disoleution, saurez bien mestre bon ordre à tout pour empescher qu'il n'arrive le mal quy sans vous arriveroit infaliblement ; il faut

(a) Lire : « soigneusement ».
(b) Lire : « laissé ».

(2) Dudley, lord Carleton, ambassadeur extraordinaire d'Angleterre ; il ne semble cependant pas qu'à cette époque, ce diplomate se soit trouvé en France.

pour cela à vos créateurs, au nombre desquels je seré, quand il vous pléra, de vous tenir... (d) ... qualité ... que véritablement possède,

Monseigneur,

Vostre très humble et très obéissant serviteur,

Navailles.

A la Rochelle, ce 5 octobre 1626.

248. — Le duc d'Angoulême au cardinal de Richelieu. Grosbois, 5 octobre 1626.

A.E., Mém. & Doc., France, Vol. 781, f° 33. — Original.

Monsieur,

Parmy les assurances et les effets que j'ay reçus de vostre bonne volonté, et les affections très certaines que de longue main j'ay eues de vous, les nouvelles m'auroient fait résoudre plustost au silence que l'importunité sur les occasions naissantes par la mort de monsieur le connestable (1), mais vaincu de la connoissance que tout le monde a que plusieurs recherchent d'obtenir par l'entremise de leurs amis et mesme de leur propre voix ce que ma fidèlité et mon brevet me pourroient faire espérer et presque promettre, donnant à mon honeur ce que j'aurois refusé à mes intérests, je vous suplie de trouver bon que je vous face resouvenir que personne ne sçauroit estre ni véritablement ny passionément que moy.

Monsieur,

Vostre plus obligé et très affectionné serviteur,

Charles de Valois.

A Grosbois (2), ce 5 octobre 1626.

Pièce 248. — *Les termes de cette lettre par leur imprécision même pourraient donner à entendre que Charles de Valois d'Angoulême ambitionnait le titre de connétable, que la mort de Lesdiguière venait de laisser disponible. En fait, il ne s'agit que du gouvernement du Dauphiné.*

(d) La ligne qui suit est inintelligible. L'absence totale d'orthographe ajoute encore à la mauvaise écriture. Encore n'a-t-on pu se résoudre à transcrire tels quels certains mots, comme par exemple : « Monseigneur », que Navailles écrit toujours : « Monsengeur ».

(1) Le connétable de Lesdiguières était mort à Valence le 28 septembre précédent.

(2) Grosbois, commune de Boissy-Saint-Léger (Val-de-Marne). Le château, du XVIe s. rebâti au XVIIe s. existe toujours.

249. — Le duc de Nemours au cardinal de Richelieu. S.l., 5 octobre 1626.

A.E., Mém. & Loc., France, Vol. 781, Invent. de la cor., 1626, f° 180 v°.

Analyse :

« Il demande le gouvernement de Picardie » (1).

Pièce 249. — *L'auteur de cette lettre est Henri Ier de Savoie, d'abord marquis de Saint-Sorlin, puis duc de Nemours. Né en* 1572, *il était le fils de Charles-Emmanuel de Savoie, duc de Nemours ; il avait épousé Anne de Lorraine-Aumale ; il devait mourir en* 1632.

250. — MM. Le Doulx et de Navailles au cardinal de Richelieu. La Rochelle, 6 octobre 1626.

A.E., Mém. & Doc., France, Vol. 1475 (Angoumois), f° 49. — Original.

Monseigneur,

Nous avons faict sçavoir par Monsieur d'Herbault beaucoup de petites particularitez qui se sont passées entre Monsieur de Toiras et ceulx de ceste ville, qui en estoyent venus jusques à des extrémitéz. Mais *par nostre soin et entremise les choses ont si bien réussy que le tout est maintenant bien paciffié, graces à Dieu, au contentement et advantage tout entier de Monsieur de Toiras.* Ce jourd'huy sont partis deux députez de cesteville pour aller veoir le Roy, luy demander plusieurs choses, et principalement la démolition du fort, avec espérance d'estre assistez de Monsieur l'ambassadr Carleton en leur négociation ainsy que nous le faisons sçavoir plus particulièrement. C'est au Roy d'y pourvoir par voz bons advis et bonne conduitte soubz laquelle nous remettant nous prions Dieu vous conserver en sa grâce, et nous la vostre, comme des personnes qui sont entièrement,

Monseigneur,

Voz très humbles et très affectionnez serviteurs,

Le Doulx. Navailles.

La Rochelle, ce 6e octobre 1626.

---

(1) Devenu vacant par la mort de Lesdiguières.

251. — M. de Saint-Géran au cardinal de Richelieu. Saint-Germain-en-Laye, 9 octobre 1626.

A.E., Mém. & Doc., France, Vol. 781, f° 35. — Original.

Monseigneur,

Ayant pleu au Roy me donner congé de m'en aller en ma maison, le respect que je luy doibs me prive de l'honneur d'aller recevoir vos commandemens, estimant que c'est faire chose qui vous est agréable et nécessaire de vous lesser en repos, bien que je ne sois pas grand harangueur, mays vous divertir une mynutte est pécher contre le service du Roy et vostre santé, que je souhaitte pour l'amour de tous deux aussy parfaitte qu'elle est nécessaire, et que vous me fassiez l'honneur de me commander pour vostre service quelque chose où je vous puisse tesmoigner que je veux estre à jamais,

Monseigneur,

Vostre très humble, très obéyssant et fidelle servyteur,

Saint-Géran.

A St-Germain, ce 9e octobre 1626.

Pièce 251. — *L'auteur de cette lettre est Jean-François de La Guiche, comte de La Palice et seigneur de Saint-Géran. Né en* 1559, *il était le fils de Claude de Saint-Géran et de Suzanne des Serpents. Il avait épousé, en* 1595, *Anne de Tournon, dame de La Palice, qui mourut en* 1614. *Il épousa alors Suzanne Aux Espaules, fille de Georges Aux Espaules, seigneur de Sainte-Marie-du-Mont et lieutenant du roi en Normandie. Il était maréchal de France depuis le* 24 *août* 1619 *et servit surtout contre les huguenots du Midi, en* 1621 *et* 1622. *De sa première épouse il avait hérité le château de La Palice en Bourbonnais — qu'il appelle ici sa « maison » — et où il devait mourir le* 2 *décembre* 1632.

252. — A Monsieur Bouthillier. S.l., 10 octobre 1626.

A.E., France, Vol. 245, f° 22. — Original.
Impr. Avenel, II, pp. 273-274.

Monsieur,

Le mariage dont vous m'escrivez est très véritable, car M. le P. (1) m'en a parlé comme y entendant et ne s'en esloignant point. Il

Pièce 252. — *Cette lettre porte en suscription : « A Monsieur Bouthillier, conseiller du Roy en son Conseil d'Estat et secrétaire des commandemens de la Reine sa mère ». Le mariage, dont il est question, est peut-être celui du premier écuyer, François de Baradat, qui songeait alors à épouser une des filles d'honneur de la reine mère.*

(1) Le premier écuyer.

sera bon d'en advertir M. Du Chesne (2), ce que M. Hébert (3) pourra faire après que j'auray eu l'honneur de luy parler. Demain j'yray voir Leurs Majestés ; le jour sera commode pour le Roy, et parce que, retournant demain de la chasse, et faisant demain ses dévotions et vacquant à ses affaires, il pourra retourner lundy à la chasse. Ces beaux jours icy ne demandent pas estre perdus. Il me semble que Sa Majesté allant à Monceaux n'auroit point besoin de passer à Paris, à cause de la peste ; mais elle est plus prudente que personne. Je désirerois avec passion estre de ce voyage pour voir la belle maison de Sa Majesté. Peut-estre n'y auroit-il pas d'inconvénient si Sa Majesté alloit à Germiny (4) au mesme temps, tout yroit bien. Le concert s'en fera demain. Madame de Senessey (5) sera la bienvenue, et moy je demeure, Monsieur,

Vostre très affectionné à vous servir,

Le Card. de Richelieu.

Ce 10e octobre 1626.

253. — Le duc de Bouillon au cardinal de Richelieu. S.l., 10 octobre 1626.

A.E., Mém. & Doc., France, Vol. 781, Invent. de la Cor., 1626, f° 180 v°.

Analyse :

« Pour prendre congé, luy s'en allant à Sedan. »

Pièce 253. — *Frédéric-Maurice de la Tour* (1605-1652), *duc de Bouillon depuis* 1623, *était le frère aîné de Turenne.*

254. — A. M. Guillaume Bautru. S.l., 11 octobre 1626.

Univ. de Paris, Bibl. Victor-Cousin, Fonds Richelieu, Vol. 14, f° 132. — Autographe non signé.

Monsieur, j'envoye sçavoir de vos nouvelles, à condition que vous n'en direz rien à vos confrères qui se sont trouvés à la sépulture de Théophile (1), de peur qu'ils pensent que je sois de mesme farine.

---

(2) Le roi.

(3) La reine mère.

(4) Germiny-l'Evêque, près de Meaux.

(5) Marie-Catherine de la Rochefoucauld, veuve depuis 1622 d'Henri de Beaufremont, marquis de Senecey. C'était une intime amie de la reine Anne d'Autriche.

(1) C'est le poète Théophile de Viau, mort le 25 septembre précédent dans l'hôtel de Montmorency. Un an plus tôt, on lui avait fait son procès, à l'instigation des Jésuites. Le Père Garasse et le Père Voisin avaient mis tout en

Vostre cadet (2) dit que vostre âme a plus besoin de purgation que vostre corps, mais mon petit médecin nous asseure que les pleureurs de Paris ne gaigneront rien à vostre occasion. Je veux croire que c'est qu'il tient la maladie non périlleuse, et non pas, ce que dit le père Guron (3), que les gens de bien trouveroient plus à rire qu'à pleurer, si ce monde se deschargeoit de v^re^ personne comme la mer fait de touttes choses impures. Guérissez votre corps, convertissez vostre âme et vous asseurez qu'en l'espérance de v^re^ ammendement, je suis...

Pièce 254. — *Cette lettre est adressée à Guillaume Bautru, comte de Serrant et baron de Segré* (1588-1669). *Conseiller d'Etat, plus tard conseiller au Grand Conseil, mestre de camp d'un régiment d'infanterie, l'un des premiers membres de l'Académie française, il avait été chargé, à la fin de* 1625, *de se rendre en Angleterre auprès de la duchesse de Chevreuse, qui avait accompagné à Londres son mari en mission auprès d'Henriette de France. Quelques semaines plus tôt, en effet, Buckingham, revenant des Provinces-Unies, avait désiré passer par la France avant de rentrer à Londres. Richelieu l'en avait fait dissuader par l'ambassadeur ; mais, craignant les suites d'un mécontentement, le cardinal avait songé à utiliser l'influence de la duchesse pour apaiser l'humeur du ministre. Bautru devait être encore employé dans diverses missions, en particulier à Madrid, en* 1627-1628 *et en* 1632-1633.

255. — Le duc de Bellegarde au cardinal de Richelieu. Saint-Germain-en-Laye, 11 octobre 1626.

A.E., Mém. & Doc., France, Vol. 781, f° 38. — Original.

Monseigneur,

J'ay tant de crainte de vous estre à charge que, sur le bruit qui a couru icy que vous vous étiez trouvé mal, j'ay mieux aymé vous dépescher ce gentilhomme pour me rapporter des nouvelles de vostre santé que d'en aller aprendre moy mesme, ainsy que je l'eusse désiré, et en vous rendant ce debvoir, je vous suplieray très humblement de vous ressouvenir de la prière que je vous ay faite faire par Monsr Bouteillier en faveur de Monsr de Sens. C'est une affaire où vous m'avez desjà fait l'honneur de vous employer et de laquelle je n'ay point voulu parler au Roy, ne sçachant point sy vous avez jeté les yeux sur quelque autre sujet, parce que je me suis toujours

œuvre pour le faire condamner à mort. Il fut acquitté, mais c'est avec beaucoup de difficultés qu'on parvint à le faire inhumer en terre sainte. Le curé de Saint-Nicolas, écrivant au Père Garasse, s'excusait d'avoir dû l'accueillir dans son cimetière en rappellant que Rabelais, qui ne valait guère mieux, était enterré dans la nef de Saint-Paul.

(2) Nicolas Bautru, seigneur de Nogent (1592-1661), capitaine des Gardes de la Porte. Il était aussi en faveur que son frère auprès du cardinal. Il obtint, en 1636, que sa seigneurie de Nogent-le-Roi soit érigée en comté.

(3) Il s'agit de Jean de Rechignevoisin de Guron, que le cardinal appelait parfois par plaisanterie « le père Guron » (V. *supra* la lettre du 29 juillet 1626).

proposé non seulement de ne heurter jamais le moindre de vos desseins, mais encore d'unir inséparablement mes volontés aux vostres. Sy je sçavois quelque autre moyen pour m'acquérir vostre bonne grace, je m'en servirois, car je veux tousjours faire toutes les choses qui vous pourront asseurer que je suis,

Monseigneur,

Vostre très humble et très obéissant serviteur,

Roger de Bellegarde.

De St-Germain en Laye, ce 11 octobre 1626.

256. — M. de Marsillac au cardinal de Richelieu. S.l., 12 octobre 1626.

A.E., Mém. & Doc., France, Vol. 781, f° 39. — Original.

Monseigneur,

Aussy tost que je commancé à respirer la liberté, il m'a semblé qu'une si gracieuse fortune ne me pouvoit arriver que par vostre seule bonté, qui, du ciel de vos grandes et si importantes pensées, avez détourné les yeus sur les ténèbres de ma prison esloignée de la court et du souvenir des hommes. Ces actions purement divines font admirer vostre charité, Monseigneur, dont je vous rands les remerciements très humbles, et ajoute des suplications affin qu'il vous plaise me deffendre de la rigueur extreme que je souffre par des personnes qui veulent ravir l'honneur et les charges que mon sang et mes services ont obtenu de Sa Majesté (1). Recevant ce bienfait de vostre protection, Monseigneur, j'advoueré publiquement tenir ma seconde vie de votre faveur et l'employer soubs l'honneur de vos commandemens avec tant d'assiduité que la France cognoistra que je ne la conserve que pour mourir,

Monseigneur,

Vostre très humble et très obéissant serviteur,

Marsillac.

Ce 12e d'octobre 1626.

Pièce 256. — *L'auteur de cette lettre est Bertrand de Crugy de Marsillac, baron de Salbaterre et de Rouziès, gentilhomme ordinaire de la chambre du roi. Il était le sixième fils de Grimoud de Crugy de Marsillac et de Françoise de Gout de Marsillac, et frère de l'abbé de Marsillac (Sylvestre de Crugy de Marsillac, futur évêque de Mende), familier de Richelieu. Il avait été arrêté le 1er août 1626 et conduit à Ancenis pour s'être compromis avec les adversaires du mariage de Monsieur et de Mlle de Montpensier. Il venait, au début d'octobre, d'être remis en liberté.*

---

(1) Il s'agit, en fait, du gouvernement de la petite ville de Sommières.

257. — M. le Comte de Soissons au cardinal de Richelieu. S.l., 13 octobre 1626.

A.E., Mém. & Doc., France, Vol. 781, Invent. de la cor., 1626, f° 188.

Analyse :

« Il escrit de Neuchastel, et se plaint qu'on ait osté à sa mère l'administration de sa charge de Grand Maistre (1) ; qu'on ait fait plusieurs changements parmy les maistres d'hostel et les petits officiers de la bouche ; il est persuadé que le Roy ne l'approuvera pas ; et il espère qu'un jour Sa Ma[té] voudra recevoir ses véritables accusations, qu'il fera non sous main, mais en public contre ceux qui, par divers artifices, veulent fonder leur grandeur dans la ruine de son sang et de ses serviteurs. « Ils se peuvent assurer que rien ne m'en empeschera ; je ne suis, dit-il, ny dissimulé ny craintif ».

258. — M. l'archevêque de Paris au cardinal de Richelieu. Paris, 14 octobre 1626.

A.E., Mém. & Doc., France, Vol. 1590 (Ile-de-France, f° 115. — Original.

Analyse :

Depuis le retour du cardinal, il a par trois fois cherché à le rencontrer. Il se résoud à lui exposer par écrit sa requête, qui a pour objet de solliciter l'appui du cardinal pour obtenir la place que la mort de M. de Marquemont (1) vient de laisser vacante à Rome.

Pièce 258. — *Depuis* 1622, *l'archevêque de Paris, — le premier en date depuis la création de l'archevêché — était Jean-François de Gondy* (1584-1654). *Il était l'un des dix enfants d'Albert de Gondy, duc, pair et maréchal de France, et de Claude de Clermont.*

---

(1) Il s'agit de la charge de Grand Maître de France, qu'exerçait Louis de Bourbon, comte de Soissons, depuis la mort de son père, Charles de Bourbon, mort en 1612. Le Grand Maître recevait le serment de beaucoup d'officiers de la Maison du Roi, et avait la haute main sur le service domestique.

(1) Le cardinal de Marquemont était mort à Rome le 16 septembre précédent, et on a vu — pièce n° 243 — que l'archevêque de Rouen avait déjà adressé à Richelieu une requête analogue.

259. — M. de Thémines au cardinal de Richelieu. S.l., 15 octobre 1626.

A.E., Mém. & Doc., France, Vol. 781, f° 41. — Original.

Monseigneur,

Tant de graces et de faveurs venans de vostre main, qui portent avec soy des tesmoignages de l'honneur que vous me faites de m'aimer me font santeir, dans les contentements que j'en reçois, le déplésir de n'estre pas assez heureux pour estre commandé de vous. C'est pour cela que je voudrois estre toujours à V^re^ portée pour vous convier par ma présence à vous servir des puissances absolues que vous avez sur moy ; mais, puisque je suis obligé de préférer à ma passion le respect que je vous doibs, agréez, s'il vous plaist qu'avant mon départ pour Bretagne ceste lettre vous die ceste vérité que je suis entièrement soubmis à vous et que, sy en ce païs-là vous jugez qu'il y aye quelque chose de particulier pour Morbian (1) et les autres *ports* (a) ou en quelque autre sorte que ce soit, vous devez atendre, Monseigneur, toutes choses de mon affection et croire, s'il vous plaist, que la gloire de vous servir me seroit encore mille fois plus chère et de plus grand pris que les honneurs que j'ay reçus de vous, à qui je me suis entièrement dévoué avec une entière résolution d'estre toute ma vie,

Monseigneur,

Vostre très humble et très obéissant serviteur,

Thémines.

Pièce 258. — *Le maréchal de Thémines avait reçu quelques mois plus tôt le gouvernement de Bretagne. Ses lettres de provision, signées à Blois le* 25 *juin* 1626, *avaient été enregistrées au parlement de Bretagne le* 12 *juillet suivant.*

260. — Au roi, S.l., [première quinzaine d'octobre 1626].

B.N., Fonds Baluze, Vol. 334, f° 207. — Original.
Impr. : Avenel, II, p. 272-273.

Sire,

M. Le Coigneux me parla hier de telle sorte, sur le subjet de Honfleur (1), que j'ay clairement cogneu qu'on veut faire croire à

Pièce 260. — *La date manque : le contenu permet de dater cette lettre de la première quinzaine d'octobre, comme l'a fait Avenel.*

(a) Lecture incertaine.

(1) Morbihan — que Richelieu estimait « un des plus beaux ports du monde » (*Mémoires,* VI, p. 146) — devait être appelé, dans la pensée du Cardinal, à être le siège de la Compagnie des Cent Associés, nom qui venait d'être substitué, au mois d'août précédent, à celui de Compagnie du Morbihan.

(1) Le gouvernement d'Honfleur était l'un de ceux dont le maréchal d'Ornano avait été pourvu. Voir *infra,* pièces 261, 262 et 263.

Monsieur que c'est moy qui empesche qu'il n'y ayt le contentement qu'il désire dans ceste affaire. J'estime aussy ne me tromper pas quand je pense qu'on se sert de ceste occasion pour me rendre de mauvais offices auprès de luy, comme on a fait par le passé. Peut-être aussy prétend-on troubler par là l'honneur qu'il vous plaist me faire de me mettre le Havre entre les mains pour y establir le commerce (2). Quoy que ce soit, je suplie très humblement Vostre Majesté de trouver bon que je face tout ce qui est de moy pour qu'on ne puisse me rendre de mauvais offices auprès de Monsieur sur ce subjet. Le vray moyen, Sire, est que Honfleur n'entre point dans la récompense du Havre, et que j'aye aucune part à l'esclaircissement que vous voulez faire pour sçavoir si la nomination de Honfleur appartient à Vostre Majesté ou à Madame (3), laquelle avoit donné son droit à la Reyne vostre mère, au cas qu'elle y en eust, longtemps avant que d'estre mariée. Vostre Majesté me pardonnera, s'il lui plaist, si je luy fais ceste suplication pour esviter les mauvais offices qu'on me pourroit faire auprès de Monsieur, duquel je sçay que Vostre Majesté veut que je tasche d'acquérir les bonnes grâces en vous servant. Je n'ay rien qui m'en doive priver. Je le serviray toute ma vie comme doit celuy qui est et sera à jamais,

Sire,

De Vostre Majesté,

Le très humble, très obéissant, très fidelle et très obligé sujet et serviteur,

Le Card. de Richelieu.

261. — Monsieur frère du roi au cardinal de Richelieu. Chantilly, 16 octobre 1626.

Univ. de Paris, Bibl. Victor-Cousin, Fonds Richelieu, Vol. 14, f° 133. — Original autographe.

Mon cousin, je doibs à vos tesmoignages d'affection envers moy un ressentiment si sensible, et ma naissance m'oblige à une telle recognoissance des recommandables services que vous rendez au Roy Monseigneur en la conduitte des plus importantes affaires de son Estat, que j'envoye très volontiers ma nomination au gouvernement d'Honfleur à Sa Ma[té], estant la moindre preuve que je désire vous rendre de ma bonne volonté et de ce que je voudrois contribuer à v[re] contentement. Je suis fasché de voir par celle que vous avez escript à mon cousin Monsr le duc de Bellegarde que vous me croyez susceptible d'autres impressions pour v[re] regard, ce qui me fait vous asseurer par celle-cy que j'ay trop présens à ma mémoire les sujets que vous m'avéz donné de n'avoir jamais de pareilles pensées,

(2) Les provisions de lieutenant général du gouvernement du Havre en faveur du cardinal de Richelieu allaient être signées par le roi le 18 octobre 1626.

(3) La duchesse d'Orléans.

et qu'il n'y a rien qui puisse altérer la résolution que j'ay de vous faire cognoistre par les effets d'une véritable et sincère amitié comme je suis,

Mon cousin,

Vre bien bon cousin,

Gaston.

A Chantilly, ce 16e octobre 1626 (a).

262. — Le duc de Bellegarde au cardinal de Richelieu. S.l., 16 octobre 1626.

A.E., Mém. & Doc., France, Vol. 781, fo 43. — Original.

Monseigneur,

Le Sr Delphin, s'en va trouver le Roy de la part de Monseigneur pour luy porter l'expédition en blanc de la capitainerie de Honfleur qu'il avoit résolu d'envoyer à Sa Majesté devant mesmes que le valet de pied de la Reyne fust arrivé. C'est pourquoy vous pouvez bien juger par là que nous n'avons pas eu grand peyne. Monsr le président le Coigneux et moy, de le luy persuader, et puis dire avecque vérité que tout aussy tost que je luy ay montsré vostre lettre, il m'a dit qu'il ne me commendoit pas seulement de vous asseurer qu'il n'avoit point d'indignation contre vous, mais qu'il vouloit encores luy mesmes vous rescrire et vous confirmer les asseurances de sa bonne volonté ainsi que vous le verrez par celle que ledit Sr Delphin vous rendra de sa part, à laquelle me remettant je me contenteray de vous suplier de me conserver tousjours l'honneur de vostre bonne grace et de me croire, comme je vous l'ay promis,

Monseigneur,

Vostre très humble et très obéissant serviteur,

Roger de Bellegarde.

J'ay appris, depuis que j'ay esté party de St-Germain, que les députés de Bourgogne ont esté très mal traités, et qu'on n'a point voulu accepter leurs offres ny atendre que Mesrs du parlement fissent les leurs ; sy cela est, je me puis bien résoudre de ne retourner plus en Bourgogne (1), puis que je ne les ay sceu garantir de ceste défaveur.

(a) Cette ligne est de la main d'un secrétaire.

(1) Le duc de Bellegarde était gouverneur de Bourgogne.

263. — A Monsieur, frère du roi. S.l., 18 octobre 1626.

A.E. France, Vol. 781, f° 34. — Copie de la main de Charpentier avec quelques mots de la main de Richelieu.

B.N., Fonds Baluze, Vol. 321, f° 116. — Original de la main de Charpentier.

Impr. : Avenel, II, pp. 275-276.

Monseigneur,

Je ne sçaurois assez vous faire connoistre le ressentiment que j'ay de la franchise avec laquelle il vous a pleu d'envoyer vostre présentation au Roy et (a) du tesmoignage qu'il vous a plust me donner de votre affection sur le service que je rends au Roy, et de la véritable passion que j'ay au vostre, mais je vous supplie de croire que je ne perdray aucune occasion de vous en rendre toute sorte de preuves par effets, contribuant tout ce qui me sera possible pour que vous receviez de plus en plus des fruits de l'inclination et de la vraye affection que Sa Majesté a pour vous. J'entreprends en cela, Monseigneur, une tasche bien aysée, veu la bonne disposition du Roy, en vostre endroit, mais je sçay que la chose que vous désirez le plus est que chacun cognoisse combien Sa Majesté vous aime, c'est ce en quoy j'estime me devoir plustost offrir pour vous estre agréable. Vous croirez, s'il vous plaist, Monseigneur, qu'il n'y a personne au monde qui soit plus véritablement que moy,

Monseigneur,

Vostre très humble et très obéissant serviteur,

Le Card. de Richelieu.

Pièce 263. — *Au verso de la copie conservée aux Archives du Ministère des Affaires étrangères, on lit : « Copie d'une lettre adressée à Monsieur frère du Roy, du 18 octobre 1626, pour remerciement de sa nomination touchant le gouvernement d'Honfleur ». Les relations entre le cardinal et Monsieur s'étaient sensiblement améliorées depuis le règlement de l'affaire de Chalais : à la même époque, en effet, Richelieu vend au prince son château de Limours pour la somme de sept cent mille livres.*

(a) Les mots : « de la franchise avec laquelle il vous a pleu d'envoyer vostre présentation au Roy et » ont été ajoutés dans la marge sur la copie, par Richelieu.

264. — L'évêque de Metz au cardinal de Richelieu. S.l., 19 octobre 1626.

A.E., Mém. & Doc., France, Vol. 781, Invent. de la Cor., f° 181.

Analyse :

« Il a parlé au Roy et à la Reyne comme M. le Card[al] luy avoit conseillé. Ils luy ont plus promis qu'il n'osoit espérer, et il prie M. le Card[al] de l'ayder dans l'affaire qu'il a et dont il a envoyé les papiers à M. d'Herbault. »

Pièce 264. — *Il a déjà été incidemment question de ce prélat. Il s'agit d'Henri de Bourbon, duc de Verneuil* (1601-1682), *fils d'Henri IV et d'Henriette d'Entraygues, légitimé de France en* 1603, *abbé de Saint-Germain-des-Près, en* 1623. *Il devait, à soixante ans passés, revenir à la condition laïque et se marier.*

265. — M. du Hervé au cardinal de Richelieu. S.l., 20 octobre 1626.

A.E., Mém. & Doc., France, Vol. 781, f° 49. — Original.

Analyse :

Détenu à la Bastille, il sollicite la faveur d'être autorisé à avoir un serviteur et à pouvoir entendre la messe chaque matin. Il demande également qu'il lui soit permis de recevoir la visite du Père de Condren (1), de l'Oratoire. Enfin, il supplie le cardinal d'avoir pitié de son sort et fait appel à sa justice pour lui permettre de prouver son innocence.

266. — M. de Champvallon au cardinal de Richelieu. S.l., 21 octobre 1626.

A.E., Mém. & Doc., France, Vol. 781, f° 51. — Original.

Analyse :

Il a appris que le cardinal avait perdu sa lettre précédente. Il le supplie de prendre en considération la fortune de ses enfants, dont il assure que le ministre n'aura jamais de plus fidèles serviteurs. « Leur conduite passée, ajoute-t-il, servira de caution pour l'avenir, puisque la prudence n'a point laissé d'autres règles pour le jugement du futur ».

(1) Charles de Condren (1588-1641), entré à l'Oratoire en 1617 ; il deviendra supérieur général de cette congrégation à la mort du cardinal de Bérulle, en 1629.

267. — A. M. de Toiras. Pontoise, 23 octobre 1626.

Impr.: Michel Baudier, *Histoire du Maréchal de Toiras*, éd. de 1666, 2 vol., t. I, pp. 126-127.

Avenel, II, pp. 279-280.

Monsieur, Vous sçaurez que les Anglois ont pris un million d'or de vaisseaux marchands normans. Il y a apparence qu'après avoir fait cette extravagance et chassé les François, comme vous sçavez, ils n'en demeureront pas là s'ils peuvent, et les huguenotts se préparent à les seconder.

Je vous envoye un mémoire que j'envoye au Roy de ce que je juge qu'ils peuvent entreprendre, et des remèdes qu'il y faut apporter (1). Sur cela, je vous conjure de croire que je suis, etc.

De Pontoise, ce 23 octobre 1626.

Pièce 267. — *Toiras avait reçu le gouvernement de l'île de Ré le* 2 *décembre* 1625. *Il avait déjà alors celui du Fort-Louis. Le* 15 *octobre* 1626, *le roi, sur la nouvelle qu'une flotte anglaise venait de lever l'ancre, lui avait écrit qu'en raison des circonstances, on pouvait craindre qu'elle eût pour mission de tenter quelque entreprise sur les côtes voisines de La Rochelle. En conséquence, il lui recommandait de pourvoir « si diligeamment et bien à la seureté et à la conservation de l'isle de Ré et du Fort-Louis » que ces places soient prêtes à toute éventuailté* (*M. Baudier,* Hist. du maréchal de Toiras, *t. II, p.* 125). *Ce fut sans doute à cette époque que Toiras reçut « cent mille livres pour faire mettre dans la citadelle » de Saint-Martin-de-Ré « quantité de munitions de guerre et de bouche », dont parlent les* Mémoires de Richelieu (*VIII, p.* 96). *Cependant, à cette date, les craintes du gouvernement royal étaient prématurées, puisque la flotte anglaise dont il est question borna ses opérations à des actes de piraterie, en particulier en s'emparant de « trois riches vaisseaux normands qui revenoient d'Espagne chargés d'argent et de marchandises »* (*id., VI, p.* 333).

268. — Le Maire et les Echevins d'Angers au cardinal de Richelieu. Angers, 23 octobre 1626.

Impr.: Revue de l'Anjou, 2e série, 1856, t. I, pp. 305-306. (*Journal* de Jehan Louvet).

La faveur et protection dont il a pleu à vostre bonté obliger ceste paouvre ville en tant d'occasions, nous faict avec plus d'assurance y recourir en deulx très importantes, pour vous supplier, comme nous faisons en toutte humilité, de continuer et avoir pitié

(1) Ce mémoire n'a pas été retrouvé.

de nous. L'une est la poursuite de l'establissement d'ung nouveau subside soubz le nom de nouvelle pancarte dont la conséquence ne nous est pas moings préjudiciable et périlleuse que celluy des huit livres dix solz, dont vostre crédit et bienveillance nous ont depuis peu sy avantageusement affranchis, et l'aultre la despense insupportable et extraordinaire en laquelle nous plonge la malladye dont nous nous sommes affligez (1). Il n'est pas en nostre pouvoir de nous relever sans vostre assistance et secours. Nous avons depputtez vers Leurs Majestez MM. le lieutenant-général et Goismart (2), conseiller pour porter à leurs piedz nos très humbles supplications sur ces nouveaulx subjetz, leur représenter nos intérestz et le misérable estat auquel nous sommes. Mais, Monseigneur, nostre principale espérance est en vostre bonté et crédit, et c'est pourquoy ils ont été chargés très particulièrement de se jeter à Vostre Excellence, et implorer comme nous faisons en général de mesme cœur, que nous protestons de demeurer nous et les nostres à jamais, Monseigneur, vos très humbles et très obéissants serviteurs. Les maires et eschevins d'Angers.

D'Angers, ce 23e octobre 1626.

Pièce 268. — *Le texte de cette lettre nous est parvenue par la transcription qu'en a faite Jehan Louvet, clerc au greffe civil du siège présidial d'Angers, dans une sorte de journal intitulé* Récit véritable de tout ce qui est advenu digne de mémoire tant en la ville d'Angers, pays d'Anjou et autres lieux depuis l'an 1560 à l'an 1634, *et publié* de 1854 *à* 1856 *dans* la Revue de l'Anjou. *Ce document indique d'ailleurs dans quelles circonstances la lettre fut écrite. A la suite d'une ordonnance royale datée de Nantes le* 22 *août* 1626, *instituant une taxe sur le transport de certains vins d'Anjou, le maire d'Angers, Barbot du Martay, avait convoqué « en l'hostel et maison commune » les échevins, conseillers et notables de la ville « pour adviser aulx moyens de se pourveoir en l'opposition formée par ce corps à l'establissement » de ce nouveau subside « appelé la nouvelle pancarte ». La séance eut lieu le mardi* 13 *octobre, et il y fut décidé qu'une députation, composée du lieutenant-général Lasnier et du sieur Boylesve, échevin, se rendrait à la cour « pour aller trouver le roy et la royne, mère de Sa Majesté ». Les deux députés furent, en outre, chargés de remettre une lettre à la reine mère et une autre au cardinal de Richelieu. Ils quittèrent Angers le* 24 *octobre. La lettre adressée à la reine mère est rédigée en des termes très voisins de celle qui était destinée au cardinal.*

(1) Il s'agit d'une épidémie qui, depuis l'été, faisait à Angers et dans les environs de nombreuses victimes.
(2) Goismart-Boylesve.

269. — M. de Saint-Luc au cardinal de Richelieu. 24 octobre 1626.

A.E., Mém. & Doc., France, Vol. 781, f° 56. — Original.

Analyse :

M. de Guron a déjà fait savoir au cardinal l'extrême désir qu'il a de le servir. Lui-même a eu aussi l'occasion de lui exprimer de vive-voix ses sentiments. Il lui demande donc son appui et sa protection pour que le roi daigne se souvenir de ses services passés en l'honorant du bâton de maréchal.

Pièce 269. — *Timoléon d'Espinay, marquis de Saint-Luc, né en* 1580, *était alors gouverneur de Brouage, que le cardinal songeait à rattacher plus directement à son administration personnelle. La présente sollicitation du marquis sera précisément utilisée pour lui faire remettre le Gouvernement de Brouage, mais ce ne fut qu'en* 1628 *que Saint-Luc sera fait maréchal de France, il avait épousé, en* 1602, *Henriette de Bassompierre, sœur du Maréchal. Il mourra à Bordeaux le* 12 *septembre* 1644.

270. — A M. le chevalier de Valencay. S.l., 26 octobre 1626.

B.N., Nouv. Acq. franç., Vol. 5131, f° 89. — Minute de la main de Charpentier.

Monsieur, Ayant esté adverty que les vaisseaux du Roy sont partis d'Olande p^r^ venir en ces cartiers, je vous fais ce mot, par les divers advis que l'on nous donne, que les Angloys y ont entrepris, pour que vous y envoyiez aussi tost la présente receue une petit barque : qu'il (*sic*) s'en aille droit *au Texel* avec une envoié fidèle dessus qui les advertisse du dessein que l'on a pour eux, et que pour l'esviter on est d'advis qu'ils viennent mouiller l'ancre au *Havre de Grâce* s'ils y peuvent entrer ; en tout cas, l'on croit que, s'ils ne peuvent entrer au Havre, ils pourroient entrer à Honfleur pourveu qu'ils ayent des pilotes qui soient pratiques de la coste et ports de France.

Vous adresserez vostre lettre à mons[r] de Launay Rasilly, qui est sur les vaisseaux avec le cap[ne] Manuel, et qui sçait combien lesdits vaisseaux [...] dront (a). Il y a six vaisseaux qui viennent ensemble, de façon que, si vostre envoié voyt six vaisseaux du port de quatre cens tonneaux, il aura soin de voir si ce ne sont point ceulx du roy.

Lesdits vaisseaux viennent assurés par dix marchans d'Amsterdam, mais l'argent n'est rien au Roy au prix des vaisseaux. Ils sont assurés pour estre menés jusques dans Brest, mais l'on aime mieux les avoir au Havre ou à Honfleur que de leur faire courir le hasard du reste de la Manche, auquel les Anglois les pourroient attendre.

Je vous prie de faire le contenu de la présente avec tant de secret que le patron de la barque qui mènera l'envoié en qui vous vous confierez, ne sache point pourquoy il va.

Au reste, vous advertirez led. Sr de Launay Rasilly que si le temps estoit mauvais p[r] exéquter le contenu, il fera avec le conseil du

---

(a) Une bande de papier collée de haut en bas de la feuille cache le début de plusieurs mots qui ont été écrits en marge.

cap^{ne} Manuel et des mariniers ce qu'il estimera le plus à propos p^{r} le service du Roy et seureté des vaisseaux, p^{r} la conservation desquels il se donnera bien garde de relascher en Angleterre, estant bienmeilleur qu'il retourne au Texel attendre son temps.

Vous pouvez envoyer la copie de ceste lettre à Mr de Launy avec ordre exprès de la cacher si bien que personne ne la voye, et de la jetter en mer s'il estoit pris des Anglois.

Vostre gentilhomme a passé icy, par lequel l'on vous fera response, Je suis...

271. — Michel de Marillac au cardinal de Richelieu. S.l., 26 octobre 1626.

A.E., Mém. & Doc., France, Vol. 781, Invent. de la cor., 1626, f° 174 v°.

Analyse :

« M. d'Effiat est obligé de faire un voyage de dix ou douze jours. »

272. — A. M. Bouthillier. S.l., 26 octobre 1626.

Musée de la ville de Richelieu. — Original.

Monsieur, Je vous prie de dire à Monsr de Beauclerc qu'il ne parle point au Roy de la chanoinie d'Angers, puis que Sa Ma^{té} l'a affectée à ses musiciens et en a reffusé la Reyne régnante. Je vous verray demain, mais je vous prie qu'on ne parle point de ceste affaire. Je suis,

Monsieur,

Vostre très aff^{né} à vous servir,

Le Card. de Richelieu.

Pièce 272. — *La pièce porte au bas : « A Monsieur Monsieur Bouthillier ».*

273. — M. de Valençay au cardinal de Richelieu. Montpellier, 26 octobre 1626.

A.E., Mém. & Doc., France, Vol. 1627 (Languedoc), f° 282. — Original.

Monseigneur,

Lors que le Roy partit pour aller en son voiage de Bretaigne, nous trouvans icy en extresme nécessité et hors de moien d'y faire subsister les gens de guerre, je despechay exprès à la cour pour y représenter nos extresmes incommodités. A quoy l'on eut esgard, et particulièrement je sceus l'honneur que vous me fistes de me faire accorder la permission que je demandoys de prendre cent cinq^{te}

mil livres dans les gabelles, et Monsieur deffiat, m'en envoyant l'ordre qu'il m'en donnoit par une lettre qu'il m'escrivit de Nantes du XVIe juillet, me mandoit qu'en mon particulier je pourroys trouver part en ce secours, qui a esté cause que *j'y ay pris ce qui m'est deub de mes apointemens de l'année passée, de cette année et ce qui m'est ordonné de la pension qu'il plaist au Roy me donner, et diverses choses dont j'ay les ordonnances, qui montent à cinq[te] mil francs,* estant sur mon partement (1), et m'estant beaucoup endebté icy pour avoir moyen d'y servir le Roy, et ayant l'ordre de M. Deffiat, j'ay creu ne point faillir d'en user ainsy. Mais, depuis avoir reçeu cette somme entière, mond. sieur Deffiat me mande que je ne prenne plus dans les gabelles que *cent six mil livres* pour parfournir *au desconte des troys premiers monstres de cette année du régiment de Picardie, et que bientost il envoiera le quatriesme en argent comptant,* ce qui ne se peult faire pour ceque les prestz que l'on a advancés aux soldats surpassent de beaucoup ce qui est ordonné pour lesdits monstres, tellement qu'il faudroit que les soldats rendissent de l'argent qu'ilz ont receu aux cap[nes], comme il se pourroit justifier par les estatz que le commis de Mr le trésorier de l'Extraord[re] de la guerre luy envoye ; tellement que, prévoyant de là un grand désordre, j'ay creu debvoir despescher ce courrier exprès pour remonstrer comme il y va de la ruyne entière de ce régiment, si outre le descompte de ces troys monstres, l'on n'envoye pour le moins deux en argent comptant, l'un pour ayder aux soldats à s'accommoder, et l'autre, pour avoir de quoy leur continuer les prestz. Et Monsieur de Fossé, que vous affectionés, ne doibt pas venir sans cela (2). Autrement il se trouvera en désordre et luy sera impossible, quoyque très habile homme de pouvoir icy maintenir le service du Roy.

Pour mon particulier, Monseigneur, après avoir demeuré cinq ans hors de chez moy ou en l'armée du Roy ou en la garde de cette place, j'ay tellement reculé mes affaires que je ne pourroys pas trouver sur moy de quoy parer à ce que je doibs, si ce qui m'a esté ordonné pour les estats de pension ne m'estoit paié. Et comme, Monseigneur, j'estime vous estre très estroitement obligé et de vostre favorable protection et des bienfaits que j'ay reçeus en vostre recommandation, je vous supplie très humblement de vouloir faire aprouver ce que j'ay faict, puis que l'ordre de Monsieur Deffiat me faict croire que, dans mon extresme nécessité, il trouvoit bon que j'en usasse ainsy. Ce courrier m'aportant une aprobation entière de cela, comme je vous suplie très humblement et très instamment, et mon congé ensuite, je quitteray cette place pour vous aller tesmoigner par une parfaicte obéissance que je rendray toutte ma vie à l'honeur de vos commandemens, que je suis,

Monseigneur,

Vostre très humble et très obéissant serviteur,
Vallancay.

De Monp[er], ce XXVIe octobre 1626.

---

(1) Valençay avait été nommé gouverneur de Calais (Voir lettre n° 205 du 10 septembre 1626).

(2) Gabriel de La Vallée des Fossés, marquis d'Everly, avait été nommé gouverneur de Montpellier au mois de septembre précédent, il ne prendra possession de son gouvernement qu'en mai 1627.

274. — Le duc de Bellegarde au cardinal de Richelieu. Paris, 28 octobre 1626.

A.E., Mém. & Doc., France, Vol. 781, f° 59. — Original.

Monseigneur,

J'ay un extrême déplaisir de vous importuner, mais la presse et la compassion que me fait madame de Chalais m'oblige à vous suplier très humblement, comme je fais, de la vouloir favoriser et d'apuyer la juste requeste qu'elle fait au Roy. C'est tout ce que je puis dire si ce n'est que le bruit court icy que Monsr d'Effiat est allé quérir Monsieur le Prince, mais rien de plus asseuré que la protestation que je vous ay faicte de mon très humble service, et que je suis

Monseigneur,

Vostre très humble et très obéissant serviteur,

Roger de Bellegarde.

De Paris, ce 28e octobre 1626.

275. — Le chevalier de Valençay au cardinal de Richelieu. S.l., 28 octobre 1626.

A.E., Mém. & Doc., France, Vol. 781, Invent. de la cor., 1626, f° 183 v°.

Analyse :

« Il estoit avec M. de Nassau, qui commande les v[aissau]x qui sont à la rade et devant Dunkerque, lorsque le courrier de M. le Cardinal et celuy de M. d'Ocquerre sont arrivés. Il n'a pas laissé de faire ce qui luy estoit ordonné. Il attend le retour de Mayolas, qu'il a envoyé au Texel. Maiolas est un enseigne parent de M. de la Rive, et dont il répond. »

Pièce 275. — *En attendant que le marquis de Valençay, qui n'avait pas encore quitté Montpellier, eût rejoint son nouveau gouvernement de Calais, son frère Louis, qui prendra plus tard le titre de Marquis d'Estiaux, avait pris possession du gouvernement de cette place le* 3 *octobre* (*Voir* supra *pièce n°* 244).

276. — Le Chevalier de Valançay au cardinal de Richelieu. Calais, 29 octobre 1626.

A.E., Mém. & Doc., France, Vol. 1675 (Picardie), f° 132. — Original.

Monseigneur,

J'avois desjà, précédemment à celle dont il vous a pleu m'honorer, envoyé homme exprès en Hollande pour advertir Mr de Launay Rasilly des desseins que je soupçonnais les Anglois avoir sur les vaisseaux du Roy. J'en escrivis aussy à Mr d'Espesses (1). Celuy que je dépeschay sur ce subjet n'est point encores de retour. Pour la discrétion et conduitte je n'en respond point du tout, ne l'ayant que fort peu pratiqué, mais pour celle de Maiolas, qui partist hyer suivant le commandement que m'en avez fait, *s'ilmanque de segret je veux que vous vous en preniez à moy mesme,* qui l'ay instruit de dire à ceulx qui luy demanderoient la cause de son voyage, que c'est pour aller trouver mon frère d'Estiaux au Texel sur une querelle qu'il a eue, laquelle l'a obligé de se sauver en ce lieu-là. Au surplus, Monseigneur, de ce qui se passe icy nous n'avons rien de plus nouveau que *l'arrivée du marquis de Espinola à Dunquerque* (2). Je la manday à Mr d'Auquerre par le courrier de Mr le mareschal de Bassompierre (3). L'Infante (4) n'y viendra point. S'il survenoit quelque affaire d'importance, je ne manquerois pas de m'adresser à vous, mais, pour de petites choses, il me semble que, sy je vous en importunois souvent, ce seroit abuser du respect qui vous est deu. Ainsy, en ce qui sera du cours ordinaire, *je prendray la voye du dit Sr d'Auquerre, j'entends : sy vous trouvez bon* que j'en use ainsy à l'advenir ; et, pour le présent, je me contenteray de vous dire que je manqueray plustost à tout ce qui est au monde qu'à l'obligation que j'ay d'estre fidellement,

Monseigneur,

Vostre très humble, très obéissant et très obligé serviteur,

Le Chevalier de Vallançay.

A Calais, ce 29e octobre 1626.

277. — A M. de Villars. S.l., 29 octobre 1626.

B.N., Fonds Baluze, Vol. 334, f° 204. — Minute.
Impr. : Avenel, II, pp. 281-282.

Je ne vous puis dire le contentement que le Roy a de vostre procéder, et, en mon particulier, il ne s'offrira pas d'occasion de vous servir que vous n'en receviez des preuves en ce en quoy j'en auray le moyen. Quant à l'alarme que vous me mandez qu'ont les huguenots, c'est chose, comme vous pouvez penser, que je ne puis

(1) Charles Faye, sieur d'Espesses, ambassadeur du roi aux Provinces Unies.

(2) Vainqueur de Bréda, l'année précédente, Spinola projetait sans doute de surprendre Calais, si l'on en croit les craintes qu'exprimait alors à ce sujet le maréchal de La Force. Dunkerque était alors possession espagnole.

(3) Bassompierre avait été envoyé en ambassade en Angleterre, où il devait séjourner jusqu'au début de décembre.

(4) Il s'agit de la fille de Philippe II, Isabelle-Claire-Eugénie, comtesse de Flandre (1566-1633) ; elle avait épousé, en 1598, Albert d'Autriche et, à cette occasion, avait reçu la souveraineté des Pays-Bas espagnols et de la Franche-Comté ; depuis la mort de son mari, en 1621, elle était demeurée seule gouvernante des provinces espagnoles.

pas empescher ; mais bien contribueray-je ce que je pourray pour esviter leurs surprises, suivant l'advis que vous m'en donnez. Ce pendant, je vous conjure de croire que je suis véritablement...

Pièce 277. — *Cette lettre se rattache aux circonstances qui entourèrent la décision du roi de nommer le cardinal de Richelieu au gouvernement du Havre. Le cardinal en avait reçu les provisions le* 18 *octobre. Le même jour, le destinataire de cette lettre, Georges de Brancas-Villars, qui jusqu'alors avait détenu cette charge, obtenait une déclaration royale lui assurant l'érection en duché ou duché-pairie de l'une de ses terres qui serait jugée convenable pour porter l'un ou l'autre de ces titres. Ce fut également en ce mois d'octobre* 1626 *que Georges de Brancas-Villars fut nommé lieutenant général au gouvernement de Normandie.*

Fils cadet d'Ennemond de Brancas, baron d'Oise, et de Catherine de Joyeuse, il était né en 1568. *Son frère aîné, André-Baptiste de Brancas, après avoir pris part à la Ligue et soutenu contre Henri IV le siège de Rouen, s'était réconcilié avec le roi, ce qui lui avait valu la charge d'amiral de France. Il avait été tué devant Doulens en* 1595, *et le gouvernement du Havre, qu'il détenait depuis* 1588, *avait été accordé à son cadet. Celui-ci épousa, deux ans plus tard, une sœur de la belle Gabrielle, Juilenne-Hippolyte d'Estrées. En septembre* 1627, *sa baronnie de Villars sera érigée en duché simple, puis en duché-pairie en* 1652 *; il mourra à Maubec, près d'Avignon, le* 23 *janvier* 1657.

278. — Contrat d'association de la Compagnie de Saint-Christophe. Paris, 31 octobre 1626.

A.E., Mém. & Doc., Amérique, Vol. 4, f° 65. — Copie.

Nous soussignez, reconnoissons et confessons avoir fait et faire par ces présentes fidelle association entre nous pour envoier, sous la conduite des Srs d'Esnambuc et du Rossey, capitaines de navires,

Pièce 278. — *La pièce porte pour titre : « Acte d'association des seigneurs de la Compagnie des Isles de l'Amérique ». En réalité, la compagnie commerciale fondée à cette date prit pour raison sociale la dénomination de Compagnie de Saint-Christophe, et ce n'est qu'en février* 1635 *qu'elle devait prendre le nom de Compagnie des Isles d'Amérique. Le principal artisan de cette association, avec le cardinal de Richelieu, fut Pierre Balain d'Esnambuc, né le* 9 *mars* 1585 *à Allouville en Normandie (localité de l'actuel département de la Seine-Maritime). Au mois de décembre* 1625, *il avait armé à ses frais un navire qui avait quitté le port de Dieppe pour les Antilles. Il avait pour second Urbain de Roissey, seigneur de Chardonville, également nommé dans le texte, et n'avait pour tout équipage qu'une quarantaine d'hommes. L'île Saint-Christophe était le but du voyage. Elle était déjà occupée par quelques colons anglais, avec lesquels Belain d'Esnambuc s'entendit pour le partage du sol, les Anglais conservant le centre de l'île, les Français s'installant aux deux extrémités, à l'est et à l'ouest. De retour en France, au mois de septembre* 1626, *ce fut alors qu'il sollicita l'appui du ministre pour fonder avec douze autres associés la société commerciale, dont le contrat est ici reproduit. Cette compagnie devait subsister sans modification jusqu'au début de* 1635, *date où elle prit une extension plus grande, ce qui justifia sa nouvelle dénomination. Pierre Belain d'Esnambuc devait mourir en* 1636.

ou tels autres que bon nous semblera de choisir et nommer, pour faire habiter et peupler les isles de St-Christophe et la Barbade (1) et autres situées à l'entrée du golfe d'Amérique (a) depuis le unzième jusqu'au dix-huitième degré de la ligne équinoxiale, qui ne soi[en]t point possédées par des princes chrétiens, et ce tant à fin de faire instruire les habitants desd. isles en la Religion catholique, apostolique et romaine que pour y trafiquer et négocier des deniers (b) et marchandises qui se pourront recueillir et tirer desd. isles et de celles des lieux circonvoisins, les faire amener en France au Havre de Grâce privativement à tout autre, pendant le temps et espace de vingt années, ainsi qu'il est plus particulièrement porté par la commission et pouvoir qui en sera donné ausd^{s} d'Esnambuc et du Rossey par Monseigneur le Cardinal de Richelieu, grand maître, chef et surintendant du commerce de France, lesquels Srs d'Esnambuc et du Rosey ont fait leur déclaration par devant de Beaufort et de Beauvais, notaires, que tout ce qu'ils ont fait et feront est et sera pour et au profit de nous, associez, ausquels ils ne font que prêter leurs noms pour l'exécution de lad^{e} entreprise; le contenu en laquelle déclaration sera suivy, pour l'effet et exécution duquel dessein il sera fait fonds de la somme de 45.000 £ qui sera fournie et paiée par nousd^{s} soussignez, pour les parts et portions qui seront écrites de nos mains au-dessous des seings que nous ferons au pied de la présente association, le tout jusqu'à concurrence de lad^{e} somme [de] 45.000 £ sans que nous puissions être tenus ny engagez d'y mettre plus grand fonds et capital si ce n'est de notre volonté et consentement, à laquelle raison dudit premier fond que nous y mettons nous participerons au profit et à la perte qu'il plaira à Dieu d'y envoier tant par mer que par terre; laquelle somme de 45.000 £ sera emploiée tant à l'achapt de trois navires, qui seront acheptez leur juste valeur selon l'estat et équipage auquel ils seront, estant néantmoins convenus de l'achapt du vaisseau nommé *la Victoire*, en l'estat qu'il est, du port de deux cens cinquante tonneaux ou environ, avec les agrez et munitions et autres dépendances d'icelui étant à présent tant dans led. vaisseau qu'en magazins au port S.-Louis en Bretagne ou en led. navire, qui sera délivré à nous, associez, ou à celui qui aura charge et pouvoir de nous, dans le premier jour de décembre prochain, après lequel jour la garde-risque en sera pour le compte de nous, associez, le tout pour la somme de 80.000 £. Et pour les deux autres vaisseaux ils seront fournis et délivrés dans le temps par (c), duquel jour ils seront demeurés en la garde de nous, associez, suivant l'estimation qui en aura été faite de gré à gré ou par personnes dont les parties auront convenu; que pour avictalier (d), armer et équiper lesd. vaisseaux d'hommes et de provisions nécessaires pour faire led. voiage et habitation desdites isles

(a) Le texte portait d'abord: « à l'entrée du Pérou ».

(b) Le mot « deniers » est dans le texte; c'est sans doute une erreur de copiste; il faut lire « denrées ».

(c) Laissé en blanc dans le texte.

(d) Avitailler: pourvoir un vaisseau (ou une place forte) de divers vivres et munitions.

(1) Occupée par les Anglais dès 1625, la Barbade sera rattachée à la couronne britannique en 1652; elle ne reçut jamais de colons français.

ensemble achepter marchandises qu'il conviendra et seront jugées utilles pour porter ausd[es] isles, laconduite et disposition de laquelle entreprise sera faite de l'ordre de nousd[s] associez ou de ceux qui auront charge et pouvoir de nous en la ville de Paris, et l'exécution de tout ce qu'il y aura à faire, tant aud. Havre que port St-Louis et autres lieux que besoin, sera faite par le Sr de Hartelay Canelet, auquel nous donnons pouvoir et commission de ce faire et de pourvoir aux choses qui seront nécessaires, tant en France qu'ausdites isles, selon la commission qu'il en aura entre les mains ; auquel pour cet effet tout le fond susd. qui sera fait par nousdits associez sera mis et déposé pour en faire ainsi qu'il est dit ci-dessus et selon les occurences des affaires qui arriveront : à la charge de rendre bon compte, de tout paier le reliquat quand et à qui besoin sera aux fris et dépens de nousd[s] associez, même de nous envoier à Paris un estat sommaire de tout ce qui aura été fait et sera reporté au retour de chacunvoiage, pour en partager le proffit entre nousdits associez, tous frais déduits, selon nos parts et portions ou avances et en disposer ainsi que nous aviserons bon être.

Fait à Paris le dernier jour d'octobre 1626. Signé.

Et au-dessous signé : Armand Cardinal de Richelieu pour 10.000 £ sçavoir 2.000 en argent et 8.000 en vaisseau ; d'Effiat pour 2.000 £ ; Marion, pour 2.000 £ ; de Flechelles, pour 2.000 £ ; Morand, pour 2.000 £ ; de Guénégaud pour 2.000 £ ; Bardin Royer, pour 2.000 £ ; Larducat, pour 2.000 £ ; Ferrier, pour 1.000 £ ; et Canebet, pour 4.000 £, sçavoir 2.000 £ pour Mr Camille et 2.000 £ pour moy ; Martin, pour 2.000 £ ; Cornuel, pour 2.000 £ (2).

Le même jour on délivra une ample commissions à Mrs d'Esnambuc et du Rossey, par laquelle Son Eminence, en qualité de Chef, Grand Maître et Sur-intendant du Commerce de France, leur permet d'aller établir une colonie françoise dans l'isle St-Christophe ou dans quelque autre qu'ils jugeront la plus commode pour cet effet, depuis le onzième jusqu'au dix-huitième degré de la ligne équinoxiale (3).

(2) Parmi les noms mentionnés, on remarquera, outre celui de Richelieu, le nom du surintendant des finances marquis d'*Effiat*. Les autres associés appartiennent aussi, semble-t-il, aux milieux financiers, dans la mesure, du moins, où il est possible de les identifier : *Morant*, c'est sans doute Thomas Morant, deuxième du nom, trésorier de l'Epargne depuis 1617 et conseiller d'Etat ; *Flechelles* désigne peut-être Flesselles (qui s'écrivait aussi Flexilles), et il s'agirait alors de Jean de Flesselles, qui sera président en la Chambre des Comptes au mois de décembre suivant ; *de Guénégaud*, c'est Gabriel de Guénégaud, trésorier de l'Epargne et conseiller d'Etat ; *Ferrier* doit probablement être identifié à Jehan Ferrier, alors commis du surintendant d'Effiat et qui sera employé par Richelieu à partir de 1635 ; *Martin* paraît être ce secrétaire du cardinal préposé « aux affaires de la mer » ; *Cornuel* est sans doute Claude Cornuel, alors intendant des finances, plus tard président en la Chambre des Comptes.

(3) La copie de cette commission se trouve au même volume, f° 73-77 elle est en effet datée du 31 octobre 1626. Belain d'Esnambuc se rendit au Havre, où il fit équiper son navire, le *Catholique* (250 tonneaux, 322 hommes) : Urbain de Roissey fit de même en Bretagne, où il arma deux navires, *la Cardinale* (70 hommes) et *la Victoire* (140 hommes). Ils se réunirent à la fin de janvier 1627 et mirent la voile le 24 février suivant.

279. — M. de Saint-Géry au cardinal de Richelieu. S.l., 31 octobre 1626.

A.E., Mém. & Doc., France, Vol. 781, f° 61. — Original.

Analyse :

Il a employé les premiers moments de sa liberté à exécuter les ordres que le cardinal lui avait fait remettre. Il a écrit à M. du Causé de venir le trouver, et il attendra le retour de M. de Terien de la cour pour se concerter avec lui et entreprendre ce qui lui aura été prescrit. La lettre s'achève par des protestations de dévouement pour le service du roi.

280. — Lettres d'érection en titre d'office de la charge de Grand Maître, Chef et Surintendant général de la Navigation et Commerce de France, et provisions de cet office en faveur du cardinal de Richelieu. Saint-Germain-en-Laye, octobre 1626.

A.E., Mém. & Doc., France, Vol. 246, f° 62. — Original sur parchemin, 0,58 × 0,495.
A.E., Mém. & Doc., France, Vol. 781, f° 67-69. — Copie.
B.N., Cinq Cents Colbert, Vol. 203, f° 203-205. — Copie.
Impr. : *Mercure françois,* t. XIII (1626), p. 359.
Le Père Anselme, *Histoire généalogique et chronologique de la Maison de France,* 1726, t. VII, p. 914. Jourdan, Decrussy & Isambert, *Recueil général des Lois françaises,* t. XVI, pp. 194-197 (reproduction incomplète et fautive).

LOUIS, par la grâce de Dieu Roy de France et de Navarre, à tous présents et à venir, salut. Le feu roy, n[re] très honoré seigneur et père (que Dieu absolve) n'ayant peu faire résouldre ny exécuter,

Pièce 280. — *Les textes de caractère proprement législatif ont été en principe écartés de cette publication. Si une exception est faite pour ce document, c'est d'abord parce que son importance particulière lui donne une place de choix parmi les* papiers d'Etat du cardinal de *Richelieu, mais aussi parce que la confrontation de l'original avec la principale édition moderne qui en a été donnée — celle du recueil d'Isambert — a révélé un certain nombre d'erreurs et d'inadvertances qui déparent le texte et parfois même le rendent inintelligible. Le texte reproduit ici a été établi à partir du document original conservé aux Archives des Affaires étrangères, écrit sur parchemin, signé du roi, contresigné par le Secrétaire d'État Potier d'Ocquerre et portant la mention de son enregistrement au parlement de Rouen. Cet enregistrement est du* 16 *avril* 1627 *; le texte édité par le Père Anselme mentionne l'enregistrement par le parlement de Paris à la date du* 18 *mars* 1627 *dans les termes suivants :*

« Registrées, ouy le procureur général du roy, pour jouir par ledit sieur cardinal de Richelieu, de la charge de Grand Maître, Chef et surintendant général de la Navigation et Commerce de France, et pouvoir y mentionné, conformément à l'arrêt du 13 *de ce mois et aux charges y contenues, lequel sieur Cardinal a été reçu en ladite charge et office, fait le serment accoustumé et juré fidélité au Roy. A Paris en parlement, le* 18e *jour de mars* 1627. »

pour avoir esté prévenu de la mort, les propositions qui luy avoient esté faictes pour l'establissement d'une compagnie puissante et bien réglée pour entreprandre ung commerce général par mer et par terre, affin que, par le moien de la navigation, noz subjectz puissent avoir à un bon prix de la première main, comme ils avoient anciennement, les denrées et marchandises qui leur sont utilles et commodes et faire transporter hors de n^re^ royaume et terres de n^re^ obéissances celles desquelles la sortie est permise et dont noz voisins et estrangers ne se peuvent passer, à l'honneur et grandeur de n^re^ Estat, proffict et accroissement de la chose publique, bien et advantage de noz subjectz, nous avons creu que, l'ouverture nous estant faicte par plusieurs marchans des principalles villes maritimes de ce royaume de remettre la navigation et le commerce entre les mains de noz subjectz, establissans des compagnies et des sociétez, nous ne debvions davantage différer d'embrasser les occasions qui s'en offrent ny en retarder les moiens s'ils sont trouvez justes, seurs, profitables à n^re^ Estat et à l'advantage de nos subjectz, estant un desseing qui peult aultant apporter de réputation, de bien et de gloire à nos affaires et mieulx que nul aultre occuper et enrichir nosd^s^ subjectz, chasser l'oysiveté et fénéantise et retrancher le cours des usures et gains illégitimes ; et d'aultant que nous avons desjà créé et érigé en tiltre d'office formé la charge de Grand M^e^, Chef et Surintendant général de la Navigation et Commerce de France, et icelle donnée à n^re^ très cher et bien amé cousin, le Cardinal de Richelieu, comme estant personne de qualité éminante et de probité recongneue, sur l'intégrité, suffisance (a), soing et diligence duquel nous pouvons nous reposer, et en qui toutes les conditions requises paroissent éminem en t, NOUS AVONS, en tant que besoing est, créé, faict et érigé, créons, faisons et érigeons par ces présentes signées de n^re^ main, en tiltre d'office formé, icelle charge de Grand M^e^, chef et Surintendant général de la Navigation et Commerce de France, et à plain nous confiant des veues (b), expérience, soing et loyauté ès grandes affaires, recongneus à n^re^ advantage en diverses et importantes occasions, dud. Sr Cardinal, et de la prud'hommie, affection singulière qu'il a au bien de n^re^ service et capacité requise pour l'establissement et direction du commerce général que nous voulons establir en n^re^ royaume, NOUS AVONS à nostre dit cousin le Cardinal de Richelieu d'abondant donné et octroyé, donnons et octroyons le dict office de Grand M^e^, Chef et Surintendant général de la Navigation et Commerce de France, avec pouvoir, auctorité et mandement spécial de traicter avec toutes sortes de personnes, veoir et examiner leurs propositions qui nous ont esté et seront faictes sur le subject de l'establissem[en]t du commerce, en discuter et recognoistre le mérite, bien et utilité, résoudre et assurer tous articles, traictez, contractz et conventions avec tous ceulx qui se voudront lier et joindre pour former les dictes sociétez et entreprises de mer et d'y apporter telle précaultion et seureté pour ceulx qui s'y vouldront intéresser que tout soupçon de fraulde et tromperie en soit

(a) Le mot « suffisance » ne se trouve pas dans le texte édité par le Père Anselme.

(b) Au lieu de ce mot, le texte donné par le Père Anselme porte « sens ».

esloigné ; et le tout si bien réglé qu'au lieu que (c) telles appréhensions pourroient retenir plusieurs personnes d'y entrer, l'assurance d'une infaillible fidélité et bon ordre y appelle et convie ceulx de nos subjectz qui en auront le moien ; à la charge toutesfois que tous lesdits contractz et aultres actes (d) passez pour cest effet n'auront aulcune force ny vertu qu'ils ne soient ratifiez par nous ; et par ce que, tant sur les diverses et fréquentes supplications qui en auroient esté faictes dez le temps dudict feu Roy nostre très honnoré seigneur et père que celles qui nous ont esté réitérées par les marchans et aultres qui veulent entrer audit commerce, et pour plusieurs aultres raisons importantes au bien de N^re^ Estat et utilité de nos subjectz, nous avons estint et supprimé en ce royaume, pays, terres et seigneuries de n^re^ obéissance, les charges d'admiral et visadmiraux (1) et les gaiges et appoinctemens d'icelles qui ne chargeoient pas de peu n^re^ Espargne, et n'y ayant personne qui prenne le soing part[iculi]er de la conservation de noz droictz de la navigation et des entreprises de mer, à laquelle tous les officiers qui cognoissent et s'entremettent de la Marine de nos aultres subjectz puissent s'adresser pour nous donner les advis importans à n^re^ Estat et à la navigation ; et les cappitaines et marchans qui veullent entreprandre les voyages de long cours et aultre ne sachant à qui avoir recours pour en avoir la liberté et le congé, il est à craindre qu'il n'en arrive des désordres, confusions et piraterie, que nos droictz soient usurpez, noz ports et havres mal gardez, noz ordonnances de la Marine mesprisées et enfraintes et que le commerce ettraffic en reçoivent du retardement et préjudice contre n^re^ intention, qui est de l'establir, l'advancer, l'ayder et l'appuyer aultant et fortement que nous le pouvons faire ; NOUS VOULONS ET ENTENDONS que nostre dit cousin le Cardinal de Richelieu pouvoie et donne ordre à tout ce qui sera requis utille et nécessaire pour la navigation et conservation de nos droictz, advancement et establissement du commerce, seureté de nos subjectz en la mer, ports, havres, rades et grèves d'icelle et isles adjacantes, observation et entretènement de noz ordonances de la Marine, et qu'il donne tous pouvoirs et congez nécessaires pour les voyages de long cours et tous aultres qui seront entrepris par nosdits subjects, tant pour ledict commerce que pour la seureté d'iceluy ; DECLARANT que si quelqu'un d'entre eulx (e) entreprend de faire aulcun voyage sans permission et congé deument expédié et signé par nostre dit cousin le Cardinal de Richelieu, à qui nous avons donné pouvoir de ce faire, il soit tenu et réputé pour pirate et amené par noz vaisseaulx gardes costes pour estre jugé selon la rigueur de noz ordonnances par nos officiers ausquels la cognoissance en appartient ; VOULANT pour cest effect (f) que les-

---

(c) Le texte du Père Anselme porte : « si bien qu'autant que ». Dans le texte du *Recueil des Lois françaises*, les mots « réglé qu'au lieu » ont été omis, ce qui rend la phrase inintelligible.

(d) Le texte du Père Anselme porte : « contractz, *traictez* et aultres actes ».

(e) Le texte édité par le Père Anselme et celui du *Recueil des Lois françaises* portent : « quelques-uns d'entre eux », et mettent au pluriel les verbes et attributs qui suivent.

(f) Le *Recueil des Lois françaises porte :* « par cet effet ».

(1) L'édit de suppression des offices de connétable et d'amiral de France sera enregistré au parlement de Paris le 13 mars 1627.

dits vaisseaulx gardes costes prennent de n[re] dit cousin Grand M[e], Chef et Surintendant général de la Navigation et Commerce de France, tous ordres pour nettoier noz mers de pirates et corsaires, faire conserve et seureté à noz marchans (g), et générallement pour toutes aultres choses deppendantes dudit commerce, navigation et entreprise de mer, sans qu'il en puisse estre diverti sy ce n'est en cas de guerre, pour laquelle nous ayons donné commission généralle d'assembler noz vaisseaulx et en composer une ou diverses flottes pour le bien de n[re] service ; auquel cas nous entendons que celuy ou ceulx qui auront pouvoir de nous de commander noz armées navalles donnent tous ordres et commandement à noz vaisseaulx dont lesdits armées seront composées, conformément aux pouvoirs qui leur en seront par nous donnez pour le temps de la guerre, après laquelle lesdits vaisseaux seront replacez (h) par nostre cousin le Cardinal de Richelieu pour la garde de noz costes (i), entretien et seureté dudit commerce. Pour de ladite charge de Grand M[e], Chef et Surintendant général de la Navigation et Commerce de France avoir tenu, usé et jouy par nostre cousin le Cardinal de Richelieu, aux honneurs, auctoritez, pouvoirs, jurisdiction, prérogatives, prééminances et droictz qu'avions accoustumé et qu'estoient fondez de prandre et avoir par noz ordonnances seullement deulx qui ont eu charge de la Marine soubz nostre auctorité, et y vacquer, travailler et y faire travailler par telles personnes qu'il (j) vouldra commettre lors, aultant et ainsy que le pourra requérir ledit commerce en toutes occasions et functions de ladite charge (k), de ce faire nous avons donné et donnons pouvoir et mandement spécial à nostre cousin le Cardinal de Richelieu, cy donnons en mandement à noz amez et féaulx cons[eill]ers des hauts tri[bun]aux de noz courts (l) de parlement et à tous aultres officiers que ces présentes ils fassent lire, publier et enregistrer, et icelles faire garder et observer inviolablement, sans permettre qu'il y soit contrevenu, et que nostre dit cousin le Cardinal de Richelieu, duqeul nous avons pris et receu le serment en tel cas requis (2), ils souffrent et laissent jouir et user

---

(g) Le même *Recueil* porte « faire conserver et sureté », ce qui n'a guère de sens : *faire conserve,* en terme de marine, signifie accompagner. C'est par erreur que le Père Anselme écrit « faire conserver en sureté ».

(h) Et non pas « remplacés » (*Recueil des Lois françaises*).

(i) Et non pas « *des* côtes » (id.).

(j) Et non pas « *que* voudra » (id.).

(k) Ici s'arrête le texte reproduit dans le *Recueil général des Lois françaises,* qui porte ensuite ces seuls mots : « De ce faire, etc. ».

(l) Le texte édité par le Père Anselme porte : « à nos amez conseillers de nos courts ».

(2) Voici le texte de ce serment :

« Vous jurez et promettez à Dieu que de tout vostre pouvoir vous servirez bien et fidèlement le Roy en l'estat et charge de Grand Maistre, Chef et Surintendant général de la Navigation et Commerce de France, dont Sa Maté vous a pourveu ; que vous soutiendrez envers touts et contre touts les droictz, hautesse et prééminences de la couronne de France ; que vos aurez soing de maintenir la liberté et seureté de la navigation et commerce de ce royaume ; que vous observerez les réglemens et ordonnances de Sa Maté et celles de ses prédécesseurs sur le fait de la Marine, navigation et commerce ; que vous ne recevrez estat, pension ny entretènement d'autres princes que de Sa Maté et que vous ne recognoistrez autre qu'elle ; que vous luy déclarerez et révélerez tout ce qui viendra à votre cognoissance important au bien de son service,

plainement et paisiblement de lad. charge de Grand M^e^, Chef et Surintendant général de la Navigation et Commerce de France et à luy faire obéir et entendre bien diligemment par les officiers, capp[itai]nes et conducteurs de navires et vaisseaulx et tous aultres qu'il appartiendra des choses touchant et concernant ledit office, nonobstant oppositions ou appellations quelconques pour lesquelles ne voulons estre différé et quelconques lettres et pouvoirs à ce contraires, que nous avons cassé et révoqué, cassons et révoquons par ces présentes, car tel est no^{re} plaisir, et affin que ce soit chose ferme et stable, nous y avons fait mettre n^{re} scel (m).

Donné à St-Germain au mois d'octobre de l'an de grâce mil six cens vingt six, et de n^{re} reigne le dix-septiesme.

LOUIS
Par le Roy,
Potier d'Ocquerre.

Au verso du parchemin :

Lesquelles publiées et regis^{es} ès regis^{s} de la cour, oy et consentem. le procureur Général du Roy aux charges, clauses, cond^{ns} contenues en l'arrest de la cour donné lcs chambres assemblées sur la vérific^{on} desd^{es} let^{es}. A Rouen en Parlement, ce saiz^{me} jour d'avril mil six cens vint sept.

Suivent trois signatures.

281. — M. de La Vieuville au cardinal de Richelieu. S.l., octobre 1626.

A.E., Mém. & Doc., France, Vol. 781, f° 64. — Original.

Monseigneur,

Mon desplaisir est grand de veoir qu'au milieu de tant de bonnes volontés qu'il vous plaist de me tesmoigner, mon malheur soit si

Pièce 281. — *La lettre porte en suscription : « A Monsieur Monsieur le Cardinal de Richelieu ». L'indication « Octobre* 1626 » *a été ajoutée d'une autre main. Le lieu d'où la lettre a été expédiée n'est pas mentionné. Or, selon les mémoires des contemporains. La Vieuville, incarcéré au château d'Amoise dès le* 13 *août* 1624, *s'en serait évadé de l'année suivante, et aurait quitté le royaume ; on lui aurait fait son procès par contumace, mais il aurait été autorisé à rentrer en* 1628.

---

et que vous ferez en tout ce qui despendra de l'estat et charge de Grand Maistre, Chef et Surintendant général de la Navigation et Commerce de France tout ce qu'on bon et fidèle suject et serviteur droit et est tenu de faire. Ainsy vous le jurez et promettez. »

A.E., Mém. & Doc., France, Vol. 806, f° 132-133.

(m) Le texte reproduit par le Père Anselme porte : « nous avons fait mettre le scel à cesdites présentes ».

effronté de me faire parler où je n'eus jamais de pensée. Ma femme m'en a dit assez. Mais, comme j'ay appris jusques icy à repousser ces artifices par le mespris et la patience, je cours sans m'y arrester pour vous offrir les remerciements très humbles que mon cœur vous rend tous les jours haultment. Ma conduitte et le surplus de tout ce que je puis pour vous ouvrir mon intérieur, s'il fault plus, Monseigneur, il est en vous, les meilleures preuves sont en v^re^ main. Je sçay que les parolles sont des armes communes, qui ne concluent rien pour moy plus efficacement que pour un aultre. Mettez-moy dans les effectz pour v^re^ service ; ils parleront tout aultrement, fort nettement et hardiment, et feront lire mon courage à tout le monde que les obligations que je vous ay n'ont plus rien à y acquérir qui ne soit à vous. Que si, en attendant, il m'est permis de souhaitter, ce seroit le bonheur de vous le pouvoir dire. C'est l'unique désir, je l'advoue, qui me martirise aujourd'huy, tant oultre mon inclination je me sens vivement pressé de l'honneur de v^re^ amitié. Je m'expliquerois mieux, ce me semble, et reviendrois au moins satisfaict que par ce debvoir j'aurois ratiffié publiquement la profession que je fais d'estre fort franchement,

Monseigneur,

Vostre très humble et très obéissant serviteur,

La Vieuville.

282. — Le duc de Guise au cardinal de Richelieu. Marseille, octobre 1626.

A.E., Mém. & Doc., France, Vol. 1700 (Provence), f° 310. — Original.

Analyse :

Il supplie le cardinal de remettre au député du commerce de cette ville la lettre qu'il lui a promise pour l'ambassadeur, afin qu'il puisse dire à celui-ci « les violences et les cruautés que les sujets du roi reçoivent dans son pays » (1).

(1) La lettre ne comporte pas d'autre précision. Il s'agit sans doute de quelque pays de Barbarie ou de l'Orient méditerranéen.

283. — Mémoire succinct et très considérable sur les nécessités urgentes des affaires du Roy. Octobre ou novembre 1626.

A.E., Mém. & Doc., France, Vol. 783, f° 6-8.
Impr. : Gustave Fagniez, *Fancan et Richelieu,* 1911, *p.* 27.

Tous les moyens extraordinaires desquels on a usé jusques à maintenant pour tirer finance, affin de subvenir aux despences immenses qui se sont faites dans l'Estat, n'ayant servy qu'à rendre Sa Ma[té] et sa couronne plus nécessiteuses et qu'à fomenter la continuation des désordres de la France, et non à requérir (a), le mal, il semble que le Roy et son Conseil sont obligez de rechercher aujourd'huy des solides expédiens (b) pour y remédier à bon escient ; autrement, il y a grande apparence de croire que Sa Ma[té] demeurera en bref sans domaine et sans tailles et que son royaume tombera dans peu d'années en une extrême confusion.

Pour prévenir cet inconvénient, il faudroit que la première chose que l'on exposera à l'Assemblée des Notables fust de luy faire voir tout au long les grandes nécessités dans lesquelles la guerre de Religion a jeté le Roy et ses sujets, et particulièrement faire connoistre par bons mémoires les excessives despences que Sa Ma[té] y a fait, ce qu'elle doibt et de combien elle est en arrière pour attaindre le courant de son revenu.

Proposer en après et faire un effort pour réduire la despence du Roy au pied de son revenu annuel et, pour y parvenir, faire résoudre par ladite assemblée un retranchement général le plus vigoureux que faire se pourra, affin que, par le moyen d'iceluy, on puisse esgaler les gratiffications de Sa Ma[té] et ses despences à la Recette.

De ce retranchement, fait par l'autorité des Notables et avec connoissance de cause, il n'en peut arriver aucun inconvénient ; au contraire, c'est par là qu'il faut de nécessité commencer si on désire travailler solidement, estant bien plus à propos de retrancher un membre pour conserver le corps de l'Estat, que de l'accabler par des moyens extraordinaires pour subvenir à des despences nuisibles et inutilles.

Après ce retranchement, fait le plus exact que faire se pourra, il faut regarder de combien la despence excède encore la recette, quelles sont les debtes urgentes du Roy et quels deniers il luy faut pour gaigner le temps de son revenu ordinaire qui est mangé par anticipation. Et sur le calcul de la somme, qui se trouverra soit de dix, quinze ou vingt millions de livres, représenter là-dessus comme ces grands désordres ne proviennent d'autre chose que de la continuation des guerres de Religion dans le royaume pour à quoy nos

Pièce 283. — *Sur l'auteur de ce mémoire, François Langlois, sieur de Fancan, voir* supra *année* 1625 *(fév.) : pièce* 30. *Il est probable que Richelieu avait demandé ce mémoire à Fancan en prévision de la prochaine réunion de l'Assemblée des Notables, à laquelle d'ailleurs il est fait allusion.*

(a) « Requérir » = rechercher le mal (pour le guérir).
(b) « Expédiens » = mesures propres à rétablir la situation.

Roys, pour deffendre l'Eglise, auroient alliéné tant leur domaine, et Sa Maté engagé une bonne partie des tailles.

Savoir maintenant sy le Clergé, pour la conservation de l'Estat, n'est pas obligé de secourir réciproquement le Roy en sa grande nécessité, et lequel des deux expédients est le plus salutaire pour le publiq, assavoir de recouvrer la susdite somme dans la création de nouveaux édits de création de multiplicité d'officiers, qui ne font que rengreger le mal et diminuer tousjours le fonds des finances de Sa Maté, ou bien de faire un emprunt général tant sur le Clergé, soit par cottisation ou en aliénant quelques biens de l'Eglise, que sur les bonnes villes du royaume par taxations sur chaque cheminée des maisons ainsy qu'il se pratique en Flandres (c).

Et si on peut faire passer ce dernier expédient dans ladite Assemblée des Notables, le Roy et l'Estat en recevroient un prompt soulagement en ce que l'on pourroit remettre tout d'un coup les affaires de Sa Maté en bonne assiette, outre que l'on évitera les plaintes qu'apportent les édits (d).

Et pour le regard du Clergé, qui possède le tiers des biens du royaume, il ne sera point comme foullé en consentant à l'alliénation d'une petite parcelle d'iceux pour aider à empescher la cheute de la monarchie, ny les grandes villes non plus, en contribuant pour une seule fois seulement aux nécessités urgentes du royaume, dans lesquelles se rencontre leur propre ruine s'il n'y est remédié. Et d'autre cotté, le Roy, par le retranchement de sa despence, et de ses grattifications, Sa Maté pourra facilement rendre sa despence esgale à sa recette, et par cette voye restablir ses affaires en un meilleur ordre qu'elles n'ont esté il y a longtemps.

Tout autre expédient que cestuy cy-dessus ne fera que plastrer et augmenter les désordres, lesquels à la longue accablent le Roy et ses sujets, estant à considérer en matière de restablissement qu'il est aussy glorieux de porter tout d'un coup la coignée dans la racine du mal, que honteux de se désister à panser un malade crainte de le faire crier en guérissant. De mesme il ne faut apréhender les clameurs que pourroient faire quelques-uns, pourveu qu'en bien faisant on remédie au désastre qui menace le publiq.

Le Roy doit aussy user de son autorité absolue pour remédier une bonne fois aux nécessités qui le talonnent, comme au réciproque tous les sujets doivent contribuer pour assister Sa Mté en une action qui regarde le salut général, et se saigner volontairement d'une petite partie de leurs commodités pour sauver le reste.

En suitte de tout ce que dessus, faire résoudre dans ladite Assemblée la nécessité de conserver la paix dans le royaume, affin de faire perdre l'espérance aux cabales estrangères de la continuation de nos guerres de Religion, comme aussy pour éviter de retomber dans les désordres et donner moyen de respirer au pauvre peuple

(c) *En marge :* « Nota que les deniers que le Clergé a accordé à Sa Maté n'ont servi qu'à engager le Roy dans les despences de la guerre ».

(d) *En marge :* « Le Roy d'Espagne a contraint son Clergé et les Grands de se cottiser pour l'assister en ces années dernières ».

de la campagne, qui est pour la plus part réduit aujourd'huy à la mendicité.

Faire aussy résoudre le rachat du domaine, pour le moins de celuy qui est engagé à vil prix (1).

284. — M. de la Ville-aux-Clercs au cardinal de Richelieu. Paris, 4 novembre 1626.

A.E., Mém. & Doc., France, France, Vol. 781, f° 75. — Original.

Analyse :

Le baron d'Osson, sénéchal de Saintonge, ayant été tué en duel, M. de Pernes, gouverneur de la citadelle de Saintes, a fait demander sa charge ; il prie le cardinal, « au cas que ledit de Pernes ne l'obtienne », d'en faire gratifier son frère ou lui-même.

285. — Louis de Marillac au cardinal de Richelieu. Coulommiers, 4 novembre 1626.

A.E., Cor. pol., Lorraine, Vol. 7, f° 205-206. — Original.

Monseigneur,

Hier, comme j'estois prest de monter à cheval, *Le Plessis d'Espernon* (a) me vint trouver et, sous prétexte de me dire à dieu et me parler de *La Valette* (1), après plusieurs plaintes des mauvais offices que l'on luy rendoit auprès de vous, me dit qu'il estoit grandement estonné que, dans les bruits qui courroient depuis longtemps, que *le Roy* voulloit *récompenser Metz* à *Mr d'Espernon* pour le *bailler à la Reyne ; le cardinal* ne luy auroit tesmoigné en cella la confiance dont, en beaucoup d'autres occasions, il l'avoit daigné honnorer, et me prioit de dire, s'il se pouvoit, ce que je sçavois de ceste affaire. Je luy respondis que c'estoit de faux bruits, et que ny *la Reyne*, ny *le cardinal*, n'y avoient point pensé, et que je le sçavois très bien. Il me répliqua qu'il s'estonnoit grandement que ceste affaire fust négligée et, comme leur serviteur, estoit très marry qu'ilz perdissent ceste occasion ; que je debvois les réveiller là-dessus, et

(a) Les mots en italiques ont été chiffrés dans le texte. Le Plessis d'Espernon désigne un gentilhomme, nommé du Plessis, attaché au duc d'Epernon.

(1) Gustave Fagniez, *Fancan et Richelieu* (Paris, 1911) a montré le rôle de conseiller politique joué par Fancan auprès de Richelieu dans les premières années de son ministère. Dans le même ouvrage, ont été publiés plusieurs mémoires de Fancan, intégralement ou partiellement. Il en existe d'autres encore non publiés, en particulier dans le Vol. 787 de la série Mémoires et Documents des Archives des Affaires étrangères (f° 22 à 35) qui datent de 1627.

(1) Bernard de Nogaret de la Valette (1592-1661), fils du duc d'Espernon, lieutenant gouverneur pour son père de la ville de Metz.

que luy se faisoit fort, pourveu que l'affaire se mist entre ses mains, d'en faire avoir contentement à son compte. Je luy respondis tout ce que je peus pour luy tesmoigner que toutes les pensées estoient à mon advis bien esloignées de là. Il me répliqua encores que en cella il se faisoit une très grande faulte et, après m'avoir dit force raisons pour exitter telles pensées et exagérer les grands advantages que *M. d'Espernon* a tirées de *ceste place* dans ses adversitéz, m'a tesmoigné que je fairois plaisir à *ses maistres et amis* d'en *parler à la Reyne et au cardinal,* d'aultant que c'estoit le bien de *leur maison.* Je m'excusay sur mon partement. Il me dit qu'à mon retour il seroit encore temps pourveu qu'entre icy et là on ne se défairast point des chouses qui pouvoient servir à cella, comme l'on avoit desjà fait d'une qui y estoit fort propre, assavoir le *gouvernement de Xaintonge.* Il me dit les désirs *du père* et ceux de *La Valette,* qu'il seroit superflu de vous expliquer, et m'advoua de vous faire entendre qu'il m'avoit parlé confidemment de cest affaire quand je serois de retour, avec protestation tousjours qu'il n'avoit aulcune charge d'en parler, mais bien une grande dévotion à servir toutes les parties et congnoissant que d'une part et d'autre elles en pourroient retirer de très grands advantages. Sur les mesmes bruits, autres m'ont fait sentir que l'*évesché de Metz* (2) se peult avoir par récompense des *abbayes* et *espérance d'un chapeau.* Et je reviens tousjours à dire plus absolument que jamais, puisque telles facillitez s'offrent où je pensois de grandes difficultés, puisque tout ce qui pourrait estre *dict ou pensé* sur *ceste affaire* l'a desjà esté, et puisque les *mauvaises intentions* de beaucoup de gens, les apparences de *brouilleries* et les obligations de *prévoiance paroissent si claires et si certaines, M. le cardinal ne doibt pas négliger l'occasion ny pour la Reyne ny pour lui.*

Parce que j'ay recongneu que le baron de Gépue estoit *à cours d'argent,* et que *Vanes* cherchoit autre *marchant* depuis après à *clore marché avec luy* sous un autre *nom,* et luy bailler *argent* pour mettre l'affaire en seureté et bailler loisir à *M. le cardinal* de *trouver homme agréable* ou à *Marillac* de luy en *présenter* (b).

Je croy que ce seroit prudence de ne pas dégarnir la frontière du régiment que l'on en tire pour aller en Poitou, veu qu'il n'y peult estre de six sepmaines, et que les pays voisins estant remplis de gens de guerre, par trouppes dont l'on ne coignoist pas le chef ny le dessein, jusques à plus de 15 ou 18 mil hommes. Il y a grand subjet de jalousie et de tenir les places bien garnies.

Monsieur me dit mardy en prenant *congé de luy* que si je m'en allois pour veiller sur les reistres qui estoient aux environs de moy, mon voyage n'estoit pas mal employé. Il estoit en très *mauvaise humeur* depuis son retour de la cour, à ce que *ses gens me disent.*

(b) Cette phrase est obscure. Elle est cependant bien telle qu'elle a été transcrite.

(2) Il s'agit d'une intrigue assez embrouillée. Le siège épiscopal de Metz était occupé par Henri, duc de Verneuil, fils légitimé d'Henri IV, et frère de Gabrielle-Angélique, épouse de Bernard de La Valette, lieutenant gouverneur de Metz.

J'ay creu ne me debvoir pas esloigner sans vous donner advis de ce que dessus, et vous renouveller les protestations de fidellitté et affection avec lesquelles je suis,

Monseigneur,

Vostre très humble et très obéissant serviteur,

Marillac.

De Coullommiers, ce 4 novembre 1626.

286. — Le duc de Piney-Luxembourg de Richelieu. Blaye, 4 novembre 1626.

Univ. de Paris, Bibl. Victor-Cousin, Fonds Richelieu, Vol. 14, f° 145. — Original.

Analyse :

Protestation de fidélité au cardinal. Pour ce qui concerne les affaires de ses quartiers, il n'en a pas voulu l'importuner et a écrit à M. d'Herbault.

Pièce 286. — *L'auteur de cette lettre est Marie-Léon d'Albert, frère aîné du connétable de Luynes, devenu, par son mariage avec Marguerite-Charlotte de Piney-Luxembourg, héritier du nom et des biens de son beau-père.*

287. — M. de Baradat au cardinal de Richelieu. Versailles, 5 novembre 1626.

A.E., Mém. & Doc., France, Vol. 781, f° 76. — Original.

Monseigneur,

Je ne pouvois pas resevoir une marque plus agréable de mon bonheur que celle que je resois aujourd'huy par l'honeur qu'il vous plaist me faire, m'honorant de vos commandemens, lesquels je regrette de n'estre pas d'asés grande conséquanse pour vous tesmoigner mon très humble servise, auquel je ne manqueray jamais par la protestation que je vous ay faicte de demeurer éternellement,

Monseigneur,

Vostre très humble et très affectionné serviteur,

Baradat.

De Versailles, le 5me novembre 1626.

Le Roy m'a commandé de vous dire qu'il s'an iroit demain.

288. — M. de Thémines au cardinal de Richelieu. Dol, 6 novembre 1626.

Univ. de Paris, Bibl. Victor-Cousin, Fonds Richelieu, Vol. 14, f° 147. — Original.

Monsegneur,

Oultre ce que je doibs touz mes devoirs au Roy, je vous doibs tant d'ailleurs qu'estant veneu à ma cognesanse les choses qui mount esté escriptes par ung bon père religieux et que, de plus, il a dites à celuy de[s] miens, j'ay estimé estre de mon devoir et de ma fidélité acouteumée de vous le fère voyr et vous anvoyer mon cosin de Léobart pour vous en dire les particularités et resevoir toutz vos comandemens, vo[u]lant en toutes occasions vous tesmogner la pasion véritable que j'ay pour vous et pour vostre conserva[ti]on. Faites-moy l'honneur de man croire et de vous en aseurer. Je fés la visite de la côte de Bretagne afin de n'omettre rien de qui m'a esté demandé. Rien digne de vous ne viendra à ma cognésance que vous n'an soyés averty et que je ne vous rande des preuves d'ung qui se dit et se cognoit,

Monsegneur,

Vostre très humble et très obéissant serviteur,

Thémines.

A Dol, 6 novembre.

Pièce 288. — *La lettre est écrite sur double feuille, au verso de laquelle on lit la suscription : « A Monsegneur Monsegneur le Cardinal ».*

289. — M. de Schomberg au cardinal de Richelieu. S.l., 8 novembre 1626.

A.E., Mém. & Doc., France, Vol. 781, Invent. de la cor., 1627, f° 172.

Analyse :

« Il envoye des mémoires sur l'affaire de ses enfans ; ces mémoires ne se trouvent point. Il dit que M. le cardinal de La Rochefoucauld et le P. Suffren sont d'avis que, dans les choses douteuses, le Roy doit incliner à la douceur (1). Il envoye une lettre de M. de

Pièce 289. — *Le début de la lettre dont c'est ici le résumé concerne une altercation qui s'était produite, le 3 novembre, à Versailles dans l'appartement du roi, entre le fils du maréchal de Schomberg, le duc d'Halluin, et François de Coligny, marquis de Cressia. Roger du Plessis-Liancourt, gendre de Schomberg, avait pris le parti de son beau-frère. Voir* infra *pièce 294 la lettre du duc d'Halluin au cardinal.*

(1) Le roi devait accorder son pardon aux ducs d'Halluin et de Liancourt par la déclaration du 14 mai 1627 (*Mercure françois*, t. XIII, p. 380-383).

La Rochefoucauld sur l'affaire de deux gentilshommes de Poitou qu'on a arrêtés, ce qui fait monter à cheval toute la noblesse huguenote. Le Sr Desgranges Banconnière, frère de M. de Bressay, a tué un soldat en se deffendant. C'est le plus grand crime dont il se trouve chargé. Il faut finir cette aff[re] promptement. »

290. — A. M. de Toiras. Pontoise, 11 novembre 1626.

B.N., Fonds Baluze, Vol. 334, f° 196. — Minute de la main de Charpentier avec quelques mots de Richelieu.

Impr. : Avenel, II, pp. 289-290.

J'ay fait voir au Roy vostre billet par lequel vous me mandez que les maladies de la saison rendent l'événement douteux ; sur cela je vous diray que l'intention du Roy est que vous ne précipitiez rien, que les trouppes qu'on vous envoye ne sont que pour garantir d'une descente d'Anglois (a) Ré et Olćron, mais qu'on est bien ayse de les envoyer sur ce sujet, qui est véritable, et paroistra tel à nos voisins pour qu'au printemps vous puissiez vous en servir utilement, en une autre occasion (b), pour le service du Roy. Quoy que vous faciez vous advertirez auparavant Sa Majesté de ce que vous devrez faire.

De Pontoise, l'onziesme novembre 1626.

Pièce 290. — *Au cours de l'automne* 1626, *les opérations des Anglais sur mer se réduisent à quelques courses, dont les navires marchands français eurent à souffrir. Toutefois on n'ignorait pas qu'ils avaient formé le projet de descendre sur les côtes de France en trois endroits à la fois. Mais, en raison de l'approche de la mauvaise saison, Louis XIII devait d'ailleurs écrire à Toiras de retrancher les dépenses extraordinaires qu'il faisait en hommes et en munitions* (*M. Baudier,* Histoire du maréchal de Toiras, *t. I, p.* 127).

(a) Les mots « d'Anglois » sont de la main de Richelieu.
(b) « En une autre occasion » a été ajouté de la main de Richelieu : on peut penser avec quelque raison que cette « autre occasion » devait être le siège de La Rochelle, qui commencera au mois d'août 1627.

291. — M. de Lauson au cardinal de Richelieu. Rouen, 11 novembre 1626.

A.E., Mém. & Doc., France, Vol. 781, f° 78-79. — Original.

Monseigneur,

N'ayant aucun employ en ce lieu, je tasche de m'en donner par la conversation avec les marchants de cette ville, les entretenant sur le faict du commerce et leur tesmoignant le soin que le Roy prend de son restablissement, attendant de jour à autre nombre de vaisseaux de Hollande pour purger la mer de pirates et donner la liberté entière à ses subjects. Toute leur confiance est au secours qu'ils espèrent de Sa Ma[té] sans lequel ils le tiennent ruyné. Et que, pour les vaisseaux de Hollande, soit pour la construction, soit pour l'achapt si l'on se servoyt de leur nom, ils croyent que le Roy seroit servy avec plus de diligence, et que les Holandois, ne se doubtant pas (a) d'eux, n'apporteroient peut estre pas les longueurs qu'ils font pour les laisser sortir hors, où au contraire l'appréhension qu'ils ont que le Roy ne devienne puissant sur la mer les met en peine, prévoyant que cela n'arrivera jamais qu'à leur préjudice et de leurs alliés. Outre qu'en France le Roy pourroit faire construire des vaisseaux, non pas en si grand nombre à la fois, mais tant y a qu'il y pourroit estre servy avec contentement. Et discourants sur les desseins du Roy, disent que les forces maritimes dont il veult maintenant faire estat, peuvent estre destinées à deux sortes d'emplois. Si pour la guerre, qu'il est bien raisonnable que le Roy donne commandement sur ses vaisseaux à telles personnes qu'il advisera : les marchants n'ont que voir sur l'ordre que le Roy y voudra establir, ses conseils doivent estre communiqués qu'à ceux qu'il luy plaira choisir pour les exécuter. Mais si Sa Majesté a volonté de prester quelques-uns de ses vaisseaux pour l'assistance des navires marchants comme ils en ont très grand besoin — et sans ce secours tout le trafic s'en va perdre — ils suplieront très humblement le Roy de les vouloir entendre en leurs remonstrances sur ce subject. Et cependant considérer qu'ils ne peuvent espérer aucun profit de la bonne volonté du Roy, si on leur donne la liberté entière d'y préposer telles personnes de probité et valeur recogneüe qu'ils pourront choysir eux-mesmes, et en qui ils puissent avoir confiance pour la conservation de leurs marchandises.

Ils estiment, sous le bon plaisir de Sa Ma[té], que le Roy ayant faict la première despence de l'achapt des vaisseaux, de laquelle

Pièce 291. — *L'auteur de cette lettre est Jean de Lauson, seigneur de Liré. Fils d'un conseiller au parlement de Paris, François de Lauson, et d'Isabelle Lotin, il fut d'abord conseiller au parlement, en février* 1613, *puis maître des Requêtes, en mai* 1622. *Chargé, pendant plusieurs années du gouvernement des établissements français en Nouvelle-France, avec le titre de vice-roi, il sera plus tard président au Grand Conseil et successivement intendant de Provence et de Guyenne. En* 1657, *il sera l'un des douze conseillers d'Etat ordinaires chargés de préparer la réforme du Conseil.*

(a) « Ne se doubtant pas » = ne se méfiant pas d'eux.

seule il seroit chargé, et les ayant fait équiper en guerre, il en pourroit consigner tel nombre qu'il jugeroit à propos entre les mains des eschevins des principales villes de la Normandie — Rouen, Caën, le Havre, Dieppe — lesquels en respondroient au Roy. Les autres provinces du royaume pourroient obtenir pareille faveur selon le besoin qu'elles en auroient.

Dans les susd[s] vaisseaux, les marchants nommeroient capitaines pour y commander, soldats et matelots pour y servir, les fourniroient de vivres et autres choses nécessaires pour l'équipage, les tiendroient continuellement en estat de servir en cas que le Roy en eust besoin, et à ce faire les communautés s'obligeroient.

Quant à la despence nécessaire pour l'entretien desd[s] vaisseaux ils suplieroient le Roy d'avoir agréable qu'il s'en feist un répartement (b) entre eux, à prendre sur les marchandises pour l'escorte desquelles les vaisseaux du Roy auroient servy. Comme il faudroit qu'à certain temps, et particulièrement pour l'Espagne, où le trafic est plus avantageux, les vaisseaux allassent tousjours de flotte et plustost de six mois en six mois, que ces deniers, qui se lèveroient entre eux pour tel entretien, ils ne feussent obligés de compter en autre lieu que par devant tel nombre de marchants qui seroit advisé dans les communautés.

Que si Sa Majesté en use autrement, c'est abandonner les marchants entre les mains des gens de guerre, lesquels jusques à présent ne les ont pas favorisés. Si le Roy nomme des capitaines pour commender aux vaisseaux, comme l'on a faict autres fois, tant s'en fault que les marchants en reçoivent soulagement, qu'au contraire leur condition en empierera, car encores à la mer taschent-ils, dans ce grand (c), d'esviter les corsaires, à un besoin se tenir sur leurs armes et se défendre. Mais ce leur seroit une ennemy domestique contre lequel ils n'auroient point de résistance. Ils ont apris par l'expérience que les capitaines sur la mer ne se donnent pas moins d'auctorité que les gouverneurs des places et citadelles sur terre ; si les marchants manquoient à les contenter, ils ne voudroient pas faire voyle, feroient perdre les occasions et les saisons aux marchants, voudroient entrer en part avec eux pour le trafic, voudroient que leur marchandise feust vendüe la première, ne voudroient participer qu'au gain et non à la perte. Comme dans quelques villes maritimes, ceux qui commendoient autres fois ont ruiné les marchants et le commerce en exerçant ces violences, et de faict, pour les vaisseaux gardes-postes, les marchants de cette province en ont esté si mal traictés qu'ils ont esté autres fois contraints d'en demander la révocation, quelque temps après qu'ils y feussent establis.

Pour satisfaire à cette première despence de l'achapt des vaisseaux, les contineuelles pertes souffertes depuis les dernières années rendent les marchants impuissants de secourir le Roy. Mais ils disent que, l'an passé, le Roy d'Angleterre feit par formes d'emprunt de grandes levées sur les estrangers de nouveau establis en son royaume, jusques à faire payer vingt mille escus à tel d'entre eux, que l'on pourroient en faire autant en celuy-cy et par cette voye.

(b) « Répartement » = répartition.
(c) Mot illisible.

Les estrangers corrompent nos mœurs et nous ruynent le trafic les villes de cette province sont pleines d'Espagnols et Portugais, judaïsants, Anglois et Flamens de la religion prétendüe réformée, qui, bien souvent bannis de leur pays, nous apportent leurs mauvaises habitudes et nous les communiquent, séduisent les François qu'ils prennent à leur service, attirent à eux tout le trafic estranger : font les Espagnols et Portugais tout le trafic pour l'Espagne et Portugal ; les Anglois et les Flamens, celuy de leurs provinces comme commissionnaires des estrangers, au lieu qu'ils debvroient tout passer par les mains des François et n'achepter rien de la première main. Et cela soubs ombre de lettres de naturalité, qu'ils ont obtenües avec trop de facilitez, non pas avec dessein de demeurer en France, car ils n'y font aucunes acquisitions d'immeubles, n'y font construire aucuns vaisseaux, et ayants tout leur bien une cassette le transportent quand il leur plaist. Et bien que par lettres patentes enregistrées en ce parlement en 1620, l'on eust en quelque manière voulu réprimer ce désordre, les juges se laissent corrompre par les présents qu'ils reçoivent d'eux, en sorte que les estrangers trouvent icy plus de protection que les François.

Le Roy pourroit, à ce qu'ils disent, sur ces motifs révocquer toutes lettres de naturalité accordées depuis un certain temps, et, pour le restablissement qui seroit par eux demandé, les faire financer pour subvenir à la despence de l'achapt des vaisseaux, aux mesmes prétendants estre régnicoles (c) jouïroient les premiers de la commodité qui en proviendroit. Et désormais ne point accorder de lettres de naturalité qu'après dix ans ou autre temps d'actuelle résidence, la cause de la sortie de leur païs bien et deüment examinée avec attestation de leurs vie et mœurs, suyvant l'intention desdictes lettres de 1617 et 1620, et, en cas de retraicte, perte de la disiesme partie ou autre de leurs facultés.

De plus, est-il raisonnable que le régnicole et l'estranger soient traictés d'une faveur égale ? Il n'y a nation qui ne se donne quelque privilège particulier en son païs au préjudice de l'estranger : en Angleterre, les Anglois, entre les grands avantages qu'ils se sont conservés, ne payent que moitié des droicts de coustume que nous payons ; nous n'acheptions que de la seconde main ; nous n'enlevons et eux ne nous apportent que marchandises manufacturées, hors le plomb et l'estain, et jusque à de la chandelle et des vieux souliers. Nous ne leur oserions porter rien de ce qu'ils font ou peuvent faire en leur païs, qui ne soit confisqué, bien que par le traicté de 1606, registré en 1607, art. 13, par lequel il semble que l'on aye de gayeté de cœur trahy la cause et l'honneur de la France, les marchandises angloises apportées en France estant jugées vitieuses il ne nous soit pas loysible de les confisquer, Messieurs de Maisses et de Boissise, commissaires, s'estants contenté qu'il leur seroit enjoint de les reporter en Angleterre, et encores sans payer aucun droit de sortie. Les Espagnols et Portugais se réservent seuls le trafic des Indes. Pour les Flamens, ils ne nous donnent pas le loysir

(c) Terme de jurisprudence qui désigne les habitants naturels d'un royaume, d'un pays, considérés par rapport aux droits dont ils peuvent légitimement jouir. Par extension, ce terme s'applique aux étrangers naturalisés qui, du fait de leur naturalisation, bénéficient de ces mêmes droits.

d'aller rien quérir chez eux, nous sommes pleins de leurs manufactures (d).

Ne pourroit-on pas faire la distinction entre la marchandise que présente le François et celles que nous apporte l'estranger ? comme par exemple, les Flaments qui nous apportent icy le hareng : comme ils courent moins de périls et de risques que les François, estants en bonne intelligence avec tous les pirates, dont eux-mesmes font partie, acheptants d'eux à vil prix les vaisseaux et marchandises déprédées, le gain leur estant asseuré, comme aussy n'ayants point de terre pour pouvoir faire a... (e) chose, ils se passent à moins, et ainsy vendent leur poisson à prix plus raisonnable que les François. Et si par l'usage qu'ils avoient du sel... (e) d'Espagne, leur marchandise paroissoit plus belle, de sorte que ces deux qualités, qu'ils ont peu jusques à présent facilement donner à leur marchandise, à nostre préjudice, a faict qu'ils nous ont quasi ravy toute la pesche, que nos matelots sont sur le point d'abandonner.

Le Roy ne pourroit-il pas mettre certaines impositions sur le hareng estranger, et en descharger le françois, en mettre autant sur la morüe, en user de mesme pour les autres marchandises, et ainsy trouver du fonds pour l'achapt de quelques vaisseaux et autres nécesssités de l'Etat ? Cela produiroit deux effects : pour l'un, le secours présent en deniers ; pour l'autre, et bien plus avantageux, le Roy donncroit à la France quatre mille matelots qu'elle n'a point. Et par la douceur du gain et de l'avantage que l'on donneroit au régnicole, on le rappelleroit dans le commerce, duquel l'estranger faict tous ses efforts de le chasser et le mettre à tel point que, luy tournant à perte, il soit forcé de l'abandonner comme il faict.

Monseigneur, mon discours passe les bornes d'une lettre, mais le désordre est si grand, si recogneu, si peu considéré que j'ay crainte de ne pas en avoir assez dict pour l'importance de l'affaire très considérable à l'Estat, lequel à peine pourra subsister si vous ne chassez les manufactures estrangères par les impositions, pour y employer l'inutilité des subjects du Roy, et si vous ne diminuez le nombre et le pouvoir des estrangers naturalisés, pour redonner le trafic aux régnicoles qui ne le peuvent plus exercer.

A tant, je feray fin, vous supliant, Monseigneur, de considérer que ce sont marchants qui parlent, et dans le plus pressant de leurs maux. Si quelque chose heurte les traictés ou la bonne intelligence que nous debvons avoir avec nos alliés, ils s'en remettent à vostre prudence, mais nos voysins ne sont pas si considérants que nous et se conduisent plus que nous par l'intérest particulier, comme les Espagnols l'ont encores depuis un an et demy pratiqué en l'érection de leur nouvelle admirauté. C'est,

Monseigneur,

Vostre très humble, très obéissant et très obligé serviteur,

De Lauson.

A Roüen, ce mercredy onziesme nov.

(d) Entendre : leurs produits manufacturés.
(e) Le papier est détérioré à cet endroit.

292. — M. de Schomberg au cardinal de Richelieu. S.l., 12 novembre 1626.

A.E., Mém. & Doc., France, Vol. 781, Invent. de la cor., 1626, f° 172 v°.

Analyse :

« Il a beaucoup de choses à dire à M. le Cardinal qui ne se peuvent écrire. M. de la Saludie prit hier congé du Roy et est parti aujourd'huy. M. de Schomberg va avec M. d'Herbault chez le garde des sceaux pour voir ce qu'il y a à faire au sujet des v[aisseau]x. »

293. — Louis de Marillac au cardinal de Richelieu. Verdun, 12 novembre 1626.

A.E., Cor. pol., Lorraine, Vol. 7, f° 207. — Original.

Analyse :

Selon certains avis venus d'Allemagne, l'Electeur de Bavière serait mort (1) ; d'autres assurent qu'il est en excellente santé. La vérité est qu'il a été gravement malade, et que son frère, l'Electeur de Cologne, en a profité pour s'entendre avec l'empereur sur la succession de l'électorat de Bavière, dont il voulait exclure son autre frère, tandis que le fils de l'empereur Ferdinand aurait été investi des évêchés de Liège et de Cologne. Il semble certain que Maximilien de Bavière serait fort désireux de conclure un accord avec la France, mais il doit se méfier de son entourage.

Selon les instructions du cardinal, il se dispose à se rendre en Luxembourg, mais il fera ce voyage incognito ; autrement il ferait trop de bruit.

Il mande à M. de Schomberg et au garde des sceaux quelques nouvelles de Lorraine, dont il ne veut pas importuner le cardinal.

Il a cru utile d'ôter à La Valette l'opinion où il était que le cardinal lui voulait du mal, et de dissiper l'effet de certains rapports qu'on lui avait faits.

Il prendra toutes les mesures convenables afin d'aller passer l'hiver à Paris, comme le cardinal le lui a promis.

(1) Maximilien de Bavière ne devait mourir qu'en 1651.

294. — Le duc d'Halluin au cardinal de Richelieu. S.l., 13 novembre 1626.

A.E., Mém. & Doc., France, Vol. 781, f° 83. — Original.

Analyse :

Il s'autorise de l'amitié que le cardinal témoigne à son père, le maréchal de Schomberg, pour solliciter sa protection et son assistance contre la mauvaise fortune qui l'accable.

Pièce 294. — *Charles de Schomberg* (1600-1656) *était le fils du premier mariage d'Henri de Schomberg, maréchal de France depuis* 1625. *Il avait épousé Anne d'Halluin-Piennes, fille et héritière de Florimond marquis de Piennes et de Maignelais, et de Claude-Marguerite de Gondi ; mariée d'abord au duc de Candale, fils aîné du duc d'Epernon, elle avait obtenu séparation et apporta à son nouveau mari le titre de duc d'Halluin. La « mauvaise fortune » dont il est ici question n'est autre que la menace de la disgrâce royale consécutive à l'altercation qui avait éclaté, le* 3 *novembre, dans l'appartement du roi à Versailles, entre le duc d'Halluin et le marquis de Cressias. Il existe aux Archives des Affaires étrangères. Mém & Doc., Vol.* 787, *f°* 44 *— un mémoire sur cette affaire par ordre du roi.*

295. — M. de Saint-Géry au cardinal de Richelieu. S.l., 13 novembre 1626.

A.E., Mém. & Doc., France, Vol. 781, f° 83. — Original.

Analyse :

Dupuy, l'envoyé du duc de Rohan à la Cour, a écrit à son maître les détails de l'entretien qu'il avait eu avec le cardinal. Ce Dupuy est un homme qu'il est possible de gagner : il n'a guère d'autre religion que son intérêt ; il est secret, fin avisé, mais violent quand il a de l'autorité. Il a eu une large part aux derniers événements du Languedoc, autant pour venger ses rancunes personnelles que pour « fouiller dans la bourse du public ». Il a toute la confiance du duc de Rohan, et serait capable de l'incliner au bien comme au mal. — Il donne ensuit quelques nouvelles de personnes notables du Languedoc. — Terrien est revenu fort mal content : il n'a pas dit à la cour tout ce qu'il savait.

296. — M. de Senneterre au cardinal de Richelieu. Grenoble, 14 novembre 1626.

A.E., Mém. & Doc., France, Vol. 1546 (Dauphiné), f° 162. — Original.

Analyse :

Le porteur de la lettre est chargé de rendre compte au cardinal de tout ce qui s'est passé à Grenoble, depuis le départ du comte de Soissons pour Neufchâtel.

297. — MM. les présidents du parlement de Rennes au cardinal de Richelieu. Rennes, 16 novembre 1626.

A.E., Mém. & Doc., France, Vol. 1503 (Bretagne), f° 256.

Analyse :

Ils sollicitent l'appui du cardinal pour obtenir du roi l'augmentation de leurs gages, « l'intérest de Sa Majesté estant de maintenir la dignité des premiers magistrats de sa justice ».

298. — M. de Navailles au cardinal de Richelieu. La Rochelle, 18 novembre 1626.

A.E., Mém. & Doc., France, Vol. 1475 (Angoumois), f° 51. — Original.

Analyse :

La nouvelle du départ de la flotte anglaise et l'opinion qu'on se fait à La Rochelle du but de son expédition ont provoqué chez les habitants une certaine agitation. Mais ils sont également alarmés par le bruit qui s'est répandu d'une entreprise qui menacerait leur ville, dont on leur a indiqué le temps et le lieu de l'attaque. Les préparatifs militaires auxquels se livre M. de Toiras les inquiètent, et ils s'imaginent qu'on a pris pour prétexte le départ des navires anglais, alors qu'on sait que cette flotte est destinée à attaquer les galions espagnols qui reviennent des Indes. Au surplus, la tempête a obligé cette flotte à regagner ses ports : on devrait donc cesser de poursuivre en l'île de Ré les armements que l'on y fait.

299. — M. Le Doulx au cardinal de Richelieu. La Rochelle, 18 novembre 1626.

A.E., Mém. & Doc., France, Vol. 1475 (Angoumois), f° 53. — Original.

Analyse :

La crainte d'importuner le cardinal l'a retenu de lui écrire plus souvent, mais M. de Navailles et lui-même donnent régulièrement à M. d'Herbault des nouvelles de La Rochelle. Actuellement, les Rochelais montrent une grande inquiétude de l'envoi de cavallerie dans l'île de Ré. Il écrit à ce sujet : « Nous sommes à leur faire comprendre que ce n'est pas leur subject et qu'ils se doivent contenir. Ils se sont voulu persuader que ce n'estoit qu'un prétexte que l'on prenoit au subjet des Anglois pour les surprendre, et que le Roy leur eust aussy bien escrit qu'aux autres villes et lieux voisins » ; à quoy les commissaires ont répondu que le roi leur avait fait connaître ses intentions par leur bouche suivant la charge qu'ils en avaient. Jusqu'à présent toutefois aucune manifestation préjudiciable au service du roi ne s'est produite.

300. — Mémoire touchant la Marine, envoyé à M. le Garde des Sceaux, le 18 novembre 1626.

A.E., France, Vol. 781, f° 111. — Minute de la main de Charpentier. Impr. : Avenel, II, pp. 290-292.

C'a esté, jusqu'à présent, une grande honte que le Roy, qui est l'aisné de tous les roys chrestiens, ayt esté, en ce qui est de la puissance de la mer, inférieur aux moindres princes de la chrestienté. Sa Majesté, voyant le mal qui en arrivoit à son royaume et à ses sujets, s'est résolue d'y mettre ordre, en se rendant aussy puissant en mer comme elle l'est en terre. Sans ceste résolution, il ne falloit plus faire estat d'aucun trafficq. Les sujets du Roy estoient tous les jours non seulement privez de leurs biens, mais de liberté, nos voysins pensoient avoir droit de nous vendre leurs endrées à leur mot et prendre les nostres pour ce que bon leur sembloit. Maintenant ces misères cesseront, Sa Majesté s'estant résolue d'entretenir trente bons vaisseaux de guerre pour tenir les costes nettes, ses sujets dans les bornes où ils doivent demeurer et ses voysins en la considération qu'ils doivent avoir d'un si grand Estat.

La despence de cet armement sera de 1.500.000 livres par an. M. le garde des sceaux verra s'il faut pas parler de la suppression de la connétablie et de l'admirauté, qui espargne plus de 400.000 livres par an ; et s'il faut dire un mot du soing que le Roy a voulu que le cardinal prist du commerce, soin attaché à une charge à laquelle luy-mesme n'a point voulu qu'on attribuast de gages, ny aucune utilité qui tombast sur les coffres du Roy (1).

En vérité, je ne sçay s'il sera à propos de dire cela ; je m'en remets à ce que M. le garde des seaux advisera pour le mieux (2).

Pièce 300. — *La charge de « Grand Maître, Chef et Surintendant de la Navigation et Commerce de France » avait été érigée en office au mois d'octobre précédent, et c'est à ce titre que Richelieu rédigea ce mémoire à l'intention du Garde des sceaux, Michel de Marillac, en vue de la composition du discours que celui-ci devait prononcer devant l'Assemblée des Notables, dont l'ouverture était fixée au 2 décembre. Le texte de ce discours, qui parut au* Mercure françois, *t. XII, p.* 759 *—, a été imprimé dans divers recueils. Il n'apparaît guère que le Garde des Sceaux ait suivi les suggestions du cardinal, et il n'est pas impossible que des modifications aient été par la suite apportées aux instructions du cardinal, à moins — comme l'a supposé Avenel à ce propos — que « le cardinal, qui commençait à peine alors à dominer les conseils de la couronne, n'ait pas été obéi comme il eût voulu l'être ».*

---

(1) L'économie qui résultait de la suppression des charges d'amiral de France et de vice-amiraux est mentionnée dans les lettres de création de l'office de grand maître, chef et surintendant dans la navigation et commerce de France, Mais Richelieu aurait sans doute désiré que le garde des sceaux soulignât que la charge nouvellement créée ne comportait pas de traitement, et, comme le disent ses *Mémoires,* qu'il n'avait reçu « cet emploi que pour s'y adoner tout à y servir le Roi ».

(2) Le discours de Michel de Marillac se borna à dire : « Le roy a esteint les charges de la connestablie et admirauté, et supprimé les gages et les despences que ces deux charges causoient, qui ne montent pas moins de quatre cents mil livres par an ».

301. — M. de Bullion au cardinal de Richelieu. Paris, 18 novembre 1626.

A.E., Corp. pol., Turin, Vol. 7, f° 243. — Original.

Monseigneur,

J'ay receu la lettre qu'il vous a pleu m'escrire au mesme temps que Monsieur de Saint-Sauveur s'est rendu en ceste ville, lequel m'a dit n'avoir autre chose à faire tentendre à Monsieur le mareschal de Créquy que de luy doner une dépesche du Roy fermée sans qu'il sache le contenu. J'ay estimé pour le service du Roy que cette affaire facheuse a plus besoin de l'exécution que de longueurs et difficultez, ayant mesme veu ce qu'il vous a pleu m'escrire que vous croyez que l'intérest de S.M. estoit de gratifier pendant les dix années Monsieur de Créquy. J'ay donc ouvert le paquet, où j'ay trouvé que le brevet ne parloit que de six années au lieu de dix. Je vous suplie, Monseigneur, d'y interposer vostre authorité, affin que ceste province soit entièrement acquise au Roy et deslivrée de la puissance de ceulx de la religion, p.r., que le brevet soit réformé pour deux années. Encores y aura-t-il assez de peine à faire comprendre raison à Monsieur le mareschal sur ce faict. Et de faire aussi donner un mot d'introduction ou lettre de créance à Monsieur de Saint-Sauveur, affin qu'il die à Monsieur le mareschal ce qui est nécessaire pour le service du Roy. Je ne manqueray pas de mon costé d'escrire et faire tout ce qui dépendra de moy pour achever une affaire de telle importance et qui est le fruit du soin que le Roy a voulu prendre de la personne de Monsieur le connestable pour par le douceur remettre dans l'obéissance dix-sept places de seureté qui estoient cy-devant dans la province de Dauphiné.

J'ay estimé qu'il falloit reformer quelques articles dans l'estat des places dont le Roy ordonne les garnisons estre ostées, assavoir Bais et la Roche de Glien, et de celles qu'il faut raser entièrement suivant la résolution qu'il a pleu au Roy d'en prendre en v^re^ présence et de Monsieur le garde des sceaux.

Ceux de la Rochelle me sont venus voir et sont extrêmement satisfaicts de ce qu'ils vous a pleu leur dire, et font plus estat de vostre parole que de chose du monde, sachant l'authorité que vous avez auprès du Roy et avec quelle sincérité vous conduisez très heureusement les affaires de Sa Majesté.

M. des Isles m'a dit quelques particularitez de M. de Rohan et d'Angleterre, que je réserve à vous dire au commencement de la sepmaine prochaine, que je me rendray, Dieu aydant, auprès de vous pour recepvoir vos commandemens.

J'ay veu madame la comtesse (1), qui m'a tenu deux grosses heures. Je vous en diray aussy, Dieu aydant, les particularitez, mais à l'advance j'ose vous dire que je l'ay trouvée dans une modération, qui n'est pas, ce me semble, ordinaire à son humeur, parlant de vous avec grand respect, et désadvouant tous les discours qu'on vous a peu tenir. Au contraire, ne luy ayant faict cognoistre

(1) La comtesse de Soissons, Anne de Montafié.

chose quelconque de v^re^ part moy-mesme, elle proteste vouloir suivre la loy que luy donnerez, m'ayant dit néantmoins qu'elle souhaite plustost la mort que de s'en retourner autrement qu'avec honneur et seureté. Je me suis chargé à sa prière d'avoir l'honneur de vous voir et de vous dire particulièrement ses intentions.

Je vous demande pardon, Monseigneur, si je ne me rends auprès de vous, mais le conseil des médecins m'a retenu pour quelques jours en cette ville. Je vous suplie me continuer l'honneur de vos bonnes grâces et croire que je suis,

Monseigneur,

Vostre très humble, très obéissant et très obligé serviteur,

Bullion.

De Paris, ce XVIII novembre.

302. — Déclaration du marquis d'Everly au fait de M. le Grand Prieur. S.l., 18 novembre 1626.

A.E., Mém. & Doc., France, Vol. 781, f° 88-89. — Copie.
Une copie abrégée de cette déclaration se trouve dans le Vol. 783, f° 108, des mêmes archives.

Du dix-huit[e] jour de novemb. 1626 à St-Germain-en-Laye.

Mre Gabriel de la Vallée des Fossez, marquis d'Everly, gouverneur de la ville et citadelle de Montpellier, aagé de cinq[te] un an ou environ, après serment par luy fait de dire la vérité sur les faits dont il est enquis.

A dit qu'il y a environ trois sepmaines ou un mois, Madame la duchesse d'Elbeuf (1) luy dist qu'un secr[re] de Monsr le Grand Prieur nommé du Nault, avoit convié lad. dame d'Elbeuf de s'entremettre pour obtenir le pardon pour Monsieur son frère, — qu'il n'estoit plus temps que le led. Sr Grand Prieur parlast d'innocence et prétendist se sauver par là ; — qu'il auroit recours à la miséricorde et demanderoit pardon, recoignoissant estre coupable de certains desseins non seulement contre l'Estat, mais mesme contre la personne du Roy séparément.

Que lad. dame d'Elbeuf, estonnée de ce discours, désirant ayder led. Sr Grand Prieur son frère, pria led. Sr des Fossez de dire ce que dessus au Roy et à la Royne sa mère. Ce qu'il feist, et le Roy luy commanda de veoir avec lad. dame d'Elbeuf si led. secr[re] mettoit

Pièce 302. — *Plusieurs passages de cette déposition ont été utilisés par les rédacteurs des* Mémoires du cardinal de Richelieu (*Voir, en particulier, édit. de la S.H.F., t. VI, p.* 170 *et s.*).

(1) Catherine-Henriette de Bourbon, fille d'Henri IV et de Gabrielle d'Estrées (1586-1663), duchesse d'Elbeuf depuis 1619.

en avant ce qu'il disoit de sa part ou s'il le sçavoit de celle dud. Sr Grand Prieur.

Dont ayant fait le rapport à lad. dame d'Elbeuf, elle fit venir le secr[re] en sa présence, qui redit les mesmes choses, déclara agir de la part de Monsr le Grand Prieur, priast qu'on ne le pressast point de dire par quelle voye il avoit correspondant avec luy de peur de perdre son intelligence, mais que s'il plaisoit au Roy commander aud. Sr de Fossez d'aller trouver led. Sr Grand Prieur avec luy, il recongnoistroit tout ce qu'il avoit dit en sa présence, qu'il répéta plusieurs fois estre véritable.

Qu'ayant eu, à la prière dud. secr[re], commandement du Roy, il fut trouver Monsieur le Grand Prieur au bois de Vincennes, auquel, après avoir exposé le subject de son voyage, d'abord iceluy Sr Grand Prieur se trouva fort vacillant, et led. secr[re] confessa led. Sr Grand Prieur avoit dit tout ce qui est cy-dessus, et le pria le genouil en terre de se sauver en confessant ce qu'il sçavoit.

En quoy led. Sr Grand Prieur reconnut ce qui s'ensuit :

Qu'il s'estoit opposé avec plus[rs] autres au mariage de Monsieur.

Qu'il avoit conseillé à Monsieur, depuis la prise du colonel, de traiter rudement les ministres pour le ravoir par ce moyen.

Que si cela manquoit, il luy avoit conseillé de sortir de la cour ou de prendre les armes pour la mesme fin.

Que, quand il disoit que Monsieur le Comte, Monsieur de Nevers et Monsieur de Longueville et autres en estoient, les uns ont fait leur paix et sont à la cour, et les autres en estat qu'on ne leur peut mal, estans esloignés.

Qu'on proposoit de faire retirer Monsieur à Metz ou à Sedan, sur quoy il adjousta : On dit que j'ay escrit une lettre à Monsr de la Valette sur ce subject ; qu'on me la montre et je la recongnoistray.

Plus, que, parlant de Chalais, il dit qu'il estoit mort pour n'avoir point eu d'esprit, et que si on s'en vouloit servir contre luy, il falloit le garder pour le luy confronter.

Qu'il advoua encores avoir fait chasser d'Antilly (2) et donné conseil de ne croire point ny Goulas (3) ni Marcheville (4).

Et quant à ce que led. du Nault avoit parlé d'un dessein contre la personne du Roy, led. Sr Grand Prieur ne voulut pas le recongoistre, et dit aud. du Nault : Mon amy, vous avez là dit une chose qui vous donnera bien de la peine, et à moy.

Qu'après que led. Sr Grand Prieur eust dit tout ce que dessus icelluy Sr Grand Prieur dit aud. Sr des Fossez : Je ne crois pas que vous voulussiez redire tout ce que je vous dis. Sur quoy il luy répartit qu'il n'estoit venu là que pour sçavoir ce qu'il vouloit dire pour le reporter au Roy, qui l'y avoit envoié exprèe, s'estant obligé de ne le celer pas. A quoy led. Sr Grand Prieur répliqua :

---

(2) Robert Arnauld d'Andilly (1589-1674), intendant général de la maison de Monsieur, il avait été congédié le 12 mai 1626.

(3) Léonard Goulas, intendant, puis secrétaire des commandements de Monsieur.

(4) Henri de Gournay, comte de Marcheville, premier chambellan de Monsieur, après avoir été gouverneur du jeune duc Charles de Lorraine.

Pour mon secret^re^ j'ay de quoi le récuser ; pour vous, je vous tiens si homme de bien que je n'ay rien à dire sinon que je ne vous en ay pas parlé.

Sur cela, led. Sr des Fossez appela Monsr de Loustelnau, qui estoit dans un petit retranchement qui est dans la chambre, et luy dist :

Monsr de Loustelnau, je suis bien ayse que vous sçachiez en peu de mots ce que Monsieur le Grand Prieur nous vient de dire à mon secr^re^ et à moy, parce qu'il dit qu'il niera l'avoir dit et donnera des causes de récusation contre son secret^re^. Je désire cependant que vous sachiez en sa présence ce qu'il m'a dit, et luy répétta mot à mot ce qui est dit cy-dessus tout au long. Pendant lequel discours, led. Sr Grand Prieur dit d'abord : Vous direz ce que vous voudrez. Et après que le raport fut fini, disant aud. Sr Grand Prieur : Monsieur, est-il pas vray que vous m'avez dit tout ce que je viens de dire ? Led. Sr Grand Prieur respondit : Ouy. Sur quoy led S^r^ des Fossez dit aud. Sr de Loustelnau : Vous vous en souviendrez, s'il vous plaist, et je m'en vais le dire au Roy.

Qui estoit ce que led. S^r^ des Fossez a dit, et lecture à luy faite de sa déposition y a persévéré et signé.

Signé : de la Vallée des Fossez, de Marillac
et le Beauclerc.

303. — Depposition de M. de Chanlecy au fait de M^r^ le Grand Prieur. S.l., 21 novembre 1626.

A.E., Mém. & Doc., France, Vol. 781, f° 90. — Copie. Vol. 783, f° 109-110. — Copie.

Du XXIe jour de novemb. 1626, à St-Germain-en-Laye.

Noble homme Jean de Chanlecy, chevalier de l'Ordre du Roy, baron de Plévau, aagé de soix^te^ quatorze ans ou environ, après serment par luy fait de dire vérité sur les faits dont il est enquis,

A dit y avoir environ trois sepmaines qu'estant près de Madame la duchesse d'Elbeuf, il veit le secret^re^ de Monsieur le Grand Prieur nommé du Nault, lequel pria lad. dame d'intercéder pour led. Sr Grand Prieur anvers le Roy, disant qu'il ne faloit plus parler d'innocence, mais bien de miséricorde, et que led. Sr Grand Prieur déclareroit avoir commis des fautes non seulement contre l'Estat, mais contre la personne du Roy séparément.

Que led. secr^re^ estant enquis s'il s'agissoit de son chef ou par l'ordre de Monsieur le Grand Prieur, déclara agir par l'ordre dud. Sr Grand Prieur.

Pièce 303. — *Comme la pièce précédente, cette déposition a été utilisée par les rédacteurs* des Mémoires du cardinal du Richelieu (*Voir en particulier. édit. de la S.H.F., t. VI, p.* 165).

Jean Boyer de Champlecy (1551-1636), *baron de Pluvault en Charolais, était gentilhomme ordinaire de la chambre depuis* 1613.

Pria qu'on ne le pressast pas de dire son intelligence de peur qu'on la luy fist perdre, et qu'il pria lad. dame d'Elbeuf de supplier le Roy d'y envoyer, et qu'il feroit reconnoistre ce que dessus aud. Sr Grand Prieur, en la présence de celuy qui iroit, à peine de sa vie.

Qui est tout ce que led. S^r^ déposant a dit, et lecture à luy faite de sa déposition y a persévéré et signé.

Signé : Chanlecy, de Marillac, le Beauclerc.

A la suite de la copie de ces deux dépositions, on lit, au f° 110 du Vol. 783 :

Il y a toute apparence de croire qu'en conduisant ceste affaire avec dextérité, on l'amènera au point que l'on désire, qui est une nette recognoissance de crime, sujet à peine et à grâce, qui est ce à quoy on incline le plus.

Quand les dépositions cy-dessus seront faites, pour descharger de peines, je dresseray les faits sur lesquels il faudra interroger M^r^ le Grand Prieur.

Il n'est plus temps de s'endormir en ceste affaire.

304. — Déposition de M. de Loustelnau. Paris, 23 novembre 1626.

A.E., Mém. & Doc., France, Vol. 781, f° 93-94 et f° 95. — Copies.

Du XXIIIe jour de novem. 1626, à Paris.

Jehan de Loustelnau, Sr de la Garde, sergent major au régiment des Gardes du Roy, aagé de 48 ans environ, après serment par luy fait de dire vérité sur les faits dont il est enquis,

A dit qu'il y a environ un mois que Monsr du Fossé luy apporta une lettre du Roy par laquelle Sa Ma^té^ luy commandoit de laisser voir aud. Sr du Fossé Monsieur le Grand Prieur, que son secrét^re^, nommé du Nault, estoit avec luy déposant, suivant lequel commandement icelluy déposant mist lesdits sieurs du Fossé et du Nault en la chambre dudit Sr Grand Prieur et se retira en un cabinet.

Qu'il ne sçait pas ce qui se passa entre lesdits Srs Grand Prieur, du Fossé et du Nault, mais que ledit Sr du Fossé, devant que sortir, appela le dit déposant et luy dit qu'il estoit bien ayse qu'il sceut ce que led. Sr Grand Prieur nieroit l'avoir dit et donneroit des causes de récusation contre son secr^re^, que cependant il désiroit que ledit déposant sceut en la présence dudit Sr Grand Prieur tout ce qu'icelluy Grand Prieur avoit dit en reconnu formellement aud. Sr du Fossé, qu'il répéta tout au long comme il s'ensuit :

Pièce 304. — *Au verso de la première copie — f° 94 — on lit les indications suivantes : « Loustelnau touchant Monsr le Grand Prieur » et « Employé ».*

Jean de Loustelnau, sieur de la Garde, sergent-major au régiment des Gardes françaises, était chargé de la surveillance des frères Vendôme au Château de Vincennes, et il avait pour adjoint dans cette charge Robert de Lamont, dont il a été question dans les pièces précédentes.

Assavoir que led. Sr Grand Prieur avoit reconnu s'est opposé avec plusieurs autres au mariage de Monsieur.

Qu'il avoit conseillé à Monsieur, depuis la prise du colonnel, de traiter rudement les ministres p[r] le ravoir par ce moyen.

Que si cela manquoit, il luy conseilloit de sortir de la cour ou de prendre les armes pour lamesme fin.

Qu'on proposoit de faire retirer Monsieur à Metz ou à Sedan, sur quoy il adjousta : on dit que j'ay escript une lettre à Monsieur de la Valette sur ce subject ; qu'on me la monstre et je la recongnoistray.

Que quant à ce que Du Nault avoit parlé d'un dessein contre la personne du Roy, il ne voulu pas le reconnoistre, et dit audit Du Nault : Mon amy, vous avez dit là une chose qui vous donnera bien de la peine, et à moy.

Dit ledit déposant que, pendant ce discours led. Sr du Fossé et à l'abord d'icelluy, led. Sr Grand Prieur dit aud. Sr du Fossé : Vous direz ce que vous voudrez, — et qu'après que led. Sr du Fossé eust finy la répétition de ce que dessus aud. Sr Grand Prieur et luy demandant : Est-ce pas vray, Monsieur, que vous m'avez dit tout ce que je viens de dire, led. Sr Grand Prieur respondit : Je ne vous dis pas cela : qu'est-il besoin que Monsr de Loustelnau le sache ? Vous voulez avoir un tesmoing. Sur quoy led. Sr du Fossé dit aud. déposant : Souvenez-vous en, Monsieur de Loustelnau, car il me l'a dit, et je m'en va le dire au Roy. Led. Sr Grand Prieur ne dit rien, mais en se pourmenant et remuant la teste disoit : Qu'est-il besoin que Monsr de Loustelnau le sache ?

Qui est tout ce que led. déposant a dit, et lecture à luy faite de sa déposition, y a persévéré et signé.

Signé : de Loustelnau, de Marillac et le Beauclerc.

305. — Pièces relatives à l'affaire du duc de Vendôme et de son frère le Grand Prieur. [Première quinzaine de novembre] 1626.

A.E., Mém. & Doc., France, Vol. 783, f° 65 à 86. — Minutes.

— Décrédite les affaires et dessein du Roy.
— Levée de gens de guerre.
— Parolles de mespris.
— Violences.

Pièce 305. — *Le Vol.* 783 *des Archives des Affaires étrangères, Série Mémoires et Documents, contient un certain nombre de pièces, la plupart sous forme de minutes, qui ont été rédigées dans le courant de novembre, au moment ou a commencé l'instruction de l'affaire du duc de Vendôme et de son frère le Grand Prieur. Les deux princes, arrêtés à Blois, le* 13 *juin, avaient été aussitôt conduits au château d'Amboise, d'où ils furent transférés le* 29 *septembre au Château de Vincennes. Il n'a pas semblé utile de reproduire ici un long mémoire intitulé « Procès-verbal de M. de Vendôsme » — f°* 65 *à* 84 *— suivi des « Chefs d'accusation contre M. de Vendôsme » — f°* 85. *Le f°* 86 *énumère d'ailleurs ces chefs d'accusation comme le document reproduit ici.*

— Saint-Malo.
— Blavet ou Fort-Louis.
— Intelligence et union :
avec M. de Retz ;
avec M. de Soubize ;
avec M. le Comte de Soissons.
— Intelligences avec les Rochelois.
— Intelligences en Espagne.

306. — Extrait des charges contre Mr le Grand Prieur réduites en quatre points. [Seconde quinzaine de novembre] 1626.

A.E., Mém. & Doc., France, Vol. 783, f° 101-103. — De la main de Charpentier.

ATTENTAT.

Lamond (1) dit avoir ouy dire à Chalais que le Grand Prieur avoit grande aversion du Roy.

A la confrontation, Chalais dit ladite desposition estre véritable.

Lettre de Madame d'Elbœuf au Roy portant qu'ayant sceu de Dunault, secrétaire du Grand Prieur, qu'il y avoit attentat à la personne, demande miséricorde (2).

Chanlecy (3) dit qu'estant avec Madame d'Elbœuf, ledit Dunault la pria par l'ordre du Grand Prieur d'intercéder pour luy envers Sa Maté, et que ledit Grand Prieur déclaroit avoir commis des fautes non seulement contre l'Estat, mais contre la personne du Roy.

Mr Defossé (4) dit que Madame d'Elbœuf luy a dit qu'un secrétaire de Mr le Grand Prieur, nommé Dunault, l'avoit conviée d'obtenir pardon du Roy pour ledit Grand Prieur, qu'il ne parloit plus d'innocence, demanderoit pardon et recognoistroit estre coupable de desseins non seulement contre l'Estat, mais contre la personne du Roy.

Ledit Dunault dit la mesme chose en présence de ladite dame, et qu'il parloit de la part dudit Sr Grand Prieur. Le déposant alla avec ledit Dunault parler audit Sr Grand Prieur, auquel ledit Dunault dit avoir dit ce que dessus, le supplia le genouil en terre de se

Pièce 306. — *Sur chacun des « quatre points » mentionnés* — Attentat, Retraite et sortie de la cour, Violences, Mariage — *cette pièce reprend mot pour mot des alinéas entiers. Il a paru inutile de reproduire ces répétitions, qui sont simplement résumées ici en caractères italiques.*

(1) Robert de Lamont, sieur de Beauvais. On a vu qu'il avait été adjoint à Jean de Loustelnau pour surveiller les frères Vendôme au donjon de Vincennes.

(2) Cette lettre, dont la copie est aux Archives des Affaires étrangères (Mém. & Doc., France, 783, f° 100), a été reproduite dans les *Mémoires de Richelieu* (éd. de la S.H.F., VI, p. 166-168). La duchesse d'Elbeuf écrit, en effet, que le Grand prieur était disposé à faire « une vraie confession des fautes qu'il avoir commises, tant contre votre Etat que contre votre personne ».

(3) Jean Boyer de Champlecy : V. sa déposition, pièce 303.

(4) Gabriel de la Vallée-Fossez, marquis d'Everly : V. sa déposition, pièce 302.

sauver en confessant. Et ledit Grand Prieur, ayant confessé quelque chose, ne voulut pas recognoistre avoir parlé audit Dunault d'un dessain contre la personne du Roy, et dit audit Dunault : mon amy, vous avez là dit une chose qui vous donnera bien de la peine, et à moy (5).

Loustelnau dit avoir ouy dire audit Sr de Fossé en présence dudit Sr Grand Prieur que ledit Grand Prieur avoit recogneu plusieurs choses qu'il luy dit, mais qu'il n'avoit voulu recognoistre avoir parlé audit Du Nault d'un dessein contre lapersonne du Roy, mais qu'il avoit dit à Dunault : mon amy, vous avez là dit une chose qui vous donnera bien de la peine, et à moy. Et que, pendant que ledit De Fossé faisoit ce discours, ledit Grand Prieur dit : Vous direz ce que vous voudrez. Et après que ledit Desfossé eut tout dit, il demanda audit Grand Prieur : Est-il pas vray, Monsieur, que vous m'avez dit tout ce que je viens de dire ? Ledit Grand Prieur respondit : Je ne vous dis pas cela ; qu'est-il besoin que M. de Loustelnau le sache ? Vous voulez avoir un tesmoing.

Retraite et sortie de la cour.

Interrogatoire de Chalais du 25e juillet. Enquis s'il a sceu les conseils que M^r^ le Grand Prieur a donnés à Monsieur de se retirer à Metz, Sedan ou le Havre, dit l'avoir sceu. Et depuis a qu'il avoit bien sceu qu'il vouloit donner ledit conseil, mais ne sçavoit s'il l'a donné, a adverty que le Grand Prieur proposoit cela.

Lamond déposa avoir ouy Chalais dire que les advis qu'il avoit donnés estoient vrais, sçavoir le conseil que le Grand Prieur donnoit à Monsieur de se retirer à Metz, Sedan ou le Havre, et pour cet effet en traitter, et que le Grand Prieur en avoit parlé à Fontainebleau, et qu'il aimoit mieux Metz à cause de son beau-frère (6).

A la confrontation Chalais dit ladite déposition estre véritable.

Mr de Fossé dit que M^r^ le Grand Prieur recogneut en sa présence, du Nault y estant, que, depuis la prise du colomnel, il avoit conseillé Monsieur de traitter rudement les ministres pour le ravoir par ce moyen ; que si cela manquoit, il luy avoit conseillé de sortir de la cour ou de prendre les armes pour la mesme fin ; qu'on proposoit de faire retirer Monsieur à Metz ou à Sedan.

Les termes de cette déposition ont été confirmés par le sieur de Loustelnau, puis par le sieur de Lamont.

VIOLENCES.

Interrogatoire de Chalais du 25e juillet 1626. Dit que M^r^ le Grand Prieur donnoit conseil d'user de menaces et violences contre le Sr Cardinal.

Lamond a ouy dire à Chalais que le Sr Grand Prieur disoit à Monsieur qu'il falloit entreprendre hautement la délivrance du mar^al^ d'Ornano pour deux raisons : et que pour le délivrer il y avoit deux

(5) Les *Mémoires de Richelieu* reproduisent ce passage, répété quelques lignes plus bas et ajoutent : « Paroles qui témoignent qu'il le lui avoit dit, mais s'en repentoit. »

(6) Le duc de La Valette, qui avait épousé Gabrielle-Angélique de Bourbon, légitimée de France, fille d'Henri IV et de la marquise de Verneuil, sœur consanguine du Grand Prieur de Vendôme.

choses à faire : ou faire violence au Sr Cardinal, à quoy ils estoient résolus, ou... (a).

Lamond déposa avoir ouy Chalais dire que les advis qu'il avoit donnés estoient vrais, sçavoir le conseil que le Grand Prieur donnoit à Monsieur d'user de menaces et violences envers le Card[al] s'il ne vouloit pas délivrer le colomnel ; que le Grand Prieur luy en avoit parlé à Fontainebleau.

A la confrontation, Chalais dit lesdites dépositions estre véritables. Mr Defossé dit que M[r] le Grand Prieur recogneut en sa présence, Dunault y estant, qu'il avoit conseillé Monsieur depuis la prise du colomnel de traitter rudement les ministres pour le ravoir par ce moyen.

Cette déclaration a été confirmée dans les mêmes termes par le sieur de Loustelnau, puis par le sieur de Lamont.

MARIAGE.

Mr de Fossé dit que M[r] le Grand prieur recogneut en sa présence, Dunault y estant, qu'il s'estoit opposé avec plusieurs autres au mariage de Monsieur.

Cette déposition a été confirmée par le sieur de Loustelnau en termes identiques.

Déclaration du Sr de Vendosme. Dit qu'il y a environ un an que son frère luy escrivit qu'on travailloit au mariage de Monsieur, qu'il falloit faire toutes sortes d'efforts pour l'empescher.

Lamond dit avoir ouy dire à Mr de Vendosme que le Sr Grand prieur luy avoit escrit qu'on parloit du mariage de Monsieur et que luy et quelques autres estoient résolus de l'empescher, et qu'il le falloit faire par tous moyens. Dit aussy avoir ouy dire audit Sr Grand prieur qu'il a souvent dissuadé Monsieur d'entendre au mariage de Mlle de Montpensier.

Loustelnau dit avoir ouy dire à Mr de Vend[osme] que le Sr Grand Prieur luy avoit escrit qu'on parloit du mariage de Monsieur, et qu'il le falloit empescher. Dit aussy avoir ouy dire au Sr Grand prieur qu'il avoit dissuadé Monsieur d'espouser Mlle de Montpensier.

307. — A M. de La Force. S.l., 23 novembre 1626.

B.N., Nouv. Acq. franç., Vol. 5131, f° 90. — Minute de la main de Charpentier.

Monsieur, Monsr de Guron m'ayant dit qu'un homme vous estoit allé trouver depuis deux jours pour vous dire de ma part qu'il m'estoit impossible d'empescher que les affaires n'allassent à l'extrémité contre ceux de la Religion prétendue réformée, je prends la plume pour vous tesmoigner que je vous tiens trop mon amy et serviteur du Roy pour ne descouvrir pas celuy qui a abusé en cela de mon nom pour mettre en avant une chose dont je n'ay jamais ouy parlé et qui est du tout esloignée de la vérité comme est celle-cy.

(a) Inachevé.

Car outre que l'intention du Roy est de faire jouir sincèrement ses subjets de ladite Religion de ce qu'il leur a promis, en se contenans en leur devoir et luy rendans l'obéissance qui luy est deue, je vous asseure qu'il n'y a rien que je désire davantage en mon particulier que de contribuer tout ce qui me sera possible à ceste fin. Vous prendrez, s'il vous plaist, ceste créance, et que je suis véritablement,

Monsieur,

Vostre très affectioné serviteur,

Pièce 307. — *Au dos de la pièce, Charpentier a simplement indiqué : « A Mr de la Force, du 23e novembre* 1626 ». *Il ne peut s'agir que du maréchal de La Force, le fils de celui-ci, Armand-Nompar de Caumont-La Force, ne portant alors que le titre de marquis de Castelnau. Sur le maréchal de La Force* (1558-1652), *voir la notice de la pièce* 54 (10 *août* 1625). *Le maréchal se trouvait alors à Paris, dans son hôtel de la rue du Louvre.*

308. — M. de Bullion au cardinal de Richelieu. Paris, 24 novembre 1626.

A.E., Cor. pol., Turin, Vol. 7, f° 338-339. — Original.

Analyse :

Le duc de Rohan lui a demandé de prier le cardinal de favoriser la nomination d'un député de La Rochelle. — L'ambassadeur d'Espagne l'a assuré qu'il avait écrit à sa cour, où le marquis de Rambouillet est arrivé (1), dans le sens que désirait le cardinal. — Des députés de La Rochelle sont venus se plaindre qu'on leur avait pris des barques chargées de blé appartenant à leurs marchands, qu'on avait jeté en prison trois ou quatre gentilshommes de leur ville, et que les commissaires du roi ne leur avaient donné aucune information sur les mouvements de troupes que le roi avait ordonnés aux abords de La Rochelle. Il a répondu sur les deux premiers points qu'il faut qu'il y ait eu quelque chose de particulier dont il n'avait pas connaissance, car les intentions du roi et celles du cardinal étaient d'observer en rigueur les articles de la paix « pourveu qu'ils se contiennent en fidelles subjects » ; quant au troisième point, il y a lieu de croire qu'à présent les commissaires auront fait connaître au maire et aux habitants de La Rochelle que les mouvements de troupes en question n'ont d'autre objet que de pourvoir à la sûreté des frontières du royaume tant sur terre que sur mer. — Il a reçu une lettre de M. de Saint-Sauveur qui lui écrit que l'affaire du Dauphiné n'est pas terminée. En conséquence il supplie le cardinal de prendre des mesures pour mettre un terme à des longueurs qui ne peuvent être que préjudiciables au service du roi.

---

(1) Charles d'Angennes, marquis de Rambouillet (1577-1652) venait d'être envoyé comme ambassadeur extraordinaire auprès de la cour de Madrid pour présenter les vœux du roi à l'occasion de la naissance de l'Infante Marie-Eugénie, qui avait eu lieu l'année précédente, mais l'ambassadeur avait ordre de « travailler à ajuster tous les différends en l'exécution du traité de la paix ».

309. — A M. de Launay-Rasilly. La Chaussée, 25 novembre 1626.

Arch. de la famille de Rasilly. — Original.
Impr. : Avenel, II, pp. 292-293.
Généalogie de la famille de Rasilly (1903), p. 341.

Monsieur, je vous fais seulement ce mot pour accompagner l'ordre du Roy (1), que je vous envoye, selon que vous avez tesmoigné le désirer, et vous prier d'avoir un soing si particulier des vaisseaux que Sa Majesté commet à vostre conduite qu'il n'en puisse arriver inconvénient. Sur cela, je vous prie de croire que je suis,

Monsieur,

Vostre bien affectionné à vous servir,

Le Card. de Richelieu.

De la Chaussée, ce XXVe novembre 1626.

Pièce 309. — *Le destinataire de cette lettre, dont on rencontrera plusieurs fois le nom dans cette correspondance, est Claude de Rasilly* (1593-1654), *cinquième fils de François de Rasilly, mort en* 1600 *maître d'hôtel de la reine Louise de Lorraine, après avoir été gouverneur de Loudun de* 1583 *à* 1589, *et de Catherine de Villiers. Il avait ajouté à son nom celui de Launay pour se distinguer de son frère, Isaac de Rasilly, dont il sera également question. Il servait depuis plusieurs années en qualité de capitaine de l'armée navale et avait pris à ce titre une part active à la réorganisation de la Marine depuis l'année précédente. Il sera successivement commandant des île et fort d'Oléron* (1627), *lieutenant général au gouvernement de Brouage, premier chef d'escadre des vaisseaux du roi en Bretagne et vice-amiral de ses armées navales* (1637) *Il avait été chargé, au mois de septembre précédent, de se rendre en Hollande pour une mission qui vraisemblablement concernait la marine, et c'est à son retour qu'il reçut l'ordre de conduire plusieurs navires de la flotte royale, sans qu'il soit possible de préciser le nombre de bâtiments dont il avait la charge et leur destination.*

310. — M. de Schomberg au cardinal de Richelieu. S.l. [fin novembre] 1626.

A.E., Mém. & Doc., France, Vol. 781, Invent. de la cor., 1626, f° 173.

Analyse :

« Sur les princes de Lorraine. — M. de Guise dit qu'il ne refuse pas de suivre le Roy à l'assemblée des Notables pourveu que M. de

Pièce 310. — *Cette lettre et la suivante se rapportent au même incident : une question de préséance en vue de la séance solennelle d'ouverture de l'Assemblée des Notables. Ni l'une ni l'autre n'ont de date précise, mais celle-ci, selon une indication portée en marge de l'*Inventaire de la correspondance *de* 1626, *doit être de la fin de novembre.*

(1) Cet ordre ne nous est pas parvenu.

Nemours (1) prenne un costé, et M. de Guise et les trois princes de sa maison prennent l'autre. Mais le Roy ne trouve pas à propos que M. de Guise vienne à l'assemblée. M. le Garde des sceaux est chargé de luy déclarer la volonté du Roy. »

311. — Le duc de Guise au cardinal de Richelieu. S.l. [fin novembre] 1626.

A.E., Mém. & Doc., France, Vol. 1700 (Provence), f° 312. — Original.

Analyse :

Il estime à propos d'informer le cardinal de ce qui s'est passé au logis de M. de Nemours, en présence de M. de Gordes (1), ce qui apportera la preuve que tout ce qui a été dit à cc sujet est faux, et que M. de Foix a été offensé sans en avoir donné l'occasion (2).

312. — A la reine régnante. [Novembre 1626].

Impr. : Aubéry, *Mémoires...*, t. V, p. 474, et Recueil de 1626, t. II, p. 66.
Avenel, II, pp. 293-295.

Il m'est impossible de représenter à Vostre Majesté l'affliction que je ressens, ayant connu par la lettre dont il luy a pleu m'honorer que Dieu a différé encore de donner à son mariage la bénédiction que l'on s'estoit promise de sa bonté. Jc la puis asseurer que le Roy en a autant de déplaisir pour l'amour d'elle, que de luy-mesme et de son Estat.

Cependant je la supplie de ne s'en point affliger, estant certain que ce que Dieu n'envoye pas en un temps peut arriver en un

Pièce 312. — *Cette lettre a été publiée sans indication de date. Pour la dater, Avenel s'est surtout fondé sur une lettre écrite par Henriette de France, sœur de Louis XIII, à M*[me] *de Saint-Georges, fille de M*[me] *de Montglat* (*Bibl. nat., Fonds franç., Vol. f°* 22). *Cette lettre n'est pas datée non plus, mais elle n'a pu être écrite que dans les premiers mois qui suivirent le mariage de cette princesse avec Charles I*[er] *d'Angleterre : elle se réjouit de la bonne nouvelle qu'elle a reçu de la grossesse de la reine sa sœur. D'autre part c'est vers le mois de novembre* 1626 *qu'on perdit l'espoir qu'on avait eu de la grossesse d'Anne d'Autriche* (*Avenel*). *La conjecture n'est donc que très approximative.*

(1) Henri de Savoie (1572-1632), duc de Nemours depuis 1595, époux d'Anne de Lorraine-Aumale.
(1) Capitaine des gardes du corps.
(2) La lettre est énigmatique ; elle devait sans doute accompagner l'envoi de quelque mémoire plus explicite.

autre (1), et qu'il a tesmoigné jusques à présent avoir un soin si particulier de la France qu'il voudra sans doute couronner les bénédictions qu'il luy a départies par celuy-là qu'il sçait estre le plus capable de la combler de bonheur. Je l'en supplie ardemment, et Vostre Majesté de croire qu'il n'y a personne qui le souhaite avec plus de passion que moy, qui suis et seray toute ma vie, etc.

313. — Fragment d'un mémoire. [Novembre 1626].

A.E., Mém. & Doc., France, Vol. 783, f° 43. — Minute de la main de Charpentier avec corrections de la main de Richelieu puis de celle de Sancy.

Le Roy m'a dit plusieurs fois qu'il cognoissoit tellement le naturel et la portée de ceux qui sont le mieux auprès de luy qu'il ne vouloit pas trop les eslever, d'autant qu'asseurément ils en abuseroient et se rendroient insuportables à luy-mesme. Auparavant que d'avoir ceste cognoissance et sçavoir la volonté de Sa Ma[té], je faysois quelquefois des propositions à leur avantage. Depuis que j'ay sceu le dessein du Roy, je m'y suis conformé, les volontés du Maistre devant servir de raison et de loy aux bons serviteurs aux choses indifférentes. Cependant si telles gens ne s'aggrandissent à leur gré, ils croient que je les en empesche et m'imputent le retardement de leur fortune sans autre fondement (a). Ainsy, en ce faisant, je fais mon devoir, mais je m'expose à recevoir de mauvais offices de ceux à qui non seulement je ne fais point de mal, mais à la fortune desquels je contribue autant qu'il m'est possible et que je le dois (b).

Pièce 313. — *Ce fragment, destiné sans doute à prendre place dans une pièce plus importante, est sans titre ni date. Placé, dans le recueil, parmi les pièces relatives au premier écuyer François de Baradat, il doit, semble-t-il pouvoir être daté de la période qui précéda la disgrâce de celui-ci.*

Au dos de la pièce, Sancy a écrit : « Pour la feuille 65 ». *Les* Mémoires *de Richelieu ont, en effet, utilisé ce document (éd. de la S.H.F., VI, p.* 311-312). *Ce fragment présente un intérêt particulier : rédigé primitivement en style direct, sous la dictée du cardinal, il a été corrigé une première fois par Richelieu lui-même, qui a maintenu l'emploi de la première personne ; puis, il a été remanié par Sancy, qui, sur la feuille originale, a substitué la troisième personne. Afin de rétablir le texte primitif, avec les corrections de la main du cardinal, il a paru nécessaire d'éliminer les modifications apportées par Sancy, qui ont été seulement mentionnées en note.*

(a) Richelieu avait d'abord écrit après ce mot : « parce qu'ils voient que le Roy a confiance en moy », puis il a biffé ces mots. Sancy modifie ainsi le texte : « ils croient qu'il les en empesche et luy imputent le retardement de leur fortune, bien qu'en cela il ne face autre chose que de complaire à son maistre et le servir selon son goust ».

(b) Sancy met tout cet alinéa à la troisième personne, et ajoute : « Cependant leur mescontentement luy peut estre d'autant plus préjudiciable que ce sont eux qui ont plus d'accez et de familiarité auprès du Roy ».

(1) Anne d'Autriche, rappelons-le, avait déjà fait deux fausses couches, l'une à la mi-carême 1622, en folâtrant avec la connétable de Luynes (Madame de Chevreuse et Mlle de Verneuil ; une autre, à une date incertaine, mais à une époque où Richelieu était déjà au pouvoir, puisque le cardinal en fut averti par le médecin du roi, Bouvard.

314. — Michel de Marillac au cardinal de Richelieu. S.l., novembre 1626.

A.E., Mém. & Doc., France, Vol. 781, Invent. de la cor., 1626, f° 174 v°.

Analyse :

« Il se plaint de la lenteur et de la mollesse à exécuter ce qu'on ordonne. Il a ouvert le paquet d'Herbault, en a retiré le mémoire et l'a refermé. Le prévost de Picardie a encore pris trois hommes. Il luy mande de faire sa charge. Bal n'a pas voulu venir. Maricourt a fait la Saint-Hubert avec M. de Chaulnes. Le Roy devroit écrire à M. de Chaulnes de faire arrester Maricourt. Hervé a esté interrogé aujourd'huy. Il faudra f[re] ouir le chev[er] B et M. Def. Filsac, sçachant que l'arrest estoit donn[é] et non expédié, a fait tenir l'assemblée le dernier octobre, afin de prévenir la signification. »

315. — Confession de l'Escuyer contre Calory. [Novembre 1626].

A.E., Mém. & Doc., France, Vol. 783, f° 22-23. — Minute de la main de Charpentier.

La Chesne (1) m'a dit plusieurs fois que l'Escuier n'aymoit point Calori (2), et particulièrement à Nantes il m'a faict l'honneur de me dire, devant Hébert (3), plusieurs tesmoignages indubitables, entre autres qu'il estoit insasiable et croioit que c'estoit Calori qui empeschoit qu'il ne s'agrandist, ce qu'il avoit dit à plusieurs personnes (4).

Qu'il luy avoit demandé lequel il aymoit mieux dudit Calori ou de luy, disant que s'il aymoit mieux Calori, il enrageroit contre icelluy.

Que ledit Calori estoit celuy qui faisoit dire au Chesne par diverses personnes tout ce qu'on luy disoit contre l'escuier.

Pièce 315. — *Le titre de cette pièce est écrit d'une main étrangère, sauf les mots « contre Calory » qui sont de l'écriture de Charpentier. La marge porte, en divers endroits, le mot « Employé ». Comme les autres pièces relatives à François de Baradat, premier écuyer, elle peut être datée des dernières semaines qui précédèrent la disgrâce de celui-ci, approximativement de novembre* 1626.

(1) Le roi.
(2) *Calory* désigne Richelieu, comme plus loin *Amadeau*.
(3) La reine mère.
(4) Cependant la fortune de Baradat avait été rapide. Page de la Petite Ecurie jusqu'au 23 novembre 1624, il avait reçu, le 8 avril 1625, la charge de Premier Ecuyer de la Petite Ecurie et de la capitainerie de l'hôtel du Petit-Bourbon. Il convient de rappeler que la charge de premier écuyer avait été élevée, sous Henri IV, au nombre des grands officies de la couronne. Baradat, à l'époque, ne devait avoir guère plus de vingt ans. L'année suivante, il reçut encore la charge de premier gentilhomme et celle de capitaine du château de Saint-Germain.

Qu'on disoit que ledit escuier n'estoit pas favori, mais bien Calori, qui estoit et ministre et favori tout ensemble.

Sur quoy led. escuier estoit si effronté qu'il disoit aud. Chesne que, s'il estoit dans son Conseil, il y serviroit aussi bien que d'autres, voulant dire aussy bien que Calori.

Que ledit Callori vouloit porter Turgot (5) à estre favori, sur quoy il a voulu faire plusieurs mauvais offices aud. Callori, que led. escuier a autresfois porté grande envie et grande haine contre Turgot et Raxtot (6), mais que maintenant, il l'avoit toute depposée et n'avoit plus d'autres but, d'envie et de hayne que Calori.

Qu'il s'allioit et faisoit amitié avec tous ceux qu'il sçavoit qui n'aimoient Calori.

Que ledit Chesne dist à l'escuier qu'il devoit plus aymer Calori que luy, parce qu'il servoit fort bien, il luy reproscha, comme si c'estoit un grand deffaut, qu'il n'aymoit en Calori que son intérest, et ne se soucioit pas de sa personne.

Le Chesne a dit aussy à Hébert que led. escuier ne l'aimoit point, ce dont Hébert a esté adverti de divers lieux, particulièrement depuis une deffense qu'Hébert a faite par le conseil du Chesne de le laisser entrer dans la chambre des filles (7).

Le Chesne a dit qu'il luy avoit dit que s'il aymoit Cressias (8) comme l'on pensoit, il ne se soucioit pas des deffences d'Hébert, et entreroit chez les filles nonobstant icelles.

Il est vray que beaucoup pensent que l'advis qu'il a pleu au Chesne donner à Calori est véritable La présomption de ce jeune escuier estant telle qu'il n'estime rien trop grand pour luy, et voudroit monter au plus degré de grandeur, où ne pouvant parvenir parce que le Chesne ne veut pas, il impute la disproportion qui se trouve entre son ambition déréglée et l'estat où il demeure aux conseils de Calori, qui a plusieurs fois proposé au Chesne d'avancer l'escuier à certaines charges non disproportionnées, ce qu'il n'a pas voulu.

Le Chesne a dit aussy à Hébert que led. escuier n'aimoit point led. Chesne et estoit venu à tel escès avec luy qu'il l'avoit appelé tyran. L'escuier a dit à Calori plusieurs fois que le Chesne estoit un estrange homme, qu'il n'aimoit rien, qu'il falloit par nécessité qu'il changeast forcément de serviteur, qu'il n'aimoit que le changement. Il a dit estant à Fontainebleau à Hébert que, s'estant adressé à luy Hébert et à Calori pour le réconcilier avec le Chesne alors qu'il estoit brouillé, led. Chesne luy avoit dit que c'estoit un mauvais moien de se raccommoder avec luy que d'avoir recours à son intervention.

Il a dit, à Nantes, aud. Hébert que le Chesne disoit que, s'il croioit que Calori affectionnast plus Hébert que luy, il n'aimeroit point Calori.

---

(5) Peut-être Turgot, sieur de Saint-Clair, maître des Requêtes depuis 1619.
(6) Ce Raxtot n'a pu être identifié.
(7) Il s'agit, bien entendu, de l'appartement des filles d'honneur.
(8) Gabrielle de Cresias (ou Cresia) était fille d'honneur de la reine mère.

Le mesme escuier a dict à Jehan Petit (9), Mr le Grand (a) (10) pestant contre sa mauvaise fortune, estant en colère, que c'estoit le Cardinal qui l'empeschoit, que s'il estoit au Conseil il serviroit aussi bien que luy, et que, s'il vouloit, il diroit au Roy qu'il faisoit tout, qu'il avoit fait avoir Montpellier à Fossé (11) et la Bastille au Tremblay (12), comme si Fossé estoit parent ou allié du Cardinal et comme s'il avoit esté mis par autre considération que d'y estre jugé propre.

Le chevalier de la Vérité soumise (13) a dit à Calori, à Nantes, que parlant à l'escuier Brandefer (14) de ce qu'il n'avoit point de gouvernement, Brandefer luy dist que sans Calori il en auroit : qu'il avoit parlé au Roy de Saumur ; qu'il luy avoit fait froide responce que ce foutu (sic) prestre l'en empeschoit, le Roy se laisant tousjours aller à ses advis par sa foiblesse.

Il a dit à d'autres, parlant de Montpellier et de Valençay, que je ne cogneus jamais particulièrement, que j'avois mis là mes créatures (b), de façon qu'à un homme comme celuy-là qui n'est pas content, les meilleurs services seront des crimes, n'y ayant rien de si blanc qu'on ne puisse faire paroistre noir par un faux jour à ceux qui ne prennent pas la peine d'y regarder de près.

Marsillac m'a dit, à Blois, que l'escuyer luy avoit dit là qu'il arriveroit quelque maladie à Calory, dans laquelle il prendroit son temps après du Chesne.

A reproché au Roy, à Versailles, sur la fin de sept[bre] 1626, qu'il aimoit mieux le card[al] que luy, qu'il se vendroit pour luy, et autres choses semblables, tesmoignant le desplaisir et la rage qu'il a de l'honeur que le Roy fait audit Calori, auquel cependant il fait mille belles protestations.

Adjoustez le trait qu'il a fait de la Cressias, venant dire à Calori qu'il n'y pensoit point, que le Chesne en estoit amoureux, luy recommandant le secret en ceste affaire par une voye infaillible puisqu'il luy disoit que le Roy luy voudroit mal s'il pensoit qu'il le sceust. Ensuite de quoy l'escuyer alla dire au Roy qu'il ne luy disoit pas tout, et, qui plus est, bien qu'il ne luy eust dit qu'un jour auparavant que le Roy descouvrit à Amadeau ce beau tour, il luy avoit rapporté qu'il y avoit plus de 15 jours qu'il luy avoit dit (c).

(a) Les mots « Mr le Grand » ont été ajoutés en interligne.

(b) *En marge,* de la main de Sancy : « Médisances contre Calori ».

(c) *En marge,* de la main de Sancy : « Fourbe. Employé ». Tout le dernier paragraphe, écrit de la main de Charpentier, a été ajouté, sur le dernier folio, après un large espace laissé en blanc.

(9) Le grand écuyer, le duc de Bellegarde.

(10) « M. le Grand » désignait le grand écuyer, comme « M. le Premier » désignait le premier écuyer.

(11) Gabriel de la Vallée-Fossez, marquis d'Everly.

(12) Charles Le Clerc du Tremblay, frère du Père Joseph, avait été nommé gouverneur de la Bastille le 14 mai 1626.

(13) Le chevalier Jacques de Souvré ; il sera plus tard grand prieur de France, puis ambassadeur de Malte (1600-1670).

(14) Baradat lui-même.

316. — Note sur le comportement du Premier écuyer. [Seconde quinzaine de novembre] 1626.

A.E., Mém. & Doc., Franc, Vol. 783, f° 24-26. — De la main de Charpentier.

M^r^ le Premier a recongneu au Roy, la veille de la Toussaints, que Trọnçon et Senneterre (1) avoient commencé à luy parler, à Blois, quand on alla en Bretagne (2), pour le disposer à parler à Sa Ma^té^ contre le gouvernement ou pour faire qu'il les introduisît au Roy, pour luy parler eux-mesmes. Recognoissance bien importante, puisqu'elle fait voir que les advis que Sa Ma^té^ avoit d'ailleurs des négociations que ces personnes faisoient estoient véritables.

Chose estrange que deux personnes de ceste basse condition entreprissent de vouloir aborder le Roy pour luy faire changer la face de la cour s'ils eussent peu au propre temps que Sa Ma^té^ recevoit de ceux à qui ils en vouloient les plus signalez services que ministres ayent rendu de long temps.

Le mesme jour, M^r^ le Premier a recongneu aussy au Roy que Blinville (3) estoit enragé contre le gouvernement, qu'il l'avoit sondé pour sçavoir s'il seroit seur à luy parler sur ce sujet, luy disant qu'on luy communiqueroit beaucoup d'affaires si on pouvoit s'asseurer qu'il ne dist au Roy que ce qu'il faudroit, mais qu'on luy taisoit beaucoup de choses importantes parce qu'il disoit tout au Roy, et le Roy tout à la Reyne et au cardinal.

Blinville a envoyé au mesme temps son secrétaire vers celuy de Mr de Sully pour recevoir des mémoires instructifs sur le sujet des finances, où il espéroit bientost entrer ; la lettre du marquis de Rosny le justifie (4).

Le Sr de Sourdy (5) m'a dit que le Roy allant à la chasse, Mr le Premier luy fit de grandes plaintes contre le cardinal ; que c'estoit luy qui destournoit les affections de son maistre et l'empeschoit de luy faire du bien ; que le Card^al^ luy estoit beaucoup plus obligé qu'il ne luy estoit pas, parce que, quand il avoit eu brouillerie avec Monsieur, il luy avoit offert deux cens chevaux pour l'assister, comme si une offre imaginaire estoit une grande obligation ; que quand il luy voudroit rendre de mauvais offices auprès du Roy,

Pièce 316. — *Cette pièce a été placée avec raison, dans le recueil, à la suite de la* Confession du Premier, *dont elle est comme le complément. Elle a très probablement été dictée par Richelieu, qui y parle à la première personne. Une partie de cette note a été utilisée par les rédacteurs des* Mémoires de Richelieu (*éd. de la S.H.F., t. VI, p.* 315 *et suiv.*).

(1) Tronson était, rappelons-le, l'un des secrétaires du cabinet du roi. Henri de Senneterre, ainsi que sa sœur Madeleine, faisait partie de la maison du comte de Soissons.

(2) Au mois de juin 1626.

(3) Jean de Varigniez, seigneur de Blainville, ambassadeur en Angleterre en 1625, conseiller d'État, premier gentilhomme de la chambre et maître de la garde-robe du roi ; il devait mourir au début de 1628.

(4) Baradat fut disgrâcié le 2 décembre ; le 5, Blainville reçut l'ordre de se retirer dans ses terres, en Normandie.

(5) Charles d'Escoubleau de Sourdis (1578-1666) ; il était le frère de l'archevêque de Bordeaux et de l'évêque de Maillezais.

les sujets ne luy manqueroient pas ; qui l'empescheroit de dire que les mauvaises intelligences qu'il paroist avoir avec Monsieur ne sont que feinte ? qu'il prend des places de seureté pour s'en prévaloir quelque jours contre le service de son maistre ; que sous le tiltre de commerce il s'estoit approprié le commandement sur la mer. Il adjousta : quand je diray ces choses au Roy, vrayes ou non, je luy partiray (a) l'esprit. Qu'il luy estoit honteux qu'un homme de sa naissance et de sa qualité en fust demeuré où il estoit, et que, sans les artifices du Card[al], il seroit duc et pair ; que le traitté du duché de Fronsac n'avoit esté rompu que par ses interventions, et que jamais le Card[al] n'en avoit ouy parler (b).

Si je n'ay pas de querelles avec vous, c'est un crime ; si je prends V.M[té] par la complaisance, c'est artifice.

Si ceux que j'acquiers pour ennemis en vous servant disent du mal de moy, leur intention est de le faire valoir en votre esprit.

Si ceux qui parlent sans passion et regardent mes actions avec justice en disent du bien, ce sont des gens apostez.

Celuy qui a des ennemis qui sont tousjours au guet pour le perdre est souvent attrapé quoy qu'innocent. Le dessein de Blinville est tout clair ; que son naturel ne fit jamais que blasmer ceux qui servent, attaquer par derrière ceux qu'il ne peut affronter par-devant, et tascher de venir par art à ce à quoy aucune vertu ne le porte, et ruiner ceux qui servent bien l'Estat pour s'avancer au préjudice de l'Estat mesme, estans de si bon naturel envers soy-mesme que jamais les affaires n'y vont bien tant que les siennes ne seront pas à son gré. Ce qu'il dit, à Compiègne, au Roy de Calori, ce que Mr de Chevreuse a ouy qu'il disoit dans son carosse, montre sa bonne volonté et son bon dessein. Les bons conseils qu'il a donnés d'Angleterre, voulant qu'on rompist alors qu'on estoit occupé ailleurs, montrent son bon jugement et son bon esprit, qui est tel qu'en philosophant sur toutes choses il trouve tousjours tout ce qui peut estre, mais jamais ne rencontre ce qui est.

Le sage dit que ce n'est pas sagesse de dormir auprès d'un serpent.

M. de Schomberg (c) m'a dit, le 14e nov[bre] 1626, qu'il y a trois jours (d) que Chabans (6) et Buy (7), le croyant mal content sur l'affaire de ses enfans (8), l'avoient tous deux abordé séparément et commencé à parler assez librement :

(a) « Je partiray » : je diviseray son esprit : j'y mettrai le trouble.

(b) Tel est le texte ; mais il serait préférable, dans le premier membre de phrase, d'entendre, comme le porte d'ailleurs le texte des *Mémoires :* « ... par ses inventions (et jamais le cardinal n'en avait ouï parler) ».

(c) Le nom a été laissé en blanc sur le texte ; il est donné par le manuscrit A (f° 248 v°) des *Mémoires.*

(d) Un blanc a été laissé sur le texte. Le manuscrit des *Mémoires* porte : « trois fois ». Il semble préférable, en raison du contexte, d'entendre « trois jours ».

(6) Louis de Chabans, seigneur du Maine

(7) Pierre de Mornay, seigneur de Buhy et de la Chapelle ; il était alors enseigne dans la compagnie des Gendarmes du roi.

(8) Le 3 novembre précédent, le jeune Charles de Schomberg, duc d'Halluin, et François de Coligny, fils du marquis de Cressia, avaient eu une querelle, qui avait eu pour conséquence l'éloignement de la cour du duc d'Halluin et de son beau-frère, Roger du Plessis-Liancourt.

Que Buy luy avoit fait cognoistre clairement que le Card[al] empeschoit M. le Premier de faire sa fortune, que c'estoit luy qui destournoit le Roy de luy faire du bien.

Chabans a passé plus avant, car il luy a dit clairement que le Premier vouloit un extrême grand mal au Card[al], qu'il croyoit qu'il empeschoit sa fortune, et, pour cet effet, qu'il avoit parlé au Roy et luy vouloit encore parler pour mettre le Card[al] en soubçon ; qu'il avoit un mémoire pour montrer au Roy contre ledit Cardinal, lequel luy avoit esté donné par Cressias, qui vouloit mal au Card[al] pour deux raisons ; l'une que ledit Cressias et le Premier croioient embarquer le Roy à Blois en l'amour de Cressias sa fille, ce dont il pense qu'il a esté destourné par le Card[al] (e) ; l'autre qu'il croit qu'il eust eu le Pont-de-l'Arche sans ledit Card[al].

Il a dit que le Mémoire portoit que le Roy devoit prendre garde au Card[al], veu qu'outre le Havre il vouloit Brest, Brouage, et avoir places maritimes, et qu'il vouloit, par le moyen de la charge qu'il avoit au commerce et ces places, brider la France (9).

Le Moine a dit que c'estoit le mesme Cressias qui luy avoit dit cela, et qu'il tascheroit de sçavoir qui dresse ces mémoires.

Le dessein de la mer (service signalé) est un crime, et j'avoue qu'en cela mesme je n'y fais pas la moitié de ce que je pourrois faire, car en effet je n'ose mespriser ces calomnies. Je n'ose entreprendre l'affaire du sel à cause de Brouage, et, de fait, V[re] Ma[té] verra à y penser par une autre voye que la mienne et se souviendra que je l'abandonne non par [manque d'affec]ion (f), mais par crainte des calomnies. Car je sçay que la cabale a dit : il nous faut dire qu'il se veut fortifier des Grands, mesme de Monsieur ; maintenant, qu'il veut ruiner les princes du sang ; une autre fois, qu'il veut eslever la Reyne.

Cependant tout cela arresteroit, et il est vray qu'à ne faire les choses qu'à demy, il vaudroit mieux ne les point faire du tout. Et le faire tout à fait, la malice de ceux qui veulent faire leurs affaires aux despens du Roy met en grand hasard. Il faut agir fortement, se préparer à des choses de loing, dont il ne faut pas dire la fin, et, quand les meschants esprits les sçauroient bonnes comme elles sont, ils les cacheroient au Roy et ils les descouvriroient à tout le monde pour ruiner les desseins.

Sans argent on ne fait rien. Proposez de grands moyens extraordinaires, les parlemens s'y opposent ; ils font crier les peuples. Cependant il faut pour un temps mespriser cela et se laisser calomnier passant outre.

(e) *En marge :* « Parce que je ne suis pas macqueriau, j'auray perdu l'Estat », phrase ajoutée de la main de Charpentier sous la dictée du cardinal.

(f) On lit seulement la fin d'un mot : « ... tion », le texte étant abîmé à cet endroit. « Manque d'affection » est une restitution.

(9) Richelieu avait été nommé Grand Maître, Chef et Surintendant général du Commerce et de la Navigation en octobre 1626 ; le 22 du même mois, il avait reçu le gouvernement du Havre, à la suite d'un accord passé avec M. de Villars-Brancas ; en décembre, le gouvernement de Brest sera ôté au marquis d'Ouessant moyennant compensation ; quant à Brouage, son gouverneur, Timoléon de Saint-Luc, avait déjà consenti à le céder à la reine mère, qui, en février 1627, en nommera Richelieu lieutenant-gouverneur.

De la puissance de la mer deppend l'abbaissement d'Angleterre, d'Holande, la ruine des huguenots. Cependant on n'osera y travailler fermement à cause des calomnies.

Démétrius (10) m'a rapporté que le Rouge (11) avoit sceu de M. de Bellegarde qu'il avoit dit dernièrement à Chesnelle (12) : maintenant que vous estes grosse, souffrirez-vous que le Card[al] vous face mal traitter comme vous estes. Je ne sçay s'il est vray.

Mais il est bien certain que ledit Baradat dit l'autre jour à madame de Senecey (13) : maintenant que la Reyne est grosse, le Roy verra le mauvais conseil que le Card[al] luy a donné de marier son frère. En quoy paraist son bon jugement, veu que si le conseil du mariage estoit mauvais, la grossesse de la Reyne empescheroit que l'événement ne le peust estre.

Le mesme Baradat dist à Marsillac dernièrement, après que le Roy luy eust dit qu'il ne pensoit pas approcher Soret de luy, veu que c'estoit un meschant qu'il ne tenoit point pour son amy, veu que je luy avois laissé faire ce mariage dont le Roy n'agréoit pas l'alliance : qu'il m'avoit plusieurs fois offert sa sœur pour le moindre des miens sans que je luy eusse rien dit. Ceste déclaration montre, entre tous les advis qu'on a, que cet homme a le poignard dans le sein, et qu'il se prend de toutes choses. Puisqu'il ose parler au Roy de la Reyne sa mère, que n'osera-t-il pas contre d'autres ? Il a dit à plusieurs qu'il attendroit son temps. Il l'a dit mesme à Marsillac en qui il a confiance.

317. — Sur le mécontement du Premier Ecuyer. [novembre 1626].

A.E., Mém. & Doc., France, Vol. 783, f° 19-20. — Minute avec additions et corrections de la main de Charpentier.

Raison. — Le mescontentement du P[remier] est visible et manifeste à tout le monde. Il procède de n'avoir pas ce qu'il veut pour son frère (1).

Il s'en prend à ceux qui sont bien auprès du Chesne (2) sans se souvenir qu'ils l'ont tousjours assisté pour l'amour dudit Chesne.

Il en veut aussy à Hébert (3) tant à cause de la demoiselle qu'Hébert veut garantir et pour l'amour d'elle et pour l'honneur

---

(10) Le sieur du Plessis-Baussonnière, gentilhomme de confiance du duc d'Epernon, que Richelieu avait en grande estime

(11) Le cardinal de La Valette.

(12) Anne d'Autriche.

(13) Marie-Catherine de La Rochefoucauld (1588-1667), veuve depuis 1622 d'Henri de Bauffremont, marquis de Senecey. D'abord dame d'atours d'Anne d'Autriche, elle venait d'être nommée dame d'honneur (octobre 1626), cnarge qu'elle conservera jusqu'en 1640. Elle devait plus tard devenir gouvernante du jeune Louis XIV.

(1) François de Baradat avait deux frères : Henri, qui fut évêque de Noyon en 1627, et Pierre, qui était entré dans la carrière des armes ; c'est de celui-ci qu'il s'agit.

(2) Le roi.

(3) Marie de Médicis.

de sa maison (4), que parce qu'il estime que ceux qui sont bien auprès du Chesne, sans exception de ceux mesme que la nature excepte, luy font tort, cette place luy estant uniquement deue.

Le déplaisir de ce personnage est tel qu'il ne peut cacher sa rage, que, s'il pouvoit, il perdroit tous ceux qui sont le mieux auprès du Chesne.

Menaces. — Il a dit à Silaquemar (a) en jurant plusieurs fois qu'on ne l'aidoit pas, mais qu'il viendroit un temps auquel on auroit affaire de luy, que chacun auroit son tour, qu'il viendroit une maladie à Calori (b), qu'il estoit mieux avec le Chesne (c) que jamais, que le Chesne luy disoit tout, et ceux mesmes qui parloient de luy, que le Chesne l'escoutoit sur toute chose, qu'il deffioit qu'on le peust mettre mal avec le Chesne, sur quoy le Chesne sait bien qu'on n'y a jamais tasché, ains au contraire qu'on luy a fait plusieurs fois des propositions advantageuses pour luy qu'il a refusées. Il a dit de plus que Callori avoit trouvé le foible du Chesne en ne luy demandant rien, qu'il prendroit pour un temps le mesme expédient pour prendre sa revanche.

Il a dit en jurant (d) que le Chesne auroit la guerre, qu'il ne la pouvoit esviter, que les choses ne pourroient demeurer comme elles estoient, touttes parolles dont le ton faict voir clairement qu'elles ne signifient pas tant ce qu'il juge comme ce que sa passion luy faict désirer, si ce n'est que son jugement et sa passion ne font qu'une mesme chose.

Un de ses parents fut sy impudent que de dire : voicy un estrange siècle : nous n'oserions parler du pauvre Tronçon (5) ; on n'oseroit parler des serviteurs du Chesne, estimans par là seuls serviteurs du Chesne ceux qui méditoient des caballes dans sa maison et qui vouloient ruiner Hébert. Enfin tous les siens trouvent à redire à tout ce qui se fait, et ce qui est approuvé de toutte la France et admiré de toutte la chrestienté, est blasmé d'eux parce qu'ils n'y trouvent pas leur compte et ne partage pas tout ce qui vient à vacquer comme leur estant deub.

Il est nécessaire que le Chesne arreste le cours de ces mescontentemens de peur que cette personne qu'il faut conserver ne se perde pas soy-mesme et nuyse, par mesme moyen, aux affaires publiques. Le remède de ce mal consiste ou à faire de grands biens non seulement à sa personne, mais encore à celle de ses parens. Je dis : grands biens, parce qu'il tesmoigne clairement que leur donner des charges médiocres, c'est plustost l'iriter que le contenter. Si la disgrâce de Callori (e) le satisfesoit aussy pleinement — comme

---

(a) Ce nom désigne Bertrand de Crugy de Marcillac.
(b) Richelieu ; le mot « Calori » a été biffé et remplacé par « le cardinal ».
(c) Le mot « Chesne », ici et plus bas, a été remplacé par « le roi ».
(d) « En jurant », ajouté en interligne, de la main de Charpentier.
(e) Le mot a été remplacé par « le cardinal ».

(4) Gabrielle de Coligny, fille de Marc de Coligny, seigneur de Cressia (ou Cressias) et de Dammartin, et de Catherine de Genevois. Elle était attachée à la maison de la reine mère ; Baradat l'épousera plus tard, à Bruxelles, le 21 septembre 1632.

(5) Louis Tronçon, sieur du Coudray, un des secrétaires du roi ; il se compromit dans la même cabale que Baradat et Sauveterre.

la grande croyance que le Chesne tesmoigne aud. [Calori] le blesse, le désir qu'il a que l'esprit du Roy ne soit point agitté au préjudice de sa santé, qu'il a desjà veue deux ou trois fois esbranlée par telle voye, le porteroit (f) à proposer, soubz le bon plaisir de Sa Maté, cet expédient pour sa satisfaction, pourveu que cette disgrâce ne consistast qu'en un retranchement d'apparence extérieure ou un esloignement local qui ne le privast pas d'avoir au cœur du Chesne la place qu'il y méritera tousjours par ses services.

J'ay tousjours dit au Chesne (g) que bien qu'il y eut dedans et dehors l'Estat plusieurs ennemis de sa grandeur, de sa prospérité et de sa personne, je me promettois (h) qu'on en viendroit à bout, la force, son authorité et la conduitte de ses serviteurs estans suffisantes pour cela, mais que je craignois (i) extrêmement les caballes de son cabinet, qu'en telles menées les artifices et les mansonges y peuvent beaucoup plus que la raison et la vérité, qui en effet se trouvent souvent n'y avoir point de lieu.

Je dis (j) encore : Et il est vray que si, en acquérant force ennemis pour le bien de l'Estat — des mauvaises volontés desquels on se deffendra volontiers quelque péril qu'il s'y puisse rencontrer — il faut encore se deffendre des artifices de ceux qui, dans le cabinet, ne seront pas contans, quoyqu'ils le doibvent estre il voudroit beaucoup mieux quitter la partie que d'entrer en cette lice.

Plusieurs raisons luy doivent donner ce conseil et son naturel l'y porte.

Il est des mescontans comme des pourceaux qui se réunissent et crient tous ensemble quand quelqu'un d'entre eux commance.

Puisqu'Aristote enseigne qu'il y a des faussetez qui ont plus de vraysemblance que des véritez, il est aisé à juger quel péril on court parmy plusieurs esprits qui n'ont autre but que de faire parroistre les plus grands signalez services des crimes, principalement quand ils ont l'oreille de leur maistre, et que celuy à qui ils parlent est naturellement susceptible de telles impressions.

On s'unit volontiers pour mal faire, et ceux qui font bien trouvent d'ordinaire plus d'envieux que de protecteurs : les renards de Sanson s'accordent jusques au nombre de deux cens pour brusler les bleds des Philistins, et jamais deux ne s'accordèrent pour garder une poule (6).

(f) Le sujet du verbe ne peut être que « Calori » ou « le cardinal ».
(g) Correction : « Le cardinal avoit tousjours dit à Sa Maté ».
(h) Correction : « il se promettoit ».
(i) « qu'il craignoit ».
(j) Correction : « Il dit ».

(6) La Bible — Juges, XIV, 15, 4 — parle de trois cents renards, qui furent, en l'espèce, les instruments de Samson.

318. — Note complémentaire sur le mécontentement du Premier Ecuyer. [Novembre] 1626.

A.E., Mém. & Doc., France, Vol. 783, f° 21. — Minute en grande partie de la main de Charpentier.

Ledit seigneur (1) dit que, pour prendre son temps, il veut passer un long temps sans rien demander au Roy, et que, par ce moyen il s'insinuera en ses bonnes grâces, et prendra son temps de ruiner ceux qui seront le mieux.

Le Roy a commandé expressément à Mr B (2) d'escrire à Calori que, le matin du 26e octobre, Mr le P[remier], parlant à Sa Maté de Blinville (3), M. luy a dit qu'il y avoit trois ou quatre jours que Blinville avoit dit en pleine table qu'il avoit réduit les choses à tel point qu'il falloit que Calori ou le P[remier] prist congé de la compagnie. Sur quoy le P[remier] luy dit que c'estoit un fourbe, qu'il ne sçavoit pourquoy il disoit cela, que ce n'estoit pas de son consentement, et que Blinville haïssoit Calori plus que le Diable ; que s'il falloit que l'un des deux deslogeast, il recongnoissoit que ce seroit à luy à desloger, et qu'il s'en iroit en ce cas sans dire adieu à Sa Maté, parce que Calori est si nécessaire à son service et à l'Estat qu'après luy tout le Conseil ne seroit plus rien ; qu'il ne disoit pas cela pour l'amour de luy, parce qu'il en estoit mal satisfait, mais parce que la chose estoit véritable, et sur ce que le Roy luy demanda pourquoy il estoit mal satisfait de Calori, il luy dit que c'estoit de ce que Calori luy respondit l'autre jour aux complimens qu'il luy fist sur le fait de son frère, qu'il avoit veu par là qu'il le tenoit pour un stupide, croyant qu'il ne pouvoit rien faire qu'estant sifflé estoit ce qui le faschoit (a), et non la considération de son frère, pour qui il avoit esté à la vérité obligé d'essayer de faire quelque chose, mais que chacun ayant recogneu qu'il avoit marqué de bon naturel, et que le mal de son frère venant de ce qu'il est une beste, il en est quitte, et qu'il voudroit qu'il fust au Diable.

Que, le soir auparavant, madame d'Elbeuf parla longtemps au Roy et à la Reyne, dont le P[remier] avoit grande impatience, de sorte que le Roy luy ayant dit, le lendemain matin, qu'on luy avoit

Pièce 318. — *Bien que séparée de la pièce précédente, cette note semble en être la suite. Elle en reprend même certains termes dès les premières lignes. Elle a été également utilisée par les rédacteurs des* Mémoires de Richelieu (*édit. de la S.H.F., t. VI, p.* 324 *et suiv.*).

(a) La phrase est embarrassée. Il faut entendre. « ...qu'il le tenait pour un être stupide et qu'il était persuadé qu'il ne pouvait rien faire qu'étant sifflé ; c'était ce qui le fâchait, etc. ». Dans l'expression « estant sifflé », il y a peut-être une allusion aux fonctions de premier écuyer de Baradat : dans la chasse au faucon, on « siffle » l'oiseau pour le faire revenir ; mais l'expression semble plutôt devoir être prise dans un sens très général : on siffle pour apprendre à chanter à un oiseau, c'est-à-dire pour lui apprendre sa leçon.

(1) Baradat.
(2) Bautru, d'après le texte des *Mémoires de Richelieu* (VI, 323).
(3) Jean de Varigniez, seigneur de Blainville, maître de la Garde robe de 1620 à 1622, envoyé en ambassade en Angleterre en 1625.

dit, le soir précédent, ce discours de Blinville, il croit asseurément que la chose vient de là, et peste le mary et la femme comme il faut disant que le mari n'est point des amis de Calori, quoy qu'il puisse dire, parce qu'il n'a point le gouvernement de Picardie. Le Roy ne luy a dit ny ouy ni non, et luy a laissé croire ce que bon luy a semblé ; que le P[remier] ayant veu que le Roy a parlé à Mr B, a creu sans doute que Sa Ma^{té} luy disoit cela pour le faire sçavoir à Calori qu'il prie précisément de n'en rien tesmoigner du tout au P[remier], s'il le voit.

319. — A. M. le chevalier de Rasilly. Paris, 1er décembre 1626.

Arch. de la famille de Rasilly. — Original.
Impr. : Avenel, II, pp. 295-296.
Généalogie de la famille de Rasilly (1903), p. 264 et fac-similé.

Monsieur, bien que je sache qu'il ne vous faille point recommander la diligence, je ne laisse de vous prier de faire dépescher les vaisseaux en sorte qu'ils soyent faicts à la St-Jean (1). J'auray soing du canon nécessaire, me reposant sur vous non seulement du corps des vaisseaux, mais des voilles, cordages et autres équipages.

Pièce 319. — *La lettre porte en suscription, sur le repli : « A Monsieur Monsieur le chevalier de Razilly, au Havre ». A côté, on lit, d'une écriture qui semble être celle du cardinal : « Mr de Launay votre frère ». Sur ce dernier, on se reportera à la note de la lettre de Richelieu du 25 novembre* (pièce 309).*Le destinataire de celle-ci est Isaac de Rasilly, quatrième fils de François de Rasilly et de Catherine de Villiers. Né au château d'Oiseaumelle en 1587, il avait été reçu chevalier de Malte au prieuré d'Aquitaine le 6 janvier 1605. Premier capitaine de la Marine de France le 3 décembre 1623, il était chef d'escadre des vaisseaux du roi et vice-amiral de ses armées navales depuis le 17 février 1624. Au mois de mai de cette année-là il avait été chargé de se rendre auprès du sultan du Maroc, Moulay Zidan, afin de négocier la cessation des pirateries et la libération des captifs français. Mais le chérif, se méprenant sur ses intentions, l'avait retenu captif, lui et trente-trois de ses compagnons, exigeant pour les libérer la réparation d'une escroquerie dont il avait été victime, quelques mois plus tôt, de la part d'un aventurier français. A cet effet, Isaac de Rasilly était revenu en France, mais les nécessités militaires nées de la reprise de la lutte contre les protestants devaient, pendant de longs mois, faire passer au second plan la libération des prisonniers. On verra la part que prendra le chevalier de Rasilly dans les opérations dont l'île de Ré, puis La Rochelle furent bientôt les principaux objectifs. Mais, dès le 26 novembre 1626, il remit à Richelieu un mémoire que l'on considère non sans raison come un des premiers documents où se trouvent jetées les bases des relations commerciales avec l'empire chérifien (V. Léon Deschamps,* Un colonisateur au temps de Richelieu, Isaac de Rasilly, *Rev. de Géographie,* 1887). *Commandeur de l'Isle-Bouchard le 21 octobre 1631, Isaac de Rasilly sera lieutenant général et vice-roi de la Nouvelle-France le 20 avril 1632. Il devait mourir à La Hève (Canada) en 1636.*

(1) Le 27 décembre.

De la lettre de change de 20.000 livres qu'on a envoyées à M. le commandeur, il y en aura 12.000 pour lesdits vaisseaux, et parce qu'il m'a mandé que le commis de Charlot, à qui elle estoit adressée n'a point d'argent pour l'acquitter, je feray donner ordre à en fournir d'ailleurs, et à mesure qu'il en faudra, me le demandant, je vous en feray tenir. Dans trois jour vous recevrez 6.000 francs nouveaux pour cet effect. J'envoie M. de Beaulieu en Bretagne pour faire travailler de son costé, et renvoye le sieur du May en Normandie pour y haster la besoigne des vaisseaux ; vous en ferez faire douze. Incontinent que les vaisseaux seront entrés dans le port, je seray bien aise que M. de Launay, vostre frère, s'en revienne icy, ayant tousjours besoing d'avoir auprès de moy quelqu'un qui m'instruise aux affaires de la mer. Sur cela, je demeure,

Monsieur,

Vostre bien affectionné à vous servir,

Le Card. de Richelieu.

Je vous prie me mander, article par article, tout ce qu'on fera.

De Paris, ce 1er décembre 1626.

320. — B. de Baradat au cardinal de Richelieu. S.l., 2 décembre 1626.

B.N., Nouv. Acquis. franç., Vol. 5131, f° 91. — Original.

Monsieur,

Comme Marcillac (1) est arrivé, j'avois la main à la plume pour vous faire sçavoir mon malheur, qui m'est arrivé aujourd'huy, mais

Pièce 320. — *Au dos de la feuille, a été portée la suscription : « A Monsieur Monsieur le Cardinal ».*

On lit dans les Mémoires du cardinal de Richelieu (*éd. de la S.H.F., t. VI, p. 327 : « Le Roi, qui depuis longtemps désiroit congédier Baradat, ce que le cardinal seul avoit empêché, représentant à S.M., lorsqu'elle lui disoit ses paroles et pensées malicieuses et extravagantes, qu'il falloit pardonner quelque chose à la jeunesse, se résolut de l'éloigner de lui. Et un soir qu'il s'emporta encore en quelque fols discours, lui commanda de se retirer de sa présence : ce qu'il ne fit pas sans répartir selon les caprices de son esprit. Etant arrivé au Petit-Bourbon (2), il eut commandement de s'en aller hors de sa cour en une de ses maisons ». C'était le 2 décembre 1626, le jour même où cette lettre fut décrite. Les* Mémoires *ajoutent : « Lors, il eut recours aux soumissions et aux larmes et à toutes sortes de recherches, mais en vain, car il n'y a point d'autre sortie de la bonne grâce de son maître que le précipice, duquel il n'y a plus d'espérance de revenir ».*

---

(1) Il s'agit de Bertrand de Crugy de Marcillac, gentilhomme ordinaire de la chambre, celui-là même qui avait été, un moment, détenu pour s'être uni aux adversaires du projet de mariage de Monsieur.

(2) Le Petit-Bourbon — salle de spectacle et chapelle — n'était séparé du Louvre que par la rue d'Autriche.

m'aiant tesmoigné que je m'y pouvois fier, je l'ay instruit de l'affaire pour vous la mander avec plus de facilité, vous conjurant de me vouloir protesger contre ceste modite cabale, vous adjurant que je m'en resentiray comme celuy qui vous a desjà toutes les obligations du monde,

Monsieur,

Vostre très humble et très affectionné serviteur,
Baradat.

Je vous suplie me renvoyer Marcillac (a).

321. — Harangue prononcée en l'Assemblée des Notables tenue à Paris le 2 décembre 1626, en présence du Roy, par M. le Cardinal de Richelieu.

A.E., Mém. & Doc., France, Vol. 245. — Minute avec corrections de la main de Richelieu.
A.E., Mém. & Doc., France, Vol. 51, Ms A des Mémoires de Richelieu, Année 1627, p. 105-112.
B.N., Fonds Dupuy, Vol. 208, f° 69. — Copie.
B.N., Nouv. Acqu. franç., Vol. 7167. — Copie.
Bibl. de l'Institut, Col. Godefroy, prt. 279, f° 37-41. — Copie.
Bibl. historique de la Ville de Paris, ms. 563, Assemblée des Notables de 1626, p. 85-97. — Copie.
Impr. : *Mercure françois,* t. XII, page non chiffrée (entre les pages 759 et 760.
Buisson, *Des Etats généraux...* (1789), t. XVIII, p. 226. Avenel, II, pp. 297-304.

Il n'est pas besoin, à mon advis, Sire, de représenter à ceste célèbre compagnie les grandes actions que Vostre Majesté a faittes depuis un an, tant parce que M. le garde des sceaux s'en est fort dignement acquitté, que parce qu'elles parlent d'elles mesmes, et

Pièce 321. — *Les copies et les textes imprimés de cette harangue ne présentent que des différences de détail. Les principales variantes sont indiquées en note. Le texte le meilleur est sans doute celui qui a été imprimé dans le* Mercure françois, *car il est fort probable que ce journal a dû recevoir une copie directement fournie par le cabinet du ministre, en sorte qu'on peut considérer ce texte comme le texte définitif.*

L'Assemblée des Notables s'ouvrit le 2 *décembre* 1626 *et prit fin le* 24 *février* 1627. *Le garde des sceaux, Michel de Marillac, prit le premier la parole. Son discours est un exposé des principaux problèmes d'ordre intérieur qui se posaient alors : il y insiste surtout sur les lourdes charges financières que les guerres civiles avaient imposées au trésor royal, puis sur les efforts entrepris pour restaurer la marine et le commerce. Le maréchal de Schomberg, qui lui succéda montra quels étaient les besoins militaires. Enfin, le cardinal de Richelieu, sur un signe du roi, après s'être incliné devant sa Majesté et avoir salué l'assemblée, prononça de sa place, assis et couvert, la harangue reproduite ici.*

(a) Cette ligne a été ajoutée sur le repli de la lettre, après la suscription.

qu'il n'y a personne qui ne voie que Dieu a voulu se servir de la piété, de la prudence et du courage qu'il a mis en Vostre Majesté, pour faire en peu de temps, à l'advantage de cet Etat, ce que beaucoup estimoient impossible en des siècles.

Il n'est pas aussy besoin de leur faire entendre les grandes despences qui ont esté causées par ces signalées actions, parce que chacun sçait qu'en matière d'Estat les grands effects (a) ne se font pas souvent à peu de frais, et que le grand nombre des gens de guerre, que Vostre Majesté a esté contrainte de tenir en mesme temps en divers lieux, tant au dedans qu'au dehors du roiaume, fournit aux clairvoians autant de subjets d'admirer vostre puissance, et d'estre estonnés par des despenses si excessives, comme la foiblesse des plus simples leur peut donner lieu de douter de la possibilité de ce qu'ils ont veu de leurs propres yeux en ces occasions (b).

Il n'y a personne d'entre vous, Messieurs, qui ne sache avec quelle pureté ces despences ont esté mesnagées et combien elles estoient nécessaires. La probité de ceux qui ont administré les finances justifie le premier point ; et l'oppression des alliez de ceste couronne, la rébellion de ceux qui sont rebelles (c) à Dieu ont fait en ce royaume les mouvements projettés et formés au mesme temps par personnes qui vouloient, contre les intentions du Roy et de tout ce qui les touche de plus près, se prévaloir, par la perte de la France, des occupations que Sa Majesté avoit pour la restablir en sa première splendeur, font assez cognoistre la vérité du second.

L'utilité que ces Estat et ses alliez reçoivent de telles despenses fait qu'elles ne sont pas à regretter, et que la France a tout subjet de s'en louer au lieu de s'en pouvoir plaindre.

Les affaires sont maintenant, grâces à Dieu, en assez bon estat mais on n'oseroit se promettre qu'elles y demeurent tousjours, et il faudroit n'avoir point de jugement pour ne cognoistre pas qu'il les faut pousser plus avant.

Il faut, par nécessité, ou laisser ce royaume exposé aux entreprises et aux mauvais desseins (d) de ceux qui en méditent tous les jours l'abbaissement et la ruine, ou trouver quelques expédiens assurés pour l'en garantir.

L'intention du Roy est de le régler en sorte que son régne égale et surpasse le meilleur des passez, et serve d'exemple et de régle à ceux de l'advenir.

L'assistance particulière qu'il a tousjours pleu à Dieu luy donner jusques à présent ès affaires mesmes qui sembloient les plus déplorées nous donne subjet d'espérer de ses bons desseins. Estant secondé, comme il est, des sages conseils de la Reyne, sa mère, et du concours de M. son frère, que je puis dire avec vérité estre si étroittement attaché aux volontez de Sa Majesté et aux intérests de l'Estat que rien ne l'en peut séparer, je ne voi pas lieu d'en douter.

Puisqu'il n'y a que Dieu qui face quelque chose de rien, pour parvenir à de si bonnes fins, il faut, de nécessité, ou diminuer les

(a) « grandes affaires » (Manusc. Dupuy)

(b) Depuis les mots : « de la possibilité » jusqu'à la fin de l'alinéa de la main du cardinal.

(c) « se sont rebellez » (Manusc. Dupuy).

(d) Depuis le début de l'alinéa jusqu'à « desseins » : de la main de Richelieu.

despences ordinaires de l'espargne, ou en augmenter les receptes, ou faire les deux ensemble (e).

Il est impossible de toucher aux despences nécessaires pour la conservation de l'Estat : y penser seulement seroit un crime ; c'est pourquoy Sa Majesté préférant le public à son particulier, veut de son mouvement retrancher sa maison, ès choses mesmes qui touchent sa propre personne, vous laissant à juger comme il en faudra user du reste.

On pourroit penser que ceste saison ne seroit pas propre à tels retranchemens, qui aliènent et retranchent quelques fois l'affection des cœurs ; mais en l'ordre qu'on veut establir, les grands et les petits trouveront leur compte ; tous auront prix selon qu'ils feront bien ; la médiocre condition des uns ne fera point mespriser leurs services, et ceux des grands seront d'autant mieux recognus que la qualité des personnes qui les auront rendus les rendra plus recommandables.

Les règles les plus austères sont et semblent douces aux plus desréglez esprits, quand elles n'ont, en effet, comme apparence, autre but que le bien public et le salut de l'Estat.

Nul ne se pourra (f) plaindre quand on ne fera aucune chose qui n'ait ceste fin, quand on réglera les despences sur le pied auquel elles estoient du temps du feu Roy, et quand le Roy mesme qui, en tel cas, est au-dessus des règles, voudra servir d'exemple.

La Royne vostre mère, Sire, vous supplie de trouver bon qu'elle face d'elle-mesme en ceste occasion, ce que vostre piété envers elle ne vous permettroit pas seulement de penser, c'est-à-dire qu'elle se réduise à moins de revenu qu'elle n'avoit du temps du feu Roy, estant vray qu'elle n'a point augmenté (g) sa condition, lorsque, pendant la minorité de Vostre Majesté, elle a accreu celle de beaucoup d'autres pour le bien de vostre service.

Après avoir esté contreinte d'augmenter en ce temps les depensese de l'Estat, pour en conserver le corps en son entier, elle vous conseille de les retrancher pour la mesme cause. Divers temps requièrent d'ordinaire divers et contraires moiens pour une mesme fin. Ce qui est bon en l'un est souventes fois préjudiciables en l'autre.

En grandes tempestes, il faut partager son bien avec la mer, pour soulager le vaisseau et éviter le naufrage. La prudence requiert que l'on en use ainsy (h) ; le bien public et celuy des particuliers y oblige, rien n'estant plus vray que ce qu'a dit un ancien prélat de ce royaume, qu'il est impossible que l'abondance et les richesses des particuliers (i) puissent subsister quand l'Estat est pauvre et nécessiteux.

Par tels mesnages, on pourra diminuer les despenses ordinaires de plus de trois millions, somme considérable en elle-mesme, mais

(e) Les mots : « ou diminuer les despenses ordinaires de l'espargne, ou augmenter les receptes » sont de la main du cardinal.
(f) « Devra » (*Mercure françois* et Manusc. Dupuy).
(g) « Amélioré » (*Mercure françois*).
(h) afin de ne perdre pas tout en voulant tout sauver. L'intérest des particuliers n'y oblige pas moins que celuy du public. Rien n'estant plus vray... » (*Mercure françois*).
(i) « Des personnes privées » (*Mercu*r*e françois*).

qui n'a point de proportion au fonds, qu'il faut trouver pour esgaler la recepte à la despense.

Reste donc à augmenter les receptes, non par nouvelles impositions que les peuples ne sçauroient plus porter, mais par moiens innocens, qui donnent lieu au Roy de continuer ce qu'il a commencé à prattiquer ceste année en deschargeant ses subjects par la diminution des tailles.

Pour cet effet, il faut venir au rachapt des domaines, des greffes et autres droits engagez (1) qui montent à plus de 20 millions, comme à chose non seulement utile, mais juste et nécessaire.

Il n'est pas question de retirer par autorité ce dont les particuliers sont en possession de bonne foy. Le plus grand gain que puissent faire les roys et les Estats est de garder la foi publique, qui contient en soi un fonds inespuisable, puisqu'elle en fait tousjours trouver. Il faut subvenir aux nécessitez présentes par d'autres moiens.

Le Roi a fait des choses qui ne sont pas moindres, et Dieu lui fera la grâce d'en faire de plus difficiles.

Si l'on vient à bout de ce dessein, et que la France jouisse tous les ans du revenu qui reviendra de ces rachapts, ce qui semble à présent impossible, et qui toutesfois est nécessaire pour le bien de l'Estat, sera alors très facile à Sa Majesté (j). Les peuples qui contribuent maintenant, plus par leur sang que par leurs sueurs, aux despenses de l'Estat, seront soulagez en sorte que, ne levant plus rien sur eux que ce qui sera nécessaire, de peur qu'ils oublient leur condition et perdent la coustume de contribuer aux frais publics, au lieu de se sentir ce qu'on tirera d'eux, ils estimeront qu'on leur donnera beaucoup.

Quand il sera question de résister à quelque entreprise estrangère, à quelque rébellion intestine, si Dieu en permet encore pour nos péchés (k), quand il sera question d'exécuter quelque dessein utile et glorieux pour l'Estat, on n'en perdra point l'occasion faute d'argent ; il ne faudra plus courtiser les partisans pour avoir de bons advis d'eux et mettre la main dans leur bourse, bien que souvent elle ne soit pleine que des deniers du Roy.

On ne verra plus les cours souveraines occupées à vérifier des édits nouveaux. Les rois ne paroistront plus dans leur lict de justice que pour deffaire avec raison ce qu'ils auront fait en un autre temps, non sans raison toutesfois, puisque la nécessité en est une bien forte. Enfin, toutes choses seront en l'estat auquel, dès long-

(j) Depuis : « et qui toutesfois » jusqu'à : « Majesté », de la main de Richelieu.

(k) « Si Dieu en permet encore pour nos péchés », de la main de Richelieu.

(1) Rappelons que, sous l'ancien régime, le domaine de la couronne correspondait à l'ensemble des biens qui, aujourd'hui, rentrent soit dans le domaine national, soit dans le domaine public de l'Etat. Jusqu'à la fin du XVIIIe siècle, ce domaine fut considéré comme inaliénable : l'édit de Moulins de 1566 autorisait seulement des aliénations temporaires en cas de nécessité, par exemple quand une guerre exigeait la disposition de ressources immédiates. Le « dégagement » du domaine avait été une des grandes préoccupations de Sully. Les droits domaniaux (amortissement, contrôle, centième denier, aubaine, franc fief, etc.) constituaient le « domaine incorporel » de la couronne ; la ferme des greffes (droits perçus sur tous les actes d'une juridiction) faisait partie de la ferme des domaines.

temps, elles sont désirées des gens de bien, auquel elles pourront subsister des siècles entiers, et auquel les bénédictions du ciel seront perpétuelles compagnes de la puissance et des actions des rois, qui n'auront autre but que la gloire de Dieu, la grandeur de leur royaume, et le bonheur de leurs subjects.

On dira volontiers, et peut-estre le penserois-je moi-mesme, qu'il est aisé de se proposer de si bons desseins ; que c'est chose agréable d'en parler, mais que l'exécution en est difficile ; et cependant, après y avoir bien pensé, j'ose dire, en la présence du Roy, qu'il se peut trouver des expédiens par lesquels, dans six ans, on verra la fin et la perfection de cet ouvrage.

Le Roy, Messieurs, vous a assemblez expressément pour les chercher, les trouver, les examiner et les résoudre avec vous ; Sa Majesté vous asseurant qu'elle fera promptement et religieusement exécuter ce qu'elle arrestera sur les advis que vous luy donnerez pour la restauration de cet Estat.

Puisqu'on tue aussy bien les malades en les surchargeant de remèdes qu'en les privant tout à fait, il n'est pas besoin pour restablir cet Estat en sa première splendeur, de beaucoup d'ordonnances mais bien de réelles exécutions (l).

Ceste assemblée doit estre courte, quant à sa subsistance, mais perpétuelle (m) quant à la durée du fruit qu'elle produira (n).

Peu de paroles et beaucoup d'effets tesmoigneront les bonnes intentions et le jugement de ceux dont elle est composée.

Le Roy ne doubte point, Messieurs, que vous ne faciez tout ce qui est de vostre devoir en ceste occasion (o). Vous cognoistrez par l'événement que Sa Majesté se surpassera soi-même pour ce qui est du bien de son Estat (p).

La gloire de le faire renaistre de nouveau (q) est réservée à la vertu d'un si grand prince ; vous devez beaucoup à sa bonté pour ce qu'elle daigne vous y donner part ; et je me sentirois, très particulièrement redevable à Dieu, en ceste occasion, s'il me prenoit deux heures (r) après l'accomplissement d'un si haut, si glorieux et si saint dessein (s).

(l) Depuis : « il n'est pas besoin », de la main de Richelieu.

(m) « Cette assemblée en sera plus courte, bien qu'elle doive estre perpétuelle... » (*Mercure françois* et *Manusc.* Dupuy).

(n) « Subsistance » et « durée du fruit » de la main de Richelieu.

(o) « *Occurence* » (Mercure françois).

(p) « Pour procurer le bien de son Estat » (*Mercure françois*).

(q) Ce début de phrase est de la main de Richelieu.

(r) « Incontinent après » (*Mercure françois*).

(s) Les huit derniers mots sont de la main de Richelieu. — Sur la minute conservée aux Archives des Affaires étrangères, on lit, au bas du dernier feuillet : « Je pensois m'estendre sur le fait de la marine, mais ce qu'en a dit M. le garde des sceaux me ferme la bouche, n'estimant pas devoir rien adjouster aux considérations qu'il a présentées sur ce sujet ».

322. — M. de Schomberg au cardinal de Richelieu. S.l., 8 décembre 1626.

A.E., Mém. & Doc., France, Vol. 781, Invent. de la cor., 1626. f° 172 v°.

Analyse :

« Il envoye au Card[al] deux dépesches qu'il a lu au Roy et à la R.M. Leurs Majestés croyent qu'on ne doit ny négliger ces bruits ny s'en allarmer. On écrit aux gouverneurs de Languedoc et de Guyenne de se tenir sur leurs gardes. On fait passer en Vivarets huit compagnies de Normandie. Si ces bruits continuent, il ne faut pas penser à retrancher les régiments de Picardie, de Normandie et de Chapes, qui y sont. On a dit au Roy que M. le Prince a convoqué la noblesse de Berry et qu'il a aussy mandé le Clergé. L'ancien archev. de Bourges débite cette nouvelle. On veut envoyer quelqu'un sur les lieux pour l'éclaircir, mais qui sache cacher son voyage. Le Roy consent qu'on donne 200 escus à chacun des deux hommes que M. de Ragles met auprès de M. de Rohan pour avertir de tout ce qui se passera. MM. du Clergé commencent à travailler pour de bon. »

323. — A M. le chevalier de Rasilly. Paris, 10 décembre 1626.

Arch. de la famille de Razilly. — Original.

Impr. : Avenel, II, pp. 304-305.

Monsieur, Pour respondre à vos lettres, je commenceray par le desplaisir que j'ay de la maladie de M. de Launay vostre frère, dont je souhaite la guérison autant que vous et luy.

Quant à ce que vous m'escrivez des intéreștz et de l'un et de l'autre, vous pouvez vous asseurer que j'emploieray le peu de crédit que j'ay pour vous faire payer tous les deux. Pour cet effet, incontinent que ledit sieur de Launay sera guéry, je seray très aise qu'il vienne icy, et je me promets que je vous tireray de ceste affaire.

Pour l'entreprise que vous me proposez, quand il sera icy nous en parlerons particulièrement ensemble, ne voulant pas légèrement donner conseil au Roy de hasarder ses vaisseaux assytost qu'ils sont arrivez.

Je n'ay rien à vous dire sur le subject de ce que vous me mandez des Anglois, sinon qu'il y a une grande différence entre les bruits et entre les dessins qu'on a. On ne pense pas de deçà à leur faire la guerre, mais seulement à empescher qu'ilz ne déprèdent impunémnt nos marchans.

Le marché des cinq galiotes de Dieppe est passé, et le tiers du prix dont on est convenu payé. Je vous prie de vous souvenir que

Pièce 323. — *Sur le destinataire et sur son frère, Claude de Launay on se rapportera aux notices qui accompagnent les pièces* 309 *et* 319.

vous m'avez promis que dans la Saint-Jean (1) il y en auroit douze faites en Normandie.

Je ne parleray point au Roy de ce qu'il faut faire de ses vaisseaux qui sont au Havre, jusques à ce que ledit sieur de Launay soit venu ; mais pour ceux que vous et luy désirez, Sa Majesté vous en accorde le commandement.

Je vous prie d'escrire à M. l'ambassadeur pour ce qui est du radoub des vaisseaux, et j'en feray autant de ma part, et envoyer un mémoire bien ample de tous les voiles et cordages qu'il faut faire faire en Bretagne, par le sieur de Beaulieu, tant pour les galiotes et galiasses que pour les vaisseaux qui sont venus, prétendant n'avoir autre soing de toutes ces choses-là que de faire donner de l'argent.

On envoiera le capitaine Maurel faire un tour en Bretagne, comme vous désirez, et puis il retournera au Havre.

Il y a longtemps que je presse Ardelay de s'en aller. Sur quoy, je demeure,

Monsieur,

Vostre bien affectionné à vous servir,

Le Card. de Richelieu.

Je vous prie faire mes recommandations à Mr de Launay et à tous vos messieurs de delà.

De Paris, ce X[e] décembre 1626.

324. — Procuration pour Michel Le Masle. 12 décembre 1626.

Catalogue des Lettres autographes composant la collection de Madame Whitney Hoff, 1934, p. 40, n° 104.

Analyse :

Procuration donnée à Michel Le Masle pour représenter le cardinal de Richelieu dans le contrat de vente au roi au comté de Limours, que le roi désire réunir au duché de Chartres pour le donner au duc d'Orléans, son frère.

Pièce 324. — *Le domaine de Limours, dont il est question dans cette pièce se trouve dans l'actuel département de l'Essonne, à quinze kilomètres environ au nord de Dourdan. Le château, démoli en* 1835, *avait été bâti sous le règne de François Ier au milieu d'un parc magnifique. Il appartint tour à tour à la duchesse d'Etampes, à Diane de Poitiers, puis au chancelier Hurault de Cheverny. Le cardinal de Richelieu en avait fait l'acquisition le* 6 *avril* 1623. *L'acte de vente au roi est daté du* 23 *décembre* 1626.

(1) La Saint-Jean d'hiver, 27 décembre.

325. — M. de Schomberg au cardinal de Richelieu. S.l., 17 décembre 1626.

A.E., Mém. & Doc., France, Vol. 781, Invent. de la cor., 1626, f° 173.

Analyse :

« M. d'Herbault et luy ont beaucoup de dépesches à communiquer au Roy. On a lettres d'Ang^rre de M. le M^l de Bassompierre qui veut tousjours que Buckingham soit bon français. Il croit que les Espagnols, au nombre de 12 vaisseaux, se sont emparés d'une petite isle à la pointe de Cornouaille et d'un fort qui y est et qu'on tient imprenable. Si cela est, les Anglois pourront connoistre que l'alliance de la France ne leur est pas inutile. »

326. — A M. de Coeuvres. Paris, 26 décembre 1626.

B.N., Fonds Baluze, Vol. 323, f° 24. — Original, devenu minute en raison de quelques corrections de la main de Richelieu.

Impr. : Avenel, II, p. 306.

Monsieur, J'avois tousjours bien creu que ce que je vous avois escrit touchant M. de Vendosme n'estoit autre chose que ce que vous m'en asseurez par vostre lettre, tant je perds la mémoire pour l'amour de vous (a). M. d'Herbault vous faisant sçavoir particulièrement les intentions du Roy sur celuy (b) de vos dépesches, je me contenteray de vous dire par ceste lettre que, lorsque vous aurez exécuté le traité de paix et serez parti du pays où vous estes pour revenir icy, il sera à propos que vous vous arrestiez en quelque place sur la frontère et en donniez advis à Sa Majesté, parce qu'elle a résolu de vous envoyer le baston de mareschal avant que vous entriez en France ; à quoy je tiendray soigneusement la main, comme estant certainement vostre amy, et de plus,

Monsieur,

Vostre bien affectionné serviteur,

Le Card. de Richelieu.

De Paris, ce 26 décembre 1626.

(a) « Tant je perds la mémoire pour l'amour de vous » ; écrit en interligne et en marge de la main de Richelieu. La formule remplace celle-ci qui a été biffée : « ce qui fait que vous ne devez non plus travailler vostre esprit sur ce sujet comme il n'a pas esté capable d'apporter aucune attention au mien. »

(b) Il faut entendre : « le sujet de vos dépêches », d'après le texte qui a été ensuite biffé.

327. — Le roi au duc de Vendôme. Paris, 28 décembre 1626.

A.E., Mém. & Doc., France, Vol. 781, f° 171. — Minute.

Mon frère, ayant seu par Loustelnau et Lamond le déplaisir que vous avez de vos fautes passées, et la supplication que vous me faites de vous les pardonner (a), ce à quoy, vous voulez me convier en les confessant ingénuement, après avoir bien pensé à ce que je devois faire sur votre supplication, la franchise avec laquelle lesdits Loustalnau et Lamond m'ont fait cognoistre que vous leur avez déjà dit pour me faire savoir, à la descharge de votre conscience, les entreprises que vous avez eues sur Nantes, Blavet et Brest, je me suis résolu de vous asseurer, comme je fais par cette lettre (b) pourveu que vous n'oubliez rien de tout ce que vous savez avoir commis et avoir esté fait, projeté ou entrepris contre mon service, le repos de cet Estat et le debvoir de tout subjet, que je vous pardonneray de bon cœur sans vouloir tirer à conséquence ce qui se sera passé contre vostre vie et vos biens. Puis que je m'accorde à ce que vous désirez en cela, je vous prie pour l'amour de vous mesme de n'oublier ny déguiser aucune chose, car si je puis [vous] convaincre juridiquement de dissimulation, je ne m'oblige à aucune chose envers vous, ce que je veux bien vous faire cognoistre clairement afin que tout le monde cognoissant que ma bonté me porte à vouloir vous pardonner sincèrement, un chacun sache aussy que, si je suis contraint d'user de rigueur envers vous, vous en serez la seulle cause. Je prie Dieu qu'il vous fasse la grâce de méditer celle qu'il m'a donné pouvoir de vous accorder.

Fait au Louvre, ce 28e décembre 1626.

Pièce 327. — *Cette pièce porte en tête cette indication :* « 1626 — *Pardon accordé au duc de Vendosme par le Roy Louis XIII* ». *En réalité il ne s'agit que de la promesse d'un pardon moyennant certaines conditions. La minute porte au verso la mention* « *Employé* ».

328. — M. de Baradat au cardinal de Richelieu. S.l., 30 décembre 1626.

A.E., Mém. & Doc., France, Vol. 781, f° 63. — Original.

Monseigneur,

J'ay peur que ces lignes ne vous soient à importunité, ce qui m'empeschera de m'estandre à vous despaindre le malheureux estat

Pièce 328. — *L'indication* « *Octobre* 1626 » *a été ajoutée sur cette lettre d'une autre main. Elle est manifestement erronée, car la disgrâce du Premier écuyer est du* 2 *décembre. L'inventaire dressé par l'abbé Le Grand permet ici de rétablir la date exacte :* 30 *décembre* 1626 (*A.E., Vol.* 246, *f°* 188 *v°*).

(a) Le texte primitif portait : « à condition que vous devez ingénuement ».
(b) A la place des mots : « assurer comme je fais par cette lettre », le texte primitif portait : « envoyer mon cousin le duc de Bellegarde ».

où je suis, vous supliant très humblement, sans oser vous faire plus long discours, que les preuves de vostre bonne volonté ne me soient pas refusées, aiant tousjours dessain de rechercher les occasions de vous rendre très humble service, et puisque j'ay toute ma vie heu recours à vous dans toutes mes afflictions, au nom de Dieu, Monseigneur, asistés moy, et que j'aie l'honneur de revoir Sa Majesté sans biens ni charges, je ne m'en soucie pas, moiennant que je satisfase par vostre moien à l'inclination que j'ay pour la personne qui m'est plus chère, en quelque estat que je sois, que toutes les chose du monde, vous supliant très humblement de rechef que je resoive quelque espéranse de mon retour ou de mon esloignement. Il est vray que c'est trop presser et que l'espérance m'est encore beaucoup ; mais j'entens parler de sertaines subjections qui me font peur. Cela ne m'empeschera pas d'aimer avec la mesme passion le Roy, car quand il ne m'auroit aimé qu'une heure, je luy serois encore beaucoup redevable, et à vous aussi, Monseigneur, quand vous ne m'auriés jamais obligé que par volonté. Ce néanmoins, je ne layray de vous aseurer que je suis et seray à jamais,

Monseigneur,

V[e] très humble et très obéissant serviteur,

Baradat.

329. — M. de Picheron d'Entragues au cardinal de Richelieu. S.l., 30 décembre 1626.

A.E., Mém. & Doc., France, Vol. 781, Invent. de la cor., 1626, f° 188 v°.

Analyse :

« Extrait d'une lettre sur les dispositions à une émotion générale dans tous les pays au-delà de la Loire, entretenues par les bruits qu'on répand qu'on veut accabler le peuple d'impos, oster à la noblesse ses privilèges, abbatre les grands, et qu'on a commencé par MM. de Vendosme. »

330. — M. de Sève au cardinal de Richelieu. S.l., 31 décembre 1626.

A.E., Mém. & Doc., France, Vol. 781, Invent. de la cor., 1626, f° 188 v°.

Analyse :

« Il donne avis d'un entretien entre Fauchier, ministre de Nismes, et Maltrait, ingénieur, et envoye la carte que cet ingénieur a dressée des lieux circonvoisins. Ils croient qu'il leur est très important de se saisir de La Motte, Fourgues et Vallabrègues, qui est un passage sur le Rhône pour aller en Provence et dans le Comtat. Il rend compte d'une visite que M. de Montmorency, suivy de toute la noblesse du pays, a fait à M. de Rohan, et de celle que M. de Rohan, accompagné seulement de son escuyer, a rendue à M. de Montmorency, et du changement fait parmy les consuls. »

331. — Commission du Sr de Beaulieu pour la construction des vaisseaux en Bretagne. Paris, décembre 1626.

A.E., Mém. & Doc., France, Vol. 1503 (Bretagne), f° 258. — Copie.

LOUIS par la grâce de Dieu Roy de France et de Navarre, à nostre cher et bien amé le Sr de Beaulieu, salut. Ayant jugé à propos pour le bien de nostre service et pour la commodité et seureté du traffic de la mer, de faire construire bon nombre de vaisseaux en nostre province de Bretaigne, nous avons estimé nécessaire d'envoyer quelqu'un sur les lieux de suffisance et d'expérience requise au faict de la marine, tant pour préparer les choses dont l'on a besoing pour cela, que pour y faire travailler, et sachant que nous n'en pouvons donner la charge à personne qui s'en acquite mieulx, plus fidellement et avec meilleurs mesnage que vous, qui avez une part[ère] congnoissance des ouvrages de cette qualité, NOUS, pour causes, vous avons commis, ordonné et depputé, commettons, ordonnos et depputons par les présentes signées de nostre main, pour incontinant et le plus diligeamment que vous pourrez, vous transportez en nostre province de Bretaigne et aux lieux d'icelle que vous jugerez plus propres et comodes pour y faire construire lesdits vaisseaulx, dont vous ferez faire jusques au nombre de vingt (a), sçavoir : du port de tonneaux, et du port de tonneaux (b).

Voulant que pour cest effect vous preniez le bois qui sera nécessaire dans les foretz du pays à nous appartenant plus proches et plus commodes des lieux où vous ferez travailler, et ce par les ordonnances du Grand M[e] de nos Eaux et Foretz de Bretaigne, auquel nous enjoignons de vous faire délivrer sans aucune remise la quantité qui vous sera nécessaire, et par qui vous aurez besoing, pour l'exécution de nostre volonté, de recourir nombre suffisant de charpentiers et ouvriers pour travailler et de charrois, harnois et chevaulx pour faire mener lesdits bois aux lieux où lesdits vaisseaulx seront faits ; voulons aussy et nous plaise que vous y puissiez prandre en tous les lieux où vous le pourrez commodément, recevoir ou les contraindre à les tirer, en les payant au besoin raisonnable-

Pièce 331. — *Cette pièce ne porte d'autre date que celle de l'année* 1626 ; *mais nous savons, par d'autres documents, que Beaulieu ne se rendît en Bretagne pour y remplir la mission dont il était chargé qu'au mois de février* 1627. *Il est donc très probable que sa lettre de commission fut rédigée à la fin de l'année précédente, peut-être même dans les derniers jours de décembre.*

Augustin de Beaulieu était alors un marin expérimenté, justement renommé. Né à Rouen en 1589, *il avait fait, à vingt-trois ans, son premier grand voyage le long des côtes atlantiques de l'Afrique. En* 1616, *il commandait un vaisseau avec lequel il se rendit aux Indes orientales, et, trois ans plus tard, il était général de la flotte des Indes. De ces voyages, il est resté un livre de mémoires, qui fut publié dans les* Relations de divers voyages anciens, *de Thévenot en* 1664. *Il devait mourir à Toulon en* 1637.

(a) Les textes postérieurs indiquent tous le chiffre de trente vaisseaux.
(b) Ces précisions ont été laissées en blanc dans le texte.

ment et selon la coustume et l'usage du pays de ce faire. Vous avons donné et donnons pouvoir, autorité, commission et mandement spécial, mandons et ordonnons à nostre bien amé cousin le mar[al] de Thémines, gouverneur et nostre lieutenant général aux pays de Bretaigne, et en son absence à nos lieutenants généraux audit gouvernement, capp[nes] et gouverneurs des villes, Grands M[e] enquesteur et général réformateur de nos Eaux et Foretz, maistres procurateurs sindics et habitans des villes, et tous noz officiers et subjectz, chacun endroict sy comme il appar[tiend]ra, de tenir la main à l'exécution de nostre volonté contenue en la présente comm[on]. Car tel est no[re] plaisir.

Donné à Paris le jour de , l'an de grâce mil six cent vingt six, et de nostre reigne le dix-septiesme.

332. — Jugement du cardinal sur les propositions de M. le garde des sceaux. S.l. [décembre 1626].

A.E., Mém. & Doc., France, Vol. 806, f° 168. — Copie.
Impr.: Avenel, VII, pp. 592-593.

Toutes ces propositions sont fort bonnes, mais elles feront que l'assemblée durera jusqu'à Pasques ; et il semble qu'on les peut comprendre en un mot, ensuite duquel elles recevront force de cette assemblée sans y estre particulièrement expliquées. Outre qu'il importe à Sa Majesté de ne faire rien résoudre qui ne soit exécuté au mesme temps, ce qui faict qu'il faut s'abstenir de beaucoup de choses qui sont à désirer, mais non à espérer ny à faire en cette saison.

Il y auroit encore plusieurs autres propositions à faire en l'assemblée ; mais d'autant que la plusplart ont esté proposées en celle tenue à Rouen en l'an 1617 (1) et qu'il y a advis de la compagnie sur icelles, il suffit que celle qui subsiste maintenant supplie le Roy

Pièce 332. — *Le titre reproduit ici figure sur un feuillet qui précède le texte (f° 167). La pièce ne porte pas de date et les propositions du garde des sceaux, dont il est question, n'ont pas été retrouvées. Mais l'assemblée ici nommée est, selon toute vraisemblance celle qui s'ouvrit le 2 décembre 1626. Or, d'après le texte, elle tenait déjà ses séances, puisque Richelieu écrit qu'elle « subsiste maintenant ». On peut donc approximativement dater cette pièce du mois de décembre 1626.*

(1) Cette assemblée, convoquée en octobre 1617, se réunit en décembre suivant. Rouen avait sans doute été choisi parce que Luynes venait de recevoir la lieutenance-générale du gouvernement de Normandie. Elle comprit cinquante et un membres : onze représentants du Clergé, treize de la Noblesse et vingt-sept magistrats de différentes cours souveraines. Parmi les projets de réformes soumis à l'assemblée, celui de la suppression de la vénalité des charges fut l'un des plus importants (V. V.-L. Tapié, *La France de Louis XIII et de Richelieu*, p. 95-96).

de faire exécuter les advis qui luy furent donnés à Rouen en temps convenable à iceulx, selon que sa Majesté jugera à propos.

Il (a) faut cependant proposer le remède aux rébellions, celuy des larcins des financiers, résidence des évesques et curez, augmentation du revenu des cures.

Faut racommoder l'article des grands jours.

333. — Remèdes aux déprédations des marchands et moyens de restablir le commerce. [Derniers mois de] 1626.

A.E., France, Vol. 783, f° 206. — Copie.

Pour remèdier à ces maux il faut par nécessité faire de trois choses l'une : — ou deffendre le commerce des choses nécessaires aux estrangers qui nous tiranisent, ce qui les fera venir à raison, veu qu'ilz ne se sçauroient passer de ce qui vient en France ; — ou ne permettre la concurrence qu'en tant que les estrangers viendront charger nos marchandises dans les ports de France, où elles seront payées avant qu'estre enlevées, et ainsy se débiteront sans hazard ; — ou mettre des impôts sur nos marchandises correspondant à ceux quc lcs Espagnols, Flamans, Anglois et Holandois mettent sur les leurs, et faire observer les mesmes loix et rigueur contre ceux qu'ilz praticquent contre nous en ce qui est du commerce, et establissant des compagnies sy fortes et sy puissantes pour l'escorte des marchandises, qui ne se transporteront plus qu'à certain temps préfix par flotte et caravannes, que noz marchands ne soient plus en estat d'estre déprédez.

Le premier remède a ceste inconvénient que les fermes du Roy en diminueront. Il vaudroit beaucoup mieux en souffrir la perte entière que l'injure qui est faicte à la France et la ruine de tous les marchands, si les autres expédiens n'estoient pas meilleurs.

Le second a celuy que nos voisins demeureroient les maistres de la mer, et, au lieu de nous y renforcer, nous y deviendrerions beaucoup plus foibles que nous ne sommes encores, veu que les marchands n'auroient plus occasion d'avoir des vaisseaux, puisque tout leur trafficq consisteroit au débit qu'ilz feroient dans les ports de France.

N'y ayant point de particuliers qui puissent ou veuillent faire des armementz assez fortz pour se garentir des déprédations et pirateries de la mer, ny qui soient assez riches pour résister aux mauvaises fortunes qu'on y court sans abandonner le trafficq, partant, ce dernier remède semble estre celuy qu'on doibt plustost embrasser comme le plus convenable à la dignité du Roy et à l'utilité de ce royaulme. On en peult espérer beaucoup de fruict pourveu que les compagnies qu'on fera soient fortes et bien establyes, et qu'oultre les vaisseaux qu'ils auront en mer, le Roy en entretienne

(a) Les deux alinéas qui précèdent sont séparés des dernières lignes du texte par un large espace laissé en blanc

un nombre suffisant pour les maintenir souverainement, au cas qu'on s'oppose à leurs desseings.

Pour establir ces compagnies, il est question de leur accorder, dès ceste heure, des prérogatives et avantages semblables à ceux dont jouissent les compagnies establyes ès autres Estatz.

334. — [A l'évêque de Nantes]. S.l., [fin de 1626].

B.N., Fonds Saint-Germain-Harlay, Vol. 343, f° 162. — Minute de la main de Charpentier.
Impr. : Avenel, II, pp. 311-312.

Monsieur,

Je suis extresmement fasché de l'incommodité de M. de Mercoeur (1) ; le Roy trouve bon qu'il aille aux eaux de Bourbon. Il trouve bon aussy que Madame de Vendosme vienne avec sa famille à Vendosme. Le desplaisir que j'ay du contre-coup qu'ils reçoivent de la faute d'autrui fait que je contribuerai très volontiers ce que je pourrai pour l'adoucir, en leurs personnes, autant que la nature du mal le pourra permettre. Cependant, je vous conjure de croire en vostre particulier qu'il n'y a personne qui vous estime et vous affectionne plus que moy, qui suis et seray toujours, etc.

Pièce 334. — *Cette minute est sans date ni suscription. Avenel, en l'éditant, lui a attribué la date de la fin de 1626 avec quelque vraisemblance, puisque les adoucissements apportés à la détention du duc de Vendôme, durent suivre de près la déclaration que ce prince venait de faire qu'il était prêt à reconnaître ses fautes. Quant au destinataire, son identification doit être précisée. La pièce, en effet, porte en tête une note, qui fut ajoutée plus tard par une main étrangère, où Avenel a reconnu « la main de celui qui écrit ces sortes de notes dans la collection Godefroy ». Cette note est ainsi rédigée : « 1626 — Minute originale — lettre du cardinal de Richelieu à M. de Lisieux ». Avenel en a déduit qu'il s'agissait de Guillaume Aleaume, neveu de Du Vair, qui fut évêque de Lisieux de 1622 à sa mort, le 27 ou 29 août 1634. Mais il est très probable qu'en écrivant « M. de Lisieux » le rédacteur de la note songeait à l'évêque qui occupait ce siège au moment où il rédigeait sa note, c'est-à-dire à Philippe Cospéan, évêque de Lisieux du 27 juillet 1636 à sa mort, le 8 mai 1646, mais qui avait été auparavant évêque de Nantes, où il avait été nommé en 1622. On trouvera dans la présente édition plusieurs lettres de ce prélat en faveur du duc de Vendôme et de sa famille. Selon Madame de Motteville, il en était l'« ami intime » et logeait à l'hôtel de Vendôme quand il venait à Paris, détail qui est confirmé par Tallemant des Réaux. C'est d'ailleurs Philippe Cospéan qui assistera le grand prieur à son lit de mort, en février 1628.*

(1) Louis de Mercoeur, fils aîné de César de Vendôme et de Françoise de Mercoeur (1612-1669). Agé alors de quatorze ans, il épousera, en 1651, Laure Mancini, nièce de Mazarin, et prendra, en 1665, à la mort de son père, le titre du duc de Vendôme.

335. — Lettre escrite en Flandre à certain juge, qui avoit empesché la publication de certains livres. Fin de 1626.

B.N., Fonds franç., Vol. 23200, f° 284 v°. — Copie.
Impr. : Avenel, II, pp. 308-309.

Accepi litteras, vir clarissime, quibus intellexi te non solum reverendissimi D.legati apostolici jussu, sed etiam proprio motu geniique et ingennii nativa quadam in viros bonos propensione libellos istos famosos, qui nomini meo passim oblatrant suppressisse qua in reverendissimo primum legato apostolico gratias ago, cui non dubium esse credo virtutis comitem semper esse invidiam, et hoc non mihi privatim convicia obtrudi, sed sincerae erga regem meum fidei ac debitis officiis. Illis ergo non scriptiunculas aut paginas verborum globulis adornatas oppono, sed vitae integritatem et toti Europae notissima gesta, qui verum amant, certe scio laude aliqua digna judicabunt. Tibi interim me obstrictum profiteor, qui in hac re tam sedulam operam prestitisti, quo nomine me tibi addictissimum habebis. Vale.

Pièce 335. — *On peut se ranger aux raisons que donne Avenel de dater cette lettre de la fin de 1626. C'est à cette époque, en effet, que Mathieu de Mourgues, abbé de Saint-Germain, que Richelieu avait chargé de répondre aux pamphlétaires étrangers, publie son* Avis d'un théologien sans passion, *où il signale, en particulier, la diffusion de dix-huit libelles, imprimés en Allemagne et introduites en France par la Flandre « pour décrier le roy et les principaux ministres de son conseil ». Il cite quelques-uns de ces pamphlets : « Quod libeta » « Appendix ad catalogum », « Mysteria politica ». A la même époque, le* Mercure françois *(t. XII, p.* 475) *notait : « Il est sorty en ceste année* (1626) *des Pays-Bas de l'obéissance de l'Espagne, soit qu'ils fussent apportés d'Allemagne ou qu'ils y fussent imprimés, plus de libelles contre l'Angleterre et la France, qu'il n'avoit esté fait depuis vingt ans... Ceux contre la France attaquent le cardinal de Richelieu ».*

336. — A M. le Procureur général. S.l. [1626] (?).

B.N., Cinq Cents Colbert, Vol. 6, f° 242. — Original, de la main de Charpentier.

Impr. : *Mémoires de Mathieu Molé,* t. I, pp. 355-356 (en français moderne).

Monsieur, je ne manqueray pas de faire entendre au Roy ce que vous me mandez. Je ne douteray jamais du respect et de l'obéis-

Pièce 336. — *Au verso la pièce porte en suscription : « A Monsieur Monsieur Molé, con*[er] *du Roy en ses con*[ils] *d'Estat et privé, et son procureur gn*[al] *au parlement de Paris ». Les deux cachets de cire rouge aux armes de Richelieu sont intacts. La lettre ne porte pas de date. L'éditeur des* Mémoires de Mathieu Molé *l'a classée avec d'autres documents de l'année* 1626, *mais rien dans son contenu ne permet de le dater avec certitude.*

sance que vous rendrez (a) aux volontés de Sa Ma[té] croyant asseurément que vos intentions n'ont pour but que le bien de son service. Je vous puis asseurer aussy que personne ne vous a rendu mauvais office et qu'on ne sçauroit le faire auprès de moy, qui me promets qu'estant vostre caution, comme je le suis, vous ne me mettrez jamais en peine de payer pour vous, et que vous conduirez vos actions en sorte que l'envie n'y sçauroit mordre. Je le désire autant que vous-mesme, vous conjurant de croire que je suis certainement,

Monsieur,

Vostre très affectionné à vous rendre service,
Le Card. de Richelieu.

337. — A M. Bouthillier. S.l., 1626

A.E., Mém. & Doc., France, Vol. 245, f° 23. — Original.

Monsieur, Vous direz, s'il vous plaist, au Roy que le gentilhomme duquel il désire sçavoir le nom se nomme Le Bosquet, qui est d'Anjou. J'achèveray de lire l'information dont je feray voir la substance à S. M[té].

Depuis que je vous eus quitté hier, je trouvay un homme qui me compta des nouvelles bien nouvelles, que j'estime plus dignes de risée que de considération, quoyqu'en effet elles le soyent. L'honneur qu'il plaist au Roy me faire réunit par envie force gens divisez et personnes inventives à trouver des moyens pour traverser les affaires du Roy et l'estat présent de la cour. A leur compte ils feront paroistre les meilleurs services de crimes, et si ceux qui prétendent n'obtiennent ce qu'ils veulent, on sera coupable. Pour mon particulier, si je ne me laisse mourir pour donner lieu à toutes leurs imaginations, je le feray asseurément. Ils sèment force bruits, mais nous en avons veu bien d'autres, qui, n'ayant point de vray fondement, n'ont pas fait l'effet pour lequel ils estoient espandus. Je vous diray au long ce que le papier ne peut porter. Je vous asseure ma foy que si tous ces M[essieu]rs les prétendans aux charges et gouvernemens estoient d'Eglise, je leur cèderois le peu de bénéfices que j'ay et le bonnet pour les contenter, mais leur dessin va ailleurs. Il faut laisser tout en confusion pour qu'ils croyent que tout est bien ordonné. Je me moque de tout cela, pourveu que les affaires aillent bien. J'auray mon compte, leur laissant toute prétention

Pièce 337. — *Cette lettre, qui n'a d'autre date que celle de l'année est entièrement de la main de Richelieu ; elle porte, à la place de la signature habituelle, le double Φ que le cardinal utilisait parfois dans sa correspondance avec ses intimes.*

(a) Le texte manuscrit porte bien « rendrez » et non « rendez » comme le portent par erreur les *Mémoires de Mathieu Molé.*

pour me réserver celle-là seule. Je voudrois de bon cœur qu'il ne vacquast jamais rien. Pour un homme que le Roy contente avec raison, cinquante se plaignent sans subjet.

Je vous prie de sçavoir de la Reyne si elle s'est souvenue de dire au Roy ce dont je l'avois supliée hier.

ΦΦ

338. — Extrait des manifestes préparés qui a esté montré au Roy. 1626.

A.E., Mém. & Doc., France, Vol. 783, f° 47. — Minute.

Ne faut pas oublier d'advertir le Roy des manifestes qui se préparent. Si la guerre est contre l'Espagne, on en veut faire sous le nom et prétexte des bons Catholiques ; si on la veut faire contre les hérétiques, on en veut faire sous le nom des bons François. Conclusion : on en veut faire.

Celuy qu'on a fait contre Calori (1) contient ce qui suit :

Qu'il ne falloit point que le Roy prist l'argent des financiers que la composition est injuste ; que Calori y a fait descharger les gros pour charger les petits, et qu'elle n'a eu autre fin que la ruyne de (a), laquelle il a demandé beaucoup de fois.

Que la charge de Beaumarchais ne luy devoit estre ostée pour la vendre après, et encore à une personne comme Payen (2) ; que la beauté de sa maison de Rueil a esté cause de ceste eslection.

Qu'il retient Mr le Prince esloigné parce qu'il a de bons desseins contraires aux siens.

Qu'il a aussy fait esloigner Mr le Comte de Soissons, et veut la ruyne de la Maison de Bourbon, les a privez de leur rang, et que Calori veut régner. Qu'il est glorieux, qu'il est magnifique. La calomn. et le feu n'y sont pas oubliez.

Qu'il est bien ayse de faire le chef du Conseil, de voir qu'on s'assemble en sa maison, les secrétaires d'Estat venant à leur grand regret recevoir les oracles.

Pièce 338. — *Le titre reproduit ici est celui qui figure en tête de la pièce. Celle-ci ne semble pas avoir été utilisée par les rédacteurs des* Mémoires.

---

(1) Richelieu.

(a) Le mot est écrit en abrégé et fort mal : peut-être faut-il lire « La Vieuville ».

(2) Il s'agit de Pierre Deslandes-Payen, qui fut très lié avec Balzac, Racan et Saint-Amand. Il avait acquis de Jean Moisset, fermier général des Aides et Gabelles, la belle résidence que celui-ci avait fait construire à Rueil, et que Richelieu fit confisquer à son profit à la suite des intrigues auxquelles Payen s'était trouvé mêlé. Celui-ci dut s'enfuir ; il ne devait rentrer en France qu'après la mort du cardinal.

Que Calori est cause que les aff[res] de la Valteline sont ruynées, estant seul qui empesche qu'on y face rien.

Que je fay le mesme de l'armée du con[néta]ble, m'entendant par Guron (3) avec Bulion (4), qui trahit le con[néta]ble à chaque occasion.

On ne sçauroit citter une seule action en laquelle j'aye servy V. M[té].

Que ce n'est point à moy à qui la conduitte du mariage d'Angleterre est deue.

Que j'ay laissé prendre Bréda.

Que je veux par importunité envoyer le Sr de Mande (5), mon parent, en Angleterre, obtenir de V. M[té] l'ambassade de Rome pour le commandeur (6), celle de Turquie pour le Plessy de Courlay (7), mon nepveu, et qu'ainsy estant bien près de V.M. je veux gouverner toutes les parties du monde pour mes intérests.

Que je fomente les desseins de Soubize, amuse le légat pour régner entre deux partys que je veux laisser éternels (b).

Que tout ce que j'ay fait est d'estre de difficile accez, m'enfermer en ma chambre sous prétexte de mes hémoroïdes, ne voir personne et entretenir jardin.

Que je veux avancer Bouthillier (8), dont aucun n'est pas content. On le fait chancelier, on le fait contrôleur, on le fait secretaire d'Estat.

Le dessein (c) de Calori est de servir le Roy, et, voyant qu'il est difficile et impossible sans calomnie, après avoir servi en toutes les occasions présentes, il suplie le Roy de luy permettre de se retirer, non pour l'abandonner jamais, mais pour estre par[ticulièremen]t près de luy, où il servira de mesme. Il demande seulement à estre deschargé du faix et réputation des affaires.

Sa Ma[té] sçait comme il y est entré, sçavoir est par son commandement, comme il y a vescu et ce qu'il y a fait.

(b) *En marge :* « Il paraît que je n'ay pensé à chose quelconque, tesmoing l'affaire du Régiment ».

(c) Un large blanc précède ces dernières lignes.

(3) Jean de Rechignevoisin de Guron (1575-1635), gentilhomme ordinaire de la chambre, gouverneur de Marans depuis septembre 1626 était une des « créatures » de Richelieu.

(4) Claude de Bullion (1568-1640) conseiller d'Etat, plus tard surintendant des finances conjointement avec Claude Bouthillier.

(5) Daniel de la Mothe du Plessis-Houdancourt, évêque de Mende.

(6) Amador de la Porte, oncle du cardinal. Entré dans l'Ordre de Malte en 1584, il était, en 1626, gouverneur du château d'Angers, il sera gouverneur du Havre, en 1633, puis d'Aunis et de Brouage, lieutenant-général de la navigation, avant d'être grand-prieur de France en 1639.

(7) François du Vignerot du Plessis, marquis de Pont-Courlay (1609-1646) neveu de Richelieu ; il sera général des galères.

(8) Claude Bouthillier (1681-1765). Conseiller au parlement de Paris depuis 1613, il avait été appelé, grâce à l'appui de Richelieu, auprès de la reine mère en qualité de secrétaire de ses commandements ; il avait la charge de surintendant des bâtiments et deviendra, en 1627, secrétaire d'Etat, avant d'être nommé surintendant des finances. Il sera disgrâcié par la régence.

339. — Raisons pour lesquelles le Roy ne peult accorder les duels et raisons pour lesquelles le parlem[en]t doit vérifier l'édict des duels. 1626.

A.E., Mém. & Doc., France, Vol. 795, f° 288-289. — Copie.

Tous les théologiens conviennent que le duel pour cause singulière ne peut estre permis selon la loy de Dieu, mais je n'en ay veu aucun qui en exprime bien clairement la vraye raison.

Quelques-uns estiment qu'elle tire son origine de ces mots : *mihi vindictam et ego retribuam ;* mais ils montrent bien que les particuliers de leur auctorité ne peuvent chercher la vengeance des injures qu'ils ont receu par cette voye, mais non pas qu'un prince ne la puisse ordonner, ainsy qu'il peut commander à un exéquuteur de justice de mettre à mort celuy qui aura violé la propre fille du mesme exéquuteur ; auquel cas ledit ministre de justice venge non de soy-mesme, mais par auctorité de prince l'injure que le publicq a receu en sa famille, et ce sans péché, pourveu qu'il rectifie son intention. Ce qui faict que si les duelz n'estoient deffendus qu'en vertu de ce principe, on les pourroit pratiquer par commandement du prince avec les mesmes circonstances qu'un exécuteur de justice doibt garder en sa conscience.

La vraye primitive et fondamentale raison est parce que les Roys ne sont point m[aistr]es absolus de la vie des hommes, et par conséquent ne peuvent en condamner à la mort sans crime, ce qui faict que la pluspart des subjects des querelles n'estant pas dignes de mort, ils ne peuvent en ce cas permettre le duel qui expose à ce genre de peine.

Qui plus est, quant mesme une offense seroit telle que l'offensant mériteroit la mort, le prince ne peut pour cela permettre le combat, puisque le sort des armes estant douteux il expose par ce moyen l'innocent à la peine qui n'est méritée que du coupable, ce qui est de toutes les injustices la plus grande qui puisse estre faicte.

Les Roys doibvent la justice déterminément, et, par conséquent, ils sont obligez de punir les coupables sans péril et hasard pour l'innocent. Si Dieu s'estoit obligé de faire que le sort des armes tombast tousjours sur le coupable, on pourroit pratiquer cette voye ; mais, puisqu'il n'est pas ainsy, elle est plus que brutalle pour la raison susditte.

Cette raison montre bien que pour une cause particulière on ne peut permettre le duel, mais non pas pour un subject public, comme pour éviter une bataille, puisque de deux maux on doibt tousjours choisir le moindre ; que le sort des armes est aussy douteux entre deux armées comme entre deux particuliers, et qu'il vaut mieux

Pièce 339. — *Ce mémoire a été classé par erreur avec des pièces de* 1629, *mais il est peut douteux qu'il doit être daté de* 1626, *et même des premiers mois de* 1626, *puisque l'édit interdisant le duel est du mois de février de cette année-là. Le titre reproduit ici figure au verso du folio* 289 ; *au-dessous, on lit, de la main de Sancy : « feuille* 34-35 ». *Ce document a été, en effet, utilisé dans les* Mémoires de Richelieu, *année* 1626 *: éd. de la S.H.F., t. V, pp.* 268-269 *et* 272-273.

exposer deux hommes au péril de la mort que vingt mil âmes dans le nombre desquels ilz eussent aussy bien esté compris.

Le parlement refuse l'édict parce que les peines en sont trop douces, et cependant il vérifie le mesme édict quant au seul article qui est le plus doux en tant qu'il abolit tous les crimes passés (1).

Il ne veut pas vérifier l'édict s'il ne porte en termes exprès la peine de mort aux délinquans, et cependant il vérifie au mesme édict l'article qui absout de la mesme peine tous ceux qui ont délinqué.

Menasser de la mort tous ceux qui se batteront à l'advenir et en absoudre tous ceux qui se sont battus par le passé donne lieu, ce semble, de ne croire pas que ces menaces ayent autre effect que celles qui les ont précédées.

Un médecin qui par plusieurs expériences a cogneu un remède inutile ne peut estre blasmé s'il en cherche un autre et s'il en prescrit un nouveau, particulièrement s'il ne destruit point le premier, mais qu'il le laisse en sa propre force.

Qui demande un escu et qui en donne deux ne donne aucun subject de plainte.

Le Roy s'oblige à ne dispenser jamais de certaines peines qu'il establit de nouveau. Il ne s'oblige pas à donner grâce des premiers. Il laisse son parlement en pleine liberté de les faire exécuter ; partant, ce nouveau remède est plus fort et semble estre plus proportionné au mal qu'on veut guérir que les premiers.

On considère cet édict comme doux envers ceux qui se battent ; les raisons cy-dessus monstrent qu'il ne l'est pas ; mais, quant il le seroit, une augmentation de sévérité en l'exécution d'une moindre peine rend une loy plus rigoureuse et plus propre aux fins pour lesquelles elle est faicte.

Faire une loy et ne la faire pas exécuter, c'est auctoriser la chose qu'on veut deffendre ; partant, il vaut beaucoup mieux réduire lédit à un point où il puisse estre infaliblement observé que le rendre plus terrible en apparence pour n'estre pas suivi d'effect, ce qui arrivera si l'édict demeure tel qu'il estoit, puisque ce royaume est le mesme qu'il a esté par le passé.

Les conseils de prudence doibvent venir de peu de gens, et les grandes compagnies ne sont bonnes qu'à faire observer une reigle escrite, mais non pas à la faire. La raison est que, comme les bons esprits sont beaucoup moindres en nombre que les médiocres ou les mauvais, la multitude de ceux de ces deux derniers genres estouffe les sentiments des premiers dans une grande compagnie.

340. — Mémoire pour faciliter le commerce de France avec les estrangers. 1626.

A.E., France, Vol. 783, f° 203-205. — Copie.

Pour faciliter le commerce et obliger les marchans françois à traficquer, sera utile de remettre les débriz et naufrages et donner

(1) Voir le texte intégral de l'édit contre les duels (18 articles) dans Isambert, *Recueil général des anciennes lois françaises*, t. XVI, p. 175, n° 133.

liberté entière à ung chacun pour la pesche du haran et celle de la morue, et entretenir les reiglem[ts] cy-devant faictz, les publier de nouveau et escrire aux officiers sur ce subject.

Nota : qu'il sera bon de permettre aux françois d'aller quérir du gros sel en Espagne pour le mesler avec le sel françois, p[r] faire le second salleron des garins fraiz (a).

Nota : qu'elle ne se peult faire du sel françois d'aultant qu'il est trop corrosif et sec.

Pour la pesche des morues est besoing de donner seureté aux marchans par le moyen de quatre vaisseaux de guerre de trois canons, et mettre des gardes à l'entrée de la Manche.

Envoyer six vaisseaux de guerre mouiller l'ancre en Sallé de la Barbarie, depuis le moys de may jusques au commencement de septembre. Ceste garde servira plus p[r] la pesche que de les envoyer sur les bancs, et, ce faisant, la pesche sera seure.

Révocquer les dons d'ancrage en Guyenne et Picardie seulement.

Voyages de long cours. — Traicter les estrangers comme ilz font des françoys.

Et pour les prises faictes d'Estat à Estat, l'art. du traicté de Compiègne sera observé.

Défense de prendre aulcuns droictz d'admirauté.

Les marchans de Normandie supplient le Roy de leur donner quatre vaisseaux de guerre pour les conduire en Espagne, et ramener ceulx qui seront sur leur retour, offrant de payer les fraiz et entretenir les capp[nes], soldatz et matelotz, et pour la fourniture des munitions de guerre et de bouche à leurs despens, pourveu que le Roy ordonne que les deniers seront pris due la valleur de la marchandise portée et rapportée d'Espaigne, pourveu qu'ils nomment les capp[nes] et matelotz, et qu'ils ne soient point subjects à rendre compte des deniers qu'ils livreront sur eulx pour faire la despence dudit entretenement.

Ordonner que les marchans françois ne traffiqueront seuls, mais par flotte et en compagnie, et contribueront au sol la livre du commerce et trafficq qu'ils feront.

Révocquer toutes comm[issi]ons de visadmiraulx expédiées par Mr de Montmorancy (1) avec deffences très expresses aux gouvern[eur]s des villes maritimes de cognoistre ny ordonner d'aulcune chose de ladite marine.

Fault escrire aux officiers de l'Admiraulté qu'ils continuent la fonction de leurs charges jusques à ce qu'ils ayent les ordres nécessaires pour la seureté du commerce. Et aux commis qu'ils continuent leurs services ainsy que par le passé, et dressent les comptes pour les rapporter par devant (b) quand ils seront mandez.

Que les congés qui estoient soubz le nom de Mr l'admiral seront délivrés soubz le nom de (b) et envoyés auxdits commis pour en tenir compte suivant les taxes accoustumées, et leur enjoindre

(a) « Garins fraiz », c'est bien ce que l'on lit, mais le mot « garin » ne figure pas dans les lexiques de l'ancien français. Peut-être faut-il lire : « harins » pour harengs.

(b) En blanc.

(1) La charge d'amiral de France, dont le duc de Montmorency était titulaire, avait été supprimée en octobre 1626.

de rapporter un estat des congés cy-devant expédiez tant pour voyages de long cours qu'audits.

Escrire aux gouverneurs, maires et eschevins des villes de laisser libre la fonction des charges desdits officiers de l'admirauté et commis ainsy qu'ils les ont exercées par le passé.

Fault réveocquer toutes les comm[ons] de viceadmiralux que le susdit admiral avoit cy-devant données aux (c) et autres personnes jusques à tant qu'ils ayent esté confirmez.

Révocquer aussy les capp[nes] gardes costes.

Révocquer toutes les comm[ons] de capp[nes] comm[res] pillottes ou tous autres officiers qui sont dans les estats du Roy ou qui ont lettres et commissions particulières.

Droictz d'admirauté

Consistent aux congés de différentes taxes, que les commis reçoivent et dont ils rendent compte suivant la taxte faicte au moys d'aoust 1624.

Fault faire venir le s[r] Robin et ceux qui ont, au maniement de la recepte générale ou particulière de Normandie, lesdictz droictz d'admirauté pour apporter leurs comptes renduz.

Le sr Chimain pour Guyenne et Bretagne, Picardie, Boullongne et Calais, le sr Poictevin, le sr Morel pour le reste de la Picardie demeurant à St-Vallery-sur-Somme.

Sçavoir ce que c'est que le droit d'ancrage ;

droit de baillisage, pour les navires qui entrent, ce que les commis en reçoivent pour l'entretenement des baillifs ;

droit de naufrage et briz, dont le commis tient compte pour vous estre déposez dans les magasins et munitions de l'admirauté en tiltre d'officier.

Retenir les greffes engagez et les rembourser, comme aussy l'engagement faict à Mr d'Elbeuf.

Establir gaiges et finances aux capp[nes] des costes en financiant d'entrée.

Sçavoir à quelle somme se monte le droict de guet.

Nommer des capp[nes] du quay aux ports pour donner les places aux vaisseaux qui entrent, chargent et deschargent, la garde des vaisseaux saisiz moyennant attribution de salaire, taxes et gages, — de plus quelles taxes qui se prennent à (d) et pour ce financer ès coffres de Sa Ma[té].

Accorder les exemptions et privilèges aux officiers de la marine ainsy qu'aux sous-officiers moyennant finance.

Messagers de l'admirauté en lesdits ports et havres en tiltre d'office.

(c) Un mot illisible.
(d) Un mot illisible.

341. — Mémoire sur les changes. 1626.

A.E., Mém. & Doc., France, Vol. 783, f 210-211. — Original.

Il y a deux sortes de changes, lesquels aujourd'huy se pratiquent à Paris et aux autres places de ce royaume, l'un réel et l'autre imaginaire ou simulé.

Le réel est celuy qui se faict véritablement de lieu à autre, comme, par exemple, sy un homme a besoing de mil escus à Rome, il donne à Paris au autre lieu où il est son argent à un marchand ou banquier, avecq le proffict de la remise dont seront demeurez d'accord. Cela faict le marchand ou le banquier donne sa lettre de change à l'homme qui luy aura baillé son argent, sur son correspondant à Rome, et, par cet expédient, le porteur de la lettre évite d'estre volé ou arresté à la frontière du royaume à cause de la deffense du transport de l'argent, et aussy le soing et travail de conduire son argent jusques à Rome. Ces considérations rendent le change tolérable et nécessaire quoy qu'il soit usuraire.

Le change imaginaire et simulé est celuy qui se faict entre personnes pour pur prest d'argent à rendre au mesme lieu où le prest a esté faict avecq le change et intérest dont les parties sont demeurées d'accord. Comme, par exemple, N. a besoin de mil escus pour subvenir à ses affaires ; il s'en va à Paris sur la place et, s'accostant d'un courtier, luy communique son besoing. D'accord avec luy pour la partie et pour l'intérest qu'il luy conviendra payer pour icelle, ce faict l'on luy compte les mil escus à la réserve de l'intérest accordé pour iceux. Après, le premier fait sa promesse pour led mil escus, pour lesquels il promet payer aux prochains payemens, à Lyon, ladite partie en lettre de change pour Lyon de la mesme somme, ce qui est *pro forma,* attendu que la pluspart de ceux qui font ce négoce — preneurs ou bailleurs — n'ont aucun corespondant à Lyon ; mais c'est seulement pour pallier le faict, car le terme de la promesse escheu, l'on vient au debteur luy demander lettre pour Lyon, lequel, s'il ne veut pas garder davantage l'argent, payera constant et retire sa promesse ; et s'il n'est pas en comodité de payer ladite somme, fera une promesse pareille à la première, à laquelle il adjoustera l'intérest de la somme accordée. Le temps de laquelle escheu, fera le mesme que la première fois, sy ce n'est que payant la debte, il ne retire sadite promesse, et estend le change, lequel va quelquefois sy hault qu'il passera de vingt pour cent par

Pièce 341. — *Au dos de cette pièce — f° 211 — Charpentier a écrit cette indication: « Mémoire nouveau de Racine touchant les changes qu'il faut abolir si on veut restablir le commerce ». Il est probable que ce mémoire avait été demandé par le cardinal, qui désirait être éclairé sur les conditions qui pouvaient favoriser le développement du commerce extérieur. Il y a d'ailleurs, dans les* Mémoires de Richelieu *une allusion très nette à ce texte: afin de restaurer le commerce, « il faudroit entre autres choses, bannir les changes simulés et supposés, dont le gain injuste est si grand qu'en moins de cinq ans, si on ne souffre point de banqueroutes, on double son bien; ce qui a fait quitter la marchandise à plusieurs pour s'y employer: aussi sont-ils défendus, sous peine de confiscation, en Espagne, Portugal, Angleterre et Hollande* » (*VII, p.* 28).

an, qui est le cinq[me] denier d'intérest, et mesme, ces ans passez, il y a eu partisans lesquels on tient avoir pris argent, eschangé à Paris, à sept pour cent pour faire, qui est vingt-huict pour cent par an, qui est un intérest sy grand et sy viste [?] qu'en moins de trois ans et demy il monte autant que le principal.

L'amour duquel gain extraordinaire est sy grand qu'il s'est veu depuis peu non seulement des marchands ayant quelques deniers les tirer du trafficq et les mettre audit change, mais aussi d'autres vendre leurs boutiques et possessions, et mesme des officiers vendre leurs offices et mettre les deniers d'iceux audit change, où beaucoup ont esté trompez et séduitz, tesmoins les Srs Feydeau et Payen. Ce négoce est sy ordinaire aujourd'huy en France que sytost qu'un marchand se gaigne quelques moyens, il quitte le trafficq de la terre et de la mer pour se retirer dans le change, qu'il faict aysément assis en sa maison sans estre tenu, s'il ne veut occuper personne. De là vient qu'il ne se trouve plus en ce royaume que peu de marchans riches, car les petits, sans amys, pouvoir ne ayde, à la première fortune de mer ou banqueroute à terre, se perdent, n'ayans le moyen de se remettre sus à cause des changes ; car, si les marchans riches qui ne veulent plus trafficquer en personne, ne mettoyent pas leur argent à change, alléchez par le gain excessif qu'il y trouvent cela leur estant deffendu, ils seroyent contraintz d'en ayder les autres pauvres et jeunes marchans moyennant quelque petit proffit, qui seroit le moyen de remettre sur pied les abbatuts, maintenir et augmenter les autres, comme il se praticque en Espaigne, Portugal, Angleterre et Hollande, où le commerce florist grandement et les changes deffendus soubz peine de confiscation des deniers ou debtes usuraires et d'amendes payables par tiers au Roy, juge et dénonciateur. Le mesme devroit estre en France, et davantage que tous contractz, associations et autres actes où seroient mentionnés changes ou intérest, seroyent déclarez nulz en ce qui touscheroit les intéretz et changes, lesquels ne seroyent exécutez pour cest article des changes et intéretz seulement. Ce seroit les moyens de restablir le commerce en France et d'empescher mille monopoleurs qui, soubz l'espoir qu'ilz ont de trouver argent à toute genre, ne se soucians pas de payer intérest de 20 ou 25 pour cent par an, enchérissent et ambrassent les fermes de Sa Ma[té] et les mettent à prix extraordinaire, pour payer lesquelles ils tirannisent le peuple jusques au bout et le plus souvent s'enfuyent sans payer le Roy, ne laissant rien que désolation et misère parmy le peuple qu'ils ont ruyné par leurs exactions indicibles.

342. — Propositions qui doivent estre faites sur la part du Roy à l'Assemblée des notables, en 1626. [Fin de] 1626.

A.E., Mém. & Doc., France :
Vol. 783, f° 138-142. — Minute.
Vol. 783, f° 111-114 ; 115-117 ; 118-121. — Copies.
Vol. 784, f° 24-61. — Copie.
Vol. 51, Manuscrit des Mémoires de Richelieu : A, année 1627, *in fine*.
Bibl. de la Sorbonne, M.S., h II, 8, f° 108. — Copie.
Bibl. historique de la Ville de Paris, manusc. 563, *Assemblée des Notables de* 1626. — *Copie.*
Impr. : Avenel, II, pp. 315-334 (d'après la minute).

Messieurs,

Je ne viens pas icy pour tascher de vous persuader aucune chose que S.M. désire déterminément. Si j'avois ceste charge, il me seroit aysé d'acquérir la réputation de bon orateur à peu de prix, puisque vous vous porteriez vous mesmes à ce à quoy je voudrois vous disposer. S.M. m'a seulement commandé de vous présenter ces articles, qui contiennent les principaux poincts sur lesquels elle désire vos advis. Elle a voulu que j'en feusse le porteur pour vous faire entendre particulièrement ses intentions sur iceux, si par la lecture qui en sera faite vous jugez qu'il ayent besoing de quelque explication (1).

I

Sur le retranchement des despenses de l'Estat et augmentation de la recepte

Le Roy, n'ayant rien plus à cœur que le soulagement de son peuple, et d'aporter le plus grand mesnage que faire se pourra aux finances du royaume pour éviter aux surcharges que les nécessitez

Pièce 342. — *Le titre reproduit ici est celui qui figure sur un feuillet placé en tête de la pièce qu'on peut considérer avec Avenel comme la minute du texte* (*Af. étr., Vol.* 783, *f°* 138-142). *Des six copies mentionnées ci-dessus, celles qui sont conservées dans les volumes* 51 *et* 784 *des Archives étrangères, et celle du manuscrit* 563 *de la Bibliothèque de la Ville de Paris sont des copies beaucoup plus complètes que les autres. Elles n'offrent guère de différences sensibles entre elles. Avenel, tout en considérant la copie du manuscrit A des* Mémoires de Richelieu *comme étant très probablement la copie définitive, a préféré le texte de la minute, qu'il a reproduit dans sa publication en le complétant en note par des emprunts faits au texte définitif, parce que la minute lui a paru plus proprement l'œuvre de Richelieu. Il a semblé qu'il fallait procéder de la façon inverse, c'est-à-dire en prenant pour texte de base celui de la copie la plus complète en indiquant par des notes les variantes importantes observées sur la minute.*

L'Assemblée des Notables ouvrit ses séances le 2 *décembre* 1626 *dans la « salle haute » des Tuileries et se sépara le* 23 *février* 1627. *Sur l'histoire et les travaux de cette assemblée, on consultera l'ouvrage de Jeanne Petit, l'Assemblée des Notables de* 1626-1627, *Paris* 1936.

(1) Ce préambule a été ajouté au texte par Charpentier.

occurentes ont accoustumé de causer, a voulu commencer par ce point les propositions sur lesquelles S.M. demande l'advis de ladite assemblée, et pour y parvenir, sera remarqué que la despence ordinaire selon le réglement qui en fut fait en l'an 1624, auquel on la diminua de beaucoup, passe la recepte ordinaire de plus de dix millions de livres, davantage que le Roy doibt cinquante-deux millions de livres, comme les estats qu'en représenteront les officiers de ses finances le justifient, et feront voir que ces debtes n'ont point esté créées pour des despenses inutiles, mais pour la conservation de l'Estat. Qu'il est nécessaire d'acquitter le Roy, et égaler la recepte à la dépense.

Pour le premier point, il est à propos d'examinier les debtes, et pourvoir au moyen de sortir de celles qu'on trouvera devoir estre payées.

Quant au second point, le Roy veut soulager son peuple au lieu d'augmenter les charges qu'il porte, et, par conséquent, il faut de nécessité diminuer la despence ; et semble que cette diminution doit par raison tomber sur les principales parties d'icelle qui ont receu de grandes augmentations depuis la mort du feu Roy, et par conséquent qu'il la faut faire par le réglement de la despence de la Maison du Roy, des Reynes, des estats du conseil, des pensions des grands, et par razement des places (2).

II

Touchant l'entretenement des gens de guerre pour fournir à la campagne

Estant inutile de régler les gens de guerre et arrester comme ils doibvent vivre, marcher et subsister, ce qui a esté desjà résolu si on ne pourveoit au fonds nécessaire pour les entretenir ; et la plus grande surcharge des peuples provenant de la licence avec laquelle les dits gens de guerre vivent sur eux à discrétion, ce qui arrive faute de payement, lequel manque tousjours, on parce qu'il n'y a point de fonds, ou parce que celuy qui est destiné à cest usage est diverty.

L'on demande s'il ne vaudroit pas mieux descharger les peuples de quelque portion de deniers qui sont levez sur eux pour le payement des gens de guerre, et astreindre chaque province à entretenir certain nombre de cavallerie et d'infanterie, selon la distribution qui en sera faite, jusques à vingt mil hommes de pied et deux mil chevaux, dont les régimens pourroient porter les noms des provinces et les compagnies des villes y contenues (a).

(2) Les avis de l'Assemblée — 12 pages — portent sur les trois points indiqués : Dépenses de la Maison du roi ; dépenses sur les états du conseil et pour les pensions des grandes ; razement des places.

(a) La minute porte en marge : « Le Roy ne veut rien gaigner en cet establissement que le soulagement de son peuple, et une asseurance certaine que le nombre de gens de guerre qui seront entretenus estant bien payés, soit effectif. Tant que leur payement sortira de l'espargne, il ne sera jamais asseuré, car la moindre nécessité qui arrivera à l'Estat, on pensera beaucoup gagner d'en prendre le fonds en tollérant qu'ils vivent sur le peuple. On estimera tirer par ce moyen une seconde taille qui en cousteroit au peuple plus de quatre. Partant, le seul remède asseuré pour ce mal et de commettre leur payement aux provinces à qui il importe tellement qu'il soit bien fait qu'il semble que leur salut ne deppende d'autre chose. »

On estime que par cet ordre il seroit à propos de rejeter toute la cavallerie, tant gendarmerie que chevaux légers et carabins, sur le taillon, qu'il faudroit augmenter pour cest effet, et que l'infanterie fust payée du fonds qui sera levé exprès dans les provinces par personnes choisies et commises des dites provinces, suivant l'ordre qui en sera arresté par l'assemblée soubs l'authorité du Roy (b).

Par ce moien, ne se prenant plus rien à l'espargne pour la solde des gens de guerre, qui seront tous payés ou sur le taillon, ou des deniers que les dites provinces lèveront sur elles-mesmes et distribueront par leurs mains, les peuples seront soulagez, la cavallerie et l'infanterie seront payées, et en estat de bien servir et d'apporter plustost abondance qu'incommodité aux lieux où ils seront (c).

III

Touchant l'entretenement des garnisons

Le Roy désire que l'assemblée voie l'estat des garnisons du Royaume, et sur iceluy luy donne trois avis, sçavoir est : quelles places doibvent estre rasées en l'estat des affaires présentes ; — quelles garnisons il fault entretenir en celles qui seront conservées, et combien de monstres elles doibvent faire ; — les fonds nécessaires pour le payement desdites garnisons, et les moiens qu'il fauldra tenir pour empescher qu'il ne soit diverty (d).

Il semble à propos, pour la facilité et seureté de leur payement, de descharger les provinces des deniers qui se lèvent à ceste fin, et obliger chacune d'icelles à l'entretien de leurs garnisons, comme des gens de guerre tenus à la campagne. Avec cet ordre toutesfois que les provinces frontières, qui seront chargées de beaucoup de garnisons, en ayent d'autres pour les ayder à en porter la charge (e).

(b) En marge : « Ce règlement est fort utile, et sera à propos d'expliquer plus particulièrement la manière de laquelle se fera le maniement et distribution des deniers jours pour le payement et solde ; les lieux de leur séjour en paix ; et pourvoir à un inconvénient qu'il faut craindre, que les soldats ne deviennent prébendiers, estant peu à peu les régimens composez des hommes de la province qui en sera chargée. Et comme il est utile que les provinces reçoivent ceste commodité d'y employer leurs hommes, il est besoin prende garde que cela ne face déchoir les troupes, spécialement en longue paix. Il est besoin aussy que les deniers soient maniés par officiers du Roy, mais par la direction des députez de la province ».

(c) A partir de : « la cavallerie » jusqu'à la fin de paragraphe, le texte de la minute est de la main de Richelieu en interligne.

(d) En marge de la minute : « Si les huguenots estoient dans le chemin de leur salut, si tous les François estoient tousjours dans celuy de leur devoir, il y auroit beaucoup de places à raser dans le royaume, auxquelles maintenant il ne faut pas toucher. Sa Majesté demande seulement que l'assemblée luy donne advis de celles qu'elle estimera du tout inutiles en l'estat présent des affaires. « La dernière partie de la phrase finale a été corrigée de la main du cardinal ; le texte primitif était : « ... que l'assemblée advise, en l'estat présent des affaires, celles qui sont du tout inutiles ».

(e) Sur la minute, tout ce paragraphe, écrit de la main de Charpentier, a été ajouté au texte primitif.

IV

Sur les désobéissances

Les désobéissances estant trop fréquentes en ce royaume, on estime qu'il seroit nécessaire de pourveoir à ce mal par l'imposition de nouvelles peines.

Et d'autant que les capitalles sont d'autant moings exécutées que plus elles sont rigoureuses, l'on demande s'il ne seroit poinct à propos d'en imposer de moindres, comme la privation des charges et offices, avec deffenses très expresses aux particuliers de rechercher la relaxation desdites peines en faveur des délinquans, et obligation au prince de ne s'en dispenser jamais (f).

Est à noter que telles peines ne sont entendues que pour ceux qui désobéissent en faits notables, après un second commandement auparavant lequel ils pourront faire entendre au Roy ce qu'ils estimeront pour le bien de son service (g).

V

Touchant le repos de l'Estat, amas d'armes, levées, armemens, factions et conjurations

I. — La fréquence et facilité des soubzlèvemens, rébellions et factions contre l'Estat, honteuse à la nation des François et trop préjudiciable à la dignité et auctorité du Roy et au repos de son peuple, a donné sujet (outre ce qui est porté par les advis de la dernière assemblée tenue à Rouen), de proposer à S.M. de :

II. — Deffendre à tous particuliers de communiquer avec les ambassadeurs des princes estrangers, les voir, visiter, recevoir, soit en leurs maisons ou en maisons tierces ou neutres, recevoir aucunes lettres ny présens de leur part, ny leur en envoyer sans permission ou commandement de S.M., ou ayant charge et obligation de ce faire par leur employ, quelque prétexte qu'ils puissent prendre, à peine de crime de faction et de soubzlèvement.

III. — Et pour destourner la hardiesse et la facilité desdites factions par la sévérité des peines, et convaincre plus facilement les coupables renouvelant pour ce regard les anciennes ordonnances du royaume et les esclaircissant plus particulièrement :

IV. — Ordonner et déclarer que tous ceux-là seront déclarez rebelles et factieux contre l'Estat, et criminels de lèze majesté, emportant confiscation de corps et de biens et privation des charges, offices et bénéfices, auxquels il sera pourveu à l'instant sans attendre les procédures et instructions des procès, qui seront convaincuz.

(f) En marge de la minute : « Les Roys ne sont Roys qu'en tant que leur authorité est recogneue et qu'ils font paroistre leur bonté. Or est-il qu'ils ne peuvent en donner des effets asseurez s'ils ne sont religieusement obéis, puisque la désobéissance d'un particulier est capable d'interrompre le cours d'un dessein dont le public ressentiroit beaucoup de fruit. L'obéissance est le vray caractère du subjet ».

(g) Sur la minute, ce dernier alinéa est de la main de Charpentier.

V. — D'avoir airé (h), arresté ou asseuré des soldats par soy ou par autre, pour quelque prétexte ou couleur que ce soit, sans commission expresse de S.M. signé en commandement soubz son grand sceau.

VI. — Qui auront fait ou feront et tiendront amas d'armes de pied ou de cheval plus qu'il n'est nécessaire pour leurs maisons, et sans permission de S.M. en la forme susdite.

VII. — Qui feront achapts de poudres, plomb et mèche, plus que pour la provision nécessaire et raisonnable de leurs maisons, et qu'il ne sera porté par lesdites permissions, en conséquence desquelles ilz seront tenuz d'apporter à S.M. les certiffications de ce qu'ilz auront achepté, affirmées par eux, aux peines susdites.

VIII. — Qu'ilz feront fondre canons ou autres pièces de quelque qualibre que ce soit, ou en retiendront et auront en leurs maisons, soit de fonte de France ou estrangères, sans permission du Roy, en la forme cy-dessus.

IX. — Qui entreront en aucunes ligues ou associations entre les sujets de S.M. ou les estrangers, pour quelque cause que ce soit.

X. — Qui feront fortifier les villes, places et chasteaux, hors les fossez, murailles et flanz des colstures (pour ceux qui ont droit d'en avoir), de quelque fortiffication que ce soit, sans l'expresse permission de S.M. par ses lettres patentes comme dessus.

XI. — Qui feront assemblées convocquées ou assignées publiquement ou en secret sans permission du gouverneur ou lieutenant général de S.M. en la province, en laquelle les causes de ladite assemblée demandée seront exprimées ; et le semblable pour lesdits gouverneurs et lieutenants généraux, s'il se trouve qu'ils fassent lesdites assemblées sans expresse permission de S.M.

XII. — Qui estans en quelque office ou charge sortiront hors du royaume sans permission de S.M., et, pour tous les autres, sans le déclarer au juge et principal magistrat de la ville en laquelle ils résideront.

XIII. — Les calomniateurs, auteurs de libelles diffamatoires, et ceux qui les sèment, publient et impriment, et de tous les autres discours imprimez ou à la main, concernant les affaires publiques et de l'Estat ou la personne du Roy, ses gouverneurs, magistratz et officiers, sans permission ou commandement soubz le grand sceau, comme auteurs de sédition et soubzlèvement.

VI

Sur les levées de deniers qui se font par auctorité privée

N'y ayant rien tant à la foulle des peuples, ny de plus contraire à la dignité du Roy, que les levées des deniers qui se font par authorité privée, le Roy désire que l'Assemblée luy donne advis des moiens qu'elle estimera plus convenables pour empescher ces désordres.

(h) « Arrhé », remis ou fait remettre des arrhes.

Et d'autant que le mal s'irrite souvent par la douceur des remèdes (i), on estime qu'il est nécessaire d'y procéder avec sévérité (j), déclarant ceux qui l'entreprendront (k) à l'advenir descheuz de leurs charges et incapables à jamais d'en posséder (l).

VII

Touchant l'establissement d'un nombre de gentilzhommes dans les conseils du Roy

L'on demande s'il n'est pas à propos que le Roy choisisse de sages gentilshommes pour les faire servir par quartier dans ses conseils parmy plusieurs de Messieurs de robbe longue qui y sont, affin d'honorer par de sy dignes occupations l'ordre de la noblesse, former leurs esprits aux affaires, et les rendre capables de servir à de plus hauts emplois quand le Roy le jugera important au bien de son service (m).

VIII

Sur l'establissement d'une chambre de grandz jours

S'il n'est pas à propos d'establir une chambre des grands jours (3) pour aller par le royaulme recevoir toutes les plaintes des sucjets

(i) Var. : « l'inobservation des remèdes ».
(j) Var. : « de procèder à ce désordre comme en celuy de l'art. cy-dessus ».
(k) Var. : feront telle entreprise ».
(l) En marge de la minute : « Il n'y a personne qui ne sache que les Roys doivent être fort jaloux de ce qui leur est particulier ; mais outre ceste considération, s'il est permis à un gouverneur de faire de sa teste des levées de deniers, on ne peut soulager le peuple assurément, on ne peut entretenir certainement la paix, attendu que quiconque a de l'argent a des hommes en France tant qu'il veut ». Les premiers mots de cette annotation sont de la main de Richelieu.

(m) En marge de la minute : « Cet article parle de soy mesme ; ceux qui portent en toutes occasions leur vie dans les périls pour le bien de l'Estat méritent bien de l'employ dans les conseils. Outre que Sa Majesté recognoist tous les jours, par expérience, qu'elle a besoin de former les gens aussy capables des grandes négociations comme ils se montrent vaillans en toute sorte de hasards ».
Sur la copie du Vol. 783 (f° 111-114) des Arch. des Af. étr., on lit, en marge de cet article : « J'estime cet article fort utile à l'Estat, et qu'il mérite une proposition séparée, en laquelle on establisse solidement le conseil du Roy pour éviter la multiplication de prétentions honteuses et préjudiciables à la dignité et authorité qu'il est requis. Il sera besoin, à mon avis, que l'un de ces gentilshommes assiste au conseil des dépesches pour ce qu'il s'y façonnera mieux qu'en tous les autres, et faisant cette proposition pour le bien de l'Estat, cela y conviendra très bien ».
Il convient de noter que, sur la minute, cet article porte le numéro VI ; sur deux copies, il porte le numéro. V. Des trois copies du Vol. 783, seule la seconde (f° 115-117) compte quatorze articles ; les deux autres n'en ont que douze.

(3) La création de ces assises extraordinaires de justice qu'on appelait les *Grands Jours* remontait aux derniers Capétiens directs. Lavisse les a définis « la justice du roi visitant le pays ». Il s'en était tenu en différents endroits — à Angers, à Moulins, à Poitiers, à Lyon, pendant tout le XVIe siècle. Mais il est intéressant de retrouver ici une idée que Richelieu avait déjà exprimée, en 1625, en rédigeant son vaste projet de *règlement pour toutes les affaires du*

du Roy contre ceux desquels ils n'auroient peu avoir justice dans les provinces, pour y estre trop puissans par l'authorité de leurs charges, et ensuite y pourveoir et les juger suivant la rigueur des ordonnances (n).

IX

Sur le réglement des tailles

Le Roy désire que l'assemblée recherche quelque moyen sy seur et sy effectif pour le régallement des tailles, que les pauvres qui en portent la plus grande charge soient soulagez (o).

X

Touchant l'ordre qui doibt estre estably pour tenir les grains à bon prix

Le Roy désire que l'assemblée luy donne advis des moyens qu'il y a d'establir un ordre pour que les grains soient tousjours à un prix sy raisonnable que le pauvre peuple puisse vivre sans les grandes incommoditez qu'il a quelquefois souffertes.

Outre que S.M. y pourvoira ès mauvaises années en deffendant les traictes pour un temps, il semble qu'il faut faire un réglement par lequel les marchands qui enlèvent les bleds ne les puissent vendre à un prix desraisonnable (p).

---

royaume: une chambre de justice se serait transportée sans cesse d'une province à l'autre pour y recevoir les plaintes des sujets du roi « contre toute sorte de personnes, desquelles par autre voie » ils n'auraient « pu obtenir justice » (1625, pièce 87).

(n) En marge de la minute: « Maintenant que le Roy veut régler son royaulme, ceste chambre est aussy nécessaire dans les provinces esloignées de la face des parlemens, comme une médecine à ceux qui aians esté fort desréglez en leur façon de vivre veulent à l'advenir garder un régime prescrit par les médecins, c'est-à-dire pour les purger des mauvaises humeurs contractées par le passé. La rigueur est souvent nécessaire pour contraindre à ce à quoy la raison ne peut induire ». — Les huit premiers mots de cette addition sont de la main de Richelieu.

Sur la première copie du Vol. 783 des Affaires étrangères, on lit, en marge de cet article, les deux annotations suivantes:

— « Il y a une proposition particulière pour ce point avec les chevauchées des maîtres des requêtes ».

— « Il me semble qu'il est bon de proposer ces grands jours simplement, sans dire qu'ils iront par tout le royaulme, pour ce que cela dépendra du Roy pour leur département et pouvoir que les parlemens voulurent restreindre en l'assemblée de Rouen ».

(o) En marge de la minute: « La nécessité qu'il y a de pourvoir à cet article en fournira, je m'asseure, les moyens, qui jusques icy vont esté très difficiles. Quand vous ne feriez autre chose que donner advis au Roy de l'ordre qu'il faut apporter au grand nombre d'exempts et de privilégiez dont la descharge est la charge du peuple, vous ne feriez pas peu ».

(p) En marge de la minute: « Ceux qui voyent particulièrement dans les provinces les incommoditez que le peuple souffre par la cherté des bleds donneront mieux advis du remède qu'il y faut apporter que ceux qui en sont esloignez. Il suffie que vous cognoissiez la fin du Roy, qui n'est autre que le soulagement de son peuple ».

XI

Sur la réduction des sergens et suppression des offices

S.M. veut encore, pour le soulagement du peuple (q), que le desnombrement soit fait de tous les sergens de chaque baylliage ou sénéchaussée, et iceux retranchez en sorte qu'il n'y en puisse avoir plus de cinq soubs chaque siège présidial, et douze soubs un siège royal, ce qui sera réglé selon l'estendue des dicts sièges, les sergens qui demeureront estants choisis des premiers pourveuz par S.M. S'il y a aussi quelques officiers dont la suppression soit estimée nécessaire pour le soulagement du peuple, l'assemblée en pourra donner advis (r).

XII

Sur le retranchement des despences de l'Estat

Les despenses de l'Estat sy excessives qu'il est impossible de les entretenir sans avoir recours à des moyens extraordinaires, Messieurs de l'Assemblée continueront, s'il leur plaist, à voir l'estat de 1608 pour le conférer avec celuy de 1624, et réduire par le retranchement des gaiges et pensions qui ont esté augmentés avec moins de nécessité, l'estat de 1627, à tel poinct qu'il aproche le plus près qu'il se pourra de celuy de 1608, estant plus à propos de diminuer les gratiffications que de les continuer à l'oppression des peuples.

Il seroit bien aisé de former l'estat de la despense qui doibt estre faite à l'advenir sur celle qui se faisoit ez années 1608, 9 et 10. Mais cela seroit inutile veu que les despenses nécessaires pour la conservation du repos du royaulme sont toutes autres que celles qui se faisoient pendant la vie du feu roy. C'est pourquoy S.M. désire que Messieurs de l'Assemblée voient les estatz des despenses qui se sont faites chacune année depuis ce temps, pour, sur icelles, en former un qui soit tel qu'il puisse estre entretenu (s).

(q) Ce début de phrase manque sur la minute.

(r) Cette dernière phrase ne figure pas sur la minute.

En marge de la minute : « Les soldats et les sergens sont les fléaux du pauvre peuple ; les uns ne les travaillent que durant la guerre, les autres les persécutent tousjours. Partant, il n'est pas moins nécessaire de pourvoir aux désordres de derniers que des premiers. Deux sangsues tirent moins de sang d'un corps qu'une douzaine ce qui fait qu'on estime à propos de supprimer une partie des officiers, dont le grand nombre ne sert qu'à ruiner le peuple ».

(s) En marge de la minute : « Ceux qui font leur compte trop juste ne sont jamais bons mesnagers ; le Roy estime qu'il faut faire comme les oeconomes des maisons particulières. Le secret des meilleures est de se garentir des despenses extraordinaires et non prévus au commencement de l'année, quand ils font leur estat d'estimation, le moyen qu'il pratiquent à ceste fin est d'establir un si bon ordinaire qu'il puisse supporter l'abbord de la maison. Par ceste voye leur ordre n'est jamais troublé. Au lieu que s'ils font leur estat trop méchanique, ils sont tous les jours contraints de l'augmenter et ne peuvent plus garder aucun ordre ».

XIII

Touchant la réunion des domaines et droictz engagez

Or d'aultant que ce n'est rien de régler la despense si on ne trouve la recepte pour la supporter, et qu'il est impossible de fonder tousjours celle de l'Estat sur de moyens extraordinaires, S.M. désire qu'après que l'Assemblée aura arresté les despenses qu'elle cognoistra estre du tout nécessaires, elle advise à trouver du fonds suffisant pour retirer en peu d'années assez de ses domaines et droictz engagés pour soubstenir la despense du royaulme, selon qu'elle aura esté réglée, en deschargeant le peuple de trois millions de taille en cinq ans, suivant ce que S.M. a fait ceste année (t).

(t) En marge de la minute : « Ces deux derniers articles sont ceux dont l'exécution se trouvera plus difficile, bien qu'elle soit du tout nécessaire. Cependant, il est vray qu'il est impossible de diminuer les tailles, comme Sa Majesté le veut faire, de trois millions en six (sic) années, si d'autre part on n'augmente le revenu du Roy. On ne peut l'augmenter innocemment que par le rachapt de ses domaines, qui ne se peut faire en peu de temps sans un fonds notable. Il est fort aysé de l'entreprendre en beaucoup d'années sans argent, mais les propositions qu'on fera sur ce sujet auront aussy peu d'effet d'effort comme les apparences en seront spécieuses au jugement de quelques-uns. Les François ne demeurent pas sy longtemps en un mesme dessein. « Ainsy qu'il faut quelquefois scigner les corps les plus abbattus, et qui ont desjà perdu beaucoup de sang pour leur rendre la santé, ainsy est-il impossible de restablir tout à fait cet Estat et le rendre riche pour jamais si par un nouvel effort on ne tire encore une fois un fonds extraordinaire qui en engendre un autre qui soit ordinaire et qui dure tousjours.

« Je sçay bien que toutes fois et quantes qu'on veut avoir de l'argent on tient ce langage. Vous dirés peut-estre qu'ainsy que les maladies dont on meurt et celles dont on réchappe commencent de la mesme façon, ainsy les paroles qui sont suivies d'effets et celles qui ne le sont pas sont semblables. J'adjousteray que la différence n'en est cogneue certainement que par l'événement ; *mais je n'oublieray pas aussy qu'on peut la préjuger avec certitude morale* par la probité de ceux qui les mettent en avant, et la seureté que leurs actions passées donnent lieu de prendre en leurs paroles. *C'est le Roy qui* vous asseure qu'il ne désire aucun fonds extraordinaire que pour augmenter son revenu par le rachapt de son domaine, et ainsy se mettre en estat de n'avoir plus besoin de nouveau fonds à l'advenir. Sa Majesté vous permet de penser à toutes les précautions nécessaires pour que le fonds qui sera destiné à ceste fin ne puisse estre diverty. Elle commande à ceux qui ont l'honneur de la servir en ses conseils de tenir religieusement la main à l'exécution de ses volontez sur ce sujet. *Ensuitte de ce commandement, ils ne craignent point de s'y engager de parolle.* Il y a beaucoup d'honneur à faire réussir un si glorieux dessein, et on ne peut sans mortification, pour ne dire pas honte, l'entreprendre pour ne le faire pas.

« Ces considérations sont, à mon advis, de très-bonnes cautions, du succez de ceste entreprise, ce sont des motifs fort puissans, particulièrement pour ceux qui estiment plus une once de gloire méritée par quelque signalée action que tous les biens du monde.

« Si vous pouvez trouver quelque invention de descharger le peuple et d'augmenter le revenu de l'Estat sans un fonds extraordinaire, ou si vous estimez à propos de laisser les affaires ainsy qu'elles sont, on ne demande rien ; mais si le premier est impossible, et que le second ne se doive pas, c'est à vous de chercher des moyens proportionnés aux fins que vous jugerez nécessaires au bien de ce royaume. Si vous en trouvez bon pour le restablir, *Le Roy vous permet de vous plaindre* au ciel et à la terre si on ne les fait valoir selon la plus haute estime de leur prix. Ce qu'on a fait par le passé vous doit faire croire qu'on ne fera pas moings à l'advenir.

« Les hommes convertissent bien souvent beaucoup en peu et mesme en rien ; de peu, il leur est aysé de faire quelque chose, mais de rien, produire un grand effet comme celuy qu'on projette pour la restauration de cet Estat, il n'est pas en leur puissance, il n'appartient qu'à Dieu. »

Les membres de phrases en italiques sont de la main de Richelieu.

XIV

Touchant les finances

I. — Le désordre que cause le desréglement abus des finances du Roy est un des plus grands maux dont l'Estat puisse estre affligé, et auquel il est aussy nécessaire de pourveoir. Pour cet effet, comme l'intention du Roy est de traitter favorablement ses officiers de finances qui s'acquitteront avec fidèlité et intégrité du debvoir de leurs charges, aussy S.M. désire-t-elle, pour arrester le cours des désordres du passé, de faire punir ceux qui y commettront des abuz, selon la rigueur des ordonnances. C'est pourquoy l'on demande s'il n'est pas à propos de renouveler les ordonnances faites pour le péculat et malversations des finances.

II. — Faire un bon réglement pour l'administration des charges des finances ; qu'il ne soit fait aucune despense par les comptables ny employée aux comptes qu'elle ne soit ordonnée par S.M. et arrestée en son conseil par ses estatz pour quelque cause que ce soit, et quelque justice et raison que l'on puisse alléguer, à peine de répétittion du double contre toutes les parties prenantes, et contre le trésorier et comptable qui en aura fait la despense, sans espérance d'aucune remise.

III. — Que nul financier comptable ni leurs commis ne puissent mettre par soy ou par autre aucun argent à change, prendre ny bailler lettres d'eschange, à peine de conviction de péculat.

IV. — Les gages, taxations, ports, voitures et autres droits de tous les comptables seront réglez, et ceux qui se trouveront employez soubs leurs noms qui ne leur sont point attribuez par ecdit, déclarations ou lettres patentes vériffiées, ou moyennant finance, seront restituez par ceux avec cognoissance de cause.

V. — Que la preuve du péculat sera receue par tesmoins nonobstant la grandeur des sommes. Que deux tesmoins singuliers de faits différens vaudront autant qu'un tesmoin entier.

VI. — Pour raison de quoi il a esté proposé à S.M. d'establir une chambre composée de ses cours souveraines, tenant continuellement mais changeant annuellement à la forme de celle de l'escdit, pour juger des crimes de cette nature, et s'assembler à toutes les occasions qu'il y en aura, avec attribution des gaiges et appointemens tels que S.M. jugera raisonnable, et que mérite et leur peine et le bien que tout l'Estat doit espérer et attendre de leur travail — L'assemblée examinera ces propositions et en donnera advis à S.M., y adjoustant, en outre, ce qui sera jugé raisonnable pour arrester le cours des grands maux qui proviennent de ce désordre.

XV

Sur le fait de la Marine et du Commerce

Sy le Roy doibt souffrir les injures, violences et déprédations qui sont tous les jours faictes à ses subjectz par les estrangers, ou si pour s'en garantir il ne doibt pas entretenir perpétuellement à l'advenir une flotte telle qu'elle paroist par l'estat qui en est présenté.

S'il faut souffrir ces grandz impotz que les estrangers mettent sur nos marchandises qui entrent en leurs Estatz et sur celles qui en sortent pour venir à nous, laissant les entrées et sorties de nos denrées telles qu'elles sont ; ou s'il faut les rehausser à proportion de ce que les estrangers nous font payer, puisqu'il n'y aura qu'eux qui portent cette augmentation nécessaire pour empescher que nos voysins ne violent impunément les traitez faictz avec nous.

S'il n'est pas utile et nécessaire d'establir de fortes compagnies dans ce royaume pour le fait du commerce, en leur donnant des privilèges et advantages à l'exemple des autres Estats.

XVI

Sur le réglement des grandes choses de l'Estat

Le Roy ayant, pour le soulagement de ses subjets, et le maintien de son authorité, esteint et supprimé les charges de connestable et admiral de France, Sa Majesté désire que l'Assemblée luy donne advis sur les autres grandes charges qui subsistent en cest Estat pour sçavoir jusques à quel poinct on en doit modérer les fonctions et la puissance. — On demande si le Roy ne doit pas pourvoir doresnavant à toutes les charges qui sont subalternes à ces premières, et s'il n'est pas à propos et nécessaire que ceux qui les possèdent ne puissent à l'advenir faire compter à la Chambre des Comptes que sur l'estat qui aura esté arresté au Conseil du Roy (u).

(u) Cet article ne figure que sur certaines copies. Sur la minute, il n'a pas été raturé, mais on y voit une barre marginale qui semblerait en indiquer la suppression. En marge, a été portée cette annotation : « L'examen des fonctions des charges fera cognoistre à la compagnie le tempérament qu'il y faut apporter ».

OUVRAGES CITES OU UTILISES DANS L'INTRODUCTION ET LES NOTES

ANSELME DE SAINTE-MARIE (Le Père —), Histoire généalogique et chronologique de la Maison royale de France et des grands officiers de la couronne, éd. de 1726-1733, Paris, 9 vol. in f° ; et Pol Potier de Courcy, t. X, XI & X, Paris, 1873-1881, 3 vol., in-f°.

ARNAULD DE LA MÉNARDIÈRE (Camille), Essai sur Michel de Marillac, garde des sceaux de Louis XIII, Poitiers, 1857, in-8°.

AUBERY (Antoine), Histoire du Cardinal duc de Richelieu, Paris, 1660, 2 vol. in-f° ; éd. de 1667, Cologne, 5 vol. pet. in-12.

— Mémoires pour l'histoire du Cardinal duc de Richelieu, Paris, 1660, 2 vol. in-f°.

AUMALE (Duc d'), Histoire des princes de Condé pendant les XVIe et XVIIe siècles, Paris, 1863-1896, 8 vol. in-8°.

AVENEL (Louis-Martial), Lettres, Instructions diplomatiques et Papiers d'Etat du cardinal de Richelieu, Paris, 1853-77. 8 vol. in-4°.

BASCHET (Armand), Histoire du Dépôt des Archives des Affaires étrangères, Paris, 1875, in-8°.

— Mémoire d'Armand du Plessis de Richelieu, évêque de Luçon, écrit de sa main l'année 1607 ou 1610. Paris, 1880.

BATIFFOL (Louis), La duchesse de Chevreuse, Paris, 1913, rééd. 1945.

— , Richelieu et le roi Louis XIII, Paris, 1934.

BAUDIER (Michel), Histoire du Maréchal de Toiras, Paris, 1664, deux parties en un vol. in-f° ; 1666, 2 vol. in-12.

BEAUCHAMP (Comte de), Louis XIII d'après sa correspondance avec Richelieu, Paris, 1909, g^d^ in-8°.

BÉRULLE (Pierre de), Correspondance du Cardinal Pierre de Bérulle édit. par Jean Dagens, Paris et Louvain, 1936-1939, 3 vol.

BOISROBERT (François Le Metel de), Epitres en vers, édit. par Maurice Cauchie, Paris, 1921, 2 vol.

BONDOIS (Paul-M.), Le Maréchal de Bassompierre, Paris, 1925.

BOITEUX (C.-A.), Richelieu grand maître de la Navigation et du Commerce de France, Paris, 1955.

BOUILLÉ (René de), Histoire des ducs de Guise, Paris, 1849, 4 vol.

BRAUDEL (Fernand), La Méditerranée et le monde méditerranéen à l'époque de Philippe II, 2 vol., Paris, 1946 ; 2e éd., 1966.

BRISSAC (Le duc de), Les Brissac, Paris, 1952.

— , Les Brissac et l'Histoire, Paris, 1973.

BURCKHARDT (Carl-J.), Richelieu (trad. de l'allemand par Henri Coursier), Paris, 1970-1971, 2 vol. : t. I, La prise du pouvoir.

CAILLEMER (Exupère), Etude sur Michel de Marillac, Caen, 1862, in-8°.

CHABOT (Comte de), Une cour huguenote en Bas-Poitou : Catherine de Parthenay, duchesse de Rohan, Paris, 1904.

CHERUEL (Adolphe), Dictionnaire historique des Institutions, Mœurs et Coutumes de la France, Paris, 1855, 2 vol. in-8°.

COURCEL (Jean-Baptiste-Pierre-Julien, dit le chevalier de), Dictionnaire universel de la Noblesse de France, Paris, 1820, 1821, 5 vol., in-8°.

DELAVAUD (Louis), Quelques collaborateurs du cardinal de Richelieu, dans rapports et Notices sur l'édition des Mémoires du cardinal de Richelieu, t. II, p. 45 sq.

DELOCHE (Maximin), La maison du cardinal de Richelieu, Paris, 1912, in-4°.
— , Les Richelieu : le cardinal Alphonse de Richelieu, Paris, 1936, in-4°.

DESBOIS (Jean), Biographie du cardinal de La Rochefoucauld, pub. par le comte Gabriel de La Rochefoucauld, Paris, s.d. ; (1924), in-16.

DESJONQUIÈRES (Léon), Le garde des sceaux Michel de Marillac et son œuvre législative (thèse de droit), Paris, 1908, in-8°.

DÉSORMEAUX (Joseph-L.), Histoire de la famille de Montmorency, Paris, 1764, 5 vol. in-12.

DETHAN (Georges), Gaston d'Orléans, conspirateur et prince charmant Paris, 1959.

DUCROS (Simon), Histoire de la vie de Henry, dernier duc de Montmorency, Paris, 1643, in-8°, 2e édit., 1665.

DUFAYARD (Charles), Le connétable de Lesdiguières, Paris, 1892, in-8°.

DUGAST-MATIFEUX (Charles), « Le commerce honorable et son auteur », Nantes, 1854, in-8°.

EVERAT (Edouard), Etude historique, juridique et littéraire sur Michel de Marillac, Riom, 1894, gd in-8°.

FAGNIEZ (Gustave), Le Père Joseph et Richelieu, Paris, 1899, 2 vol., in-8°.
— , Fancan et Richelieu, Paris, 1911, in-8°.

FERET (Chanoine Pierre), Le cardinal Duperron, orateur, controversiste..., étude historique et critique, Paris, 1877, in-8°.

GAIGNARD (Abbé J.-François), Mgr Cospéan, évêque de Nantes, Nantes, 1876, in-8°.

GIRARD (Guillaume), Histoire de la vie du duc d'Epernon, divisée en trois parties, Paris, 1655, in-f° ; 1663, 3 vol. in-12 ; 1730, 4 vol. in-12.

GRIFFET (Le Père Henri), Histoire du règne de Louis XIII, Paris, 1758, 3 vol. in-4°.

GRISELLE (Chanoine Eugène), Louis XIII et Richelieu, Paris, 1911, in-8°.
— , La Maison de la Grande Mademoiselle et de Gaston d'Orléans, son père, Paris, 1912, in-8°.
— , Etat de la Maison du roi Louis XIII, de celles de sa mère..., de ses sœurs..., de sa femme..., de ses fils, le Dauphin et Philippe d'Orléans, comprenant les années 1601 à 1655, Paris, 1912, in-8°.
— Supplément à la Maison du roi Louis XIII, Paris, 1912, in-8°.
— , Ecurie, Vènerie, Fauconnerie et Louveterie du roi Louis XIII, Paris, 1912, in-8°.
— , Lettres de la main de Louis XIII, Paris 1914, in-8°.

HANOTAUX (Gabriel), Histoire du cardinal de Richelieu, Paris, 6 vol. in-8°, 1893-1947 :
I (1893), II (1896), à partir du t. III (1933) en collaboration avec le duc de La Force.

HOUSSAYE (Abbé Michel), Le Père de Bérulle et l'Oratoire de Jésus, Paris, 1874, in-8°.
— , Le cardinal de Bérulle et le Cardinal de Richelieu, Paris, 1875, in-8°.

HOZIER (Louis-Pierre d'), Armorial, général ou Registres de la Noblesse de France, 1re éd. Paris, 1738-1768 (six registres divisés en dix vol. in-f°) ; impression en fac-similé, Paris 1863-1905 ; réimp. en douze vol. in-f°, 1969.

ISAMBERT (François), Recueil général des anciennes lois françaises, depuis l'an 420 jusqu'à la Révolution de 1789, Paris, 1821-1833, 29 vol. in-8°.

JAL (Auguste), Glossaire nautique, répertoire polyglotte des termes de marine anciens et modernes, Paris, 1848, in-8°.
— , Dictionnaire critique de Biographie et d'Histoire, Paris, 1687, gd in-8° ; 2e éd. 1872.

LA BORDE (Jean-Benjamin de), Pièces du procès de Henri de Tallerand comte de Chalais, Paris, 1781, in-8°.

LA CAILLE (Georges), Lettres inédites de Louis XIII à Richelieu, Paris, 1901, in-8°.

LA CHESNAYE DES BOIS (François-Alexandre AUBERT de), Dictionnaire de la Noblesse, 1re éd., Paris, 1770-1786, 15 vol. in-4° ; 3e éd., 1863-1876, 19 vol. in-4°.

LA FORCE (Le duc de), Le maréchal de La Force, un serviteur de sept rois, Paris, 1950, 2 vol. in-8°.

LA FORCE (Le maréchal de), Mémoires, Paris, 1843-1866, 4 vol. in-8°.

LAINE (P.-Louis), Dictionnaire véridique des origines des maisons nobles, Paris, 1818-1819, 2 vol. in-8°.

LAIR (Jules), Rapport de M. J. Lair, dans Rapports et Notices..., t. I, pp. 67-88.

LA PLACE (Pierre-Antoine de), Pièces intéressantes et peu connues pour servir à l'histoire de la littérature, Bruxelles et Paris, 1781-1790, 8 vol., in-4°.

LA RONCIÈRE (Charles de), Histoire de la Marine française, Paris, 1920-1932, vol. in-8°, tome IV.

LAVOLLÉE (Robert), Le « Secrétaire des Mémoires » de Richelieu, dans Rapports et Notices..., t. I, Paris, 1904.
— , La véritable écriture du cardinal de Richelieu et celles de ses principaux secrétaires, dans Rapport et Notices..., t. II, 1905.

LECESTRE (Léon), Les inventaires des papiers de Richelieu, dans Rapports et Notices..., t. I, 1904.

LESDIGUIÈRES (Le connétable de), Actes et Correspondance, éd. par L.A. Douglas et J. Roman, Paris, 1878-1884, 3 vol. in-4°.

MOLIEN (Le Père Auguste), Le Cardinal de Bérulle, Paris, 1947, 2 vol. in-16.

MONGREDIEN (Georges), Etude sur la vie et l'œuvre de Vauquelin des Yveteaux, Paris, 1921, in-8°.
— , Le bourreau du cardinal de Richelieu, Isaac de Laffemas, Paris, 1929, in-8°.

MORERI (Louis), Grand dictionnaire historique, édit. de 1758, 10 vol., in-f°.

MOUSNIER (Roland), Le Conseil du Roi de la mort de Henri IV au gouvernement personnel de Louis XIV, Paris, 1947, in-8°.
— , Les règlements du Conseil du Roi, dans *Annuaire*-Bulletin de la S.H.F., 1948.
— , Lettres et Mémoires adressés au chancelier Séguier, 2 vol., in-8°, Paris, 1964.
— , Notes sur la thèse principale d'histoire, dans Rev. hist., t. CCXXXIV (1965).

MOUTON (Léon), Un demi-roi : le duc d'Epernon, Paris, 1922, in-8°.
— , Le duc et le roi, Paris, 1924, in-16.

NOAILLES (Amblard-Marie, vicomte de), Episodes de la Guerre de Trente ans, Paris, 1906, 3 vol. in-8 : t. I, Le Cardinal de La Valette, lieutenant-général des armées du roi.

NOURRISSON ((Jean-Félix), Le cardinal de Bérulle, Paris, 1856, in-16.

PERRAULT (Charles), Des hommes illustres qui ont paru en France pendant ce siècle, Paris, 1696-1700, 2 tomes en un vol. in-f°.

PETIT (Jeanne), L'Assemblée des Notables de 1626-1627, Paris, 1936, in-8°.

RANUM (Orest A.), Richelieu and the Councillors of Louis XIII, a study of the secretaries of state and superintendants of Finances, 1635-1642, Oxford, 1963. Edit. franç. : Les Créatures de Richelieu, trad. de Madame S. Guénée, Paris, 1966, in-8°.

Rapports et Notices sur l'édition des Mémoires du Cardinal de Richelieu, 3 vol. in-8° : I (1905-1907), II (1907), III (1922).

Recueil de diverses pièces pour servir à l'histoire, 1639.

RICHELIEU (Armand-Jean du Plessis, cardinal de), Mémoires : éd. Petitot, Paris, 1823, 10 vol. in-8°, t. XXI bis à XXX de la Col. des Mémoires relatifs à l'Histoire de France ; édit. Michaud et Poujoulat, Paris, 1836-1839, 3 vol. in-8°, Nouvelle collect. de Mémoires, 2e série, t. 7, 8 & 9 ; édit. de la S.H.F. Paris, 1908-1931, 10 vol. in-8°.

— Testament politique, éd. L. André, 7e éd., Paris, 1947.

— Maximes et Papiers d'Etat, édit. par G. Hanotaux, Paris, 1880.

RITTER (Raymond), La Maison de Gramont, 1040-1967, « Les amis du Musée pyrénéen » (Lourdes), 2 vol. in-8°, 1968 : t. I (1040-1529) en collaboration avec Jean de Jaurgain, t. II (1529-1967).

ROMIER (Lucien), Le royaume de Catherine de Médicis, Paris, 1922, 2 vol., in-8°.

ROUVIER (Pierre), De vita et rebus gestis Francisci de La Rochefoucauld libri tres, Paris, 1645, in-8°.

SOURDIS (Le cardinal de), Correspondance, 3 vol. Paris, 1839, in-4°.

SUTCLIFFE (F.E.), Guez de Balzac et son temps, Paris, 1959.

TALLEMENT DES RÉAUX (Gédéon), Historiettes, éd. Antoine Adam, Paris, 2 vol., 1960-1961.

TAPIE (Victor-L.), La France de Louis XIII et de Richelieu, Paris, 1952, 2e éd. 1967.

TIHAY (Abbé Victor-Emmanuel), Le maréchal de Marillac, gouverneur de Verdun, Paris, 1863, in-8°.

TILLET (Jean du, Recueil des Roys de France, leur couronne et maison, ensemble le rang des grands du royaume, Paris, 1580, réédit. 1602 et 1607.

TOPIN (Marius), Louis XIII et Richelieu, Paris, 1875 in-8°.

URBAIN (Abbé Charles), Nicolas Coëffetau, dominicain, évêque de Marseille..., 1574-1623, thèse de lettres, Paris, 1893, in-8°.

VAUNOIS (Louis), Vie de Louis XIII, Paris, 1936, in-8°, 2e éd. 1944.

VAUX DE FOLLETIER (François de), Le Siège de La Rochelle, Paris, 1931, in-16.

VIDEL (Louis), Vie du mareschal de Lesdiguières, 1638.

WADDINGTON (Albert), Une intrigue secrète sous Louis XIII : Visées de Richelieu sur la principauté d'Orange, 1625-1630, Nogent-le-Rotrou, s.d. (1895).

ZELLER (Berthold), Marie de Médicis, Richelieu ministre, Paris, 1899, in-8°.

INDEX DES CORRESPONDANTS DU CARDINAL DE RICHELIEU

Note : Les chiffres renvoient aux numéros des pièces.
Les chiffres gras indiquent que la pièce émane de Richelieu ou de son cabinet.

INDEX ALPHABETIQUE DES MATIERES

INTRODUCTION

DOCUMENTS

TABLE DES MATIERES

ANNEE 1624

ANNEE 1625

ANNEE 1626

Achevé d'imprimer
le 11 Mars 1975
sur les Presses
de l'Imprimerie BOSC Frères
42, quai Gailleton
69002 LYON

Dépôt légal n° 6041 - 1er trimestre 1975